저자 약력

신경희

선문대학교 통합의학대학원, 선문대학교 대학원 통합의학과, 서울불교대학원대학교 심신통합치유학과 등에서 통합의학, 심신의학, 스트레스의학, 정신신경면역학 관련 강의와 연구를 해왔다. 한국연구재단 연구교수로서 라이프스타일의학의 국내 보급을 위한 연구를 진행하고 있다.

병리학, 심리학, 유전공학, 통합치유학을 두루 전공하고, 생명공학 및 제약 관련 기업에서 오랫동안 연구와 학술 업무를 한 경험을 기초로, 자연과학과 인문과학을 깊이 있게 아우르는 전일적 치유 과학의 원리와 실제를 강의와 집필 활동을 통해 전하고 있다.

〈저서 및 역서〉
- 정신신경면역학 개론(2018)
- 스트레스, 건강, 행동의학(2018)
- 스트레스 핸드북(2017)
- 통합스트레스의학(2016)
- 삶을 만점으로 만드는 스트레스 관리(2015)
- 스트레스의 통합치유(2013)
- 스트레스와 건강(2012)

Contents

미래 의학이 돌아온다

라이프 스타일 의학

신경희 저

Lifestyle Medicine

이 저서는 2020년 대한민국 교육부와 한국연구재단의 지원을 받아 수행된 연구임 (NRF-2020S1A5B5A16082139)

라이프스타일의학

-미래 의학이 돌아온다

첫 째 판 1쇄 인쇄 | 2022년 11월 10일
첫 째 판 1쇄 발행 | 2022년 11월 20일

지 은 이   신경희
발 행 인   장주연
출 판 기 획   한인수
책 임 편 집   구경민
표지디자인   이종원
편집디자인   이종원
발 행 처   군자출판사
　　　　　등록 제4-139호(1991.6.24)
　　　　　(10881) 파주출판단지 경기도 파주시 회동길 338(서패동 474-1)
　　　　　전화 (031)943-1888 팩스 (031)955-9545
　　　　　www.koonja.co.kr

ISBN 979-11-5955-933-4

정가 35,000원

그림

표

글상자

서문

만성질환을 21세기의 질병이라 한다. 우리나라 국민의 사망원인 중 80% 이상이 만성질환이다. 기대수명이 80세를 훌쩍 넘어섰지만 건강수명은 그보다 10년 이상 짧은데, 건강수명을 단축시키는 원인 또한 만성질환이다. 대부분의 만성질환은 불건강한 라이프스타일로 인한 심신의 손상이 서서히 축적되어 나타나므로, 수명이 길어질수록 만성질환은 증가한다. 이는 개인의 고통을 넘어 가족의 삶까지 손상시키고 사회적 병리, 국가 보건의료시스템의 위기로까지 이어지고 있다.

우리나라를 포함한 주요 국가들에서는 만성질환에 지출되는 의료비가 전체 의료비의 75%를 차지한다. 1974년 캐나다의 보건부 장관이던 마크 라론드(Marc Lalonde)는 건강을 결정하는 요인들 가운데 라이프스타일과 환경이 가장 중요하다는 보고서를 발표하여 전 세계 보건의료정책이 방향 전환을 하는 데 큰 영향을 미쳤다. 그러나 라론드의 보고서가 발표되고 50여 년이 지나는 동안, 현대인의 라이프스타일은 인류 역사의 그 어느 때보다도 질병-친화적으로 바뀌었고, 환경은 인류의 지속가능성까지 위협할 정도로 심각히 훼손되고 있다. 대부분의 만성질환이 불건강한 라이프스타일의 결과라는 말은 대부분의 만성질환은 예방이 가능하다는 말과 같은 것이다. 건강한 식단, 신체활동, 금연, 적당한 음주 등 단지 네 가지 라이프스타일을 실천하는 것만으로도 80% 이상의 만성질환을 예방할 수 있다. 암도 마찬가지다. 90% 이상의 암이 불건강한 라이프스타일에 의해 발생하는 것이므로 라이프스타일 개선을 통해 예방이 가능하다.

라이프스타일의학은 단지 질병을 예방하는 데 집중하는 의학이 아니다. 질병의 예방, 치료, 관리 모두에서 라이프스타일을 주요 방식으로 이용하는 것이 라이프스타일의학이다. 즉, 질병 치료에 있어서도 라이프스타일이 중심이고 약물이나 수술은 부수적인 것이다. 이 모든 것은 철저히 근거-중심의 과학에 기초한 것이다. 많은 연구에서 기존의 약물치료보다 라이프스타일이 훨씬 강력한 치료 효과를 발휘한다는 것이 확인되고, 라이프스타일만이 유일하게 질병을 역전시킬 수 있는 치료법인 것으로 확인되었다.

라이프스타일 프로그램에 참여하는 사람들이 경험하는 만족감, 자긍심, 삶의 질 향상은 기존의 의학적 치료에서 기대할 수 없었던 괄목할 변화인데, 이것은 건강한 라이프스타일 실천은 자발적 유지가 가능하고 결과적으로 장기적인 효과를 기대할 수 있음을 의미한다. 무엇보다도 라이프스타일 치료가 기존 치료 방식과 비교할 수 없을 정도로 저렴하다는 점은 라이프스타일의학이 혁신적이고 지속 가능한 헬스케어의 기반이라 불리는 이유다. 미국에서는 이미 라이프스타일 프로그램이 메디케어(Medicare)나 민간 보험회사에서 보험금을 지급해 주는 치료 방식이 되었다. 이것은 라이프스타일의학이 주류 의학(mainstream medicine)으로 들어섰다는 것을 뜻한다.

라이프스타일의학은 라이프스타일이라는 용어로 통칭되는 삶의 다양한 영역들을 보살피는 의학이므로 특정 분야의 전문가에 의해 단독으로 시행되는 것이 아니라 다양한 전문가 집단의 협력에 의해 구현된다는 점에서 기존의 의학과는 다르다. 특히 비의료인 건강 전문가들의 역할은 매우 중요하다. 이미 질병이 발생한 환자에게는 의학적 치료가 이루어지는 곳에서 라이프스타일 중재가 함께 이루어져야 하지만, 환자가 아닌 사람들의 질병 예방과 건강증진을 위해서는 삶의 여러 현장에서 라이프스타일의학에 접근할 수 있는 기회가 마련되어야 하기 때문이다. 사람들이 심신의 건강을 증진하거나 보다 충만한 삶을 살기 위해 찾는 운동, 상담, 치유의 현장이 바로 그러한 곳이다. 따라서 이 책은 다양한 분야에서 활동하고 있는 의료인 및 비의료인 건강 전문가들이 라이프스타일의학을 통해 각자의 역할을 재구성하고 필요한 지식과 기술을 확보할 수 있도록 하기 위해 쓰였다.

라이프스타일의학 전문가의 역할은 자신이 가진 치료 지식과 기술을 참여자(환자)의 것으로 전환시키는 것이다. 기존 의학에서는 의사가 치료를 주도하고 환자의 역할은 수동적인 것이었지만 라이프스타일의학에서는 절대적으로 환자가 행동의 주체가 되어야 한다. 따라서 라이프스타일의학의 지식과 기술은 전문가 집단만의 것이 아니라 궁극적으로는 모든 사람들의 건강 소양(health literacy)이며 삶의 기술이다. 로마의 셀수스(Celsus)가 쓴 『의술론』이나 허준의 『동의보감』이 그러했듯이, 이 책 또한 라이프스타일의학 전문가를 위한 의서인 동시에 일반인을 위한 양생서다. 라이프스타일의학 전문가에게는 약물 처방이나 수술보다 참여자에게 왜, 어떻게 라이프스타일을 바꾸어야 하는지 교육하고, 상담하고, 코칭하고, 동기 부여하고, 지지하는 것이 더 중요한 의학 기술이 된다.

아직 우리나라에서는 라이프스타일의학이 생소한 영역이고, 학문적 체계도 수립되지 않은 상태다. 일부에서는 라이프스타일의학이 생활습관의학으로 번역되어 소개되고 있지만, 생활습관이라는 단어는 우리의 시야와 관심을 심각하게 제한한다. 라이프스타일은 생활습관이 아니라 사람이 세상과 소통하고 관계 맺는 방식이다. 생활습관병이라는 용어도 의미상의 한계와 이 용어가 극복할 수 없는 선입견으로 인해 만성질환이라는 용어로 대체되고 있다. 따라서 이 책에서는 이미 국어사전에도 등재된 일상어인 라이프스타일이라는 외래어를 그대로 사용하여 라이프스타일의학의 본래 의미와 철학을 온전히 전달하고자 했다.

이 책은 저자가 한국연구재단의 연구 과제를 수행하면서 산출한 결과물들과 대학원의 박사, 석사 과정에서 강의해 온 내용들을 정리한 것이다. 매 학기마다 많은 외서와 해외 논문을 교재로 하여 강의를 하면서 국문 교재 출간이 무엇보다도 시급함을 느꼈다. 특히 라이프스타일의학 연구에서 광대한 지식과 영감의 원천인 동서양 전통의학과 우리 사회가 가지고 있는 치유 문화 자본에 대한 관심을 촉구할 필요성이 매우 컸다.

아직 부족한 부분들은 독자들과 함께 고민하기로 하면서 아쉬운 원고 작업을 마무리하고자 한다. 이 책을 통해 독자들이 라이프스타일의학의 이론과 기술뿐만 아니라 그 철학적, 윤리적 의미를 짚어가면서 우리 시대에 다시 세워야 할 가치들을 '건강'과 '치유'라는 이름으로 자신의 삶 속에서, 그리고 자신의 소명이 있는 치유의 장에서 회복하여 주기를 기원한다.

저자 신 경 희

2022. 11

PART 1

라이프스타일의학
혁명

현대인의 질병과 라이프스타일의학

라이프스타일의학(lifestyle medicine)은 질병의 예방, 치료, 관리 및 건강증진과 삶의 질(quality of life) 향상을 위해서 건강한 라이프스타일을 주된 중재(intervention) 방법으로 채택하는 근거-중심의 의학이다. 아직 우리나라에서는 생소한 분야지만, '지금은 라이프스타일의학 시대'라고도 하고 '라이프스타일의학은 헬스케어의 미래 물결'이라고도 한다.

"인생은 짧고 예술은 길다"라는 말은 서양의학의 아버지라 불리는 히포크라테스(Hippocrates)가 남긴 것이다. 의사였던 그가 왜 이런 말을 했을까? 사실 이 문장은 "Life is short, art is long"이라는 영어 문장의 오역이다. 원래 뜻은 "목숨은 짧지만 의술의 길은 길다"인데, 'art'를 기술(의술)이 아니라 예술로 잘못 번역하면서 그럴듯한 새 문장이 만들어진 것이다. 이 문장 외에도 히포크라테스의 잠언들은 꽤 많이 알려져 있다. 그중에서 유명한 것을 하나 더 꼽자면 "음식으로 못 고치는 병은 약으로도 못 고친다"를 들 수 있다. 그러나 이 문장 역시 그리스어 'διαιτήμασί'라는 단어가 영어 'diet'로 번역되면서 생긴 오해다. 이 단어의 본래 뜻은 음식이 아니라 'way of living', 'way of life'다. 히포크라테스는 삶의 방식, 즉 라이프스타일로 못 고치면 약으로도 못 고친다고 했던 것이다.

건강한 라이프스타일을 강조하는 것은 동서양 모든 전통의학의 공통점이다. 한의학(韓醫學)은 이도요병(以道療病), 미병치병(未病治病)의 양생의학(養生醫學)이고, 인도의 전통의학인 아유르베다(Ayurveda)는 '오리지널 라이프스타일의학'이라고까지 불린다. 히포크라테스 역시 좋은 음식, 적절한 운동, 자연과의 조화로운 삶 같은 건강한 라이프스타일을 주요 치료 수단으로 삼았다. 이러한 의학들은 모두 인간의 몸과 마음을 하나로 보고, 생명을 대우주 속의 소우주로 보는 전일적인 관점을 가지고 있었다. 몸의 질병이라도 원인이 마음에 있거나 자연과의 부조화에서 기인하는 것일 수 있으므로 몸 건강을 위해 마음 건강, 사회·문화적 환경 및 생태·물리적 환경과의 조화로운 삶을 강조했던 것이다.

하지만 17세기 과학혁명 이후 새로 시작된 서양의학, 곧 생의학(biomedicine)이 발달하는 과정에서, 소위 '과학적 근거'라는 요건에 부합하지 않는 의학 이론과 치유 방식들은 미개한 구식 유산으로 취급되었고, 마치 아기가 목욕물과 함께 버려지는 것처럼 그 안에 담겨있던 건강한 삶의 지혜와 기술도 모두 버려졌다. 그리고 의학은 병을 앓는 환자가 아닌 환자가 가진 병에 관심을 기울이고, 건강을 지키기보다는 질병을 치료하는 데 집중해 왔다.

톨스토이의 소설 『전쟁과 평화』 중에는 "의사들이 그를 치료하고 피를 뽑고 약을 주었음에도 그는 건강을 회복했다"라는 모순적인 문장이 있다. 의사의 치료는 병을 악화시킬 뿐이라고 냉소적으로 꼬집은 것이다. 톨스토이가 『전쟁과 평화』를 쓴 150년 전만 해도 의학적 치료의 성과는 보잘 것이 없었고, 이 문장에서 보듯이 사혈과 같은 히포크라테스 의학의 치료술이 여전히 사용되고 있었다. 하지만 지금의 의료는 상전벽해와 같이 달라졌고 현대 과학문명의 상징이 되었다. 2020년 8월에 러시아가 세계 최초로 개발했다고 발표한 코로나-19 백신이 '스푸트니크 V'로 명명된 이유도 여기에 있었다. 1960년대에 소련과 미국이 스푸트니크호와 아폴로호를 경쟁적으로 쏘아 올리며 우주개발에서 강대국의 패권을 다투었던 것처럼, 지금은 의학기술이 국가의 자존심이 걸린 과학기술의 상징이 된 것이다.

그런데 지금처럼 의학이 현대 과학문명의 표상이고, 바이오헬스케어 산업이 전 세계 경제 발전의 핵심 동력이 된 시대에, 왜 갑자기 오래전 의학들을 재소환하는 것처럼 보이는 라이프스타일의학이 헬스케어의 새 물결이 된 것일까?

1 라이프스타일의학이란 무엇인가

1 라이프스타일의학이란

> "미래의 의사는 환자에게 약을 주기보다 환자가 자신의 체질과 음식,
> 질병의 원인과 예방에 관심을 갖게 할 것이다."
> - 토마스 에디슨(Thomas Edison) -

"이 약으로 만성질환을 80%까지 예방할 수 있다. 다른 약으로는 그렇게 할 수 없다. 이 약은 저렴하고 치료비를 절감해 준다. 부작용이 있다면 좋은 부작용뿐이며 아이와 노인도 이용할 수 있다. 간단히 말해서, 이것은 우리가 가진 최고의 약이다." 미국라이프스타일의학회(American College of Lifestyle Medicine, ACLM) 회장을 지낸 데이비드 카츠(David Katz)가 말하는 이 약은 바로 라이프스타일(lifestyle)이다. 라이프스타일의학을 헬스케어의 미래 물결이라고 하지만, 라이프스타일의학은 이미 주류 의학(mainstream medicine)으로 들어섰다. 라이프스타일의학의 선구자 딘 오니시(Dean Ornish)는 지금은 라이프스타일의학의 시대라고 선언했다.

라이프스타일의학은 질병의 예방, 치료, 관리 및 건강증진과 삶의 질(quality of life) 향상을 위해 건강한 라이프스타일을 주된 중재(intervention) 방법으로 채택하는 근거-중심 의학(evidence-based medicine)으로 정의된다. 미국라이프스타일의학회에서는 구체적인 방법론까지 포함시켜서 '라이프스타일의학은 채식 기반의 식사, 규칙적인 신체활동, 충분한 수면, 스트레스 관리, 해로운 물질에 대한 의존의 중재 등을 포함하여, 과학적으로 검증된 비약물학적 방법을 통해서 불건강한 라이프스타일에서 비롯되는 만성질환을 예방, 관리, 치료하는 근거-중심 의학'이라고 정의하고 있다.

한편 라이프스타일의학을 '개인과 그 가족이 건강과 삶의 질을 향상시킬 수 있는 행동을 채택하고 유지하도록 돕는 근거-중심의 방식'으로 정의하여(Polak 등, 2015) 라이프스타일의학이 갖는 자기돌봄(셀프케어) 및 상호 돌봄이라는 특성과 함께, 질병 치료를 넘어 건강증진과 삶의 질 향상을 추구한다는 라이프스타일의학의 확장된 목표를 명확히 하기도 한다. 건강한 라이프스타일은 동서양 전통의학의 기본 양식이며, 이들은 현대 라이프스타일의학의 철학과 방법론

을 안내하는 귀중한 원천이다.

하지만 현대 라이프스타일의학은 과거의 양생의학으로 고스란히 회귀하는 것이 아니다. 라이프스타일의학은 현대의 과학적 연구를 통해 확립된 근거-중심, 증거-기반의 과학적 의학이기 때문이다. 라이프스타일의학은 21세기에 시작된 의학이다. 미국라이프스타일의학회, 유럽라이프스타일의학기구(European Lifestyle Medicine Organization, ELMO), 호주라이프스타일의학회(Australasian Society of Lifestyle Medicine, ASLM) 등의 전문가 기구가 설립되어 활발한 연구가 진행되고 있다.

❷ 라이프스타일의학의 성립 배경

"역사상 처음으로 너무 많이 먹어서 죽는 사람이 못 먹어서 죽는 사람보다 많고, 늙어서 죽는 사람이 감염병에 걸려 죽는 사람보다 많고 자살하는 사람이 군인, 테러범, 범죄자의 손에 죽는 사람보다 많다. 21세기 초를 살아가는 보통 사람들은 가뭄, 에볼라, 알카에다의 공격으로 죽기보다 맥도날드에서 폭식해서 죽을 확률이 훨씬 높다." 유발 하라리(Yuval Harari)의 『호모데우스』에서 인용한 이 문장은 라이프스타일의학이 왜 지금 보건의료계의 화두가 되고 있는지를 대변하고 있다.

현대에 만연한 질병의 대부분은 불건강한 라이프스타일의 영향이 축적되어 나타나는 만성질환이다. 만성질환을 21세기의 질병이라 말하는데, 정상적인 생리 기능이 서서히 쇠퇴하고 영구적 장애를 초래하여 장기간의 감독, 관찰, 간호 및 재활 치료가 요구되는 질환을 말한다. 고혈압, 이상지질혈증[1], 심장병, 당뇨병[2], 만성호흡기질환, 관절염, 골다공증 등 우리가 병원을 찾는 가장 흔한 이유가 만성질환이고 알츠하이머병, 우울증, 불안장애 같은 심리·행동적 질환도 모두 만성질환이다.

전 세계적으로 사망원인의 절반 이상이 만성질환이며, 산업화된 국가일수록 그 비율이 더 높다. 2016년 세계보건기구(World Health Organization, 이하 WHO)의 추정에 의하면 2000년부터 2012년까지 미국에서는 88%, 유럽에서는 86%가 만성질환으로 사망했다. 우리나라는 어떨까?

---

1) 이상지질혈증은 혈중 총콜레스테롤, LDL 콜레스테롤, 중성지방이 증가된 고지혈증과 HDL 콜레스테롤이 감소된 저 HDL 콜레스테롤 혈증 상태를 모두 가리킨다.

2) 이 책에서 당뇨병은 별도의 언급이 없는 경우 모두 2형 당뇨병을 가리킨다.

한국인 10명 중 8명은 심·뇌혈관질환(고혈압, 심장병, 뇌졸중 등), 당뇨병, 암 등 만성질환으로 인해 사망하고 있다. 2018년 질병관리본부가 발간한 「2018 만성질환 현황과 이슈」에 따르면, 2016년 우리나라의 사망원인 중 80.8%가 만성질환이었다. 이 가운데 심·뇌혈관질환, 당뇨병, 만성호흡기질환, 암 등 4대 만성질환으로 인한 사망이 전체 만성질환 사망의 70%, 총 사망의 57%를 차지했다.

만성질환은 왜 발생하는 것일까? 바로 불건강한 라이프스타일 때문이다. 1993년 『미국의학협회저널(The Journal of the American Medical Association, JAMA)』에는 미국인 사망원인의 80%는 흡연, 식습관, 운동, 음주라는 내용의 논문이 실렸다(McGinnia 등, 1993). 우리나라도 크게 다르지 않은데, 더 큰 문제는 이러한 불건강한 라이프스타일이 더 심화되고 있다는 것이다. 「2018 만성질환 현황과 이슈」에 의하면 신체활동, 식습관, 음주 같은 라이프스타일은 2007년 조사에 비해 개선되지 않고 있었다. 오히려 걷기 실천율의 경우에는 2007년에 45.7%이던 것이 39.6%로 감소했고, 에너지 과잉 섭취자는 12.5%에서 21.1%로 증가했으며, 고위험 음주율 역시 12.5%에서 13.8%로 증가했다. 국가적으로 금연에 대한 홍보와 치료에 기울이고 있는 노력을 고려할 때, 25.3%에서 23.9%로 감소한 흡연율 성적도 초라하기만 하다.

건강한 라이프스타일을 통해 충분히 예방할 수 있는 질병들이 증가하는 것도 안타까운 일이지만, 이미 만성질환이 발병한 환자들에 대한 치료마저도 거의 약물에 의존하여 증상만 조절하고 있을 뿐, 라이프스타일을 개선하려는 노력은 미미할 뿐이다. '만성질환은 평생 약을 먹어야 하는 병'이라든가, '완치가 불가능하고 평생 함께 살아야 하는 친구처럼 생각해야 하는 병'이라는 식의 그릇된 관념은 치료 기회를 심리적으로 봉쇄하기까지 한다.

우리는 150년 전만 해도 천연두, 홍역, 결핵, 페스트처럼 인류 역사 내내 두려움의 대상이었고 수많은 사람들을 젊은 나이에 사망케 했던 질병의 원인이 무엇인지 전혀 알지 못했다. 이들 감염병의 원인인 세균, 바이러스의 존재가 밝혀지고, 예방접종과 항생제 사용이 가능해진 지금, 이들은 더 이상 과거와 같은 두려움의 대상이 아니다. 하지만 감염병의 시대에 감염병의 원인을 몰랐던 것처럼 비감염성 질환, 즉 만성질환의 시대에는 만성질환의 원인을 깨닫지 못하고 있었다. 최근 들어서야 그 원인과 예방·치료법이 발견되었다. 바로 라이프스타일이다.

캐나다의 보건부장관이던 마크 라론드(Marc Lalonde)의 1974년 보고서는 20세기 후반 서구 국가들의 보건의료 정책에 커다란 변화를 가져왔다. 이 보고서에 따르면 건강을 결정하는 요인은 유전적 요인, 환경적 요인, 라이프스타일, 보건의료 조직의 네 가지로 설명될 수 있는데,

이 가운데 가장 중요한 요인이 라이프스타일이고 그 다음은 환경적 요인, 유전적 요인, 보건의료 조직의 순서로 이어진다(Lalonde, 1974). 그런데 라론드의 보고서가 발표되고 50여 년이 지나는 동안, 현대인의 라이프스타일은 인류 역사의 그 어느 때보다도 질병-친화적으로 바뀌었다. 환경 문제는 생태계의 지속가능성을 우려해야 할 만큼 절박해졌다. 50년 전에는 상점에서 물을 사서 마신다는 것을 상상할 수 없었지만, 지금은 도시의 상수도는 말할 것도 없고 농촌의 개울물조차 그대로 마시는 것이 불가능한 상황이다. 가정마다 정수기와 공기청정기는 필수이고 미세먼지 예보는 일기예보의 한 부분이 되었다. 농약, 살충제, 항생제 염려가 없는 농·축·수산물은 찾을 수 없고 미세 플라스틱에서 자유로운 바다는 더 이상 지구 어디에도 없어서 해산물조차 마음 놓고 먹을 수가 없다.

유전자가 우리의 운명을 결정하는 것이 아님이 확인되면서 생물학의 코페르니쿠스적 혁명이라 불리는 후성유전학(epigenetics)이 새로 등장하기도 했지만, 지난 50년은 유전자 결정론(genetic determinism)이 대중의 마음 속에 더 깊이 뿌리내린 시간이었다. 한편에서는 의학의 발달이 무병장수라는 인류의 오랜 소망을 실현시켜 줄 것이라는 기대가 부추겨졌고, 그러는 동안 의료화(medicalization)와 의료 의존 현상이 심화되면서 스스로의 건강에 대한 권리와 책임을 자발적으로 포기하게 되었다. 그 결과가 곧 라이프스타일 관련 질환(lifestyle-related disease, 생활습관병), 즉 만성질환의 만연이다.

만성질환은 불건강한 라이프스타일의 영향이 축적되어 나타나는 것이므로 수명이 길어질수록 증가하게 되는데, 이것이 바로 고령화가 진행되면서 전 세계가 당면한 의료비 급증의 원인이다. 과거에는 성인병이라고도 불렸지만 어린 나이에도 발병하므로 성인병이라는 용어는 부적절해졌다. 어려서부터 물질적 풍요와 문명의 이기에 길들여지면서 이전 세대들보다 훨씬 이른 나이부터 불건강한 라이프스타일을 시작하게 되기 때문에 발병 연령도 낮아지는 것이다. 만성질환의 만연, 신종 감염병의 연이은 출몰, 급속한 인구 고령화로 인한 의료비 급증으로 인해 거의 모든 국가의 보건의료시스템은 시급히 새 패러다임과 돌파구가 찾아야 하는 상황으로 내몰리고 있다.

과거에는 '인생칠십고래희(人生七十古來稀)'라 했지만 지금은 기대수명(life expectancy)이 80세를 상회한다.[3] '자식 농사 반타작이면 다행'이라 할 정도로 영유아 사망률이 높았고 감염병으

---

[3] 2020년 우리나라 사람의 평균 기대수명(2020년 태어난 아이의 예상 수명)은 83.5세였다. 여성은 86.5세, 남성은 80.5세다. 이것은 2010년에 비해 각각 3년 정도 증가한 것이다.

로 인해 젊은 나이에 사망하는 사람도 많았지만 지금 영유아 사망률은 극적으로 낮아졌고, 항생제가 개발되어 인류를 괴롭혔던 수많은 감염병이 극복되었다. 1969년 미국 공중위생국장 윌리엄 스튜어트(William Stewart)는 "이제 대부분의 감염성 질병은 끝이 보인다"라고 했고, 1979년에는 오랜 시간 인류를 괴롭혀 온 대표적 감염병인 천연두(마마)가 지구상에서 완전히 사라졌다고 공포되었다. 하지만 얼마 지나지 않아 AIDS, 에볼라, 사스, 메르스, 코로나-19에 이르기까지 신종 감염병이 연이어 출몰하고 있다. 지난 세기 동안 본격적인 감소세에 접어들며 20세기 안에 사라질 것으로 예측되었던 결핵도 발병률이 증가세로 돌아서, 우리나라에서는 공익광고까지 실시하며 관리를 강화하고 있다. 하지만 더 큰 문제는 이런 감염성 질병(communicable disease)이 아니라 비감염성 질병(non-communicable disease, NCD), 곧 만성질환이다.

21세기가 시작되면서 질병의 패턴은 완전히 달라졌다. 1999년 「세계 건강 보고서(World Health Report)」는 "세계는 감염성 질병이 주된 사인이던 사회에서 심혈관질환이 주된 사인이 되는 사회로 전환되는 두 세기의 전환점에 서 있다"라고 선언했다. 변화는 매우 급격히 진행되었다. 미국 질병통제예방센터(Centers for Disease Control and Prevention, CDC) 자료에 따르면, 1990년의 미국인 주요 사망원인으로는 감염병이 53%로 압도적이고 그 뒤를 이은 것은 심장병 12%, 뇌혈관질환 10%였다. 암은 6%에 불과했고, 당뇨병과 알츠하이머병에 의한 사망은 1%에도 미치지 못했다. 하지만 불과 20년 후인 2010년에는 심장병과 암이 각각 33%, 32%로 1위와 2위를 차지했고 뇌혈관질환은 7%, 알츠하이머병과 당뇨병은 각각 4%를 차지했다. 감염성 질환은 3%로 급감했다. 이제 이러한 추세는 전 세계적인 현상이 되었다.

미국은 1971년 닉슨(Richard Nixon) 대통령 재임 당시, 달을 정복한 것처럼 암도 정복하겠다며 '암 정복 프로젝트(Cancer Moonshot Project)'를 시작했다. 20세기 안에 대부분의 암은 원인이 밝혀지고 완치도 가능할 것이라 낙관하고 그야말로 천문학적인 연구비를 투입했다. 그러나 40여 년 후인 2008년 『뉴스위크(Newsweek)』에는 "우리는 암과의 전쟁에서 패배했다"라는 제목의 기사가 실렸다. 3명 중 1명에서 암이 발생하고, 3~5명 중 1명이 암으로 사망하는 것이 현실이다.[4] 하지만 암 또한 금연, 음주 제한, 과일과 채소 섭취 증가, 육식 최소화, 칼로리 제한, 운동 등의 라이프스타일 개선을 통해 예방 가능한 질병이다(Anand 등, 2008).

신약과 신의료기술이 계속 개발되면서 의료비용이 큰 폭으로 증가하고 있지만, 일부 감염성

---

[4] 2018년 국가암등록통계(중앙암등록본부)에 따르면 기대수명까지 살 경우 암 발생 가능성은 남자 39.8%, 여자는 34.2%로 남녀 모두 3명 중 1명 이상에서 암이 발생하고 있다. 2018년 우리나라 사람의 사망원인 중 1위가 암이었는데, 전체 사망 중 26.5%를 차지하여 1/4 이상이 암으로 사망하는 것으로 확인되었다.

질환을 제외하면 대부분의 질병에 대해서는 아직도 만족할 만한 치료법이 없다. 오히려 점점 높아지는 의료비로 인해 그 혜택을 입는 사람의 비율은 감소하여, 최고의 의료기술을 자랑하는 선진국에서조차 의료의 부익부 빈익빈 현상이 나타나고 있다. 많은 사람들이 건강보험을 가지고 있지 않은 미국에서는 의료비용이 개인 파산의 주요 원인이다. 전 국민이 건강보험에 가입되어 있는 우리나라도 만성질환 관리에 소요되는 비용은 개인이나 국가가 감당할 수 없을 만큼 커지고 있다. 현재 대부분의 산업화된 국가에서는 만성질환에 지출되는 의료비가 전체 의료비의 75%를 차지하며, 의료비 상승률이 GDP(국내총생산) 상승률을 넘어선 국가들이 늘어나고 있다.

만성질환의 병리적 과정은 서로 연결되어 있다. 따라서 한 가지 만성질환을 진단받고 나면 이어서 다른 만성질환도 발생하게 된다. 노인 인구 중 약 80%가 한 가지 이상의 만성질환을 가지고 있고 77% 이상은 두 가지 이상의 만성질환을 가지고 있다. 그러다 보니 65세 이상의 의료비 비중이 젊은 층의 의료비에 비해 훨씬 높고, 전 생애 동안 지출하는 진료비의 절반 이상이 65세 이후에 지출된다. 대개 평생 동안 약물로 증상을 조절하고 있는 만성질환의 특성상, 그 치료비 부담은 수명이 증가할수록 커질 수밖에 없다.

2020년 6월 현재 우리나라 건강보험 적용 인구 중 65세 이상은 15%에 불과하지만 전체 의료비 가운데 43%가 이 15%의 노인 인구에 지출되고 있으며, 고령화가 진행되면서 그 비율이 가파르게 상승 중이다. 2020년에는 베이비 붐 세대가 65세 이상 노인 인구에 진입하기 시작했다.[5] 건강보험공단은 베이비 붐 세대가 모두 노인이 되는 2030년에는 노인 진료비가 약 93조 원에 달할 것으로 추산하고 있다. 이러한 상황에서 우리나라 국민의 기대수명이 OECD 국가 중에서도 상위를 차지한다는 뉴스가 마냥 반가울 수만은 없다.

상황을 자세히 들여다보면 더욱 우려스럽다. 신체상 장애나 활동의 장애 없이 사는 기간을 건강수명(health-adjusted life expectancy, HALE)이라 한다. 2008년에 한국인 기대수명이 80세를 넘어섰지만, 건강수명은 71세로 9년이나 차이가 있었다. 8년 뒤인 2016년 조사에서는 기대수명이 82.4세로 증가했지만 건강수명은 64.9세에 불과하여 그 차이가 무려 17.5년으로 두 배 가까이 벌어졌다. 인생의 20% 이상을 질병이나 장애로 고통을 받으면서 누군가의 도움에 의지하여, 혹은 병상에서 연명만 하는 시간을 보내게 되는 것이다. 이 기간 동안 발생하는 의료비도 개인적, 국가적으로 감당하기 힘든 부담이 되어 가고 있지만, 환자나 가족이 겪는 정신적 고통과 삶의 질 저하는 사회적 병리로까지 연결되고 있다.

---

5) 우리나라의 베이비 붐 세대는 1955년에서 1964년 사이에 출생한 사람이며, 약 900만 명에 이른다.

전 세계적으로 기대수명이 계속 증가하고 있음에도 불구하고, 미국에서는 2015년에 기대수명이 전년 대비 0.1세 감소했다. 그리고 그 다음 해에도 비슷한 일이 벌어졌다. 이유가 뭘까? 얄궂게 말하자면, '수명이 늘어난 대가를 수명으로 치른 것'이다. '꺾기'라는 금융권 용어가 있다. 은행에서 1억 원을 빌려주는 대신 10%인 1천만 원은 그 은행에 다시 예금하게 하는 식의 불법적인 거래 방식인데, 기대수명 증가 곡선에서도 일종의 꺾기 현상이 나타났던 것이다. 당시 기대수명 감소의 원인은 아편제 과용, 알츠하이머병, 자살로 조사되었는데, 아마도 고령화에 준비되지 않았던 개인적, 사회적 미숙함이 치른 대가가 '수명의 증가에 따른 수명의 감소'였을 것으로 추정된다.

건강수명이 64.9세라면 법적 노인(65세)이 되기 전에 건강수명이 끝난다는 것인데, 실제로 만성질환이 청년층에도 늘고 있는 것을 보면 앞으로의 상황은 더욱 암담하다. 2015년 『타임(Time)』에 "지금 태어나는 아이는 142살까지 살 수도 있다"라는 제목의 표지기사가 실렸다. 주변을 보면 오래전에 들어 둔 보험을 두고 고민하는 가정이 많다. 80세 정도까지 보장되면 충분하다고 생각하고 가입했던 보험의 만기를 앞두고 하는 걱정들이다. 환갑잔치는 고사하고 칠순, 심지어 팔순 잔치까지도 의미가 퇴색된 지 오래다. 지난 40년 동안 우리나라 기대수명이 20세 가까이 증가한 것을 보면, 이제 100세가 아니라 적어도 120세까지 살 준비를 해야 하는 것이 아닌지 걱정이 된다. 하지만 이것은 120세까지 보장되는 보험으로의 전환을 검토해 보라는 충고가 절대 아니다.

건강수명이 점점 짧아지고 있는 원인은 만성질환이고, 대부분의 만성질환은 불건강한 라이프스타일에서 기인하므로 충분히 예방 가능하다. 그런데 여전히 우리는 피할 수 있는 질병의 원인을 돌보지 않고 질병이 발생한 후에 사후약방문식의 대처에 급급하다. 이것은 호미로 막을 수 있는 일을 불도저로 수습하는 것만큼 비효율적인 것이다. 대부분의 국가에서는 질병관리에 95% 이상의 헬스케어 비용이 소비되고 있고, 중병을 앓는 5%의 환자에게 전체 의료비의 50%가 집중된다. 결국 건강보험에서 건강한 사람은 보험료만 낼 뿐이고 받는 혜택은 거의 없으며, 아파야 혜택을 받고, 많이 아플수록 많이 혜택을 받는 불합리한 구조가 되어 있다. 스스로 건강을 지키는 사람, 그래서 보험과 국가 재정에 기여하는 사람에게 주어지는 혜택이나 보상은 거의 없다.

가정에서는 보험에 가입하는 것이 질병에 대비하는 최선인 것처럼 생각한다. 그러다 보니 이제는 보험 리모델링을 해야 할 정도로 질병 관련 보험들이 집집마다 애물단지가 되어, 보험을 진단하고 정리해 주는 비즈니스까지 성업 중이다. 하지만 건강보험이 건강수명을 1%라도 증가시켜 주는 것이 아니고, 암보험이나 치매보험이 암과 치매의 발생 가능성을 1%라도 낮추어 주는 것이 아니다. 결국 소 잃은 뒤에 외양간 고칠 비용을 마련하느라 정작 소도 외양간도 돌보지 못하고 있는 것은 아닌지 생각해 보아야 한다.

영어 '헬스케어(healthcare)'라는 말을 그대로 번역하면 '건강관리' 또는 '건강돌봄'이 된다. 헬스케어 시스템(healthcare system)은 보건의료시스템 또는 건강관리 시스템으로 번역된다. 그렇지만 지금껏 우리의 건강관리 시스템은 진정한 건강관리 시스템이었던 적이 없고 질병관리 시스템(disease care system)이었을 뿐이다. 우리에게 병원은 환자가 가는 곳이지 건강한 사람이 가는 곳은 아니다. 고대 중국의 어떤 지방에서는 사람들이 건강할 때 의사의 진찰을 받았다고 한다. 의사는 병이 든 사람도 치료했지만 그 경우에는 치료비를 따로 받지 않았다. 의사의 역할은 병이 나지 않도록 건강을 돌보는 것이고, 병이 난 것은 의사가 그 역할을 다하지 못한 것이라고 여겼기 때문이다.

국가마다 겪고 있는 보건의료시스템 위기의 원인은 동일하며 해법 역시 동일하다. 원인은 만성질환이며, 만성질환은 절대적으로 라이프스타일에서 비롯되는 문제다. 만성질환의 80%가 다름 아닌 라이프스타일에 기인한다는 것은 만성질환은 대부분 예방이 가능하다는 것을 의미한다. WHO는 약 80%의 만성질환이 건강한 식단, 신체활동, 금연, 적당한 음주 등 네 가지 라이프스타일 실천으로 예방될 수 있다고 했다. 암도 마찬가지다. 90% 이상의 암이 술, 담배, 음식물, 신체활동 부족, 비만 같은 라이프스타일이나 유해한 환경에 노출되는 것에 의해 발생하며, 라이프스타일 개선을 통해 예방이 가능하다(Anand 외, 2008).[6] 스트레스, 우울증, 불안증 같은 정신과적 질환이나 노화에 따른 퇴행성 만성질환도 그렇다.

새로운 치료제와 첨단 의료기술 개발에도 불구하고 현재의 보건의료시스템은 위기에 처해 있다. 한편에서는 빅데이터(big data), 클라우드(cloud), 인공지능(artificial intelligence), 로봇 같은 신기술이 보건의료 분야에 새로운 돌파구를 마련해 줄 것으로 전망하기도 하지만, 이는 의료비 상승이나 의료 불평등 문제를 더 심화시킬 수도 있다. 무엇보다도 이러한 방식으로는 만성질환의 근본적 문제를 해결하지 못한다. 질병은 좋은 치료제가 부족해서 생기는 것도 아니고 낡은 의료장비 때문에 생기는 것도 아니기 때문이다.

---

6) WHO 산하 국제암연구소(International Agency for Research on Cancer, IARC)의 보고서에 따르면 암의 30%는 식이요인에 의해 발생하고 흡연도 30%를 차지하므로 금연과 음식 조절만으로도 60%의 암을 예방할 수 있다.

우리는 질병 치료와 건강관리라는 보건의료시스템의 두 가지 역할 중 하나만을 지나치게 강조하거나 두 가지를 동일시한 나머지, 질병을 치료하는 것보다 건강을 지키는 것이 더 중요하다는 사실을 잊고 있었다. 현재처럼 질병이 발생한 다음에 치료에 나서는 반응적이고(reactive) 질병 치료 중심(sick care oriented)인 보건의료시스템이 선제적이고(proactive) 건강관리 중심(healthcare-oriented)인 시스템으로 시급히 바뀌어야 한다는 데는 이견이 없다. 건강관리 시스템이 실제로는 질병을 관리하는 시스템에 불과했다는 역설과 현실의 딜레마들은 이제 우리의 건강을 누가 책임지고 어디서부터 어떻게 해결할 것인지 처음부터 다시 생각해 보도록 촉구한다.

지금 당면한, 그리고 앞으로 더 심화될 만성질환 문제를 고민하는 한편에서, 이런 병들이 애초부터 왜 생겼는가를 생각하는 사람들이 등장하기 시작했다. 거실 바닥에 차오르고 있는 물을 계속 퍼내는 데만 급급하다가, 드디어 싱크대의 수도꼭지를 잠글 생각을 하게 된 것이다. 이것이 바로 질병을 원인부터 차단하는 의학, 즉 라이프스타일의학으로 구현되고 있다. 그래서 라이프스타일의학은 혁신적이고 지속 가능한 헬스케어의 기반이라고 말한다.

이제 건강관리의 개념, 대상, 목표, 전략이 모두 달라져야 한다. 우리는 예방이라는 것을 병원에서 예방접종을 하고 개인위생 수칙을 잘 지키는 것 정도로 생각했지만, 건강관리에 있어서 예방은 의료 시스템이나 환자의 개인 행동 수준 너머로 확대되는 것이다. 거실 바닥에 물이 넘치는 이유가 잦은 단수 때문에 수도꼭지를 활짝 열어놓고 잊어버리기 때문이라면, 문제의 원인은 당장 수도꼭지를 잠그는 것으로 완전히 해결되지 않을 것이다. 수도를 공급하는 수원지와 상수도 관리 체계까지 거슬러 올라가서 시작해야 한다.

건강관리도 사회·문화적 환경, 생태·물리적 환경 같은 더 근본적이고 포괄적인 문제와 연결된다. 비만 아동의 어머니가 저칼로리 식단을 준비하는 것이 집안의 수도를 잠그는 조처라면, 학교에서 탄산음료 판매를 금지하고 과자 제조업체로 하여금 과자의 포장 규격을 제한하도록 하는 것은 수원지 보호와 상수도 공급 시스템 관리에 해당한다. 사실상 음식이든 운동이든 현대인의 라이프스타일은 완전히 개인의 취향이나 선택이기보다는 사회·문화적 압력이나 생활환경에 의해 결정된다. 그래서 라이프스타일의학은 사회의학(social medicine), 업스트림의학(upstream medicine)과 같은 분야들과도 넓은 접촉면을 가진다.

헬스케어의 80%는 셀프케어, 즉 자기돌봄에 의해 이루어진다. 건강관리의 1차적 책임은 각사람에게 있다. 건강은 누가 대신 지켜주는 것이 아니라 스스로 선택하는 것이다. 건강을 선택한다는 것은 건강한 라이프스타일을 선택한다는 말이다. 그러나 우리 주변을 살펴보면 건강관리는 고사하고, 자신이 환자인지도 모르는 채 병을 키우는 사람들이 많다. 진단을 받고 나서도 치료를 받지 않는 사람이 있는가 하면, 치료를 받더라도 증상 조절에 실패하는 사람들 역시 부지기수다. 이것은 단지 조기검진 체계를 강화하고 더 적극적인 약물치료를 해서 해결할 수 있는 문제가 아니다.

결론부터 말하자면, 환자 자신이 건강에 대한 관심과 책임, 셀프케어를 위한 실질적인 지식과 기술을 갖추어야 한다. 라이프스타일의학은 이 지점에서부터 기존의 의학과 다른 노선을 선택한다. 환자는 수동적으로 치료를 받는 존재가 아니라 능동적인 행위자다. 라이프스타일 치료에서의 의사결정은 의사의 결정이 아니라, 최종적으로 환자의 결정이 되어야 한다. 따라서 라이프스타일의학의 중심적인 의학 기술은 약을 처방하거나 수술을 하는 기술이 아니라 환자에게 동기를 부여하고 필요한 지식과 기술을 제공하며 지속적인 실천이 가능하도록 지원하는 기술이다.

❸ 라이프스타일이 치료제다

(1) 건강한 생활이 최고의 설욕

> "건강한 생활이 최고의 설욕이다."
> - 포드(Ford) 등 -

라이프스타일의학에서 라이프스타일은 질병을 예방하는 수단일 뿐 아니라 치료하는 수단이다. 치료제로서의 라이프스타일은 약물이나 수술 같은 전통적인 치료법의 보조적인 수단이 아니다. 라이프스타일이 일차적인 치료 수단이고 약물이나 수술은 보조적인 것이다. 약물과 관련해서 라이프스타일의학에서 강조되는 것은 처방하는 기술보다 '약 줄이기(deprescription)' 또는 '약 끊기' 기술이다. 어떤 이는 만성질환을 약 없이 관리한다는 것을 무모하고 위험한 시도라고 생각한다. 하지만 라이프스타일은 근거-중심 의학이다. 라이프스타일이 효과나 안전성 면에서 기존의 의학적 치료와 동등하거나 그 이상이라는 것은 수많은 연구를 통해서 확인되었다. 라이프스타일은 질병의 진행 과정을 역전시킬 수 있는 유일한 치료법이기도 하다. 라이프스타일을 주류 의학에서 강력한 치료 도구로 주목하게 하고, 라이프스타일의학이 수립되는 데 중대한 계기를 마련한 연구들 가운데 몇 가지를 살펴보자.

당뇨병은 불건강한 라이프스타일 때문에 발생하는 대표적인 만성질환이다. 비만 인구가 많은 서구에서도 문제지만, 서구인에 비해 당뇨병에 취약한 아시아인에게 상황이 더욱 심각해지고 있다. 새로운 치료제가 계속 개발되고 있음에도 불구하고 당뇨병 환자가 증가하고 있고, 환자 4명 중 3명이 혈당관리에 실패한다. 당뇨병 치료제들은 혈당을 낮추는 약물이지 당뇨병의 원인을 치료하는 약물이 아니기 때문에 아무리 좋은 치료제를 개발해도 당뇨병 발병률이 낮아지는 것이 아니며, 약물보다 라이프스타일이 혈당에 더 강력한 영향을 미치므로 약물치료만으로는 혈당관리에 성공하지 못하는 것도 이상한 일이 아니다. 그럼에도 불구하고 우리는, 당뇨병 치료 지침(guideline)에도 명시된 '라이프스타일이 1차 치료제'라는 권고를 '라이프스타일이 약물보다 낫다'는 문장으로 전환시키는 데 상당한 심리적 저항을 느낀다.

2002년 『뉴잉글랜드의학저널(The New England Journal of Medicine, NEJM)』에 발표된 한 연구에서 당뇨병 전단계인 사람들을 플라세보(placebo, 가짜약) 투약 그룹, 당뇨병 1차 치료제이자 예방 효과가 있는 약물인 메트포르민(metformin) 투약 그룹, 라이프스타일 중재 그룹 등 세 그룹으로 나누고, 약 3년 뒤 결과를 살펴보았다(Knowler 등, 2002). 그 결과 메트포르민 투약 그룹은 플라세보 그룹에 비해 당뇨병 발병률이 31% 낮았던 것에 비해, 라이프스타일 중재 그룹의 당뇨병 발병률은 플라세보 그룹 대비 58%나 낮았다. 라이프스타일 중재가 메트포르민보다 당뇨병 발병률을 두 배 가까이 낮출 수 있었던 것이다. 2015년 당뇨병예방프로그램연구그룹(Diabetes Prevention Program Research Group)의 연구에서도 라이프스타일 중재가 당뇨병을 예방하거나 발병을 늦추는 데 있어서 기존 치료보다 효과적인 것으로 확인되었다(Diabetes Prevention Program Research Group, 2015). 라이프스타일을 개선한 그룹은 플라세보 그룹에 비해 당뇨병 발생 위험이 27% 감소했지만 메트포르민 그룹은 18% 감소에 그쳤다. 핀란드당뇨병예방연구그룹(Finnish Diabetes Prevention Study Group)의 연구에서는 당뇨병 전단계인 사람들이 체중 감소, 지방 섭취 감소, 신체활동 증가를 통해 당뇨병 발생을 58%나 낮출 수 있는 것으로 나타났는데, 그 효과는 라이프스타일을 개선한 정도와 직접적 상관이 있었다(Tuomilehto 등, 2001). 이미 발생한 당뇨병도 강력한 라이프스타일 개선으로 완화될 수 있다(Gregg 등, 2012).[7]

---

7) 당뇨병에 대한 현재의 약물요법에 관한 회의적 견해가 꾸준히 제기되고 있음을 고려할 때 이상의 연구들은 매우 의미심장하다. 가장 최근에 개발된 2가지 약물로 혈당을 엄격하게 관리했어도 당뇨병 환자의 조기사망이나 심혈관 합병증을 막는 데 실패했다는 것이 대규모 연구에서 확인되기도 했다(ACCORD Study Group, 2011; NAVIGATOR Study Group, 2010). 심장병 위험이 높은 사람에게

당뇨병 예방과 치료의 가장 효과적인 전략은 건강한 라이프스타일이다. 라이프스타일이라는 치료제가 가져오는 부작용은 체중 감소나 우울증 완화처럼 좋은 부작용뿐이다. 게다가 일반적인 치료와 비교하면 치료비가 비할 수 없이 낮으므로 비용 대비 효과 면에서도 이보다 더 좋은 것은 없다(Jacobs-van der Bruggen 등, 2007). 의료인에게 약물치료에 대한 정보를 제공하는 기관인 테라페우틱스 이니셔티브(Therapeutics Initiative)는 많은 환자에게서 당뇨병 약물치료 효과가 의심스럽다는 점을 지적하고, 약물로 혈당을 감소시키는 것은 득보다 실이 더 크며, 환자들에게 라이프스타일에 중점을 두도록 강조하는 것이 합리적이라는 의견을 제시했다(Therapeutics Initiative, 2016).

'최상위 살인자'라 불리는 심·뇌혈관질환은 가장 중요한 사망원인이다. 2004년 『랜싯(Lancet)』에 발표된 '인터하트 연구(INTERHEART study)'에서는 급성심근경색의 위험인자(risk factor)로서 흡연, 혈중지질, 고혈압, 당뇨병, 비만, 식생활, 신체활동, 알코올 섭취, 사회·심리적 요인(스트레스, 정신질환, 사회적 고립, 중독) 등 아홉 가지를 꼽았는데 이들은 모두 충분히 교정 가능한 라이프스타일로 지목된 것들이다(Yusuf 등, 2004). 2016년 『랜싯』에 발표된 '인터스트록(INTERSTROKE)' 연구에서는 90%의 뇌졸중과 관련된 핵심 위험인자로서 고혈압, 복부비만, 신체활동 부족, 알코올 섭취, 심리·사회적 요인, 혈중지질, 흡연, 불건강한 식사, 당뇨병, 심장 문제(cardiac causes)를 지목했는데(O'Donnell, 2016), 이들 역시 대부분 라이프스타일과 관련된 것이고 충분히 교정 가능한 것들이다.

심장병 환자에게 적용되는 스텐트 삽입술, 우회로수술, 혈관성형술, 심장이식 같은 고가의 치료는 심장을 이전의 건강한 상태로 되돌리려는 목적에서 이루어지는 것이 아니다. 이런 치료 후에도 혈압과 콜레스테롤을 조절하기 위한 약물 복용이 지속적으로 이루어짐에도 불구하고, 대개의 경우는 상태가 점차 악화되는 것을 피할 수 없다. 따라서 질병의 진행을 최대한 억제하는 것이 치료의 현실적 목표라 할 수 있다. 그런데 심장병을 역전(reverse)시킬 수 있는 단 한 가지 치료법이 있다. 바로 라이프스타일이다. 콜드웰 에셀스틴(Caldwell Esselstyn) 등은 우회로수술이나 혈관성형술에 실패했던 심장병 환자들이 라이프스타일을 개선하여 관상동맥의 병소가 회복되었음을 확인했다(Esselstyn 등, 1999). 처방된 라이프스타일을 유지한 사람은 심장병의 주요 위험인자인 콜레스테롤이 목표치에 도달했고 12년의 추적 기간 동안 심장사건의 재발이 없

당뇨병 치료제(empagliflozin)가 심장사고를 감소시킨다는 보고도 있지만 효과는 그리 크지 않았으며(Zinman 외, 2015), 그 정도의 효과는 라이프스타일 개선으로도 충분히 가능한 것이었다. 또 다른 연구에서는 콜레스테롤 조절제인 스타틴(statin) 계열의 약물이 당뇨병 위험을 46%나 높이기도 했는데(Cederberg 등, 2015), 심장병은 당뇨병의 주요 합병증이므로 이는 매우 우려되는 문제다.

었다. 병소의 회복은 연구 5년 차부터 뚜렷이 확인되었는데, 혈관조영술 사진상 병소의 진행이 더 이상 없었을 뿐 아니라 70%는 오히려 회복되어 있었다(Esselstyn 등, 1995).[8]

딘 오니시는 1990년 『랜싯』에 실린 '라이프스타일 심장 연구(The Lifestyle Heart Trial)'를 통해 매우 심각한 관상동맥의 협착이 약물 없이 라이프스타일 개선만으로 단 1년 만에 개선되었다는 결과를 발표했다(Ornish 등, 1990). 개선된 라이프스타일을 더 오래 유지하면 어떻게 될까? 프로그램 참가자들은 시간이 지날수록 관상동맥의 동맥경화증 상태가 개선되었는데, 1년 후보다 5년 후에 더욱 나아졌다(Ornish 등, 1998). 반면 라이프스타일 프로그램에 참여하지 않은 대조군에서는 관상동맥의 죽상동맥경화증[9]이 계속 진행되었고 심장사고도 2배 이상 발생했다.[10]

흡연, 당뇨병, 고혈압, 높은 혈중지질은 심혈관질환의 위험인자다. 여기에 비만이나 심리·사회적 요인이 결합하면 그 위험은 급격히 상승한다(Yusuf 등, 2004). 심근경색의 79%는 건강한 식생활, 절주, 흡연, 운동, 복부비만 관리 등의 건강한 라이프스타일로 예방할 수 있다(Åkesson 등, 2014). 여성이 금연, 체질량지수(body mass index, 이하 BMI) 25 미만 유지, 하루 30분 운동, 알코올 제한(하루 5~30 mg), 건강한 식생활 등 다섯 가지를 실천하면 심혈관질환 위험을 82% 낮출 수 있다(Stampfer, 2000). 유전적으로 심혈관질환 위험이 높은 사람이라도 건강한 라이프스타일을 실천하면 심혈관질환 발병률을 50% 낮출 수 있다(Khera, 2016). 더 간단히 말하면, 고혈압약이나 고지혈증약을 먹는 것보다 담배를 끊는 것이 심혈관질환 위험을 훨씬 더 감소시킨다(Tonkin 등, 2003). 발상을 달리해야 한다.

심혈관질환과 치매는 나이가 들면서 가장 두려워하게 되는 질환이다. 많은 사람들이 그나마 심혈관질환 위험은 식습관 개선이나 운동 같은 라이프스타일로 감소시킬 수도 있다고 생각하는 반면, 치매는 운명이 좌우하는 것처럼 생각하는 경향이 있다. 하지만 심혈관질환을 관리하면 치매도 피할 수 있다. 심혈관질환의 위험인자가 뇌혈관에도 영향을 미치기 때문이다. 죽상동맥경화증으로 인해 심장의 혈관(관상동맥)이 막히면 심근경색이나 협심증 같은 허혈성 심장질환이 발생하고, 뇌혈관이 막히면 뇌졸중이 발생한다. 즉, 허혈성 심장질환과 허혈성 뇌질환은 따로 발생

---

8) 에셀스틴은 심장병은 음식이 원인인 질병이라 하고 식물-기반의 식사가 가장 강력한 치료제라고 강조한다. 따라서 그의 라이프스타일 프로그램에서는 식사가 핵심적인 중재법이다. 기름, 유제품, 육류, 가금류, 생선을 피하고 지방은 10~15%로 줄인 식물성 전체 음식(whole food) 식사를 하도록 했다.

9) 죽상동맥경화증(죽상경화증)은 동맥의 혈관벽에 죽(또는 치즈나 치약)처럼 지방이 쌓여 혈관이 좁아지고 딱딱해지는 것이다. 대부분의 동맥경화증이 죽상동맥경화증이다.

10) 오니시의 라이프스타일 프로그램은 지방을 10%로 줄인 식물성 전체 식품, 중간 강도의 유산소운동, 스트레스 관리, 금연, 그룹 심리치료(지지치료)로 이루어졌다.

하는 질병이 아닌 것이다. 뇌졸중은 치매 위험을 크게 증가시킨다. 하지만 라이프스타일로 허혈성 심장질환의 예방이 가능한 것처럼 허혈성 뇌질환도 그러하며, 따라서 치매 위험도 감소시킬 수 있다.

뇌졸중을 예방하면 치매가 1/3 이상 예방된다. 유전적으로 치매 위험이 높은 사람도 라이프스타일을 바꾸면 위험을 낮출 수 있다(Sommerlad 등, 2020). 라이프스타일이 뇌졸중에 미치는 영향을 조사한 대규모 연구에서, 여성은 전체 뇌졸중의 47%와 허혈성 뇌졸중(뇌경색)의 54%를 건강한 라이프스타일로 예방할 수 있었고, 남성은 전체 뇌졸중의 35%, 허혈성 뇌졸중의 52%를 예방할 수 있었다(Chiuve 등, 2008). 이 연구에서 말하는 건강한 라이프스타일은 금연, BMI 25 미만 유지, 하루 30분 이상의 가벼운 운동, 알코올 제한, 건강한 식생활이다. 코노(Kono) 등은 명상을 포함시킨 라이프스타일 중재법이 2차 뇌졸중 발생을 감소시킬 수 있음을 확인했다(Kono 등, 2013).

심·뇌혈관질환의 대표적인 위험인자는 혈중지질, 특히 콜레스테롤이다. 미국라이프스타일의학회의 셔니(Dexter Shurney)는 '완전한 건강 개선 프로그램(Complete Health Improvement Program, CHIP)'을 통한 기본적 라이프스타일 실천으로, 7주 뒤 참가자의 98%에서 총 콜레스테롤이 평균 15.7% 감소되었음을 보고했다.[11] LDL 콜레스테롤도 91.8%의 환자에서 개선되었고 평균 19.7% 감소되었다. 치료 효과 면에서도 놀랍지만 약물치료와 비교하면 비용 대비 효과는 괄목할 결과였다.

더 주목할 것은 참가자들의 반응이었다. 일반적으로 라이프스타일 프로그램 참여자들은 자긍심, 만족감, 삶의 질이 향상되었다고 보고하는데, 이 연구에서도 참가자들의 만족도가 매우 높은 것으로 나타났다. 이것은 건강한 라이프스타일 실천이 자발적, 지속적으로 이루어질 수 있고, 따라서 장기적인 치료 효과도 기대할 수 있다는 것을 의미한다.

암은 어떨까? 모든 인간은 99.9% 동일한 유전자를 가지고 있다. 단 0.1%의 유전자가 사람들 사이에 나타나는 온갖 차이를 만든다. 특정 질병에 대한 취약성을 좌우하는 유전자의 존재도 밝혀지고 있지만, 후성유전학 연구들은 유전자는 단지 설계도일 뿐, 그것이 실제로 작동할 것인지 침묵할 것인지는 라이프스타일에 좌우된다는 것을 보여준다. 유전자가 완전히 일치하는 일란성 쌍둥이라도 동일한 질병이 나타나는 경우는 채 50%가 되지 않는다. 이것은 그들의 라이프스타일, 즉 어디서 어떻게 살았는지가 유전적 요인보다 질병 발생에 더 큰 영향을 미친다

---

11) CHIP은 만성질환을 예방, 치료 및 역전시키기 위해 과학적으로 개발된 집중적 라이프스타일 프로그램 중 하나다.

는 것을 뜻한다. 일부 암에서는 특정 유전자가 발병 가능성을 높이지만 대부분의 암은 후천적인 요인이 강력한 발암요인이 된다. 흡연은 잘 알려진 대표적인 요인이고 가공식품, 육류, 오염된 공기와 물, 정신적 스트레스 등이 암 발생에 미치는 영향도 자세히 규명되고 있다.

건강한 라이프스타일이 암의 생물학적 과정을 변화시킬 수 있다는 가능성을 보여준 기념비적 연구가 2008년에 발표되었다(Ornish 등, 2008). 전립선암 환자를 대상으로 한 연구였다. 참여자들의 체중, 복부비만, 혈압, 혈중지질 등이 현저히 개선된 것은 말할 것도 없고, 전립선암과 관련된 500여 개의 유전자 발현에 변화가 나타났다. 전립선암과 관련하여 유리한 48개의 유전자는 발현이 증가하고 불리한 453개의 유전자는 발현이 감소한 것이다. 이것은 단 3개월 만에 일어난 일이었다.[12]

대장암은 다른 어떤 암보다도 식사나 운동처럼 충분히 조절 가능한 라이프스타일과 관련이 깊다. 적색육(red meat)이나 가공식품을 많이 먹고 과일, 채소, 콩류, 식이섬유를 적게 먹는 것이 대장암의 위험을 높인다는 것은 새로운 소식이 아니다. 체중만 잘 관리하더라도 여러 종류의 암 위험을 낮출 수 있다. 자궁암, 난소암, 갑상선암, 유방암, 간암, 담낭암, 위암, 췌장암, 대장암 등 적어도 13가지 암이 과체중 및 비만과 관련이 있다.

포드(Ford) 등의 연구에 의하면 약 80%의 만성질환이 네 가지 건강한 라이프스타일 실천으로 예방될 수 있다(Ford 등, 2009).「건강한 생활이 최고의 설욕이다(Healthy living is the best revenge)」라는 제목으로 발표된 이 연구에서, 네 가지 간단한 라이프스타일을 실천한 참가자들은 8년 동안 만성질환 발병 위험이 전체적으로 78% 감소했다. 당뇨병 위험은 93%, 심근경색 위험은 81% 감소했고 암 발병 위험도 36% 감소했다.[13]

---

[12] 전립선암 치료는 성기능 장애나 요실금처럼 삶의 질을 훼손하는 후유증을 남기는 경우가 흔하다. 따라서 요즘에는 즉각적인 치료가 필요한 상태가 아니면 치료를 보류하고 지속적으로 관찰하는 대기관찰(watchful waiting) 요법을 쓴다. 이 연구에는 대기관찰 중인 환자, 즉 수술, 호르몬요법, 방사선 치료를 하지 않는 전립선암 환자들이 참여했다.

[13] 이 연구에서의 네 가지 건강한 라이프스타일은 금연, BMI 30 이하 유지, 신체활동(하루 30분씩 주당 3.5시간 이상), 건강한 식사(과일과 채소, 통곡물을 많이 먹고 육류 섭취 줄이기)였다.

(2) 왜 라이프스타일이 최고의 치료제인가

라이프스타일이라는 치료제는 여러 면에서 기존 치료제들과 다르다.

첫째, 라이프스타일은 만성질환의 유일한 치료제다. 현재까지 만성질환은 절대적으로 약물요법을 중심으로 관리되어 왔다. 하지만 이러한 약물요법은 증상을 다스리는 대증요법(對症療法)일 뿐이다. 현대 의학에서 원인 치료는 세균, 바이러스처럼 병의 원인을 특정할 수 있는 감염병에서만 가능하다. 대부분의 만성질환은 원인을 알 수 없다. 흔한 고혈압조차도 원인을 정확히 알 수 없는 경우가 대부분이기 때문에 '일차성 고혈압', '원발성 고혈압' 등으로 불린다.[14] 따라서 약물은 문제의 원인을 제거하고 손상된 장기 기능을 원래 상태로 회복시키려는 목적으로 처방되는 것이 아니다. 예를 들어 협심증 약을 먹는다고 해서 심장기능이 향상되지는 않는다. 당뇨병 환자에게 처방되는 혈당강하제 중에는 인슐린을 더 많이 분비하도록 췌장을 과도하게 자극해서 췌장 기능을 오히려 손상시키는 약물도 있다. 심장병 치료제, 당뇨병 치료제라고 불리기는 하지만 사실 치료제가 아닌 것이다.

반면 라이프스타일은 증상 조절은 물론, 실제로 장기의 기능을 회복시킬 수 있는 진정한 치료제다. 다시 협심증과 당뇨병을 예로 들어 보자. 미국라이프스타일의학회에서는 식물 기반의 전체식품(plant-based whole food, 이하 WFPB)을 권장한다.[15] WFPB는 협심증 환자의 좁아진 혈관을 확장시켜 심장 기능을 회복하고, 당뇨병 환자에서는 췌장의 세포 수준에서 기능이 회복되는 것이 확인되었다.

둘째, 라이프스타일이라는 치료제는 부작용이 없다. 있다면 당뇨병 환자가 운동요법을 하면 혈당만 감소하는 것이 아니라 체중이 줄고 혈압도 낮아지는 것 같은 좋은 부작용이 있을 뿐이다.[16] 라이프스타일의학은 개인에게 맞추어지는 개별화된 치료라는 점에서도 부작용 우려가 거의 없다. 현대 의학에서는 질병에 따라 표준화된 치료 방식을 채택한다. 약물 사용량도 그렇다. 각 사람에 맞추어 결정된 용량을 쓰는 것이 아니기 때문에 크든 작든 부작용이나 독작용의 우려를 안고 약을 쓴다. 약물 사용설명서에 표기된 약물의 사용량은 약물을 개발할 때 실시되는 임상시험에서 유효성(효과)과 안전성을 통계적으로 검토하여 선택한 '표준' 사용량이다. 이렇게

---

14) 비만, 염분 과다 섭취, 노화 등은 고혈압의 원인이 아니다. 체중이 늘고 짜게 먹고 나이가 든다고 해서 모두 고혈압이 되지는 않는다. 이들은 고혈압의 위험을 높이는 위험인자일 뿐이다.

15) WFPB는 채식 기반의 식단이며, 최소한으로 가공하여 자연 상태에 가까운 전체식품을 섭취하는 것이다.

16) 원래 부작용(side effect) 중에는 좋은 부작용도 있고 나쁜 부작용도 있다. 나쁜 부작용은 유해작용(adverse effect)이라 하는데, 보통은 부작용이라는 말이 유해작용의 의미로 사용된다.

결정되는 사용량으로는 효과가 부족한 사람과 부작용을 겪는 사람이 있기 마련이다.[17]

셋째, 라이프스타일은 비용 대비 효과적이다. 의학적으로 심장이식이 필요하다고 판단되었던 심장병 환자들이 라이프스타일 개선 프로그램에 참여한 후, 심장이식 수술이 불필요해질 정도로 질병이 개선되기도 했다.[18] 이것은 라이프스타일을 통한 치료의 유효성, 안전성과 더불어 기존의 치료와는 비교조차 되지 않는 경제성을 보여준다. 특히 라이프스타일을 통한 심장병 치료는 심장이식 같은 고가의 수술과 그 수술 이후의 지속적 약물치료에 소요되는 엄청난 치료비를 획기적으로 감소시킨다.

넷째, 무엇보다도 라이프스타일을 통한 치료는 환자의 삶의 질을 개선하고 건강수명을 증가시킨다. 심장병 치료제를 처방받은 환자 중 절반만이 6개월 후에도 약물을 꾸준히 복용하고 있고, 처방전 중에서 1/3은 조제도 되지 않고 버려진다. 처음 만성질환이 진단된 환자 중에도 처방전을 버리는 사람이 많다. 그 이유 중 하나는 약물을 복용한다는 것이 환자들에게 무기력감, 패배감, 또는 늙어가고 있다는 부정적 느낌을 갖게 하기 때문이다. 반면에 라이프스타일을 실천하는 사람들은 그와 반대되는 경험을 한다. 따라서 효과, 안전성, 경제성, 환자의 만족도와 삶의 질 모든 면에서, 라이프스타일을 최고의 치료제라 하는 것은 결코 과장이 아니다.

다섯째, 라이프스타일은 '만인을 위한 만병의 통치약(care-all cure-all)'이다. 만성질환은 무너진 라이프스타일이라는 공통의 기원을 갖는다. 따라서 라이프스타일은 모든 만성질환에 적용되는 1차 치료제이자 예방약이 된다. 특정 병명, 특정 증상에만 적응증(indication, 효능)을 가지고 있는 기존의 치료법과 달리 성별, 나이, 건강 상태를 불문하고 모든 사람에게 적용할 수 있다. 라이프스타일이라는 치료제의 작용 기전(mechanism) 또한 기존의 약물과 다르다. 증상을 조절하는 것이 아니라 우리가 본래 가지고 있는 회복의 경향성과 치유의 능력을 이용하는 것이기 때문이다.

---

17) 여성은 남성보다 약물 부작용을 더 많이 경험하는데, 이는 지금까지의 임상시험이 주로 남성 피험자를 중심으로 이루어졌기 때문이다. 임상시험에 포함시키기 어려운 아동과 노인은 약물 부작용에 더 취약할 수밖에 없다. 동일한 이유로, 표준화된 진단 기준에도 불합리한 측면이 있다. 예를 들어 혈압의 경우, 각 사람의 체질, 체력 같은 생리적 특성을 고려하여 적절한지 위험한지를 평가하지 않고, 획일적인 '정상' 범위를 벗어나면 고혈압으로 진단되고 치료의 대상이 되기 때문에, 실제로는 치료가 불필요한 경우도 많고 치료 행위가 오히려 부작용이나 삶의 질 저하 같은 부정적 결과를 초래하는 경우도 허다하다. 미국에서 75세 이후에, 전립선암이 아닌 다른 원인으로 사망한 남성을 부검해 보니 75%에서 전립선암이 발견되었다. 30~40대 남성의 30%, 50~60대 남성의 50%, 70대 남성의 70%, 80대 남성의 80%가 전립선암을 갖고 있는데, 본인은 그 사실을 모르고 있을 수 있다(Bell 등, 2015). 사실상 남성은 전립선암 때문에 죽기보다 전립선암이 있는 채로 죽을 가능성이 훨씬 높다. 한 연구에 의하면, 수술이나 방사선 치료를 받은 전립선암 환자 49명 중 단 1명만이 실제로 더 오래 산다. 치료를 받은 나머지 48명은 이른 나이에 발기부전이나 요실금 같은 부작용의 위험에 노출되었을 뿐이다

18) '글상자❺ 딘 오니시의 프로그램'을 참고하라.

라이프스타일을 통한 치료가 여러 만성질환에서 일반적인 의학적 치료보다 효과 면에서 우월하고 비용 면에서는 비할 수 없이 저렴하며 부작용은 거의 없다는 것이 수많은 연구를 통해 입증되면서 미국의 메디케어(Medicare)와 여러 민간 보험회사들이 라이프스타일 프로그램에 보험금을 지불하기 시작했다.

４ 라이프스타일의학은 무엇이 다른가

약물이나 수술이 그렇듯이 음식, 운동, 수면, 스트레스 관리 등이 일종의 치료제로서 적용되는 것이 라이프스타일의학이다. 비약물학적 방법이 질병 치료의 수단이 된다는 점에서 라이프스타일의학은 약물과 수술에 의존하는 기존 의학과 두드러진 차이가 있다. 라이프스타일의학에서도 필요에 따라 약물이나 수술을 이용하지만 가장 중요한 치료법은 라이프스타일을 변화시키는 것이다.

라이프스타일의학에서는 혈압, 혈당 같은 생리적 지표만이 아니라 환자의 라이프스타일 자체가 중요한 진단 영역이다. 이미 오래전부터 각종 만성질환의 치료 지침들이 라이프스타일 개선을 질병 예방과 관리에서 일차적인 것으로 권고해 왔다. 그러나 현실에서는 이러한 권고가 잘 지켜지지 않는다. 미국 의료인을 대상으로 했던 조사에 의하면, 조사 전 1년 동안 환자와 운동에 관하여 상담을 한 사람은 30%에 불과했다(Barnes 등, 2012). 운동 외의 라이프스타일에 대해서는 더 소극적이다. 여전히 많은 의료인들이 환자의 라이프스타일이 사적인 영역이라고 생각해서 관련된 질문을 회피하고, 단지 증상과 관련이 있는 내용만을 확인한다. 이 외에도 임상 현장에서 라이프스타일과 관련된 상담이나 치료가 충분히 이루어지지 못하는 이유는 여러 가지가 있다. 특히 시간 부족이나 보상 부족은 현실적으로 큰 장애 요인이다.

더 근본적인 문제는 지식과 기술의 부족이다. 대부분의 의사들은 정규 교육 과정에서 식생활이나 운동에 대해 거의 교육·훈련을 받지 못한다. 스트레스 관리나 대인관계 같은 영역은 말할 것도 없다. 하지만 라이프스타일의학 전문가에게는 의학적 지식과 더불어, 건강한 라이프스타일에 관한 지식을 확보하고, 심리학을 비롯하여 인간을 더욱 포괄적으로 이해하는 데 필요한 학문에 대한 지적 개방성이 대단히 중요하다. 게다가 라이프스타일의학 전문가는 치료자의 역할 외에도 교육자, 멘토, 코치, 상담가의 역할을 시의적절하게 수행해야 한다. 물론 한 사람이 라이프스타일의학에서 필요로 하는 방대한 영역의 지식과 기술을 전문가 수준으로 갖춘다는 것은 현실적으로 불가능하고, 다양한 역할을 모두 유능하게 해내는 것도 어렵다. 따라서 라이프스타일의학에는 다방면의 전문가들의 협력이 필수적이다.

동일한 관심을 가진 여러 참여자(환자)들이 동시에 치료에 참여하는 것도 라이프스타일의학의 독특한 형식이다. 여러 방면의 전문가들이 협업하고 참여자도 그룹으로 참여할 수 있다는 것은 라이프스타일의학이 병원 진료실에서만 이루어지는 것이 아님을 의미한다. 때로는 운동생리학자, 식이요법 전문가가 치료를 주도할 수도 있고 학교, 기업, 종교 모임처럼 공통의 특성이나 관심사를 가진 다수의 사람들이 모여 있는 곳에서 교육, 컨설팅, 집단상담 같은 형태로 이루질 수도 있다. 이에 관해서 게리 에거(Garry Egger) 등은 만성질환 예방을 위해서는 개인(임상의학)과 집단(공중보건)의 양 방향에서 라이프스타일 변화가 필요하며, 라이프스타일 중재는 의료 현장뿐 아니라 의학적 개입이 없는 곳에서도 이루어져야 한다고 지적한다(Egger 등, 2017).

지역사회 자원봉사자들이 진행한 라이프스타일 개선 프로그램에 참여한 사람들이 한 달 만에 BMI, 혈압, 혈당, 혈중지질 등 심혈관질환 위험인자들을 크게 감소시킬 수 있었는데(Rankin 등, 2012), 이 자원봉사자들은 교회에서 모집된 사람들로, 단기간의 교육과 시행 매뉴얼을 제공받은 후 프로그램을 진행하여 성공적인 결과를 이끌어냈다. 이는 전통적인 의료 현장 밖에서 비의료인에 의해 주도된 라이프스타일의학의 성공적인 사례이자 라이프스타일의학의 비용 대비 효과성 또한 주목된 연구다. 2019년 국내의 한 식품업체가 충청북도의 한 지역에서 노인들을 대상으로 식생활 교육을 실시하여 대사증후군 환자를 1/3이나 감소시킬 수 있었다. 식생활 교육만으로 이런 효과를 거두었다면 포괄적인 라이프스타일 프로그램의 효과는 어느 정도일지 기대하지 않을 수 없다.

현대 의료계에서 일어나고 있는 변화의 목표 중 하나는 '환자 중심성'이다. 이것은 단지 환자에게 더 나은 의료 서비스를 제공하자는 것이 아니라 질병이 아닌 환자에게 접근하자는 것이다. 즉, 질병을 진단하고 그 질병마다 표준화된 치료 방식을 일괄적으로 적용하는 것이 아니라 환자에 따라 진단하고 환자에게 최적화된 치료 방법을 찾는다는 것이 핵심이다. 라이프스타일의학에서 환자 중심성은 더욱 중요한 의미를 갖는다. 라이프스타일의학의 성과는 절대적으로 환자의 실천에 달려있다. 환자 자신이 문제를 깨닫고 치료자와 함께 변화의 목표를 수립하고 삶에서 그 변화를 만들어내야 한다. 치료자의 유능함은 환자를 유능하게 만들 수 있는 정도로 드러난다.

기존 의학에서의 환자는 치료의 수동적 수혜자이기 때문에 환자가 치료에서 맡는 능동적인 역할은 없다. 환자가 자신의 병에 대해 정확히 알지 못하고 어떤 치료를 받고 있는지 모르는 경우도 흔하다. 따라서 치료의 책임은 대개 의사에게 있다. 하지만 라이프스타일의학에서 환자는 치료를 받는 존재가 아니라 치료에 참여하는 주체다. 사람들이 일상에서 자기 자신을 돌보는 것을 셀프케어(self-care, 자기돌봄)라 하는데, 질병을 앓고 있는 사람이라면 일상적인 셀프케어와 더불어 질병에 대한 자기관리(self-management)까지 할 수 있어야 한다. 라이프스타일의학은 셀프케어와 자기관리에 더욱 중점을 두며, 환자가 적극적인 파트너로서 자신의 지식을 치료 과정에 지속적으로 적용하도록 한다(Egger 등, 2008).

이상과 같이 라이프스타일의학은 진단 영역, 치료 방식, 시행의 주체와 그 역할, 구현 방식 등 모든 면에서 기존 의학과 구분된다. 이러한 이유로 라이프스타일의학에서는 '의사', '환자', '질병' 같은 용어가 부적절한 경우가 많고 상황에 따라서는 '치료자', '참여자', '문제' 같은 단어로 대체되어야 한다.[19]

에거(Egger) 등은 기존의 일차의학과 라이프스타일의학의 차이를 **표1** 과 같이 요약했다(Egger 등, 2017).

표1 기존 의학과 라이프스타일의학 비교 (Egger 등(2017), p. 8에서 인용)

기존 의학	라이프스타일의학
혈압, 혈당 같은 위험인자를 치료	라이프스타일과 환경 요인을 다룸
환자는 수동적으로 치료를 받음	환자는 치료의 능동적인 파트너임
환자에게 큰 변화가 요구되지 않음	환자에게 큰 변화가 요구됨
치료가 단기적으로 이루어짐	치료가 대개 장기적으로 이루어짐
치료의 책임은 의료진에게 있음	치료의 책임은 환자에게도 있음
약물치료가 주된 방식임	약물도 이용하지만 라이프스타일과 환경 변화를 더 강조
진단과 처방이 중요함	환자의 동기와 순응도(compliance)가 중요
질병 관리가 목적임	1차·2차·3차 예방이 치료의 목표
환자의 생활환경은 덜 중요함	환자의 생활환경이 중요함
치료의 부작용과 효과는 균형을 이룸	라이프스타일에 영향을 미치는 부작용은 많은 주의를 요함
다른 의학 전문가들과 협력	다른 건강 전문가들의 참여가 이루어짐
한 명의 의사가 한 명의 환자를 독립적으로 진료함	의사는 건강 전문가 팀의 일원임

---

19) 외국 문헌들도 흔히 'patient'라는 단어와 'client(내담자, 의뢰인, 고객)'라는 단어를 혼용하는 경우가 흔하다. 이 책에서는 '참여자(participant)'라는 단어를 이용한다. 참여자는 질병이 있든 없든 라이프스타일 개선에 참여하는 사람을 가리킨다. 질병을 가진 사람에 대해 설명하는 문장에서는 환자라는 단어도 혼용한다.

현대 의학에는 라이프스타일의학과 철학이나 원리를 공유하는 여러 분야들이 있다. 특히 예방의학(preventive medicine), 기능의학(functional medicine), 통합의학(integrative medicine), 심신의학(mind-body medicine), 자연의학(naturopathic medicine) 등과는 많은 공통점이 있다.

질병을 관리하려면 발병 후 치료하는 것보다 선제적인 예방이 중요하므로 라이프스타일의학은 치료보다 예방을 더 강조하는데, 이는 예방의학의 원리와 동일하다. 라이프스타일의학의 활동은 예방의 모든 단계에서 이루어진다('글상자❶ 예방의 단계' 참고). 그러나 라이프스타일은 단지 질병 예방의 수단이 아니라 질병 치료의 수단이라는 점에서 라이프스타일의학과 예방의학은 다르다.

글상자❶ 예방의 단계

예방은 1차 예방, 2차 예방, 3차 예방 등 3단계로 구분된다. 1차 예방은 질병 발생 이전의 예방, 2차 예방은 조기진단, 3차 예방은 재활치료에 해당한다.

1차 예방은 금연 캠페인, 운동이나 식습관에 대한 교육 등을 통해 만성질환을 예방하고 건강을 증진하는 것이며 전체 인구가 대상이다.

2차 예방은 질병의 위험이 있는 사람들을 대상으로 하며, 질병이 시작되었지만 증상이 뚜렷해지기 전에 발견하여 더 진행하지 않도록 치료를 하는 것이다. 건강검진은 2차 예방의 주요 전략이다.

3차 예방은 질병이나 장애가 발생한 환자의 질병 진행을 늦추고 합병증을 예방하며 삶의 질을 향상하기 위한 것으로 재활치료가 대표적인 예다. 당뇨병 환자가 약물요법, 생활요법을 철저히 실천하는 것이 해당한다.

3차 예방, 2차 예방, 1차 예방으로 단계가 낮아질수록 대상자는 넓어지고 예방 효과는 커진다. 라이프스타일의학은 1차 예방에서 3차 예방까지 예방의 모든 단계에 적용된다.

1차 예방에서 원초적(primordial) 예방을 분리하여 4단계로 예방의 단계를 설명하기도 한다. 원초적 예방은 전체 인구를 대상으로 하여 위험인자의 발달을 예방하려는 노력으로, 국가 또는 글로벌 수준의 정책적 개입이 이루어지는 것이다. 하루 소금 섭취 권장량을 마련하거나 미세먼지 저감 정책을 실시하는 것이 예가 된다. 원초적 예방은 약이나 수술이 따라올 수 없는 정도로 만성질환의 발병을 예방하거나 지연시킬 수 있다(Åkesson 등, 2014; Larsson 등, 2014).

'**표2** 질병 원인의 다단계적, 계층적 이해'에서 보듯이 라이프스타일의학은 원초적 예방을 적극적으로 포함한다.

인공적인 것들에 의한 면역계와 대사 시스템의 교란을 피하고, 약물이나 수술보다 인체가 가진 회복의 경향성, 즉 내재된 치유력의 증강을 돕는다는 점에서 라이프스타일의학은 자연의학과 상통한다.[20]

---

20) 인공적인 것이 면역계와 대사 시스템을 교란하는 기전은 '3장, 1, ❷ 대사염증과 인류원'에서 설명된다.

기능의학에서는 사람마다 외모가 다르듯이 생체 내에서 일어나는 생화학적 반응도 모두 다르며, 이러한 개인의 독창성을 중심으로 진단과 치료가 이루어져야 한다고 본다. 또한 질병에 초점을 맞추기보다 질병 이전의 상태, 다시 말해서 최상의 기능에서 벗어나 불편함을 느끼는 상태에 주목하고 이 상태를 초래하는 생화학적 물질대사의 이상을 찾아내 영양학적 방법으로 치료하고자 한다. 이러한 기능의학의 관점 역시 라이프스타일의학의 관점과 상당 부분 일치한다.

심신의학은 몸과 마음은 분리될 수 없으며 마음을 다스림으로써 신체적 질병도 치유되고 건강을 유지할 수 있다는 것을 전제로 하는 보완대체의학(complementary and alternative medicine)의 한 분야로, 질병을 전일적(holistic) 시각에서 파악하며 마음을 치유의 주요 경로로 삼고 생활 전반에서 스스로 건강을 도모하는 의학이다.[21] 전일적 의학에서는 인간을 부분으로 보지 않고 몸과 마음이 합일되어 있다고 보며 인간은 대우주와 연결된 소우주로 여긴다. 신체적 질병이라도 그 원인이 마음에 있거나 대우주와의 균형과 조화가 어긋난 데서 기인하는 것일 수 있다고 간주하므로, 신체에 나타난 증상을 없애는 데 중점을 두기보다는 그 배후의 원인인 마음과 생활 환경을 중요시한다. 동서양의 모든 전통의학은 전일적 심신의학이었으며 양생(養生)을 강조한 라이프스타일의학이었다.

통합의학은 현대 서양의학(생의학, biomedicine)과 보완대체의학으로 통칭되는 다양한 치료 양식을 통합적으로 제공하는 의학이다. 인간을 몸, 마음, 영성을 지닌 통합적 전체로 이해하고, 생명체와 환경의 조화와 균형을 강조하여 다양한 치료법을 제공한다는 점에서 라이프스타일의학의 철학, 이론, 기술과 가장 넓은 접촉면을 가지는 의학이라 할 수 있다. 이상의 의학 분야들은 경쟁적 관계가 아니라 보완적 관계다.

---

21) '5장, 1, 2 심신의학'을 참고하라.

2 라이프스타일의학의 패러다임

■ 건강결정요인과 라이프스타일

(1) 무지개모델과 건강장

> "모든 임상 이야기에는 사회적 이야기가 있다. 이 이야기는 종종 그들이 일하고,
> 살고, 노는 곳과 소득, 식량 안보, 주택에 관한 것이다."
> - 앤드류 브레스나한(Andrew Bresnahan) -

지금 이 시간 우리의 건강 상태는 어떻게 결정된 것일까? 건강을 결정하는 요인 중 나이, 성별, 유전 같은 생물학적 요인이 차지하는 부분은 생각보다 크지 않다. 연구자에 따라 차이는 있지만, 생물학적 요인이 기여하는 부분은 30%에 불과하고 나머지 70%의 인과관계는 사회·문화적 환경, 생태·물리적 환경과 연결되어 있다. 이러한 사실은 개개인을 타깃으로 하는 위험요소 관리나 개인 수준의 라이프스타일 변화만으로 건강을 돌보는 것은 분명히 한계가 있다는 것을 알려준다. 코로나-19 바이러스라는 생물학적 요인이 수많은 호흡기질환 환자를 만들기도 했지만, 팬데믹(pandemic)으로 인한 사회적 접촉의 감소와 실내에서만 지내는 생활이 우울증 환자와 비만 환자를 크게 증가시키기도 했다. 이처럼 유형, 무형의 환경 요인은 직접적으로 건강과 질병에 영향을 미치기도 하고 라이프스타일에 영향을 미치는 간접적 방식으로도 영향을 미친다.[22]

사회적, 경제적 불평등은 사람의 질병 위험, 질병 예방 능력 또는 효과적인 치료에 대한 접

---

[22] 비만을 예로 들어 자세히 살펴보자. 달고 기름진 음식 위주의 식습관, 앉아서만 지내는 행동을 교정하는 것만으로 비만이 관리되는 것이 아니다. 그러한 행동들은 스트레스, 우울 같은 심리적 요인에서 기인하는 것일 수도 있다. 게다가 비만은 사회적으로 전파되는 일종의 전염병이므로 비만한 친구를 둔 사람은 비만이 될 가능성이 높아진다(Christakis 등, 2007). 여기서 끝이 아니다. 현대인의 비만에서 더 중대한 요인은 비만 생성 환경(obesogenic environment)이다. 서구식 문화의 유입과 확산은 전 세계적인 비만 인구 증가와 명백한 상관관계가 있다. 국제적 식품 교역 증가, 식품회사의 마케팅 경쟁과 광고 또한 현대인의 식생활에 큰 영향을 미치고 있는데, 이로 인해 가공식품 섭취가 늘어나게 되고, 전체 음식 섭취량도 생리적으로 필요한 수준 이상으로 증가하고 있다. 다른 만성질환도 마찬가지다. 따라서 대중의 건강행태(health behavior)를 이끌어 내기 위한 건강소양(health literary) 교육에서부터, 음식의 성분 표시, 청량음료 같은 특정 식품의 마케팅 규제, 교역에 이르기까지 국가적, 국제적 수준에서의 다방면적 개입과 협력이 필수적이다(Chopra, 2002).

근성을 좌우한다. 이와 같은 사회적 건강결정요인(determinants of health)을 설명하기 위해 다양한 모델이 제시되었는데 가장 널리 사용되는 것이 달그렌(Dahlgren)과 화이트헤드(Whitehead)의 무지개모델(rainbow model)이다(Dahlgren 등, 1991). 개인과 환경과 건강의 관계를 지도화하고 있는 이 모델은 건강이 사회적 연결망, 사회·경제적 요인, 문화 및 기타 환경 조건의 상호작용 속에서 결정된다는 것을 시각적으로 표현하고 있다. 무지개모델은 건강결정요인의 영향에 대한 연구에 광범위한 영향을 미쳤는데, 특히 사회적 불평등 같은 사회적 요인이 건강을 결정하는 중요한 변수라는 인식을 증가시켰다.

그림 1 달그렌과 화이트헤드의 무지개모델 (Dahlgren 등(1991)에서 인용)

건강은 특정 위험인자의 유무나 몇몇 생리적 지표의 증감으로 판단할 수 있는 것이 아니라, 수많은 변수들이 시공간적으로 상호작용하는 패턴이다. 200 mg/dL라는 높은 혈당은 식사의 영향으로만 설명할 수 없다. 부족한 수면, 앉아서만 지내는 생활, 스트레스, 야식을 즐기는 가정환경, 잦은 음주의 원인이 되는 사회적 모임, 정기적인 건강검진 시스템, 당뇨병에 대한 대중교육, 그리고 인슐린을 적게 분비하는 췌장의 유전적 취약성도 작용한다. 하지만 과학은 이렇게 많은 변수들이 상호작용하는 복잡한 인과관계를 전혀 다루지 못한다. 이러한 한계를 지적하고 등장한 것이 1974년에 발표된 라론드 보고서의 '건강장(health field)' 개념이다.

건강장의 요지는 건강이 라이프스타일, 환경, 보건의료시스템, 유전 등의 생물학적 요인 같은 다양한 요인들에 의해 결정된다는 것인데, 특히 라이프스타일이 건강에 기여하는 부분이 무려 43%나 된다고 설명한다. 문제는 각 사람이 선택하는 라이프스타일은 그 사람을 둘러싼 환경이라는 배경(background)이 만들어내는 전경(foreground)에 불과하다는 사실이 종종 간과된다는 점이다. 라론드 역시 라이프스타일에 이어서 환경을 두 번째로 중요한 요인으로 강조하기는 했지만, 사회적 환경 같은 무형의 환경에 대한 분석은 빈약하다는 비판을 받았다.

현대인의 수명을 50%까지 단축시키는 단일 요인이 있다는 사실을 믿을 수 있는가? 2014년에 『캐내디언 프레스(The Canadian Press)』는 노숙을 하는 것이 수명을 50%나 단축시킨다고 보고했다. 2010년 4월 캐나다의 한 신문에는 해밀턴(Hamilton)의 가장 좋은 지역과 가장 나쁜 지역 주민은 수명이 21년이나 차이가 나고, 응급실 방문률도 13배 차이가 난다는 기사가 실렸다.

사회·경제적 요인은 건강을 결정하는 여러 요인들과 복잡하게 연결되어 있다. 어떤 음식을 먹고 어떤 물을 마실지, 주거 조건과 의료 시스템 접근성이 어떨지는 사회·경제적 요인과 직접적인 관계가 있다. 이뿐 아니다. C형 간염이나 알코올 중독 같은 질병 역시 특정 사회·경제적 배경을 가진 집단에서 더 많이 발생한다. 그래서 한 사람의 사회경제적 지위(socioeconomic status, SES)는 그 사람이 놓인 사회·문화적, 생태·물리적 환경을 두루 가늠할 수 있는 지표가 된다.[23] 캐나다의학협회(Canadian Medical Association)에 따르면 건강의 약 25%는 보건의료시스템에 의해 결정되고 50%는 사회적 요인에 의해 결정된다. 그래서 어떤 사람들을 사회적 요인들을 다루는 것이 진정한 의학이라 말하기도 한다. 사회의학(social medicine)의 창시자 루돌프 비르호(Rudolf Virchow)는 "의학은 사회과학이고 정치는 크게 보면 의학이다"라고 했다.

(2) 건강결정요인의 계층적 구조

> "라이프스타일의학은 환경 문제에 대한 참여에서부터
> 개인의 행동 변화에 이르기까지 광범위한 전략을 필요로 한다.
> 이 인과관계의 제일 끝에 있는 경제 성장처럼,
> 건강과 명백한 관련이 없어 보이는 문제들도 고려해야 한다."
> - 개리 에거(Garry Egger) -

심근경색 환자의 괴사된 심장조직, 괴사의 원인이 된 막힌 관상동맥, 관상동맥을 손상시킨 염증세포와 콜레스테롤 분자 등, 점점 더 정밀한 수준으로 연구를 하다 보면 언젠가 심근경색의 원인이 완전히 규명되고 질병이 정복될 수 있을까? 그렇지 않다. 심근경색에 대한 대규

---

[23] 2008년 WHO의 '건강의 사회적 결정요인 위원회'는 불평등 같은 사회적 요인이 주요 건강결정요인이라는 내용의 보고서를 냈다. 사회적 요인에 비하면 건강 관련 정책이나 보건의료 서비스는 근본적인 건강결정요인이 아니라 보완적 역할을 한다.

모 연구인 '인터하트(INTERHEART) 연구'는 심장병에 대한 연구가 스트레스 같은 '원인의 원인 (causes of causes)'으로 확대되어야 함을 보여준다(Yusuf 등, 2004).

점점 많은 사람들이 월요일 오전에 심장마비로 사망하고 있다. 이를 '검은 월요일 신드롬 (black monday syndrome)'이라 한다. 한 조사에 의하면 50세 미만인 사람에게서 심장마비를 예측할 수 있는 최고의 지표는 일에 대한 불만족이었다. 직무 스트레스가 의학적 치료의 대상이 아니라고 관심을 두지 않는 것은 잃어버린 열쇠를 가로등 밑에서만 찾으려는 것과 다르지 않다. 의학적 치료의 대상이 아니라는 것은 질병에 대해 의학 이외의 접근도 필요하다는 것을 의미하는 것이다.

신체활동이 감소한 데는 우울증이나 직업적 요인이 뒤에 있을 수 있고, 흡연이나 음주도 스트레스나 또래 압력이 중요한 요인으로 작용한다. 그리고 또 그 뒤에는 미세먼지나 경제 침체처럼 더 멀리 있는 원위(distal) 인자들이 있을 수 있다. 앞서 언급한 바와 같이, 사회경제적 지위는 건강의 중요한 변수이고, 실제로 경제적 불평등과 건강 불평등은 강하게 연결되어 있다. 한 국가의 불평등 정도는 소득 상위 20%와 하위 20%의 비율로 표현할 수 있는데, 이 수치는 개인의 건강이나 사회의 광범위한 문제들과 명확한 연관성이 있다(Wilkinson 등, 2009). 따라서 만성질환에 대한 역학적 접근은 **표2** 와 같은 다단계적, 계층적 접근이 필요하다(Egger 등, 2011). 이런 방식으로 질병을 바라보면, 당뇨병이나 고혈압이 산업화나 대기오염 같은 문제들과도 연결되어 있음을 알 수 있다.

표2 질병 원인의 다단계적, 계층적 이해 (Egger 등(2017), p. 27에서 참고)

원위 원인	중위 원인	근위 원인	위험인자	질병
대기오염 정치적 불안 산업화 경제 침체 자연환경 파괴	스트레스 불안 우울 기술(technology) 직업 관계(또래 압력) 불평등	식생활 비활동성 흡연 알코올 약물 공해 햇볕 노출	비만 혈압 혈중지질 공복혈당장애 ALT(간 수치) CRP(염증 수치) HbA1c(당화혈색소)	고혈압 심장병 뇌졸중 당뇨병 암

현재 의료기관에서는 질병이 진단되면 표의 단계 중에서 주로 위험인자를 조절한다. 근위 원인을 개선해서 위험인자를 관리할 것을 모든 만성질환 치료지침에서 권고하고 있지만, 현실에서는 거의 약물요법으로 위험인자를 조절한다. 중위 원인이나 원위 원인은 거의 다루지 못한

다. 질병의 원인을 전체적으로 다루려면 의료인 이외에도 다른 분야 전문가들의 참여와 협력이 불가결한 조건인 것이다(Egger 등, 2017).

(3) 통합적 의학의 4분면

> "복잡한 문제에 대한 간단한 답변에 주의하라."
> - 조지 솔로몬(George Solomon) -

라이프스타일은 우리가 세상과 소통하고 관계 맺는 방식이다. 직장인의 회식에는 일종의 사회·문화적 압력이 작용한다. 병에 든 생수가 미세 플라스틱을 가장 많이 섭취하는 경로임에도 불구하고 사람들이 물을 사 먹는 것은 수돗물이 깨끗하지 않다는 사회적 인식 때문이다. 휴일에 등산을 하거나 공원에 가기보다 집안에서 영화를 보거나 게임을 하는 것은 감염병의 유행이나 미세먼지 같은 것이 원인일 수 있다. 우리나라 사람들이 해산물을 많이 먹는 것은 삼면이 바다로 둘러싸여 있다는 지리적 여건 때문이다. 엘리베이터가 없는 주택의 높은 층에 사는 노인은 외출도 적어지고 사회적 관계도 제한된다. 이런 식으로 우리를 둘러싼 유형·무형의 환경은 우리가 사는 모습을 빚어낸다. 환경 정책, 사회복지 정책, 교육 정책, 미디어 모두가 우리의 건강행태(health behavior)[24]에 큰 영향을 미치고 있다. 그렇다면 건강한 라이프스타일의 책임을 개인에게 돌리는 것이야말로 무책임한 태도다.

대개 환경이라 하면 자연환경을 먼저 떠올리지만, 사회적 동물인 인간에게 더 중요한 것은 문화라는 환경이다. 라이프스타일은 근본적으로 임상적 문제가 아니라 문화적 문제다. 카츠(David Katz)는 라이프스타일의학이 실현되려면 라이프스타일은 약이 되어야 하고 그 약을 목으로 넘기려면 변화된 문화라는 숟가락이 필요하다고 말한다(Katz, 2014). 소크라테스(Socrates) 또한 "질병은 그 지역의 문화적인 것이다"라고 했다. 인류의 역사를 보면 수렵채취나 유목을 하던 시대에는 외상과 사고의 위험이, 농업사회에서는 동물원성(zoonotic) 감염병이, 산업화가 이루어지면서 형성된 도시에서는 사람들 사이의 감염병이 주요 질병이었다. 동시대를 사는 현대인도 자신이 속한 문화와 사회에 따라 질병의 양상이 다르다. 물론 문화의 밑그림이라 할 수 있

---

[24] 건강행태란 각 사람이 양호한 건강을 유지하거나 회복하고 질병을 예방하기 위해서 취하는 행동으로서 규칙적 운동, 균형 잡힌 식습관, 개인위생, 예방접종 등을 실천하는 것을 가리킨다.

는 자연환경의 중요성도 무시할 수 없다. 따라서 라이프스타일의학에서는 건강과 질병의 모든 변수를 고려하는 시스템적 관점이 필요하다.

통합 이론가 켄 윌버(Ken Wilber)는 건강과 질병에 대한 시스템적 접근 방식을 '**표3** 통합적 의료의 4분면'으로 요약했다(Wilber, 2007). 기존의 의료는 표의 4개 분면 중에서 우상 분면 차원에 국한되어 있었다.[25] 하지만 그것은 전체 이야기의 1/4일뿐이다. 마음과 몸은 연결되어 있고, 모든 질병은 가족, 사회, 문화, 음식, 생태, 보건의료시스템 등 심리·사회학적, 생태·물리학적 환경과 연결되어 있다. 따라서 신체적인 질병이라도 모든 4분면 차원에서 이해하고 접근해야 한다. 이러한 통합적인 의료는 우상 상한에만 국한된 단편적 의료보다 효과적일 뿐만 아니라 의료비를 크게 줄일 수 있다.

표3 통합적 의료의 4분면 (Wilber(2007), p. 95에서 참고)

	좌상(upper left) 상한	우상(upper right) 상한	
나 (I)	개인 수준의 내적(정신적) 요인(interior-individual) : 보완대체의학 영역 ● 감정 ● 심리적 태도 ● 상상 ● 의도	개인 수준의 외적(신체적) 요인(exterior-individual) : 기존 의료의 영역 ● 수술 ● 진통제 ● 약물치료 ● 행동 제한	그것 (It)
	좌하(lower left) 상한	우하(lower right) 상한	
우리 (We)	집단 수준의 내적(문화적) 요인(interior-collective) : 집단의 문화 영역 ● 문화적 가치관 ● 문화적인 판단 ● 질병의 의미 ● 환자를 지원하는 집단	집단 수준의 외적(제도적) 요인(exterior-collective) : 사회적 시스템 영역 ● 경제적 요소 ● 보험 ● 의료보장 정책 ● 사회적 전달 시스템	그것들 (Its)

② 라이프스타일은 세상과 소통하고 관계 맺는 방식

"라이프스타일은 우리가 세상과 소통하고 관계 맺는 방식이다." ▮

농촌에 사는 사람과 도시에 사는 사람의 라이프스타일은 다르다. 대가족의 라이프스타일

---

[25] 근본적으로 생의학에서는 신체에 나타나는 질병은 신체적인 차원에서 설명할 수 있는 원인이 있다고 믿는다. 예를 들면 바이러스, 암세포, 유전자 같은 것이다. 따라서 수술, 약물치료 등 직접 신체에 개입하는 방식을 이용한다.

과 1인 가구의 라이프스타일은 다르다. 같은 사람도 기숙사에 있을 때의 라이프스타일과 고향집에서의 라이프스타일은 다르다. 라이프스타일은 개인의 생활습관이 아니라 유형·무형의 환경 속에서 형성되는, 그 사람이 환경과 소통하고 관계 맺는 방식이다.『메리엄-웹스터 사전(Merriam-Webster's Dictionary)』에서는 라이프스타일을 '개인, 그룹 또는 문화의 관심사, 의견, 행동 및 행동지향'이라고 정의하고,『캠브리지 사전(Cambridge Dictionary)』에서는 라이프스타일을 '사람의 삶의 방식 또는 어떤 사람이나 그룹이 흔히 하는 것들'이라고 정의한다.

라이프스타일이라는 영어 단어를 우리말로 옮기면 생활양식이 된다. 국어사전에서 정의하는 생활양식은 '사회나 집단이 공통적으로 갖고 있는 생활에 대한 인식이나 생활하는 방식'이다. 즉, 의식주, 사회적 관계, 소비 방식, 여가와 오락, 직업 등 라이프스타일의 모든 것은 사회나 집단이 추구하는 가치와 어울리는 행위들로 구성되는 것이다. 이러한 가치와 행위를 생활습관이라 부를 수는 없다. 국내에서는 'lifestyle medicine'이 '생활습관의학'으로 번역되기도 하는데, 이 용어는 단지 환자의 생활습관을 수정하는 것을 목표로 하는 것으로 이해되거나, 행동주의에 기반한 행동의학으로 오도될 수 있다.[26]

---

26) 30여 년 전에 'lifestyle-related disease'라는 용어가 등장했을 때 이것을 '생활습관병'으로 번역하면서부터 첫 단추가 잘못 끼워졌다. 자연히 'lifestyle medicine'도 생활습관의학이 되었다. 하지만 생활습관병이라는 용어조차 만성질환이라는 용어로 대체되고 있다. 생활습관병이라는 단어가 환자를 비난하는 듯이 들릴 수도 있고, 생활습관이 문제이므로 의학적으로 할 수 있는 치료가 없다는 식으로 해석될 여지도 있기 때문이다. 라론드 보고서의 'lifestyle'도 생활양식, 생활방식, 생활습관 등 여러 가지로 번역되고 있는데, 이것은 학제간(interdisciplinary) 연구가 필수적인 이 분야에서의 소통에 적지 않은 혼선을 야기한다. '인터넷'이나 '스마트폰'이라는 외래어처럼 라이프스타일이라는 단어도 이미 국어사전에 등재된 단어이고, 영어 'lifestyle'의 뜻을 온전히 전달할 수 있는 단어이므로, 이 책에서는 의미의 변형이 불가피한 다른 번역어를 사용하지 않고 라이프스타일이라는 용어를 사용하기로 한다.

건강 패러다임과
보건의료시스템의 혁신

2 chapter

최근 조사에 의하면 한국인이 가장 높이 가치를 두는 것은 건강이다. 철학자 쇼펜하우어(Schopenhauer)는 "인간의 행복은 거의 건강에 의해 좌우되며 건강하기만 하다면 모든 일은 즐거움과 기쁨의 원천이 된다"라고 했다. 그런데 과연 건강이란 무엇일까?

건강이 육체적, 정신적, 사회적으로 완전한 웰빙 상태라는 WHO의 1948년 정의에 대해, 지난 60년 동안 다방면에서 비판적 논의가 진행되고 새로운 정의도 수차례 제안되었다. 휴버(Huber) 등은 신체적, 정서적, 사회적 변화에 적응하고 스스로를 관리할 수 있는 능력으로 관점을 옮길 것을 제안했다(Huber 등, 2011). 또 다른 학자들은 회복력(resilience), 균형감, 웰빙의 감각 등을 강조하여 더욱 역동적인 것으로 건강을 정의하자고 촉구한다. 이러한 견해들을 종합하면, 건강은 '적응하고 스스로 관리하는 능력(the ability to adapt and to self manage)'으로 요약된다.

생리학의 항상성(homeostasis) 이론에 기초하고 있는 기존의 생의학 모델에서는 어떤 상황에서든 신체가 소위 '정상'이라고 하는 고정된 균형점을 유지해야 건강하다고 본다. 그래서 누구든 수축기혈압이 140 mmHg 이상이면 고혈압으로, 공복혈당이 126 mg/dL 이상이면 당뇨병으로 진단된다. 하지만 우리가 운동경기에 참여할 때 심박수가 정상의 배로 치솟고, 위험한 상황에 맞닥뜨렸을 때 혈당이 크게 상승하는 것은 치료를 요구하는 상태가 아니라, 우리 몸이 경기나 위기라는 상황에 잘 적응한 건강한 상태라는 표현이다. 끝없이 변화하고 있는 환경에 맞추어 자신을 지속적으로 변화시켜 적응하는 것이 '잘 존재하는 것', 즉 웰빙(well-being)이다.

강화된 적응 능력과 자기관리 역량은 주관적 웰빙 수준을 향상시킬 뿐 아니라 환자가 호소하는 생리적 증상도 개선시킨다. 질병에 성공적으로 적응한 사람은 일상생활이나 사회적 활동에 더 잘 참여할 수 있게 되고, 그 결과 실제로는 질병과 함께 살아가고 있음에도 불구하고 스스로 건강한 삶을 살고 있다고 느끼게 된다.

세 번째 암과 투병하던 가수 올리비아 뉴튼-존(Olivia Newton-John)은 한 방송과의 인터뷰에서, 질병을 부정하는 것을 삶을 낭비하는 것이며, 과자를 먹는 것 같은 일상의 즐거움이 치유의 일부가 되어야 한다고 말했다. 뉴튼-존의 말은 지금까지 만성질환을 대하던 우리의 인식과 태도에 무언가 빠진 것이 있었다는 것을 알려준다. 질병을 치료하는 일이 환자를 일상의 삶과 분리시키는 일이 되거나 삶의 주도권을 다른 사람에게 양도하도록 강요하는 일이 되어선 안 된다는 것이다. 자신의 삶을 더 잘 돌보고 질병에 대처할 수 있도록 훈련받은 만성질환자는 건강도 더 개선되고 스트레스를 덜 느끼고 덜 피곤하며 더 활력이 있고 장애를 덜 느끼는 것으로 보고했고 의료비도 감소되었다(Lorig 등, 1999; Lorig 등, 2003). 사람들이 노화나 질병에 대해 성공적인 대처 전략을 발달시키면 노화나 질병으로 인해 손상된 기능은 삶의 질에 큰 영향을 미치지 않는다. 이러한 현상을 '장애의 역설(disability paradox)'이라 한다.

그렇다면 의학적으로는 환자지만 삶의 질은 잘 유지하는 사람이 더 건강한 사람일까, 의학적으로는 아무런 질병도 없지만 원하는 삶을 살지 못하는 사람이 더 건강한 사람일까? 어쩌면 '건강이 무엇인가'보다 더 중요한 질문은 '왜 건강해야 하는가'일 것이다.

삶의 질이란 일상적인 생활을 즐길 수 있는 능력을 표현하는 것이다. 일상적인 생활을 즐길 수 있다는 것은 질병이 없다는 의미가 아니다. 원래 건강이라는 말도 신체에 병이 없는 상태를 뜻하는 것이 아니다. 건강은 몸의 질(質)이 양호한 건(健)과 마음의 성(性)이 평안한 강(康)을 합쳐 이르는 것이다. 그렇다면 MRI의 해상도를 더 높이고 현미경의 배율을 더 높이는 것만이 건강과 질병을 더 정확히 판단하는 방법은 아닐 것이다.

1 다중차원의 건강과 삶의 질

■ 건강이란 무엇인가

(1) 통합건강

> "좋은 의사는 질병을 치료한다. 위대한 의사는 질병을 가진 환자를 치료한다."
> - 윌리엄 오슬러(William Osler) -

환자가 호소하는 증상(symptom)이 있어도 의사에게 발견되는 징후(sign)가 없는 경우는 무수히 많다. 의학적으로 이를 '기능적 신체증후군(functional somatic syndrome, FSS)'이라 한다. 이러한 장애를 가진 사람들이 지출하는 의료비용은 다른 환자들이 지출하는 비용보다 많고, 원인을 찾기 위해 실시하는 검사와 불필요한 약물 이용이 많아지는 만큼 의원성질환(iatrogenic disease: 의료 행위에 의해서 새로 생기는 병)의 발생 위험도 높아진다.

반면에 객관적으로는 검사 지표가 정상 범위에서 벗어나 있고, 심지어 의학적으로 질병으로 진단되는 상태라도 그것이 삶에 전혀 장애가 되지 않는 사람들이 있다. 이들에게는 질병이 아니라 진단이 삶에 장애가 된다. '아는 게 병'이라는 말처럼, 질병이 있다는 사실 자체가 아니라 질병이 있다는 것을 알게 되는 것이 이들을 환자로 만들기 때문이다. 앞 장(chapter)에서 언급한 바와 같이, 전립선암 때문에 죽는 사람보다 전립선암이 있는 줄도 모르고 죽는 남성들이 훨씬 많다. 만일 이들이 전립선암을 진단받고 치료를 했다면 치료에 동반되는 부작용이 삶의 질을 크게 훼손했을 수도 있고 그로 인해 '요실금', '성기능장애' 같은 또 다른 병명이 의료 기록에 추가되었을 것이다. 매일같이 자신이 환자임을 확인시켜 주는 약물들을 복용하고 일상생활과 사회활동의 제약을 느끼면서 여전히 자신이 건강하고 유능하다고 생각할 수 있는 사람은 없다.

그렇다면 의학적으로는 환자지만 삶의 질은 잘 유지하는 사람이 더 건강한 것일까, 의학적으로는 아무런 질병도 없지만 원하는 삶을 살지 못하는 사람이 더 건강한 것일까? 어쩌면 '건강이 무엇인가'보다 더 중요한 질문은 '왜 건강해야 하는가'일 것이다. 대답은 '행복하기 위해서'다. 건강뿐 아니라 부귀, 성공 모두 행복하기 위해서 추구하는 것이다. 행복을 수단으로 해서 얻을 수 있는 그 이상의 무언가는 없다. 그런데 행복이란 대단히 주관적인 것이어서 동일한 조건 속에서도 사람들이 느끼는 행복의 수준은 다르다. 더 열악한 조건 속에 있는 사람들이 오히려 더 행복할 수도 있다. 건강이라는 조건도 그렇다.

삶의 질도 객관적인 조건으로 평가되지 않는다. 삶의 질은 일상적인 생활을 즐길 수 있는 능력을 표현하는 것이다. 일상적인 생활을 즐길 수 있다는 것은 질병이 없다는 의미가 아니다. 웰빙(well-being) 또한 질병의 유무로 결정되지 않는다. 1948년 WHO는 건강이란 '단순히 질병이 없거나 허약하지 않은 상태를 말하는 것이 아니라 신체적, 정신적, 사회적으로 완전한 웰빙'이라고 정의했고, 이후 여기에 영적인 웰빙까지 추가하자는 개정안이 제출되기도 했다.

웰빙은 인간의 모든 측면이 조화롭고 만족스러운 상태를 뜻하는 것이다. 즉, 변화하는 환경 속에서 자신을 적절히 변화시켜 적응함으로써 환경과 조화를 이루는 것이다. 이것은 특정한 상태라기보다는 과정(process)이다. 웰니스(wellness)는 웰빙을 위한 최고의 잠재력을 달성하기 위하여 구성한 삶의 방식(way of life), 즉 라이프스타일을 말하는데, 웰니스 또한 궁극의 목적지가 있는 것이 아니라 과정이다. 그러한 변화와 적응의 정도에 따라 건강과 행복은 매 순간 새롭게 경험된다. 요약하자면 건강, 웰빙, 웰니스는 모두 주관적이며 능동적이고 역동적인 활동이며 과정이다.

(2) 건강은 명사가 아니라 동사다

> "나는 동사로 존재하는 것 같다."
> - 버크민스터 풀러(Buckminster Fuller) -

사람은 정물이 아니라 동물이다. 정물은 움직이면 위험한 것이고 동물은 움직이지 않으면 문제가 생긴 것이다. 사람의 건강도 정적인 것이 아니라 동적인 것이다. 전통적인 생의학 모델이 정적인 평형 상태를 유지하는 것을 목표로 하여 증상을 직접 관리하는 관리 모델(control model)이라면, 새로운 적응 모델(adaptation model)에서는 스스로 변화하는 능력을 강조하고 간접적 방식으로 중재를 시도하며 동적인 평형을 추구한다.

1948년에 마련된 WHO의 건강 정의는 '질병이 없는 것이 건강'이라고 했던 이전의 정의를 극복했지만, 새로운 정의도 계속 비판을 받아왔다. 특히 인구가 고령화되고 질병의 양상이 변화되면서 새로운 정의의 필요성은 더욱 부각되고 있다. 휴버(Huber) 등은 WHO 정의의 한계를 설명하고 새로운 개념을 소개했다(Huber 등, 2011). 그 핵심은 두 가지로 요약되는데, 첫째는 스스로의 온전성(integrity), 평형(equilibrium), 웰빙 감각을 회복하고 유지하는 능력(resilience, 대처 역량)에 바탕을 두고 더욱 동적인 개념으로 전환하는 것이다. 둘째는 건강을 적응과 자기관리 능력으로 바라보는 것이다. 건강이 동적인 것이고 적응과 자기관리 능력이라는 무슨 의미일까?

건강은 지금 측정한 혈압, 혈당 같은 지표를 근거로 하여 타인으로부터 부여되는 명칭 같은 것이 아니다. 건강은 상태가 아니라 방향이며 지금 이 순간도 변동하고 있는 동적인 현상이다. 따라서 어떤 특정한 상태를 건강으로 규정할 수는 없다. 방금 측정한 공복혈당이 150 mg/dL라 하는 것은 이 사람의 건강을 정확히 설명하지 못한다. 1년 전 측정한 공복혈당 200 mg/dL에서 계속 감소해 온 것인지, 100 mg/dL에서 계속 증가해 온 것인지에 따라 150이라는 숫자의 의미는 달라진다.

건강과 질병이 이분법적으로 구분되는 것이 아니라 하나의 연속선으로 연결되어 있다는 '질병-웰니스 연속체(illness-wellness continuum)' 개념은 1972년 존 트래비스(John Travis)에 의해서 제안된 것으로, **그림 2** 와 같이 설명된다. 이 개념은 아론 안토노브스키(Aaron Antonovsky)가 제안한 건강생성모델(salutogenic model)에서도 등장한다. 안토노브스키는 이 모델에서 적응과 스트레스를 인간의 건강과 안녕을 결정하는 중심적 원리로 포착했다. 건강생성모델 역시 건강의 핵심을 동적인 과정의 적절성에 둔다. 이 모델에서도 이상적이고 안정적인 어떤 상태를 건강으로 보지 않는다. 완벽한 건강이라는 것은 존재하지 않고, 질병과 건강도 이분법적으로 구분되지 않으며, 사람은 '질병-건강(disease-ease)'이라는 하나의 연속선 위에서 매 순간 움직이는 상태다. 건강은 이상적 상태가 아닌 변화의 과정이며, 질병과 싸워 얻는 것이 아니라 질병을 포함한 삶에의 전반적 적응, 즉 삶의 질적인 전환 과정이다.

그림 2 건강-웰니스 연속체

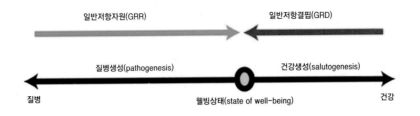

그림 3 건강생성모델과 일반저항자원

현대 의학에서 질병과 건강을 이분법적으로 구분하는 방식에는 너무도 넓은 사각지대가 있다. WHO는 전 인구의 75%가 서브헬스(sub-health) 상태에 속한다고 발표한 바 있다. 나머지 25% 중 20%는 이미 질병으로 진행된 상태이고, 단 5%만이 건강한 상태다. 현대 의학의 대상은 대개 20%의 질병 인구다. 미병(未病) 또는 아건강(亞健康)이라고도 불리는 서브헬스 상태는 의학적으로는 명확히 질병으로 진단되지 않으나 건강하지도 않는 것으로, 방치하면 질병으로 진행될 수밖에 없는 상태다. 의학적으로 질병으로 진단되지 않는다는 말은 현재의 의학으로는 진단도 치료도 할 수 없다는 말과 다르지 않다. 조기진단, 조기치료라는 것도 측정 가능한 수준의 병리적 변화가 나타난 이후에야 가능하다. 따라서 대개 만성적으로 진행되는 현대의 질병에 있어서, 의학적 개입이 시작되는 시기는 증상이 몸으로 나타난 이후가 될 수밖에 없고, 그때는 이미 치료의 최적 시기가 지난 뒤다.

지금 요구되는 보건의료시스템의 새로운 패러다임은 20% 인구에만 집중된 관심을 100%로 확대하는 것이고, **그림 3** 의 질병-건강 연속선에서 왼쪽(질병 방향)으로 이동하는 것을 막는 것이다. 지금 현재 건강 인구 5%에 속해 있다고 해도 질병-건강 연속선의 왼쪽으로 이동하는 중인 사람은 건강한 것이 아니다. 질병-건강 연속선 위에서 우리를 건강 쪽으로 혹은 질병 쪽으로 이동시키는 압력으로 작용하는 것이 건강결정요인이다.

질병-웰니스 연속체 또는 질병-건강 연속선 위에서 웰니스 방향 또는 건강 방향으로 향하도록 하는 것을 건강증진(health promotion)이라 한다. 건강증진은 개인의 생활습관과 환경을 포함한 라이프스타일의 개선을 강조하며 각 사람의 주체적 실천을 요구하는 통합적인 개념이다.

2 커뮤니티 케어와 셀프케어

1 셀프케어

(1) 헬스케어의 80%는 셀프케어

> "셀프케어는 진정한 일차의료이며 모든 치료의 중심이다."
>
> - 제임스 고든(James Gordon) -

WHO는 건강증진을 '개인 또는 지역사회가 건강결정요인들에 대한 통제력을 증가시킴으로써 자신의 건강을 향상시키는 과정'으로 정의한다. 따라서 건강증진은 건강관리(healthcare)의 기본 축인 셀프케어(self-care)와 커뮤니티 케어(community care)로 연결된다. 셀프케어는 '건강관리 서비스 제공자의 지원 없이 건강을 유지하고 질병을 예방하며 질병이나 장애에 대처하는 개인, 가족, 커뮤니티의 능력'(Hatch 등, 1983; WHO, 2013), 또는 '건강, 웰니스, 웰빙을 유지하기 위해 수행해야 하는 실용적이고 개인 중심적인 활동'(국제셀프케어재단)으로 정의된다.

심신의학자 허버트 벤슨(Herbert Benson)은 의약품, 외과적 치료, 셀프케어라는 세 가지 치유자원을 세 개의 다리가 있는 의자의 각 다리에 비유하고, 세 다리가 각자 부여된 역할을 충실히 수행하며 균형을 유지하는 미래의 의학을 제안했다. 이러한 의학에서는 환자가 일상생활에서 경험하는 의학적 문제의 60~90%를 셀프케어에 맡기고, 필요에 따라 의약품과 외과적 치료를 적절히 사용한다(Benson, 2000).

데머스(Demers) 등의 연구에 따르면, 건강 관련 문제가 있을 때 의료 전문가를 필요로 하는 경우는 6% 미만이며 나머지는 스스로의 돌봄으로 해결되는 것이다(Demers 등, 1980). 만일 감기 같은 급성질환으로 한 해에 3번 정도 의료기관을 방문하고 그때마다 대략 5분 정도 진료를 받는다면, 일 년에 의료 전문가의 돌봄을 받는 시간은 고작 15분이다. 365일 중에서 364일 23시간 45분 동안 건강을 돌보는 것은 자기 자신이다. 만성질환이라고 해서 그 시간이 크게 달라지는 것이 아니다. 더구나 병원을 찾는 빈도가 더 높은 사람일수록 치료와 관리에 있어서 셀프케어라는 협력이 없으면 의료진의 노력도 허사가 된다. 셀프케어가 되지 않을수록 급성질환이든 만성질환이든 더 많이 발생하고 의료비가 증가하며 다른 누군가의 돌봄도 필요해진다. 셀프케어가 부실한 것은 건강관리 시스템의 기반이 취약해지는 것이다. 그럼에도 불구하고 셀프케어는 보건의료시스템의 공식적인 관심에서 벗어나 있었다.

현대인은 건강뿐 아니라 생로병사의 모든 과정을 의학에 의지한다. 문명화된 국가에서는 병원이 대개의 사람들에게 탄생과 죽음의 현장이며, 질병과 노화의 과정에서 나타나는 문제들 또한 의학에 거의 일임하고 있다. 의학이 현대와 같은 체계를 갖추기 전까지 민간의 건강과 질병 치료에 기여했던 민간의학들은 거의 사라졌다. 사람들은 사소한 외상이나 소화불량, 두통 같은 가벼운 증상에도 병원과 약국을 찾는다. 그러나 의학이라는 학문이 전문가들에게 맡겨진 것은 전체 의학의 역사 속에서 볼 때 지극히 짧은 지난 100~200년 동안의 일이다. 전문적인 의학적 돌봄은 의학적 기술을 제공하는 하나의 방식일 뿐, 건강관리의 핵심 요소도 아니고 필수 요소도 아니다. 셀프케어는 건강관리의 기본이고, 제도적인 시스템보다 먼저 갖추어져야 하는 것이며, 어떤 사회에서는 사람들이 유일하게 접근할 수 있는 건강관리 방식이기도 하다(Narasimhan 등, 2019).

WHO는 알마아타선언(Alma Ata Declaration) 40주년을 기념해서 열린 2018년 국제회의에서 사람들이 자신의 건강을 관리하는 데 필요한 지식, 기술, 자원을 가질 수 있도록 역량을 강화하고 지원하는 것의 중요성을 다시 한 번 강조했다(WHO, 2018).

(2) 자기관리

> "자기관리는 라이프스타일의학의 철학이자 과정이다."
> - 맬콤 배터스비(Malcolm Battersby) 등 -

만성질환자에게는 셀프케어를 넘어 자기관리(self-management) 역량이 요구된다. 자기관리는 환자가 능동적으로 자신의 질병(위험인자, 증상)을 관리하고 삶의 질을 유지하는 데 적용되는 지식, 기술, 행동을 가리킨다(Lawn 등, 2010). 셀프케어가 1차 예방적 성격이 강하다면, 자기관리는 2차 예방과 3차 예방까지 포함한다. 즉, 셀프케어가 건강을 증진하고 질병을 예방하는 것이라면 자기관리는 환자로서 자신의 질병까지 관리하는 것이다.

만성질환이 없는 사람들에게는 셀프케어를 촉진하여 만성질환의 발생을 사전에 차단해야 하지만 만성질환이 있는 사람에게는 셀프케어보다 확장된, 더 적극적이고 포괄적인 자기관리가 필요하다. 자기관리는 환자가 처방약을 잘 복용하는 정도의 수동적인 역할을 넘어서, 자신의 질병과 치료 방법을 이해하고 치료에 관한 의사결정에 참여하며, 스스로 증상을 관리하고, 정상적인 삶을 유지하기 위해 주변의 자원을 활용하는 것 같은 적극적 행동을 포함한다 (Heijmans 등, 2015). 자기관리를 잘 할수록 의료비와 재입원율이 감소하고 삶의 질은 향상된다. 셀프케어와 자기관리에 필요한 기본적 지식, 기술은 모든 사람이 갖추어야 할 건강소양(health literacy)이다.

2 커뮤니티 케어

> "전체가 건전하지 않으면 부분도 건전할 수 없다."
> – 플라톤(Plato) –

1997년 WHO는 21세기 건강증진을 위해서 건강에 대한 사회적 책임을 강조하고, 보건 개발을 위한 투자 증가, 건강을 위한 부문 간 동반자 관계 확대, 지역사회와 개인의 역량 강화, 건강을 위한 인프라 확보 등을 우선순위로 제시했다.

현재의 의료 시스템은 50년 전에 디자인된 것이다. 이 시스템은 의료인의 서비스와 전통적인 의학적 치료를 보장하고 관리하는 것일 뿐 셀프케어, 홈케어(home care), 커뮤니티 케어를 지원하는 것은 포함되어 있지 않았다. 하지만 질병의 예방 활동은 절대적으로 이 영역들에서 이루어지는 것이고, 환자를 돌보는 것도 가정이나 집 가까이에서 이루어질수록 훨씬 저렴하며, 실제로 환자들이 지내기를 희망하는 장소도 의료기관이 아니라 자신의 삶이 있는 곳이다.

건강은 누구나 가진 기본적 권리이므로 건강을 위한 활동을 뒷받침하는 조건들은 국가적 책임에 의해서 정비되어야 한다. '　표3　 통합적 의료의 4분면'을 보면, 현재 보건의료시스템의 관심은 대체로 우상 분면에 한정되어 있지만, 건강을 증진하고 환자의 질병과 삶의 질을 관리하기 위해서는 개인의 내적인 삶(좌상 분면)을 돌보는 접근법들은 물론이고, 각 사람의 건강 행태를 형성하는 배경이 되는 사회·문화적 환경(좌하 분면), 보건복지 정책(우하 분면) 등도 함께 고려되어야 한다. 이러한 통합적 접근은 개인 수준에서 가능한 것이 아니라 국가의 정책적 차원에서 고려되어야 하는 것이다. 게다가 보건의료 부문에는 순수 경쟁 시장이 형성될 수 없으므로 공공의료로 의료 공공성도 강화해야 한다.

그렇다면 구체적으로 어떤 정책이 시행되어야 할까? 1986년 WHO는 캐나다 오타와에서 열린 건강증진 국제회의에서 '오타와 헌장'을 공표하고 건강증진 사업의 다섯 가지 활동 영역을 제시했다. 다섯 가지는 개인적 건강관리 기술 개발, 지역사회 활동 강화, 지원적 환경 구축, 국가 보건의료 서비스의 재정립, 건강지향적 공공정책 수립이다. 이상의 내용은 셀프케어 역량 강화, 커뮤니티 케어 확립, 공공의료 강화라는 세 가지로 요약될 수 있다.

커뮤니티 케어(지역사회 돌봄)는 주민들이 살던 곳에서 거주하면서 개개인의 욕구에 맞는 서비스를 누리고 지역사회와 함께 어울려 살아갈 수 있도록 주거, 보건의료, 요양, 돌봄, 독립 생활의 지원이 통합적으로 확보되는 지역 주도형 사회서비스 정책으로 정의된다. 현재 우리나라의 커뮤니티 케어는 시설에 입소 중인 고령 환자들을 탈시설화하는 재가요양에 집중하고 있기 때문에 일부에서는 커뮤니티 케어를 재가요양이라 부르기도 한다.[27]

현재의 공공의료는 사회적 약자, 의료 취약 계층을 지원하는 시스템에서 크게 벗어나지 못했다. 하지만 질병 치료를 넘어 질병 예방과 건강증진, 건강노화와 같은 더 확장된 목표를 달성하기 위해서는 모든 사람들이 돌봄의 대상이 되어야 하므로 커뮤니티 케어와 공공의료는 보다 확대된 역할을 수행할 수 있어야 한다. 이것만이 보건의료시스템의 재정적 건전성을 확보하는 길이기도 하다.

2014년에 미국의 한 연구소(Institute for Alternative Health)에서 2030년의 공중보건 시스템이 어떻게 변화할까를 예측하는 여러 시나리오를 구상하여 발표했다. 만성질환의 만연, 환경의 악화, 의료비 급상승 등으로 인해 더 이상 시스템이 이를 감당하지 못하고 파국에 이르는 암울한 시나리오도 있다. 그렇게 되면 경제적으로 취약한 계층은 의료 혜택을 받는 것이 더욱 어려워지고 의료 불평등성이 건강의 불평등성으로 이어지며 악순환의 고리에 빠지게 된다. 시나리오 중에는 희망적인 것도 있다. 셀프케어와 커뮤니티 케어가 주축이 되어 주민들의 건강 형평성과 서비스 이용 형평성이 확보되는 시나리오다. 커뮤니티 케어는 셀프케어가 기초다. 재가요양이라는 협의의 목적을 달성하기 위해서도 기본적인 셀프케어가 가능해야 하고, 그러한 셀프케어

---

27) 굳이 입원하지 않고 외래진료를 받아도 되는 정도의 질환을 가진 환자가 장기간, 반복적으로 병원에 입원하는 것을 '사회적 입원'이라 한다. 가정에서는 돌봐 줄 사람이 없기 때문에 병원에 있으려 하는 것인데, 이는 건강보험 재정에 엄청난 부담이 되고 있다. 뇌졸중 환자의 경우에는 50%가 집으로 돌아가지 못하고 요양병원, 요양소를 전전하다가 사망한다.

의 지식과 기술이 곧 지역사회 상호 돌봄의 지식과 기술이 된다. 주민들이 자신의 지역사회 안에서 건강과 번영을 누리면서 고비용 의료 서비스의 필요를 최소화한다면 국가적으로 엄청난 의료비 절감 효과가 있음은 두말할 필요가 없다.

'커뮤니티(community)'라는 단어는 같음을 뜻하는 라틴어 '코뮤니타스(communitas)'에서 왔다. 이 단어는 '함께(com)'와 '봉사하는 일(munis)'이 합성된 '코뮤니스(communis)'에 뿌리를 둔다. 커뮤니티는 단지 물리적 도움을 주고받는 곳이 아니다. 커뮤니티는 인간이 가장 수준 높은 행복을 누리기 위한 기반이다.

긍정심리학(positive psychology)에서는 행복의 길로 이끄는 세 가지 삶의 수준을 말한다. 일상적인(피상적) 즐거움을 누리는 삶, 집단에 소속되고 서로에게 관심을 기울이며 참여하는 삶, 삶의 목표를 가지고 헌신하며 함께 나누는 삶이다. 가장 깊은 내적 만족감을 주는 것은 세 번째 삶이다. 이 책의 3부에서 자세히 살펴보겠지만, 좋은 대인관계와 사회의 지지망은 건강을 향상시키고 수명도 증가시킨다. 여러 유형의 단체 활동에 참여하는 것도 회복탄력성(resilience)과 스트레스 대처 능력을 높여준다. 특히 다른 사람을 돕는 활동은 자신에 대한 긍정적인 느낌과 삶의 만족감을 향상시킨다. 커뮤니티는 이 모든 건강 자원의 원천이다. 이와 관련된 연구 결과를 근거로, 호주에서는 'ABC[act(행동), belong(참여), commit(헌신)]' 캠페인이 조직되었다. ABC는 한마디로 자신이 속한 지역사회에서의 소속감을 높여 신체·심리·사회·영적으로 활동적인 삶을 살도록 하는 것이다(Anwar-McHenry 등, 2017).

라이프스타일의학에서 커뮤니티라는 개념은 두 가지 의미를 가진다. 커뮤니티는 인간이라는 사회적 존재가 인간적인 삶을 실현하는 라이프스타일 자체이기도 하고, 건강증진과 질병 관리를 지원하는 사회적 시스템이기도 하다. 새그너(Sagner) 등은 라이프스타일 중재가 이루어지는 곳은 사람들이 살고 일하고 공부하는 장소로 변화될 것이며, 그리하여 사람들은 태어날 때부터 건강한 라이프스타일을 습득하는 건강한 문화 속에서 성장하게 될 것이라고 말한다(Sagner 등, 2017). 바꾸어 말하자면 커뮤니티는 불건강한 라이프스타일 개선과 건강한 라이프스타일 형성이라는 두 가지 전략의 기반이라 할 수 있다.

개인 수준에서 라이프스타일을 개선하는 것과 커뮤니티 수준에서 건강한 라이프스타일 문화를 만드는 것은 라이프스타일의학이라는 수레의 두 바퀴다. 일차의료 시스템은 환자들을 대상으로 기존의 의학과 라이프스타일의학을 통합하는 지점으로 기능할 수 있어야 한다. 이와 함께 새로운 시행 모델도 개발되어야 하는데 이는 상담사, 운동생리학자, 영양사 및 물리치료사와 같은 전문가들로 구성된 커뮤니티 기반의 라이프스타일 지원센터가 라이프스타일의학을 촉진하는 거점(core location)이 되는 것이다(William 등, 2017).

질병 관리를 위한 각계의 노력이 효율성을 더하고, 의료비를 포함한 사회적 비용을 감소시키기 위해서 서비스와 자원을 통합하는 데 대한 정책적 관심과 학계의 연구가 필요하다. 그 성과는 지역사회와 국가 경제 발전에도 새로운 동력이 될 것이다. 에거 등은 새로운 라이프스타일-건강 산업이 부상하고 있고, 이 산업이 21세기 경제 성장의 주요 원동력이 될 것이라고 예측했다(Egger 등, 2017).

❸ 건강소양

주기적으로 의료기관을 방문하고 매일 약을 투약하는 사람 중에서 자신의 정확한 병명과 원인, 투약 중인 약의 내용, 치료 목표를 명확히 하는 사람은 드물다. 영국의 한 조사에 의하면 가장 기본적인 네 가지 건강한 라이프스타일(금연, 건강한 식생활, 규칙적인 운동, 다섯 가지 과일과 채소 섭취)을 실천하는 사람이 겨우 3%에 불과했는데, 무엇이 건강한 라이프스타일인지 제대로 아는 사람은 이 3%에도 미치지 못한다. 이런 상황에서는 만성질환의 자기관리는 고사하고 셀프케어라는 것도 현실적으로 불가능하다. 셀프케어를 위해서 가장 먼저 확보되어야 하는 것이 무엇일까?

국제셀프케어재단(International Self-Care Foundation, ISF)에서는 셀프케어의 영역을 일곱 가지로 범주화한다. 그 중 첫 번째 영역이 지식(knowledge)과 건강소양(health literacy)이다.[28] 건강한 라이프스타일을 통해 질병을 예방하고 건강을 증진하는 것이 질병치료보다 더 근본적인 목표이므로, 라이프스타일의학은 특정 전문가 집단의 학문이 아니라 모든 사람들의 건강소양이며 삶의 기술이다. 하지만 우리는 학교에서든 가정에서든 건강과 관련된 기본 소양을 거의 배우지 못한다. 정규 의학교육에서조차 라이프스타일에 관한 수업은 거의 없는 실정이다.

과거 의학서들은 특정 직업인을 위한 전문 의서로서가 아니라 대중에게 양생과 질병치료의

---

28) 지식과 건강소양은 건강에 대한 바른 결정을 하는 데 필요한 기본적 정보와 서비스를 획득하고 처리하고 이해하는 능력을 말한다. 두 번째 영역은 정신적 웰빙, 자각, 실행력이다. 정신적 웰빙은 삶의 만족과 자존감, 통제감 등을 의미하고, 자각은 BMI, 혈당, 혈압 등 자신의 심신 상태를 파악하는 것을 가리킨다. 실행력은 실천의 의지와 능력을 뜻하는 것이다. 세 번째 영역은 신체활동이다. 네 번째는 건강한 식생활이다. 다섯 번째는 위험한 행동이나 유해 물질을 피하거나 경감하는 것인데 구체적으로 금연, 절주, 예방접종하기, 안전한 성생활, 자외선 차단하기 등이 있다. 여섯 번째 영역은 개인위생이다. 손 씻기, 양치질, 깨끗한 음식 먹기 등이 포함된다. 일곱 번째 영역은 의약품이나 의료 서비스를 합리적이고 책임감 있게 이용하는 것이다.

방법을 알리기 위하여 썼다. 그리스에서는 의학이 모든 교양인들이 배우는 지식이었다. 고대 인도에는 오명(五明)이라는 5가지 기본 학문이 있었는데, 그 중 하나가 의학이었다. 로마의 셀수스(Celsus)는 치유에 관한 지식을 일반인들에게 알리기 위해 『의술론(De medicina)』을 썼다. 『동의보감(東醫寶鑑)』 역시 일반인들도 쉽게 응용할 수 있도록 구성된 대중 의학서다. "아는 것이 힘이다"라는 베이컨(Francis Bacon)의 말이 의료라는 분야보다 더 분명하게 드러나는 곳은 없다. 건강이 누구나 가진 기본적 권리라면 건강에 대한 기본적인 지식과 기술도 보편적으로 제공되어야만 한다.

(1) 건강소양, 여섯 번째 활력징후

"진정한 업스트림의학은 다음 세대의 건강소양 교육이다." ▌

건강 상태의 차이를 만드는 근본적인 원인은 사회·경제적 격차다(Link 등, 1995). 사회경제적 지위는 전통적으로 교육, 소득, 직업으로 정의되는데, 이 중 교육은 가장 본질적인 요소다. 왜냐하면 이것이 미래의 직업 기회를 창출하고 획득 가능한 소득을 결정하기 때문이다. 교육, 소득, 직업이 심혈관질환의 위험인자와 어떤 관계가 있는지 살펴본 연구에서는, 오직 교육만이 유의미한 예측자로 남았다(Winkleby 등, 1992). 모르는 게 약이 아니라 모르는 게 병인 것이다.

하지만 학력으로 측정되는 교육 수준과 그로 인한 사회경제적 지위의 격차를 해소할 수 있는 유력한 방법이 있다. 이것은 건강소양 교육이라는 또 다른 내용의 교육이다. WHO의 「건강의 사회적 결정요인 위원회 보고서」는 건강소양이 건강을 결정짓는 주요 요인이라고 선언하고, 이에 관한 국가별 활동을 권고했다(WHO Commission on the Social Determinants of Health, 2007). 국민의 건강소양 수준을 향상시키는 것은 개개인의 건강을 증진할 뿐 아니라 사회·경제적 격차로 인한 건강 불평등 문제를 해소할 수 있는 해법이다.

컴퓨터 소양(computer literacy)이 컴퓨터에 대한 기본적인 지식과 활용 기술을 뜻하는 것처럼, 건강소양[29]은 건강 및 웰빙에 관한 일반인들의 지식과 기술을 말한다. WHO는 절반에 가까운

---

29) 국내에서는 'health literacy'라는 용어가 '건강정보 이해 능력', '건강 문해력', '의료 정보력', '건강지식' 등으로도 번역된다. 이러한 단어들은 주로 지적인 능력을 강조하고 있고, 건강소양에 대한 정의들 중에도 지적인 능력만 강조하는 것이 있다. 예를 들면 소렌슨(Sorensen) 등은 건강소양을 '개인이 적절한 건강 결정을 내리는 데 필요한 기본 건강 정보 및 서비스를 획득, 처리, 이해할 수 있는 능력의 정도'로 정의한다(Sorensen 등, 2012). 미국 질병통제예방센터(CDC) 또한 건강소양을 '의미 있는 방식으로 건강

유럽인이 부적절하거나 잘못된 건강소양을 가지고 있고, 미국 성인 10명 중 8명이 자신의 건강을 관리하는 데 필요한 기술이 부족하다고 추산했다(WHO, 2013). 또 다른 연구에 따르면, 인구의 50%가 기능적 건강 문맹(functional health illiterate)이며, 그 정도는 나이가 들수록 증가한다(Guzys 등, 2015).

건강소양이 부족할수록 건강 상태가 더 불량하고 의료비도 증가한다. 부족한 건강소양은 수명이 단축되는 것과도 연관성이 있는데(Baker 등, 2007; Bostock 등, 2012), 특히 노인에서 건강소양이 낮은 것은 5년 내에 사망할 가능성을 2배로 증가시킨다. 그래서 어떤 이들은 건강소양을 '새로운 활력징후(vital sign)', '여섯 번째 활력징후'라고도 부른다(Guzys 등, 2015; Duell 등, 2015).

건강소양은 일종의 생존 지식, 생존 기술이다. 스스로 자신의 건강에 영향을 미칠 수 있다는 신념을 건강 효능감(health efficacy)이라 하는데, 건강소양은 건강 효능감을 갖기 위한 첫 번째 요건이다. 건강소양은 신체적 질병, 정신적 질병, 행동장애뿐 아니라 의료 서비스를 이용하는 방식, 건강검진, 예방접종, 음주, 흡연을 포함한 건강행태 전반에 영향을 미친다. 진정한 업스트림의학(upstream medicine, 건강을 결정하는 가장 근원적인 요인을 다루는 의학)은 다음 세대의 건강소양 교육이다. 캐나다 등 국가에서는 공교육에서 건강소양 교육을 시작했다.

(2) 4P 의학과 건강소양

미래 의학의 방향은 '4P 의학(4P medicine)'이라는 단어로 집약된다. 4P 의학은 2000년대 중반에 제안된 것으로, 네 가지 의료 혁신 목표인 예방의료(preventive medicine), 맞춤의료(personalized medicine), 참여의료(participatory medicine), 예측의료(predictive medicine)를 가리킨다.

의료 환경의 변화에 따라 의료 소비자의 요구 또한 변화되고 있는데, 그 주요 내용은 환자 개개인에 최적화된 치료, 의료기관이 아닌 환자가 있는 곳에서도 가능한 진료, 정보 공유와 의사결정 참여다. 의료 혁신 목표와 의료 소비자의 요구 변화에는 공통적으로 환자에게 맞추어지고(맞춤의료), 환자가 의사와 함께 의학적 결정에 참여하는 것(참여의료)이 포함되어 있다. 이것은 환자와 의사 사이에 의학적 정보가 원활히 소통되는 것, 즉 환자의 건강소양을 전제로 하는 것이다. 환자가 치료 결정에 참여할수록 책임감을 강하게 느끼고 좋은 성과를 만들기 위해 더

정보를 수신하고 이해할 수 있는 능력'으로 정의하고, 건강 정보를 수신하고 전달하는 당사자 모두 건강소양 교육을 받아야 한다고 권장한다. 하지만 이 책에서 말하는 건강소양은 정보와 서비스를 이용하는 능력뿐 아니라 실천적 기술까지 포괄하는 것이다. 컴퓨터 소양이 컴퓨터를 이해하는 능력보다 사용하는 능력을 가리키는 것과 같다.

적극적으로 노력하게 되므로 라이프스타일의학에서 건강소양의 중요성은 아무리 강조해도 지나치지 않다. 라이프스타일의학에서 말하는 '의사결정'은 더 이상 '의사의 결정'과 같은 말이 아니다.

부스케(Bousquet) 등은 만성질환 관리를 위하여, 4P 의학의 원칙을 적용한 혁신적이고 통합적이며 비용-효율적인 의료 시스템을 제안했다(Bousquet 등, 2011). 이것은 질병에 대한 전일적(holistic) 접근 방식을 취하는 것으로, 환자-중심의 포괄적, 통합적 치료(integrated care)와 다중 규모, 다중 양식, 다중 수준의 시스템의학(system medicine)적 접근 방식이다. 이를 위해서는 의료인만이 아니라 모든 이해관계자가 참여하는 전략적 파트너십이 요구되는데, 이 또한 전체 이해관계자의 향상된 건강소양을 필수로 하는 것이다.

3 업스트림의학

앞에서도 언급한 바와 같이, 사회·경제적 차이는 건강 격차의 근본적인 원인이다. 가난이 질병의 원인이라면 병원에서 가난도 진단하고 돈을 처방해야 한다. 하지만 의사는 가난이라는 진단명을 쓸 수 없고 처방전에 송금액을 적을 수도 없다. 자본주의 사회의 병원은 중세의 수도원처럼 가난한 병자를 돌보는 곳도 아니다. 하지만 이러한 문제에 적극적인 관심을 표명하고 다른 분야와의 연대와 연결을 통해 정책적 변화를 유도하려는 움직임이 '업스트림의학(upstream medicine)'이라는 새로운 분야를 열었다. 최근 북미를 중심으로 시작된 업스트림의학은 경제적 불평등, 난민 문제, 교통, 기후변화를 포함한 건강의 사회적 결정요인에 관심을 기울이고 있다.

업스트림의학은 환자 및 지역사회와 협력하여 질병을 근본적 수준에서 해결할 수 있음을 강조한다. 아무리 큰 강물도 상류로 거슬러 올라가 보면 돌멩이 하나로도 막을 수 있는 작은 샘에서 시작된다. 질병이나 사고라는 결과는 어떤 물줄기(stream)의 말단, 즉 다운스트림(downstream)이다. 업스트림의학은 그 흐름이 시작되는 상류(upstream)에 주목한다. 강의 하류에서 물줄기를 막는 것보다는 상류에서 막는 것이 효과적인 것처럼 질병이라는 다운스트림에 집중해 온 의학보다 업스트림에 관심을 갖는 의학이 훨씬 효과적이고 경제적이다. 또한 건강과 관련된 사회·

경제적 문제를 완화하는 데도 긍정적인 기능을 한다.[30] 업스트림 개입의 예로는 담배 구입을 규제하거나 주류세를 올리거나 의료 취약자에게 의료 접근성을 강화하는 것 등이 있다. 2008년 뉴욕시가 식당에서 트랜스지방 사용을 금지하는 법안을 통과시킨 것도 이러한 사례다.

업스트림 접근은 만성질환 이외의 의학적 문제도 효과적으로 예방할 수 있다. 일반인의 생각과 달리 대개의 상해(injury)는 불가피한 사고 때문이 아니라 상당 부분 예방 가능한 이유로 발생한다. 교통사고로 인한 인명 손실과 사회적 비용은 안전벨트나 헬멧 착용 의무화, 음주운전에 대한 처벌 강화를 통해 크게 감소시킬 수 있다. 청력 손상, 근시, 손목터널증후군 등 기술 문명의 고도화에 따라 증가하고 있는 테크노병리(technopathology)는 정책적인 수준에서의 접근이 특히 중요하다. 전동 킥보드 사고나 청소년의 과도한 컴퓨터 게임을 방지하기 위해 법령과 규제를 마련하는 것 등이 그러한 사례다.

국가나 지역사회의 정책으로 촘촘히 개입하기 어려운 문제라면 미드스트림(midstream)에서 더 효과적으로 다룰 수도 있다. 금연에 성공한 직원에게 인센티브를 제공하는 것이 바로 미드스트림 접근이다. 이러한 개입은 학교, 아파트 단지, 종교 모임 같은 공동체 수준에서도 이루어질 수 있다. 미드스트림들은 그 자체가 리빙랩(living lab, 생활연구소)이 될 수 있다.[31] 직장이든 학교든 하나의 리빙랩이 되어 구성원들이 자체적으로 문제를 규정하고 목표를 설정하고 조직의 특성과 구성원의 선호에 맞는 최적화된 라이프스타일 솔루션을 개발한 후 지속적으로 보완·발전시켜 가는 전 과정은 조직이 발전하고 구성원들의 삶이 성숙하는 과정과 맥을 같이 하게 된다. 따라서 이것은 매우 효과적으로 라이프스타일의학을 구현하는 방식이 될 수 있다.

시간적으로 보자면 가족 내의 건강한 문화는 강물의 수원지 관리만큼 근본적인 것이다. 세 살 버릇 여든까지 간다는 말이 있듯이, 어려서 새로운 습관을 들이기는 쉽지만 나이가 들어 그 습관을 수정하는 데는 엄청난 어려움이 따른다. 나쁜 세 살 버릇이 들지 않도록 하는 것이 중요하다는 면에서도 가정의 역할이 지대하지만, 직장이나 학교 수준에서 이루어지는 개선 노력이 가정에서 무위가 되지 않도록 하기 위해서도 가정은 변화의 기지가 되어야 한다. '　표2　 질병 원인의 다단계적, 계층적 이해'에는 업스트림, 미드스트림, 다운스트림이 각각 원위~중위 원인, 중위~근위 원인, 위험인자~질병 순으로 펼쳐져 있다.

---

30) 질병의 사회적 맥락을 강조하고 건강의 결정인자로서 사회·경제적 요소 등을 다룬다는 점에서 업스트림의학은 사회의학과도 유사한 면이 있다.

31) 리빙랩에 대해서는 '9장, 1, █ 현장에서 주도하는 변화'를 참고하라.

4 시스템의학

"생명체는 홀로 격리된 시스템을 구성하지 않는다." ▌

현대 의학(생의학)은 특정병인론에 기초해 있다. 이것은 콜레라균이 콜레라를 일으키고 결핵균이 결핵을 일으킨다는 세균유래설(germ therory)에서 시작된 것으로, 원인과 결과를 선형적 단일 인과로 설명하는 이론이다. 20세기 후반에 들어 세균(germ)의 자리가 유전자(gene)로 대체되면서 유전자 결정론이 일반의 인식 안에도 깊이 각인되고 있다. 하지만 이러한 단순한 원리로는 만성질환을 정확히 이해할 수 없고 효과적으로 관리할 수도 없다. 앞에서 본 것처럼 라이프스타일의 모든 측면은 상하의 계층적 위계에 있어서도 서로 연결되어 있고 한 범주에 있는 요소들도 수평적으로 모두 연결되어 있다.

현대의 질병들은 대개 원인을 알 수 없는 조절장애(dysregulation) 문제다. 외상이 아닌 이상, 신체 한 부위만의 기계적 결함에 의해 질병이 발생하는 경우는 거의 없다. 인체를 구성하는 37조 개의 세포는 각각이 하나의 온전한 생명체이고, 서로 병렬적으로 연결되어 조직(tissue)을 구성하며, 조직들은 서로 기능적으로 연결되어 기관(organ)을 이루고, 기관들이 연결되어 한 사람을 만든다. 질병은 그러한 연결의 불균형, 부조화, 부조절에서 기인한다. 균형, 조화, 조절이 회복되면 드러난 증상, 즉 질병도 해소된다.

현대 실험생리학의 아버지라 불리는 끌로드 베르나르(Claude Bernard)는 질병을 자기조절, 자기 치유하는 생명 시스템의 기능부전이라 보았다. 이러한 기능부전, 조절장애의 관점에서 질병과 건강을 설명하는 이론이 일반시스템이론(general systems theory, 이하 시스템이론)이다. 1977년에 생물심리사회적모델(biopsychosocial model)이라는 새로운 의학 모델을 제시한 조지 엥겔(Geroge Engel)은 당시 자연과학과 사회과학에서 나타난 시스템이론을 활용하여 그 토대를 구성했다.[32]

---

32) 시스템이론은 생물학자 루드비그 본 베르탈란피(Ludwig von Bertalanffy)에 의해 1936년 제안되었다. 베르탈란피는 당시에, 그리고 지금까지도 행해지고 있는 기계론적이고 환원주의적인 연구 방법이 생명 현상의 본질적인 것을 무시하거나 부정하는 것임을 깨닫고, 이러한 기계론과 환원주의에 반대하여 생명체를 부분 또는 요소들로 분해하는 대신 전체가 연결되어 있는 정렬과 관계에 초점을 맞추었다. 시스템(유기체)을 구성하는 모든 구성 성분들은 다른 성분들과의 직·간접적 인과관계 속에 연결되어 있고, 한 수준의 변화는 다른 수준의 변화를 가져오게 된다는 것이 시스템이론의 요체다. 시스템이론은 경제학, 경영학 등 여러 학문 분야에 적용되어 널리 알려졌고 생물학 분야에서도 시스템생물학, 시스템의학과 같은 새로운 분야를 열었다.

시스템의학(systems medicine)은 인체의 각 시스템을 통합된 전체의 일부로 보고 생화학적, 생리적, 환경적 상호작용을 통합하는 학제간 연구 분야다. 시스템의학이라는 용어는 1990년대 초에 처음 등장했다(Kamada, 1992). 지난 30여 년 동안 시스템의학은 유전자, 분자 및 생리적 상호작용을 연구하는 새로운 도구로 등장하여, 심혈관질환처럼 복잡한 요인들이 상호작용하는 질병의 병리적 과정을 파악하고 진단과 치료를 하는 데 새로운 접근법을 제공했다(Kramer 등, 2018).

질병은 수많은 개인 내적, 개인 외적 요인의 상호작용 속에서 발생한다. 하나의 증상을 이해하기 위해서도 환자의 유전자, 행동, 환경 등의 모든 요인을 고려하여 인체 내에서 일어나는 복잡한 상호작용을 파악해야 한다(Federoff 등, 2009). 진단 검사를 통해 정확한 원인을 찾을 수 있는 질병은 병원체에 의한 감염증 정도에 불과하며, 대부분의 만성질환은 특정한 원인을 알 수 없다. 만성질환일수록 질병의 원인들이 복잡하게 상호작용하고 있다. 고혈압을 예로 들면 염분과다 섭취, 비만, 스트레스, 수면 부족, 성격, 유전 등 수많은 요인들이 얽혀 있다. 따라서 한두 가지 방법으로는 근본적인 치료를 도모할 수 없으며, 동일한 병명을 가진 환자라 하더라도 동일한 치료 방식을 적용하는 것은 최선이 아니다.

시스템의학의 목표는 환자와 그를 둘러싼 각종 요인들, 즉 생활양식, 환경, 유전 등을 종합적으로 고려하는 예방·진단·치료법을 제공하는 것이다. 질병의 원인에 대한 시스템의학의 관점이 임상 현장에서는 라이프스타일의학으로 구현되고 있다.

3 chapter

현대인의 질병과 노화

인삼이나 오이 씨앗을 미국이나 아프리카 땅에 심으면 우리에게 익숙한 길고 가느다란 모습으로 성장하지 못하고, 하얀 무나 누런색 방망이처럼 자라곤 한다. 본래 씨앗이 구현해야 할 모습을 지지하는 환경에서 자라지 못하기 때문이다.

생물은 정물이 아니라 동물이고 건강은 명사가 아니라 동사다. 우리의 몸은 고정된 물체가 아니라 하나의 흐르는 사건이다. 사람의 몸과 마음, 나아가 그 사람과 심리·사회적 환경, 생태·물리적 환경이 어우러져 지금의 몸을 빚어낸다. '몸'이라는 말은 '모으다'라는 말을, 'body'라는 말은 'box'라는 단어를 어원으로 한다. 몸에는 우리의 내적 경험들과 함께 물리·사회적인 외적 관계들이 모두 담겨 있다. 몸은 그 역사와 역동들이 빚어낸 나의 '지금 여기'인 것이다.

라이프스타일 관련 질환은 인간의 심리·생리적 본성과 현대 라이프스타일의 부조화에서 비롯된다. 만성질환을 유발하는 불건강한 라이프스타일들은 인류원(anthropogen)이라는 공통점이 있다. 인류원은 본래 인류의 삶에는 없었던, 인류가 스스로 만든 것들이다. 기름진 음식, 정제된 당분, 화학물질과 환경호르몬, 신체활동 부족, 비만, 스트레스, 사회적 고립, 기후변화 모두 인류가 최근 몇 백 년, 특히 지난 100여 년 동안 새로 경험하게 된 것들이다. 인류원은 대사염증(metaflammation)이라는 만성적이고 지속적인 염증을 일으키고, 이것은 모든 만성질환의 병리적 과정으로 이어진다.

우리는 유전자가 사람의 외모, 능력, 성격을 결정한다고 믿는 유전자 결정론의 시대에 살고 있다. 질병과 건강도 유전자에 좌우되는 것이고, 당뇨병이든 고혈압이든 우울증이든 암이든 그것과 관련된 유전자가 있다고 믿고 있다. 심지어 빨리 늙거나 천천히 늙는 것도 유전자의 영향이라고 생각한다. 하지만 이것은 아주 일부만 사실이다.

과거에 만성질환 환자가 적었던 것은 옛날 사람들에게 만성질환을 일으키는 유전자가 없었기 때문이 아니다. 현대인의 유전자는 수만 년, 수십만 년 전 원시인의 유전자와 거의 달라지지 않았다. 음식이 충분하지 않던 시대에는 몸에 지방을 잘 저장하는 유전자가 생존에 유리한 좋은 유전자였지만 지금처럼 먹을 것이 넘쳐나는 시대에는 비만을 부르고 당뇨병을 일으키는 유해한 유전자가 되었다. 좋은 유전자, 나쁜 유전자가 따로 있는 것이 아니라, 우리의 라이프스타일이 좋은 유전자와 나쁜 유전자를 가르는 것이다.

100세까지 잔병치레 없이 잘 살았더라도 자손을 남기지 않았던 옛날 사람의 유전자는 지금 남아 있지 않다. 반면에 30대부터 온갖 만성질환에 시달리다가 40세도 되기 전에 사망했지만 일찍 결혼해서 자손을 많이 본 사람의 유전자는 지금도 널리 퍼져 있다. 자연선택은 번식에 유리한 유전자를 골라내 현대인에게 전달해 주었을 뿐, 질병에 저항력이 있는 유전자나 잘 늙지 않는 유전자는 전해주지 않았다. 따라서 우리가 가진 유전자들은 불건강한 라이프스타일의 영향이 축적되어 나타나는 만성질환으로부터 우리를 보호해 주지도 못하고, 길어진 수명에 비례하여 청년기를 길게 보낼 수 있도록 천천히 노화하게 만들어 주지도 않는다.

그렇다면 우리는 만성질환을 현대인의 숙명으로 받아들여야 하고, 기대수명이 증가한다는 것은 예전 사람이 늙어보지도 못한 수준으로 늙게 된다는 의미로 이해해야 하는 것일까? 그렇지 않다. 이런 생각 역시 유전자 결정론에 얽매인 타성적 결론일 뿐이다. 우리에게는 유전자의 함정에 빠지지 않고 우리 스스로를 질병으로부터 보호하고 건강하게 노화할 수 있도록 하는 방법이 있다. 바로 라이프스타일이다.

1 라이프스타일과 만성질환

■ 대사도미노, 라이프스타일에서 시작된다

(1) 대사증후군

우리 자신 또는 주변 사람들이 의료기관을 찾는 이유를 살펴보자. 아이와 청년들은 주로 감기, 외상 같은 급성질환으로 의료기관을 찾는다. 하지만 지속적으로 가는 것도 아니고 진료비나 약제비도 얼마 되지 않는다. 주기적으로 정해진 날짜에 진료를 받고 새 처방전을 받아 계속 약을 먹어야 하는, 그래서 개인적으로나 건강보험에서나 지출이 많은 병은 고혈압, 이상지질혈증, 관절염, 당뇨병, 골다공증 같은 만성질환이다.

그런데 이런 질병들은 같은 뿌리에서 생겨나는 한 나무의 가지들, 즉 형제 질병이다. 그 나무가 그림4 의 대사증후군(metabolic syndrome)이라는 나무이고, 나무의 뿌리는 인슐린저항성(insulin resistance)이다. 심·뇌혈관질환, 당뇨병, 암 등 주요 만성질환의 발병 위험을 증가시키는 다섯 가지 위험요소 중 세 가지 이상을 가지고 있는 것을 대사증후군이라 하는데, 인슐린저항성은 대사증후군 환자에게 관찰되는 주된 특징 중 하나다.[33]

전 세계 성인의 대사증후군 유병률은 20~25%이며, 미국은 35%까지 보고된 바 있다(Aguilar 등, 2015). 우리나라도 성인 22.7%가 대사증후군이다(심장대사증후군학회, 2021). 대사증후군에는 유전이나 나이 같은 생물학적 요인도 영향을 미치지만 불건강한 식습관, 흡연, 신체활동 부족, 스트레스 등 라이프스타일이 주된 요인이다. 혈당을 쉽게 상승시키는 식사, 신체활동 부족으로 인한 혈당 소비의 지연, 스트레스 호르몬의 지속적 분비는 고혈당 상태를 만든다. 고혈당 상태가 되면 췌장은 높아진 혈당을 감소시키기 위해 인슐린 분비를 증가시킨다. 그런데 과도한 인슐린 분비는 신체에 인슐린저항성을 초래하여 인슐린의 효능이 감소되게 된다. 그 결과 고혈당과 고인슐린혈증 상태가 지속된다.

대사증후군 단계에서는 특별한 증상이 나타나지 않는 경우가 많다. 하지만 높아진 혈당, 혈

---

33) 다음의 다섯 가지 중 세 가지 이상 해당하는 경우 대사증후군으로 진단된다. ① 허리둘레: 남자 90 cm, 여자 85 cm 이상, ② 중성지방: 150 mg/dL 이상, ③ HDL 콜레스테롤: 남자 40 mg/dL 미만, 여자 50 mg/dL 미만, ④ 혈압: 130/85 mmHg 이상이거나 현재 고혈압약 복용 중, ⑤ 공복혈당: 100 mg/L 이상이거나 현재 혈당 조절약 투약 중.

압, 혈중지질이 전신의 크고 작은 혈관을 손상시키게 되므로 서서히 장기의 손상이 진행된다. 어느 장기에 그 변화가 먼저 나타나는가에 따라 순서는 다르지만 심혈관계 질환, 대사질환, 신장질환, 간질환, 신경계 질환, 퇴행성 뇌질환 등으로 진단된다. 대사증후군과 만성질환이 어떻게 연결되어 있으며, 이 과정에서 라이프스타일이 어떤 역할을 하는지 살펴보자.

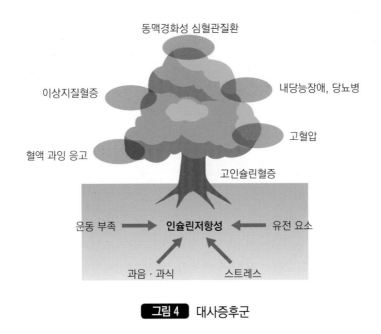

그림 4 대사증후군

(2) 대사도미노

심근경색, 뇌졸중, 암, 치매, 파킨슨병 환자는 의학적으로 가장 위중한 상태에 처해 있는 사람들이다. 그보다는 조금 덜 심각한 상태에 있는 사람은 신기능 부전이나 시력장애 같은 당뇨병 합병증이나 간경화 등을 앓고 있는 환자라 할 수 있다. 이 환자들이 이러한 상황에 이르기 전에 혈당 상승, 혈압 상승처럼 만성질환의 위험을 높이는 위험인자들이 나타난 초기 단계가 있었을 것이다. 그리고 그전에는 건강하던 대사 시스템이 손상되기 시작한 시점이 있었을 것이다. 그러면 그런 손상은 무엇이 야기한 것일까? 바로 라이프스타일이다.

그림 5 는 불건강한 라이프스타일이 온갖 질병으로 이어지게 되는 '대사도미노(metabolic domino)' 과정을 도해하고 있다. 도미노게임에서 첫 번째 도미노가 쓰러지면 다음의 도미노들은 연쇄적으로 쓰러진다. 심·뇌혈관질환, 당뇨병, 치매나 파킨슨병 같은 퇴행성 질환, 암 등 현대인을 괴롭히는 온갖 질병의 뿌리에는 무너진 라이프스타일이라는 공통의 기원이 있는 것이다.

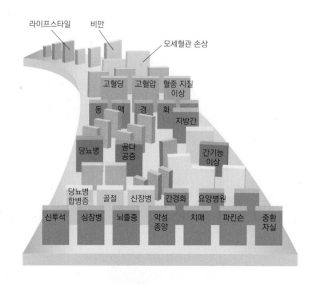

그림 5 대사도미노

비만은 우리 몸의 상태가 질병 모드로 전환되었다는 것을 보여주는 시각적 지표다. 특히 복부의 지방은 일종의 시한폭탄인데, 그 크기가 클수록 터질 시간이 임박했음을 뜻한다. 대사증후군과 그 합병증을 예방·치료하기 위해서 체지방, 특히 내장지방을 줄이는 것은 매우 중요하다. 그러면 비만하지 않은 사람, 마른 사람은 만성질환으로부터 안전한 것일까? 답부터 미리 말하자면, 결코 그렇지 않다.

(3) 비만

비만은 심장병, 뇌졸중, 고혈압, 당뇨병, 고지혈증, 관절염 등 온갖 만성질환의 뿌리에 있는 질병이다. 알츠하이머병이나 파킨슨병 같은 신경퇴행성 질환이나 우울증처럼 전에는 비만과 무관한 것으로 생각했던 질병과 비만의 관련성도 점점 명확해지고 있다. 비만은 피부 장벽 기능을 변경시켜 각종 피부질환을 일으키기도 한다. 암도 마찬가지다. 비만은 12가지 이상의 암 위험을 증가시키며, 발병 후 더 불량한 예후나 낮은 생존율과 관련이 있다. 최근에는 지방세포에서 흘러나온 유리지방산(지방세포가 분해되어 혈액으로 분비되는 지방 성분)이 주변의 암세포를 자극하여 전이를 촉진한다는 사실도 밝혀졌다.

비만은 대표적인 예방 가능한 사망원인임에도 불구하고 전 세계적으로 점점 더 심각해지고 있는 공중보건의 난제이며, 특히 산업화된 국가에서는 사회적으로도 커다란 문제가 되고 있다. 전 세계적으로 15%의 인구가 비만이고, 서구의 산업화된 국가에서는 국민의 1/2 이상, 청소년의 1/4이 비만이다. 우리나라 비만율은 일본 다음으로 낮은 수준이지만 이미 30%를 훌쩍 넘었고 계속 증가하는 추세다. 과체중까지 더하면 상황은 더 심각한데, 2017년 발표된 연구에 의하면 전 세계적으로 거의 19억 명, 즉 25%가 비만 또는 과체중이고, 비만이 가장 심각한 미국은 약 75%의 남성과 60%의 여성이 비만이거나 과체중이다(Saltiel 등, 2017).

비만은 생리적으로 만성적인 염증 상태이고, 염증은 비만과 대사증후군을 잇는 연결고리다. 따라서 비만의 증가는 곧 인슐린저항성, 당뇨병, 심·뇌혈관질환, 간질환, 암, 신경퇴행성 질환과 같은 합병증의 증가로 이어진다. 결국 비만 인구가 증가함에 따라 현대 질병의 양상도 크게 바뀌고 있는 것이다.

지방세포는 염증성 사이토카인(cytokine)[34]을 분비하여 염증을 일으키고, 대사를 교란하는 호르몬을 분비하여 당대사 및 지질대사의 이상을 초래한다. 근육은 혈당을 흡수하는 데 중심적인 역할을 하는데, 지방세포와 면역세포에서 분비되는 염증성 사이토카인에 의해 근육조직에 염증이 발생하게 된다. 이로 인해 전신적인 혈당 조절 장애가 일어나고 이것은 인슐린저항성으로 이어지게 된다(Wu 등, 2017). 특히 내장지방에서 흘러나오는 지방산과 염증물질의 유입이 증가하여 근육의 염증을 일으키게 되고 그 결과 근육세포의 대사가 불리한 방향으로 변화되어 인슐린저항성이 유발되는 것이다.

비만은 중성지방(triglyceride)이 인체에 과도하게 축적된 것이다. 인체에서 사용하고 남은 열량은 지방조직에 중성지방으로 저장된다. 정상적으로 지방은 지방세포 안에 있어야 한다. 그런데 지방세포에 지방이 계속 쌓여서 저장할 수 있는 한계를 넘어서면 지방세포가 파괴되고, 그 내용물이 흘러넘쳐 혈액, 근육, 간으로 들어가게 된다. 이것이 산화스트레스를 일으키고 면역세포를 자극하여 염증을 일으킨다. 지방세포 주변에 생기는 만성염증은 비록 강도는 낮지만 온갖 질환을 촉발하게 된다. 마른 사람이라도 비만의 병리적 과정으로부터 안전한 것이 아니다. 지방세포가 지방을 저장할 수 있는 한계는 유전적으로 결정되어 있기 때문에 어떤 사람은 비만해도 건강하지만 어떤 사람은 말라도 비만으로 인한 합병증이 발생할 수 있다.

---

34) 사이토카인은 면역세포가 분비하는 신호 분자다. 사이토카인 중에서 염증을 일으키는 것을 염증성 사이토카인이라 한다. 면역세포 이외의 세포들도 사이토카인을 분비한다. 지방조직은 염증성 사이토카인의 주요 생산지다.

우리나라에서는 몸무게(㎏)를 키의 제곱(㎡)으로 나눈 값인 체질량지수(body mass index, BMI)가 25 이상인 경우 비만으로 진단되고, 23~24.9에 해당되면 비만 전단계로 구분된다. 비만은 3단계로 분류하는데, BMI 25~29.9는 1단계인 비만, 30~34.9는 2단계인 고도비만, 35 이상이면 3단계인 초고도비만이다.

그러나 BMI로 비만을 진단하는 방식은 한계가 있다. 체지방은 거의 없고 근육이 많은 사람도 비만으로 분류될 수 있고, 근육이 거의 없는 마른 비만의 경우는 비만으로 진단되지 않기 때문이다. 비만이란 신체에 지방이 과도하게 많은 상태를 뜻하는 것이므로 체질량이 아니라 체지방이 정확한 진단 근거가 된다. 체중에 대한 체지방의 비율을 체지방률이라 하는데, 정상 체지방률은 남자 10~20%, 여자 18~28%이다.

전체 체지방량도 중요하지만 더 중요한 것은 지방의 분포다. 가장 나쁜 것은 복부를 중심으로 지방이 쌓이는 사과형 체형이다. 체내 지방은 피하지방, 내장지방, 근내지방 등 세 가지로 분류된다. 피하지방은 근육과 피부 사이, 즉 피부의 진피층 아래와 근육층 위에 쌓이는 체지방이며 일반적으로 여성이 남성보다 많다. 반면 내장지방은 남성이 많다. 내장지방은 내장 안에 쌓이는 지방이 아니라 내장 밖, 내장 사이사이에 축적된 지방이다. 내장지방과 피하지방의 비율은 비만의 정도나 운동량에 따라 편차가 크다. 흔히 성인 비만은 내장지방으로 인한 복부지방 증가와 관련이 깊은데, 이것이 심·뇌혈관질환, 당뇨병 등 만성질환의 주요 원인이 된다.

지방조직은 많은 호르몬과 염증물질을 분비하는 내분비 기관이다. 이 물질들이 인슐린의 작용을 억제하거나 염증반응을 활성화시켜 당뇨병, 동맥경화증, 고지혈증 등 대사성질환을 유발하거나 악화시키게 된다. 이것은 주로 내장지방에서 문제가 되는데, 내장지방은 큰 혈관들과 가깝게 있기 때문이다. 1947년 장 바그(Jean Vague)는 당뇨병이나 심혈관질환과 관련된 대사 이상의 공통적 특징으로 복부비만의 위험성을 지적했다(Vague, 1947). BMI가 정상이거나 비만 전 단계라 하더라도, 허리둘레가 90 ㎝ 이상인 남성, 85 ㎝ 이상인 여성은 관련 질병의 위험이 1단계 비만과 비슷한 수준으로 상승한다. 따라서 비만을 진단하고 관리하기 위해서는 BMI와 허리둘레를 함께 고려해야 한다. 최근 비만학회에서 BMI에 허리둘레를 추가한 비만 기준을 제시했는데, 체질량지수 25 이상은 여전히 비만으로 분류된다.

내장지방보다도 해로운 것이 근내지방이다. 근내지방은 소고기의 마블링처럼 근육조직에 쌓여 있는 지방이다. 근내지방이 많을수록 대사 시스템이 더 손상된 상태다. 대사증후군이나 고도비만일수록 근내지방이 많다.

내장지방은 빠르게 에너지로 전환되므로 체중조절을 시작하면 내장지방이 먼저 감소한다. 운동요법이나 체중요법이 병행되면 근내지방도 함께 감소하게 된다. 피하지방은 그 다음으로 감소한다.

BMI 18.5 미만은 저체중으로 분류되는데 저체중도 건강에 좋지 않다. 우리나라를 포함한 아시아 사람을 대상으로 한 연구에서는 BMI 22.6~27.5일 때 사망 위험이 가장 낮고, 15 미만인 사람의 사망 위험은 그보다 2.8배 높은 것으로 나타났다(Zheng 등, 2011). 이것은 사망 위험이 1.5배 더 높아지는 BMI 35 이상의 초고도비만보다도 훨씬 높은 것이다. BMI가 초기 비만에 해당하는 사람이라도 실제 비만으로 인한 합병증으로 사망할 위험이 높지 않았던 반면, 저체중에 해당 되는 15 미만이거나 35 이상 초고도비만인 경우에는 22.6~27.5일 때보다 사망 위험이 각각 2.8배, 1.5배 높았다.

이후 국내외에서 '비만의 역설'에 대한 연구들이 발표되었는데 심근경색, 뇌졸중 등 중증 심·뇌혈관질환을 앓은 사람들을 대상으로 한 연구에서도 초기 비만인 사람이 정상 몸무게를 가진 사람보다 회복률이 더

높았고, 다소 통통한 사람이 저체중이거나 정상 체중인 사람보다 암 수술 뒤 사망 위험이 낮게 나왔다. 일본은 2014년에 비만 기준을 기존의 25 이상에서 남성 27.7 이상, 여성 26.1 이상으로 변경했다. 2015년 『대한의학회지』에 실린 한 논문에서는 비만 기준이 미국보다 낮기 때문에 국내 비만 인구가 많다는 문제를 지적하기도 했다.

❷ 대사염증과 인류원

(1) 대사염증

만성질환은 대부분 염증에 기반하고 있다(Scrivo 등, 2011). 만성염증은 급성염증보다 느리게 발생하지만 수개월, 심지어 수년 이상 지속되는데 이것은 암, 심장병, 당뇨병, 우울증, 치매를 포함한 거의 모든 주요 만성질환에서 중요한 역할을 한다(Hunter, 2012; Bosma-den Boer 등, 2012). 뇌에서 만성염증과 산화스트레스는 우울증을 야기할 수 있고, 아밀로이드(amyloid)나 타우(tau)의 축적으로 이어져 알츠하이머병이나 혈관성 치매의 위험을 높일 수 있다.

췌장의 만성염증은 인슐린저항성, 당뇨병, 췌장염, 비만으로 이어질 수 있는데, 인슐린저항성을 일으키는 과도한 인슐린 분비는 만성염증을 더 촉진한다. 인슐린저항성은 사이토카인 분비도 증가시켜 염증을 증가시킨다. 인슐린이 많이 분비되면 염증이 더 많이 일어나고 그러면 인슐린저항성이 더 증가하는 악순환이 일어나 대사증후군과 당뇨병이 촉진되는 것이다. 전립선암, 유방암, 결장암 등과 관련된 종양유전자(oncogene)들은 부분적으로 암 성장의 매 단계에서 염증을 야기함으로써 암 발생을 증가시킨다. 만성염증을 감소시키는 약물들은 심장마비와 뇌졸중, 심장병으로 인한 조기사망을 낮추는데, 이것은 만성질환에서 염증이 중요한 역할을 한다는 것을 방증하는 것이다.

염증에 관한 기존 이론은 급성염증에 관한 것이었다. 그리고 이런 염증은 조직의 손상이나 감염에 대항하고 수복하기 위해 일어나는 적응적인 신체 반응으로 이해되었다. 그런데 이처럼

급성적이고 적응적인 염증과는 다른 새로운 형태의 염증이 30여 년 전에 발견되었다. 만성적이고 부적응적이며 잘 조절되지도 않는 염증이었다. 이 염증은 특히 비만과 관련된 것이었으므로 비만이 각종 질병을 유발하는 기전을 설명할 수 있는 단서가 되었다(Hotamisligil 등, 1993). 이후 이 염증은 대사염증(metaflammation)이라 불리게 된다(Hotamisligil, 2006). 신체의 손상에 대한 수복 반응으로 일어나는 전통적인 염증과는 달리, 손상된 대사 시스템과 연결되어 있기 때문이다.

대사염증은 낮은 수준의 염증이지만 지속적으로 활성화되며 CRP(C-reactive protein, C-반응성단백), 인터류킨-6(interleukin-6, IL-6), 종양괴사인자-알파(tumor necrosis factor-α, TNF-α) 같은 염증물질의 상승을 동반한다. 손상된 부위에만 국지적으로 발생하는 것이 아니라 전신적으로 나타난다는 것도 기존 염증과 다른 점이다. 기존 염증은 급성 질병을 치유하는 역할을 하지만 대사염증은 지속적이기 때문에 치유적인 것이 아니라 오히려 신체 조직을 점점 손상하여 만성질환을 지속시키고 악화되게 하는 역할을 할 수 있다. 실제로 대사염증이 당뇨병, 우울증, 심장병, 암, 치매 등 수많은 만성질환과 관련이 있음이 확인되고 있다(Libby, 2007).

비만 자체도 대사염증을 유발하는 원인이지만 먹는 음식 안에도 대사염증을 촉발하는 인자가 있을 수 있다(Egger 등, 2009). 영양 과잉이나 기근, 패스트푸드, 가당음료, 흡연, 과도한 음주, 신체활동 부족, 과로, 수면 부족, 약물, 대기오염, 환경호르몬 등도 대사염증을 유발하는 요인이다. 노화는 대사염증을 유도하는 요인 중 하나인데 노화와 따라 만성 대사성 염증이 나타나는 것을 염증노화(inflammaging)라 한다(Franceschi, 2007).

심리·사회적 요인들도 염증을 증가시킨다. 예를 들어 정서적 스트레스는 산화스트레스와 만성염증을 야기한다(Rohleder, 2014). 의료기관을 찾는 환자의 60~90%가 스트레스와 관련된 장애를 갖고 있는데, 염증은 스트레스와 만성질환을 연결하는 생리적 기전 중 하나다(Liu 등, 2017). 만성 스트레스나 우울증은 뇌의 편도체(amygdala)를 과도하게 활성화시키는데, 이는 골수에서 염증을 야기하는 세포들의 생산을 증가시키게 되고 결과적으로 관상동맥의 염증과 혈전형성이 촉진되어 심장발작이나 뇌졸중 위험이 증가한다(Tawakol 등, 2017).

최근 연구들은 사회적 연결망의 부족이 건강과 수명에 지대한 영향을 미친다는 것을 확인하고 있다. 외로움은 흡연보다도 해로우며 염증을 15%나 증가시킨다는 연구도 있다. 라이프스타일의학에서 치료제로 이용하는 건강한 식사, 적당한 신체활동, 스트레스 관리 기술, 사회적 지지망 확보 모두가 실제로 염증을 감소시킨다.

대사염증 유발원은 대개 인간이 역사적으로 최근에 경험하게 된 것이고, 유형이든 무형이든 인류가 스스로 만들어낸 것이라는 공통점이 있다. 따라서 대사염증은 본래 우리에게 익숙하지 않은 인공적인 것들에 대한 면역계의 반응이라고 볼 수 있다. 이러한 인공적인 요인들을 인류원(anthropogen)이라 한다. 인류원은 인간이 만든 환경과 그 부산물, 그리고 그러한 환경에 의해 만들어지는 라이프스타일로 정의된다(Egger 등, 2017). 감염성 질병이 주요 사인이었던 시대에 '세균유래설(germ theory)'이 병인론의 중심이었던 것처럼 만성질환이 만연한 현대에는 '인류원-유도 대사염증'이 일반적 병인론이 될 수 있다. 인류원 이론에 기반한 병인론은 인간의 심리·생리적 구조와 환경을 모두 고려하는 포괄적인 관점과 연결된다. 만성질환, 즉 라이프스타일 관련 질환은 인간의 심리·생리적 본성과 현대인의 생활환경 사이의 부조화에서 비롯되는 것이다.

(2) 동일한 기원, 동일한 치료

노화 및 만성질환과 관련하여 지금까지 알려진 병리적 기전들은 서로 연결되어 있다. 만성염증과 면역기능의 손상, 스트레스 호르몬과 자율신경계의 불균형, 산화스트레스, 텔로미어(telomere)의 단축, 세포자멸사(apoptosis, 아포프토시스), 자가포식(autophagy), 혈관 형성(angiogenesis), 혈행의 정체, 특정 유전자의 발현 이상, 인체 미생물(microbiome), 시르투인(sirtuin) 등이 그 기전인데, 이들은 독립적인 것이 아니라 서로 연결되어 있다. 예컨대 스트레스는 교감신경계의 항진, 스트레스 호르몬의 과잉 분비, 수면 부족, 산화스트레스 증가, 염증 증가, 텔로미어 단축, 면역기능 손상, 만성염증 증가를 야기하는 원인이다.

지금까지는 만성질환들의 원인이 다르다고 보고 개별적인 치료 방식을 채택했다. 고혈압 환자는 고혈압 약을 처방받고 당뇨병 환자는 당뇨병 약을 처방받는다. 심장병 환자가 골다공증까지 진단받으면 심장병 약에 골다공증 약을 추가로 먹어야 한다. 병명이 늘어나면서 만나는 의사들도 많아지고 질병마다 따로 진료와 처방을 받는다. 불편하지만 당연히 그럴 수밖에 없다고 생각한다. 정말 당연하고 그럴 수밖에 없는 것일까? 공통된 기원과 경과를 가지고 있는 연결된 질환이라면 동일한 치료제를 쓰는 것이 오히려 당연한 것이 아닐까? 만성질환의 기원이 불건강한 라이프스타일이라면 모든 만성질환에 대해서, 그 진단명이 무엇이든 건강한 라이프스타일이라는 치료 방식이 우선적이며 공통적으로 채택되어야 한다는 단순한 논리가 왜 현실에서는 통하지 않는 것일까? 왜 우리는 한 나무에서 자란 가지들을 자르는 데 가지의 숫자만큼이나 많은 가위들을 따로 사용하고 있는 것일까?

25,000명의 남녀를 대상으로 진행한 포드(Ford) 등이 연구는 동일한 라이프스타일 프로그램으로 당뇨병 93%, 심장마비 81%, 뇌졸중 50%, 암 36%씩 발병률을 감소시켰다(Ford 등, 2009). 10만 명의 환자를 대상으로 했던 리(Li) 등의 연구에서도 동일한 라이프스타일 중재로 심혈관 질환으로 인한 사망 82%, 암으로 인한 사망 65%, 모든 원인으로 인한 사망을 74% 낮추었고, 참여자들은 평균적으로 12~14년 더 생존했다(Li 등, 2018).

2 진화의학

■ 우리는 왜 병에 걸리는가

(1) 시대착오적 유전자

"인간이 문명을 만들었고 문명은 질병을 탄생시켰다."

- 홍윤철 -

우리는 앉아서만 지내는 생활은 해롭고 통곡물은 좋다는 등, 어떤 것이 좋은 라이프스타일이고 어떤 것이 해로운 라이프스타일인지에 대해 개략적인 정보를 가지고 있다. 그런데 이런 라이프스타일이 우리를 건강하게 또는 불건강하게 만드는 이유는 무엇일까? 왜 서구화된 현대식 라이프스타일이 우리에게 염증을 일으키고 세포의 수명을 단축시키는 불건강한 라이프스타일이 된 것일까?

무의미한 질문처럼 생각될 수도 있지만, 사실 흡연처럼 명백히 해롭기만 한 행동을 제외하면, 현대적 라이프스타일과 만성질환 사이에 논리적 인과관계가 성립되는 것은 아니다. 활동을 가급적 줄이고 실내에서 편안히 생활하면 심장과 근골격계의 기능을 오래 유지하고 노화도 지연시켜야 하는 것이 아닐까? 씹지 않고 삼켜도 쉽게 소화되고 단백질과 지방이 풍부한 육류나 빠르게 흡수되는 단순당(simple sugar)을 섭취하는 것이 뻣뻣한 채소와 거친 통곡물보다 건강에 도움이 안 되는 이유는 무엇인가? 조리에 소요되는 시간을 줄여주고, 오래 지나도 변질될 우려 없이 먹을 수 있도록 처리된 통조림이나 가공식품은 어떨까? 왜 우리를 더 편하고 덜 수고스럽게 해주는 것들이 우리에게 해로운 생리적 반응을 일으키는 것일까? 이러한 질문은 좀 더 넓은 시간의 틀에 담아야 비로소 대답이 가능해진다. 바로 진화라는 틀이다.

진화의 관점에서 질병의 원인을 분석하고 치료법을 찾는 의학 분야를 진화의학(evolutionary medicine)이라 한다.[35] 진화의학은 1990년대 초에 등장했다. 진화의학은 현대의 만성질환은 역사의 대부분을 수렵채집인으로 살아온 인간의 유전자가 문명사회의 환경에 적응하지 못해서 발생하는 것이라는 관점을 가지고 있다.

인류가 한곳에 정착해서 농경생활을 한 역사는 1만 년에 불과하다. 우리의 몸과 마음은 그 이전 수백만 년의 수렵채취 생활 동안 지금의 구조를 갖추게 된 것이다. 먹을 것을 얻기 위해 자연 속에서 부지런히 움직여 다녀야 했고, 적으로부터 생명을 보호하기 위해서는 무리 속에서 함께 생활해야만 했다. 얻을 수 있는 음식은 가공되지 않은 자연 그대로의 것이었고, 보존이 쉽지 않았으므로 새로 구한 신선한 음식을 먹었다. 움직이지 않는다는 것은 생존을 포기하는 것이나 마찬가지일 정도로 신체활동은 그 자체가 생명활동이었다. 운이 좋으면 동물 사냥에 성공할 수도 있었지만, 주로 먹는 음식은 과일, 씨앗 같은 식물성 식품이었다.

현대의 라이프스타일은 이 모든 것과 반대다. 우리는 더 이상 마실 것과 먹을 것을 찾아 돌아다닐 필요가 없다. 'Three big Ts' 즉 교통(transportation), 텔레비전(television), 기술(technology)은 인간의 신체활동을 극도로 제한하고 말았다. 내적인 라이프스타일도 마찬가지다. 과거에는 사람들이 무리를 이루어 함께 지내며 서로 돕는 것이 생존에 직결된 조건이었다. 그래서 인체에는 사회적 결속을 촉진하는 생리적 기전이 내재되어 있다. 예를 들어 옥시토신(oxytocin)은 사람들이 접촉할 때 분비되며 신뢰감, 안정감, 행복감을 느끼게 한다. 남을 돕는 행동은 쾌락을 느끼는 데 관여하는 도파민 보상회로를 활성화시킨다. 하지만 이러한 기전들은 현대인의 생활환경과는 전혀 어울리지 않는다. 맹수나 자연재해 같은 생존 위협이 주된 스트레스였던 시대가 사람 사이의 생존경쟁이 주된 스트레스인 시대로 바뀌었다.

문제는 수만 년 전 인류의 유전자나 현대인의 유전자나 다를 것이 없고, 생리적 기전과 심리

---

35) 진화의학을 다윈의학(Darwinian medicine)이라고도 하는데 '진화(evolution)'라는 용어도, 진화에 관한 개념도 다윈이 처음 사용한 것이 아니다. 진화 이론은 다윈의 이론을 포함한 여러 진화학자의 이론을 포함하고 있다.

적 기전도 여전하다는 것이다. 단지 생활환경과 그에 따른 삶의 양식만 바뀐 것이다. 비유하자면, 우리가 조상으로부터 물려받은 유전자는 작살 유전자와 물안경 유전자다. 털옷이나 썰매라는 유전자는 없다. 작살 유전자와 물안경 유전자를 가지고 열대에서 잘 생활하던 사람이 갑자기 극지방으로 이주하게 되면 건강에 문제가 생길 수밖에 없다. 지금 우리는 그러한 문제를 겪고 있는 것이다.

물론 불리한 환경 속에서도 '적응'이라는 기전이 작동하면 생존이 가능해진다. 실제로 우리는 그렇게 적응하기도 했다. 탄수화물을 분해하는 효소인 아밀라제(amylase)를 만드는 유전자가 그런 경우다. 농경이 시작된 역사를 고려하면 곡식은 원래 인간에게 익숙한 음식이 아니었다. 쥐나 새처럼 한 알씩 껍질을 벗겨먹는 방식으로는 배를 채울 수가 없기 때문이다. 따라서 아밀라제 유전자는 그다지 효용이 없었다. 하지만 농경문화가 시작되자 진화는 아밀라제 유전자를 자연선택하기 시작했다. 그 결과 지난 1~2만 년 사이에 아밀라제 유전자는 6개나 늘어났다. 하지만 살아 온 환경에 따라 달리 적응해 왔기 때문에, 같은 21세기를 사는 사람이라도 북방계 사람과 남방계 사람의 유전자 수는 다르다. 에스키모인처럼 농사를 지을 수 없는 추운 지방 사람들은 아밀라제 유전자가 더 적다. 그런 사람들이 피자와 햄버거를 주식으로 먹는다면 독이 될 것은 자명하다.

작살과 물안경만 가진 사람이 눈 덮인 설원에 서 있는 것처럼 현대인은 시대착오적, 공간 착오적 유전자를 가지고 '현대'라는 어울리지 않는 환경에 스스로 내몰려 있다. 동상과 영양실조 대신 비만과 스트레스라는 병을 앓고 있는 것이 다를 뿐이다. 이것이 진화의학이 말하는 질병의 원인이다. 음식을 구하기 어려운 환경에서 최대한 에너지를 비축할 수 있도록 선택된 유전자, 부지런히 움직여야 음식을 구할 수 있는 환경에 적응된 몸, 집단을 떠나서는 생존할 수 없는 나약한 존재에게 필수적이었던 친절과 우애와 이타심, 이 모든 것이 현대의 생리적 환경, 심리적 환경과는 조화되지 않는 것이다. 지난 30여 년 동안 폭발적인 양상으로 증가한 비만과 스트레스 관련 질환은 유전자의 변화가 아닌 유전자의 부적응, 즉 라이프스타일의 변화가 질병의 원인이라는 사실, 그리고 그 변화가 얼마나 빠르게, 우리 몸과 마음이 감당할 수 없는 속도로 진행되고 있는지 보여준다.

좋은 유전자, 나쁜 유전자가 따로 있는 것은 아니다. 당을 효율적으로 지방으로 바꿔 축적하는 유전자가 과거에는 적응적인 유전자였으나 현대의 환경에서는 유해한 유전자가 된 것처럼 어떤 유전자를 좋거나 나쁘다고 규정할 수 없다. 오랜 시간 뒤에는 현대의 환경에 유리한 유전자가 다시 자연선택에 의해 선별되어 미래의 인류에게 전달될 것이다. 결국 우리의 라이프스타일이 좋은 유전자와 나쁜 유전자를 가르는 것이고, 우리가 만드는 환경이 인간의 진화 방향을 결정하게 된다.

(2) 진화는 무병장수 유전자를 선택하지 않았다

진화의학에서 답하는 또 하나의 질문은 "질병을 일으키기 쉬운 유전자들이 왜 진화 과정에서 도태되지 않았는가", 다시 말해서 "왜 그런 유전자들을 '자연선택'이 걸러내지 않았는가"이다. 우리가 이미 알고 있듯이, 자연선택은 가장 강하고 번식력이 우수한 사람의 유전자를 골라냈고, 현대인은 그렇게 선별되어 온 유전자들의 집합을 가지고 있다. 그렇다면 적응과 자연선택이라는 개념은 이 지점에서 서로 충돌하는 것처럼 보인다. 그러나 여기에는 충돌도 모순도 없다.

문제는 자연선택의 관심사가 오로지 번식이었다는 데 있다. 자연선택이 골라내는 유전자는 번식을 잘하는 유전자이지, 질병에 강한 저항력이 있는 유전자나 장수하는 유전자가 아니었다. 많은 자손을 두었지만 갖은 질병에 시달리다가 30대에 죽은 사람의 유전자는 현대인에게 전해졌어도 100세가 넘도록 무병장수했지만 자손이 없었던 사람의 유전자는 지금 남아있지 않다. 진화론적으로 가장 잘 적응한 개체는 가장 건강한 개체도, 가장 오래 산 개체도 아니다. 질병 저항력이 높은 개체가 오래 사는 것은 맞지만 질병 저항력이 높은 개체의 유전자가 지구에 더 오래 살아남는 것은 아니다.

질병 저항력이 높은 개체의 유전자가 자연선택된다면 헌팅턴병(Huntington's disease)처럼 치명적인 유전성 질환을 일으키는 유전자는 이미 오래전에 사라졌어야 한다. 헌팅턴병은 신경세포들이 붕괴되는 파괴적인 질병이다. 하지만 30대 또는 40대까지 아무런 증상을 느끼지 못하기 때문에 자식을 낳아 헌팅턴병 유전자를 남겨 놓는 데는 문제가 없다. 그 후 증상이 나타나기 시작해서 걷기, 말하기, 삼키기 같은 일상 행동조차 어려워지고 결국 젊은 나이에 사망하게 된다. 많은 유전병들이 이처럼 손실보다 큰 이익, 즉 유전자의 전파라는 이익이 있기 때문에 자연선택에서 제거되지 않는다. 생식 활동이 왕성한 나이 이후에 발생하는 질병, 그리고 그 질병을 일으키는 유전자에 대해서 자연선택은 아무런 관여도 하지 않는다.

때로는 질병을 일으키기 쉬운 유전자가 선택되기도 한다. 예를 들어 어떤 유전자가 아기의 유산 위험을 조금이라도 줄여줄 수 있다면, 그래서 유전자를 남길 수 있다면, 설령 그 유전자가 당뇨병을 일으키는 유전자라 하더라도 자연선택된다. DR3라고 하는 유전자가 그것이다. DR3 유전자는 소아 당뇨병 위험을 높인다. 멘델의 유전법칙에 따르면, 부모 중 한 사람이 이 유전자를 가지고 있다면 이들의 자손 중 1/2만 이 유전자를 가지고 태어나야 한다. 하지만 DR3 유전자의 경우에는 2/3의 자손이 가지고 있다. 이유는 간단하다. 이 유전자가 태아의 유산율이 크게 감소시키기 때문이다. 나중에 당뇨병이 발병할 위험이 크더라도 일단 태어나게 해야만 '이기적 유전자'는 살아남을 수 있다. 칼슘 대사를 변화시켜 뼈를 더 빨리 굳게 만드는 유전자는 아이의 성장을 도와서 생식 가능한 시기를 더 늘려 줄 수 있으므로 선택된다. 그렇지만 이 유전자는 동맥에도 칼슘을 축적시키므로 나이가 들면 동맥경화를 일으키게 된다.

만성질환과 노화에 관여하는 대부분의 유전자가 자연선택 과정에서 도태되지 않았다. 그렇다면 우리는 나이가 들면서 발병률이 증가하는 만성질환들에 대해 속수무책인 것일까? 그렇지 않다. 우리는 유전자가 질병 발생에 기여하는 부분은 매우 작다는 것을 기억해야 한다.

② 유전자와 라이프스타일

현대인의 만성질환은 헌팅턴병 유전자처럼 과거나 지금이나 병을 일으키는 나쁜 유전자 때문에 발생하는 것이 아니다. 암도 마찬가지다. 과거에는 좋은 유전자였던 것을 나쁜 유전자로 만드는 방식, 즉 달라진 라이프스타일이 문제다. 일란성쌍둥이의 심장마비 발생률은 이란성쌍둥이보다 높다. 심장마비에는 분명히 유전적 요인이 작용한다는 증거다. 하지만 더 중요한 것은 라이프스타일이다. 미국으로 이민 간 일본인은 일본에 남아 있는 가족보다 심장마비가 2배나 더 발생한다는 사실이 그것을 입증한다.

전형적인 미국식 식사를 하고 신체활동이 적은 피마 인디언과 전통적인 청교도적 생활을 고수하고 있는 아미시 인디언은 같은 미국에서 살고 있지만 당뇨병과 비만 발병률에서 엄청난 차이가 난다. 두 인디언의 유전적 특성이 다르기 때문이라고 추측할 수도 있겠지만, 놀랍게도 같은 피마 인디언 혈통에서도 극적인 차이가 나타난다. 미국 애리조나주에 사는 피마 인디언과 멕시코에 사는 피마 인디언은 유전자가 같은 형제 부족이다. 그런데 멕시코 피마 인디언은 여전히 날렵하고 건강한 모습으로 생활하고 있지만 애리조나주 피마 인디언은 부족의 70%가 당뇨병을 앓고 있는 세계 최악의 당뇨병 부족이다.

라이프스타일은 과거에는 나타나지 않았던 질병도 일으킬 수 있다. 북극 원주민의 존재가 처음 유럽에 알려졌을 당시에는 근시인 원주민이 거의 없었으나 아이들이 학교에 다니기 시작하자 25%가 근시가 되었다. 근시는 80% 이상 유전의 영향을 받는 질병이지만 환경적인 영향이 함께 작용해야 발병한다. 근시가 되려면 근시 유전형도 가지고 있어야 하지만 책을 많이 보거나 근거리 작업을 많이 하는 등의 환경 요인이 작용해야 발병한다는 것이다.

우리가 가진 유전자와 라이프스타일의 부조화를 해소하는 방법은 둘 중 하나다. 첫 번째 방법은 사람의 진화 속도를 최대한 높여서 변화된 현대 환경에 맞는 유전자, 예를 들면 많이 먹어도 살찌지 않은 유전자, 스트레스를 받아도 혈당과 혈압을 올리지 않는 유전자 세트를 새로 갖추는 것이다. 두 번째 방법은 지금 우리가 가지고 있는 유전자가 여전히 좋은 유전자로 기능할 수 있도록 라이프스타일을 바꾸는 것이다. 첫 번째 방법도 그럴듯해 보이지만 진화의 속도가 아무리 빨라도 환경의 변화 속도는 도저히 따라잡을 수 없다. 우리의 선택지는 라이프스타일을 바꾸는 방법뿐이다.

3 노화와 라이프스타일

■1 수명과 질병

(1) 142세를 사는 현대인

전 세계적으로 절반 정도의 국가, 특히 국민소득이 높은 국가들을 중심으로 인구 감소의 징조가 나타나고 있다. 합계출산율이 심각하게 낮아졌기 때문이다.[36] 합계출산율은 1950년 이후 계속 줄어들고 있다. 하지만 합계출산율이 줄어드는데도 불구하고 세계 인구는 계속 증가하고 있다. 어떻게 된 일일까? 그 이유는 기대수명이 지속적으로 증가하고 있기 때문이다.

지난 세기 동안 의학이 현대 과학문명을 상징할 만큼 비약적으로 발전했다는 사실은 누구도 부인하지 않는다. 그럼에도 불구하고 현대 의학은 만성질환의 만연과 신종질병의 발생 앞에 무력한 모습을 드러내고 있다. 의학 발전이 기대수명을 크게 증가시켰다는 사실에 대해서도 이견

---

36) 합계출산율은 한 여성이 가임 기간(15~49세) 동안 낳을 것으로 기대되는 평균 출생아 수를 말한다.

은 있다. 기대수명이 증가한 데는 영양 상태 개선이나 공중보건의 향상 같은 의학 외적인 요인이 더 크게 기여했다는 것이다. 지난 수백 년 동안 기대수명은 괄목할 만큼 증가했지만 최고 수명은 거의 늘지 않았다는 점 역시, 의학이 정말로 수명을 증가시켰는지 의구심을 갖게 한다.

조선시대에는 나라에서 100세 이상 노인들을 모아 잔치를 벌이기도 했다. 수백 년 전 100세를 살면 최고로 장수하는 것이라고 여겼다면, 의학이 발전한 지금은 수십 살쯤 더 살아야 장수했다고 해야 하는데, 우리는 여전히 '100세 시대'에 묶여 있다. 게다가 1997년 122세의 나이로 사망한 잔 칼망(Jeanne Calment)의 최고령 기록보다 더 오래 산 사람들은 역사 속에 무수히 존재했다. 인간의 수명에는 정해진 한계가 있고, 의학의 기여는 단지 그 한계에 더 가깝게 살 수 있도록 도와서 '잠재 수명'을 실현할 수 있도록 한 것에 불과할 뿐, 실제 수명을 증가시킨 것은 아닌지도 모른다.

글상자 ❸ 베이비 붐과 베이비 버스트

인구 증가는 지난 수십 년 동안 인류가 직면한 최대의 문제로 지적되어 왔다. 세계 인구는 1950년 26억 명에서 2017년 76억 명으로 197% 늘었다. 2014년 10월 유엔(UN)과 워싱턴대학교, 콜로라도대학교 연구진이 공동으로 발표한 논문에서는 오는 2100년 세계 인구가 123억 명까지 늘어나 불안정한 상태가 발생할 것이라고 예측했다. 그러나 최근 들어 이전과는 전혀 다른 전망도 나오고 있다. 2020년 『랜싯』에 실린 연구는 2060년대에는 지금보다 인구가 19억 명 늘어 97억 명에 이르지만 이후 감소세가 이어지면서 21세기 말에는 88억 명으로 줄어들 것으로 예측했다(Vollset 등, 2020). 특히 이탈리아, 일본의 경우 인구가 종전보다 절반 이하로 감소할 것으로 예상했다.

하지만 모든 나라에서 같은 양상으로 출생률이 변화하고 있는 것은 아니다. 어떤 나라에는 출생아가 급격히 줄어드는 베이비 버스트(baby bust)를 겪고 있지만, 어떤 국가는 여전히 출생아가 늘어나는 베이비 붐(baby boom)을 겪고 있다. 주로 국민소득이 높은 국가에서 출산율이 낮아지고 있는데, 이로 인해 경제활동인구의 감소, 세수 감소, 경제 위축을 심각히 고민하고 있다. 소득이 낮은 나라의 국민, 그 중에서도 아동들이 겪고 있는 참담한 기아와 질병 문제는 전 세계의 관심과 도움이 절실한 상황이다.

겉보기에는 두 가지 문제에 대해 전혀 다른 해법과 대책이 필요한 것으로 보이지만, 이 두 가지 문제를 동시에 해결하기 위해서 해야 할 일이 있다. 바로 우리의 라이프스타일을 개선하는 것이다. 예를 들면 육식 대신 채식을 하는 식생활이 그렇다. 육식을 많이 하는 풍요로운 국가에서는 만성질환이 증가하고 그로 인해서 고령화에 따른 의료비 문제가 더 심화되고 있다. 그런데 동물을 사육하는 데 소비되는 곡물이 국제 곡물 값을 상승시키기 때문에 가난한 국가에서는 기아로 고통받는 사람들이 더 증가하게 된다. 오늘 우리의 식탁에 오른 고기 한 점이 한 가족의 저녁 식사를 통째로 빼앗아 온 것일 수도 있다.

하지만 이제 상황이 달라지고 있는 것일까? 과학자들은 칼망의 122세 기록이 금세기에 깨질 가능성이 거의 100%라고 말한다 (Pearce 등, 2021). 1982년 『워싱토니언(Washingtonian)』의 기사는 "지금 태어나는 아이는 100살을 살 수 있다"라고 예견했다. 그리고 33년이 지난 2015년 『타임(Time)』에는 "지금 태어나는 아이는 142세를 살 수 있다"라는 표지 기사가 실렸다. 지금 우리는 2160년 이후의 세상을 경험할 누군가와 함께 숨을 쉬고 있는 것인지도 모른다는 의미다.

인간의 수명이 우리가 감당할 수 없을 만큼 빠른 속도로 증가한다는 것도 두려운 일이지만, 그 안에는 더 두려운 두 가지 사실이 숨겨져 있다. 하나는 수명이 길어지는 만큼 그것에 비례해서 아동기, 청년기가 길어지는 게 아니라는 것이다. 사람은 여전히 20대부터 늙기 시작한다. 노화가 시작되는 시기나 속도는 과거와 달라진 것이 없다. 여성들의 폐경 시기도 마찬가지다. 결국 우리는 예전보다 훨씬 긴 노년기를 살게 되고 옛날 사람들이 늙어보지

못한 수준까지 철저히 늙어 보게 될 것이다. 두 번째는 전체 수명 중에서 질병과 함께 해야 하는 시간의 비율이 증가하고 있다는 것이다. 요컨대 진정한 '유병장수의 시대'가 시작된 것이다.

1990년대 우리나라 국민의 기대수명은 71.7세였다. 은퇴 후 삶이 그리 길지 않았기 때문에 노후를 준비하는 데 부담이 크지 않았고 보험을 들더라도 80살 넘어서까지 보장되는 보험은 괜히 보험료만 높일 뿐 실익이 없는 것이었다. 그런데 지난 50년 동안 기대수명이 20세 이상, 지난 25년 동안에는 10년 이상 증가했다. 2020년 우리나라 사람의 기대수명은 여성 86.5세, 남성 80.5세, 남녀 전체로는 83.5세다. 이제 보험도 100세 보장은 필수이고, 120세까지 살 수 있도록 노후 준비를 해야 한다는 '현실적' 조언을 하는 사람들도 있다.

(2) 질병의 변천

과거에는 '자식 농사 반타작이면 다행'이라 할 정도로 영유아 사망률이 높았고, '인생칠십고 래희(人生七十古來稀)'라는 말이 있을 정도로 수명을 다하지 못하고 젊어 죽는 사람이 많았다. 주된 원인은 천연두(마마), 콜레라 같은 감염병들이었다. 그런 감염병들이 20세기 항생제 개발

로 극복되고, 실제로 1979년에는 천연두가 지구상에서 완전히 사라졌다고 공포되었다. 물론 AIDS, 에볼라, 코로나19 같은 신종 감염병이 계속 출몰하는 것을 보면 감염병의 시대가 끝난 것도 아니지만 더 큰 문제는 비감염성 질병, 즉 만성질환이다.

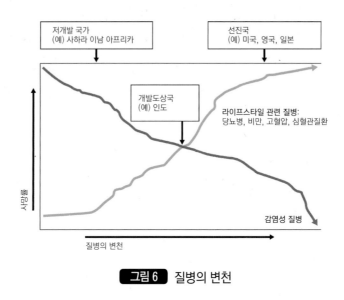

그림 6 질병의 변천

산업화가 진행되고 수명이 증가하면서 질병의 양상은 크게 변화되었다. 주된 사망원인이던 감염성 질병이 급격히 감소하는 대신 고혈압, 당뇨병, 비만, 만성호흡기질환, 암 등 만성질환은 급격히 증가했다. **그림 6** 은 질병 양상의 극적인 변천 현황을 보여준다.

질병이 유전자와 라이프스타일 사이의 부조화로 인해 발생한다는 진화의학의 관점에서 보면, 생활환경이 달라지고 삶의 방식이 계속 변화되면서 새로운 질병도 더 많이 발생할 것으로 예상할 수 있다. 이미 소득수준이 높은 국가에서는 심혈관질환, 폐암, 대장암, 전립선암 같은 만성질환의 감소세는 뚜렷한 반면, 소위 후기 만성질환이라 하는 질병들이 늘고 있다. 알츠하이머병이나 파킨슨병 같은 신경퇴행성 질환, 아토피나 크론병 같은 면역질환, 스트레스, 우울, 불안 같은 심리적 장애가 그것이다.

'505050'이라는 말이 있다. 2050년대가 되면 우리나라 인구 중 50세 이상인 사람이 50% 이상 된다는 뜻이다. 법적으로 노인이 되는 기준은 65세다. 노인 인구가 전체 인구의 7%를 넘으면 고령화사회(aging society), 14%가 넘으면 고령사회(aged society), 20%를 넘으면 초고령사회(super-aged society)라 한다. 우리나라는 지난 2000년 고령화사회에, 2016년 고령사회에 접어들었다. 현재 인구 변화 추이를 보면 세계 최고 속도로 초고령사회로 접어들 것이 예상되며 그 시기는

2025년이다.

우리나라는 다른 나라에서 100~200년 걸린 농업사회-산업사회-정보화사회로의 변화가 한국전쟁 이후 채 50년도 되지 않는 시간 동안 압축해서 진행되었다. 고령화사회-고령사회-초고령사회로의 변화도 마찬가지다. 미국은 94년, 독일은 77년, 일본은 36년이 걸렸지만, 우리나라는 후발주자임에도 다른 국가들을 성큼성큼 따라잡으며 단 25년 만에 초고령사회에 도달하게 되는 것이다. 그러다 보니, 다른 나라에서는 조부모와 부모 세대가 세대 갈등을 겪고 부모와 자녀가 갈등을 겪었지만, 지금 우리나라는 사회적으로 3~4세대가 같은 일자리, 제한된 정책적 재원을 두고 엉켜서 경쟁을 해야 하는 상황이 되고 말았다. 2025년 이후, 그리고 노인 인구 비율이 40%대에 진입할 것이라는 2060년에는 과연 어떤 일이 벌어질까?

연령이 높아질수록 의료비는 증가한다. 현재 노인 1인당 진료비는 전체 1인당 진료비의 세 배가 넘는다. 한 사람이 평생 지출하는 전체 의료비 중 0~30세 사이에 지출되는 의료비는 15%, 40~64세의 의료비는 25%이다. 65세 이후의 의료비가 절반을 넘는 것이다. 노년기가 길어지면 그 비율은 더 증가하므로 고령화로 인한 의료비 부담은 더욱 가파르게 증가할 것이다. 2018년 우리나라 의료비는 GDP 대비 8.1%를 기록했는데, 이는 전년도 대비 9% 증가한 것이고, 이전 10년 동안 6~7%에 머물던 수치가 처음 8%대에 진입한 것이다. 40년 후에는 한국을 비롯한 대부분의 국가가 GDP 대비 20%를 보건 예산으로 지출할 것으로 전망되고 있다.

고령화가 진행될수록 환자가 많아지고 환자가 앓는 질병의 종류도 점점 늘어나는데, 그 질병은 대개 장기간의 치료, 관리가 요구되는 만성질환이다. 현재도 65세 이후에 발생하는 의료비가 평생 의료비의 절반을 넘는데, 건강수명이 증가되지 않는 상태로 기대수명만 늘어난다면 의료비 부담은 환자 개인뿐 아니라 국가적 차원에서도 감당할 수 없는 수준이 될 것이다.

2 건강노화

건강한 라이프스타일이 필요한 이유는 노년기에 발생하기 쉬운 만성질환을 예방, 관리하기 위해서일까? 절반은 맞고 절반은 틀리다. 건강한 라이프스타일은 항노화 기술이기 때문이다. 인간은 누구나 생장수장(生長收藏), 즉 탄생, 성장, 노화, 죽음의 단계를 거친다. 노화는 20대에 시작하여 사망할 때까지 지속되는 과정이다.

WHO는 2018년 6월 국제질병분류(International Classification of Diseases, ICD) 11판에서, 노령

(old-age)을 하나의 질병으로 분류하고 'MG2A'라는 질병코드를 부여했다. 질병은 의학적 연구와 치료의 대상이다. 노령을 질병으로 인정한다는 것은 노화가 단지 자연의 섭리가 아닌 인간이 개입할 수 있는 영역이라는 관점으로 이동하고 있음을 보여준다. 과거에는 노화를 피할 수 없는 자연적 과정으로 보고 증상 중심의 대처와 복지 중심의 정책에 집중했지만, 이제 노화는 의학과 과학기술이 도전하는 연구 분야가 되었다. 의학의 목표도 기대수명뿐 아니라 건강수명까지 증가시키는 것으로 변화되었다. 기존 의학이 질병 치료와 생명 연장을 목표로 했다면 이제는 건강증진, 건강수명 연장, 그리고 건강노화(healthy ageing)가 목표다.

건강노화란 노화와 관련된 습관, 증상 및 질환의 적극적 진단, 예방, 관리, 치료를 통해 나이가 들면서 손상되는 기능과 노화 현상을 지연시켜 건강한 삶을 유지할 수 있도록 하는 것이다. 건강노화의 핵심은 탄생에서 죽음까지의 생체 기능 저하가 오랜 기간 동안 점진적으로 진행되도록 하지 않고 사망 전 짧은 기간 동안 압축해서 일어나도록 함으로써, 생체 기능을 최대한 오래 유지하고 질병 기간을 최소화하는 것이다.[37] 건강노화의 방법이 있기는 한 것일까? 그렇지 않다면 건강노화는 불로초라는 단어만큼이나 허망한 구호에 불과할 것이다.

현재 많은 연구자들이 노화 속도를 지연시키고 노화를 제어하기 위한 연구를 진행하고 있다. 염색체 말단의 텔로미어를 다시 길어지게 하는 효소인 텔로머라제(telomerase)의 활성을 증가시키는 물질이라든가, 노화된 세포만 골라서 제거하는 약물을 개발하는 것 등이 대표적이다.[38] 하지만 대개 동물실험이 진행되는 수준이고 사람을 대상으로 안전성과 효과가 확인되려면 오랜 시간이 소요된다. 여하간 이런 약물들의 혜택을 보려면 약물이 무사히 개발되고 출시될 때까지 건강하게 살아남아야 한다.

그것을 가능하게 하는 것은 라이프스타일이다. 건강한 라이프스타일은 검증된 항노화 기술이며 그 효과는 매우 강력하다. 많은 노화 연구자들이 지금까지 확인된 노화 제어 약물의 효과는 건강한 라이프스타일을 실천하는 것으로도 충분히 얻을 수 있는 정도의 효과였다고 말한다. 텔로미어 연구로 노벨상을 수상한 엘리자베스 블랙번(Elizabeth Blackburn)도 건강한 식사, 신체활동, 양질의 수면, 스트레스 관리, 사회적 지지망 확보 같은 방법이 젊게 사는 비결임을 강조한다(Blackburn 등, 2017).

---

37) 이것을 '9988234'라고도 한다. "99세까지 팔팔하게 살다가 2~3일만 앓고 가자"라는 말이다.

38) 텔로미어에 대해서는 '4장, 1, **3**, (2) 스트레스와 텔로미어'를 참고하라.

노화된 세포를 제거하는 약물로 개발되고 있는 AP20187이라는 물질은 p16Ink4a라는 단백질을 타깃으로 한다. 이 단백질은 세포주기 조절에 관여하는데 노화와 함께 농도가 크게 증가한다. AP20187을 동물에 주사하여 p16Ink4a-양성 세포를 제거함으로써 노화와 관련된 여러 기관의 기능 저하가 감소되고 종양 형성도 지연되었다. 다사티닙(dasatinib)과 케르세틴(quercetin) 복합제도 노화 세포를 선택적으로 제거하는 물질로 연구되는 중인데, 이 약물을 투여하여 동물의 수명을 증가시킬 수 있었다.

최근 우리나라 연구진도 노화된 진피의 섬유아세포를 젊은 세포로 되돌리는 역노화 원천기술을 개발하여 학계에 보고했다(An 등, 2020). 이 기술과 유사한 기존의 방식들은 암 발생 위험을 증가시키는 문제가 있었지만 이 기술에서는 발암 부작용이 없는 것으로 보고되었다.

동물의 혈액 안에서 발견된 노화 지연 단백질도 있다. 젊은 쥐와 늙은 쥐의 혈관을 연결해 이 물질을 노화된 쥐에게 공급하면 늙은 쥐의 노화 현상이 감소되고 활력이 증가한다.

실리콘밸리의 글로벌 기업들도 노화 연구에 투자를 시작했다. 구글(Google)은 노화 연구 전문 기업인 칼리코(Calico)를 설립했고, 총 1조 7천억 원을 투자하여 퇴행성 신경질환, 노화 관련 질환 치료제를 개발 중이다. 페이팔(PayPal)과 아마존(Amazon)도 노화 세포를 제거하는 기술을 개발하는 회사에 1,300억 원을 공동 투자했다.

혈액에서 발견된 역노화 단백질에 대한 연구는 사람을 대상으로 한 임상 연구도 진행되었다. 스탠퍼드 의대의 와이스-코레이(Wyss-Coray)는 신생아 탯줄 혈액에서 발견된 Timp2 단백질을 늙은 쥐에게 주입하여 기억력과 학습능력이 향상됨을 확인했다(Castellano 등, 2017). 이후 와이스-코레이는 바이오벤처 알카헤스트(Alkahest)를 설립하여 혈액 내 역노화 단백질을 발굴하고 약물로 개발하는 중이다. 18명의 치매 환자에게 젊은 혈액을 수혈한 결과 일상생활 수행 능력은 개선되었는데, 기대했던 인지기능에서는 뚜렷한 차이가 없었다. 하지만 벌써 일부 업체에서 젊은 피를 수혈해 주면서 큰 대가를 받는 일이 벌어지고 있다.

개발 중인 약물 가운데는 기대를 모으는 것도 있지만, 아직은 동물실험이 진행되는 수준이다. 언젠가 약물이 시판된다 해도 연구개발에 투여된 비용을 고려하면 가격이 낮게 책정될 리가 없고, 다른 치료제처럼 건강보험에서 약가를 관리하거나 보험금을 지급하는 것도 쉽지 않은 일이다. 결국 모든 사람이 골고루 혜택을 보게 될 가능성은 크지 않다.

❸ 검증된 항노화 기술

노인기에 나타나는 질병은 대개 라이프스타일과 관련된 것이다. 그런데 노화 자체도 라이프스타일에 의해 큰 영향을 받는다. 따라서 노화를 늦추기 위해서도 건강한 라이프스타일이 기본이다.

건강한 라이프스타일의 중요성을 이야기할 때 빼놓지 않고 언급되는 것이 '앨러미더 카운티 연구(Alameda county study)'다. 이 연구는 1960년대부터 미국 앨러미더 카운티에 거주하는 주민을 대상으로 진행된 것으로, 성인 7천 명을 10년간 추적 연구하여 건강한 라이프스타일이 어떤 것인지를 밝혀냈다(Berkman 등, 1979). 확인된 요소들을 보면 하루 7~8시간 수면하기, 아침을 포함하여 세 끼를 규칙적으로 먹기, 간식은 안 먹거나 조금만 먹기, 정상 체중 유지하기, 일주일에 최소 3회 이상 적당한 운동하기, 알코올을 제한하기, 금연하기 등이다. 연구 결과, 이 일곱 가지 라이프스타일이 건강 수준 결정에 중요한 역할을 한다는 것이 확인되었는데, 45세 남자가 일곱 가지 중 세 가지 이하를 실천하면 약 22년을 더 생존하며, 다섯 가지를 실천하면 28년, 일곱 가지를 모두 실천하면 33년 이상 더 생존할 수 있는 것으로 나타났다. 건강한 라이프스타일을 네 가지 더 실천하는 것만으로도 11년이나 평균수명이 연장된다는 것이다. 더구나 일곱 가지 모두 실천하는 사람의 건강 수준은 하나도 실천하지 않은 사람에 비해 30년 젊은 것으로 평가되었다.

앨러미더 카운티 연구가 주는 교훈 중 하나는 건강한 라이프스타일의 구성요소는 하나같이 우리가 이미 알고 있는 특별하지 않은 것이고 어렸을 때부터 부모님으로부터 귀가 아프도록 들어온 잔소리와 같은 내용이라는 점이다. 결국 문제는 실천이다.

노화와 관련하여 가장 두려운 변화는 인지기능의 감소일 것이다. 건강한 라이프스타일은 인지기능 유지에도 도움이 된다(Shatenstein, 2015). 영양, 운동, 수면의 중요성은 말할 것도 없고, 사회적 접촉 역시 인지기능 유지나 치매 예방에 중대한 영향을 미친다는 것은 이미 확립된 사실이다.

치매 예방약을 복용하는 것과 건강한 라이프스타일을 실천하는 것은 양자택일의 문제가 아니다. 두 가지를 비교하는 것은 비타민C 보충제 한 알과 사과 한 개를 비교하는 것만큼이나 부적절한 것이다. 예를 들어 좋은 사회적 관계망을 가지는 것은 노인의 정신건강뿐 아니라 신체적 건강 유지와 사망률 감소에도 매우 큰 변인이다. 스트레스 관리도 마찬가지다. 스트레스가 뇌의 노화나 치매를 가속화한다는 것은 이미 잘 알려져 있다. 노화의 생리적 기록이라 할 수 있는 텔로미어 길이가 스트레스의 지표로 이용되기도 할 만큼 스트레스와 노화는 밀접한 관계를 가지고 있다. 때로는 심한 스트레스 환자에게 약물이 투여되기도 하지만 그것은 스트레스의 증상을 완화시키는 것일 뿐, 근본적으로 스트레스 관리는 약으로 되는 것이 아니다. 건강한 라이프스타일이 주는 혜택은 약물이나 수술로는 대체할 수 없는 복합적인 것이다.

4 마음의 시계

음식이든 물이든 공기든 우리가 먹는 것들은 질병과 노화에 지대한 영향을 미친다. 어쩌면 이들보다 더 큰 영향을 미치는 요인은 마음을 먹는 일일 것이다. 심리학자 엘렌 랭어(Ellen Langer)는 우리의 믿음과 기대가 적어도 식이요법이나 의사가 하는 것만큼 건강에 영향을 미친다고 말한다.

1970년대 후반, 랭어는 우리의 내적인 태도가 노화 같은 육체적 변화 과정에 놀라운 영향을 줄 수 있음을 보여주는 연구를 수행했다. 랭어의 연구팀은 75세 이상의 노인들을 일주일 간 요양소에서 지내게 했다. 그곳은 20년 전인 1959년 당시의 모습으로 꾸며져 있었다. 노인들은 1959년에 입던 옷을 입고 1959년의 신문을 읽으며 토론하고 1959년의 음악을 들으며, 그 당시의 일들이 현재 진행되고 있는 것처럼 생활했다. 일주일 후 검사 결과 노인들은 요양소에 들어오기 전에 비해 근력, 자세, 이해력, 인지능력 등 노화에 따라 감소하는 다양한 기능이 개선된 것으로 나타났다. 신체는 더 유연해지고 자세가 바르게 펴지고 손으로 쥐는 힘도 증가했다. 심지어 시력이 10% 정도 좋아졌고 기억력도 확실한 개선이 있었다. 더 놀라운 것은 외모도 함께 변했다는 점이다. 노인들을 알지 못하는 사람들에게 요양소 입소 전후 노인의 사진을 보여주자 참가 전 사진에 비해 참가 후 사진을 세 살이나 더 젊게 보았다(Langer, 2009). '역시계방향(Counterclockwise)'이라 불리는 이 실험은 최근 대규모로 재현되었다(Pagnini 등, 2019).

심리학자 존 바그(John Bargh)와 동료들이 수행한 실험도 마음이 심신의 활력과 건강에 어떤 영향을 미치는지를 잘 보여준다. 이 연구는 18~22세 사이의 학생들을 대상으로 했다(Bargh 등, 1996). 학생들을 두 그룹으로 나누고 다섯 개의 단어를 준 다음 문장을 만들도록 했다. 한 그룹의 학생들은 '플로리다', '건망증', '대머리', '회색', '주름'이라는 단어를 받았고, 다른 그룹은 평범한 일반 단어를 받아 문장을 만들었다.[39] 문장 작성을 마친 학생들은 다른 방으로 가서 다음 단계 실험을 진행하도록 요청받았다. 진짜 실험은 바로 이 지점에서 시작된다. 바그는 학생들이 이동하는 속도를 측정했다. 노인을 연상시키는 단어로 문장을 구성한 학생들은 그렇지 않은 학생들보다 이동 속도가 훨씬 느렸다.

늙는다는 것에 대해 더 많이 생각하고 더 두려워하면 우리는 더 늙은 사람처럼 살게 되고 더 빨리 늙게 된다는 것은 과학적으로 증명된 사실이다. 노화를 자연스럽게 받아들이고 노화의 긍정적인 측면을 생각하게 되면 오히려 더 젊고 건강해질 수 있다.

랭어의 또 다른 실험이 그것을 확인했다. 이 실험은 호텔 객실 청소부 84명을 대상으로 했다 (Crum 등, 2007). 이들은 평소 운동 부족으로 인해 고혈압, 비만, 과체중 등의 문제를 가지고 있었다. 84명을 두 그룹으로 나누어 한 그룹에는 객실 청소 활동의 운동 효과에 대해 설명했다. 시트를 교체하는 15분간 40 kcal의 에너지가 소모되고 욕조를 15분간 청소하면 60 kcal가 소모된다는 등의 내용이었다. 한 달이 지난 후, 설명을 들었던 청소부들의 건강 상태는 놀랄 만큼 개선되었다. 복부비만, 체중, 혈압 등이 크게 감소한 것이다. 반면 설명을 듣지 않았던 그룹에는 이런 변화가 나타나지 않았다. 청소를 단순히 힘든 노동이라고 생각하는가 운동이라고 생각하는가가 이런 차이를 만들었던 것이다.

잘 먹고 잘 운동하는 것도 중요하지만, 그것에 의미를 부여하고 즐겁게 실천할 수 있도록 마음을 돌보는 것은 먹고 운동하는 것보다 더 중요하다. 아무리 좋은 음식이라도 준비하는 것이 번거롭게 여겨지고 운동도 숙제 같은 스트레스로 느껴진다면, 음식과 운동이 주는 유익함보다 스트레스의 유해함이 그 사람을 더 늙고 아프게 할 수 있다.

---

39) 플로리다는 은퇴자들이 많이 찾는 곳이다.

PART 2

라이프스타일의학의
과학적 기반

후성유전학

1990년, 전 세계 유전학 연구소가 참여하는 인류 최대의 공동 프로젝트가 시작되었다. 인간 게놈(genome)에 있는 32억 개 염기쌍의 서열을 밝히려는 인간게놈프로젝트(Human Genome Project, HGP)였다. 1953년에 DNA 이중나선 구조를 규명하여 노벨상을 수상했던 제임스 왓슨(James Watson)이 프로젝트의 총책임자로 임명되었다. 그는 프로젝트를 시작하면서 "이 프로젝트가 마무리되면 우리는 주머니에 CD 한 장을 꺼내면서 '이것이 바로 나의 운명'이라고 말할 수 있게 될 것"이라고 장담했다. 그리고 프로젝트는 목표로 한 기한을 훨씬 앞당겨 2003년에 성공적으로 완료되었다. 그런데 프로젝트가 끝날 무렵, 셀레라제노믹스(Celera Genomic)의 유전학자 크레이그 벤터(Craig Venter)는 "이제 유전자가 운명이라는 유전자 결정론은 끝났다"라고 선언했다. 대체 그 사이에 무슨 일이 벌어졌던 것일까?

2010년 『타임』에는 '왜 당신의 DNA는 당신의 운명이 아닌가'라는 제목의 표지 기사가 실렸다. 유전자가 우리의 운명을 결정하는 것이 아니라, 우리의 행동이나 생활 환경이 유전자에 영향을 끼치고 더 나아가 부모의 삶이 자손의 유전자에도 영향을 끼칠 수 있다는 후성유전학(epigenetics)의 내용이 다루어진 것이다.

후성유전학은 타고난 유전자 자체, 즉 DNA의 염기서열은 변화되지 않은 채 환경에 의해 유전자의 발현이 달라지는 현상을 연구하는 생물학의 새로운 분야다. 달리 말하자면 환경이 유전자의 활성을 조절하는 분자적 기전에 관한 것이다. 최근에는 한 세대에서 일어난 후성유전학적 변화가 다음 세대까지 유전되는 것도 확인되었다. 부모에서 자녀로 유전되는 것은 물론이고 조부모, 심지어는 4~5대 조부모에서 자손으로 이어지기도 한다. 200여 년 전, 명망 있던 생물학자 라마르크가 주장했다가 학계의 조롱거리가 되고 말았던 가설이 후성유전학이라는 이름으로 되돌아 온 것이다.

후성유전학은 그동안 생물학과 유전학이 해결하지 못했던 수수께끼들을 하나씩 풀어 주고 있다. 그중에는 잡종 자손의 미스터리처럼 수천 년 된 해묵은 수수께끼도 있다. 말과 당나귀를 교배할 때 암컷 말과 수컷 당나귀를 교배하면 노새가 태어나고 수컷 말과 암컷 당나귀를 교배하면 버새가 태어난다. 이들은 외모, 힘, 성격 모두 확연히 다르다. 호랑이와 사자 사이에서 태어나는 타이곤과 라이거도 한눈에 다름을 알 수 있다. 노새와 버새 모두 반은 말이고 반은 당나귀다. 타이곤과 라이거도 반은 호랑이고 반은 사자다. 그런데 왜 이런 차이가 생기는 것일까? 잡종의 부모는 자손에게 유전자 외에도 뭔가를 더 물려준다. 유전자에 붙어 있는 온/오프(on/off) 스위치들, 즉 후성유전학적 표지들이다.

유전이 만성질환의 위험을 높이거나 낮추는 것은 사실이지만 그 역할은 생각만큼 크지 않다. 유전자는 건강 상태의 10%밖에 설명하지 못한다. 반면 후성유전학적 유전자 조절은 70~90%의 건강 상태 차이를 설명한다. 유전적으로 심혈관질환 위험이 높은 사람도 좋은 라이프스타일로 심혈관질환 위험을 50%나 낮출 수 있다(Khera 등, 2016). 유전자가 100% 일치하는 일란성쌍둥이에서 동일한 질병이 나타나는 경우는 50%도 되지 않으며, 시간이 지날수록 건강과 노화의 정도에서 차이가 벌어지고 때로는 쌍둥이라고 보기 어려울 만큼 외모도 달라진다. 달라진 것은 유전자가 아니라 유전자의 발현 양상이고, 그 양상은 라이프스타일이 만드는 것이다. 대부분의 만성질환은 유전자가 아니라 라이프스타일의 결과다.

1 후성유전학

■ 후성유전학이란 무엇인가

> "유전은 총을 장전하고 라이프스타일은 그 방아쇠를 당긴다." ▮

1997년 2월 22일, 전 세계 미디어가 대서특필한 사건이 일어났다. 복제 양 돌리가 태어난 것이다. 이를 계기로 반려동물을 복제하는 산업이 활기를 띠게 되었다. 레인보우라는 고양이도 주인의 기대 속에 복제가 이루어져 건강한 복제 고양이가 태어났다. 그런데 레인보우와 그 복제 고양이인 씨씨는 털 색깔부터 확연히 다르고 성격까지도 매우 달랐다. 다빈치의 모나리자를 복사했는데 빅토리아 여왕의 초상화가 나온 것처럼 황당한 일이었다.

후성유전학(epigenetics)은 생물학 분야의 코페르니쿠스적 변혁이라 불린다. 오랫동안 생물학을 지배해 왔던 중심원리(central dogma)는 생명체가 유전자의 지배를 받는다는 가설을 우리의 머릿속에 진실인 것처럼 각인시켰다. 피부든 장기든 우리 몸을 만들고 있는 것은 단백질이다, 생화학 반응을 일으키는 효소도 단백질이고 신경전달물질, 호르몬, 사이토카인 같은 신호 분자도 대부분 단백질이다. 그런데 단백질은 RNA에서 만들어지고 RNA는 DNA에서 만들어지니 결국 DNA(유전자)가 우리를 만든다고 설명하는 것이 중심원리다.

그러나 하나의 세포에서 복제되어 유전적으로 완전히 동일한 세포들도 배지(medium)에 어떤 물질을 첨가하느냐에 따라 어떤 세포는 지방세포, 어떤 세포는 근육세포, 또 어떤 세포는 뼈세포가 된다. 중심원리로는 도저히 설명할 수 없는 이런 사실 앞에서 당혹해하던 과학자들은 본래 중심원리가 확립된 이론이 아니라 가설에 불과했었다는 사실을 기억해 냈다.

19세기 초 프랑스의 생물학자 라마르크(Jean Baptiste Lamarck)는 동물이 일생 동안 자신의 필요에 의해 특정 형질을 발달시키고, 이를 자손에게 물려준다는 이론, 즉 획득형질이 유전된다는 이론을 발표했다. 이 이론은 다윈의 진화론, 그리고 DNA와 유전자에 대한 과학적 연구에 의해 오류로 밝혀지고 생물학의 역사에서 사라지게 된다. 출생 후 획득한 형질은 유전되지 않는다는 것이 우리의 상식이다. 어떤 사람이 열심히 운동을 해서 근육이 발달한 굵은 팔뚝을 가지게 되었다고 해서, 그의 자녀가 뽀빠이 같은 팔뚝을 가지고 태어나지는 않는다. 그러나 후성유전학은 생후에 획득한 형질이 자손에게 유전될 수 있으며, 어떻게 그것이 가능한지를 설명한다.

2014년, 어미 쥐의 식생활이 새끼 쥐와 그 후손들의 건강에 지속적인 영향을 미친다는 내용의 연구가 발표되었다. 임신 중 영양을 제대로 공급받지 못한 쥐들이 낳은 새끼 쥐들은 자라서 대부분 당뇨병이 발생했고, 이들의 새끼들까지 당뇨병 발병 위험이 증가했다. 그런데 이 실험은 이미 인간을 대상으로 수십년 전부터 진행되고 있었다. 2차 세계대전 중이던 1944년, 네덜란드가 연합군을 지원하자 독일은 보복에 나섰다. 암스테르담을 포함한 서부 주요 도시에 식량 보급을 차단해 버린 것이다. 혹독한 기근이 오랜 기간 이어졌다. 임신 중인 여성이나 갓난아이라고 해서 기근을 피할 수는 없었다. 전쟁이 끝나고 시간이 흘러 1960년대 초가 되자 기근 당시 출생했던 청년들이 입영을 위해 신체검사를 받았다. 그런데 이 검사 기록을 살펴본 학자들은 놀라운 사실을 발견했다. 출생 전 모체에서 기근에 노출되었던 사람들이 기근 전이나 후에 출생한 사람들에 비해 비만율이 두 배나 높았던 것이다.

후속 연구에서는 이들에게 조현병 발병률도 높다는 것이 발견되었다. 우울증 같은 정동장애 발병률도 더 높았고, 남성에서는 반사회적 성격장애 발병률도 높았다. 다시 시간이 흘러 이들이 50살이 된 1990년대에 또 한 번 조사가 이루어졌다. 그 결과 출생 전 모체에서 기근을 겪은 사람들은 그렇지 않은 사람들보다 비만, 고혈압, 심혈관질환, 당뇨병 발병률과 조기사망률이 더 높았다(Roseboom 등, 2001).

데이비드 바커(David Barker)는 '성인 질병의 태아 기원설(fetal origins of adult disease, FOAD)'을 통해 임신 중 태아가 겪는 스트레스가 태아의 대사를 편성하는 배경이 된다고 설명했다(Barker, 1990; Barker, 2004). 대사를 편성한다는 것은 대사에 관련된 유전자 발현 양식이 편집된다는 것이고, 이것은 유전자 염기서열의 변화 없이 유전자가 온/오프(on/off)되는 후성유전학적 조절에 의한 것이다.

네덜란드 기근의 영향은 직접 기근을 겪은 여성이나 기근 당시 그 여성이 임신하고 있었던 자녀에서 끝나지 않았다. 기근을 겪은 여성의 외손녀는 기근 당시 이미 할머니의 몸속에 있었다. 여자는 나중에 자신의 자녀가 될 난자를 모두 만들어 가지고 태어나기 때문이다. 즉, 딸을 임신한 여성의 몸에는 임신한 여성 자신과 딸(태아)과 손녀(태아의 난자) 3대가 같이 살고 있는 것이다. 기근을 겪고 출산한 여성의 손녀는 자신의 어머니가 할머니의 몸속에서 대사를 편집한 것처럼 자신도 대사를 편집했다. 이처럼 할머니의 후성유전적 특성이 손자에게 전달되는 것을 '할머니 효과'라 한다.

하지만 태아와 그 태아의 몸속에서 자라난 난자가 기근 동안에 함께 대사를 편성하고 있었다면, 세대를 넘어 전해지는 유전과는 다르다고 할 수 있다. 그런데 후성유전학적인 유전자 편집이 실제로 세대를 넘어 전달된다는 것을 보여주는 연구가 발표되었다. 할머니 효과가 진정한 유전에 의해 나타날 수도 있음을 보여주는 연구였다. 2005년 마이클 스키너(Michael Skinner)의 논문이 발표되면서 후성유전학에 대한 학계의 관심이 집중된다. 스키너는 임신한 쥐를 화학물질에 노출시킨 다음, 태어난 수컷 새끼들을 조사했다. 새끼 쥐들은 화학물질의 영향으로 인해 비정상적인 고환을 가지고 있었고 정자도 제대로 기능하지 못했다. 놀라운 일은 지금부터다. 이렇게 태어난 쥐들은 다시 화학물질에 노출된 적이 없음에도 불구하고, 이들을 교배하여 얻은 3세대 쥐들 역시 부모인 2세대 쥐들과 같은 문제를 가지고 있었다.

사람의 경우는 어떨까? 스웨덴의 예방의학자 비그렌(Bygren)은 큰 흉년과 큰 풍년을 교대로 겪었던 노르보텐(Norrbotten) 지역 사람들에 관한 기록을 조사해서, 어린 시절에 풍년이 들어 과식을 했던 사람의 손자는 흉년 중 어린 시절을 보낸 사람의 손자보다 평균 수명이 6년 짧았다는 것을 보고했다(Bygren 등, 2001). 이어진 연구에서는 사춘기 전에 기근을 겪은 남성의 친손자와 기근을 겪지 않은 남성의 친손자는 심혈관질환에 대한 취약성이 다른 것으로 드러났다(Pembrey 등, 2006). 남성의 손자, 더구나 외손자가 아닌 친손자에서 확인된 이 현상은 네덜란드 기근의 경우처럼 태아가 자란 태내 환경 때문에 일어난 일이 아니다. 남성이 자신의 자녀나 손자에게 생물학적으로 기여하는 것은 정자, 정확히 말하면 정자의 일부뿐이기 때문이다. 이 사례는 환경에 의한 후성유전적 변화가 진정한 유전으로 물려질 수 있다는 증거다.

2014년 『사이언스(Science)』에는 정자와 난자가 유전정보만이 아니라 흡연, 음주, 식습관, 비만, 연령, 약물 노출 같은 부모의 라이프스타일 정보도 전달한다는 연구가 발표되었다(Lane 등, 2014). 이 연구는 바커의 '성인 질병의 태아 기원설'에서 한 걸음 더 나아가, 임신 전 부모의 삶에 관한 정보가 정자와 난자에 유전정보와 함께 후성유전학적 정보로 제공되어 배아와 태반 형성에 영향을 미치고, 궁극적으로는 아이의 평생 건강을 결정하게 된다는 것을 시사하고 있다.

대체 유전자가 어떻게 조절되는 것일까? 유전자 발현의 변화는 DNA 자체 또는 DNA가 감겨지는 실패 역할을 하는 히스톤(histone)이라는 단백질이 화학적으로 수식됨으로써 일어난다. 이 화학적 수식을 후성유전체(epigenome)라 한다. 이 수식들은 DNA 중 유전자가 들어 있는 부위가 접혀지거나 펼쳐지도록 해서 그 유전자가 발현될 것인지 발현되지 않을 것인지를 결정한다. 즉 후성유전체는 유전자를 온/오프시키는 열쇠나 자물쇠 역할을 한다.

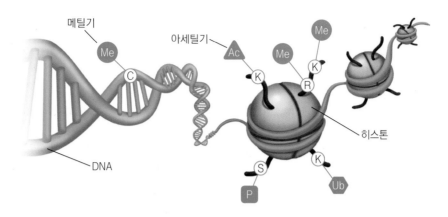

그림 7 후성유전학적 조절

후성유전체에는 여러 가지가 있는데 대표적인 것이 메틸기(-CH₃)라는 화학기와 아세틸기 (CH₃CO-)라는 화학기다. DNA에 메틸기가 붙는 것을 DNA가 메틸화된다고 하는데, 이 경우 그 DNA 부위의 유전자는 발현이 억제된다. 즉, 유전자가 오프된다. 만일 그 유전자가 인슐린을 만드는 유전자라면, 유전자가 잠겨서 인슐린이 더 이상 만들어지지 않는다는 뜻이다. 네덜란드의 기근 동안 태어난 사람들은 인슐린유사성장인자-2(insulin-like growth factor-2, 이하 IGF-2)의 합성을 조절하는 유전자의 메틸화에 변화가 일어나 있었음이 2008년에 밝혀졌다(Heijmans 등, 2008). IGF-2는 태아의 성장을 조절하는데, 저체중인 신생아는 IGF-2의 활성이 저하되어 있다. IGF-2 조절 유전자만이 아니었다. 메틸화 양상의 변화는 기근 동안 태어났던 사람들의 유전자 전체(게놈)에서 폭넓게 확인되었다(Tobi 등, 2015).

히스톤이 메틸화되는 경우에도 그 위치에 있는 유전자는 대체로 발현이 억제된다. 히스톤이 아세틸화되는 경우에는 보통 유전자 발현이 촉진된다.[1] 후성유전체들은 정자와 난자가 만들어지는 도중에 대부분 떨어져 나간다. 하지만 일부는 유전자에 붙은 채로 후대에 전달된다.

후성유전체는 고정되어 있는 것이 아니라 여러 원인에 의해 수시로 붙거나 떨어져서 유전자 발현 상태를 바꾼다. 이것은 돌연변이처럼 무작위로 벌어질 때도 있지만 대개는 환경, 음식, 화학물질 노출, 스트레스, 사회적 상호작용에 대한 반응으로 일어난다. 후성유전학은 라이프스타일과 유전자의 접점에서 벌어지는 생명의 역동에 관한 설명이다.

---

1) 히스톤 단백질에 아세틸기가 붙으면 히스톤과 DNA의 결합이 약해져 DNA 사슬이 느슨하게 되어 그 부위의 유전자는 발현된다. 히스톤에 메틸기가 붙으면 유전자가 기능을 하게 되는 경우도 있고, 하지 않게 되는 경우도 있다. 하지 않게 되는 경우는 마치 책(DNA)을 복사할 때 복사가 필요 없는 부분을 스테이플러로 찍어서 뭉쳐 놓은 것과 같은 상태가 된다.

❷ 유전자와 라이프스타일

후성유전체에 의한 유전자 발현 조절의 이상은 암, 당뇨병, 심·뇌혈관질환, 치매, 자폐증 등 다양한 질병과 관계가 있다. 후성유전체의 불리한 변화에 의해서 이러한 질병이 나타나기도 하지만, 때로는 질병에 의해서 후성유전체의 변화가 나타나기도 한다. 현재 후성유전학에 대해 학계뿐 아니라 산업계의 관심도 집중되고 있다. 물론 그 이유는 질병 치료에 대한 가능성 때문이다. 예를 들면 종양유전자(oncogene)를 억제하여 암의 위험을 낮출 수 있다.[2] 라이프스타일은 그 가능성을 이미 현실로 만들고 있다. 예를 들어 우리가 먹는 음식은 후성유전학적 유전자 조절을 통해 질병의 위험을 높이기도 하고 낮추기도 한다.

포유류에는 아구티(agouti)라 불리는 유전자가 있다. 본래 아구티는 짙은 밤색 털을 가진 사슴 모양의 작은 설치류 이름이다. 아구티 유전자는 멜라닌 생산에 관여하므로 동물의 털색에 영향을 미친다. 그런데 멜라닌은 모낭세포 외에도 여러 종류의 세포에서 생산된다. 아구티 유전자가 만드는 단백질은 간, 신장, 성선(정소, 난소), 지방 등 많은 장기와 조직의 기능에 영향을 미친다. 따라서 이 유전자에 돌연변이가 생기면 털색에만 이상이 있는 것이 아니라 생명을 위협하는 치명적 결과가 초래될 수 있다.

아구티 돌연변이 중 가장 치명적인 것은 AL로 불리는 돌연변이다. Avy라는 돌연변이는 죽지 않아도 건강이 크게 손상된다. 돌연변이가 없는 건강한 쥐는 짙은 밤색의 털을 가지지만 AL은 샛노란 털을 가진다. 흥미로운 것은 Avy 돌연변이다. 이들도 기본적으로 노란 털을 갖고 태어나지만 그 정도는 다양하다. 어떤 것은 정상에 가까운 밤색이고 어떤 것은 AL처럼 샛노랗다. 털색이 노란 정도는 그 쥐가 겪는 비만, 당뇨병, 암 등의 정도와 정비례한다.

본래 노란 털을 만드는 Avy 유전자를 가진 생쥐들의 털색에 큰 편차가 나타나고 그에 따라 건강 상태도 크게 달라지는 이유는 무엇일까? 답은 Avy 유전자가 오프되어 있는 정도가 다르기 때문이다. 많이 오프될수록 털색은 정상처럼 밤색에 가깝고 건강 상태도 좋다. 후성유전학의 용어로 설명하자면, Avy 유전자가 많이 메틸화되어 있을수록 털색이 짙고 건강하며 덜 메틸화되어 있을수록 노랗고 불건강한 것이다. 그러면 무엇이 이 유전자가 메틸화되는 정도의 차이를 만들었을까?

---

2) 종양유전자는 대부분 정상적으로 작동하던 유전자가 돌연변이나 화학물질, 바이러스 등의 자극을 받아 활성화되면서 종양을 일으키는 상태로 변형된 것이다. 종양유전자가 되기 전의 정상 상태 유전자를 원종양유전자(proto-oncogene)라 한다.

2003년 듀크대학교 연구팀이 그 해답 중 하나를 찾아냈다. 바로 음식이다. 연구자들은 Avy 유전자를 가진 어미 쥐들이 임신해 있는 동안 엽산, 비타민B$_{12}$, 베타인(betaine), 콜린(choline) 등 메틸기가 많이 들어 있는 식품을 먹이에 첨가해 주었다. 자궁에서 메틸기를 충분히 보충 받은 새끼들은, 비록 어미로부터 Avy 유전자를 물려받았지만 정상 유전자를 가진 쥐처럼 짙은 털색을 가지고 태어나 건강하게 자랐다. 더 놀라운 일은 이 효과가 그다음 세대의 쥐들에게까지 전달되었다는 것이다.

후성유전학적인 변화를 만드는 요인은 식사, 운동, 질병, 스트레스 등 라이프스타일이다. 메틸기 같은 후성유전학적 스위치들은 라이프스타일 변화에 매우 민감하게 반응한다. 담배, 카페인, 알코올, 설탕, 가공식품이나 통조림, 동물성 단백질, 호모시스테인(homocystein),[3] 포화지방, 중금속(카드뮴, 망간, 납, 수은 등)은 메틸기를 고갈시킨다.

흡연자가 암이나 당뇨병 위험이 높은 것은 후성유전학적 변화 때문일 수 있다는 것을 보여주는 연구가 있다. 흡연의 영향으로 인한 후성유전학적 변이가 발견된 유전자들은 암, 당뇨병과 관련이 있거나 면역반응 또는 정자의 질에 중요한 영향을 미치는 것들이었다(Besingi 등, 2013). 스트레스를 경험할 때 분비되는 각종 스트레스 호르몬들도 체내의 화학적 조성을 변화시킴으로써 유전자의 발현 양상을 바꾼다.

환경호르몬은 후성유전학적 변화를 야기하는 주요 원인 중 하나다.[4] 환경호르몬은 동물에서 발생학적 오류나 생식 장애를 일으키는데, 쥐를 대상으로 한 연구에서는 그 결함이 후대로 전달되는 것으로 나타났다. 예를 들어 자궁에서 농약인 빈클로졸린에 노출되었던 수컷 쥐는 자라서 기형 정자를 생산하고 생식력이 감소했는데, 그 수컷의 수컷 자손들은 직접 빈클로졸린에 노출된 적이 없었음에도 불구하고 기형 정자를 만들고 생식력도 낮았다. 3세대와 4세대 수컷 자손들도 마찬가지였다.

---

3) 이미노산인 메티오닌은 육류, 계란, 우유, 치즈 등 동물성 식품을 통해 체내에 들어온다. 메티오닌은 체내에서 시스테인으로 전환되는데, 비타민이 부족하면 호모시스테인이라는 물질이 된다. 호모시스테인은 혈관 내벽을 손상시키고 혈전을 만들어 혈액의 흐름을 방해하므로 심·뇌혈관질환 위험을 높인다. 1969년 맥컬리(McCully)는 심혈관질환에 대한 호모시스테인 이론을 최초로 제안했다(McCully, 1969). 맥컬리의 연구에 의하면, 호모시스테인의 체내 농도가 5 mol/L씩 증가할 때마다 말초혈관질환 발생 위험은 7.8배, 뇌혈관질환 발생 위험은 2.3배, 심혈관질환 발생 위험은 1.8배 증가한다. 호모시스테인은 뇌혈관을 수축시켜 치매 위험을 높이기도 한다. 골다공증, 지방간 등과도 관련이 있는 것으로 알려지고 있다. 몸에 호모시스테인이 쌓이는 것을 막으려면 엽산, 비타민B군이 필요하다. 엽산은 시금치 등 녹색 채소에 많이 들어있고, 비타민B군은 생선, 고기, 우유 등에 함유되어 있다. 하지만 동물성 식품에는 메티오닌도 많이 들어있다.

4) 환경호르몬의 학술적 명칭은 내분비계 교란물질(endocrine disrupter)이다. 식품 등을 통해 체내로 유입된 후 호르몬처럼 작용하면서 내분비계의 정상적 기능을 방해하거나 혼란시키는 화학물질을 말한다. '7장, 12, **2**, (3) 환경호르몬'을 참고하라.

후성유전학은 몸과 마음, 나아가 생명체와 심리·사회적 환경, 생태·물리적 환경이 어우러져 우리의 몸을 빚어낸다는 사실을 그대로 보여준다. 몸은 인간이 세상과 지속적으로 교류하며 뒤섞이는 현실의 장이다. 몸은 삶을 담는 그릇이다. 몸이라는 말은 '모으다'를, body라는 말은 'box'를 어원으로 한다. 몸에는 우리가 겪은 출생 전후 경험과 함께 인류가 세상과 맺어온 물리적, 사회적 관계가 담겨 있다. 우리의 몸은 그 역사와 역동이 빚어낸 '지금, 여기'라는 점을 후성유전학은 여실히 증명하고 있다.

❸ 스트레스와 유전자

(1) 스트레스가 유전자에 미치는 영향

스트레스가 유전자 발현에 영향을 미친다는 사실은 동물연구를 통해서 자세히 규명되어 있다. 사람에서도 마찬가지다. 예컨대 로널드 글래이서(Ronald Glaser) 등의 연구에 의하면, 시험 스트레스는 말초의 백혈구에서 c-myc, c-myb 같은 원종양유전자 발현을 증가시킨다(Glaser 등, 1993). 사람의 성장과 발달은 유전자와 환경의 상호작용 속에 진행된다. 삶에서 경험하는 심리적 스트레스, 사회적 스트레스, 생태·물리적 스트레스 모두 유전자의 발현에 영향을 준다.

발달 과정에서 후성유전학적 영향에 가장 취약한 시기는 생애 초기다. 스트레스의 후성유전학적 영향 또한 생애 초기에 겪는 스트레스일수록 지대하다. 해로운 생애 초기 경험들은 뇌의 변연계[5]와 스트레스 반응이 형성되는 데 영향을 미친다. 변연계는 더 쉽게 흥분하여 스트레스 반응을 더 많이 일으키게 되고 스트레스 반응 역시 더 과장된 방향으로 형성되는 것이다. 이렇게 만들어진 왜곡된 스트레스 반응 양식은 삶 전체에 지속되어 심신의 건강에 악영향을 주게 된다.

사람을 포함한 동물에게 가장 치명적인 생애 초기 스트레스는 양육의 결핍이다. 잘 양육된 새끼 쥐의 해마(hippocampus)에서는 높은 농도의 세로토닌(serotonin)이 분비된다. 이것은 해마의 코티솔[6] 수용체 유전자 발현에 긍정적으로 기여하는 전사인자(transcription factor)[7]를 활성화하는 작용을 한다(Laplante 등, 2002; Weaver 등, 2000; Weaver 등, 2002). 해마에 코티솔 수용체가 많으

---

5) 변연계의 대해서는 '글상자❸ 변연계와 신피질'을 참고하라.

6) 코티솔은 대표적인 스트레스 호르몬이다.

7) 전사인자는 DNA의 특정 서열에 결합하여 DNA로부터 messenger RNA(mRNA)를 만드는 과정을 조절하는 단백질이다.

면 스트레스 반응이 시작되었을 때 해마가 신속히 반응을 가라앉힐 수 있게 된다. 따라서 이렇게 유전자 발현 양식이 형성된 동물은 일생 동안 스트레스에 대해 덜 반응적이게 된다. 즉, 스트레스 반응이 덜 일어나는 것이다. 또 다른 연구는 중추신경계의 CRH[8] 발현 수준도 감소한다는 것을 보여 주는데, 이것은 스트레스 반응 시스템의 활성화 자체가 낮아지는 것을 의미한다.

반면 출생 후 양육 결핍에 의해 세로토닌 결핍이 야기될 수 있다. 세로토닌이 부족한 것은 우울이나 불안 같은 부정적 정서, 공격성, 사회적 상호작용 감소 같은 문제들과 관련이 있다. 해마의 크기가 작고 코티솔 수준이 높은 것은 우울증과 관련이 있으므로 생애 초기 스트레스의 영향은 훗날 정신병리로 나타날 수 있음을 시사한다.

어미 동물과 새끼를 완전히 분리하지 않고 잠깐씩 반복적으로 떼어놓는 정도의 덜 심각한 모성 박탈도 성장 이후까지 지속되는 변화를 유발하는데, 이렇게 자란 실험동물은 다 자란 후에도 불안 경향성을 보이고 모성 박탈이 없던 동물에 비해 알코올을 함유한 물을 더 많이 섭취한다(Huot 등, 2001). 로발로(William Lovallo)는 생애 초기 경험이 스트레스 반응 축에 미치는 후성유전학적 영향에 대해 폭넓게 개관했다(Lovallo, 2016).

모체가 스트레스를 받으면 태아도 영향을 받는다. 모체가 만든 스트레스 호르몬에 태아가 많이 노출되면 태아 역시 스트레스 호르몬을 많이 만드는 부정적 대사 반응을 갖추게 된다. 글로버(Glover)는 임신 기간 동안 심한 불안과 스트레스를 겪는 산모는 정서적 문제, 주의력 결핍장애, 인지적 발달 지연 등의 문제가 있는 아기를 출산할 가능성이 크다는 것을 발견했다(Glover, 2010). 게다가 임신 기간 동안 산모가 겪는 스트레스가 아기가 태어나서 바로 경험하는 스트레스보다 아기에게 더 중요한 것으로 나타났다. 태아는 어머니가 겪는 스트레스를 함께 경험한다. 이렇게 태아가 모체에서 겪은 스트레스가 평생 건강을 좌우하게 되는 것이다.

스트레스를 받은 어미에게서 태어난 쥐들은 다 자란 후에도 스트레스 상황에 노출되면 더 강하게 반응한다. 네덜란드 기근 사례에서도 알 수 있듯이, 태아가 엄마의 몸속에서 엄마와 함께 겪는 스트레스는 태아의 대사 시스템에 깊이 각인된다. 대사가 편성·재편성되고 신경세포의 연결망이 구성·재구성되는 배후에는 유전자의 후성유전학적 편집이 있다.

스트레스의 후성유전학적 영향과 관련하여 유념해야 할 점은, 여기서 말하는 스트레스가 단지 생리적 스트레스나 심리·사회적 스트레스만을 의미하는 것이 아니라는 사실이다. 소음, 진동, 수면을 방해하는 빛, 전자기파, 공해와 유해한 화학물질 모두 우리 몸의 가장 낮은 차원, 다

---

8) CRH는 스트레스 반응을 개시하는 호르몬이다.

시 말하자면 세포를 구성하는 단백질이나 DNA처럼 생명체가 아니라 물질에 가까운 몸에 가해지는 스트레스다. 오염된 양수가 태아에게 미치는 영향을 생각하면 환경의 스트레스들이 우리의 인체에 미치고 있는 영향에 대해서 정말로 심각하게 고민해야 한다.

우리는 미세먼지가 몸에 어떤 영향을 미치는지 느낄 수 없지만, 심신의 질병을 일으키는 원인이라는 것은 알고 있다. 그리고 그것이 호흡기계에만 영향을 미치는 것이 아니라, 혈류로 유입되어 혈관이나 신경계에도 염증을 일으키고 우울증, 치매, 자살의 위험까지 높인다는 것도 알고 있다. 최근의 연구에서는 미세먼지가 산모의 유산 가능성도 증가시키는 것으로 나타났다. 산모의 가장 낮은 차원의 몸이 경험한 스트레스가 산모의 몸과 마음에만 영향을 미치는 것이 아니라 태아의 생명에도 치명적 결과를 가져온다는 사실을 통해서, 라이프스타일의 후성유전학적 영향에 대한 연구는 더 포괄적인 관점에서, 즉 생태·물리적 환경을 포함하는 더욱 전일적인 관점에서 이루어져야 한다는 것을 다시 확인할 수 있다.

후성유전학이 우리에게 전해주는 최종 메시지는 좋은 소식이다. 스트레스성 환경이 좋은 유전자의 발현을 억제하고 스트레스 반응성을 불리한 방향으로 편성하지만 좋은 환경은 그 영향을 되돌릴 수 있다는 것이다.

(2) 스트레스와 텔로미어

노화 이론 중 가장 유력한 이론들이 모두 스트레스와 연결되어 있다. 산화스트레스(oxidative stress) 이론은 대사 과정에서 발생하는 활성산소와 관련하여 노화를 설명하는 이론이다. 스트레스는 체내 활성산소를 증가시키고 이것이 미세 염증을 일으켜 세포를 손상시킴으로써 혈관을 비롯한 여러 조직(tissue)과 장기의 기능을 저하시킨다. 스트레스는 자율신경계의 교감신경계를 항진시키는데, 교감신경계가 항진될 때 증가하는 면역세포들은 염증을 증가시키고 활성산소를 많이 방출한다. 심리적 스트레스를 경험하는 동안 여러 염증성 사이토카인의 분비도 증가한다.

계획된 노화 가설은 텔로미어의 단축과 관련하여 노화를 설명하는 이론이다. 세포 안에는 DNA가 응축되어 있는 염색체가 있는데, 세포가 분열해서 새 세포가 만들어질 때마다 염색체의 끝부분이 조금씩 닳아 없어진다. 텔로미어라는 부위다. 세포가 50번 정도 분열을 하면 텔로미어가 거의 닳게 되고, 그러면 그 세포는 더 이상 분열하지 못해 새 세포를 만들 수 없다. 새 세포가 만들어지지 않는다면 이미 있는 세포들이 죽는 일만 남는다. 그것이 바로 노화다.

얄궂게도 인간게놈프로젝트가 끝난 2003년은 복제 양 돌리가 안락사된 해였다. 돌리는 일찍부터 여러 만성질환에 시달렸다. 돌리의 텔로미어 나이는 돌리가 태어날 때 이미 어미 양과 같은 나이였기 때문이다.

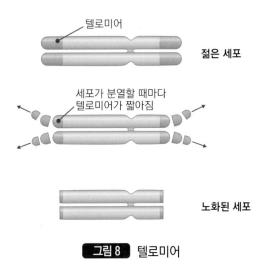

젊은 세포

세포가 분열할 때마다
텔로미어가 짧아짐

노화된 세포

그림 8 텔로미어

텔로미어 길이는 세포분열뿐 아니라 활성산소나 심리적 스트레스 같은 요인에 의해서도 짧아진다. 심리적 스트레스는 텔로미어를 연장시키는 효소인 텔로머라제도 감소시킨다. 산화스트레스는 DNA의 다른 영역보다도 특히 텔로미어 부위를 더 집중적으로 손상시키고 다양한 종류의 세포에서 텔로머라제의 활성을 억제한다(Haendeler 등, 2004). 여러 연구에서 에피네프린, 노르에피네프린, 코티솔 같은 스트레스 호르몬의 증가가 텔로미어 길이의 단축과 상관이 있는 것으로 나타나 이전의 발견들을 뒷받침하고 있다. 텔로미어의 길이는 만성 스트레스의 지표이기도 하다.

스트레스 관리를 비롯한 건강한 라이프스타일 실천은 텔로미어를 보호하고 텔로머라제 활성을 변화시킬 수 있다.[9] 스트레스를 완화하는 중재법들은 텔로미어 길이를 유지하는 능력을 증가시킨다. 자궁경부암 치료를 받은 암 생존자들을 대상으로 스트레스 완화를 돕기 위한 전화상담의 효과를 살펴본 연구에서, 환자가 보고한 스트레스와 환자의 텔로미어 길이 사이에 상관성이 확인되었다(Biegler 등, 2012).

---

9) 스트레스는 이상에서 설명한 것 이외의 방법으로도 노화를 촉진한다. '5장, 2, **3** 스트레스, 질병, 노화'를 참고하라.

2 라이프스타일은 유전자치료제

포괄적인 라이프스타일 개선으로 암 환자의 유전자 발현을 조절할 수 있다. 라이프스타일 변화가 전립선암의 진행에 영향을 미칠 수 있다는 것은 여러 역학 연구에서 확인된 바 있지만 라이프스타일이 전립선에 영향을 미치는 분자적 수준의 기전은 한동안 규명되지 않았었다.

딘 오니시 등은 전립선암 환자를 대상으로 라이프스타일 개선이 전립선의 유전자 발현에 미치는 변화를 조사하기 위한 연구를 수행했다(Ornish 등, 2008). 참가자들은 수술, 호르몬요법, 방사선 치료를 받지 않고 종양의 진행 상태를 감시받고 있는 환자들이었다. 3개월이 지난 후, 참가자들에게는 이전 라이프스타일 연구들이 보여준 것처럼 체중, 복부비만, 혈압, 혈중지질의 현저한 개선이 나타났다. 가장 관심사인 전립선암 상태는 어떻게 되었을까? 전립선암 억제에 유리한 48개의 유전자 발현은 상향조절되고, 불리한 453개의 유전자 발현은 하향조절되어 총 500여 개의 유전자 발현 양상이 변화된 것으로 나타났다. 비활성화(하향조절)된 유전자에는 전립선암뿐 아니라 유방암, 대장암 등 다른 암에도 관여하는 수백 가지 종양유전자가 포함되어 있었다. 종양 형성에서 결정적인 역할을 하는 생물학적 과정이 라이프스타일로 조절되는 것이 확인된 것이다.

또 다른 연구에서는 심장병 위험인자 관리를 위한 라이프스타일 프로그램에 참여한 환자들에게서 12주 뒤 죽상동맥경화 과정에 중요한 역할을 하는 유전자들의 발현이 감소되었는데, 이 유전자에는 관상동맥의 폐색, 만성염증, 산화스트레스, 혈관 형성(angiogenesis), 콜레스테롤 대사 등과 관련된 것이 포함되어 있었다(Ellsworth 등, 2014). 이러한 개선 효과는 다음 해까지도 이어졌으며, 이 기간 동안 다섯 배나 많은 유전자의 발현이 유리한 방향으로 바뀌었다.

라이프스타일은 염증과 관련된 유전자 발현을 변화시킬 수 있다. 예를 들어 selectin E라는 유전자는 염증을 증가시키는데, 건강한 라이프스타일로 이 유전자의 발현을 감소시킬 수 있다.

앞에서 살펴본 바와 같이 텔로미어의 단축은 노화, 질병, 조기사망을 예측할 수 있는 지표다. 딘 오니시와 엘리자베스 블랙번 연구팀이 전립선암 환자를 대상으로 라이프스타일 변화가 텔로머라제 활성에 미치는 영향을 살펴 본 연구에서는 포괄적인 라이프스타일 개선으로 단 3개월 만에 단핵구(백혈구의 일종)의 텔로머라제 활성이 유의하게 증가한 것으로 확인되었다(Ornish 등, 2008). 오니시는 보다 장기적인 효과를 확인하기 위해 참가자들을 계속 추적 조사했다. 그 결과 건강한 라이프스타일을 5년간 계속 실시한 사람들의 텔로미어 길이는 증가하였으나 대조군 사람들에서는 감소되어 있었다(Ornish 등, 2013).[10] 앞으로 더 살펴보겠지만, 텔로미어 길이는 영양, 심리적 스트레스, 운동, 기타 건강 관련 행동 등 비유전적인 요인들에 의해 영향을 받는다(Brydon 등, 2012).

글상자❺ 딘 오니시의 프로그램

미국 클린턴(Bill Clinton) 전 대통령의 자문 의사를 지냈던 딘 오니시는 1978년부터 라이프스타일 변화가 여러 만성질환에 미치는 영향을 다방면으로 연구했다. 심장병 전문의인 오니시가 처음 연구를 시작한 주제는 심장병이었다. 미국에서는 중병을 앓는 5%의 환자들에게 전체 의료비의 50~80%가 지출된다. 특히 심장병은 가장 치료비가 높은 질병이다. 오니시는 1983년에 관상동맥질환 환자를 대상으로 스트레스 관리와 식생활 개선의 효과를 연구하여 보고했다(Ornish 등, 1983). 그리고 1990년 『랜싯』에 발표된 연구에서 라이프스타일 개선으로 관상동맥질환을 역전시킬 수 있음을 보여주었다(Ornish 등, 1990). 'Lifestyle Heart Trial'로 불리는 이 연구는 주류 의학에서 라이프스타일을 치료 도구로 주목하게 하고, 라이프스타일의학이 수립되는 데 중대한 계기를 마련한 연구 중 하나다. 이 연구는 1년간의 포괄적인 라이프스타일 변화가 관상동맥의 죽상동맥경화증에 영향을 미치는지를 판단하기 위한 연구였다. 변화된 라이프스타일을 실천한 그룹에서는 혈관의 협착이 감소했지만 대조군에서는 협착이 진행되었다. 전체적으로 실험군 환자의 82%에서 병변이 감소되었다. 고지혈증 치료제를 사용하지 않고도 라이프스타일 변화를 통해서 1년 만에 관상동맥의 심한 동맥경화증을 역전시킬 수 있었던 것이다.

라이프스타일 변화를 5년간 유지하면 어떻게 될까? 라이프스타일 프로그램 참가자는 시간이 지날수록 관상동맥 동맥경화증 상태가 회복되었는데, 1년 후보다 5년 후에 더 상태가 나아졌다. 반면 대조군에서는 동맥경화증이 계속 진행되었으며, 심장사고(cardiac event)가 두 배 이상 발생했다(Ornish 등, 1998). 라이프스타일 프로그램에 참여한 사람들 가운데 혈관 우회술이나 스텐트 시술을 받아야 했던 환자 중 거의 80%가 그러한 치료가 필요하지 않을 만큼 개선되었고(Ornish 등, 1998), 심지어 심장이식을 해야 할 정도로 심장이 크게 손상되었던 사람이 이식될 심장을 기다리는 동안 프로그램에 참여했다가 더 이상 이식이 필요하지 않을 정도로 회복되기도 했다.

---

10) 오니시 등의 연구에서 적용된 라이프스타일 프로그램의 내용은 다음과 같다. 식단은 채식-기반의 전체식품, 즉 WFPB다. 식물성 단백질, 과일, 채소, 정제되지 않은 곡식과 콩류를 위주로 섭취하고, 지방은 전체 칼로리의 10% 이하로 제한했다. 오니시의 초기 연구에서는 저지방 우유나 저지방 요구르트, 계란 흰자를 포함하였으나 이후에는 모든 동물성 식품을 제외했다. 카페인 섭취도 제한한다. 금연은 물론이다. 운동은 하루 30분 이상, 매주 6일 이상 걷는 것이다. 스트레스 관리는 요가 동작을 이용한 스트레칭, 호흡법, 명상, 심상요법, 점진적근육이완법 등으로 구성되어 있다. 사회적 지지를 증가시키기 위해 집단상담 형태의 지지그룹 모임이 이루어진다(Ornish, 2008). 이 프로그램을 진행하기 위해 의사, 간호사 등 의료인과 함께 영양사, 운동생리학자, 임상심리학자, 스트레스 관리 지도자 등 비의료인 건강 전문가들이 참여하여 교육과 상담을 실시했다.

2010년, 미국의 공공의료보험을 관리하는 '메디케이드와 메디케어 서비스 센터(Centers for Medicare and Medicaid Services, CMS)'는 15년 이상의 오랜 검토 뒤, '집중적인 심장재활(intensive cardiac rehabilitation)'이라는 보험급여 항목(benefit category)을 신설했다. 오니시의 '심장병 역전(reversing heart disease)' 라이프스타일 프로그램에 대한 메디케어 급여가 시작된 것이다. 지금 오니시의 라이프스타일 프로그램은 메디케어뿐 아니라 여러 민간보험회사에서도 보험금을 지급하는 치료 방식이 되었다. 어떤 치료법에 보험금이 지급된다는 것은 그것이 주류 의학의 일부가 되었으며, 의과대학 교육까지 바꾸어 놓게 된다는 것을 의미한다.

오니시의 라이프스타일 프로그램은 영양, 스트레스 관리, 신체 단련, 사랑과 지지(love and support)라는 네 가지 축으로 구성되어 있다. 구체적으로 말하면, 식물-기반의 전체식품(WFPB), 중간 강도의 적당한 운동, 스트레스 관리(요가-기반 스트레칭, 호흡법, 명상, 이완기술 등), 사랑·사회적 지지·친밀감(love·social support·intimacy)이다. 오니시 프로그램의 메시지를 간략히 요약하면 "잘 먹고, 많이 움직이고, 스트레스를 줄이고, 더 사랑하라(eat well, move more, stress less, love more)"는 것이다.

보험금이 지급되고 있는 오니시의 프로그램은 9주 동안 주당 2회 진행된다. 매회 4시간의 프로그램이 제공되는데 지지그룹 모임 1시간, 스트레스 관리 1시간, 운동 1시간, 그리고 강연과 함께 이루어지는 식사로 구성된다(Ornish 등, 2019). 기존 약물치료나 수술과 병행할 수도 있고 그런 치료를 대체하여 단독으로 이용하기도 한다. 보험회사에 따라 심장질환 외에도 당뇨병, 고혈압, 비만, 고지혈증에 대해서도 보험금을 지급한다.

심신의학과 정신신경면역학

2500년 전 히포크라테스는 의식적인 생각은 신체 전체에 영향을 끼칠 수 있는 방법을 가지고 있다고 말했다. 1000년 전 페르시아 의사 아비센나(Avicenna)는 그보다 더 나가서, 생각이 자신의 신체뿐 아니라 멀리 떨어져 있는 다른 사람의 신체에까지 영향을 미친다고 했다. 하지만 이런 이야기들은 현대 의학에서 아무런 의미도 없다. 환자의 믿음으로 또는 가족의 기도로 상처가 낫고 암이 사라진다고 생각하는 의사는 없다. 마음에 대한 인식 기반이 없는 현대 의학의 진료 현장에서는 정신적 요인이 생리적 변화를 일으키고 질병의 발생과 치료 과정에 실제 영향을 미친다는 사실을 외면한다. 환자가 가진 마음의 문제를 발견하지 못하는 것도 당연하다.

한 보고에 따르면, 심리적 문제를 지닌 환자들 중 3/5은 신체 증상에 관한 일반적 진료만 받고 정신과 진료는 받지 못하며, 일차진료 현장에서는 우울증 환자의 일부에서만 우울증을 발견할 수 있을 뿐, 다른 유형의 정신장애는 1/4도 인식하지 못한다(Strain, 1993). 최근까지도 생

의학에서는 마음을 언급하는 것이 곧 과학을 포기하겠다고 선언하는 것과 다름없었다. 하지만 의학계의 한편에서는 심리·사회적 환경, 나아가 의식과 감정까지 고려하지 않고서는 질병을 논할 수 없다는 것을 인식하기 시작했고, 전통적인 생의학 패러다임을 대체하는 생물심리사회적 패러다임도 등장했다.

현대 실험생리학의 아버지라 불리는 월터 캐넌(Walter Cannon)은 감정의 변화가 신체에 변화를 일으킨다는 사실을 증명한 최초의 인물이다. 캐넌은 1942년 '부두교 주술 살해(boodoo death)'에 대한 기사를 썼다. 영험한 주술사가 자신을 저주했으니 이제 자신은 죽을 수밖에 없다는 믿음이 실제로 그 사람을 사망에 이르게 한다는 부두교 주술 살해에 관한 이야기는 플라세보와 관련된 문헌에서 자주 인용된다. 자신이 복용한 약에 약효가 있을 것이라고 생각하면 효과가 나타나는 것처럼, 약물에 부작용이 있을 것이라고 생각하면 가짜 약에 대해서도 부작용이 나타나고, 효과가 없을 것이라고 생각하면 진짜 약

이라도 효과가 나타나지 않는다. 이제 우리는 지난 수십 년 동안의 연구를 통해 어떻게 이런 일이 일어나는 것인지 이해할 수 있게 되었다.

마음이 신체적 질병을 일으키는 경로도 되고 치유하는 경로도 된다는 것을 확인한 연구들은 현대 의학의 병인론에 심대한 영향을 주었다. 건강한 마음을 신체의 건강 유지와 질병치료의 주요 경로로 삼는 심신의학(mind-body medicine)이 등장하고, 마음이 신체에 영향을 미치는 생리적 기전이 정신신경면역학(psychoneuroimmunology, PNI)을 통해 자세히 설명되고 있다. 인체의 신경계-내분비계-면역계는 통합된 하나의 시스템이고, 이를 통해 몸과 마음과 행동은 하나의 시스템으로 통합된다.

모성의 호르몬인 옥시토신은 아기와의 애착을 형성하며 아기를 보듬고 양육행동을 하게 하는 신경전달물질이자 출산과 수유가 가능한 신체를 만드는 호르몬이다. 인슐린도 혈당을 낮추는 호르몬이자 식욕을 억제하는 물질이다. 아이를 키우거나 혈당을 낮춘다는 목표 아래, 한 가지 물질이 몸과 마음과 행동을 모두 형성하는 것이다. 정신신경면역학은 이런 신호 분자들을 중심으로 몸과 마음과 행동, 그리고 생명체와 환경이 상호작용하는 방식을 설명한다. 그래서 정신신경면역학은 통합생리학(integral physiology)이라고도 불린다.

정신신경면역학은 몸의 이론과 마음의 이론, 생명의 역동과 우주의 역동을 하나의 정합적 원리로 통합하고, 마음이 어떻게 몸과 행동에 변화를 일으키는지를 현대 의학이 사용하는 언어와 방법론으로 설명해 내고 있다. 정신신경면역학 연구자들이 찾아낸 사실 중 하나는 정신신경면역학의 발견이 결코 새로운 것이 아니라는 점이다. 로이드(Lloyd)는 정신신경면역학의 뿌리가 고대의 사상과 방식에 있다고 하였고(Lloyd, 1987), 윌리엄스(Williams)는 정신신경면역학 연구가 사랑과 용서를 가르치는 고대의 진리들이 현대적인 증거를 발견하는 것이라고 말한다(Williams, 2002).

1 심신의학

▮ 질병과 건강의 결정요인으로서의 마음

> "몸은 의식의 객관적 경험이고 마음의 의식의 주관적 경험이다."
> - 디팩 초프라(Deepak Chopra) -

몸과 마음은 분리되어 있는 것이 아니라 동전의 앞뒷면같이 하나의 실체의 두 가지 측면이다. 동전의 앞면이 구부러지면 뒷면도 구부러지고 뒷면을 펴면 앞면도 펴지는 것처럼, 심리적 원인으로 신체적 증상이 발생하기도 하고, 신체적 증상이 심리적 방법으로 완화될 수도 있다. 피험자에게 통증 자극을 주고 마취제인 아산화질소를 투여하면서 언어적으로 거짓 암시를 하면 아산화질소가 내야 하는 진통 효과는 통각과민으로 바뀐다(Dworkin 등, 1983). 환자에게 근육 이완제를 투여하면서 어떤 언어적 암시를 주는가에 따라 그 약물은 이완제의 효과를 내기도 하고 자극제의 효과를 내기도 한다(Flaten 등, 1999).[11]

몸과 마음의 관계를 어떻게 이해할 것인가라는 문제는 인간 지식의 역사 전체에서 철학적이면서도 과학적인 논점 중 하나였다. 동양의 의학들은 전통적으로 몸과 마음, 사람과 우주를 하나의 역동하는 전체로 인식해 왔지만, 서양의학에서는 몸과 마음의 관계에 대한 개념이 종교와 과학의 대립과 타협 속에서 수차례 변화를 겪었다.

데카르트(Rene Descartes)의 심신이원론과 뉴턴(Isaac Newton)의 기계론적 물리학에 기초하여 수립된 현대 생의학에는 마음에 대한 인식 기반이 없다. 과학혁명과 계몽주의 시대를 거치고 19세기에 이르자 의사들은 모든 질병이 어떤 특정한 원인 때문에 생긴 해부생리학적 비정상의 결과라고 믿게 되었다. 건강이란 생리적 기능 이상이나 해부학적 손상이 없는 소위 '정상' 상태로 여겨졌다. 명백한 이론적 근거와 실증적 경험에 의해 확인된 치유법만이 임상에서 이용되었고 근거-중심 의학은 현대 생의학을 가리키는 또 다른 표현이 되었다.

변화의 조짐은 20세기 초부터 조용히 시작되었다. 경험 있는 의사들은 마음이 신체적 질병을 일으키는 경로도 되고 치유하는 경로도 된다는 것을 깨달았고, 그러한 사실을 과학적으로

---

11) 플라세보 효과에 대해서는 '글상자❻ 플라세보'를 참고하라.

입증한 연구들이 현대 의학의 병인론에 심대한 영향을 주기 시작했다. 건강한 마음을 건강증진과 질병 치료의 주요 경로로 삼는 심신의학(mind-body medicine)이 등장하고, 마음이 신체에 영향을 미치는 생리적 기전이 정신신경면역학(psychoneuroimmunology, PNI)을 통해 자세히 설명되고 있다. 앤 해링턴(Anne Harrington)은 심신의학의 모든 이야기는 데카르트가 저지른 잘못, 즉 심신이원론으로 몸과 마음을 분리시킨 잘못을 300년 이상 지난 지금 복구하려 애쓰는 것과 다르지 않다고 했다.

동양에서는 병이 나기 전에 고치는 의사를 최고의 의사로 여겼다. 아직 나지 않은 병을 치료하는 방법은 양생(養生)이었고, 양생의 핵심은 마음을 기르는 양심(養心)이었다. 『동의보감』에서는 "몸의 주인이 마음이며 질병을 치료하려면 먼저 마음을 다스려야 한다. 또한 마음이 산란하면 병이 생기고 마음이 안정되면 병도 저절로 낫는다"라고 적고 있다. 이것은 마음과 몸을 마부와 말의 관계처럼 본다는 의미가 아니다. 마부가 잘 먹는다고 말이 건강해지는 것은 아니다. 몸과 마음은 둘이 아니라 하나이고, 하나이면서 둘인 관계다. 따라서 마음을 기르는 양심은 그 자체가 곧 몸을 기르는 것이다. 여기서 동양의 수신(修身) 전통이 생겨나게 된다. 그러나 지금 우리는 몸을 규제하고 수단으로 이용하는 용신(用身)의 문화에서 산다. 몸만들기에 빠져 운동 강박에 시달리기도 하고, 외모에 집착하다가 거식증 같은 정신과적 장애를 겪기도 하는 것은 왜곡된 용신 문화가 가져온 폐해의 단면이다. 심신의학은 마음만 중요시하고 몸을 등한시하는 의학이 결코 아니다. 몸의 의학에 마음의 의학을 더해 놓은 것도 아니다. 하나인 '몸마음(bodymind)'의 의학이다.

사실상 동양의 전통의학은 물론 서양의학의 원형 또한 전일론적 심신의학이다. 히포크라테스나 갈레노스(Galenos)의 의학은 마음이 신체의 질병에 미치는 영향을 강조했을 뿐 아니라 사회적, 생태적 환경과의 조화와 균형을 중시했다. 심신의학자 수잔 리틀(Suzanne Little)은 "심신의학은 전인적 돌봄(whole-person care)이라는 철학적 방침으로 특징지어지며, 그 기원은 고대의 전일론적 치유 전통(holistic healing tradition)에서 발견된다"라고 설명한 바 있다(Little, 2007).

몸과 마음의 연결성에 관하여 설명하는 과학적 문헌들 속에서 가장 높은 빈도로 발견되는 단어 중 하나가 플라세보(placebo, 위약)다. 자신에게 투여된 약이 효과가 있을 것이라는 환자의 믿음 때문에, 실제로는 아무런 효과가 없는 물질이 치유 효과를 나타낸다. 이를 '플라세보 효과(placebo effect, 위약효과)'라고 하고, 그 물질을 '플라세보'라 한다.

화가 나면 심박수가 상승하고 긴장하면 소화가 잘되지 않는 것처럼, 마음이 몸에 영향을 주는 것은 우리가 늘 경험하는 현상이지만 현대 의학은 마음의 힘을 설명하는 이론이나 그것을 질병 치료에 이용하는 방법을 갖고 있지 않다. 하지만 마음의 힘이라는 것은 이미 의학계 안에서도 더 이상 덮어둘 수만은 없는 뜨거운 감자가 된지 오래다. 복통이나 두통을 호소하며 약을 달라는 아이들에게 주는 플라세보 제품이 '오베칼프(Obecalp)'라는 이름으로 시판되고 있기도 하다. 오베칼프의 영문 철자를 거꾸로 읽으면 플라세보다. 마음이 정말 신체적 질병을 일으키거나 낫게 할 수 있을까?

우리가 사용하는 의약품이 발휘하는 효과 중 상당 부분이 사실은 플라세보 효과다. 플라세보 효과에 관한 연구 역시 헤아릴 수 없을 만큼 많다. 통증은 플라세보와 관련하여 잘 연구된 주제 중 하나다. 통증 환자가 플라세보를 진짜 약으로 믿고 복용하면 통증이 30~50% 완화된다는 보고가 있다. 그렇다면 의약품을 투여했을 때 순수한 약의 효과와 심리적 효과는 각

각 어느 정도 될까? 한 연구에 의하면, 발치 후 통증이 느껴지는 동안 환자 몰래 6~8 mg의 모르핀을 정맥주사 하는 것과, 환자의 눈앞에서 공개적으로 플라세보를 투여하는 것이 비슷한 효과를 냈다(Levine 등, 1981; Levine 등, 1984). 이것은 플라세보가 6~8 mg의 모르핀에 맞먹는 강력한 진통 효과를 발휘한다는 것을 뜻한다. 환자가 모르게 진통제를 투여하는 경우에는 환자가 투여 사실을 알 때보다 더 많은 양의 진통제를 투여해야 동일한 효과를 얻을 수 있다(Amazio 등, 2001).

다른 약물들도 그렇지만 항우울제는 임상시험에서 플라세보 그룹의 반응률이 매우 높다. 한 메타분석에 의하면 실제 항우울제의 효과는 25%에 불과하며, 나머지 50%는 플라세보 효과이고, 25%는 자연적으로 치유되는 것이다(Kirsh 등, 1998).

파킨슨병은 도파민 부족으로 생기므로 환자들은 도파민 효현제나 아포모르핀을 투여받는다. 그런데 플라세보를 투여 받은 환자들의 뇌에서 내인성 도파민이 분비되어, 치료 용량에 상당하는 도파민 효현제나 아포모르핀의 효과를 낸다는 연구 결과가 보고되었다(de la Fuente-Fernande 등, 2001). 이 연구자들은 어떤 환자에게는 활성 약물의 효과 대부분이 플라세보에 의한 것일 수 있다고 결론을 지었다.

정신신경면역학 연구는 플라세보라는 현상의 생리학적 기제를 밝히는 데 중요한 단서를 제공해왔다. 위스네스키(Wisneski)와 앤더슨(Anderson)은 "플라세보는 더 이상 존재하지 않는다. 이제 우리는 이것을 정신신경면역학이라 부를 수 있다"고 말한다(Wisneski 등, 2009).

❷ 심신의학

심신의학자 케네스 펠리티어(Kenneth Pelletier)는 모든 보완대체의학의 핵심은 치료가 사람 밖에서 이루어지는 것이 아니라 태도, 라이프스타일, 자신과 환경에 대한 방향성 같은 내적인 변화에 의존한다는 것이며, 이런 접근은 내적이고 심리적인 변형과 당사자 자신의 적극적 참여를 요구한다고 했다. 보완대체의학 중 가장 커다란 영역인 심신의학은 특히 이러한 원리에 기초하고 있다.

심신의학은 신체적 질병과 마음이 밀접한 관계를 가지고 있으며, 마음을 다스림으로써 질병에서 치유되고 건강을 유지할 수 있다는 것을 전제로 하는 보완대체의학의 한 분야로, 질병을 전일적 시각에서 파악하며 마음을 치유의 주요 경로로 삼고 생활 전반에서 스스로 건강을 도모하는 의학이다. 이와 같은 철학과 원리는 동서양의 전통의학에서 공통적으로 발견된다. 한의학(韓醫學)의 '치심요법(治心療法)'과 '이도요병(以道療病)'이라는 개념에도 이러한 원리가 함축되어 있다. 따라서 심신의학이라는 용어는 현대 보완대체의학의 한 분야를 가리키기도 하고, 위와 같은 철학과 원리를 가진 모든 의학 체계를 가리키기도 한다.

현대 심신의학은 20세기 초에 시작되었으나, 과학적 기반을 갖춘 심신의학은 1970년대부터 본격화되었다. 분열된 몸과 마음의 이론을 통합하려는 시도는 프로이트(Sigmund Frued)의 정신분석(psychoanalysis)에 기반한 심신증 연구에서도 시작되었다. 프로이트는 해부·생리학적 기원을 찾을 수 없는 신체적 질병을 설명하기 위해 정신분석학을 발전시켰다. 그의 이론은 정신신체의학(psychosomatic medicine, 현재의 자문조정정신의학)과 신체심리학(somatic psychology)의 배경이 되었다. 하지만 이 분야들은 생의학과 다른 이질적인 언어를 사용하여 주류 의학과의 소통에 제한이 있었고, 과학적 연구 방법론에 따른 근거를 마련하는 데도 한계가 있었기 때문에 당시 의학에 큰 영향을 미치지 못했다.

20세기 중반 이후 생물과학의 도구와 기법이 발달하여 신경계의 생리적 기전에 대한 지식이 확보되고 심리학에서도 실험연구를 통해 학습, 인지 등의 기전에 관한 이론이 진보하게 된다. 무엇보다도 스트레스 연구는 심신의학의 수립을 이끈 원동력이 되었다. 20세기 초부터 월터 캐넌(Walter Cannon), 한스 셀리에(Hans Selye) 등에 의해 토대를 구축한 스트레스 연구는, 1970년대에 이르러 의학, 심리학, 생리학 안에 행동의학(behavioral medicine), 건강심리학(health psychology), 정신신경면역학 같은 심신 통합적 연구 분과들을 출범시키기에 충분할 만큼의 성과를 축적하게 된다.

특히 정신신경면역학은 현대의 과학적 발견과 과거의 경험적 지식을 종합할 수 있는 이론적 기반으로 등장했다. 그리하여 1970년대 이후 심신의학은 주류 의학에 영향을 미칠 수 있는 강력한 과학적 기반을 갖추게 되었다.

명상요법, 요가, 이완요법, 태극권, 기도, 심상요법, 최면요법, 바이오피드백, 인지행동치료, 표현예술치료 등은 현재 가장 널리 활용되고 있는 심신요법들이다. 심신요법의 효과를 규명하기 위한 과학적 연구는 1970년 무렵에 본격적으로 시작된다. 당시 하버드 의대의 허버트 벤슨(Herbert Benson)은 인도의 마하리시 마헤시(Maharishi Mahesh)가 요가 수행법을 변형하여 개발한 초월명상(Transcendental Meditation, TM)의 생리적 효과를 연구하고 이를 학계에 보고했다. 이어서 존 카밧-진(Jon Kabat-Zinn)의 마음챙김-기반 스트레스 감소(Mindfulness-Based Stress Reduction, MBSR), 칼 시몬튼(Carl Simonton)의 심상요법, 엘머 그린(Elmer Green)의 바이오피드백(biofeedback), 노만 커슨스(Norman Cousins)의 웃음요법 등, 스트레스를 감소시키고 심신의 안정을 도모하는 심신의학적 치료법에 관한 연구가 봇물처럼 쏟아지고 이들 심신요법은 의료 현장에 속속 도입되었다.

정신신경면역학은 심신요법의 생리적 작용 기전을 규명함으로써, 심신요법이 단지 환자의 심리적 스트레스를 감소시키거나 주관적 삶의 질을 향상시키기만 하는 것이 아니라 실제로 신체에 객관적으로 측정 가능한 치유 효과를 일으킨다는 것을 확인시켜 주었다.

2 스트레스의학

■ 모든 것은 스트레스로 통한다

"심리적 요인은 거의 모든 일반적인 의학적 상태의 발현이나
치료에 중요한 역할을 한다."
- 『정신질환 진단 및 통계 편람(DSM)-IV-TR』 -

스트레스는 심리학과 의학, 전통의학과 현대 의학, 동양의학과 서양의학의 병인론과 치유론을 하나로 엮는 허브(hub)와도 같은 개념이다. 스트레스라는 용어는 인간, 사회, 생태의 모든 부조화, 불균형, 병리적 현상을 설명하는 만능어이며 고통, 질병, 무질서 같은 주제로 심리학, 의학, 철학, 물리학, 생태학 등 인간에 관한, 그리고 인간을 둘러싼 모든 학문이 다루어 온 문제이기도 하다.[12] 또한 스트레스는 정신신경면역학을 비롯하여 심신의학, 정신신체의학, 행동의학, 건강심리학 등 심신 통합적 학문들의 수립과 발전을 견인해 온 모티프다.

월터 캐넌은 감정의 변화가 생체에 변화를 일으킨다는 사실을 증명한 최초의 학자다. 캐넌은 신체의 내분비 기관들이 스트레스에 반응한다는 생리적 증거를 제시했다. 캐넌의 연구는 감정, 생리, 건강의 관계에 대한 새로운 관심을 자극하고 생리학과 심리학의 융합을 위한 기초를 마련했다. 스트레스 연구의 대부라 불리는 한스 셀리에는 스트레스의 생리적 과정에 관한 이론을 종합하고 체계화했다. 캐넌이나 셀리에와 같은 생리학자들의 연구에 의해, 스트레스가 질병을 일으키는 기전을 설명할 수 있는 생리학 이론이 1950년대 무렵에 거의 확립되었지만, 당시까지의 연구는 주로 동물을 대상으로 한 것이었으므로 마음의 문제가 전면에 드러나지는 않았다.

1960년에 접어들면서 사람의 스트레스에 관한 연구가 심리학에서도 시작되고, 1970년대 후반에 정신신경면역학이 출범하면서부터는 사람을 대상으로 한 스트레스 연구가 학제간 연구로 발돋움하면서 자연과학의 연구 기준과 요건을 충족하는 증거들을 쏟아내기 시작했다. 드디어 1991년에는 유력 학술지 『뉴잉글랜드의학저널(NEJM)』에서 마음과 질병의 관련성에 관한 연구를 게재하기에 이르렀고, 다음 해인 1992년에는 스트레스가 정신장애, 자가면역질환, 관상동맥

---

12) 원래 스트레스는 물리학 용어였는데 20세기 초에 생리학에 도입되었다.

질환, 소화기 장애, 만성통증 등 다양한 질환, 그리고 기타 의학적·심리적 장애에 미치는 영향에 대한 종설 연구가 미국 국립보건원(National Institutes of Health, NIH)에서 발표되었다.

의료기관을 찾는 환자의 60~90%가 스트레스와 관련된 장애를 갖고 있고, 75~90%가 스트레스의 영향을 받고 있다. 우리의 라이프스타일을 불건강하게 만드는 주된 원인도 다름 아닌 스트레스다. 역으로 불건강한 라이프스타일이 스트레스를 일으키기도 하는데, 모든 사망의 50% 이상은 불건강한 라이프스타일에서 오는 스트레스가 원인이라는 보고도 있다.

2 스트레스 반응 시스템

스트레스라는 단어를 동사로 쓸 때는 '압박하다', '압력을 가하다'라는 뜻이 된다. 무엇에 압력을 가한다는 것일까? 바로 항상성(homeostasis)이다. 생체는 내부 및 외부 환경으로부터 끊임없이 자극을 받고 있지만 항상 일정한 생리적 상태를 유지하는데 이를 항상성이라 한다. 여름이건 겨울이건 체온이 36.5℃에서 크게 벗어나지 않게 유지되고, 밥을 많이 먹든 적게 먹든 일정한 혈당 수준이 유지되는 것이 체온 항상성, 혈당 항상성이다. 월터 캐넌은 항상성이라는 용어를 만들고, 스트레스는 항상성을 위협하는 사건이라고 정의했다.

전통적으로 생리학에서는 항상성이 신경계와 내분비계 두 시스템에 의해 유지되는 것으로 설명해 왔다. 현재는 면역계를 포함시켜 신경계-내분비계-면역계가 연결된 '항상성 삼각형'으로 설명된다. 스트레스는 항상성 유지를 목적으로 일어나는 생존 기전이다. 항상성을 교란하는 자극(스트레스)에 잘 반응해서 항상성을 회복하는 것이 곧 환경에 적응하는 것이다. 적응의 실패로 인해 초래되는 질병을 적응의 질병, 즉 스트레스성 질병이라 한다.

스트레스를 경험할 때 신체는 두 가지 시스템을 이용하여 스트레스 반응을 일으킨다. 자율신경계의 스트레스 반응 시스템인 시상하부-교감신경-부신수질 축(sympatho-adrenomedullary axis, 이하 SAM축)과 내분비계의 스트레스 반응 시스템인 시상하부-뇌하수체-부신피질 축(hypothalamic-pituitary-adrenocortical axis, 이하 HPA축)이다. SAM축과 HPA축 모두 뇌의 시상하부(hypothalamus)에서 시작된다. 시상하부는 편도체(amygdala)로부터 신호를 받는데, 편도체는 불안, 분노, 공포 같은 부정적 정서를 일으키는 부위다.[13]

---

13) '글상자❸ 변연계와 신피질'의 그림에 시상하부와 편도체의 위치가 표시되어 있다.

구분	시상하부-교감신경-부신수질 축(SAM축)	시상하부-뇌하수체-부신피질 축(HPA축)
작용경로	교감신경계(신경망)	내분비계(혈관)
신호 분자	에피네프린, 노르에피네프린	CRH(부신피질자극호르몬 분비호르몬) ACTH(부신피질자극호르몬) 코티솔(부신피질호르몬)
신호 분자 분비기관	부신수질(에피네프린) 교감신경 말단(노르에피네프린)	시상하부(CRH) 뇌하수체(ACTH) 부신피질(코티솔)
반응속도	즉각적	지속적
반응목적	신속한 신체 대응 활동 준비	자극에 견디는 저항력 높임
대응양식	능동적 대응	수동적 저항

표 4 — 두 가지 스트레스 반응 시스템

체온이나 혈압을 유지하는 것 같은 기본적 생명활동은 우리가 전혀 의식하지 못하는 동안 조절되고 있다. 자율신경계가 그 역할을 담당한다. 자율신경계는 우리의 의식적 개입이 없어도 자율적으로 작동하는 신경계라는 뜻이다. 자율신경계는 교감신경계(sympathetic nervous system)와 부교감신경계(parasympathetic nervous system)로 이루어져 있는데 이들은 서로 상반된 작용을 한다. 긴장하거나 위급한 상황에서는 교감신경계가 활성화되고 잠을 자거나 휴식을 취할 때는 부교감신경계가 활성화된다. 따라서 스트레스를 경험할 때는 교감신경계가 활성화된다. 교감신경계는 노르에피네프린[norepinephrine, 노르아드레날린(noradrenaline)]과 에피네프린[epinephrine, 아드레날린(adrenaline)]을 분비하여, 스트레스 상황에 맞서 싸우거나 신속히 벗어날 수 있는 심신의 상태를 만든다. 따라서 교감신경계가 일으키는 스트레스 반응을 '투쟁-도피 반응(fight-or-flight response)'이라 한다. 이것이 SAM축이 만드는 스트레스 반응이다.

그런데 스트레스 상황이 장기화된다면 투쟁이나 도피가 아닌 다른 전략이 필요하다. 버티거나 저항하는 전략인데, 이것은 HPA축이 담당한다. 시상하부에서 부신피질자극호르몬 분비호르몬(corticotrophin releasing hormone, 이하 CRH)을 분비하면 CRH는 뇌하수체로 가서 부신피질자극호르몬(adrenocorticotropic hormone, 이하 ACTH)을 분비하게 하고, ACTH는 부신피질로 가서 코티솔(cortisol)을 분비시킨다.

한스 셀리에는 스트레스 반응의 전개 과정을 '일반적응증후군(general adaptation syndrome)' 이론으로 통합하여 설명했다. 이 이론의 핵심은 지속되는 스트레스가 면역계에 악영향을 미쳐 각종 질병을 일으키게 되며, 그 원인은 부신에서 분비되는 에피네프린이나 코티솔 같은 스트레스 호르몬이 면역계에 작용하기 때문이라는 것이다.

❸ 스트레스, 질병, 노화

스트레스를 만병의 근원이라 한다. 실제로 스트레스와 연관되지 않은 신체적 혹은 심리적 질병을 찾기는 어렵다. 교감신경계가 항진되고 에피네프린이 분비되면 심박수가 증가하고 말초 혈관이 수축하여 혈압이 상승한다. 위장관의 기능은 저하되어 소화장애, 변비, 설사 등이 나타나게 된다. 근육이 긴장하므로 긴장성 두통, 요통, 가슴 압박감이 발생한다. 호흡도 증가하는데 과호흡은 불안을 일으켜 스트레스 반응을 더 강화시킨다. 과도한 각성은 어지러움이나 불면증을 야기하게 된다.

그런데 에피네프린보다 더 해로운 것은 코티솔의 지속적인 분비다. 원래 코티솔의 가장 중요한 역할은 혈당, 즉 혈액 내 포도당 농도를 높여 전신에 에너지를 공급하는 것이다. 따라서 코티솔이 계속 분비되면 혈당이 상승하고, 혈당이 상승하면 높아진 혈당을 감소시키기 위해 췌장이 인슐린을 과잉 분비한다. 인슐린이 너무 많이 분비되면 인슐린저항성이 일어나 인슐린의 효과가 감소하게 되고, 이는 다시 고혈당, 고인슐린혈증으로 이어지게 된다.

3장에서 설명한 바와 같이 인슐린저항성은 고혈압, 비만, 당뇨병, 이상지질혈증 등이 네트워크식으로 연결되어 나타나게 되는 대사증후군의 원인이다. 흡연보다 더 나쁜 것이 비만이고 비만 중에서도 복부비만이 가장 해롭다. 그런데 만성적으로 스트레스에 시달리는 사람들은 복부비만이 되기 쉽다. 코티솔이 지방을 에너지로 빨리 동원하기 위해 복부로 지방을 이동시켜 축적하기 때문이다. 위궤양은 셀리에가 꼽은 스트레스 관련 3대 증상(부신 비대, 흉선 위축, 위궤양) 중 하나다. 코티솔은 위산으로부터 위벽을 보호하는 점막의 생성을 억제한다.

전쟁이 장기화되는 상황에서 새 집을 짓거나 임신을 계획하는 사람은 없는 것처럼, 스트레스가 장기화되면 우리 몸에서도 비슷한 일이 일어난다. 코티솔이 성장호르몬과 성호르몬 생산을 억제하여 성장장애, 배란장애, 불임을 야기하는 것이다. 성장호르몬은 성장기에만 분비되는 것이 아니라 성인에서도 분비되어 새로운 조직(tissue)을 만들고 손상된 신체를 수복한다. 따라서 스트레스는 상처의 회복을 지연시키고 부러진 뼈도 잘 붙지 못하게 하며 환자들의 입원 기간도 길어지게 한다. 코티솔은 골다공증과 그로 인한 골절 위험도 증가시킨다.

염증이나 과도한 면역 반응을 억제하기 위해 사용하는 약물이 스테로이드(steroid)다. 여러 부작용 위험이 높기 때문에 주의해서 사용해야 하는 약물인데, 코티솔이 바로 우리 몸에서 만들어지는 스테로이드다. 스트레스가 면역기능을 억제해서 감염성 질병의 위험을 높이는 것은 이 때문이다. 스트레스가 심할 때 예방접종을 하면 항체도 잘 형성되지 않는다. 면역기능이 감소된다는 것은 암 발생 위험이 높아진다는 뜻이기도 하다. 우리 몸에서는 매일 수천 개의 암세포가 만들어지지만 면역세포들이 늘 정찰 감시를 하며 암세포를 즉시 찾아 제거해 주기 때문에 암이 발생하지 않는 것이다. 따라서 스트레스로 인해 면역기능이 저하되면 암 발생이 증가하고 암의 진행도 빨라진다.

SAM축과 HPA축 모두 면역계에 영향을 미친다. SAM축과 HPA축에서 분비되는 호르몬 이외의 스트레스 호르몬들도 직·간접적으로 면역기능을 조절한다. 질병이나 과로 같은 생리적 스트레스든 빈곤, 시험, 사별 같은 심리·사회적 스트레스든 스트레스는 면역기능을 변경시킬 수 있다.

자동차에 브레이크 페달과 가속 페달이 있는 것처럼 면역계에도 공격을 하는 시스템과 공격 수위를 조절하는 시스템이 있다. 잘 달리는 자동차라도 브레이크가 듣지 않는다면 큰 위험을 초래하는 것처럼, 공격 기능은 좋으나 수위를 조절하는 기능이 손상된 면역계도 우리에게 해를 입히게 된다. 면역기능이 떨어진다는 것은 공격 기능이 떨어진 것일 수도 있고 수위를 조절하는 기능이 떨어진 것일 수도 있다. 조절 기능이 손상되면 류마티스 관절염, 1형 당뇨병, 갑상선 기능항진증 같은 자가면역질환이나, 알레르기, 아토피 같은 과잉면역질환이 발생하게 된다.

흔히 면역이라 하면 세균, 바이러스 따위의 병원체나 암세포에 대한 감시와 방어 기능을 먼저 떠올리지만, 광의의 면역은 신체의 항상성을 위협하는 각종 상황에 대응하는 조절 기능을 포함한다. 실제로 면역이 단순히 감염증이나 면역학적 질환과만 관련된 것이 아니라 당뇨병, 심·뇌혈관질환, 대사증후군, 심지어 정신과적 질환의 발병과도 관련이 있다는 것이 밝혀지고, 스트레스가 그러한 면역계의 기능에 직접적인 영향을 미친다는 것이 확인되면서 '스트레스-면역-질병 모델(stress-immune-disease model)'은 현대 의학의 병인론 속에 확고히 자리 잡게 되었다.

스트레스가 면역기능을 감소시킨다면, 스트레스를 감소시키는 심신의학적 중재법은 면역기능을 향상시킬 수도 있을까? 이 질문의 대답은 예방접종에 대한 항체 형성률 연구에서 확인할 수 있다. 스트레스가 심하다고 보고한 사람들을 두 그룹으로 나누어 한 그룹에만 스트레스 중재법을 제공하고, 두 그룹의 항체 형성률을 대조군(스트레스를 받지 않은 사람들)과 비교했다. 스트레스 중재법을 제공받지 않은 그룹은 대조군에 비해 항체 형성률이 1/4에 불과했지만, 스트레스 중재법을 제공받은 그룹은 대조군보다 1.7배나 높은 항체 형성률을 보였다(Vedhara 등, 2003).

본래 코티솔은 생명활동에 필수적인 호르몬이다. 정상적으로 인체는 아침 기상 무렵 코티솔 분비를 최대로 증가시켜 혈당을 올리고 우리 몸이 하루를 시작할 수 있도록 준비한다. 자정 무렵에는 코티솔 농도가 가장 낮아진다. 그런데 만성 스트레스는 이러한 코티솔 분비 리듬을 손상시켜 낮에는 코티솔이 정상보다 부족하고 밤에는 정상보다 과도하게 만든다. 그 결과 낮에는 피로에 시달리고 밤에는 잠을 제대로 잘 수 없게 된다. 수면은 심신을 회복시켜 스트레스를 완화시켜 주는 대단히 중요한 과정이기 때문에 스트레스로 인해 스트레스 저항력이 더 감소되는 악순환이 일어나게 되는 것이다.

4장에서 살펴 본 바와 같이, 스트레스는 체내 활성산소와 염증을 증가시키고, 텔로미어를 단축시켜 노화를 촉진한다. 게다가 코티솔은 성장호르몬과 성호르몬 생산을 억제하여 아름다운 외모를 변화시키고 젊음과 활력을 저하시키며 조직 재생력을 감소시킨다. 젊음의 호르몬이라고도 불리는 DHEA(dehydroepiandrosterone)는 코티솔과 함께 부신에서 만들어지는 호르몬인데 이것은 나중에 남성호르몬, 여성호르몬으로 전환된다. 코티솔과 DHEA는 모두 프레그네놀론(pregnenolone)이라는 물질을 재료로 해서 만들어지기 때문에, 스트레스가 장기화되어 코티솔 생산이 증가하면 DHEA 생산은 감소될 수밖에 없다. 이처럼 스트레스는 다양한 경로로 노화를 촉진하고 수명을 단축시킨다.

스트레스는 모든 심리적 장애들과 관련이 있다. 스트레스가 세로토닌, 노르에피네프린 같은 신경전달물질의 기능장애를 초래하여 다양한 정서적 장애를 초래하게 되는데 특히 우울증, 불안증, 외상후스트레스장애(post-traumatic stress disorder, PTSD), 급성스트레스장애, 적응장애는 스트레스와 직접적으로 관련이 있는 심리적 장애다. 스트레스, 불안증, 우울증은 서로 얽혀 있어서 전문가도 감별하기 쉽지 않다.

정서적 장애뿐 아니라 인지적인 장애도 스트레스에 의해 야기된다. 누구나 스트레스 상황에서 단순한 계산도 틀리고 알고 있던 것도 생각이 나지 않는 경험을 한다. 가끔 긴장하여 실수를 하는 것은 큰 문제가 아니지만, 스트레스가 지속된다면 뇌세포가 사멸하여 학습장애, 기억장애가 심해지고 뇌의 노화가 가속화되며 치매까지 야기될 수 있다. 해마는 뇌에서 기억을 담당하는 부위인데 코티솔에 매우 취약하다. 만성적인 스트레스로 인해 오랜 기간 높은 농도의 코티솔에 노출되면 해마의 세포가 위축되고 결국 사멸하기도 한다. 해마는 새로운 신경세포가 만들어지는 것으로 확인된 몇 부위 중 하나인데, 만성 스트레스는 해마가 새로운 세포를 생성하는 능력도 감소시킨다.

스트레스에 대한 원시적 반응은 투쟁하거나 도피하는 것이다. 오래전 인류가 겪었던 스트레스는 적의 습격이나 자연재해처럼, 직접적인 투쟁이나 도피가 해결책이 되는 것이었다. 하지만 현대 사회에서는 이런 방식이 기력만 소모할 뿐이고 해결 방법이 되지 못한다. 고객이 위협한다고 해서 고객과 주먹다짐 투쟁을 할 수도 없고, 상사가 두렵다고 해서 책상 밑으로 도피할 수도 없다. 그렇다고 투쟁-도피 반응을 하지 않는 것은 아니다. 스트레스를 느끼면 우리 몸은 여전히 원시인과 같이 투쟁-도피 반응을 시작한다. 하지만 현대인의 투쟁-도피 반응은 직접적인 투쟁이나 도피가 아니라 목표도착행동이나 대체행동처럼 변형된 투쟁-도피 반응이다.

목표도착행동은 변형된 투쟁 반응이다. 이것은 스트레스를 주는 대상이 아닌 다른 대상에게 투쟁 반응을 하는 것이다. 고객에게 스트레스를 받은 사람이 후배 직원이나 가족 같은 제3자에게 화풀이하는 것을 들 수 있다. 기물을 파괴하거나 일면식도 없는 사람에게 묻지마 범죄를 일으키기도 하고 극단적인 경우에는 자신이 그 공격 대상이 되기도 한다. 대체행동은 변형된 도피 반응이라 할 수 있다. 교실이나 회의실에서 나가고 싶어도 그럴 수 없을 때 하게 되는 손톱 물어뜯기, 머리 긁기, 다리 떨기, 볼펜 딱딱거리기 같은 반복적인 행동이 대체행동의 예다.

그런데 투쟁과 도피 외에 또 하나의 스트레스 반응이 있다. 이것은 현실도피행동이라는, 일종의 포기 반응이다. 앞에서 말한 도피처럼 실제로 스트레스 자극으로부터 멀어지는 것이 아니라, 고통스러운 현실로부터 정신적으로 도망치려는 행동이다. 그 결과가 바로 중독, 의존증이다. 이처럼 스트레스는 개인의 심신 건강뿐 아니라 가정, 직장, 사회의 건강까지 위협한다.

❹ 충분히 오래 사는, 충분히 지혜로운 인간

> "우리는 충분히 잘 살고 있으며, 서서히 악화될 때까지 오래도록 산다.
> 의학의 결정적인 변화는 천천히 손상이 축적되는 여러 질병들이
> 스트레스 때문에 유발되거나 훨씬 더 악화될 수 있다는 인식을 가져왔다.
> 인간은 스트레스를 주는 사건들을 순전히 머릿속에서 만들어 낼 수 있을 만큼 충분히 지혜롭다."
> - 로버트 사폴스키(Robert Sapolsky) -

스트레스는 무수한 경로로 우리의 몸과 마음을 병들게 할 수 있다. 스트레스는 수많은 신경전달물질, 호르몬, 사이토카인의 분비를 교란한다. 노르에피네프린이 혈압을 높이고 코티솔이 혈당을 높이고 사이토카인이 염증을 촉진하는 것처럼, 스트레스는 신경계-내분비계-면역계를

경유하여 직접적으로 생리학적 변화를 일으킴으로써 질병을 촉진하거나 악화시킬 수 있다. 그런데 스트레스는 흡연, 음주, 과식, 약물남용, 수면 패턴 변화 등 불건강한 라이프스타일을 유발하는 경로, 그리고 이로 인해 나타나는 후성유전학적 변화를 통해서도 건강에 악영향을 미친다. **그림 9** 에 설명된 것처럼, 이 경로들은 서로 연결되어 있다. 스트레스 호르몬이 직접적으로 식사나 수면 같은 라이프스타일에 영향을 주기도 하고, 불건강한 라이프스타일이 생리적 스트레스 반응을 더 강화시키기도 한다.

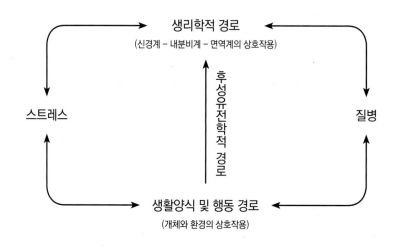

그림 9 스트레스가 건강에 영향을 미치는 경로들 (신경희(2016) p. 56에서 인용)

건강한 라이프스타일은 스트레스가 초래하는 해로운 생리적 결과를 감소시킬 수 있다. 스트레스가 면역을 변화시키고 그것이 심신에 온갖 질병을 일으키는 것과는 반대로 건강한 라이프스타일이 면역을 보호할 수 있다는 뜻이다. 예를 들면 건강한 라이프스타일은 NK세포(natural killer cell, 자연살해세포)[14]의 활성을 증가시킨다. 쿠사카(Kusaka) 등은 흡연, 알코올 섭취, 수면, 운동, 아침식사, 영양 균형, 일하는 시간, 정신적 스트레스 등의 라이프스타일과 NK세포 활성의 관계를 살펴보았다(Kusaka 등, 1992). 좋은 라이프스타일을 가진 사람은 그렇지 않는 사람에 비해 NK세포 활성이 높았다. 특히 흡연과 신체활동 부분에서 좋은 라이프스타일을 가진 사람의 NK세포 활성이 유의하게 높았다. NK세포 이외의 면역 성분들, 예컨대 면역세포가 세균, 바이러스, 돌연변이 세포를 제거하기 위해 분비하는 면역물질들도 건강한 라이프스타일에 의해 상승한다(Morinomo 등, 2007).

---

[14] NK세포는 림프구라는 백혈구의 한 유형으로 암 방어의 최전선에 있는 면역세포다.

스트레스는 라이프스타일을 손상시키고 불건강한 라이프스타일은 스트레스를 만드는 주요 원인이다. 스트레스가 면역을 감소시키는 반면 건강한 라이프스타일은 면역을 보호한다. 따라서 라이프스타일의학에서 스트레스 관리는 기본적인 중재 영역이고, 스트레스의학에서도 건강한 라이프스타일이 핵심적인 전략으로 포함되는 것이다.

3 정신신경면역학

❶ 정신신경면학이란 무엇인가

(1) 통합생리학

> "정신신경면역학은 전일주의의 과학적 기초다."
> - 레너드 위스네스키(Leonard Wisneski) -

질병치료를 위해서는 몸과 마음, 그리고 그 사람의 환경을 모두 고려하는 전일적 관점을 회복해야 한다는 의과학의 자각은 20세기 후반에 들어서면서 본격적으로 형성되기 시작했다. 건강은 단지 신체적 질병의 유무로 판단되는 것이 아니다. 건강은 상태가 아니라 방향이며, 객관적인 수치로 결정되는 것이 아니라 주관적인 느낌으로 경험되는 것이다. 만성질환을 가진 사람도 질병에 잘 적응하여 건강하게 살 수 있다. 만성질환에 성공적으로 적응했는지는 환자가 희망을 유지하고 질병에 의해 손상되지 않는 일상의 기능과 삶의 질을 유지하는 것에서 확인할 수 있다. 약물이나 수술 같은 방법으로 신체적 증상이 완화되는 것과 환자가 건강한 삶을 회복하는 것은 전혀 다른 문제임에도 불구하고, 그동안 생의학은 후자의 것에 거의 관심을 기울이지 않았다.

1970년대 무렵부터 북미와 유럽을 중심으로 보완대체의학에 대한 의료 소비자들의 관심이 폭발적으로 일어났다. 대부분의 보완대체의학은 인간을 몸뿐 아니라 마음과 영혼을 가진 존재이자, 더 큰 우주와 연결된 소우주로 인식하는 전일적 철학에 바탕을 두고 있다. 이는 '영혼 없는' 생의학의 차가움에 실망한 의료 소비자들의 감성을 자극했다. 보완대체의학 시장이 급성장하게 되자, 1993년 미국 국립보건원은 보완대체의학에 대한 체계적인 연구를 위해 보완대체의학센터(National Center for Complementary and Alternative Medicine, NCCAM)를 설립하기에 이른다.[15]

그런데 현재 수많은 사람들이 생의학적 치료와 함께 보완대체의학을 이용하고 있음에도 불구하고 의료진에게는 그러한 내용을 알리지 않는다. 이유가 무엇일까? 주된 원인 중 하나는 의료진들이 보완대체의학을 여전히 신뢰하지 않거나 관심을 두지 않기 때문이다. 이런 정보가 환자와 의료진 사이에 원활히 소통될 때 치료 성과를 더욱 높일 수 있다는 것은 굳이 언급할 필요도 없다. 이를 위해서는 보완대체의학의 원리나 방법론이 근거-중심 의학에서 요구하는 합리적인 방식으로 설명되어야 한다. 많은 의학자들에게 보완대체의학의 이론은 과학적 원리이기보다는 철학적 사변이나 종교적 교리처럼 보인다. 정신신경면역학은 보완대체의학의 원리를 현대 의과학의 생리학으로 설명하는 통합생리학(integral physiology)이다. 그래서 통합의학의 과학적 기반이라 불린다. 보완대체의학과 정신신경면역학에 대해 교육을 받은 의료진들은 환자와 더 효과적으로 의사소통하는 것으로 나타났다(Spencer-Grey, 2004). 의료 전문가와 환자 간의 긴밀한 의사소통을 가능하게 한다는 점 외에도 정신신경면역학은 질병과 치료에 관여하는 무수한 요인들의 복잡성과 상호작용에 대해 더 깊은 통찰을 제공하여 전일적인 증거-기반 의학을 가능하게 한다.

정신신경면역학은 신경계, 내분비계, 면역계의 상호작용을 중심으로, 스트레스와 같은 심리적 변인이나 행동, 환경이 신체에 미치는 영향을 규명하고, 그것이 건강과 질병에 대해 가지는 함의를 연구하는 분야다. 위스네스키(Leonard Wisneski)는 사람의 정신세계가 외부의 세계와 상호작용하여 신체적 변화를 유도하는 원리를 전통적 생리학 이론으로 통합한다는 점에서, 정신신경면역학을 통합생리학이라 했다(Wisneski, 2017). 정신신경면역학은 몸의 이론과 마음의 이론을 통합하는 통합생리학이자 통합 연구의 플랫폼으로서 서로 다른 학문과 치유 전통들이 소통, 협력하는 장을 구축하고 있다.

기존 생리학과 정신신경면역학의 근본적인 차이는 정신신경면역학이 단일 방향의 선형적 인과가 아니라는 것, 그리고 그로 인해서 데카르트의 이원론과 뉴턴의 기계론적 결정론을 동시에 벗어난다는 데 있다. 질병에는 특정 변수, 즉 한 가지 생리적 지표의 증감이 중요한 것이 아

---

15) NCCAM은 나중에 보완통합건강센터(National Center for Complementary and Integrative Health, NCCIH)로 명칭을 바꾸었다.

니다. 높아진 혈당은 식사만으로 설명할 수 없다. 혈당은 온갖 신체적, 심리적, 사회적, 행동학적 변수들이 상호작용한 결과다. 단지 호르몬 장애 문제로 국한해서 보더라도 마찬가지다. 혈당 조절에는 인슐린, 글루카곤처럼 직접적으로 혈당을 증감시키는 호르몬뿐 아니라, 섭식 행동을 조절하는 호르몬, 대사율을 조절하는 호르몬, 스트레스 호르몬 등 수많은 호르몬이 복잡하게 관여하고 있다. 정신신경면역학 연구는 수많은 변수들을 동시에 측정함으로써 알 수 있는 시공간적 패턴을 보여준다(Daruna, 2012). 정신신경면역학의 신경-면역-내분비 요소들의 통합은 시스템이론과 정보이론을 기초로 하여 비선형적이고 비기계론적인 이해의 장을 구축하며 몸과 마음, 사람과 환경, 개체와 집단 사이의 이원론을 해체한다(Rotan 등, 2007).

'Psychoneuroimmunology'라는 용어는 심리학자 로버트 애더(Robert Ader)와 면역학자 니콜라스 코헨(Nicholas Cohen)에 의해 만들어졌다. 1975년에 애더와 코헨은 러시아의 생리학자 이반 파블로브(Ivan Pavlov)의 고전적 조건형성(classical conditioning) 방식으로 쥐의 면역계를 학습시켜 신경계와 면역계가 연결되어 있음을 확인한 연구를 발표하였고(Ader 등, 1975), 이는 정신신경면역학이라는 학문을 출범시킨 기념비적 연구가 되었다. 이후 애더와 코헨은 자가면역질환인 루푸스(lupus)에 걸린 쥐에게 이전과 유사한 조건형성 방식으로 면역계를 학습시켜 질병을 극적으로 개선시켰다(Ader 등, 1982).

이 연구는 사람 환자에 대한 임상 연구로도 이어졌다. 애더와 올네스(Olness)는 루푸스에 걸린 아동에게 면역억제제와 강한 냄새를 연합시켜, 냄새를 제시하는 것만으로도 면역 반응이 억제되도록 함으로써 부작용이 심한 면역억제제의 사용량을 감소시키는 데 성공했다(Olness 등, 1992). 그렇다면 면역기능의 상승도 조건화할 수 있을까? 물론이다. 예를 들면 쥐에서 장뇌(camphor) 냄새를 자극으로 이용하여 NK세포의 활성이 상승하도록 조건화시킬 수 있다(Ghanta 등, 1985). 마음으로 몸의 질병을 다스린다는 심신의학의 기본 원리는 정신신경면역학 연구로부터 과학적 근거를 확보하게 되었다.

애더와 코헨의 연구가 발표되기 전, 조지 솔로몬(George Solomon)과 루돌프 무스(Rudolph Moos)가 마음과 면역계의 관계에 관한 연구를 진행하고, 1964년 한 논문에서 '정신면역학(psychoimmunology)'이라는 용어를 사용하였는데(Solomon 등, 1964), 이를 정신신경면역학의 시작으로 보는 견해도 있다. 하지만 정신신경면역학은 스트레스에 관한 생리학적 연구가 성장해온 결과다. 20세기 초에 월터 캐넌은 '스트레스', '투쟁-도피 반응' 등의 용어를 정의하고, 감정의 변화가 신경계를 통하여 신체에 변화를 일으킨다는 것을 증명하였으며, 한스 셀리에는 스트레스라는 과정 속에서 신경계-내분비계-면역계가 상호작용하는 것을 설명하는 생리학 이론을 구축했다. 신경계-내분비계-면역계가 서로 연결되어 상호작용한다는 것의 궁극적 함의는 몸과 마음, 사람과 환경이 연결되어 있다는 것이다. 이러한 발견은 인간을 구성하는 모든 시스템과 차원들을 통합적으로 인식하는 다학제적, 비이원론적 패러다임의 과학적 기반이 되었고, 수십 년 뒤 정신신경면역학이라는 학문을 성립시키는 초석을 마련했다.

(2) 신경계-내분비계-면역계의 통합

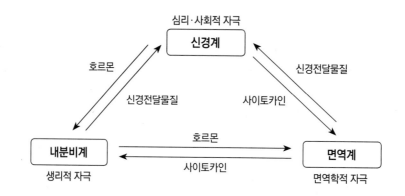

그림 10 신경계, 내분비계, 면역계의 상호작용 (신경희(2018) p. 66에서 인용)

인체의 세포, 조직(tissue), 장기들이 완전히 통합된 기능을 하는 것은 37조 개의 세포들 사이를 오가는 신호 분자를 통해 이루어지는 긴밀한 의사소통에 의해 가능하다. 인체의 정보 전달 시스템 중 가장 중요한 세 가지는 신경계, 내분비계, 면역계다. 인체의 항상성 역시 이 세 시스템이 주도하는 통합 작용에 의해 유지된다.

말초의 신경계와 내분비계 장기들이 중추신경계와 연결되어 있듯이 면역계 역시 중추신경계와 해부학적, 기능적으로 연결되어 있다. 면역계의 장기에는 자율신경계가 분포해 있고, 면역세포와 신경세포가 직접 접촉하여 신호를 주고받기도 한다. 서로 무관하다고 여겨졌던 이 시스템들이 해부학적으로 연결되어 있다는 것보다 더 놀라운 사실은 이들이 동일한 화학적 언어(신호 분자)를 사용하는 기능적 통합체라는 점이다.

과거의 생리학에서는 신경계는 신경전달물질, 내분비계는 호르몬, 면역계는 사이토카인이라는 독자적 신호 분자를 가진 독립적 시스템으로 인식했다. 수십 년 전만 해도 생리학자들은 면역세포가 호르몬과 신경전달물질을 만들고 호르몬 수용체와 신경전달물질 수용체도 가지고 있다는 것을 상상조차 할 수 없었다. 하지만 신경전달물질, 호르몬, 사이토카인 세 가지 신호 분자 집단은 모든 시스템에서 공유되고 있다는 것이 밝혀졌다.

신경전달물질들은 면역계와 내분비계에서 호르몬이나 사이토카인으로도 작용하며, 내분비 호르몬들은 면역계와 신경계에 작용하고 심지어 면역계와 신경계 세포에서 직접 분비되기도 한다. 면역계의 사이토카인 또한 신경전달물질이나 내분비 호르몬처럼 작용할 수 있고, 면역세포가 직접 신경전달물질과 호르몬을 생산하기도 한다. 베타-엔도르핀(beta-endorphin) 같은 신경전달물질은 면역계에서 사이토카인으로, 내분비계에서 호르몬으로 작용하고, 멜라토닌(melatonin) 같은 내분비 호르몬은 면역계와 신경계 세포에 작용한다. 면역세포에는 에피네프린, 도파민(dopamine)을 비롯한 신경전달물질의 수용체가 있다. 사실상 면역계는 지금까지 알려진 거의 모든 신경·내분비 펩타이드 호르몬을 생산하고 있다. 그래서 면역계를 '떠다니는 내분비계', '순환하는 뇌'라 부르기도 한다.

이처럼 신경계-내분비계-면역계가 통합된 경로를 통해서 순전히 심리적인 사건이 면역기능에 영향을 미칠 수 있고, 순전히 면역학적인 사건도 심리·행동적 변화를 야기할 수 있다. 신경계에서 인지된 심리·사회적 스트레스 자극은 이 상호작용망을 통해 내분비계나 면역계로 전해지고, 반대로 세균이나 바이러스의 침입 같은 면역학적 자극이 생각, 감정, 행동을 변화시킬 수 있는 것이다. 동물의 몸에 면역계를 자극하는 물질(항원)을 투여하면 뇌의 전기적 활성이 증가한다. 이것은 시각, 청각 등 오감의 자극처럼 면역학적 자극도 뇌가 인지한다는 것을 의미한다. 블래록(Blalock)은 면역계 역시 내적 감각기관으로 간주해야 한다고 하고, 이를 제6의 감각(sixth sense)이라 했다(Blalock, 2005). 청각정보가 청신경계를 거쳐 중추신경계로 전달되듯이 면역계는 외부 이물질의 침입이라는 면역학적 정보를 중추신경계로 전달한다. 이것은 면역세포들 사이에 신호전달을 담당하는 신호 분자인 사이토카인이 면역계 안에서 뿐 아니라 신경계나 내분비계에서도 신호 분자로 작용하기 때문이다.

예를 들어 인터류킨-1(interleukin-1, IL-1)이라는 사이토카인은 스트레스 반응축인 HPA축을 조절하는 물질로, 뇌의 시상하부에 작용하여 HPA축의 개시 호르몬인 CRH를 분비시킨다. 병이 들었을 때 나타나는 우울감, 침체감, 식욕과 수면의 변화, 일이나 놀이에 대한 흥미 상실 같은 감정과 행동의 변화들을 집합적으로 질병행동(illness behavior, sickness behavior)이라 하는데, 질병행동은 면역학적 자극이 IL-1, IL-6 같은 사이토카인을 통해 신경계에 영향을 주어 나타나는 대표적 현상이다. 그래서 감기약은 마음의 감기인 우울증에도 효과를 발휘할 수 있다. 감기약에 포함된 소염제 성분이 면역 반응(염증)을 억제하여 이들 사이토카인의 작용도 감소시키기 때문이다.

(3) 면역계와 마음

우리의 정신적, 신경학적, 면역학적 시스템들은 공통의 목적을 가지고 있다. 이 시스템들에는 자기-정체성(self-identity)을 확립하고 유지한다는 목적론적 일관성이 있다. 조지 솔로몬은 면역계와 신경계를 하나의 통합된 '적응-방어 기전'으로 개념화할 수 있다고 했다. 면역계와 신경계 모두 자기(self)와 비자기(non-self)를 구분하며, 기억을 가지고 있고, 자기를 지키기 위해 비자기와 대립하거나 공생·협력한다. 두 시스템 모두 환경의 스트레스성 자극에 적응하기 위해 디자인되었으며 방어 기능을 한다. 때로는 부적절하거나 과도한 방어에 의해 스스로 해를 입기도 하며, 특정 자극에 대해 관용(tolerance)이나 감수성(sensitivity)을 발달시킨다(Dreher, 1995). 궁극적으로 이들 모두 적응과 방어를 통해 생명체가 환경 속에서 살아남을 수 있게 한다.

뇌와 면역계가 상호작용하므로 뇌 기능의 이상은 면역 이상을 유도할 수 있다. 시상하부나 뇌하수체가 파괴된 동물은 면역기능이 손상되며, 뇌가 면역을 조절하는 반응 축이 제대로 작동하지 않으면 과잉면역을 야기할 수도 있다. 그렇다면 역으로 면역기능 이상이 정신적 장애를 유발할 수도 있을까? 면역학적 자아가 분열되어 면역계가 자기를 비자기처럼 공격하는 자가면역질환이 정신적인 분열, 즉 조현병(정신분열증)과 흔히 동반되는 이유를 이러한 방식으로도 설명할 수 있을까?

만성 감염증이나 자가면역질환처럼 면역계가 만성적으로 또는 과도하게 활성화되는 질환에서 우울증이 동반되는 경우가 많다. 앞서 예시한 바와 같이, 감기 등 다른 질병을 치료하기 위한 목적으로 복용한 소염제가 면역 반응을 억제하여 우울증을 완화시키기도 하며, 면역기능을 상승시키기 위해 사이토카인을 투여하는 경우에 우울증이 나타나기도 한다. 심리적 스트레스가 면역기능에 영향을 미치는 것과 같은 경로로 염증과 같은 면역 반응이 신경계에 영향을 줄 수 있다.

실제로 일부 정신과적 장애의 발병이 면역학적 질환들과 관련이 있다는 것이 밝혀지고 있다. 우울증 환자에서 높은 빈도로 나타나는 유전자형(single nucleotide polymorphism, SNP, 단일염기다형성) 중 상당수가 면역세포의 기능과 관련된 것들이라는 점도 이러한 관계를 지지하는 증거다. 불안, 외상성 스트레스, 강박장애 등에 대한 정신신경면역학 연구는 면역계와 HPA축의 기능부전에 주목한다(Furtado 등, 2015). 이와 같은 기능부전은 코티솔과 사이토카인들의 변화에도 반영된다. 염증성 사이토카인 중 하나인 TNF-α는 스트레스 관련 우울증의 주요 매개자다(Demirtas 등, 2014). 또 다른 염증성 사이토카인인 IL-6의 증가는 불안, 우울, 외상후스트레스장애 등의 질환과 관련이 있다(Haroon 등, 2011; Carpenter 등, 2010). 심한 염증을 동반하는 자가면역질환인 류마티스 관절염에 처방되는 표적치료제들은 우울증을 비롯한 정동장애에 효과를 보인다(Irwin 등, 2007). 염증성 사이토카인 같은 염증물질이 증가하면 건강한 사람에서도 우울증, 불안증 또는 브레인포그(brain fog)[16] 현상이 생길 수 있다.

조현병과 면역의 관계에 관해서는 지난 수십 년간 많은 연구가 이루어졌다. 염증은 조현병에서도 중요한 발병 기전으로 확인되고 있다. 조현병 환자들에서는 염증성 사이토카인이 증가되어 있으며 염증성 사이토카인의 농도가 정신병 증상의 정도와 비례하여 변동한다(Dimitrov 등, 2013). 조현병 환자는 타인의 감정을 파악하는 것 같은 사회적 인식이 결여되어 있는데, 건강한 사람에게도 염증을 일으켰을 때 다른 사람의 감정을 이해하는 능력이 감소한다(Moieni 등, 2015). 염증과 조현병의 관계에 관한 연구 중에는 조현병 치료제의 면역 조절 효과에 관한 것도 포함된다. 또한 소염제인 고리형산화효소-2 억제제(cyclo-oxygenase-2 inhibitor, COX-2 inhibitor)가 초기 조현병에 효과를 보이기도 한다(Müller 등, 2015).

자가면역질환이 조현병 위험을 높인다는 것은 이미 새로운 소식이 아니다. 존스홉킨스 의대 연구자들은 1981~1998년까지 조현병으로 진단된 환자 8천여 명과 그 가족들을 조사하여 조현병이 광범위한 자가면역질환과 관련이 있음을 확인했다(Benros 등, 2011). 여기에는 뇌-반응성 자가항체(autoantibody, 자기 자신의 몸을 공격하는 항체)와 관련된 기전이 관여하고 있는 것으로 나타났으며, 감염증이나 염증이 있을 때는 혈뇌장벽(blood-brain barrier, BBB)[17]의 투과성이 항진된다는 사실도 확인되었다. 이는 말초에서 생성된 면역계의 신호 분자들이 더 많이 뇌로 이동할 수 있다는 것을 의미한다.

심지어 정신장애 치료에 면역학적 방법이 효과가 있을 수 있다는 것을 보여주는 연구들도 진행되었다. 마리오 카페키(Mario Capecchi)의 연구팀은 백혈병 치료에 적용되는 골수이식이 강

---

16) 브레인포그란 머리에 안개가 낀 것처럼 멍한 느낌이 드는 것을 말한다. 집중력과 기억력의 저하, 우울과 피로감 등 증상이 동반되며 지속되면 치매 발병 위험이 증가한다.

17) 혈뇌장벽은 혈관과 뇌 사이의 물질 이동을 제한하는 생리적 장벽이다. 혈액 안의 병원체, 독소 등이 충주신경계로 유입되지 않도록 막는다.

박장애 치료에 효과가 있음을 확인했다(Chen 등, 2010). 이 연구에서 주목한 것은 중추신경계의 면역세포인 미세아교세포(microglia)다. 연구자들은 미세아교세포가 정신과적 장애와 관련이 있는 것으로 설명하고 우울증, 조현병, 자폐증 같은 다른 정신과적 장애도 면역계와 관련되어 있어 면역학적 치료가 유효할 수 있다는 결론을 내렸다.

TNF-α의 작용을 억제하는 것이 알츠하이머병 환자의 인지기능을 개선하며, 암 치료나 바이러스 감염증 치료를 위해 사이토카인을 대량 투여하는 것은 정신과적 장애와 유사한 정신적 기능의 교란을 일으킨다. 인터페론-α나 IL-2 같은 사이토카인을 투여받은 환자 중 2/3에서 섬망, 지남력 상실, 짜증, 환각, 동요, 피로, 식욕부진, 우울 등의 증상이 투여한 용량에 비례하여 나타난다. 이러한 변화는 대부분 감염증에서도 나타나는 것들이다. 따라서 면역계가 정신과적 장애나 행동학적 장애와 관련이 있다는 것은 임상에서의 경험적 사실로도 지지된다.

이를 확인할 수 있는 또 다른 증거는 정신과 약물도 면역계에 영향을 준다는 것이다. 예를 들어 양극성장애(조울증) 치료제인 리튬(lithium)은 면역세포의 일종인 과립구의 생성을 자극하는 효과가 있다. 조현병 치료제로 사용되는 신경이완성 약물이 자가항체의 생산을 유도하고, 항세균 효과를 가진다는 것도 발견되었다. 항우울제에 항염증 작용이 있다는 것 역시 반복적으로 확인되어 온 사실이다.

신경계에 영향을 주는 알코올, 그리고 대마초, 코카인, 헤로인 등의 마약과 니코틴도 면역 반응에 영향을 미치는데, 대체로 면역기능을 억제한다. 외상후스트레스장애는 자율신경계의 과도한 활성화에 의해 발생하므로 외상성 사건 직후에 노르에피네프린의 작용을 차단하는 베타-차단제(beta-blocker)를 투여하여 발병을 감소시킬 수 있다. 그런데 면역기능을 증강시키는 방법으로도 외상후스트레스장애를 완화할 수 있음이 보고되었다(Lewitus 등, 2008).

리처드 데이비슨(Richard Davidson)은 대뇌의 활성화 패턴과 면역기능의 관계를 조사하였는데, 좌뇌가 더 활성화되는 사람은 NK세포 활성 수준이 높고 우뇌가 더 활성화되는 사람은 NK세포 활성 수준이 더 낮을 뿐 아니라,[18] 스트레스를 받았을 때 NK세포 기능이 더 크게 감소했다(Davidson 등, 1999).

장내 면역계의 기능 변화 또한 우리의 정서와 무의식적 수준에서 일어나는 인지적, 행동적 결정에 영향을 미친다는 것을 '**3** 뇌-장-장내미생물 축'에서 설명할 것이다.

---

18) 좌뇌의 활성화는 긍정적 감정, 우뇌의 활성화는 부정적 감정과 관련이 있다.

② 시스템의 통합

인체를 심장, 폐, 위 등으로 분리해서 다루지 않고 전체 시스템을 하나로 보는 관점에서 질병에 접근하는 것은 정확한 원인을 규명하고 최적의 치료법을 선택하는 데 있어서 더 많은 기회와 가능성을 제공한다. 예를 들어 기침은 기관지나 폐의 문제 때문에만 발생하는 것이 아니라 심장질환이나 역류성 식도염 같은 원인, 나아가 정신적 원인 때문에 발생할 수도 있다. 신체를 호흡기계, 순환기계, 소화기계처럼 계통별로 분류하는 것은 해부학에 기초한 편의적 구분일뿐, 실제로 신체의 생명 활동에는 독립적 계통이 존재하지 않는다.

특히 정보의 흐름이라는 관점에서 보면 계통 사이, 장기 사이, 조직 사이의 경계는 분명치 않고 서로 침투해 있으며 뒤섞여 있다. 예를 들면 소화관은 인체에서 가장 큰 내분비 기관이자 고도로 발달된 면역 기관이다. 게다가 장은 '복부 두뇌(brain-in-the-gut)', '제2의 뇌'라 불리는 독자적 신경계, 즉 장신경계(enteric nervous system)를 가지고 있다. '확산 뇌(diffuse brain)', '제3의 뇌'라 불리는 피부에는 피부 고유의 면역세포들이 최일선의 방어를 담당하고 있고, 각질세포(keratinocyte)는 세로토닌, 도파민과 같은 신경전달물질, 코티솔이나 멜라토닌을 비롯한 호르몬, 염증성 사이토카인을 만들어 낸다. 심장은 신경세포가 60%를 차지하는 신경세포 덩어리이며, 역시 호르몬을 분비하는 내분비 기관이다. 이러한 관점에서 보면 신체에서 신경계, 내분비계, 면역계가 아닌 곳이 없다. 이를 통해 알 수 있는 것은 개별 시스템 안에서도 이미 시스템의 통합이 이루어지고 있고, 이 시스템들이 연결된 전체가 다시 하나의 시스템이 되어 작용한다는 것이다.

생리적 시스템들을 통합하는 것보다 더 중요한 것은 심신 시스템의 통합이다. 신경계가 내분비계나 면역계와 연결되어 있다는 것은 궁극적으로 마음이 신체의 생리적 기능과 연결되어 있다는 것을 뜻한다. 지난 수십 년 동안의 정신신경면역학 연구를 통해 면역 반응을 직접적으로 중개할 수 있는 신경전달물질과 호르몬의 존재가 알려지고 인지, 정서, 행동에 영향을 미치는 호르몬과 사이토카인의 존재도 확인되었다.

앞서 소개한 바와 같이, 면역 활성을 고전적 조건형성 절차에 의해 변화시킬 수 있음을 보여주는 연구들이 진행되고 정서, 스트레스, 불안, 우울, 만성통증과 면역계 사이의 상호 관계에 관한 연구가 폭넓게 수행되었다. 류마티스 관절염, 통증, 우울증이 서로 간에 예측자가 될 수 있다는 것도 확인되었다. 면역계의 염증성 사이토카인들이 심혈관질환, 관절염, 당뇨병, 골다공증, 알츠하이머병, 치주질환, 일부 암에서 핵심적 역할을 하며, 우울이나 불안 같은 부정적 정서가 염증성 사이토카인의 증가, 백혈구증가증, NK세포의 기능 변화를 일으킨다는 것도 밝혀졌다. 이제 면역계의 신호 분자들은 면역과 무관하게 여겨졌던 만성질환들, 심지어 정신과적 장애를 진단·평가하는 지표로 활용되기 시작했다.

신경계-내분비계-면역계라는 통합된 하나의 시스템은 우리의 몸-마음-행동을 하나로 엮는다. 지금까지의 생리학은 한 신호 분자가 특정 장기나 조직에서 특정 기능만 수행하는 것으로 설명해 왔다. 하지만 신경계-내분비계-면역계라는 통합된 시스템을 오가는 신호 분자들은 전신의 조성자인 동시에 마음과 행동의 조성자로 작용한다.

예를 들어 출산 시 자궁 수축과 수유기 유즙 분비를 촉진하여 모성의 호르몬이라 불리는 옥시토신은 모성의 몸과 더불어 모성의 마음과 모성의 행동을 함께 만드는 신경전달물질이다. 동물에게 옥시토신을 차단하면 새끼와의 애착 형성이나 새끼를 돌보는 양육행동이 손상된다. 뇌의 중심부에 있는 중뇌수도주변회백질(periaqueductal gray matter, PAG)은 옥시토신의 주요 작용 부위인데, 아기를 바라보고 있는 엄마의 PAG에는 옥시토신 활동이 증가한다. 이는 모성행동의 생물학적 매개자가 옥시토신이라는 사실을 뒷받침한다. 출산과 유즙 분비라는 생리적 변화는 자녀에 대한 애착과 모성행동이라는 심리·행동적 작용과 동반되지 않으면 아무런 의미가 없다. 옥시토신이라는 하나의 신호 분자가 서로 무관해 보이는 여러 생리적 시스템에서, 나아가 심리·행동과 관련된 다른 차원의 시스템에서 수행하는 다양한 기능들은 결국 모성이라는 하나의 목표로 질서 있게 통합된다. 이것은 궁극적으로 몸과 마음이 하나의 통합된 시스템이라는 것을 의미하는 것이다.

3 뇌-장-장내미생물 축

우리 몸 안에는 지금까지 생리학 교과서에는 없었던 또 하나의 시스템이 신경계-내분비계-면역계의 한 부분을 차지하고 있다. 바로 인체의 미생물이다. 이들은 면역계의 중요한 한 축을 담당하고 있고, 이들이 만드는 수많은 물질들이 인체 내에서 신경전달물질, 호르몬, 사이토카인으로 작용한다. 따라서 인체 미생물은 신체 기능뿐 아니라 인지와 정서에도 영향을 미친다.

인간은 지구 생태계의 일원이기도 하지만 인체도 하나의 거대한 생태계다. 인체는 37조 개의 인간 세포, 그리고 그것보다 2~10배나 더 많은 미생물 집단이 한 덩어리를 이루고 있는 것이다. 사람의 몸은 그 사람의 세포와 미생물 집단이 함께 생명을 영위하는 장이다. 한 동네에 사는 두 집이 아니라 한 집에 살면서 함께 식사를 만들고 함께 아이를 돌보는, 실제로는 한 식구나 마찬가지인 두 가족과 같다.

사람의 모유에는 아기가 소화시킬 수 없는 올리고당이 들어 있다. 왜 엄마의 몸은 아기가 소화시키지도 못할 물질을 만드느라 에너지를 소모하는 것일까? 이것은 아기가 아니라 아기의 장에 있는 미생물을 위해 만드는 것이다. 이 먹이를 먹은 미생물은 아기의 기분을 평온하게 하는 물질을 만들어 보답한다. 인체 미생물은 우리 몸의 일부이고 우리 마음의 일부이며 우리 행동의 일부다. 이에 관한 연구는 비교적 최근에 시작되었지만, 이미 우리의 몸에 관한 인식을 전면적으로 재검토할 것을 요구하고 있다.

특히 장내미생물은 전신 미생물의 사령탑이라 할 수 있다. 스탠퍼드대학교의 데이비드 렐먼(David Relman)은 장내미생물은 인간이 되기 위한 필수 요소라 말한다. 그런데 장내미생물의 변화는 우리의 생리적 기능뿐 아니라 심리·행동적 기능에도 영향을 준다. 예컨데 뇌는 장내미생물이 만드는 정보도 전달받는다. 장내미생물은 우리가 섭취하는 음식물의 소화를 돕는 것 외에도 식욕, 정서, 행동을 조절하는 뇌의 중추에 광범위한 영향력을 행사한다. 예를 들면 장내미생물 중에는 가장 중요한 신경전달물질 중 하나인 가바(gamma-aminobutyric acid, GABA)를 대사산물로 생산하는 유산균도 있다.

인간은 진정한 의미에서 초유기체(supraorganism)다. 미생물은 이 초유기체를 구성하는 데 있어서 인간보다 더 거대한 구성 요소다. 무게로는 뇌나 간과 비슷한 1.4 kg 정도에 불과하지만 숫자로는 인간 세포 수보다 훨씬 많으므로 세포의 수로 보면 우리는 10%만 인간일 수 있다. 어쩌면 1%만 인간일지도 모른다. 인간의 유전자는 2만여 개에 불과하지만 인체 미생물이 가진 유전자의 종류를 합치면 200만~2,000만 개에 이르기 때문이다(Knight, 2015).

이들이 생산하는 대사산물의 종류는 약 50만 종에 이를 것으로 추정된다. 인체를 순환하는 대사산물의 40%는 인간의 세포가 아니라 장내미생물이 생산한 것으로 보이는데, 이 중 많은 것이 신경계에 영향을 미칠 수 있는 것이다. 에머런 메이어(Emeran Mayer)는 장내미생물이 섬세한 생화학적 언어를 이용하여 뇌와 장의 대화에 참여한다고 하고, 이 생물학적 언어를 '미생물어(microbe-speak)'라 했다. 또한 뇌, 장, 장내미생물군 사이에 이루어지는 대화와 피드백을 '뇌-장-장내미생물군 축(brain-gut-microbiome axis)'이라는 하나의 통합된 체계로 제안했다(Mayer, 2016).

사람마다 미생물 군집의 분포가 다른데, 이것은 질병과 건강의 중대한 변수가 된다. 특히 장내미생물과 질병의 관계에 관한 연구가 활발히 진행되고 있다. 장내미생물은 비만, 아토피, 천식, 동맥경화증, 심장병, 대장암, 그리고 류마티스 관절염, 염증성 장질환, 다발성경화증 같은 자가면역질환과도 관계가 있다.[19]

장내미생물은 자폐증, 우울증, 조현병 같은 정신적인 질환과도 관계가 있다. 1910년 조지 필립스(George Phillips)는 유산균의 한 종류인 유산간균이 우울증 환자의 증세를 호전시켰다고 보고하였고, 곧이어 이 균을 함유한 요구르트와 음료수가 정신강장제로 판매되기 시작했다. 100여 년의 시간이 지난 2003년에 또 다른 유산균인 비피더스균이 사람의 기분이나 인지에 영향을 준다는 것이 확인되었다. 장에 있는 미생물은 중추신경계와 위장관을 연결하는 신경망을 통

글상자 ❼ 호르몬이라는 생태계의 공용어

동식물의 호르몬을 약으로 이용한 것은 매우 오랜 역사를 가지고 있다. 유전자재조합기술로 사람의 인슐린을 생산할 수 있게 되기 전에는 소나 돼지 같은 동물의 인슐린을 사람의 당뇨병 치료에 이용했다. 동물 호르몬들도 인체가 직접 생산한 호르몬과 동일한 수용체에 결합하여 동일한 생리적 효과를 낸다. 그런데 소나 돼지처럼 사람과 유연관계에 있는 동물에서 기원한 호르몬만 인체 생리에 영향을 주는 것은 아니다. 호르몬은 다세포 생물의 생존에 전제가 되는 세포 간 신호이므로 중요한 호르몬일수록 진화 과정에서 오랫동안 안정적으로 보존되어 왔다. 따라서 생물학적으로 거리가 매우 먼 동물에서, 심지어 식물이나 미생물에서 인체 내 활성을 발휘하는 호르몬이 발견되

는 일이 드물지 않다.

예를 들어 인슐린은 수십억 년 전에 출현했던 단세포 유기체에도 존재한다. 1980년대 초 로스(Roth) 등은 미생물에서 사람의 인슐린과 유사한 물질을 발견하고 이 물질을 동물에 주입하여 인슐린과 같은 효과를 내는 것을 확인했다(Roth 등, 1982). 이 연구자들은 인간의 내분비계와 뇌가 의사소통할 때 이용하는 신호 분자들이 본래 미생물에서 기원한 것으로 추측할 수 있다고 말했다.

인슐린 외에도 포유류의 장에 존재하는 여러 신호 분자와 그 수용체가 미생물에서 발견된다. 동물과 전혀 다른 방식으로 생식을 하는 식물에서 에스트로겐이나 프로게스트론 같은 여성호르몬이 만들어지는데, 이 역시 미스터리한 일이 아니다. 단지 식물이 만드는 동물 호르몬은 그것이 동물의 생식 기관에서 하는 것

---

19) 아토피 같은 면역질환이 증가하는 이유는 지나친 위생 문화와 관련이 있을 수 있다. 이를 위생가설(hygiene hypothesis)이라 한다. 자기와 비자기를 구분하는 면역학적 경계의 초안은 생애 초기에 만들어진다. 명백히 해로운 병원체에 대해서는 확고한 방어 체계를 갖추어야 하지만, 너무 협소하게 경계를 짓게 되면 이후 알레르기 같은 과잉면역이나 자가면역질환의 가능성이 높아진다. 생애 초기에 많은 미생물과 접하게 되면, 면역계는 환경에 있는 무해한 미생물과 우호적이고 유연한 관계를 형성하며 미래에 새롭게 만날 환경에 대해서도 적응력을 키우게 된다. 더불어 유익한 미생물과 다양한 공생의 기회를 얻게 된다. 실제로 흙 속에 사는 어떤 미생물은 인간의 면역계를 조절할 수도 있다(Rook 등, 2014). 현대인은 '항균', '멸균'에 과도하게 집착하면서 미생물과의 접촉을 최대한 차단하는 생활을 하고 있다. 이로 인해 면역계가 외부 환경과 건강한 관계를 형성하지 못하게 되고, 무해한 물질에 대해서도 과민하게 반응을 하게 되는 것이다.

과는 다른 기능을 식물에서 수행하고 있을 뿐이다.

지금까지는 특정 내분비 기관(갑상선, 부신 등)에서 분비되어 혈류를 타고 이동하다가 표적기관 세포에 결합해 생리적 효과를 발휘하는 물질을 호르몬이라 정의했다. 하지만 노벨 생리·의학상 수상자인 신경학자 로제 기유맹(Roger Guillemin)은 호르몬을 '근원이 하나이든, 아니면 어디에 존재하든 관계없이, 그리고 혈류를 통해 운반되든 신경세포의 축색이나 세포 사이 공간을 통해 직접적으로 운반되거나 하는 등의 운반 수단에 관계없이, 어떤 세포에 의해 분비되어 가까이 혹은 멀리 있는 다른 세포에 작용하는 물질'로 정의할 것을 제

안했다. 요컨대 호르몬, 신경전달물질, 사이토카인을 굳이 구분해서 부를 필요가 없다는 것이다.

그런데 기유맹의 정의에 따르면 다른 동물이 분비하는 페로몬(pheromone)이나 환경호르몬도 호르몬에 포함될 수 있다. 이것은 인간이 생태계와 접촉하거나 생물학적 자원을 이용하는 모든 경로가 인간의 내분비계에 영향을 줄 수 있다는 통찰을 제공한다. 7장에서 설명할 이종조절(xenohormesis)도 이러한 현상에 포함된다. 인체 미생물은 우리 몸 안에 들어와 있는 생태계이고 그런 호르몬들의 원천이다.

해서 정서나 인지에 영향을 미친다. 역으로 장내미생물도 스트레스 같은 정서적 변화에 반응한다. 유산균 제제가 성인의 기분 향상, 불안 감소, 인지기능 개선에 기여하는 것으로 확인되면서 사이코바이오틱스(psychobiotics)[20]에 관한 관심도 급증했다. 2020년에는 프랑스 연구진이 미생물의 일부가 엔도카나비노이드(endocannabinoid)[21]를 분비한다는 것을 발견하여, 장내미생물이 우울증에 영향을 미치는 기전 중 하나를 밝혀냈다(Chevalier 등, 2020).

2017년 아일랜드 연구진은 장내미생물이 스트레스를 조절할 수 있다는 사실을 발표했다 (Foster 등, 2017). 연구진은 실험 쥐를 두 그룹으로 나누고 한 그룹에는 섬유질이 부족한 가공식품 위주의 먹이를 주어 장내미생물이 서식하기 어렵게 하고, 한 그룹에는 섬유질이 풍부한 곡물과 채소 위주의 먹이를 제공한 후, 두 그룹에게 반복적, 지속적으로 스트레스를 주었다. 미생물 서식이 방해된 그룹은 스트레스에 따른 불안, 우울 증상을 보인 반면, 다른 그룹은 그러한 증상을 보이지 않았다.

최근의 연구는 장내미생물이 노화와 장수에도 영향을 미친다는 것을 보여준다(Wilmanski 등, 2021). 건강한 사람은 나이 들면서 장내미생물군도 계속 건강하게 발달한다. 이러한 장내미생

---

20) 사이코바이오틱스는 정신을 뜻하는 '사이코(psycho)'와 '프로바이오틱스(probiotics)'의 합성어로, 정신건강에 도움이 되는 프로바이오틱스를 말한다.

21) 엔도카나비노이드는 몸 안에서 만들어지는 카나비노이드라는 뜻이다. 사람을 포함한 모든 포유류에서 생산되는 신경전달물질로 신경계, 면역계, 내분비계 등의 항상성 유지 기능에 참여한다. 카나비노이드는 마리화나(marihuana, 대마초)의 주성분이다. 비록 마약 성분의 하나이기는 하지만 의료용 대마에서 볼 수 있는 것처럼 치료제로서의 효능이 큰 물질이다. 현재 수많은 질병에 대한 치료제로 개발되고 있고 일부는 시판되고 있다.

물군 변화로 건강한 노화 여부를 진단하고 노인들의 생존 기간을 예측할 수도 있다. 지금 우리가 먹는 음식, 특히 서구화된 식단에는 유익한 미생물의 먹이가 될 만한 것이 거의 포함되어 있지 않다는 점은 대단히 심각한 문제다.

글상자 ❽ 발효균과 부패균

세균에 의해 일어나는 발효와 부패는 생화학적으로 똑같은 과정이다. 그 결과물이 우리에게 유익하면 발효되었다고 하고 그렇지 않으면 부패했다고 한다. 기온이 36.5℃까지 치솟은 한 여름에 갓 버무린 김치와 소고기 한 덩어리를 밖에 내두면 하룻밤 사이에 김치는 발효되고 소고기는 부패한다. 어느 것이 먹을 수 있는 것이고 어느 것이 절대 먹으면 안 되는 것인지는 굳이 확인할 필요가 없다. 김치에는 우리가 발효균이라고 부르는 것이, 소고기에는 부패균이라 부르는 것이 찾아와 증식한 결과다. 우리가 김치와 소고기에 일부러 세균을 접종하지 않아도 세균들은 늘 우리 주변에 있다가 먹이가 있는 곳에 자리를 잡고 증식한다.

그런 세균은 우리 몸 밖에만 있는 것이 아니라 몸 안에도 있다. 여름날 김치와 소고기에 벌어진 일이 우리가 채식을 하거나 육식을 했을 때 장 속에서 벌어지는 일이다. 우리는 발효균을 유익균, 부패균을 유해균이라 하고 건강을 위해 유익균을 별도로 섭취하기도 한다. 하지만 일부러 세균을 접종하지 않아도 세균은 먹이가 있는 환경을 찾아와 증식하고, 일부러 접종을 하더라도 먹이가 없는 환경에서는 증식하지 않는다. 유익한 세균을 섭취하는 것보다 그들의 먹이가 될 음식을 섭취하는 것이 더 중요한 이유다. 유익균이 좋아하는 먹이를 식단에 포함시키는 사람과 유해균이 좋아하는 먹이를 식단에 포함시키는 사람의 장내미생물 종류는 다를 수밖에 없다.

장에는 유익균 5~15%, 중간균 70~80%, 유해균 5~15%가 산다. 우리가 유익균이라 하는 발효균은 병원균을 살해하고 대사 활동을 돕는 효소를 생성한다. 중간균은 균형균이라 하여 조정자 역할을 한다. 유해균은 부패균이라 하여 음식물을 부패시키고 독소를 발생시킨다.

사람의 장은 육식동물의 장이 아니라 초식동물의 장을 닮았고, 적어도 장내미생물과 관련해서 보면 육식 위주의 식생활은 사람에게 이득이 되기보다는 해가 되는 측면이 크다. 예를 들면 죽상동맥경화증을 유발하는 TMAO(trimethylamine N-oxide)의 경우가 그렇다. 적색육을 비롯한 동물성 식품을 통해 섭취되는 콜린과 L-카르니틴(L-carnitine)은 장내미생물에 의해 대사 되어 TMA(trimethylamine)가 된다. TMA는 다시 간에 존재하는 FMO3(flavin monooxygenase3)에 의해 TMAO로 변환된다(Koeth 등, 2013). 혈액 안에 TMAO 농도가 증가하는 것은 주요 심혈관질환의 발병 및 그와 관련된 병리적 지표의 상승과 상관관계가 있다. 대장암을 비롯한 암과 당뇨병의 위험도 상승시킨다.

장내미생물은 우리 몸속의 내부 환경이다. 이 내부 환경을 'invironment'라 부르기도 한다. 내부 환경은 음식, 신체활동, 스트레스, 다른 사람과의 접촉, 자연과의 접촉 같은 라이프스타일에 의해 조성된다. 하지만 우리는 지구라는 외부 환경에 대해 그랬던 것처럼, 내부 환경에 대해서도 파괴를 일상아 왔다. 화학

첨가제가 들어간 가공식품이나 인스턴트식품, 그리고 과도한 약물 사용이 그런 것이다. 그 약물에는 항생제 외에도 만성질환에 처방되는 많은 약물들이 포함된다. 유익균 우위의 내부 환경을 유지하면 전신의 세균계도 유익균 우위로 바뀐다. 장내미생물이 전신 미생물의 사령탑이기 때문이다. 따라서 장의 기능만 좋아지는 것이 아니라 전신, 그리고 몸과 마음 모두의 건강이 향상될 수 있다.

4 질병에 대한 정신신경면역학적 접근

> "영혼은 주인이고 상상력은 도구이고 몸은 가소성이 있는 물질이다.
> 생각한다는 것은 생각의 차원에서 행동하는 것이며,
> 생각이 충분히 강하면 신체적 차원에 영향을 미칠 수 있다."
>
> – 파라셀수스(Paracelsus) –

북미방사선학회(Radiological Society of North America) 회장을 지낸 유진 펜더그래스(Eugene Pendergrass)는 1959년 미국암협회(American Cancer Society)의 연설에서 "암의 진행을 촉진하거나 억제할 수 있는 힘이 마음 속에 있다는 뚜렷한 가능성을 암 치료에 적용시키기 위해서 탐구를 확대하기를 진심으로 희망한다"라고 말했다. 그리고 그 뒤로 이어진 수많은 연구에서 암과 심리적 요인 사이의 연관성이 확인되었다.

지난 수십 년 동안 심신의 관계를 연구하는 학자들은 절망감이 건강을 손상시킬 수 있고, 특히 암으로부터 회복을 저해할 수 있다고 보고했다(Temoshok, 1993). 로체스터대학교의 쉬매일(Schmale) 등은 자궁경부암 확진을 위한 생검을 앞둔 68명의 여성 중에서 누가 암에 걸렸는지를 73%의 정확도로 미리 알아낼 수 있었다. 그들이 예측하는 데 참고한 것은 단 하나, 바로 절망감의 유무였다(Schmale 등, 1966; Schmale 등, 1971). 실제 유방암 환자를 대상으로 한 연구에서는 무력감(helplessness)과 절망감 척도에서 가장 높은 점수를 받은 여성이 더 희망적이었던 여성보다 암이 재발하고 사망할 가능성이 훨씬 더 높았다(Jacobs 등, 2000).

암 때문에 죽는 사람보다 암이 있는 줄 모르고 죽는 사람이 더 많다. 1954년에 웨스트(West)는 아무런 항암치료를 하지 않고 단지 일정 기간 동안 관찰한 환자들에게서 암 덩어리의 80%가 스스로 제거되는 것을 관찰했다(West, 1954). 이러한 사실은 과연 우리에게 무엇을 알려주는 것일까?

최근에 암 생존율이 크게 향상되었다. 이제 암은 치료가 어려운 난치병일 뿐, 불치병도 아니고 더 이상 죽음과 동일시되지도 않는다. 그런데 높아진 생존율은 치료 기술 향상 때문이 아니라 다른 요인에 의한 것일 수 있다는 점은 충분히 인식되지 있고 있다. 바로 조기 발견이다. 암은 완치율이 아니라 5년 생존율로 치료 성과를 판단한다. 암 생존율은 암의 발견 시점으로부터 계산된다. 암으로 60세에 사망할 운명인 사람이 59세에 암을 발견하면 1년만 더 살고 암으로 사망했다고 기록되지만, 55세 발견하면 5년을 더 생존하게 되는 것이다. 암 생존율이 크게 증가했지만 실제 사망률은 낮아지지 않고 있다는 역설은 이 때문에 발생한다. 암은 첫 번째 사망원인이다. 높아진 암 생존율보다 높아진 암 사망률에 주목해야 한다.

암 생존율을 높이는 데 있어서 조기 발견의 중요성은 아무리 강조해도 지나치지 않다. 그런데 조기 발견은 어쩌면 치료적 개입이 필요하지 않은 환자를 증가시키고 있는지도 모른다. 문제는 조기 발견이 아니라 불필요한 치료다. 물론 조기 진단된 환자들이 아무런 조치도 하지 않고 암이 커지도록 방치해서는 안 된다. 단, 건강은 상태가 아니라 과정이고 병 자체도 생로병사와 생장수장이 있다는 것을 기억해야 한다. 암세포는 늘 생겨나고 있고 그것에 대처하는 면역계의 컨디션도 늘 변동한다. 두 사람이 같은 날 PSA(prostate specific antigen, 전립선특이항원) 검사를 받고 똑같이 10.0 ng/mL 나왔더라도 한 사람은 상승 중의 10.0 ng/mL이고 어떤 사람은 감소 중의 10.0 ng/mL일 수 있다. 어떤 사람은 치료가 불필요하고 어쩌면 그 치료가 해만 될 수도 있는 것이다.

조기 진단은 우리가 수술이나 약물치료를 시작하기 전에 다른 전략을 시도해 볼 수 있는 시간을 확보해 준다. 심신의학이나 라이프스타일의학은 그런 전략들을 제공하고 정신신경면역학은 그 원리와 효과를 설명해 준다. 앞 장에서도 설명한 바와 같이, 현재 전립선암에는 대기관찰요법이 널리 사용되고 있다. 이 방법은 초기 전립선암으로 진단된 후 표준적인 치료를 바로 시작하지 않고 기다리면서 암이 진행되는지 경과를 관찰하는 것이다. 전립선암에 대한 항암치료는 요실금이나 성기능 장애처럼 삶의 질을 크게 저하하는 심각하고 지속적인 부작용을 초래하곤 한다. 전립선암 환자 223명을 치료하지 않고 평균 10년 동안 경과를 관찰했던 연구는 놀라운 사실을 보여준다. 관찰 기간 동안 223명 중 124명이 사망했는데 그 사망원인이 암이었던 사람은 18명에 불과했다.

전립선암은 실제로 생존기간 중에 진행하지 않는 경우가 많아서 항암치료는 여전히 논란거리다. 물론 대부분의 다른 암에서는 대기관찰이 흔하지 않다. 그러나 치료를 해도 생존율에 큰 차이가 없다면 환자의 고통을 줄이고 남은 삶을 손상시키지 않는 방법이 선택되어야 할 것이다. 표준 치료를 보류하는 동안 환자는 그런 고통이나 부작용이 없으며 효과가 증명된 수많은 전략을 활용할 수 있다.

정신신경면역학은 그 전략들을 관통하는 원리가 건강한 라이프스타일, 그 중에서도 건강한 마음이라는 것을 알려준다. 특히 암 환자가 가장 먼저 해야 할 일은 라이프스타일을 개선하는 것이다. 암의 대부분이 불건강한 라이프스타일에서 시작되는데, 암을 유발한 라이프스타일을 개선하지 않고 다른 치료에만 매달리는 것은 깨진 독을 채우기 위해 계속 물을 붓고 있는 것만큼이나 어리석은 일이다. 라이프스타일 개선이 병행되지 않는 치료는 재발이나 새로운 암의 발생 가능성까지 도려내지 못하는 불완전한 치료다.

다른 질병도 마찬가지다. 2017년 미국심장학회(American Heart Association)는 고혈압 기준을 강화했다. 고혈압으로 진단되는 혈압을 140/90 mmHg 이상에서 130/80 mmHg 이상으로 대폭 낮춘 것이다. 고혈압을 조기에 관리할수록 심·뇌혈관질환 발생과 사망률 감소에 도움이 되기 때문이다. 만약 우리나라가 이 진단 기준을 도입하면 현재 1,000만 명 정도인 고혈압 환자 수가 약 1,650만 명으로 증가하게 된다. 상당수가 곧 약물요법을 시작하게 될 것이다. 부작용이 없는 약은 없다. 부작용이 적은 약이 있을 뿐이다. 때로는 부작용이 큰 약물도 이득이 그보다 더 크다면 치료제도 선택된다. 그렇기 때문에 만성질환을 관리하기 위해 장기간 약물을 사용하다 보면 환자는 새로운 증상들을 호소하게 되고 처방전에는 점점 약물이 추가된다.

근본적으로 약물치료는 환자가 질병의 원인을 돌아보고 원인 치료를 할 기회를 차단한다. 약으로 쉽게 혈압이 조절되는데, 굳이 입에도 맞지 않는 음식을 먹고 바쁜 시간을 쪼개 운동을 하면서 혈압을 조절할 필요가 없다고 생각하게 되는 것이다. 그러면 고혈압이라는 가지부터 자라난 만성질환의 나무에는 하나씩 다른 질병의 가지들이 자라나게 된다. 그쯤 되면 몸은 이미 조절 능력을 상실하고 약에게 조절을 완전히 맡겨 버려서 결국 약 없이는 지탱하지 못하게 된다. 만성질환의 원인 치료는 오직 라이프스타일 개선이다. 약물이나 수술은 대증치료(對症治療)이지 결코 원인 치료가 아니다.

6 chapter

행동의학과 건강심리학

뇌는 평생 동안 끝없이 리모델링된다. 우리의 행동과 경험에 의해 뇌의 신경망이 새롭게 형성되고 이미 형성된 신경망도 더 강화되거나 소멸되기 때문인데, 이것을 신경가소성(neuroplasticity)이라 한다. 처음에는 어색하고 의식적으로 해야 했던 행동도 그것에 해당하는 신경망이 새로 형성되고 점점 강화되면서 익숙해지고 무의식적, 자동적으로 수행할 수 있게 된다. 신경가소성은 우리의 굳어진 습관이 변화될 수는 유연성을 제공하기도 하지만, 이미 형성된 신경망이 점점 더 견고해지게 만들기도 한다. 이를 가소성의 역설(plastic paradox)이라 부른다. 여덟 살 아이가 세 살 적 버릇을 고치는 것보다 여든 살 어른이 세 살 적 버릇을 고치는 것이 더 힘든 이유가 여기에 있다.

기존의 생의학에서도 금연을 하고 스트레스를 줄이라는 등 건강한 라이프스타일을 권장한다. 하지만 치료자가 가진 지식이 이론적 지식에 불과하고 실천적 지식이

아니라면, 권고를 받는 환자에게는 영혼 없는 립 서비스(lip service)일 뿐이다. 이론적 지식을 실천적 지식으로 전환하려면 직접 경험해 보아야 한다. 실천은 환자를 변화시키기 위해 치료자가 반드시 알아야만 하는, 지식 이외의 것을 보여준다. 바로 변화가 일어나는 과정이다.

라이프스타일의학에서는 라이프스타일에 관한 전문 지식을 갖추는 것만큼이나 행동 변화의 원리를 이해하는 것이 중요하다. 라이프스타일을 바꾸기로 결심하는 것, 그 결심을 실천으로 옮기는 것, 실천이 지속되도록 하는 것은 완전히 다른 차원의 문제이고 각기 다른 전략을 필요로 한다. 소비자가 제품 광고에 호기심을 갖도록 하는 데 성공한 것이 실제 구매를 보장하는 것은 아니며, 첫 구매가 재구매를 보장하는 것도 아니다. 모든 단계에서의 성공이 중요하지만, 최종적인 성공 여부는 '지속의 성공'이 결정한다. 어쩌면 지속의 성공이라는 말보다는 '성공의 반복'이라는 말이 더 적절할 수도 있다. 왜냐하면 한

번의 성공은 한 번의 성공일 뿐, 변화는 반복되는 전진과 후퇴의 과정 속에서 점진적으로 일어나기 때문이다.

과거의 라이프스타일에서 굳어진 신경망이 약해지고, 새로운 라이프스타일로 새로운 신경망을 형성하고, 그것이 견고하게 자리 잡을 때까지 실패와 좌절은 피할 수 없다. 따라서 한 번 했던 성공을 지속시키겠다는 목표는 이상에 불과하고, 실패 후에도 다시 성공하는 경험을 반복하겠다는 목표가 더욱 현실적이다. 이러한 변화의 원리를 알지 못하면 치료자와 참여자 모두 쉽게 포기하고 다시 약물에 의지하게 된다.

참여자들은 하루에 마시는 커피를 한 잔씩 줄이는 것, 30분 일찍 잠자리에 드는 것 정도의 제안은 쉽게 받아들인다. 하지만 이렇게 간단해 보이는 일도 시작조차 쉽지 않다는 것을 깨닫고는 당황하게 된다. 매일 아침 운동을 한다거나 식습관을 바꾸는 것은 결단을 하는 것조차 쉽지 않다. 습관을 바꾼다는 것 자체가 어려운 일이기도 하지만, 정확한 지식과 기술을 확보하지도 않고 구체적 목표나 전략도 없이 시작하는 것은 실패를 향해 출발하는 것과 다름이 없다.

참여자에게 라이프스타일을 개선하려는 동기를 제공하고, 결심을 이끌어 내고, 그 결심이 실천으로 옮겨질 수 있는 지식과 기술을 제공하고, 변화된 행동이 지속될 수 있도록 격려하고 지지하는 것이 라이프스타일 치료자의 역할이자 라이프스타일의학의 의학 기술이다.

처방된 약물이 신체와 상호작용하는 원리를 알아야 적시 적소에 정확한 양의 약물을 사용할 수 있고 예상되는 부작용도 효과적으로 제어할 수 있다. 라이프스타일의학에서도 라이프스타일이라는 치료제가 환자의 삶과 상호작용하면서 변화를 만들어 내는 과정을 면밀히 이해함으로써 성공적으로 치료 목표에 도달할 수 있다.

1 행동의학과 건강심리학

1970년대 후반에 이르러 생리학, 의학, 심리학을 포함한 여러 학문에서 몸과 마음을 포괄적으로 연구하는 심신 통합적 학문 분과들이 연이어 문을 연다. 정신신경면역학, 행동의학, 건강심리학이 그것이다.

행동의학(behavioral medicine)은 1977년 예일대학교에서 열렸던 한 컨퍼런스에서 시작되었다. 정신신경면역학이 그랬듯이 당시까지 축적된 과학적 증거들은 의학 안에서도 새 분야의 설립을 불가피하게 할 수준에 이르렀다. 이 증거들은 정신신경면역학을 출범시킨 것과 크게 다르지 않다. 바로 스트레스 연구다. 정신신경면역학이 그런 것처럼, 행동의학 또한 스트레스를 주요 연구 주제로 삼아 왔다.[22]

1977년 당시 컨퍼런스에서는 행동의학을 '건강이나 질병에 관련된 행동과학적, 생의학적 지식과 기술을 개발하고 통합하며, 이 지식과 기법들을 예방, 진단, 치료 및 재활에 적용하는 학제간 분야'라고 정의했다(Schwartz 등, 1978). 행동의학은 건강행태(health behavior)에 관한 과학과 의학의 영역을 모두 아우르며 질병의 예방, 진단, 치료, 재활에 관한 지식과 기술을 통해 행동 변화를 만들어내는 분야다. 따라서 환자의 건강과 관련된 행동을 파악하고, 환자의 변화 의지를 평가한다. 그 후 환자가 잘 실천할 수 있는 범위 내에서 치료적 변화를 추구하며, 개선된 행동 양식이 꾸준히 유지될 수 있도록 돕는다. 행동의학에서는 환자의 증상이나 행동에 대해 공감하면서 치료 목표에 도달할 수 있도록 개선점을 찾아 주고, 환자 스스로 문제점을 보완할 수 있도록 이끌어 주는 심리·행동적 기술이 중요하다. 이러한 전략은 라이프스타일의학에서도 동일하게 적용된다.

행동의학이 출현했을 무렵 행동건강(behavioral health)이라는 신생 학문도 함께 등장했다. 행동건강은 건강 유지와 질병 예방을 위해 행동 과학과 의학 지식을 활용한다. 행동건강에서는 질병을 가진 사람들의 문제를 진단하고 치료하는 것보다 건강한 사람의 건강증진과 질병 예방을 중시한다. 이를 위해서 식습관, 운동, 흡연, 음주, 상해 예방 같은 영역을 다루며 개인의 책임을 강조한다. 행동건강은 개인과 사회 수준에서 기여한 측면도 있지만, 공식적인 학문으로

---

22) 정신신경면역학과 행동의학의 연구 범위는 현재까지도 상당히 겹쳐지고 있는데, 일부에서는 행동의학과 정신신경면역학을 동일한 학문으로 간주하기도 한다. 건강심리학 역시 스트레스 연구가 핵심적인 연구 영역이다. 행동의학과 건강심리학을 비슷한 학문으로 여기는 사람들도 있다.

계속 발전하지 못하고 유관 분야로 흡수되다가 건강심리학(health psychology)에 통합되었다.

1978년 미국심리학회(American Psychological Association, APA)는 38번째 분과로 건강심리학을 설립했다. 건강심리학은 신체 건강에 영향을 미치는 행동과 라이프스타일에 관심을 두는 심리학의 한 분야로 사회심리학, 발달심리학, 학습심리학, 성격심리학을 포함한 다양한 심리학 분야의 경험적 정보와 연구 방법을 이용한다. 마타라조(Matarazzo)는 건강심리학이 건강을 유지, 증진하며 질병을 예방하고 치료하기 위해 심리학의 지식을 교육적, 과학적, 전문적으로 활용하는 통합 과학이라고 정의했다(Matarazzo, 1980).

건강심리학에서는 스트레스, 라이프스타일 같은 심리·행동적 요인, 대인관계나 문화적 환경 같은 사회·문화적 요인을 분석하여 건강과 질병의 원인을 연구하고 중재 방법을 개발한다. 또한 보건의료시스템의 개선이나 건강에 관한 여론 형성과 관련된 연구도 수행한다. 임상에서도 폭넓은 역할을 수행하고 있다. 환자가 흡연, 불건강한 식사 등 건강에 해로운 행동을 변화시키도록 돕거나, 스트레스를 관리하는 방법, 통증에 대처하는 방법을 교육하기도 한다. 또한 환자와 가족을 심리적으로 지원하고 의학적 치료에 잘 따르도록 돕는다. 이 외에도 임상건강심리학자는 진단을 위한 면접, 행동주의 심리학적 평가, 심리검사, 심리치료, 행동치료, 바이오피드백 훈련, 집단 심리치료 등과 관련된 활동을 하고 있다.

2 행동 중재의 효과

만성질환 치료에서 건강한 라이프스타일이 근본이 되어야 한다는 데는 이견이 있을 수 없다. 만성질환은 대부분 비감염성 질환이다. 그렇다면 감염성 질환이나 외상 같은 급성질환에는 건강한 라이프스타일이 의미가 없는 것일까? 그렇지 않다. 독감은 인플루엔자 바이러스가 원인인 감염성 질환이지만, 감염성 질환이 전파되는 것은 우리의 라이프스타일에 달려 있다. 우리는 코로나19 팬데믹 속에서 개인위생을 철저히 하고 마스크를 잘 착용하는 등 방역수칙을 잘 따르면 감염 위험을 크게 낮출 수 있다는 것을 배웠다. AIDS의 원인도 HIV 바이러스가 아니라 바이러스 감염과 전파 위험을 자초하는 행동이다. 식중독, 청력이나 시력의 손실, 사고에 의한 외상 등도 행동적 요인이 크다.

행동을 중재하는 것은 전반적인 의료비를 감소시키고 건강을 증진하며 환자의 삶의 질을 향상하는 등 많은 유익이 있다. 행동 중재의 효과를 몇 가지 꼽아보면 다음과 같다.

첫 번째는 환자 교육을 통해 환자의 자기관리 능력이 향상되는 것이다. 예를 들어 '관절염 자기관리(Arthritis Self-Management)' 코스는 관절염 환자에게 질병의 특성, 통증에 대처하는 법, 적절한 약물 사용법, 질병에 대해 다른 사람과 소통하는 방법, 건강한 식습관과 수면 습관, 치료에 대한 의사결정에 참여하는 것 등을 교육하여 환자의 자기효능감(self-efficacy), 셀프케어 능력, 자기관리 능력을 향상시킨다. 이 코스에 참여한 사람들은 통증이 감소되고 삶의 질이 향상되었으며 병원 방문 빈도가 감소했다고 보고한다. 현재 이 과정은 미국질병통제예방센터(CDC), 관절염재단(Arthritis Foundation), 미국류마티스학회(American College of Rheumatology)에서 권장하고 있다.

두 번째는 행동 변화가 가져오는 실질적인 치료 효과다. 건강한 라이프스타일이 약물요법 같은 일반적 치료보다도 우수한 치료 결과를 가져올 수 있다는 것은 앞 장에서 자세히 설명하였다. 그런데 이것은 단지 '더 좋은' 치료 성적이 아니다. 양이 아니라 질적인 면에서 라이프스타일 치료와 일반적인 의학적 치료를 보면 비교 자체가 불가능하다. 왜냐하면 라이프스타일은 원인을 치료할 수 있는 방법이고 진행된 질병을 역전시킬 수 있는 유일한 치료이기 때문이다. 이에 비해 일반적인 치료는 단지 증상을 다스리는 치료일 뿐이다.

세 번째는 치료비 절감이라는 경제적 측면이다. 일단 환자의 행동을 중재하는 전략이 성공한다면, 향후 약물요법이나 수술을 위해 지출되어야 할 비용은 크게 감소된다. 특히 만성질환자에 대한 라이프스타일 치료는 기존 치료법에 비해 거의 무료나 다름없다.

네 번째는 심리적 스트레스가 야기하는 부정적인 영향을 감소시키는 것이다. 행동 변화의 주요 목표 중 하나는 사람들의 부정적 심리 상태를 긍정적으로 바꾸는 것이다. 스트레스는 수많은 질병을 야기하거나 있는 질병을 더 악화시킨다. 특히 환자의 심리적 고통은 신체적 통증에 대한 민감도를 증가시키고 삶의 질을 크게 훼손한다. 심신의학적 스트레스 중재법은 스트레스, 불안, 우울을 감소시키고, 이것은 통증을 비롯한 질병 증상의 완화로 이어진다.[23] 예를 들면 명상을 비롯한 인지행동요법은 통증을 완화시킬 뿐만 아니라 통증 환자의 삶의 질을 크게 향상시켜 그와 관련된 의료비와 사회적 비용을 낮춘다.[24]

---

23) 만성적인 통증을 관리하는 데 지출되는 비용은 상상을 초월한다. 우리나라에서 통증 치료에 지출되는 비용은 암과 뇌혈관질환 치료비를 합한 것보다 10배나 많다.

24) 심신요법이 신체적 통증과 심리적 고통을 완화하는 기전에 대해서는 '**글상자⑬** 불교 수행법을 이용한 통증과 고통의 중재'를 참고하라.

3 행동 변화의 원리

■ 변화 모델

(1) 습관은 치료되는 것이 아니라 치유되는 것

처방된 약물이 신체와 상호작용하는 원리를 알아야 적시 적소에 정확한 양의 약물을 사용할 수 있고 예상되는 부작용도 효과적으로 제어할 수 있다. 라이프스타일의학에서도 라이프스타일이라는 치료제가 환자의 삶과 상호작용하고 변화를 만드는 원리를 면밀히 파악함으로써 성공적으로 치료 목표에 도달할 수 있다.

라이프스타일의학에서는 어떤 것이 건강한 라이프스타일이고 어떤 것이 불건강한 라이프스타일인지에 대한 지식을 갖추는 것만큼이나 행동 변화의 원리를 이해하는 것이 중요하다. '담배를 끊는다'는 것은 목표이지 방법이 아님에도 불구하고 사람들은 그 목표만 가지고 도전했다가 쉽게 좌절한다. 라이프스타일을 바꾸기로 결심하는 것, 그 결심을 실천으로 옮기는 것, 실천이 지속되도록 하는 것은 완전히 다른 종류의 도전이고 각기 다른 전략을 필요로 한다.

1970년대까지만 해도 뇌의 성장에는 결정적 시기(critical period)가 있어서 어린 시절에 뇌 성장이 끝나면 더 이상 뇌가 성장하거나 뇌세포가 재생되지 않는다고 믿었다. 그러나 뇌는 평생 바뀐다는 것이 현대 과학에서 확립된 사실이며 해마를 비롯한 뇌의 일부에서는 신경세포가 재생된다는 것도 확인되었다. 학습과 경험은 뇌의 신경망을 새롭게 형성할 뿐 아니라 이미 형성된 신경망을 더 강화하거나 소멸시킬 수 있다. 이것을 신경가소성(neuroplasticity)이라 한다. 각 사람의 신경망 구성 양상이 그 사람의 성격, 습관, 그리고 생리적 특성이나 질병에 대한 취약성의 차이로 나타나는 것이다. 따라서 불건강한 라이프스타일을 개선하는 과정에는 뇌의 기능적, 기질적 변화가 반드시 수반된다. 약물이나 수술 같은 개입은 증상을 완화시킬 수는 있지만 같은 행동이 지속되는 것을 방치하므로 불건강한 행동을 점점 더 고착시키게 된다.

건강한 행동이 더 이상 어색하거나 불편하지 않게 된다는 것은 뇌에서 과거의 신경망이 소멸되고 새로운 신경망이 형성되었다는 것을 의미한다. 진정한 회복은 치료자가 '고치는' 치료(治療)가 아니라, 이처럼 환자 스스로가 능동적으로 변화되어 '낫는' 치유(治癒)를 통해 일어난다.[25] 치료는 치료 행위를 하는 사람이 주체지만 치유는 회복되는 사람이 주체가 되는 것이다. 몸과 마음에 고착되었던 습관을 변화시킨다는 것은 뇌의 해부학적, 기능적 변화를 동반하는 치유다. 그러한 치유는 약이나 수술로는 불가능하다. 오로지 교육과 반복적인 경험으로만 가능하다.

(2) 무엇이 사람을 변화시키는가

참여자가 치유되는 과정을 돕기 위해서는 행동 변화의 원리와 단계를 이해해야 한다. 이와 관련된 이론들을 건강행동 이론이라 통칭하는데 대표적인 건강행동 이론에는 건강신념모델(health belief model, HBM), 사회인지이론(social cognitive theory), 전이모델(transtheoretical model, TTM) 등이 있다.

건강신념모델은 사람들이 건강행태를 실천하거나 하지 않는 이유를 설명하기 위해 개발되었다. 로젠스톡(Rosenstock)과 베커(Becker)에 의해 정교화된 이 모델은 행동과학을 건강증진 영역에 응용한 첫 번째 이론이라 할 수 있으며, 건강행태에 대해 가장 널리 알려진 개념적 틀이다. 건강신념모델은 사람의 사회적 행동의 주요 결정요인인 인지적 변수에 초점을 맞춘다. 예를 들면 우리가 어떤 변화를 결심하기까지는 기존의 행동이 건강에 미치는 유해성에 대한 지각, 그러한 행동에 대한 사회적 압력에 대한 지각 등 다양한 인지적 요인이 관여한다. 따라서 이 모델은 사회인지 모델로 분류되며, 우리가 건강과 관련된 어떤 행동을 채택하거나 채택하지 않는 이유를 이해할 수 있게 해준다. 일반적으로 사람들의 건강행태는 질병을 두려워하는 정도, 그 질병이 초래할 수 있는 부정적 결과의 심각성을 인식하는 정도, 건강행태를 실천함으로써 기대되는 심각성 감소 효과를 인식하는 정도에 따라 달라진다. 따라서 이 모델은 참여자가 건강한 라이프스타일에 관심을 가지고 실천을 결심하기까지의 과정에서 어떤 전략이 필요한지를 알려준다.

건강신념모델은 다음 네 가지 변화 조건이 존재할 때 사람들이 건강에 관한 행동 제안에 가장 잘 반응할 것이라고 본다. 첫째, 자신이 특정한 질환을 가질 위험이 있다고 생각하는 것(지각된 민감성), 둘째, 그 위험이 심각하고 질병의 결과가 바람직하지 않다고 믿는 것(지각된 심각성), 셋째, 치료자가 제안하는 행동을 하면 그 위험이 감소한다고 생각하는 것(지각된 유익성), 넷째, 행동 변화를 하는 데 어려움이 있더라도 극복할 수 있다고 믿는 것(지각된 장애성)이다.

---

25) 치료(治療)와 치유(治癒)는 자주 혼용되는 단어지만 완전히 다른 의미를 가지고 있다. 치료의 '료(療)'는 병을 고친다는 뜻이고, 치유의 '유(癒)'는 병이 낫는다는 뜻이다.

이상의 네 가지 외에도 치료자의 제안에 더 잘 반응하게 만드는 또 하나의 조건이 있다. 바로 행동을 변화시키는 데 방아쇠 역할을 하는 계기가 마련되는 것이다. 예를 들어 흡연의 유해성도 알고 금연의 유익성도 알지만 금연을 결심하지 않았던 사람이라도 주변의 누군가가 폐암 진단을 받는다면 심각하게 금연을 고려하게 된다. 현재 이 모델에는 자기효능감, 즉 제안된 행동을 자신이 성공적으로 수행할 수 있다는 믿음이 추가되었다. 라이프스타일 변화를 제안하는 단계에서 치료자가 해야 할 일은 위와 같은 신념들을 강화하는 것이다. 이러한 신념이 형성되지 않는다면 '금연을 하십시오'라는 권유는 휴지통에 버려질 처방전을 쓰는 수고에 불과하다.

앨버트 반두라(Albert Bandura)의 사회인지이론은 건강행태를 이해하고, 긍정적인 건강행태를 증가시키고, 건강에 해로운 행동을 감소시키는 원리에 대한 광범위한 원리를 제공한다. 반두라는 환경, 행동, 인지가 상호작용하며 서로 영향을 미칠 수 있다는 상호결정론(reciprocal determinism)을 제안했다. 사회인지이론은 개인의 행동을 이해하고 변화시키는 데 있어서 그 사람의 경험, 그리고 그 사람이 관찰한 다른 사람의 경험이 중요하다고 본다(Bandura, 2004). 흡연의 경우라면, 과거에 자신의 금연 시도가 어떠했는지, 자신이 보기에 다른 사람의 금연 시도가 어떠했는지가 중요하다는 것이다.

반두라는 행동의 다섯 가지 결정요인을 제안했다. 첫 번째는 지식이다. 흡연이 얼마나 해로운 것인지 알면 금연 가능성이 더 높아진다. 두 번째는 자기효능감이다. 담배가 자신을 유혹하는 상황에 놓이더라도 담배를 피우지 않을 수 있다고 믿으면 금연 가능성이 높아진다. 세 번째는 자신의 행동이 가져오게 될 결과에 대한 기대다. 신체적 변화는 물론 주변의 반응, 스스로에 대해 갖게 될 새로운 느낌 같은 것들이 포함된다. 금연을 해서 혈압이 감소하고, 동료로부터 의지가 굳은 사람이라고 평가 받고, 가족들이 기뻐할 것이라고 기대하면 금연 가능성이 높아진다. 세 번째 결정요인을 잘 이용하려면 참여자의 특성을 면밀히 파악해야 한다. 청소년에게 금연을 권하면서 건강이 좋아진다든지 피부에 주름이 덜 생긴다고 말하는 것은 청소년의 특성을 전혀 고려하지 않은 상투적인 화법이다.

네 번째는 목표 설정(goal setting)이다. 자신의 가치관이나 신념과 일치하는 목표일수록 높은 동기를 유발하게 된다. 예를 들면 자녀를 둔 가장에게는 금연이라는 목표가 아이의 건강과 행복을 지켜주어야 한다는 가장으로서의 신념과 일치한다. 사회인지이론에서 말하는 다섯 번째 행동 결정요인은 환경 및 사회적 지원에 대한 지각이다. 금연을 장려하는 직장의 분위기, 가족들의 지지, 무료 금연 치료 정책 같은 여건들에 대해 알고 있는 것이 여기에 해당한다.

라이프스타일의학에서도 이러한 원리에 입각하여 환자에게 충분한 지식, 격려, 기대감을 통해 변화의 동기를 마련할 수 있도록 하고, 체계적인 목표 설정을 돕고, 활용 가능한 자원에 대한 정보를 제공해야 한다.

(3) 변화는 상승의 나선이다

행동 결정 이후 시작되는 행동 변화의 과정은 전진과 후퇴, 성공과 실패의 반복이다. 이에 대한 이해가 없으면 한 번의 실패에도 크게 낙심을 하게 되고 다시 도전하려는 의지를 갖기도 어렵다. 진정으로 중요한 것은 실패할 때마다 다시 도전하는 일에 성공하는 것이다. 이것은 곧 성공 경험의 축적이다. 치료자는 이 과정이 어떻게 진행되는지 파악하고 단계별로 필요한 개입을 할 수 있어야 한다.

변화의 과정을 설명하는 모델 중 널리 알려진 것이 프로카스카(Prochaska)와 디클레멘트(DiClemente)의 전이모델이다(Prochaska 등, 2005; Prochaska 등, 1993). 전이모델은 범이론적 행동변화모델이라고도 불린다. 이 모델은 시간의 경과에 따라 변화가 어떤 양상으로 일어나는지 보여주는 것으로, 흡연 행위를 변화시키는 노력에 대한 연구로부터 개발되었다. 전이모델에 따르면 변화는 단일한 사건이 한 방향으로 진행되는 것이 아니라 전진과 후퇴가 반복되는 순환적 과정이다. 다시 말해서 변화는 계단식으로 일어나는 것이 아니라 상승의 나선처럼 일어난다.

변화의 단계에서 첫 번째는 숙고 전 단계(precontemplation)다. 참여자는 아직 변화의 필요성을 절감하지 않고 동기 부여도 되어 있지 않은 상태다. 두 번째 단계는 현재의 행동을 변화시켰을 때의 장단점을 생각해 보는 숙고 단계(contemplation)다. 세 번째는 변화 계획을 준비하는 준비 단계(preparation)다. 네 번째는 적극적으로 행동을 변화시키는 행동 단계(action)다. 다음은 유지 단계(maintenance)로, 실천 중인 변화를 지속하는 단계다. 하지만 실제 상황에서는 유지 단계가 안정적으로 지속되지 않는다. 재발(relapse)은 누구에게나 자연스럽게 일어난다. 재발을 어떻게 다루는가가 변화의 단계를 상승의 나선으로 만들 것인지 다시는 오르지 못할 계단 앞에 주저앉게 할 것인지 결정하게 된다.

식생활 개선을 예로 들어 각 단계에서 이루어져야 할 일을 살펴보자. 평소 자신의 식생활에 문제가 있음을 잘 인식하지 못했던 참여자(숙고 전 단계)가 치료자로부터 식생활 개선을 제안받게 되면서 숙고 단계가 시작된다. 참여자는 자신의 식생활을 돌아보고 현재의 식생활에 어떤 문제가 있는지 깨닫는다. 그러한 식사를 지속할 수밖에 없는 이유가 있는지, 계속한다면 어떤

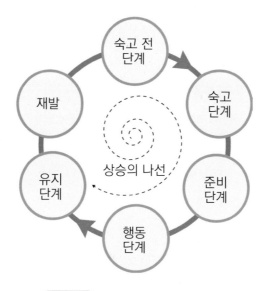

그림 11 변화 단계와 상승의 나선

문제가 있으며 바꾼다면 어떤 유익이 있는지 검토한다.

준비 단계에서는 어떻게 식생활을 개선할 것인지 고민한다. 현재 식생활에서 어떤 부분이 가장 문제이며 어떤 방향으로 개선할 것인지 계획을 수립한다. 실천하는 데 어떤 어려움이 있을지 예상해 보고 그 문제들을 다루는 방법에 대해서도 계획을 세운다. 직장인이라면 직장에서의 점심이나 회식 같은 상황에서 어떻게 대처할 것인지도 생각해 본다. 치료자는 숙고 단계와 준비 단계에서 충분한 정보를 제공하고 참여자가 참고할 수 있는 성공과 실패 사례를 제공해야 한다.

행동 단계에서는 계획을 실천해 보면서 실행 목표를 낮추거나 상향 조절한다. 계획대로 되지 않는 이유를 점검해 보고 문제를 해결할 수 있는 방법을 찾는다. 치료자는 참여자에게, 시작이 반이며 조금이라도 변화가 있었다면 성공이었다는 것을 느끼도록 하여 자신감과 확신을 갖도록 한다. 실패한 경우 서둘러 계획을 변경하기보다는 계획을 더 세분하여 실천 가능성을 높이고 참여자에게 필요한 정보와 기술을 더 상세하게 제공한다.

단기 목표를 달성했을 경우의 보상 계획도 함께 수립한다. 유지 단계에서는 변화 정도를 점검하고 필요에 따라 목표를 재설정한다. 장애 요소를 꾸준히 점검하고 제거하는 전략을 찾는 데 더 관심을 기울인다. 이 단계에서는 참여자가 스스로 계획을 수립하거나 변경해서 더 좋은 방향으로 자신을 이끌어 나갈 수 있는 주도성과 유능감을 확립하도록 한다. 참여자의 노력이 스스로에게 어떤 의미가 있으며 과거로 회귀하는 것은 어떤 위험을 초래하는 것인지 분명히 인식하고, 지금까지의 성공 경험을 통해 스스로 충분히 해낼 수 있다는 신념을 갖도록 하는 것이 중요하다. 변화의 과정은 항상 후퇴와 전진을 반복하는 것이다. 완벽하게 실천해야 한다는 강박은 오히려 자괴감과 포기를 가져올 수 있다.

어떤 라이프스타일이든 혼자의 힘만으로는 충분히 변화시키기 어렵다. 특히 식생활 변화는 가족의 지지와 협력이 절대적이다. 가족이 모두 변화에 동참하면 훨씬 성공률이 높을 것임은 자명하다. 가족은 물론 주위의 동료와 친구를 계획에 포함시키는 전략도 매우 유효하다. 같은 관심사를 공유하는 그룹이 주기적으로 모여 정보와 기술, 협력과 지지를 나누는 것 또한 효과적인 전략이다.

전이모델 역시 사회인지이론과 관련이 깊다. 변화의 단계를 거치는 것은 자기효능감이 높을 때 상승의 나선이 될 가능성이 높아진다. 작은 일이라도 일단 성공을 경험하면 자기효능감이 높아지고 높아진 자기효능감은 더 높은 목표에 도전할 수 있는 강한 추진력이 된다. 따라서 처음에는 실천하기 쉬운 목표가 제시되어야 한다.

여행의 최종 목적지가 어디인지를 아는 것만으로는 여행 안내자가 될 수 없다. 라이프스타일 변화라는 여정에서도 치료자가 최종 목표만 알려주는 것은 의미가 없다. 여행 안내자는 매일 도착해야 하는 목적지가 어디인지, 그곳에 도착하기까지 어떤 곳을 지나게 될지 상세히 알고 있어야 한다. 여행 첫날 여행자에게 알려주어야 하는 것은 목적지가 아니라 출발지에 대한 정보인 것처럼, 변화를 시작하려는 사람에게는 어디서 어떻게 첫걸음을 내디뎌야 하는지 알려주어야 한다. 첫걸음을 제대로 뗀 사람에게만 다음 단계의 여정에 참여할 기회가 주어진다.

이상의 내용은 치료자의 역할을 중심으로 기술하였지만, 참여자가 스스로 라이프스타일 변화를 시도하는 경우에도 같은 원리가 적용된다. 이 경우에는 참여자가 치료자의 역할까지 해가면서 실천하는 것이기 때문이다. 스스로 치료자의 역할까지 해내려면, 치료자와 참여자 사이의 라포(rapport. 우호적인 협력관계)를 자기 자신과 형성해야 한다. 즉 자신에게 너무 엄격하려고 하기보다는 친절하게 대하고, 실망스러운 일이 있더라도 비난하기보다는 격려하고, 작은 성공에 대해서도 스스로 칭찬하고 충분한 보상을 하는 것이 필요하다.

다음은 보건복지부가 제작한 「한국인을 위한 신체활동 지침서」에서 인용한 것으로, 신체활동 변화를 위한 단계적 전략이 표시되어 있다(보건복지부, 2013). 숙고 단계, 준비 단계, 행동 단계, 유지 단계가 각각 계획 전 단계, 계획 단계, 행동 단계, 유지 단계로 설명되어 있다.

활동적인 신체활동 습관 형성을 위한 단계별 주요 전략

● 신체활동 단계별 프로그램 주요 전략

신체활동 생각하기 | 계획 전 단계 |
1. 신체활동을 하지 않는 특별한 이유가 있는지 생각해 본다.
2. 신체활동의 구체적인 장점이 무엇인지 알아본다.
3. 일상생활에서 자신이 하는 일반적인 신체활동이 있는지 생각해 본다.
4. 신체활동을 하지 않는 생활의 위험에 대해서 생각해 본다.

신체활동 준비하기 | 계획 단계 |
1. 신체활동의 구체적인 장점과 단점에 대해서 생각해 본다.
2. 신체활동을 위한 장단기 목표를 세우고, 일상생활에서 신체활동의 빈도를 높인다.
3. 구체적인 신체활동 장애 요소를 극복하기 위한 해결책을 마련한다.
4. 언젠가는 자신이 신체적으로 활동적인 사람이 될 수 있을 것이라고 믿는다.

신체활동 시작하기 | 행동 단계 |
1. 개인적으로 구체적인 신체활동 목표를 정한다.
2. 신체활동을 할 때 처할 수 있는 예기치 못한 상황에 대처하는 방법을 익힌다.
3. 신체활동 일지를 작성하고 지속적으로 관리하는 방법을 익힌다.
4. 자신은 어떤 상황에서도 신체활동을 할 수 있는 사람이라는 자긍심을 가진다.

신체활동 지속하기 | 행동 단계 |
1. 지속적인 신체활동이 필요한 이유를 알아보고 구체적인 목표를 다시 정한다.
2. 현재 자신의 신체활동 방식을 평가하고 필요하다면 적절하게 수정한다.
3. 반복되는 신체활동의 지루함을 덜고 장애 요소를 극복하여 지속적인 신체활동을 위한 자신감을 높인다.
4. 언젠가는 자신이 신체적으로 활동적인 사람이 될 수 있을 것이라고 믿는다.

신체활동 생활화하기 | 유지 단계 |
1. 규칙적으로 신체활동을 수행하는 구체적인 이유나 목적을 마음에 새긴다.
2. 현재 자신의 신체활동 방식을 평가하고 어려운 상황에 처했을 때에도 지속할 수 있도록 계획을 세운다.
3. 규칙적인 신체활동에 대한 보상과 지지를 활용하고, 다치지 않도록 주의하며 자신감을 유지하도록 한다.
4. 만약 규칙적으로 신체활동을 하지 못하였다면, 1~2주 안에 다시 신체활동을 시작한다.

② 행동 변화 피라미드의 15개 블록

라이프스타일의학에서 중요한 치료 기술 중 하나로 활용되는 것이 코칭(coaching)이다. 무어(Moore)의 행동 변화 피라미드는 코치이(coachee, 코칭을 받는 사람)가 행동, 자기 인식, 자기 이미지를 지속적으로 변화시키는 데 필요한 지침을 제공한다(Moore 등, 2009). **그림 12** 의 행동 변화 피라미드에는 코치이를 '최고의 자기(best self)'로 성장시키기까지의 5단계 과정과 각 과정을 견고하게 하기 위해 갖추어져야 하는 15개의 빌딩블록(building block)이 있다. 15개 중 13개는 행동에 관한 것이 아니라 내적 태도에 관한 것이다. 흔히 범하는 오류처럼 피라미드 세 번째 단계, 즉 실행 단계로 바로 뛰어드는 것은 기초가 부실한 피라미드를 쌓는 것이므로 실패의 가능성을 높인다. 이전의 두 단계, 즉 비전과 준비 단계가 굳건할수록 피라미드가 견고해진다.

그림 12 무어의 행동 변화 피라미드 (Moore 등(2009) p. 43에서 인용)

비전(vision) 단계에서는 변화의 가치와 책임감을 확립해야 한다. 또한 필요한 기술과 지식, 그리고 자신의 강점을 사용하여 변화 과정에서 맞게 될 큰 도전을 처리하기 위한 전략을 갖춘다. 준비(preparation) 단계에서는 비전을 현실적인 계획으로 바꾸고 그것을 내적으로 확실히 받아들인다. 다음 실행(action) 단계에서는 실행 초기의 성공을 체험하고 그에 대한 보상을 누린다. 또한 드러난 문제를 해결하고 전략의 정밀한 조정을 통해 실천의 효율성을 높인다. 네 번째 결과(results) 단계는 변화를 유지하는 데 중점을 둔다. 마지막으로 진정한 나(real me)단계에 이르게 되면, 코치이는 목표로 했던 최고의 자기(best self)를 이룩한다.

피라미드 모델에서 볼 수 있는 것처럼, 변화는 가장 아래 단계부터 가장 위의 단계까지 한 단계씩 축적된다. 이 모델에서도 5단계는 단방향이 아니며 수시로 오르내리는 과정이다. 아래 단계에서 생략되거나 부실한 빌딩블록이 있었다면 그 부분의 작업이 보완되어야 한다. 코치로서의 라이프스타일 치료자는 코치이가 이 빌딩블록을 모두 갖추고 조립하여 최종 단계에 이를 수 있는 완전한 구조를 세우도록 돕는다.

PART **3**

라이프스타일의학의
이론과 실제

라이프스타일 케어

에거(Egger) 등은 식사와 신체활동 두 가지를 라이프 스타일의학의 페니실린이라 말한다. 실제로 많은 라이프 스타일 치료자들이 이 두 영역에 집중하고 있다. 그런데 라이프스타일 관련 질환은 페니실린으로 치료할 수 있는 감염성 질환과는 근본적으로 다르다. 폐렴 같은 감염병 에는 폐렴균처럼 분명한 원인이 있지만 만성질환은 그렇게 특정할 수 있는 요인이 따로 있지 않다.

식사와 신체활동이 건강한 라이프스타일의 기본이기는 하지만, 잘 먹고 잘 운동하는 사람에게도 만성질환은 발생한다. 그러면 건강한 라이프스타일은 구체적으로 무엇을 말하는 것일까? 식사나 신체활동 외에도 담배를 끊고 술을 줄이는 것까지 실천하면 건강한 라이프스타일이 되는 것일까? 평소 건강에 관심이 많은 사람이라면 잠을 잘 자고 스트레스를 관리하는 것도 목록에 추가할 수 있을 것이다. 하지만 이 목록 역시 여행사 카탈로그에서 '국내여행' 페이지만 살펴본 것에 불과하다. 건강결정요인 중에서 흡연, 음주, 신체활동 부족처럼 행동에 해당하는

것은 36%이고, 대인관계나 커뮤니티 참여 같은 사회적 환경은 24%, 유전은 22%, 보건의료시스템은 11%, 대기 오염 등 물리적 환경은 7% 관여한다(McGovern 등, 2014; Heiman 등, 2015). 즉 라이프스타일의학에서 말하는 중재 영역은 개인 수준의 행동에 국한되는 것이 아니다. 우리는 이미 앞에서 라이프스타일의학은 환경적 문제에 대한 관심에서부터 개인의 행동 변화에 이르기까지 광범위한 전략을 필요로 한다는 것을 확인했다. 여기서의 환경은 물리·생태적 환경뿐 아니라 대인관계나 문화 같은 심리·사회적 환경을 아우르는 것이다. 이런 이유로 라이프스타일의학을 전일적 의학(holistic medicine)이라고도 한다.

라이프스타일 중재 영역을 구체화하는 방법은 다양하지만 식생활, 신체활동, 수면, 금연, 알코올 제한, 스트레스 관리, 사회적 연결망 확보는 기본적으로 포함된다. 유럽라이프스타일의학기구(EULM)는 영양, 신체활동, 심리적 스트레스, 물리·사회적 환경 등 네 가지 영역으로 라이프스타일 중재 영역을 구분한다. 미국라이프스

타일의학회(ACLM)에서는 신체활동 증가, 건강한 식생활(WFPB), 유해한 물질의 사용 회피, 수면 건강, 사회적 관계 형성, 스트레스 관리 전략 개발 등 여섯 가지 전략을 제안하고 있다. 호주라이프스타일의학회(ASLM)는 식이요법/영양, 신체활동, 금연, 알코올 절제, 수면 및 스트레스, 사회적 연결 등 여섯 가지 기본 중재 영역을 제시하고, 더 구체적으로 불건강한 식생활, 신체적 비활동성, 흡연, 알코올 과잉 섭취, 만성 스트레스와 불안, 불충분하거나 부적절한 수면, 가족·친구·커뮤니티와의 연결 부족, 사회적 고립, 문화 및 정체성의 상실, 건강 불평등, 사회적 부정의(injustice), 기타 사회·환경적 요인들이 예방, 관리, 치료되어야 한다고 설명한다. 이것은 인류원 이론에 기초하고 있는 것이다. 인류원 이론에 따르면 인류원을 회피하는 것이 곧 건강한 라이프스타일이 된다.

에거는 'NASTIE MAL ODOURS'라는 두문자어로 요약되는 15가지 인류원을 제시한다. 영양(nutrition), 비활동성(inactivity), 스트레스·불안·우울(stress·anxiety·depression), 기술병리(technopathology), 부적절한 수면(inadequate sleep), 환경(environment), 삶의 의미 부재(meaninglessness), 소외(alienation), 문화 및 정체성의 상실(loss of culture/identity), 직업(occupation), 약물·담배·알코올(drugs·smoking·alcohol), 햇볕 등의 자극에 과소하거나 과도하게 노출되는 것(over and under exposure), 관계(relationship), 사회적 불평등(social inequity)이다(Egger 등, 2017).

이 책에서는 식생활, 신체활동과 운동, 수면, 휴식과 여가, 적극적 이완, 규칙적 생활, 의약품과 건강기능식품, 물질 및 행위 의존증, 스트레스와 정서적 회복력, 심리·사회적 환경, 종교와 일관성의 감각, 생태·물리적 환경 등 12가지 중재 영역을 선택했다. 7장은 이 12가지 중재 영역에 관하여 과학적 이론을 설명하고 구체적인 중재 방식들을 소개한다. 더불어 라이프스타일을 평가할 수 있는 유용한 진단 도구들을 함께 제공한다.

1 식생활

1 음식이란 무엇인가

(1) 사람이 먹는 것이 그 사람이다

"사람이 먹는 것이 바로 그 사람이다." ▌

파키스탄의 훈자 마을은 120세에도 노동을 하고 90세에도 아이를 낳는다고 했던 장수촌이었지만, 1970년부터 서구식 식문화가 침투한 후 상황이 달라졌다. 장수 국가인 일본 안에서도 대표적인 장수촌이었던 오키나와 역시 2000년대 들어 일본의 다른 지역과 평균수명의 차이가 없어졌다. 특히 남성의 평균수명은 2000년 조사에서 20위 밖으로 밀려났을 뿐 아니라, 당뇨병과 간질환 사망률이 전국에서 가장 높은 것으로 나타나기도 했다. 역시 급속한 서구식 식생활의 확산으로 인한 것으로 분석된다. '의사들의 의사'로 불리는 조엘 펄먼(Joel Fuhrman)은 질병의 90%는 먹는 것 때문에 생기는 것이므로 건강한 음식을 먹으면 충분히 예방할 수 있고, 설령 만성질환이 있더라도 약 대신 음식으로 치료해야 부작용이 없다고 주장한다.

비록 "음식으로 못 고치는 병은 약으로도 못 고친다"라는 문장은 오역이지만, 히포크라테스 역시 음식을 중요하게 여겼다. 히포크라테스가 쓴 것으로 여겨지는 「디 알리멘토(De Alimento)」에는 음식에 대한 구체적인 진술이 있다. "음식에서 우수한 약을 찾을 수 있고 음식에서 나쁜 약을 찾을 수 있다"라는 문장이다.

음식이 약이라는 직접적 언급은 히포크라테스보다 앞선 시기에 동양에 살았던 한 사람의 가르침에서 발견된다. 불교라는 가르침이다. 『금광명최승왕경(金光明最勝王經)』에는 "음식과 약이 차이 없는 것을 알고 처방하는 의사가 훌륭한 의사다(飲食藥無差 斯名善醫者)"라는 경구가 있다. 한의학에서도 마찬가지다. 약과 음식은 근원이 하나라는 뜻의 '약식동원(藥食同源)', '의식동원(醫食同源)'이라는 말에서도 알 수 있듯이, 음식은 건강을 증진하고 질병을 치료하는 효능을 가진 것으로 여겨졌고 식재료가 곧 약재로 이용되었다. 조선의 세조가 지은 의서인 『의약론(醫藥

論)』의 '팔의론(八醫論)'에는 의사를 여덟 종류로 나누고 그 중 셋은 좋은 의사, 나머지는 나쁜 의사로 구분했는데, 좋은 의사 중에서도 약을 잘 써서 낫게 하는 의사보다 음식으로 병을 낫게 하는 의사를 더 좋은 의사로 평가했다.[1]

현대의 병은 못 먹어서 생기는 것이 아니라 먹어서 생기는 것들이다. 비만, 당뇨병은 말할 것도 없고 고혈압, 고지혈증, 지방간, 위염 등 만성질환의 대부분이 먹어서 생긴 식원병(食原病)이다. 암(癌)이라는 한문 글자에는 '입 구(口)'자가 세 개나 들어 있다. 글자를 풀어보면 음식을 산처럼 쌓아놓고 먹어서 생기는 병이 곧 암이라는 뜻이다. WHO 산하 국제암연구소(IARC)의 보고서에 따르면 암의 30%는 식이 요인에 의해 발생한다.

식생활은 만성질환과 연결되는 가장 중요한 라이프스타일이다. 동시에 가장 개선하기 쉬운 영역이기도 하다. 그런데 라이프스타일의학에서 식생활은 그 이상의 의미를 가진다. 우리가 음식을 통해 먹는 것은 단지 영양소가 아니기 때문이다. 음식은 우리의 몸을 만들고 마음을 만들고 삶을 만든다. 가족을 식구(食口)라 하고 사람 수를 헤아릴 때 인구(人口)라 하는 것을 보면, 사람의 몸 중에서 그 사람을 대표할 수 있는 곳이 입이고 살아 있음은 곧 먹는 것이라는 의미로 해석할 수도 있을 것이다. "냉장고를 보여주면 다 보여주는 것이다"라는 말이 있을 만큼, 식생활은 한 사람의 라이프스타일에 대한 정보가 집약된 곳이다.

음식은 우리의 삶에서 통합적인 역할을 한다. 음식은 물리적 실체로서 우리의 신체적 삶을 만드는 재료이기도 하지만 감정적, 사회적, 나아가 영적인 것이기도 하다. 우리 모두에게는 소울푸드(soul food)가 있다. 몸과 마음이 지키고 고단할 때 몸의 기운을 차리게 해주고 마음을 감싸주는 음식, 마음의 허기까지 채워주는 음식이 그것이다. 미국인에게 '영혼을 위한 닭고기 수프(chicken soup for the soul)'가 있는 것처럼 한국인에게는 '고향의 맛', '어머니의 손맛'이라 불리는 것들이 그런 음식이다. "밥 한번 먹자"라는 말은 관계를 돈독히 하자는 의미이고, 성찬식에서 떡과 포도주를 먹는 것은 신앙을 확인하는 행위다.

영화 「슈퍼 사이즈 미(Super Size Me)」의 감독이자 배우였던 모건 스퍼럭(Morgan Spurlock)은 수주일 동안 패스트푸드만 먹으면서 자신에게 일어나는 변화를 그대로 필름에 담았다. 매일 하루

---

1) 팔의는 심의(心醫), 식의(食醫), 약의(藥醫), 혼의(昏醫), 광의(狂醫), 망의(妄醫), 사의(詐醫), 살의(殺醫)를 말한다. 이 중 최고의 의원은 심의로, 환자의 마음을 이용하여 병을 낫게 하는 의원이다. 다음은 음식을 잘 조절시켜 병을 낫게 하는 식의다. 약을 잘 써서 병을 낫게 하는 약의는 세 번째다. 이상의 세 의원은 좋은 의사인 양의(良醫)다. 혼의는 의학 지식을 제대로 갖추지 못하여 환자를 대할 때 당황하고 처방이 일관되지 못한 사람이고, 광의는 약을 과다하게 사용하거나 극약을 함부로 쓰는 사람이다. 망의는 병을 제대로 진단하지도 못하고 제대로 치료하지도 못하는 사람이다. 사의는 돈이 있는 사람에게는 있지도 않은 병이 있다고 하여 돈을 받고, 돈이 없는 환자에게는 병이 없다고 하여 치료하기를 피하는 사람이다. 살의는 환자를 살리기보다는 죽음에 이르게 하는 사람이다.

세끼 패스트푸드만 먹자 당연히 체중이 증가하기 시작했다. 스퍼럭 몸의 생리적 지표들도 심장병, 당뇨병, 고혈압의 위험을 높이는 방향으로 바뀌었다. 그런데 여기서 한 가지 놀라운 사실이 발견된다. 생리적 지표들의 변화가 체중 증가보다 먼저 일어난 것이다. 이것은 지표의 변화가 단순히 높은 칼로리의 음식을 섭취해서 발생한 문제가 아니라는 것을 의미한다. 다시 말해서 증가된 칼로리 섭취, 그리고 먹은 음식의 유형 모두로부터 기인한 것으로 해석할 수 있었다. 게다가 스퍼럭은 자신이 음식에 점점 집착하고 공격적이고 짜증스럽게 변하고 있다는 것을 느꼈다. 이런 변화는 마약 중독자에게 일어나는 일들을 떠올리게 하는 것이다.

우리가 먹는 음식의 종류가 정말 마음과 행동에도 영향을 미칠 수 있을까? 19세기 말 캘리포니아 의사회의 부회장 레먼디노(Peter Remondino)는 범죄가 어느 정도는 부적절한 영양 때문이라고 주장했다. 그리고 100년이 지난 뒤 옥스퍼드대학교의 연구자들은 그것이 사실임을 확인했다. 범죄자 231명에게 매일 종합비타민과 생선기름을 먹도록 하고 행동 변화를 살펴보았는데 4개월 후 심각한 범죄가 37%나 감소했던 것이다.

미국 국립건강연구소의 히벨른(Joseph Hibbeln)은 오메가-3 지방산을 더 많이 먹는 국가일수록 살인율이 낮다고 보고했다. 영국에서 진행된 코호트 연구에서는 아동기에 설탕을 많이 섭취한 사람은 성인이 되어 난폭한 범죄를 저지르는 경향이 유의미하게 높은 것으로 나타났다. 설탕 소비량 증가를 보면 향후 우울증이 증가할지를 예측할 수도 있다. 특히 빵, 쿠키, 칩 같은 가공식품을 많이 섭취하면 우울증 위험이 증가한다.

우리는 빈 위장을 채우기 위해서가 아니라 허전하고 외로운 마음을 채우기 위해서도 먹는다. 실제로는 배가 고프지 않아도 기분 상태에 따라 음식을 섭취하는 것을 정서적 섭식(emotional eating)이라 한다. 이때 찾는 음식들은 대개 달고 기름지고 자극적인 것들이다. **글상자 ❿**에서 설명하는 바와 같이, 이런 음식들은 오히려 부정적인 감정을 증가시킨다. 스트레스, 외로움, 불안, 우울, 피로 같은 감정은 과식의 가능성을 높이는데, 음식으로 마음을 위로하려는 행동은 마음 건강에 매우 해롭다. 몸 건강에 해로운 것은 두말할 나위가 없다.

승려의 공양 그릇을 바리때(발우, 발우대)라 한다. 응량기(應量器)라고도 하는데, 이는 적당한 양을 재는 그릇이라는 뜻이다. 음식을 적당히 먹는다는 것은 곧 마음을 잘 지키는 것이다. 음식을 음식으로서 먹기보다 오락과 쾌락의 수단으로 취하면 점점 더 달고, 더 기름지고, 더 자극적인 맛에 길들여지게 된다. 음식은 단순히 몸의 영양소가 아니다. 사람이 몸만으로 이루어져 있지 않은 것처럼 음식도 몸으로만 먹는 것이 아니다. 사람의 건강을 전일적 관점에서 파악해야 하듯이 음식의 역할도 전일적 차원에서 이해해야 한다. 인도 전통에서는 섭취하는 음식의 양과 종류가 생각의 양과 질에 영향을 미친다고 본다. 불교에는 '선식일여(禪食一如)'라는 말이 있다. 수행과 섭생이 하나라는 뜻이다. 『논어』에 기록된 공자의 식습관을 보더라도 먹는 행위에 대한 주의와 경계가 동양의 문화에서 일반적이었음을 알 수 있다.

글상자⑩ 음식과 정신건강

우리가 설탕을 섭취하는 경로는 주로 가당음료, 패스트푸드, 빵, 과자다. 과도한 청량음료 소비는 우울증, 심리적 고통, 자살 생각 증가와 관련이 있다. 하루 0.5리터의 청량음료를 마시는 것이 우울증 발병 가능성을 60%나 상승시킨다. 우울증을 호소하는 사람들은 패스트푸드 섭취 빈도가 54%나 높은 것으로 나타났는데, 반대로 지중해식 식단은 우울증 발생 가능성을 30% 감소시켰다. 가공식품, 당분, 포화지방을 많이 섭취하는 우울증 환자에게 과일, 채소, 생선, 올리브유 섭취를 늘리고 가공식품을 줄이자 3주 만에 우울증, 불안, 스트레스가 개선되기도 했다(Francis 등, 2019).

당분과 지방이 많이 포함되어 있는 가공식품, 패스트푸드는 아동의 인지 발달에도 해롭다. 영국에서 이루어진 한 연구에서는 이런 식품을 섭취한 아동의 지능지수(IQ)가 유의하게 낮았다. 염증은 지능지수와 인지 능력을 저하시키는데, 이러한 식품들이 모두 염증을 유발하는 것이므로 인지기능에 악영향을 미치는 것은 당연하다.

오메가-3 지방산이 우울증, 불안장애, 주의력결핍 과잉행동장애(attention deficit hyperactivity disorder, ADHD) 완화에 효과가 있다는 사실은 널리 알려져 있었는데, 몇 년 전 우울증 치료에 오메가-3를 이용하는 임상 지침이 마련되기도 했다(Guu 등, 2019). 오메가-3 지방산은 신경질환 및 정신질환과 관련된 산화스트레스와 염증을 감소시킨다. 버섯이나 등 푸른 생선에 많이 함유되어 있는 비타민D는 행복호르몬이라 불리는 세로토닌의 합성에 관여하는 물질이므로, 비타민D가 부족하면 우울증 위험이 증가한다. 짙은 녹색 잎채소에 풍부한 마그네슘 역시 부족하면 우울증 위험이 상승한다.

---

(2) 음식은 유전자의 정보

> "음식이 나쁘면 약이 소용없다. 음식이 좋으면 약이 필요 없다."
> – 아유르베다 잠언 –

의화학의 창시자인 15세기 스위스의 의사 파라셀수스(Paracelsus)는 모든 약은 독이라고 했다. 음식 또한 약이면서 독이다. 음식은 어떻게 우리 몸에서 약이나 독으로 작용하는 것일까?

일단 후성유전학에 대해 설명하면서 소개했던 내용 중 몇 가지를 떠올려 보자. 질병에 취약한 나쁜 아구티 유전자를 가진 쥐라도 어미 쥐가 임신한 동안 충분한 엽산을 공급받으면 나쁜 유전자가 발현되지 않도록 조절되어, 정상 아구티 유전자를 가진 쥐와 같은 외모를 가지고 태어나 건강하게 살 수 있었다. 어려서 기근을 겪은 사람은 유전자 발현이 편집되어 '에너지 절약형' 대사 체계를 갖추고 태어나게 되고, 그 결과 비만, 당뇨병, 고혈압 등이 발병할 가능성이 높아진다. 게다가 그렇게 편성된 유전자 발현 양식은 다음 세대로도 이어질 수 있다. 그런데 이상의 내용은 전체 이야기의 일부에 불과하다. 음식에는 그 이상의 정보가 들어있다.

우리가 먹는 음식에는 세포의 신호전달 시스템을 교란시키는 물질들, 즉 가짜 신호 분자들이 들어 있다. 우리 몸의 세포들이 서로 신호를 주고받기 위해 사용하는 신호 분자(신경전달물질, 호르몬, 사이토카인)와 비슷하게 생긴 가짜 신호들이다. 이런 가짜 신호에 의해 우리 몸이 조종되는 것을 이종조절(xenohormesis)이라 한다(Bland, 2007; Yun 등, 2006).

음식에는 수천 가지 생화학적 활성 물질이 함유되어 있다. 우리는 그것이 단백질, 탄수화물, 지방, 비타민, 미네랄 같은 것이라고 배웠다. 하지만 이 또한 진실의 아주 작은 일부이다. 식품에는 동물호르몬, 식물호르몬, 항생제, 농약, 식품첨가물 등 다 헤아릴 수도 없고 식품성분표에 전혀 표시되지도 않는 물질들이 포함되어 있다. 그런 물질들이 가짜 신호로 작용해서 유전자 발현 방식을 바꾸고 이종조절을 일으키는 것이다.[2]

최대한 비만하게 사육된 가축이나 양식 생선, 육류, 계란 등에 들어있는 과도한 지방은 그 동물이 겪은 스트레스를 표현하는 것이다. 지방조직은 가짜 신호가 농축되어 있는 곳이다. 「슈퍼 사이즈 미」의 주인공은, 그런 음식을 먹는 사람은 외모와 기분도 달라진다는 것을 보여준다. 비만이 염증을 증가시키는 것은 사람에서나 동물에서나 마찬가지다. 비만한 동물들은 많은 염증물질을 만든다. 어쩌면 이것은 우리가 비만해지기 전에도 비만의 온갖 합병증, 즉 만성질환들이 생기는 이유를 알려주는 것인지도 모른다.

게다가 식품산업은 각종 첨가물들을 추가하여 유통시킨다. '무설탕', '제로칼로리', '저칼로리'로 표시된 다이어트 음료의 첨가물들은 신체가 정상적으로 칼로리 조절을 위해 사용하는 신호를 모방하여, 다이어트 음료를 선택하는 소비자의 기대와는 전혀 다른 결과를 초래할 수 있다(Yun 등, 2006).

---

2) 과일과 채소에 널리 사용되고 있는 농약인 클로르피리포스(chlorpyrifos)가 전 세계 비만 유행의 원인일 수도 있다는 연구가 발표되기도 했다(Wang 등, 2021). 클로르피리포스는 갈색지방 조직에서 칼로리 연소를 낮춘다.

우리는 이종조절 물질을 오랫동안 치료제로 사용해 왔다. 유전자재조합기술로 사람 인슐린을 생산할 수 있게 되기 전에는 소나 돼지의 인슐린을 당뇨병 치료제로 사용했고 식물성 에스트로겐, 식물성 프로게스테론을 호르몬 치료와 비슷한 목적으로 사용하기도 한다.

'이종조절(xenohormesis)'이라는 말은 하버드 의대의 싱클레어(Daivd Sinclair) 등이 쓴 논문에서 처음 사용되었다(Lamming 등, 2004). 이 개념은 식물이 스트레스를 겪을 때 만드는 폴리페놀(polyphenol) 같은 분자가, 그것을 섭취한 사람의 수명을 연장하는 효과를 낼 수 있다는 가설에서 시작되었다. 성장 중인 식물이 영양분 부족이라는 스트레스를 받게 되면 폴리페놀 함량이 증가하게 되는데, 이것은 그 식물을 먹은 동물의 몸에 들어가서 다가올 기근의 위험을 알리는 신호가 될 수 있다. 동물의 몸은 그 신호에 반응하여 대사를 낮추게 된다. 폴리페놀의 일종인 레즈베라트롤(resveratrol)이 가지고 있는 수명 연장과 질병 보호 효과는 그런 반응의 결과일 수 있다(Salish 등, 2015) ('글상자⓳ 시르투인과 장수유전자' 참고).

레즈베라트롤의 경우처럼 그것을 먹는 동물에게 유리한 작용을 하는 이종조절 물질도 있지만, 현대인의 식사에 포함된 이종조절 물질들은 유리한 것과는 거의 상관이 없다. 가공식품에 첨가되는 화학물질이 유익한지 해로운지는 설명이 불필요할 것이다.

축산물과 양식 생선에도 이종조절을 일으키는 물질들이 많이 들어있다. 사육 또는 양식된 동물은 엄청난 스트레스 속에서 자라기 때문에 스트레스 신호물질을 많이 생산하는데, 그런 물질들은 그것을 섭취하는 우리 몸에도 스트레스 신호가 된다. 게다가 양식되거나 사육되는 대부분의 동물들은 최대한 몸집을 키우기 위해 성장촉진제, 항생제를 약제나 사료를 통해 투여받는다. 에스트라디올(에스트로겐의 일종), 테스토스테론, 프로게스테론 같은 성호르몬도 투여된다. 이 호르몬들은 단백질 합성을 촉진하고 지방조직을 더 빨리 성장시킨다. 미국에서는 95% 이상의 소들이 이런 식으로 사육된다. 소들이 먹는 사료에는 제초제나 살충제도 포함되어 있다. 이들은 동물의 몸에서 쉽게 배출되지 않고 대개 지방조직에 축적된 채로 그 고기를 먹는 사람에게 전달된다. 소고기의 살충제 오염이 사람들에게 암을 유발하는 전체 원인의 11%를 차지한다고 추정한 보고도 있다.

2 무엇이 문제인가

(1) 최고의 식단

> "진짜 음식을 먹고 과식하지 말고 식물을 주로 섭취하라."
> - 마이클 폴란(Michael Pollan) -

먼저 각자의 평소 식생활을 돌아보고 나서, 앞으로 살펴볼 식생활 지침과 비교해 보자. 흰 종이 위에 **그림 13** 와 같이 커다란 접시와 컵을 그린다. 접시의 지름은 30 cm라고 가정한다. 이제 세상의 모든 음식이 준비되어 있는 뷔페식당에 갔다고 상상하고, 접시와 컵 안에 어떤 음식을 담아 먹을 것인지를 표시해 본다. 담을 음식의 가지 수만큼 접시를 여러 칸으로 나누고 그곳에 '스테이크', '사과'처럼 글씨를 써넣으면 된다. 각 칸의 크기는 그 음식을 먹을 양에 비례하도록 나눈다. 여러 가지 음료를 마시고 싶다면 컵을 더 그려도 좋다. 완성된 그림을 잠시 옆에 두고 본론을 시작하자.

그림 13 나의 접시

세상에는 헤아릴 수도 없을 만큼 많은 식이요법이 있다. 새로 등장한 식이요법이 한동안 유행하다가 곧 다른 것으로 관심이 옮겨지는 것은 체중조절을 위한 식이요법뿐 아니라 특정 질병에 효과가 있다는 식이요법에 대해서도 마찬가지다. 때로는 고지방·고단백 다이어트처럼 기존의 상식을 뒤엎는 급진적인 방식이 관심을 끌기도 하고, 그 중 어떤 것들은 오히려 건강을 해쳐서 물의를 빚기도 한다. 이미 무수한 식이요법이 있음에도 불구하고 새로운 식이요법이 끝없이 등장하는 것은 식이요법에 왕도가 없기 때문일지도 모른다. 정말 왕도는 없는 것일까?

카츠(Katz)와 멜러(Meller)는 저탄수화물 식단, 저지방 식단, 채식, 지중해 식단, 구석기 식단 등 다양한 식단을 비교하여, 최소한으로 가공된 자연에 가까운 식품(whole food), 그리고 거의 식물성 식품으로 구성된(plant-based) 식단이 건강증진 및 질병 예방과 명백히 관련되어 있음을 발견했다(Katz 등, 2014). 또한 겉으로는 달라 보여도, 건강한 식이요법이라고 알려진 것들의 구성 요소와도 일치한다는 것을 확인했다. 바로 식물성 전체식품(WFPB)을 위주로 하고 정제된 전분, 첨가당, 가공식품을 제한하는 것이다. 채식을 한 사람일수록 만성질환 위험이 낮아진다는 것은 콜린 캠벨(Colin Campbell)이 '차이나연구(The China study)'를 통해 내린 결론이기도 하다.

1970년대 미국의 '암 정복 프로젝트'를 필두로 시작된 암과 인류의 전쟁은 50년 넘게 진행 중이다. 성과가 전혀 없었던 것은 아니지만 목표 대비 성과나 비용 대비 효과 면에서 보면 참담한 실패라 하지 않을 수 없다. 미국암협회(American Cancer Society)의 보고에 따르면, 미국 남자가 살면서 암에 걸릴 확률은 47%, 여자는 38%에 이른다. 세계에서 가장 많은 보건의료 예산을 집행하고, 세계에서 가장 많은 유제품과 식이보충제를 소비하는 미국에서 암을 비롯한 만성질환의 발병률이 전 세계에서 최고 수준이라는 것은 쉽게 납득이 되지 않는다. 일부에서는 이런 높은 암 발병률이 건강검진과 진단 기술의 발달에 의한 착시현상이라고 말하기도 한다. 그러나 이것만으로는 암 발생률의 증가를 설명하기 어렵다.

차이나연구는 그 답을 음식에서 발견했다. 바로 단백질이다. 아마 "나도 혹시 단백질이 부족한 것은 아닐까" 하고 걱정하면서 조금 전에 자신이 그린 접시를 살피는 독자도 있을 것이다. 그러나 문제는 단백질 부족이 아니라 과잉이다. 우리가 말하는 보양식들은 거의 고단백 식품이다. 현재의 영양학 또한 단백질 영양학이라 해도 과언이 아닐 만큼 단백질을 중시한다. 하지만 우리 몸은 이런 식품들과 단백질을 그렇게 많이 필요로 하지 않는다. 오히려 필요 이상으로 많이 섭취할 경우에는 암을 비롯한 만성질환의 발병 가능성이 높아진다. 캠벨이 수행한 연구의 결론은 단백질이 암 발생의 스위치 역할을 한다는 것이다. 물론 단백질은 반드시 필요하다. 그렇지만 육류, 생선, 계란, 우유 등은 가급적 피해야 한다. 이쯤에서 많은 독자들이 혼란을 느낄 것이다. 단백질이 필요한데 단백질 식품을 피해야 한다는 것은 앞뒤가 맞지 않는다고 생각되기 때문이다. 이것은 우리의 영양학적 상식에서 식물성 단백질이 완전히 무시되고 있기 때문에 벌어지는 일이다.

블록(Block) 등은 200여 편의 논문을 분석하여 채식 위주 식사가 육식 위주 식사보다 여러 종류의 암 위험을 크게 낮춘다는 것을 발견했다(Bloac 등, 1992). 과일과 채소가 질병을 예방하고 건강을 증진시킨다는 것은 손을 닦는 것이 감염병 위험을 낮춘다는 것만큼이나 확고한 사실이다. 캠벨은 가공하지 않은 식물성 식품에서 대부분의 칼로리를 섭취한다면 암뿐 아니라 대부분의 만성질환(심·뇌혈관질환, 당뇨병, 자가면역질환, 골다공증 등)을 퇴치할 수 있다고 했다.

터너(Turner)는 진행되던 암이 갑자기 휴면 상태에 들어간 사람들의 아홉 가지 공통점을 제시했는데, 그 중 음식에 관한 것으로는 채소와 과일을 많이 섭취하고, 정제된 당분, 고기, 유제품을 제한하며, 청량음료나 주스 대신 깨끗한 물을 마시는 것이 포함되어 있다(Turner, 2015). 지방 섭취도 중요한데, 단지 지방 섭취만 20% 감소시킨 여성은 5년 후, 그렇지 않은 여성보다 유방암 위험이 42% 감소했다(Chlebowski, 2006).

이제 앞에서 제기했던 "식이요법에 정말 왕도는 없는 것일까?"라는 질문에 개략적인 답변이 나오는 것 같다. 하지만 아직 예비적 답변에 불과하다. 차근차근 그 근거를 더 철저하게 확인해 보아야 한다.

글상자⑫ 차이나연구

콜린 캠벨은 미국암연구협회 회장을 역임했으며 미국의 보건의료 정책과 관련하여 오랫동안 자문 역할을 했다. 그는 암 발생률과 지역의 상관관계에 관한 8,000가지 이상의 통계 결과를 토대로, 단백질이 암과 같은 만성질환의 발생에 결정적 영향을 미치며, 특히 단백질을 섭취 칼로리의 10% 이상 섭취할 경우 암 발생률이 증가한다는 연구 결과를 발표했다.

차이나연구(China-Oxford-Cornell Study on Dietary, Lifestyle and Disease Mortality Characteristics in 65 Rural Chinese Counties, The China study)는 지금까지 행해진 가장 포괄적이고 광범위한 건강 및 영양학 연구라 불린다. 『뉴욕타임스(The New York Times)』는 이 연구를 '질병 역학의 그랑프리'라 하고, 건강 분야에서 식습관과 질병 사이의 관계를 연구한 가장 포괄적이고 중요한 업적이라 평가했다. 이 연구는 1980년대에 중국에서 수행된 대규모 관찰연구였다. 중국인들은 유전적으로 큰 차이가 없음에도 불구하고 암을 포함한 만성질환의 발병률에는 놀라울 정도의 지역별 편차가 있었다. 원인은 이들이 먹는 음식이었다는 것이 밝혀진다.

차이나연구의 핵심은 다음과 같이 요약된다. 첫째, 영양은 수많은 식품 성분의 복합적 작용으로 나타난다. 음식물 안의 화학물질은 서로 협력하여 일련의 반응을 일으킨다. 따라서 전체(음식 전체의 효능)는 부분(개별 영양소의 효능)의 합보다 크다. 둘째, 식이보충제(건강기능식품)는 우리가 모르는 부작용을 야기할 수 있다. 또한 식이보충제에 의존하는 사람은 건강한 식습관에서 점점 멀어지게 된다. 현재 서구식 식생활의 문제는 식이보충제를 먹어서 극복할 수 있는 문제가 아니다. 셋째, 식물성 식품의 영양소는 동물성 식품보다 우수하다. 필수 영양소가 아닌 것 중에서 식물성 식품에는 없고 동물성 식품에만 있는 것이 콜레스테롤인데, 콜레스테롤은 인체에서 충분히 만들어내므로 식품에서 섭취할 필요가 없다. 넷째, 유전자는 스스로 병을 일으키지 않는다. 암을 유발하는 유전자는 단백질 섭취에 의해 크게 영향을 받는다. 동물성 단백질 섭취를 조절하는 것만으로 나쁜 유전자를 끄거나 켤 수 있다. 다섯째, 영양소는 질병을 예방할 뿐 아니라 진행 과정을 중지시키거나 치료할 수 있다. 이미 발병하여 진행 중인 암이라도 좋은 영양소로 진행 속도를 늦추거나 중지하거나 돌이킬 수 있다. 여섯째, 특정 질병에 효과가 있는 영양소는 다른 질병에도 효과가 있다. 즉, 한 가지 식이요법으로 여러 질병을 동시에 예방하거나 치료할 수 있다. 일곱째, 정제된 탄수화물, 식물성 기름(옥수수유, 올리브유 포함), 생선은 최소로 줄이고 육류, 가금류, 유제품, 계란은 피한다. 가공하지 않고 정제하지 않은 식물성 식품이라면 원하는 만큼 먹어도 된다.

(2) 동물성 식품, 왜 문제인가

"가장 효과적인 건강관리는 셀프케어이고 그것은 바로 영양을 통해 가능하다."
- 조엘 펄먼(Joel Fuhrman) -

적색육 섭취는 심혈관질환과 암으로 인한 사망 위험을 높인다(Pan 등, 2012). 2015년 WHO 산하 국제암연구소(IARC)는 가공육을 1군 발암물질로, 적색육을 2A군 발암물질로 분류하고 암 예방을 위해 이들의 섭취를 줄일 것을 권고했다(Bouvard 등, 2015). 적색육과 가공된 육류의 섭취는 당뇨병 위험도 높이고(Pan 등, 2011), 심혈관질환을 비롯해 모든 원인으로 인한 사망 위험도 증가시킨다(Abete 등, 2014).

비교적 건강에 좋은 단백질이라 여겼던 백색육(white meat)도 안심할 수 없다. 차이나연구의 결론은 적색육뿐 아니라 가금류와 생선을 포함한 모든 동물성 단백질을 피해야 한다는 것이다. 백색육에도 인슐린유사성장인자-1(IGF-1) 같은 성장인자가 들어 있고 이들은 암 발생 위험을 상승시킨다. 적색육, 백색육, 계란, 우유를 막론하고 모든 동물성 식품에는 콜레스테롤이 들어 있어 심·뇌혈관질환의 위험을 증가시킨다. 다행히 식물성 단백질은 그런 위험을 높이지 않는다. 게다가 항산화성분과 식이섬유가 풍부하여 만성질환으로부터 보호하는 효과가 있다.

명절 선물로 가장 선호되는 것 중 하나가 한우다. 우리나라에서는 마블링(marbling)이 많이 되어있을수록 고급육으로 여긴다. 하지만 우리나라 고기 등급은 영양학적 등급과는 전혀 무관하다. 오히려 높은 등급의 고기가 더 불건강한 식품이다.

마블링은 육류를 연하게 하고 육즙이 많게 하는 지방의 분포를 말한다. 이것은 고기의 근육조직을 관통하는 작은 지방 조각 또는 지방의 얇은 층, 즉 근내지방이다. 지방이 근육 내에 골고루 많이 있으면 상대적으로 결합조직 입자가 가늘어지고 근육조직이 연해지기 때문에 고기 맛이 좋아진다.

그런데 외국에는 우리나라에서 최고 등급으로 여기는 정도로 마블링된 소고기가 없다. 그런 소를 키우지 못해서가 아니다. 꽃등심을 비롯해 유독 마블링을 선호하는 우리나라에 수출하기 위해 마블링된 소를 따로 사육할 뿐, 자국에서 소비하지는 않는다.

사실 소고기의 마블링 정도는 그 소의 불건강한 정도를 보여주는 지표다. 근내지방이 생길 정도의 소는 고도비만의 병든 소다. 간 기능이 손상되고 대사 기능이 거의 마비되어야 비로소 지방이 근육 내부로까지 침투해 마블링이 된다.

방목하여 건강하게 자란 소는 마블링이 없다. 일부러 마블링을 만드는 방법은 소를 움직이지 못하게 하고 열량이 높은 곡물(옥수수) 사료를 먹여 살을 최대한 찌우는 것이다. 소에게 풀을 먹이지 않고 곡물 사료를 먹이는 것은 사람이 밥 대신 설탕을 먹는 것과 같다. 곡물을 먹은 소는 좋은 지방인 오메가-3는 낮아지고 염증을 일으키는 오메가-6는 증가하여 먹는 사람에게도 동맥경화 위험을 높인다.

게다가 지방조직은 환경 유해물질들이 농축되는 부위다. 물론 소에게 투여한 성장촉진제나 항생제도 문제다. 미국에서 판매되는 항생제 중 거의 80%가 사육되거나 양식되는 동물에게 투여되고 있는데, 미국 질병통제예방센터(CDC)에서는 매년 40만 명 이상의 미국인이 음식을 통해 섭취한, 항생제에 내성을 가진 세균에 의한 감염증을 앓는 것으로 추산했다.

좁은 축사에서 사육된 동물의 스트레스는 사람이 상상하기 어려울 정도다. 밀집된 양계장에서 키워지는 닭들은 서로 공격하는 것을 막기 위해서 부리가 잘려진다. 그런 동물의 고기로부터 우리가 먹게 되는 것은 단지 단백질이나 지방이 아니라는 것을 '글상자⑪ 이종조절'에서 이미 설명했다.

1873년, 영국의 의사 에드워드 스미스(Edward smith)는 생선이 뇌 활동이 많은 사람들이나 불안과 고통을 겪는 이들에게 적합하다고 책에 썼다. 최근까지도 생선은 뇌 건강에 유익한 '브레인 푸드(brain food)'로 여겨졌다. 생선은 오메가-3의 공급원이고 장수촌으로 이름난 곳 중에는 해산물을 충분히 섭취하는 지역이 많다. 생선은 적색육에 비해 건강한 동물성 식품으로 인식되고 있고, 지중해 식단 같은 건강 식단도 생선을 포함한다. 그러나 안타깝게도 이제 생선은 영양학과 독성학을 동시에 고려해서 섭취를 제한할 필요가 증가하고 있다. 양식 생선은 말할 것도 없고 자연산 역시 수은 같은 중금속이나 미세 플라스틱에 오염되어 있기 때문이다. 특히 양식된 생선은 사육한 축산물과 같은 문제도 갖고 있다.

삼면이 바다로 둘러싸여 해산물을 많이 섭취할 수 있는 우리나라의 여건도 더 이상 축복은 아니다. 2020년 조사에서는 한국인 4명 중 1명에서 혈중 수은이 건강 영향 기준치를 초과한 것으로 나타났다(Lee 등, 2020). 미국이나 독일 등 선진국보다 3~5배나 높은 수준이다. 연어, 참치 등 먹이사슬 꼭대기에 있는 생선 섭취가 몸속 수은 농도 증가의 원인으로 지목된다. 따라서 이러한 생선은 너무 자주 먹지 않는 것이 바람직하다. 물론 작은 생선도 안전하지 않다. 환경호르몬은 미세 플라스틱에 흡착되어 인체에 유입될 수 있는데, 큰 생선은 미세 플라스틱에 많이 오염된 내장만이라도 제거하고 먹을 수 있지만, 잔멸치 같은 작은 생선은 그조차 불가능하다.

글상자⑭ 저탄고단, 저탄고지 식이요법

체중을 줄이는 방법은 여러 가지다. 그 중 식이요법은 가장 많이 이용되는 체중조절 방식이다. 체중조절 식이요법의 종류도 헤아릴 수 없이 많은데, 이 중에는 흡연으로 체중을 줄이는 것만큼이나 건강하지 않은 식이요법도 있다. 최근에는 저탄고단(low carb high protein, LCHP), 저탄고지(low carb high fat, LCHF) 식단이 유행했다. 저탄고단, 저탄고지 식단은 탄수화물을 제한하고 단백질이나 지방 위주로 섭취하는 것이다. 결국 채식이 아닌 육식을 하게 된다.

대표적인 것으로 구석기 식단(Paleo diet), 케톤 생성 식단(Ketogenic diet), 앳킨스 식단(Atkins diet) 등이 있다. 구석기 식단은 단백질, 지방, 섬유질 위주의 식사를 하고, 사람이 농경생활 이후 먹게 된 쌀, 밀, 콩, 유제품은 제한한다. 케톤 생성 식단은 고지방 식단으로, 탄수화물을 극도로 제한하고 지방을 주로 섭취한다. 이 식단은 원래 뇌전증(간질) 치료 목적의 식이요법이었다. 저탄고단 식단 중 가장 널리 알려진 것은 황제 다이어트라고도 불리는 앳킨스 식단이다. 앳킨스 식단에서는 먹고 싶은 만큼 육류와 생선을 먹고 탄수화물은 제한한다. 저탄고단이라고는 하지만 육류를 많이 섭취하게 되면 결과적으로는 저탄고지가 된다.

이런 방법들의 체중 감량 효과는 어느 정도 입증되기도 했다. 평소에 탄수화물을 많이 섭취했던 사람일수록 탄수화물 비중을 줄인 만큼 전체 열량 섭취가 줄어들게 되고, 동화호르몬(anabolic hormone)인 인슐린 분비도 덜 자극된다. 게다가 단백질은 인슐린과 반대되는 작용을 하는 글루카곤이라는 이화호르몬(catabolic hormone)을 분비시킨다. 단백질을 많이 섭취하면 다이어트로 인한 근육 손실을 예방할 수 있고, 새로운 근육을 합성하는 데도 도움이 되기 때문에 체중 감량에 유리한 측면도 있다. 음식 섭취량이나 열량을 제한하지 않는다는 점에서도 다른 식이요법에 비해 선호된다.

그러나 저탄고단, 저탄고지 식단은 필연적으로 단백질과 지방을 과잉 섭취하게 된다. 고단백 육식으로 인해 칼슘 배설이 증가하고, 요산 증가로 인해 통풍이 야기될 수 있으며, 혈액이 산성화된다. 암과 심혈관질환 위험도 상승하게 된다. 단백질을 과도하게 섭취하면 질소 노폐물이 많이 생성되는데, 이를 해독하고 배설해야 하는 간과 신장에도 부담이 된다. 장에서 유해균들에 의해 단백질이 부패하면서 만들어지는 독소는 대장에 염증이나 궤양을 야기할 수 있고 혈류로까지 흘러들어 간다.

탄수화물은 인슐린 분비를 자극하고, 인슐린 분비는 지방을 축적하고 지방 분해를 방해하므로, 결국 탄수화물이 체지방 증가의 원인이 된다는 것이, 체중조절이나 근육 강화를 목적으로 하는 여러 식이요법에서 저탄고단을 채택하는 근거다. 그런데 탄수화물보다는 덜 해도 단백질 역시 인슐린 분비를 자극하고 과도하게 섭취하면 역시 지방으로 저장된다. 게다가 우리 몸에는 포도당신생합성(gluconeogenesis)이라는 기전이 있어서, 탄수화물이 공급되지 않으면 다른 방식으로 당으로 만들어 에너지원으로 활용한다.

저탄고지 식단인 케톤 생성 식단을 하는 경우, 당분 섭취를 제한하므로 혈당도 따라서 감소하게 되지만, 세포나 장기 수준에서 고혈당이 치료되는 것이 아니다. 따라서 이 식단으로 당뇨병을 치료할 수 있다는 것은 잘못 알려진 것이고, 단지 혈당을 낮추는 일시적 효과에 불과하다. 요컨대 동물성 저탄수화물 식사는 심혈관질환 사망률을 포함하여 모든 원인에 의한 사망률을 높인다(Li 등, 2014).

건강상의 위험을 감수하고서라도 체중조절을 위해 저탄고지, 저탄고단을 고려하고 있다면, 이 식단들이 장기적인 성공을 가져오는 전략이 아니라는 것을 보여주는 연구들을 살펴볼 필요가 있다. 치즈케이크를 너무 좋아해서 치즈케이크라면 자다가도 일어나는 사람이라 해도 평생 치즈케이크만 먹고 살 수는 없다. 치즈케이크만큼은 아니더라도 좋아하는 다른 음식들이 있을 것이고, 그것들을 모두 포기하며 지내다가는 어느 순간 식욕이 폭발하고 체중이 반등하게 된다. 한 연구에 의하면 앳킨스 식단의 경우 중도 포기가 40%에 육박하며 6~12개월 후에 요요가 온다. 먹고 싶은 음식에 대한 갈망을 억누르면서 생기는 심리적 불안과 강박, 함께 음식을 나누면서 이루어지는 사회적 관계에서의 부자연스러움도 결코 작은 문제가 아니다.

체중조절이 아닌 질병 치료나 건강증진이 목적이라면 특정 영양소를 피하거나 집중적으로 한 가지 음식만 섭취하는 방식은 반드시 지양해야 한다. 그러한 식이요법은 영양 불균형을 초래할 수밖에 없기 때문이다. 충분한 비타민과 미네랄이 공급되어야 신체 대사가 원활하게 진행되는데, 이러한 물질들은 단백질과 지방이 많이 함유된 동물성 식품이 아니라 탄수화물을 많이 함유한 곡물, 채소, 과일을 통해 공급된다는 점도 기억해야 한다.

장수 마을로 알려진 지역의 사람들은 고탄저단저지 식사를 한다. 영양학에서는 대개 탄수화물 50~60%, 단백질 15~20%, 지방 30% 이내를 권장하지만, 콜린 캠벨을 포함한 권위 있는 영양학자들은 탄수화물:단백질:지방 비율을 80:10:10으로 하는 칼로리 백분율을 제안한다. 이들은 이 비율이 최적의 칼로리 구성이고 장수 식단이라고 말한다.

3 채식

(1) 75%의 믿음, 80%의 진실

2016년 미국 성인을 대상으로 한 조사를 보면, 미국인 75%가 자신은 건강하게 먹는다고 답했는데, 실제로는 80% 이상이 과일과 채소를 권장량만큼 섭취하지 않고 있었다. 이들은 무엇을 건강한 음식이라고 생각하고 있었던 것일까? 우리가 가진 음식에 대한 지식을 점검해서 틀린 것들을 걷어내면 남는 것이 얼마나 될까? 옳은 것이라고 해도 실제 식생활에 적용되지 못하는 지식인 경우가 허다하다. 예를 들면 하루에 단백질 50 g, 비타민C 100 mg을 섭취해야 한다는 식의 오래된 교과서적 지식이 그렇다. 언젠가부터 생선 한 토막, 사과 한 개 같은 식으로 구체적인 음식의 종류와 양이 제시되면서 조금 나아지기는 했다. 최근 들어서는 접시 모델을 이용하여 건강하고 균형 잡힌 식사의 지침을 더 쉽게 전달하고 있다.

그림 13 에서 그렸던 '나의 접시'와 전문가들이 권장하는 접시 모델을 비교해 보자. **그림 13** 에서는 뷔페에서 먹고 싶은 음식을 담은 것일 뿐, 건강한 음식을 담은 것은 아니었다는 변명은 필요 없다. 알고 먹은 음식과 모르고 먹은 음식이 우리 몸에서 달리 작용하는 것이 아니기 때문이다.

그림 14 는 2011년 하버드 보건대학원과 하버드 의대 전문가들이 개발한 접시 모델로, 접시에 음식이 담길 만큼 칸을 나누어 표시해서 섭취할 양을 확인할 수 있도록 했다. 하버드 접시

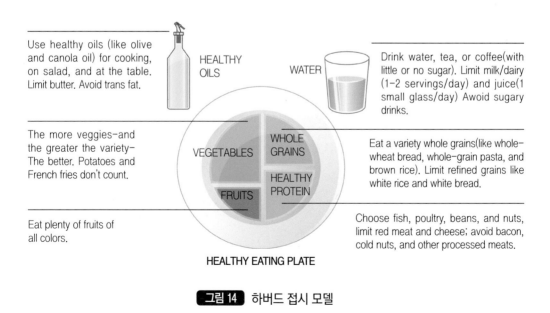

그림 14 하버드 접시 모델

에서는 매끼 식사의 절반은 채소와 과일로, 절반은 통곡물과 건강한 단백질로 먹도록 권장하는데 가장 많이 먹어야 하는 것은 채소다. 적색육, 가공육, 치즈 등은 제한한다. 유제품 음료도 제한하고 대신 물, 차, 커피(무가당)를 마시도록 했으며, 요리 기름에 대해서는 올리브유나 카놀라유 같은 불포화지방을 사용할 것을 권장한다.

2011년에 미국 연방정부도 '나의 접시(My Plate)'를 발표하고 기존의 하루 칼로리 섭취 권장 방식을 대체했다. 여기서도 접시의 절반은 과일과 채소, 나머지 절반은 곡류와 단백질 식품으로 채우도록 한다. 하버드 접시와 비교하면 채소의 양은 다소 적고 대신 과일이 조금 많다. 단백질로는 살코기, 가금류, 계란, 생선, 콩을 다양하게 섭취하도록 한다. 하버드 접시에 비해 동물성 단백질에 대한 제한이 덜하다. 무엇보다도 유제품을 허용한다는 점이 하버드 접시와 비교된다. 다만 우유는 탈지우유나 저지방 우유를 권장하고 있다.

(2) 라이프스타일의학회의 식생활 지침

다음으로 '나의 접시'를 라이프스타일의학 전문가들이 권장하는 접시 모델과 비교해 보자. 연방정부 접시 모델과 하버드 접시 모델의 가장 큰 차이는 하버드 접시 모델이 동물성 단백질과 유제품을 더 엄격히 제한한다는 점이었다. 그런데 미국라이프스타일의학회의 지침은 이런 식품들을 아예 배제한다. 미국라이프스타일의학회는 동물성 단백질과 유제품, 기름을 모두 피하도록 하고 식물-기반 전체식품(이하 WFPB)을 권장한다. 이 식단은 브랜다 데이비스(Brenda Davis) 등이 소개한 완전채식, 즉 비건(vegan) 접시 모델과 거의 일치한다(Davis 등, 2014).

그림 15 에 비건 접시 모델이 그려져 있다. 이 접시는 하버드 접시에서 통곡물과 건강한 단백질 두 칸으로 되어 있는 자리를 세 칸으로 나누어, 견과류와 씨앗류를 위한 자리를 별도로 마련하였다. 접시의 가운데는 두유나 짙은 녹색 잎채소처럼 칼슘이 풍부한 음식을 따로 표시하고 있다. 채소, 버섯, 과일, 콩류, 통곡물, 견과류, 씨앗류를 충분히 먹고 적색육, 가금류, 계란 등 동물성 식품을 모두 피한다. 소시지, 베이컨, 살라미, 볼로냐, 델리미트(런천미트) 같은 가공육은 물론이다. 유제품(특히 소금, 설탕이 첨가되고 고지방인 짓)도 마찬가지다. 크래커, 칩 같은 가공된 과자, 케이크, 파스타, 사탕, 그리고 청량음료, 주스, 칵테일, 커피, 에너지 드링크 등 당분이 많은 음료도 모두 제한한다.

그러나 모든 라이프스타일학회에서 비건 식단을 권장하는 것은 아니며 지방의 섭취량에 대해서도 큰 차이가 있다. 유럽라이프스타일의학기구는 골고루 먹을 것을 권하고, 호주라이프스

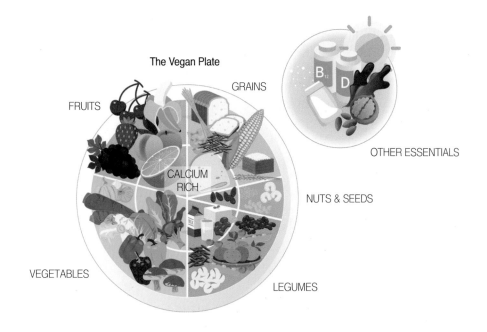

The Vegan Plate

FRUITS
GRAINS
CALCIUM RICH
OTHER ESSENTIALS
NUTS & SEEDS
VEGETABLES
LEGUMES

그림 15 비건 접시 모델

타일의학회는 가공육을 피하도록 하지만 적색육과 가금류에 대해서는 특별한 제한을 하지 않는다. 생선과 약간의 알코올을 허용하는 것도 미국라이프스타일의학회와는 다른 점이다. 지방 비율도 미국에서는 10% 이하를 권장하는 의견이 우세하지만, 호주의 경우는 심장병 예방과 체중조절을 위해 현재의 40%보다 적은 30%로 줄일 것을 권장한다. 유럽라이프스타일의학기구도 지방 섭취량을 총 에너지 섭취량의 30%를 초과하지 않도록 하고, 트랜스지방을 피하고 포화지방보다는 불포화지방을 섭취하며, 최소한으로 가공 처리된 식품을 섭취하고, 하루 소금 섭취량을 5 g 미만으로 유지할 것 등을 제시하고 있다.[3]

미국라이프스타일의학회가 권장하는 비건 접시를 채택할 경우에는 별도로 보충해야 하는 몇 가지 영양소가 있다. 오메가-3, 비타민B₁₂, 요오드가 그것이다. 충분히 햇볕을 쐴 수 없는 사람이라면 비타민D도 별도로 보충해야 한다. 하지만 한식을 기반으로 한 채식을 한다면 이러한 보충제는 거의 필요하지 않을 수 있다. 오메가-3는 들기름 같은 식물성 식재료를 통해서도 공급받을 수 있고 김, 미역, 다시마를 비롯한 해조류에는 칼슘, 단백질 외에도 요오드, 식이섬유,

---

3) 소금을 5 g(나트륨으로 2 g) 미만으로 섭취하면 고혈압을 예방하고 성인 인구의 심장병 및 뇌졸중 위험을 줄이는 데 도움이 된다. WHO 회원국은 2025년까지 전 세계 인구의 소금 섭취량을 30% 줄이고 성인과 청소년의 당뇨병 및 비만 증가와 아동 과체중의 증가를 중단시키기로 합의한 바 있다.

비타민B$_{12}$까지 함유되어 있다. 종류가 다양하고 각종 음식에 이용되는 버섯은 비타민D가 풍부하다. 한식은 그 자체로 완벽한 건강 식단이라 할 수 있다.

이제 각자에게 숙제가 던져졌다. 연방정부 접시와 하버드 접시도 다르고, 라이프스타일의학 전문가들이 제안하는 접시도 모두 다르다. 어떤 접시가 정말로 자신에게 좋은 접시인지 스스로 판단해야 한다. 우선 동물성 식품, 특히 유제품까지 피해야 한다는, 기존의 영양학적 상식과 계속 마찰을 일으키는 문제를 해결해야 할 것이다.

(3) 질병을 역전시키는 유일한 식단

> "두 종류의 심장병 전문의가 있다.
> 비건인 의사와 비건에 대해 모르는 의사다."
> - 킴 윌리엄스(Kim Williams) -

각 사람의 건강 상태를 불문하고 질병을 예방, 중단, 역전시키고 노화를 늦출 수 있는 가장 좋은 식단이 WFPB라는 증거는 매우 강력하며 지속적으로 늘어나고 있다. 프래저(Fraser)는 채식이 만성질환에 미치는 영향을 검토했다(Fraser, 2009). 이에 따르면 채식을 하는 사람은 LDL 콜레스테롤이 낮고 비만 유병률, 관상동맥질환 발병률, 고혈압과 당뇨병 발병률이 모두 낮다. 채식하는 사람의 암 발생률은 같은 지역에 사는 다른 사람들보다 낮고 기대수명은 더 길다. 또 다른 연구에 의하면 채식은 관상동맥질환 위험 40%, 뇌혈관질환 사고 위험 29%, 대사증후군과 당뇨병 위험을 50% 감소시켰고, 특히 당뇨병 환자에서는 체중, LDL 콜레스테롤, 당화혈색소 (HbA1c)를 일반적인 의학적 치료보다 2배나 감소시켰다(Kahleova 등, 2017). 단지 섭취하는 열량의 5%를 동물성 식품에서 식물성 식품으로 바꾸어 섭취하기만 해도 당뇨병 위험이 23%나 감소한다(Malik 등, 2016).

건강과 장수는 동물성 단백질을 통곡물 같은 복합탄수화물로 바꿀 때 최적화된다(Solon-Biet, 2014). 동물성 단백질은 조기사망 위험을 크게 증가시킨다. 동물성 단백질을 많이 섭취해 온 50~65세의 6천 명 이상을 18년간 추적한 연구에서는 전반적인 사망률이 75% 증가했고, 암으로 인한 사망은 400%, 당뇨병은 500% 증가한 반면, 식물성 단백질은 이상의 모든 원인으로 인한 조기사망을 감소시켰다(Levine 등, 2014). 동물성 단백질을 적게 섭취하면 체내에서 IGF-1이 감소된다. IGF-1은 만성염증과 암의 성장 및 전이를 촉진하므로 IGF-1을 낮추는 것은 암, 당뇨병 등 만성질환 위험을 감소시키고 수명을 연장한다(Couzin-Frankel, 2014).

동물성 식품을 감소시켜야 하는 이유 중 하나는 콜레스테롤이 동물성 식품에만 들어 있기 때문이고, 식물성 식품을 섭취해야 하는 이유 중 하나는 식이섬유[4]가 식물에만 있기 때문이다. 만성염증을 증가시키는 해로운 지방(대부분의 포화지방, 트랜스지방, 경화유)도 주로 동물성 식품을 통해 섭취된다. 건강과 관련하여 식생활 개선을 하려는 가장 흔한 이유 중 하나는 체중 조절인데, 일반인들이 매 끼니마다 칼로리를 계산하는 것은 쉽지 않다. 하지만 전문가들은 WFPB 식사를 할 때는 칼로리 계산을 하지 않아도 된다고 말한다.

그런데 채식의 범주에는 적색육만 제한하는 채식에서부터 계란과 유제품까지 모두 제한하는 채식에 이르기까지 다양한 수준의 식단이 포함되어 있다. 비록 미국라이프스타일의학회가 권장하는 것 같은 엄격한 채식주의는 아니지만, 건강 식단의 대명사인 지중해 식단, DASH(dietary approaches to stop hypertension) 식단 모두 채식의 범주에 포함된다. DASH 식단은 미국 국립보건원 산하 국립심장폐혈액연구소(National Heart, Lung, and Blood Institute, NHLBI)에서 고혈압 조절을 위해 디자인된 것으로 고기, 생선, 가금류는 제한적으로 허용하고, 당분이 첨가된 식품과 음료, 소금, 적색육, 첨가 지방은 제한한다. 지중해 식단에서는 고기와 해산물을 주당 두 번 정도 섭취하고 유제품, 가금류, 계란은 제한적으로 섭취하며 소금 대신 허브와 향신료를 이용한다. DASH 식단과 지중해 식단도 일반적인 서구식 식단보다는 좋지만, 질병을 역전시킬 수 있다는 것이 확인된 유일한 식단은 더 엄격한 WFPB다.[5]

어떤 이는 완전채식이 극단적인 식단이라고 생각한다. 이에 대해 딘 오니시는 다음과 같이 반문한다. "사람 몸을 갈라 열고 약물을 투여하는 것은 현대적 의료 관행으로 여기면서, 사람 몸에 적합한 채식을 권하는 것은 극단적 처방으로 취급하는 것을 이해할 수 없다. 극단적인 것은 과연 어느 쪽인가?"(Ornish, 2010). 유제품과 계란까지 피하는 비건 식단은 일반인의 영양학

---

[4] 식이섬유는 제6의 영양소라 불린다. 대략 섭취 열량 1000 kcal 당 14 g의 식이섬유가 권장되므로 일반인은 매일 25~40 g 정도 섭취해야 한다.

[5] 미국의 빌 클린턴(Bill Clinton) 전 대통령이 지지한 식이요법으로 널리 알려진 콜드웰 에셀스틴의 식이 프로그램도 모든 동물성 제품을 피하는 WFPB다. 에셀스틴은 관상동맥질환은 100% 예방 가능하고 그 열쇠는 음식에 있다고 말한다. 그는 아보카도를 제외한 모든 채소, 완두콩과 렌틸콩을 포함한 콩류, 어떤 첨가물도 포함되지 않은 통곡물 빵이나 파스타는 마음껏 먹어도 되는 음식으로 구분한다. 먹지 말아야 할 음식은 생선과 고기, 우유와 유제품, 모든 종류의 기름이다. 올리브유를 포함해서 건강에 좋다고 알려진 어떤 기름도 안 되고 아보카도와 견과류도 먹지 말 것을 권한다.

적 상식에는 부합하지 않는다. 그러나 모든 상식이 진실인 것은 아니다. 오니시는 초기 연구에서 계란 흰자와 하루 한 컵의 무지방 유제품을 식단에 포함시켰지만 이런 식품도 필요 없다는 것을 확인하고 식단에서 제외했다. 유제품과 계란을 피하는 것이 낫다는 증거들은 계속 증가하고 있다(Aune, 2015).

원시시대에는 몸을 잘 보호해 주는 옷이 좋은 옷이었다. 21세기를 사는 우리는 더 이상 그 기준으로 좋은 옷을 선택하지 않는다. 음식을 단지 영양학적 측면에서 판단하는 것도 시대에 뒤떨어진 낡은 것이다. 우리는 여전히 빈곤의 시대를 산다. 예전에는 먹을 수 있는 것이 부족했고 지금은 마음 놓고 먹을 수 있는 것이 부족하다. 대량 사육되고 대량 양식되는 적색육, 가금류, 생선, 계란에 포함된 항생제, 살충제, 환경호르몬, 미세 플라스틱은 이미 우리의 건강을 해치고 있다. 채소, 과일보다 육류, 우유, 계란 속에 농약, 살충제가 더 많다.

동물성 식품을 섭취하는 것은 지구의 수명과 인류의 수명을 짧아지게 한다는 점도 식사에 대한 윤리적, 철학적 성찰을 요구한다. 몸집만 불리며 병들게 키워지다가 살육되는 동물들의 고통, 한 사람의 저녁 식사에 오르는 한 점의 고기가 기아에 시달리고 있는 사람이 수십 번 먹을 수 있는 곡물로 키워진다는 사실도 외면해서는 안 된다. 음식이 무엇인가에 대한 근본적 인식 전환이 요구되는 시점이다.

채식은 우리의 마음도 건강하게 한다. 인도의 성자들은 영적 수행에 가장 도움이 되는 음식으로서 채식을 권했다. 채식을 함으로써 마음이 더욱 순수하고 조화롭게 되기 때문이다. 그렇다면 영양학, 독성학, 생태학, 윤리학, 심리학까지 모두 고려했을 때 최선의 식사는 채식이라는 결론에 다가가는 것 같다.

만성질환의 예방이나 치료를 위해 새로운 식단을 고민하고 있다면, 그리고 여러 면에서 동물성 식품을 줄이는 것이 바람직하다는 데 동의했다면, 적당한 채식이 아니라 완전채식이 선택되어야 하는 이유를 살펴볼 차례다.

글상자⑮ 채식의 유형

기본적으로 채식을 하지만 상황에 따라 적색육을 포함한 모든 음식을 섭취하기도 하는 유연한 반채식주의(semi-vegitarian)를 플렉시테리언(flexitarian)이라 하고, 적색육만 제외하고 가금류, 생선, 계란, 유제품은 먹는 것을 폴로-베지테리언(pollo-vegetarian)이라 한다. 여기서 가금류를 제외하면 페스코-베지테리언(pesco-vegetarian)이다. 생선까지 제외하고 계란과 유제품은 포함시키는 것을 락토·오보-베지테리언(lacto·ovo-vegetarian)이라 한다. 우유를 제외하고 계란은 포함하면 오보-베지테리언(ovo-vegetarian), 계란을 제외하고 우유는 포함한다면 락토-베지테리언(lacto-vegetarian)이다(Pesco는 라틴어로 생선을, lacto는 우유를, ovo는 난류(계란)를 뜻한다).

이상의 모든 동물성 식품을 제외하고 오직 식물성 식품만 먹는 완전채식이 비건이다. 일반적으로는 락토·오보 베지테리언부터 비건까지를 채식으로 본다. 따라서 레스토랑이나 급식에서 채식 메뉴를 주문하면 유제품과 계란이 들어 있는 음식이 나올 수도 있다.

(4) 완전한 채식은 완전채식

전반적으로 채식은 BMI, 대사증후군과 그 합병증, 고혈압, 당뇨병, 암 발생의 위험, 모든 원인에 의한 사망률을 낮춘다. 하지만 채식의 범위는 넓고 그에 따라 허용되거나 제한하는 식품에는 상당한 차이가 있다. 어느 정도의 채식이 가장 좋을까?

더 엄격한 채식을 할수록 고콜레스테롤혈증, 고혈압, 당뇨병이 덜 발생한다. 채식의 유형과 당뇨병 발병률을 비교한 연구에 의하면, 플렉시테리언보다는 폴로-베지테리언에서 발병률이 낮았고, 폴로-베지테리언보다는 페스코-베지테리언에서, 페스코-베지테리언보다는 락토·오보-베지테리언에서 더 낮았다. 그리고 비건에서 가장 발병률이 낮았다. 더 엄격한 채식을 할수록 당뇨병 발병률이 더 낮아지는 것이다(Tonstad 등, 2009). 이처럼 완전채식에 가까울수록 발병률이 낮아지는 효과는 고지혈증(고콜레스테롤혈증)과 고혈압에서도 동일하게 나타난다(Orlich 등, 2014).

지중해 식단은 분명히 서구식 식단에 비해 건강에 이롭다. 지중해 식단에 관한 연구들은 이 식단이 심근경색 환자의 생존율을 높이고 심장사건 발생을 낮추며(de Lorgeril 등, 1999), 인지기능 감소를 지연시키고 알츠하이머병의 발병도 낮춘다는 것을 보여준다(Lourida 등, 2013). 그런데 지중해 식단이 일반적인 서구식 식단에 비해서 우수한 것은 그것이 서구식 식단보다 채식에 가깝기 때문일 수도 있다. 위의 연구들이 그런 추측을 가능하게 한다.

그런데 모든 채식이 건강한 것은 아니다. 비건에도 좋은 비건과 나쁜 비건이 있다. 라면과 소주만 먹어도, 또는 감자튀김과 맥주만 먹어도 비건이 되겠지만, 우리가 말하는 WFPB는 그런 비건이 아니다.

4 무엇을 어떻게 먹어야 하나

(1) 좋은 비건과 나쁜 비건

현재의 식탁에서 동물성 식품을 모두 제거하면 식탁이 건강해지는 것일까? 그렇지 않다. 동물성 식품의 빈자리를 건강한 식물성 식품으로 채우지 않는다면 영양실조가 될 것이고, 비만은 물론 만성질환의 위험을 더 높일 수도 있다. 불건강한 채식은 하지 않는 것만 못하다.

「2012 국민영양통계」에 따르면 우리나라 국민이 에너지를 공급받는 식품으로는 백미가 1위를 차지했다. 남자의 경우에는 소주가 에너지 공급원 중 3위였다. 건강한 채식의 조건 중 하나는 가공하지 않은 상태의 전체식품이어야 한다는 것이다. 백미밥은 쌀겨(속껍질)와 배아(씨눈)를 모두 깎아버린 것이다. 쌀겨와 배아에는 비타민B군, 셀레늄과 아연, 섬유질이 풍부한데 이것들을 제거한 백미는 열량만 있고 영양소는 거의 없다. 열량만 높고 영양소는 없는 식품을 정크푸드(junk food)라 하는데, 우리는 원래 영양소가 풍부한 통곡물(whole grain)을 정크푸드로 만들어 먹고 있다.[6] 통곡물, 과일과 채소, 견과류, 콩류는 건강한 식물성 식품이고, 정제된 곡물,

---

6) 통곡물은 곡물 낟알에 배젖(endosperm), 싹(germ), 겨(bran) 등 3대 성분이 모두 함유된 것으로 현미, 통밀, 통귀리, 통보리 등을 말한다. 흔히 오백(五白)식품, 또는 오독(五毒)식품이라 하여 정제된 백미, 백설탕, 흰 밀가루, 소금, 조미료를 피해야 할 음식으로 꼽는다. 쌀, 설탕, 밀가루 모두 식물성 식품이지만, 오백식품은 천연 그대로의 상태가 아니라 흰색이 될 때까지 가공한 것들이다. 통곡물에는 식이섬유, 비타민, 미네랄, 필수지방산 등이 정제된 곡물보다 많이 들어있다. 정제된 곡물은 정제 과정에서 이러한

감자튀김, 주스와 가당 음료, 사탕 같은 것은 불건강한 식물성 식품이다. 건강한 식물성 식품을 먹는 채식은 심장병 위험을 실질적으로 낮추지만 건강하지 않은 식물성 식품을 먹는 채식은 그 위험을 높인다(Satija, 2017).

통곡물이 건강한 식품인 이유는 단지 영양소가 풍부하기 때문이 아니다. 정제된 곡물은 당지수(glycemic index, GI)가 높다. 당지수가 높은 음식은 몸에서 분해하지 않아도 흡수가 잘 되는 단당류의 비율이 높으므로 쉽게 혈당을 상승시킨다. 이로 인해 인슐린 분비가 증가되고 결국 인슐린저항성을 야기하게 된다. 당지수가 높은 음식은 염증을 일으키고 스트레스도 증가시킨다. 인슐린 분비가 증가하면 교감신경이 자극되어 신체는 스트레스 상태가 된다. 게다가 인슐린은 만성염증도 일으킨다. 인슐린은 동화호르몬이기 때문에 비만 위험도 증가시킨다.

미국당뇨병학회(American Diabetes Association, ADA)에서 권장하는 식단과 WFPB를 비교한 연구를 보면, 두 식단 모두 혈당을 개선했지만 WFPB의 효과가 더 우수했다(Barnard 등, 2006). 당지수가 높은 식품은 당뇨병 환자에게만 문제가 되는 것이 아니다. 급속한 혈당 변화와 인슐린 분비 증가는 심·뇌혈관질환의 위험인자인 대사기능 장애, 복부비만을 가져오게 된다. 따라서 정제된 곡물을 많이 섭취할수록 심근경색, 뇌경색과 그로 인한 사망 위험도 증가한다(Swaminathan 등, 2021). 식이섬유가 풍부한 통곡물은 너무 많이 먹기 전에 포만감을 느끼게 하지만, 정제된 곡물로 섭취하면 더 많이 먹게 된다. 또한 인슐린이 식욕을 억제하는 호르몬인 렙틴(leptin)의 작용을 감소시키기 때문에 정제된 당분을 많이 섭취하면 포만감이 들기보다 식욕이 늘어나게 된다.

채소와 과일에 들어있는 자연당은 염증을 감소시키지만 첨가된 당, 고과당 옥수수시럽, 흰 밀가루처럼 정제된 탄수화물은 만성염증을 증가시킨다. 하루 한 캔의 청량음료를 섭취하는 것만으로도 염증지표가 상승한다(Aeberli 등, 2011). 고과당 옥수수시럽 50 g을 섭취하면 단 30분 만에 염증지표가 급격히 상승하고 수 시간 동안 그 상태가 지속된다. 흰 빵 한 조각으로도 혈당이 크게 오르고 핵인자-카파비(nuclear factor kappa-light-chain-enhancer of activated B cells, NF-κB)라는 염증지표가 상승한다.

한때 사탕이나 청량음료가 브레인 푸드로 광고되기도 했다. 일부 학자들은 이런 식품이 뇌기능을 효율적으로 유지시켜 준다고 주장했다. 단순당은 신속히 혈당을 올려서 일시적으로 뇌

영양소들이 제거된다. 통밀가루를 흰 밀가루로, 현미를 백미로 가공하는 것은 건강한 탄수화물을 염증을 촉진하는 불건강한 것으로 바꾸는 것과 다르지 않다.

기능을 촉진시킬 수 있다. 하지만 이 효과는 잠깐 동안만 나타나는 것이고, 이후의 국면은 완전히 달라진다. 갑자기 혈당이 오르면 인슐린이 빠르게 분비되어 혈당을 곧 떨어뜨리는데, 그러면 뇌는 무슨 일이 일어난 것인지 초조해지기 시작하고, 우리는 다시 단 음식을 갈망하게 된다. 이렇게 혈당과 인슐린의 롤러코스터는 계속된다. 이러한 악순환 현상을 당사이클(sugar cycle)이라 한다. 단순당이 잠시 동안 정신적 강장제 효과를 내는 것은 마약이 작동하는 방식과 크게 다르지 않다. 그래서 우리는 음식에도 중독된다. 단 음식을 많이 먹으면 행동과 성격까지 바뀔 수 있다. 머리가 맑지 못하고 우울증, 피로, 신경과민, 짜증이 나타나기도 한다.

단순당을 소화시키는 과정에서 칼슘 같은 미네랄이 소실되는데 칼슘이 부족하면 근육통, 생리통, 불면증, 신경과민, 고혈압 등이 초래될 수 있기 때문에 이런 증상들이 단 음식을 끊고 나서 사라지는 경우가 많다. 자신은 많이 먹어도 문제가 없다고 말하는 사람이 많은데, 이들은 덜 먹으면 얼마나 더 좋아질 수 있는지를 아직 모르고 있다.

특히 주의해야 할 것이 음료를 통한 단순당 섭취다. 미국인과 호주인은 하루 섭취하는 에너지의 20%를 음료에서 얻는다. 미국의 경우 1970년대 이래 증가한 에너지 섭취량의 50%는 음료에 의한 것이다(Popkin 등, 2006). 과당을 과도하게 섭취하는 것은 대사질환 외에도 유방암, 대장암, 폐암 등 여러 종류의 암 발병이나 악화와 상관이 있는데, 최근 국내 연구에서 과당이 암 전이를 촉진하는 과정을 규명하기도 했다(Kim 등, 2020). 매일 가당음료를 마시면 당뇨병 발병 위험이 25%나 증가한다(Imamura 등, 2015).

가당음료가 치아에 나쁘다는 것은 굳이 언급할 필요도 없다. 그런데 콜라나 사이다 같은 청량음료만 피한다고 안심할 수 있는 것이 아니다. 주스 같은 가당음료가 청량음료보다 치아에 더 해롭다.

과도한 당은 치매 위험도 높인다. 치아를 부식시킬 뿐 아니라 뇌도 부식시키는 것이다 (Jankowiak, 2004). 가당음료 한 캔을 마시면 4시간 동안 산화스트레스가 증가되고 혈중 항산화 수준은 감소한다.

한편 당분은 콜라겐 같은 단백질에 결합하여 염증과 피부 노화를 촉진하고 색소를 침착시킨다. 고당분, 고지방 식사는 장유출증후군(leaky gut syndrome)을 유발하는데, 장유출증후군이 일어나면 세균이 혈액으로 침투해 들어가 만성염증이나 자가면역 반응을 촉발하고 종양 유도 반응과 관상동맥 폐쇄를 증가시킨다.

예전 밥그릇(주발)은 요즘 밥그릇(공기)에 비해 훨씬 컸다. '밥 먹는다'는 것은 말 그대로 밥만 먹는 것이었을 만큼 양적인 면에서 밥은 명실상부한 주식이었다. 육류는 흔히 밥상에 오르는 식품이 아니었고 생선이나 계란도 매일 먹는 음식이 아니었다. 기름을 얻기 어려웠으므로 튀기기보다는 찌고 삶는 음식이 많았다. 따라서 대부분의 열량은 단백질이나 지방이 아닌 탄수화물에서 얻었다. 하지만 지난 수십 년간 우리나라 식단에서 탄수화물 비율은 점점 감소하고 단백질과 지방 섭취는 크게 증가했다. 과도했던 탄수화물 비율이 낮아진 것은 바람직하지만 잡곡 대신 거의 백미를 먹고 밀가루 음식 비중이 크게 높아진 것은 탄수화물 섭취에 여전히 문제가 있다는 것을 보여준다. 적지 않은 사람들에게 그동안의 식탁 변화는 나쁜 비건에서 또 다른 나쁜 비건으로 옮겨진 것에 불과한지도 모른다.

글상자 ⑯ 치아건강과 전신건강

'치아 건강은 오복 중에 하나'라는 말이 있다. 비록 잘못 알려진 것이기는 하지만, 그렇다고 해서 치아 건강의 중요성이 퇴색되지는 않는다. 치아 소실은 영양소를 섭취하는 능력만 저하시키는 것이 아니다. 음식은 그 자체가 치유의 도구다. 보고, 냄새 맡고, 만지고 씹는 모든 행위가 컬러테라피(color therapy), 아로마테라피(aroma therapy), 푸드테라피(food therapy)가 된다. 씹는 행동은 인지기능과도 밀접한 관계가 있기 때문에 노년기의 치아 건강은 특히 중요하다.

치아 소실의 주요 원인은 충치다. 충치는 세균에 의한 감염증이고 사람 간에 전파될 수 있는 감염병이다. 어린 아이는 주로 부모로부터 충치균을 전달받는다. 충치를 예방하기 위해 올바른 양치질과 정기적인 치과 검진이 필요하다는 것은 누구나 알고 있지만, 음식을 먹는 방법도 중요하다는 것을 아는 사람은 의외로 많지 않다.

음식이 입안에 오래 남아 있으면 세균 활동이 증가한다. 식사 후 제대로 양치질을 하지 않는 것도 문제지만, 식사 시간 이외에 먹는 간식이나 음료도 문제다. 주스, 탄산음료, 커피를 계속 마시는 것도 좋지 않

다는 것이다. 타액은 치아를 충치로부터 보호하는 역할을 하는데 계속 음식을 먹거나 마시게 되면 그러한 타액의 기능이 떨어지게 된다. 무설탕 껌을 씹는 것이 충치에 좋은 이유는 타액을 증가시키기 때문이다. 또한 충치는 단순당이 아니라 발효 가능한 탄수화물을 발효시키는 세균에 의해 발생하므로 단맛 나는 음식만 피한다고 충치로부터 안전해지지는 않는다. 너무 자주 양치질을 하는 것도 치아 건강에 좋지 않기 때문에, 음식을 정해진 시간에 절도 있게 먹고 간식, 특히 탄수화물이 포함된 음식을 자주 먹고 마시는 것을 피하는 것이 수시로 양치질을 하는 것보다 치아 건강에 효과적이다. 구강청결제를 너무 자주 사용하는 것도 좋지 않다. 구강청결제는 구강 내 유익균까지 제거하기 때문이다.

구강 세균에 의한 질병은 충치에 국한되지 않는다. 현재 치의학계를 중심으로 커다란 관심을 끄는 연구 주제 가운데 하나가 구강 세균과 전신질환의 관계다. 구강 내 세균은 심혈관질환, 당뇨병, 비만, 대장암, 폐질환, 치매, 패혈증 등 전신질환의 발생과 진행, 그리고 저체중아 출산, 조산, 유산에도 영향을 준다. 치주질환이나 치수염이 있을 때 손상된 구강 조직의 혈관으로 세균과 염증성 사이토카인이 유입되어 전신으로

퍼질 수 있기 때문이다. 반면 구강 내 유익균은 체내 산화질소(nitric oxide)의 생성을 도와 심혈관 기능에도 이로운 영향을 미칠 수 있다. 일부 구강 세균이 당뇨병과 비만을 억제할 수 있다는 연구 결과도 있다.

구강 세균과 전신질환에 관한 이론은 20세기 초의 치과의사 프라이스(Weston Price)의 연구로 거슬러 올라간다. 그는 구강질환이 전신성 질환, 퇴행성 질환과 관련이 있음을 보여주는 연구를 발표하고, 이를 '병소 감염 이론(focal infection theory)'으로 체계화했다.

장내미생물 균형과 구강 세균 균형은 인체 전체의 미생물 균형을 좌우한다. 장 건강이 그렇듯이 구강 건강도 더 포괄적인 관점에서 이해되어야 한다는 의미다.

(2) 좋은 단백질

10월 14일은 영양의 날이다. 2020년 10월 14일에 보건복지부가 후원하고 한국영양학회, 한국임상영양학회 등이 공동 주최하는 세미나가 열렸다. '코로나 시대, 면역 증진을 위한 영양관리'라는 제목의 세미나였다. 면역 증진을 위해 단백질을 잘 섭취해야 한다는 것을 설명하는 대목에서 단백질 급원으로 예시된 식품은 소고기, 생선, 닭고기 단 세 가지였다.

오래전부터 프랑스에서는 동물권 침해, 환경 문제, 종교 등 여러 이유로 육식을 줄이자는 분위기가 퍼지고 있었고, 2015년에는 모든 학교에서 의무적으로 채식 급식을 실시하자는 온라인 서명운동이 일어나기도 했다. 그러나 2021년 리옹(Lyon)시가 학교 급식에서 육류를 제외하겠다고 선언하자 여기저기에서 비난과 반발이 일어났다. 육류를 제외할 뿐 생선과 계란까지 제한하는 비건 급식을 하겠다는 것이 아니었음에도 불구하고 반발은 컸다. 아이들의 건강을 위협한다는 이유였다. 생선, 계란까지 제한하는 WFPB로 과연 건강과 활력을 유지할 수 있을까?

로마의 검투사들은 채식을 했다. 먹을 것이 없어서가 아니라 근육을 키우고 힘을 내기 위해서였다. 현대의 운동선수들 중에도 같은 이유로 채식을 선택한 사람들이 있다. 「게임 체인저(The Game Changers)」라는 다큐멘터리 영화에서 이 내용을 다루었는데, 세계적인 운동선수들이 WFPB 식단으로 바꾸고 나서 수행력이 극적으로 향상되었다. 이 영화 제작에 참여한 대부분의 스태프가 촬영 후 WFPB로 식단을 바꾸었다고 한다.

그럼에도 불구하고 단백질은 고기, 생선, 계란 같은 동물성 식품에서만 공급된다는 진실 아닌 상식이 우리를 망설이게 한다. 대부분의 서구화된 국가에서는 너무 많은 단백질을, 그것도 주로 동물성 식품을 통해 섭취하고 있다. 단백질에 대한 강박을 가진 사람도 많다. 한국영양학회에서 권장하는 단백질 섭취량은 전체 칼로리의 7~8%이지만, TV 건강 프로그램, 건강 관련 서적, 정부 지침 등에서는 필요량의 2배에 해당하는 10~15% 섭취를 권장한다. 더 큰 문제는 단백질 식품으로서 육류, 생선, 계란만 지목하는 잘못된 교육과 홍보다.

앞에서도 언급한 바와 같이 과도한 단백질 섭취는 부족한 것보다 더 나쁠 수 있다. 너무 많은 단백질은 심장병, 암, 신장 기능 이상, 골다공증, 간질환을 비롯한 각종 만성질환의 위험을 높이고, 세포가 스스로를 정화하는 기능인 자가포식(autophagy)[7]을 감소시킨다(Delimaris, 2013).

단백질을 구성하는 22가지 아미노산 중 13가지는 체내에서 합성되기 때문에, 나머지 9가지만이 식사로 섭취해야 하는 필수아미노산이다. 그런데 이 9가지 중에서 단 3가지(라이신, 트립토판, 메티오닌)만 언급할 가치가 있다. 나머지는 대부분의 식품에 풍부하므로 기아에 시달리지 않는 이상 문제가 되지 않기 때문이다. 그리고 이 3가지 아미노산은 식물성 식품에 충분히 함유되어 있다. 콩류에는 라이신이 풍부하다. 쌀에는 라이신이 적지만 트립토판과 메티오닌이 풍부하다. 쌀과 콩을 함께 섭취하면 완전하게 아미노산을 공급하게 되므로 동물성 단백질에 집착할 필요가 없는 것이다.

130,000명 이상의 남녀를 대상으로 한 연구에서, 동물성 단백질 섭취는 모든 원인으로 인한 조기사망 위험을 높였고, 식물성 단백질은 당뇨병, 심장병, 대부분의 암을 포함한 모든 원인으로 인한 사망률을 감소시켰다(Song 등, 2016; Pan 등, 2012). 적색육(담배 한 갑 크기)을 매일 먹는 것이 당뇨병 발병률을 19% 상승시킨다는 보고도 있다. 가공육은 더욱 해롭다. 매일 가공육을 먹는 것은 당뇨병 위험을 크게 증가시킨다(Micha 등, 2012). 핫도그 한 개나 베이컨 두 조각 정도를 섭취하는 것이 당뇨병 위험을 51%나 높인다(Pan 등, 2011). 가공육뿐 아니라 가공하지 않는 적색육도 모든 원인으로 인한 조기사망 위험을 증가시킨다. '글상자❽ 발효균과 부패균'에서 설명한 바와 같이, 육류의 대사산물인 TMAO는 콜레스테롤보다 더 심장병에 해롭다.

단백질 식품과 동물성 식품을 거의 같은 의미로 알고 있는 사람들에게는 식물성 단백질이라는 용어가 어색하거나 미덥지 않을 것이다. 이들은 어떤 사람이 살코기, 닭 가슴살, 계란 대신 현미밥과 브로콜리만 먹으면서 근육을 키우겠다고 하면 실소를 할 것이다. 하지만 현미와 브로콜리만 먹어서 하루 필요한 2,000 kcal를 섭취해도 무려 80 g의 단백질을 섭취하게 된다. 하루

---

7) 자가포식은 'auto(스스로)'와 'phagy(먹다)'가 합쳐진 말이다. 세포 내부의 물질이 세포 자신에 의해 제거되기 때문에 붙여진 이름이다. 자가포식은 몸의 독소를 청소하고 손상된 세포를 제거하는 방식이다. 세포질에 쌓인 노폐물, 변형된 단백질, 수명이 다하거나 변성되어 기능이 저하된 세포 소기관(organelle)들이 자가포식에 의해 제거된다. 자가포식에 의해 분해된 물질은 세포의 생존에 필요한 에너지를 만들거나 새로운 세포 소기관을 만드는 데 이용된다. 따라서 자가포식은 세포의 재활용 시스템이라고도 할 수 있다.

필요한 단백질 섭취량은 체중 1 kg당 0.8~1 g이므로 80 g은 체중 100 kg인 사람이 섭취할 최대치일 정도로 충분한 양이다. 현미의 경우 칼로리의 8%가 단백질에서 나오므로 현미밥으로 대부분의 칼로리를 섭취하면 추가 단백질은 거의 필요치 않다. 감자, 밀에도 단백질은 포함되어 있다. 통밀빵 한 조각에도 4 g의 단백질이 들어 있다.

황소나 코끼리처럼 거대하고 근육이 많은 동물들은 모두 채식을 한다.[8] 근본적으로 모든 단백질은 식물에서 유래하는 것이다. 공기 중의 질소 분자를 분해하여 아미노산 화합물을 만들고 단백질을 합성하는 것은 식물에서만 일어나는 일이다. 우리가 고기를 먹어서 섭취하는 단백질은 식물 단백질이 먹이사슬을 거치면서 재활용된 것이다.

동물성 식품이 심혈관질환이나 암 위험을 높인다는 사실과 식물성 식품이 이들 질병의 예방과 치료에 도움이 된다는 사실은 똑같이 주목되어야 한다. 채식은 산화질소 생산에 도움이 된다. 산화질소는 신체 모든 부분의 혈액 흐름을 촉진한다. 혈관 내 플라크 생성을 억제하고 이미 형성된 플라크를 제거하며 혈전 형성을 예방한다. 그 외에도 세균, 바이러스, 암세포를 사멸시키는 효과도 있다. 산화질소를 생산하기 위해서는 L-아르기닌(L-arginine)이라는 아미노산이 필요한데 이 아미노산은 거의 식물성 식품, 특히 뿌리채소, 콩류, 호두 등에 많이 함유되어 있다. 또한 식물의 엽록소는 헤모글로빈과 유사한 구조를 가지고 있어 혈액이 산소를 운반하는 것을 돕는다. 반면 단 한 번의 동물성 단백질, 동물성 지방이 높은 식사로도 뇌와 심장의 혈류를 유의하게 감소시킬 수 있다(Benson 등, 2018).

좋은 단백질 공급원 중에서도 단연 최고로 꼽히는 것이 있다. 식물성 단백질의 보고인 콩이다. 블루존(Blue Zone)이라 불리는 세계적 장수촌들의 전통 식단은 동물성 단백질이 적고, 대신 콩을 많이 섭취한다. 조리된 검은콩이나 병아리콩 한 컵에는 15 g, 조리된 대두 한 컵에는 무려 31 g의 단백질이 포함되어 있고, 두부 100 g에는 약 10 g의 단백질이 들어 있다. 콩은 양질의 단백질, 필수아미노산과 함께 칼슘과 마그네슘도 풍부하다. 특히 이소플라본(isoflavone)이라는 식물성 여성호르몬은 폐경기 이후 여성호르몬 부족을 보충해 준다. 콩 단백질은 건강에 유익할 뿐 아니라 환경친화적이고 저렴하다. 아몬드, 캐슈너트 같은 견과류도 상당한 양의 단백질을 포함하고 있다.

WFPB 중에서 통곡물, 콩, 견과류만 단백질 공급원인 것은 아니다. 채소도 훌륭한 단백질

---

8) 단백질과 더불어 칼슘도 대개 동물성 식품에서 공급되는 영양소로 알려져 있다. 칼슘이 풍부한 식품 중 하나가 사골인데, 사골을 만드는 소가 평생 우유를 먹어서 사골용 뼈를 만들어내는 것도 아니다.

급원이라는 점은 반드시 기억되어야 한다. 앞에서 브로콜리를 예로 들었는데, 단백질 함량이 높은 채소로 시금치를 빼놓을 수 없다. 보통 시금치를 비타민과 미네랄이 많은 채소로 생각하지만 단백질 함량도 높다. 조리된 시금치 한 컵은 6 g 정도의 단백질을 함유하고 있다.[9]

완전식품이라 불리는 버섯에도 단백질이 풍부하게 들어 있고 특히 필수아미노산이 많이 함유되어 있다. 버섯의 단백질은 소화 흡수율이 매우 높고 식이섬유도 풍부하여 장 건강에도 유익하다. 게다가 비타민D의 훌륭한 공급원이기도 하다.

(3) 칼슘, 비타민B$_{12}$ 정말 부족할까

우리가 단백질 급원으로 육류, 생선, 계란 같은 동물성 식품을 떠올리는 것처럼, 칼슘의 급원으로는 우유, 유제품, 뼈째로 먹는 작은 생선, 사골을 떠올린다. 모두 동물성 식품이다. 특히 칼슘과 비타민D가 풍부한 우유는 뼈 건강을 위해 반드시 먹어야 한다고 생각한다. 그러나 그런 대중의 신념과는 달리, 유제품을 많이 먹는 나라에서 골절이 오히려 많다. 이는 아이러니를 넘어 충격에 가깝다. 하지만 우유를 많이 마시는 나라에 골다공증 환자도 더 많다는 사실 또한 여러 연구에서 반복 확인되었다. 게다가 우유의 카제인(casein)[10]은 전립선암, 유방암을 증가시킨다.

WFPB는 칼슘의 훌륭한 공급원이다. 칼슘은 브로콜리, 콜리플라워, 케일 등 짙푸른 채소에 다량 함유되어 있다. 무화과, 오렌지, 아몬드 등도 칼슘의 좋은 공급원이다. 미역, 다시마 같은 해조류는 말 그대로 칼슘의 보고다. 많은 칼슘 보충제가 해조류에서 추출한 칼슘을 원료로 한다. 해조류는 칼슘뿐 아니라 마그네슘, 칼륨, 요오드 등의 미네랄이 풍부하다. 완전식품인 콩

---

9) 시금치에 철분도 포함되어 있기는 하지만 시금치가 철분 급원의 대명사라는 상식은 잘못된 것이다. 오래전 시금치의 영양성분을 분석하여 100 g 당 2.7 mg의 철분이 함유된 것으로 확인되었는데 소수점을 잘못 표시하여 27 mg으로 발표되었다. 착오는 또 일어났다. 이번에는 다른 연구자가 생시금치가 아닌 탈수된 시금치로 분석하는 바람에 영양소의 함량이 실제보다 훨씬 높게 측정되고 말았다. 시금치의 철분 함량은 다른 채소와 비슷하거나 오히려 약간 낮은 수준이며, 양배추나 브로콜리가 시금치보다 철분 함량이 더 높다. 하지만 시금치는 각종 비타민과 영양소가 풍부하게 골고루 들어 있고 슈퍼푸드(superfood)의 하나로 꼽기도 한다.

10) 카제인은 우유의 주요 단백질로 몸에서 카제오모르핀(casomorphine)이라는 물질로 전환된다. 이름에서 짐작할 수 있듯이 아편제인 모르핀과 비슷한 물질이다. 다른 유제품도 그렇지만 우유 성분이 농축된 치즈를 끊기 어려운 이유가 여기 있다. 근본적으로 우유는 어린 송아지의 음식이지 다 자란 소의 음식이 아니며, 다 자란 사람을 위한 음식은 더더구나 아니다. 먹을 음식이 충분하지 않던 시대에는 우유처럼 열량과 영양소가 농축된 음식이 귀한 음식이었고 때로는 약이었다. 다만 우유를 잘 소화시킬 수 있는 사람에게만 그랬다. 사람은 어려서 모유를 먹는 동안에는 유당(lactose)을 분해하는 효소인 락타아제(lactase)가 활성화된다. 그러나 모유 수유가 끝난 뒤에는 락타아제 기능이 크게 감소된다. 어떤 사람은 성인기까지도 락타아제 활성이 유지되지만, 대개의 성인에서는 유당 소화 능력이 감소된다. 인류가 우유 대신 요구르트 같은 유제품을 만들어 먹게 된 이유 중 하나는 유당 함량이 낮아서 소화시키기 쉬웠기 때문이라는 추측도 있다. 우유에는 어린 소의 성장을 촉진하는 물질이 많이 포함되어 있다. 하지만 이들은 성장이 끝난 신체에서는 오히려 암의 위험을 증가시킨다.

역시 우수한 칼슘 공급원이다.

채식으로 우리 몸에 필요한 영양소 대부분을 섭취할 수 있지만 비타민B$_{12}$는 예외라는 주장이 있다. 비타민B$_{12}$가 동물성 식품에만 들어있기 때문이라는 것인데, 이는 완전채식이 영양학적으로는 불완전하다는 주장의 근거로 자주 제시된다. 미국라이프스타일의학회가 권장하는 식단에서도 비타민B$_{12}$, 비타민D, 요오드를 별도로 보충할 것을 권장하고 있다. 과연 그래야 할까?

비타민D부터 살펴보자. 칼슘 흡수를 돕는 비타민D가 결핍되면 골다공증이나 당뇨병, 고혈압의 발병 위험이 높아지기 때문에 별도로 섭취하는 사람이 많다. 그런데 비타민D는 햇볕을 쏘이면 피부에서 생산되는 호르몬이므로, 일조량이 충분한 지역에 살면서 실외 활동을 자주 한다면 크게 문제 될 것이 없다. 게다가 앞에서 언급한 바와 같이 버섯 같은 한식 식재료에는 비타민D가 풍부하다.

그러면 요오드와 비타민B$_{12}$는 어떨까? 갑상선 질환이 내륙에 사는 사람에게 많고 바다 가까이 사는 사람에게 적은 이유는 해산물 섭취와 직접적인 관련이 있다. 우리나라처럼 해조류를 많이 섭취하는 나라에서는 요오드 결핍이 흔하지 않고 오히려 요오드 과잉 섭취의 우려가 더 높다.

남은 것은 비타민B$_{12}$인데, 이것이 동물성 식품을 통해서만 얻을 수 있는 것이라는 주장을 잘 살펴보면 결함이 있다. 왜냐하면 동물이 스스로 비타민B$_{12}$를 합성해 내는 것이 아니라 미생물을 먹어서 섭취한 것이기 때문이다. 동물은 미생물과의 접촉이 풍부한 환경에서 살고 있고, 건초나 풀을 먹으면서 유익한 미생물을 함께 섭취한다. 도시 생활환경에서는 그런 자연과의 접촉이 거의 없고 음식도 익혀 먹거나 세척해 먹기 때문에 직접 미생물을 섭취하는 일은 극히 드물다. 단지 김치나 유산균 음료 같은 발효식품, 프로바이오틱스를 통해 섭취하게 된다. 그런데 미생물이 아니더라도 비타민B$_{12}$를 공급해 주는 의외의 식품이 있다. 바로 해조류다.[11] 해조류는 칼슘, 단백질, 요오드, 식이섬유, 그리고 비타민B$_{12}$의 좋은 공급원이다.

결론적으로 말하면 어떤 WFPB인가에 따라 이런 보충제들이 전혀 필요하지 않을 수도 있다. 버섯, 해조류, 김치, 된장 등을 많이 먹는 전통적 한식은 '이보다 더 좋을 수는 없는' WFPB다.

---

11) 전통적으로 서구에서는 해조류를 먹을 수 있는 식품으로 여기지 않았지만 최근 들어 해조류에 대한 관심이 증가하고 있다. 특히 김은 '검은 반도체'라 불릴 정도로 우리나라의 수출 효자 상품으로 부상했다. 하지만 아직 해조류에 대한 서구의 인식은 낮다. 서구의 영양학자나 라이프스타일의학자 중에 해조류를 표준 식단에 포함시키는 경우는 아직 없다.

비타민B$_{12}$라는 용어는 넓게는 비타민B$_{12}$류를 총칭하고 좁게는 시아노코발라민(cyanocobalamin)만을 가리킨다. 단백질, 지방, 탄수화물의 신진대사를 돕는 물질이기 때문에 이런 음식을 많이 먹을수록 비타민B$_{12}$도 많이 필요해진다.

비타민B$_{12}$는 식품 중에 널리 분포되어 있고, 동물의 장내에서는 미생물에 의해 합성되며, 어린이는 모유나 우유를 통해서도 공급받는다. 일반적으로 육류 등 동물성 식품을 통해서만 섭취할 수 있다고 알려져 왔지만, 이것은 동물이 합성하는 것이 아니라 그 동물의 몸에 있는 미생물이 합성하는 것이다. 초식동물은 장내세균에 의존해서 비타민B$_{12}$를 공급받고 육식동물은 초식동물을 먹어서 공급받는다. 이런 이유로 채식을 하면 비타민B$_{12}$가 결핍된다고 생각하기 쉽다. 비타민B$_{12}$ 결핍은 악성빈혈, 신경 손상을 유발할 수 있다.

그런데 비타민B$_{12}$는 해조류(김, 미역, 다시마, 스피룰리나 등)에 다량 함유되어 있으며 된장, 청국장, 고추장, 김치 같은 식물성 발효식품에도 많이 들어있다(곽충실 등, 2008). 콩이나 배추에는 비타민B$_{12}$가 없지만, 발효 과정에서 생긴 미생물이 비타민B$_{12}$를 만드는 것으로 추정된다. 전통적인 불교도나 자이나교도는 철저한 비건임에도 이들에게서 결핍 증상이 보고된 적이 없었던 것으로 보아 인간도 다른 초식동물처럼 장내세균에 의해 비타민B$_{12}$가 합성될 가능성이 있다. 아직까지도 영양학 교과서를 비롯한 대부분의 자료가 비타민B$_{12}$는 동물성 식품에만 들어있다고 설명하는데 이는 속히 수정되어야 한다.

해조류는 다시마, 미역, 톳, 실말 등의 갈조류와 김, 우뭇가사리 등의 홍조류, 그리고 파래 등의 녹조류 세 가지로 구분된다. 해조류는 채소처럼 엽록소를 가지고 있으며 광합성에 의해 생육하므로 영양 성분은 채소와 비슷하다. 해조류는 요오드, 철분, 칼슘, 칼륨 등 미네랄을 많이 함유하고 있는 대표적인 알칼리성 식품이다. 해조류에 풍부한 비타민과 미네랄은 신진대사를 활발하게 하고 활성산소 생성을 억제하므로 고혈압, 동맥경화, 대장암 등 만성질환 예방에도 도움이 된다. 해조류의 엽록소는 항암 작용을 한다. 갈조류의 푸코이단(fucoidan)은 혈전 생성을 억제하는 효과도 있다.

해조류는 칼로리가 매우 낮고 포만감은 높기 때문에 체중 조절에 대단히 유익하다. 해조류 탄수화물의 대부분은 식이섬유이므로 콜레스테롤과 체내 노폐물의 배설을 돕는다. 미역이나 다시마 같은 갈조류 표면에 미끈거리는 점액은 알긴산 성분인데 콜레스테롤과 지방 흡수를 억제하고 담즙산을 배설시켜 혈중 콜레스테롤을 낮춘다. 또한 알긴산은 위에서 소장으로 가는 음식의 이동을 지연시켜 혈당의 급격한 상승도 막아준다. 칼륨과 알긴산은 나트륨 배설을 촉진하므로 혈압 조절에도 도움이 된다.

해조류에는 단백질과 칼슘도 풍부하다. 김은 바다에서 나는 콩이라고도 불리는데, 마른 김에는 단백질이 40%나 들어 있다. 많은 칼슘 보충제들이 해조류를 원료로 한다. 말린 미역 100 g은 959 mg의 칼슘을 함유하고 있는데, 이것은 같은 양의 마른 멸치와 거의 같은 수준이다. 칼슘 식품의 대명사인 우유는 100 mL에 105 mg을 함유하고 있을 뿐이다. 해조류에도 지질이 포함되어 있는데 해조류의 지질은 건강에 좋은 불포화지방이다.

(4) 지방, 무엇이 문제인가

지난 수십 년 동안, 고지방 식사는 심혈관질환의 주요 위험인자로 여겨져 왔다. 캠벨처럼 모든 형태의 지방을 피해야 한다고 주장하는 사람도 있지만, 모든 지방이 건강을 해치는 것은 아니고 나쁜 지방도 어떤 식품에 포함되어 있는가에 따라 그 영향이 다르다. 다만 포화지방, 트랜스지방은 대사염증을 유발하는 요인이므로 최대한 피하는 것이 좋다. 또한 만성질환을 역전시키려면 모든 종류의 지방을, 적어도 지금보다는 감소시켜야 한다는 주장이 점점 지지를 얻고 있다.

대체로 식물성 지방은 좋은 지방으로 분류되는데 그 이유는 불포화지방 때문이다. 일반적으로 동물성 지방에는 포화지방, 식물성 지방에는 불포화지방이 많다. 육류의 지방, 마요네즈, 버터 등에는 포화지방이 많이 들어 있다. 포화지방은 상온에서 굳어서 고체 상태로 있는 것들이다. 포화지방은 인체 피하지방의 일부를 이루고 있고, 적당한 수준의 피하지방은 꼭 필요한 것이지만 과도하게 섭취하지 않도록 해야 한다.

포화지방은 콜레스테롤을 상승시키는 주범으로 혈액을 탁하게 하고 혈관벽에 엉겨 붙어 혈관을 손상시키며 염증을 일으켜 죽상동맥경화증을 유발하거나 악화시킨다. 반면 식물성 기름에 많이 함유된 불포화지방은 상온에서 굳지 않고 체내에서도 액체 상태로 유지되는데, 이러한 불포화지방은 체내 포화지방을 배출시키는 데 도움을 주므로 혈관 건강에 유익하다. 따라서 포화지방이 많이 포함된 식단을 불포화지방이 많은 식단으로 바꾸면 LDL 콜레스테롤이 낮아지고 죽상동맥경화증 위험도 감소한다. 특히 다가불포화지방(polyunsaturated fat)이 심혈관 건강에 유익하다.

식물성 지방은 우리가 필수로 섭취해야 하는 오메가 지방산도 많이 함유하고 있다. 콩과 견과류에는 불포화지방이 풍부하게 들어 있다. 식물성 기름을 짜서 기름만 따로 섭취하는 것보다는 식품 자체로 먹는 것이 훨씬 유리하다. 콩이나 견과류에 풍부한 비타민과 미네랄을 굳이 포기할 이유가 없기 때문이다.

물론 식물성 지방은 무조건 좋고, 동물성 기름은 무조건 나쁜 것이 아니다. 팜유는 식물성 지방이지만 포화지방을 많이 함유하고 있다. 식물성 지방이 모두 좋다고 할 수 없는 더 큰 이유는 식물성 기름이 산화, 산패되기 쉽고, 우리가 이들을 트랜스지방(trans fat)이라는 불포화지방으로 변형시켜 섭취하고 있기 때문이다. 식물성 지방은 기본적으로 액체 형태이기 때문에 열, 빛, 공기에 의해 쉽게 변질된다. 불포화지방의 이중결합 부위가 산소와 반응하여 끊어지면서 반응성이 강한 알데하이드(aldehyde) 같은 해로운 물질이 된다. 이런 유해 물질들이 심혈관질환,

암, 치매 등의 위험을 높인다.

한편 액체인 식물성 지방에 수소를 첨가해서 고체로 만든 것을 경화유(마가린, 쇼트닝 등)라 하는데, 경화유는 포화지방도 불포화지방도 아닌 변형된 지방, 즉 트랜스지방을 생성한다. 인스턴트식품에서 특히 문제가 되는 것이 트랜스지방이다. 트랜스지방은 음식물의 보관을 용이하게 하고 풍미를 증진시키므로 장기 보관 식품, 인스턴트식품의 제조에 많이 사용되고 있다.

그런데 트랜스지방은 포화지방보다도 해롭다. 트랜스지방은 몸에 들어오면 불포화지방을 대체한다. HDL 콜레스테롤은 낮추고 LDL 콜레스테롤은 상승시켜 동맥경화증, 이상지질혈증의 위험을 증가시킨다. 또한 혈관 독성, 피부 노화, 지방간을 유발할 수 있다. 트랜스지방을 많이 섭취하면 기억력이 감소한다는 보고도 있는데, 이는 트랜스지방이 유발하는 산화스트레스가 뇌의 기억중추인 해마에 해로운 영향을 미치기 때문인 것으로 보인다(Golomb 등, 2015).

최근 연구에서는 트랜스지방이 미토콘드리아 내부의 활성산소 생성을 자극해서 세포자멸사가 더 빨리 진행되게 한다는 것도 밝혀졌다(Hirata 등, 2020).

트랜스지방은 체내에 유입되면 쉽게 배출되지 않으므로 섭취를 최소한으로 줄여야 한다. 식용유는 튀기는 횟수가 늘어날수록 트랜스지방이 증가하므로 5회 이상 재사용하지 않는 것이 바람직하다.

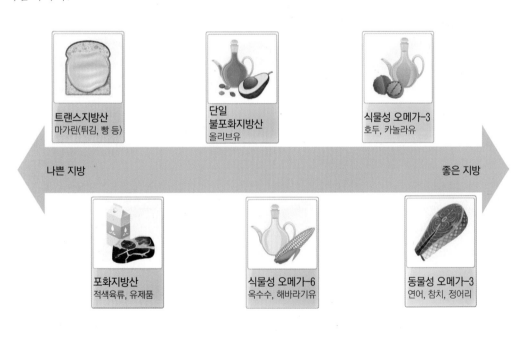

그림 16 좋은 지방과 나쁜 지방

트랜스지방의 섭취를 줄이는 가장 좋은 방법은 가공되지 않은 자연식품을 먹는 것이다. 가공식품을 먹을 때는 영양성분표에서 포화지방, 불포화지방, 트랜스지방, 콜레스테롤 함량을 확인해야 한다. WHO의 하루 트랜스지방 섭취 권장량은 전체 섭취 열량의 1% 미만이다.

생선에 들어 있는 불포화지방인 오메가-3 지방산은 LDL 콜레스테롤을 낮추어 혈관 건강에 도움이 된다. 하지만 생선은 점점 득보다 실이 더 큰 식품이 되고 있다는 점을 유념해야 한다. 자연산이든 양식이든 생선에는 인간이 강물과 바다로 흘려보내고 있는 독소와 미세 플라스틱, 또는 일부러 주입한 온갖 화학물질이 포함되어 있다.

글상자⓲ 오메가-3와 오메가-6

불포화지방산에는 다가불포화지방산(polyunsaturated fatty acid, PUFA)과 단일불포화지방산(monounsaturated fatty acid, MUFA)이 있다. 다가불포화지방산은 LDL 콜레스테롤을 감소시켜 심혈관질환 위험을 낮추고 면역기능에도 도움을 준다. 다가불포화지방산 중 몇 가지는 신체에서 합성되지 않아 식품을 통해 섭취해야 하기 때문에 필수지방산이라 불리는데, 오메가-3와 오메가-6가 바로 필수지방산이다.

오메가-3(DHA, EPA)는 주로 카놀라유, 콩기름, 호두기름, 생선 등에 많고 오메가-6는 홍화씨유, 옥수수유, 포도씨유, 콩기름, 해바라기유, 동물의 내장, 계란, 생선과 고기에 많다.

오메가-3와 오메가-6를 모두 섭취해야 하지만 균형을 잘 맞추어 섭취하는 것이 중요하다. 대체로 오메가-6보다는 오메가-3를 섭취하는 데 관심을 기울여야 한다. 오메가-6도 중요하지만 과도해지면 염증성 화학물질 생성을 증가시킬 수 있다. 반면 오메가-3 지방산은 염증을 억제한다. 염증은 신체적 질병만 촉진하는 것이 아니다. 염증성 화학물질이 증가하는 것은 우울증, 불안, 브레인포그의 원인이 된다. 염증과 산화 스트레스는 서로를 촉진하는 관계인데, 산화스트레스는 세로토닌이나 도파민처럼 정서를 조절하는 신경전달물질의 기능을 감소시킨다. 인지 능력 감소도 염증과 관련이 있다. 신경 염증으로 인해 신경세포의 성장과 생존을 지원하는 뇌유래신경영양인자(BDNF)도 감소하게 된다. 따라서 오메가-3가 풍부한 식단은 정서장애, 행동장애, 신경 질환에 이로운 기능을 한다.

과거 수렵채취 시대에는 오메가-3와 오메가-6의 섭취 비율이 1:1에 가까웠지만 현재는 오메가-6의 섭취가 10~20배 높다. 1960년대 이래 식용유 섭취가 3배나 늘어난 것도 그 원인 중 하나다. 사육된 동물이나 양식 어류의 오메가-6 비율은 자연 방목한 동물이나 자연산 어류에 비해 훨씬 높다. 동물성 식품을 가급적 피해야 하는 이유가 여기에도 있다.

(5) 항염증 식단

WFPB는 항염증 식단과 동의어라 할 수 있다. 채식이 염증을 억제하는 효과는 여러 가지 기전으로 설명할 수 있는데 대표적인 것이 항산화 효과다. 항산화물질로 알려진 비타민, 미네랄, 파이토케미컬(phytochemical, 식물생리활성물질)을 다량 함유하고 있는 것이 바로 채소와 과일이다. 활성산소는 정상 세포를 공격해 염증을 일으키고, 만성적인 염증은 암을 비롯한 만성질환의 위험을 증가시키고 노화를 촉진한다. 생체 내부에도 항산화 시스템이 있지만 현대의 라이프스타일은 이 시스템이 감당하기 어려운 수준의 산화스트레스를 만들어내고 있다.

식품으로 섭취할 수 있는 항산화물질로는 카로티노이드류(carotinoids), 플라보노이드류(flavonoids), 이소플라본류(isoflavones), 비타민A, 비타민C, 비타민E, 그리고 셀레늄(selenium)과 같은 미네랄이 있다. 카로티노이드에는 베타카로틴(beta-carotene), 라이코펜(lycopene), 루테인(lutein), 푸코잔틴(fucoxanthin) 등이 속한다. 베타카로틴은 당근, 브로콜리, 완두콩 등에, 라이코펜은 토마토, 수박 등에, 루테인은 케일, 브로콜리, 시금치 등 녹황색 채소에, 푸코잔틴은 미역이나 녹색채소에 들어 있다. 플라보노이드에는 안토시아닌, 카테킨, 레즈베라트롤 등이 속하며 사과, 감귤류, 아마인, 렌틸콩, 양파, 땅콩, 쌀, 대두, 블루베리, 건포도, 올리브유, 녹차, 홍차 등이 플라보노이드의 좋은 공급원이다. 이소플라본에는 제니스테인(genistein), 다이드제인(daidzein) 등이 있다. 이소플라빈은 여성호르몬인 에스트로겐과 비슷한 구조를 가진 물질인데, 콩은 이소플라빈 식품의 대명사로 알려져 있다.

비타민A가 풍부한 대표적 식품은 육류나 물고기의 간이지만 비타민A의 전구물질은 베타카로틴이다. 비타민C는 풋고추, 포도, 딸기 등 채소와 과일에 많이 들어 있다. 비타민E는 호두, 잣 등 견과류와 곡류의 씨눈 및 식물성 지방에 다량 함유되어 있다. 셀레늄은 미네랄의 일종으로, 글루타티온 과산화효소(glutathione peroxidase)라는 항산화 효소를 만드는 데 필요하며, 육류의 내장과 해산물, 버섯, 양배추, 효모 등에서 섭취할 수 있다. 요약하자면 항산화 성분은 대개 식물에서 얻어진다.

소위 슈퍼푸드(superfood)[12]라 불리는 식품에는 몇 가지 특징이 있다. 첫째, 대부분 식물이라

---

12) 슈퍼푸드라는 용어는 『SuperFoods Rx: Fourteen Foods That Will Change Your Life』를 쓴 스티븐 프렛(Steven Pratt)이 처음 사용했다. 프렛은 세계적인 장수 지역의 식단에 등장하는 식품을 종합하여 14가지 슈퍼푸드를 제시했다. 콩(bean), 대두(soy), 블루베리, 시금치, 브로콜리, 녹차와 홍차, 귀리, 토마토, 오렌지, 칠면조, 호박, 호두, 연어, 요구르트다. 이후 『타임』이 10가지 식품을 추려서 소개한 것이 '세계 10대 슈퍼푸드'로 널리 알려졌다. 10대 슈퍼푸드는 귀리, 녹차, 블루베리, 토마토, 시금치, 브로콜리, 연어, 마늘, 포도주, 견과류다. 이 10가지는 세 가지 조건을 충족하여 선정된 식품인데, 그 조건은 각종 영양소가 풍부하고 콜레스테롤이 적은 식품, 인체의 독소를 해독하고 활성산소를 제거하는 항산화 식품, 면역력을 증가시키고 노화를 억제시키는 식품이라는 것이다.

는 것이다. 『타임』이 선정한 10대 슈퍼푸드에는 유제품조차 포함되어 있지 않다. 둘째, 대부분 주식이 될 만한 것이 아니라는 점이다. 예를 들면 마늘을 먹으려면 김치나 나물을 먹는 식단을 선택해야 한다. 이런 식단을 선택한다면 마늘만 단독으로 먹는 것보다 유익균, 비타민, 식이섬유 등이 풍부한 식사를 할 수 있게 된다. 이것은 우리가 슈퍼푸드를 먹으려면 현재와 같은 식사를 지속하면서 따로 챙겨 먹으려 할 것이 아니라 전체 식단 차원에서 변화를 만들어야 한다는 것을 깨닫게 해준다. 셋째, 선명한 색을 가지고 있고 그 색이 다양하다는 것이다. 채소나 과일을 먹는 데도 좋은 방법과 덜 좋은 방법이 있다는 뜻이다. 흔히 알려진 좋은 방식은 "매일 다섯 가지 색깔의 식물에서 영양소를 섭취하라"는 것이다.

(6) 왜 진짜 음식을 먹어야 하나

> "문제는 음식도 영양소도 아니다. 가공처리다."
> - 카를로스 몬테이로(Carlos Monteiro) -

신선한 채소와 과일을 매일 섭취하는 것은 어느 정도 수고와 노력이 필요한 일이다. 수시로 장을 보고 손질하고 조리를 해야 한다. 그러다 보니 건강기능식품이나 영양제로 그런 수고와 번거로움을 대체하려는 경향이 증가하고 있다. 그러나 종합비타민제 한 알이 사과 한 알이나 시금치 한 접시를 대체할 수 있다고 생각하는 것은 엄청난 착각이다. 음식을 건강기능식품이나 영양제로 대체하려는 데는 '영양소 환원주의(nutrition reductionism)'의 순진한 믿음이 바탕에 깔려있다. 하지만 한 식품에 들어 있는 영양소는 체내에서 함께 작용하는 것이지 개별적으로 작용하는 것이 아니다. 사과 안에서 100의 효능을 낼 수 있는 영양소들을 각각 따로 섭취하면 10의 효과도 보장할 수 없다.

진짜 음식을 먹을 때는 색으로 하는 컬러테라피, 향기로 하는 아로마테라피 등 오감을 자극하는 활동이 동시에 이루어진다. 젓가락으로 음식을 집는 행동은 뇌를 자극하고, 씹는 행동 역시 인지기능 유지와 스트레스 해소에 도움이 된다.[13] 음식을 만드는 것은 그 자체가 푸드테라피로, 뇌의 고위 기능을 골고루 자극하는 종합 두뇌 운동이다.

---

13) 치아 소실로 인해 유동식만 하는 노인은 인지기능이 더 빨리 약화된다.

건강기능식품이나 영양제로 진짜 음식을 대체하지 말아야 하는 이유는 또 있다. 일상적인 식사를 하면서 보충제를 사용하는 경우에는 특정 영양소를 과도하게 섭취하게 될 우려가 커진다. 자신의 식단을 고려하지 않은 보충제 섭취는 오히려 해가 될 수 있는데, 특히 지용성 비타민의 경우에는 체내에 축적되기 쉬우므로 더 주의해야 한다. 예를 들어 비타민D가 과다 축적되면 뇌졸중, 심장마비 등으로 인한 사망 위험이 높아진다.

한마디로 말해서, 우리에게 필요한 것은 영양소가 아닌 음식이다. 그런데 여기에는 매우 중요한 단서가 한 가지 붙는다. 가공되지 않은 음식이라는 단서다. 현미를 백미로 가공하는 것이든, 적색육을 베이컨으로 가공하는 것이든, 과일을 주스나 통조림으로 가공하는 것이든, 가공은 식품이 원래 가지고 있는 효능을 파괴할 뿐 아니라 대개의 경우 좋은 식품을 불건강한 식품으로, 불건강한 식품을 더 불건강한 식품으로 만드는 일이다. 전체식품(whole food)은 가공되지 않은 원래 그대로의 식품, 진짜 식품을 말한다.

2009년도 미국 농무부(U.S. Department of Agriculture, USDA) 자료에 의하면, 미국인은 하루 열량의 25%를 동물성 식품에서 얻는다. 식물성 식품에서 얻는 열량은 그 절반인 12%에 불과하다. 그러면 나머지 63%는 대체 어디에서 얻는 것일까? 바로 가공식품이다. 어떤 이들은 당뇨병이나 비만처럼 음식 섭취와 직접적인 관련이 있는 만성질환이 아니라면, 예컨대 관절염이나 자가면역질환이나 우울증이라면, 굳이 식생활을 개선할 필요가 없다고 생각할 것이다. 하지만 결코 그렇지 않다. 인류원 이론에 따르면, 식품은 변형되고 가공될수록 면역계에서 '외부 침입자'로 인식되어 염증을 일으킬 가능성이 높아지게 된다. 몸의 질병이든 마음의 질병이든 염증과 무관한 것은 없다.[14] 가공된 식품은 인류원이고 염증을 증가시키지만, 최소 가공된 신선한 음식은 염증을 오히려 억제한다.

가공식품이라면 캔에 든 가공육이나 정제한 곡물에 또 다른 단순당을 혼합한 시리얼 제품을 먼저 떠올리지만 통조림, 병조림, 파우치 포장 형태로 가공 처리된 과일과 채소도 예외가 아니다. 어떤 것은 영양학적으로 자연 상태의 식품과 비교조차 할 수 없다. 한편 자연 상태에서의 과일을 통째로 먹으면 과일의 당분이 혈류 속으로 들어갔다가 혈류 밖으로 몇 분 안에 빠져나가므로 혈당이 심하게 변동하지 않지만, 주스로 만들어진 것은 즉각적으로 혈당을 올린다.

오래된 음식은 수동적으로 가공 처리를 한 것이라고 볼 수 있다. 상하고 변질되면서 원래의 영양소는 파괴되고 해로운 물질이 증가한다. 음식을 냉장고에 오래 보관하면 발암물질인 아질

---

14) 염증 이후에 어떤 일들이 벌어지는지, 그래서 어떤 질병들이 생기는지 궁금하다면 '3장, 1, **2** 대사염증과 인류원'을 다시 살펴보라.

산염도 생성된다. 보통 아질산염은 조리한 음식에서 문제가 되지만 익히지 않은 채소도 아질산염으로부터 안전한 것은 아니다. 냉장고에 보관하는 시간이 길어질수록 아질산염이 더 많이 생성된다.

중독성 강한 가공식품은 식욕을 증가시키고 과식을 유발하여 비만을 초래한다. 고도로 가공한 식품일수록 강한 식욕을 일으킨다. 바쁜 일상에 쫓겨 음식을 조리할 시간이 없거나 홀로 사는 사람이 많아지면서 가공식품을 이용하는 빈도가 늘고 있다. 고도가공식품(ultraprocessed food)은 마트의 진열대뿐 아니라 가정의 수납장도 가득 채우고 있다. 고도가공식품은 농산물, 축산물, 수산물에 첨가물을 넣고 살균 처리하거나 냉동 또는 진공 포장한 식품을 말한다. 첨가물에는 보존제만 해당되는 것이 아니다. 중독성을 높이는 강한 맛, 향, 색을 내는 화학첨가제들도 사용된다. 따라서 고도가공식품을 많이 섭취할수록 식욕이 더 증가하고 비만을 비롯한 만성질환이 더 발생하게 되는 것이다. 2019년 미국 국립당뇨병·소화기병·신장병연구소(National Institute of Diabetes and Digestive and Kidney Diseases, NIDDK)가 발표한 연구에서, 고도가공식품을 섭취한 사람은 최소로 가공된 식품을 섭취한 사람보다 매일 500 kcal에 상당하는 음식을 더 먹기 시작했다. 체중도 급격히 불어나 2주일 동안 평균 약 1 kg이 더 증가했다(Hall 등, 2019).

넓게 보면 집에서 직접 만들어 먹는 부침개, 국수, 과자, 심지어 밥도 가공식품이다. 그런 식품에 사용하는 흰 밀가루와 백미는 이미 전체식품을 가공 처리한 것이기 때문이다.

(7) 영양소도 음식도 아닌 식단 바꾸기

식재료가 건강하다고 음식이 건강해지는 것은 아니다. 조리 과정은 식품의 질을 크게 변화시킨다. 조리 과정에서 생성되는 트랜스지방도 문제지만, 감자처럼 좋은 식품도 조리 과정에서 아크릴아마이드(acrylamide)라는 발암물질이 생성된다. 탄수화물이 풍부한 식품을 높은 온도에서 조리하면 아크릴아마이드가 많이 형성되기 때문에 튀기거나 굽는 조리법보다 삶거나 찌는 방식이 좋다.

좋은 식재료를 좋은 음식으로 만들어 주는 것은 좋은 보관법과 좋은 조리법이다. 다시 감자를 예로 들면, 감자의 싹에는 솔라닌(solanine)이라는 독성물질이 들어 있으므로 싹이 틀 때까지 보관하지 말아야 한다. 감자 자체가 나쁜 것이 아니다. 보관법과 조리법이 발암물질, 독성물질을 만드는 것이다.

음식궁합이라는 말이 있듯이, 어떤 식품과 함께 먹는가에 따라 해로운 성분의 작용이 상쇄

되기도 하고 유익한 성분 간에 상승작용이 일어나기도 한다. 물론 유익한 성분의 작용을 방해하거나 해로운 성분의 작용을 더 크게 만드는 조합도 있다. 이 역시 우리가 왜 개별 영양소, 개별 식품 수준에서 식생활을 개선하는 것이 불완전한 방법인지를 보여준다.

그렇다면 식생활 개선은 어떤 수준에서 해야 할까? 바로 식단을 바꾸는 것이다. 지중해 식단이라고 할 때 떠오르는 식재료, 조리법, 상차림 방식이 있는 것처럼 전통 한식, 사찰음식이라 할 때도 떠오르는 것이 있다. 지금 우리에게 요구되는 변화는 이런 식단 차원의 변화다. 지난 수십 년 동안 '일반적인 미국인 식단(standard American diet, SAD)', '서구식 식단(western pattern diet, WPD)'이 전 세계에 확산되었다. 적색육, 가금류, 버터, 고지방 유제품, 계란, 정제된 곡물, 감자, 옥수수, 높은 당 함량, 그리고 튀기거나 굽는 조리법, 가공식품, 포장음식 등으로 특징지어지는 이 식단에는 우리가 지금까지 이야기한 좋은 음식의 요건이 거의 해당되지 않는다.

식단은 단지 몸이 먹는 음식의 구성을 말하는 것이 아니다. 식단은 그것을 먹는 사람의 신념, 신체활동, 사회적 관계를 비롯한 그 사람의 라이프스타일을 가장 포괄적이고 집약적으로 보여주는 것이다. 간편식이 1인 가구 문화를 대변하는 것처럼 한식 밥상은 가족 문화를 담고 있고 농경문화의 전통도 담겨 있다. 누구와 함께 먹는가가 무엇을 먹을지 결정하기도 하고 무엇을 먹는가가 언제, 누구와 먹을지를 결정하기도 한다.

식단을 바꾸려면 한 번에 완전히 바꾸는 것이 효과적이다. 한두 가지를 조금씩 바꾸는 것은 기존의 식사가 주던 만족감도 떨어뜨리고 새로운 식단이 줄 수 있는 효과도 충분히 누릴 수 없으므로, 갈망과 불만이라는 나쁜 두 가지를 섞어 놓는 것에 불과할 수도 있다.

(8) 음식과 노화, 수명의 관계

2010년 『사이언스』에는 「효모에서 사람까지, 건강수명 늘리기」라는 제목의 논문이 실렸다(Fontana 등, 2010). 그 방법이 무엇이었을까? 바로 적게 먹는 것, 소식(小食)이다. 효모 같은 미생물이든 쥐나 원숭이 같은 포유류든 음식 섭취량을 감소시키면 일반적인 양을 먹었을 때보다 오래 산다. 원숭이 같은 영장류와 사람에서는 당뇨병, 암, 심혈관질환 등 노화와 관련된 질병으로부터 보호하는 효과도 확인된다.

심지어 간헐적 단식(fasting mimicking diet, FMD)만으로도 건강수명이 증가될 수 있다(Brandhorst 등, 2015). 이 방법은 쥐에서 면역계를 젊어지게 하고 암 발생률을 낮추었으며, 뇌에서 기억을 담당하는 부위인 해마의 신경재생을 촉진하고 인지 능력을 향상시켰다. 사람에서도 역시 노화와 관련된 질병의 위험인자들을 개선했다. 대체 식사량을 줄이는 것이 어떻게 이런 변화를 일으키는 것일까? 그 답은 'fasting mimicking diet(단식 모방 식사)'라는 용어 안에 담겨 있다. 단식을 하면 몸 안에 있는 어떤 기전이 활성화되고 그것이 질병과 노화로부터 보호하는 역할을 한다는 것이다.

섭취하는 칼로리를 제한하는 것은 노화 억제와 수명 연장 효과가 가장 잘 확인된 라이프스타일이다. 여기에는 여러 가지 기전이 관련되어 있는데, 그 중 하나는 시르투인(sirtuin)에 의한 것이다. 시르투인은 노화 및 수명 조절과 관련된 단백질로, 항노화의 핵심 열쇠로 주목되는 물질이다(Guarente, 2011). 칼로리 제한은 시르투인을 활성화하고 자가포식을 증가시키며 만성염증을 감소시킨다. 그러나 무조건 덜 먹는다고 효과가 나타나는 것이 아니다. 칼로리 제한의 요체는 동물성 단백질과 단순당을 줄이고 복합탄수화물을 증가시키는 것이다. 또한 적어도 쥐에서는 칼로리 제한으로 인한 수명 연장 효과가 전체 칼로리가 줄어든 데서 기인한 것이 아니라 동물성 단백질을 제한해서 나타난 것으로 확인된다.

동물성 단백질 섭취를 줄이는 것은 TOR[15]라는 효소를 감소시킨다(McCarty, 2011). TOR가 감소하는 것은 수명을 증가시킨다(Harrison 등, 2009). 채식은 TOR를 감소시킨다(Verburgh, 2015). 동물성 단백질을 제한하는 것 또한 TOR를 감소시킨다(Solon-Biet 등, 2014). 류신(leucine)이라는 아미노산은 TOR를 활성화시키는데 류신은 육류, 가금류, 생선, 유제품 같은 동물성 식품에 주로 들어있다. 반면 식물, 특히 브로콜리 같은 십자화과 채소, 블루베리, 딸기 등의 베리류 과일은 TOR를 억제한다. 녹차, 두유 등 음료와 강황 같은 향신료도 그렇다. 채소와 과일에 존재하는 플라보노이드는 항산화, 항염증 효과뿐 아니라 TOR의 활성을 감소시키는 효과도 있다. 이들은 자가포식도 증가시켜서 신체가 정화되도록 한다.

---

15) TOR는 'target of rapamycin(라파마이신의 표적)'의 약자다. TOR는 성장과 대사를 조절하는 단백질인데 시르투인처럼 우리가 섭취하는 영양소에 의해 활성이 조절되고, 스트레스 상황에서는 활성이 감소되어 생존을 도모하는 신호를 발생시킬 수 있다. 본래 TOR의 기능은 해로운 것이 아니다. TOR는 세포의 성장과 증식을 촉진한다. 따라서 정상적인 성장을 위해서는 TOR의 역할이 매우 중요하다. 하지만 성장기 이후에도 활성이 유지된다면 암을 촉진할 수 있다. 전립선암이나 유방암에서는 TOR가 상향조절되어 있다. 만성질환의 예방과 관리라는 측면에서 보면 TOR의 활성이 감소되는 것이 유리하다.

세포가 영양 부족 상태가 되면 NAD(nicotinamide adenine dinucleotide)라는 물질이 증가하는데, NAD가 증가하면 시르투인 단백질이 활성화된다. 시르투인은 DNA가 감겨 있는 단백질인 히스톤에서 아세틸기를 제거한다. 이를 히스톤의 탈아세틸화라 하는데, 이것은 그 부위에 있는 유전자의 발현이 조절되는 방식이다('4장, 1, ❶ 후성유전학이란 무엇인가' 참고). 요컨대 시르투인은 음식 섭취 상태에 따라 유전자 발현을 조절하여 세포가 굶주림을 극복하고 살아남을 수 있게 한다. 결과적으로 세포는 더 기민하고 효율적으로 작동하게 된다. 동물에서 인위적으로 시르투인 생성을 막으면 대사 능력이 약화되고 인슐린저항성이 증가하며 미토콘드리아의 기능이 떨어지는 등 노화에 흔히 동반되는 현상이 나타난다.

시르투인을 만드는 유전자인 SIRT1은 장수유전자로도 불린다. 흥미롭게도 자연계에 있는 물질 중 SIRT1 유전자를 활성화시키는 것이 있다. 말하자면 굶은 상태를 모방하여 시르투인이 생성되도록 하는 물질이다. 바로 레즈베라트롤(resveratrol)이다. 레즈베라트롤은 대표적인 칼로리 제한 유사 물질로, 실험동물에서는 건강수명을 60%까지 연장시켰다. 레스베라트롤은 식물이 곰팡이나 해충의 공격 같은 불리한 상황에 직면했을 때 만들어내는 물질로서 폴리페놀에 속한다. 인체에서는 항암, 항바이러스, 신경 보호, 항노화, 항염, 수명 연장 등의 효과가 보고되고 있다. 이것은 앞에서 설명한 이종조절의 한 예다.

레즈베라트롤은 포도에 많이 함유되어 있는데, 물에는 녹지 않고 알코올에 잘 녹기 때문에 적포도주에 많이 들어 있다. 레즈베라트롤은 항노화 효과뿐 아니라, 혈관을 깨끗하게 해주는 HDL 콜레스테롤을 증가시키는 효과도 있다. 이것으로 프렌치 패러독스(French paradox)가 설명되기도 한다. 프렌치 패러독스란 프랑스 사람들이 고지방, 고콜레스테롤 식사를 하는 데도 심장병 발생이 상대적으로 적은 현상을 가리킨다.

포도주에는 안토시아닌 같은 폴리페놀도 포함되어 있고, 폴리페놀류는 항산화물질로서 노화를 억제한다. 그러나 실험동물에 투여한 레스베라트롤의 양을 감안할 때, 사람이 적포도주를 수명 연장의 목적으로 마시려면 하루에 수십 병을 마셔야 한다. 하루 한두 잔의 알코올은 해롭지 않고, 포도주는 오히려 심혈관 질환 예방에 도움이 된다고 알고 있는 사람이 많지만, 적당량의 알코올이 무해하다거나 유익하다는 견해는 지금 모두 철회되는 중이다. 알코올은 적당량 이상 마시면 해로운 것이 아니다. 알코올이 암 위험을 증가시키는 것은 한두 잔 이후부터가 아니라 단 한 방울부터 시작된다.

최근 연구에서는 항산화물질이 풍부해서 건강식품으로 알려진 홍차, 초콜릿, 견과류, 베리류 등이 장내 미생물의 작용으로 인해 오히려 대장암 위험을 높일 수 있다는 연구 결과도 나왔다(Kadosh 등, 2020). 음식이 곧 약이라고 생각한다면, 모든 약은 사용량에 따라 약이 될 수도 있고 독이 될 수도 있다는 점도 기억해야 한다.

그리고 '얼마나 먹는가'보다 더 중요한 것이 있다. '무엇을 먹는가'다. 최종당산화물(advanced glycation end product, AGE)이라는 물질은 시르투인의 활성을 억제하는데, AGE는 단백질들을 교차결합(crosslink)시키고 산화스트레스를 높이며 조직을 경화(stiffness)시키고 염증을 증가시키는 등 다양한 기전을 통해, 이름처럼 노화를 촉진하는 유해 분자다. 일반적으로 지방과 단백질이 높은 동물성 음식에 AGE가 많고 조리하는 과정에서도 AGE가 새로 형성된다. 따라서 전통적인 서구식 식사에는 AGE 분자가 많이 포함되어 있다. 채소, 과일, 통곡물 등 전체식품의 경우, 자연 상태에서는 AGE가 적고 심지어는 조리를 한 후에도 그렇다.

(9) 비만과 식사

비만에는 유전적인 요인이 작용한다. 50~400가지 유전자가 비만과 관련이 있는 것으로 알려져 있다. 부모 모두 비만인 자녀는 비만이 될 가능성이 80%다. 하지만 가능성은 가능성일 뿐, 가능성을 현실로 바꾸는 것은 라이프스타일이다. 비만을 예방, 치료하는 데 음식의 중요성은 굳이 언급할 필요가 없다.

음식의 에너지밀도(energy density, ED)는 체중 관리 식단에서 우선적으로 고려되어야 한다. 에너지밀도는 음식 1 g이 가진 열량(kcal/g)을 의미하며 영양가와는 무관하다. 1 g당 1.8 kcal 미만은 저밀도, 1.8~3 kcal는 중밀도, 3 kcal 이상은 고밀도로 구분한다. 에너지밀도를 낮추려면 지방과 당분, 특히 단순당을 줄이고 수분과 섬유질이 많은 식품을 섭취해야 한다.

음식물의 종류는 공복감과 만복감에 큰 영향을 미친다. 음식은 위에서 대략 2~4시간 머문다. 탄수화물이나 당분이 가장 빨리 위에서 배출되고 단백질은 4~5시간, 지방은 6~8시간까지 머문다. 물론 음식의 수분 함량이나 단단함의 정도가 위 배출 시간에 영향을 준다. 위에서 빨리 배출되는 음식은 그만큼 공복감을 빨리 느끼게 한다. 식물에만 있는 식이섬유는 위에서 오래 머물기 때문에 만복감을 지속시킨다.

단백질은 흡수 속도에 따라 빠른 단백질(fast protein)과 느린 단백질(slow protein) 두 가지로 나눌 수 있는데, 빠른 단백질은 빨리 흡수되어 포만 신호를 발생시킨다. 콩과 해산물의 단백질은 빠른 단백질인데 이 식품들은 식이섬유도 풍부하다. 단백질을 소화시킬 때는 지방이나 탄수화물을 소화시킬 때보다 열량이 3배 소모된다. 게다가 1 g당 4 kcal의 열량을 내므로 9 kcal를 내는 지방보다 훨씬 열량이 낮다. 지방을 먹어서 몸에 지방으로 저장하는 것은 단백질이나 탄수화물을 먹어서 지방으로 전환시켜 저장하는 것보다 에너지가 적게 소모된다.

먹는 속도도 섭취하는 양에 영향을 미친다. 음식이 위에 들어가면 위의 신장수용체(stretch receptor, 위가 늘어난 것을 감지하는 수용체)를 자극해서 뇌의 포만중추로 신호를 보내는데, 그 신호가 뇌에 전달되려면 20분 정도 소요된다. 그때까지는 배가 부른지도 모르고 계속 먹을 수 있다. 따라서 빨리 먹으면 많이 먹게 된다.

배고픔이나 포만감을 느끼게 하는 곳은 뇌의 시상하부에 있다. 배고픔을 담당하는 영역의 신경세포는 포만감을 담당하는 영역의 신경세포와 상호작용하며 배가 고프거나 배가 부른 것을 느끼게 한다. 연구에 따르면 이곳에 있는 미세아교세포(microglia)는 음식을 섭취할 때마다 염증성 사이토카인 TNF-α를 분비한다. 비만인 사람의 미세아교세포는 항상 과도하게 활성화되어 있어서 TNF-α를 더 많이 만드는데, 이것은 포만감을 느끼게 하는 영역의 신경세포에 스트레스를 준다. 그 결과 신경세포가 손상되고 이로 인해 포만감을 덜 느끼게 된다. 많이 먹으면 비만해지는 것도 사실이지만 비만해서 많이 먹는 것도 사실인 것이다. 비만하지 않더라도 과식을 하거나 지방 함유량이 높은 음식을 먹을 때는 사이토카인이 더 많이 분비된다. 비만이 아닌 사람이라도 많이 먹다 보면 점점 더 많이 먹게 되는데, 이 역시 포만감 영역의 손상으로 설명될 수 있다.

음식과 함께 물을 충분히 공급하는 것이 중요하다. 수분 공급을 잘 해야 체중 감량에도 도움이 된다. 물은 대사를 원활하게 해 주기도 하지만, 비열[16]이 높아서 열량을 많이 소모한다. 물을 충분히 마셔야 하는 이유는 또 있다. 많은 사람들이 갈증을 배고픔이나 입이 심심한 것으로 착각하고, 그럴 때마다 습관적으로 간식이나 가당음료를 찾기 때문이다.

어떤 음식을 태웠을 때 발생하는 열(heat)의 양을 열량(칼로리)이라 한다. 우리가 매일 음식에서 얻는 에너지의 소비(total daily energy expenditure, TDEE)는 다음 세 가지 방식으로 이루어진다. 기초대사에 사용되는 것(resting energy expenditure, REE), 열효과(thermic effect of food, TEF)로 사용되는 것, 활동에 사용되는 것(energy expenditure due to physical activity, EEPA)이다. 전체 열량 중에서 기초대사에 사용되는 것은 60~75%다. 열효과란 음식을 소화, 흡수하는 과정에서 발생하는 열인데, 전체 열량 중 5~10%가 열효과로 소비된다. 나머지 15~30%는 일상 활동, 운동, 작업 등에 사용된다. 따라서 기초대사량이 높으면 쉽게 체중이 늘지 않는다.

기초대사량은 생명 유지에 필요한 최소의 열량으로, 꼼짝 않고 누워서 숨만 쉬더라도 소비되는 에너지다. 기초대사량을 늘리는 방법이 무엇일까? 바로 근육을 키우는 것이다. 근육 1 kg을 유지하는 데 하루 13 kcal가 소비된다. 이에 비해 지방은 단지 4.5 kcal가 필요하다. 식사량만 줄여서 체중 조절을 하는 경우 근육이 감소되기 때문에 단기적으로는 감량에 성공할 수 있

---

16) 비열은 어떤 물질 1 g의 온도를 1℃만큼 올리는 데 필요한 열량이다. 마신 물을 체내에서 36.5℃로 데우고 그 온도를 유지하자면 상당한 에너지가 소요된다.

어도 기초대사량이 낮아져 살이 찌기 더 쉬운 몸이 된다.

염분(나트륨)은 포만감을 낮춘다. 염분은 소금(염화나트륨) 외에도 염화칼륨, MSG(monosodium glutamate) 등의 형태로 체내에 유입된다.[17] 하지만 완전 무염식처럼 극단적으로 소금 섭취를 피하는 것은 오히려 부작용을 초래할 수 있다. 약물이 식욕을 유발할 수 있다는 점도 기억해 둘 필요가 있다. 식욕촉진제나 식욕억제제를 말하는 것이 아니다. 일반적인 질병에 처방되는 약물 중 상당수가 식사에 영향을 미친다.

체중 감량 식이요법을 할 때 부족한 영양소를 공급하기 위해 단백질바(protein bar), 영양바(nutrition bar)를 식사 대용으로 먹는 사람이 많은데, 포만감 없는 식사는 식욕을 더 일으킬 수 있다. 정찬에서 입맛을 돋우기 위해 먹는 애피타이저(appetizer)의 감질 나는 양을 생각해 보면 된다. 평생 그런 식사를 할 것이 아니라면, 평생 먹을 수 있는 체중 감량 식단을 찾아 실천하는 것이 자신을 덜 고통스럽게 하는 방법이다.

식욕은 다양한 심리적 자극에 의해서도 일어난다. 빗소리를 들으면 부침개가 생각나고 비닐 바스락거리는 소리에 과자가 생각나는 것처럼 청각적 자극에 의해서도 식욕이 솟고, 음식 사진을 보는 것 같은 시각적 자극에 의해서도 식욕을 느낀다. 소위 '먹방' 프로그램을 보면서 대리만족을 한다는 사람도 있지만, 음식 사진이나 다른 사람이 먹는 장면을 보면 식욕을 촉진하는 호르몬인 그렐린(ghrelin) 분비가 증가한다.

어떤 사람에게는 먹는 내용보다 먹는 방식의 개선이 더 시급하다. 예를 들면 TV 앞에서 먹는 습관이 그렇다. TV 앞에서 먹으면 40% 더 먹게 되고 먹는 즐거움은 떨어진다(Tumin 등, 2017). 규칙적인 식사 습관은 비만뿐 아니라 모든 질병의 예방과 관리에 있어서 기본이다. 먹는 시간이 불규칙하면 우리의 무의식적인 몸과 마음은 언제 음식을 먹을지 예측할 수 없게 되어 초조해지고, 먹을 수 있을 때 더 많이 먹으려 한다. 게다가 소화에 관여하는 호르몬들의 분비 기복이 커지는데, 이것이 비만과 인슐린저항성을 부르는 원인이 된다.

하루에 반드시 세 번 식사를 해야 하는가에 대해서는 의견 차이가 있다. 사실 인류가 하루 세 끼를 먹게 된 것은 그리 오래되지 않았다. 지금도 하루 한 끼 식사만 하는 전통적인 불교식

---

17) 일반적인 식용 소금은 나트륨 함량이 88% 정도다. 최근에는 염화칼륨을 첨가하여 소금의 짠맛을 유지하면서 나트륨의 함량을 줄인 저나트륨 소금도 판매되고 있다. 나트륨은 수분 배설을 억제하여 혈압을 상승시키지만 칼륨은 나트륨을 소변으로 배출시켜 혈압을 낮추는 효과가 있다. WHO에서 권장하는 하루 나트륨 섭취량은 2 g 미만인데, 우리나라 사람의 섭취량은 약 5 g으로, 2배가 넘는다. 나트륨 2 g을 소금으로 환산하면 찻숟가락 하나 정도의 양인 5 g인데, 우리나라 사람들은 밥숟가락으로 하나를 먹고 있는 셈이다. 과도한 염분 섭취는 비만, 동맥경화증, 고혈압, 뇌졸중 등 심·뇌혈관질환, 위암 등 소화기질환, 신장질환, 골다공증의 위험을 높인다. 하루 소금 섭취량을 3 g 줄이면 뇌졸중과 관상동맥질환 위험을 각각 22%, 16% 낮출 수 있다.

식사를 하는 승려들이 있는데, 이들에게 소화기 장애나 다른 건강상 문제가 더 많이 나타나는 것은 아니다. 식사 횟수보다 중요한 것은 규칙적으로 식사를 하는 것이다. 한꺼번에 먹는 것과 조금씩 자주 먹는 것을 두고도 의견이 분분하지만, 체중조절 때문이라면 그런 고민을 하는 것보다는 조금 덜 먹을 방법을 고민하는 것이 더 낫고, 그것이 칼로리를 관리하는 데도 용이하다. 모든 것은 개개인의 상황에 맞추어 구성되어야 한다. 소화 기능이 약한 사람은 조금씩 자주 먹는 것이 좋은 선택이다.[18]

아침에 결식하는 것과 비만 사이에 상관관계가 있기는 하지만 인과관계는 약하다. 다만 비만한 사람, 만성질환이 있는 사람에게 아침식사가 중요한 것은 분명하다. 3만여 명의 남성을 16년 동안 관찰한 연구에서는 아침을 먹지 않는 사람들의 당뇨병 발생률이 21%나 높았다. 아침을 먹지 않으면 인슐린 공급이 늦어지면서 점심과 저녁에 혈당이 상승한다. 반면에 아침을 먹으면 췌장이 인슐린을 잘 분비하여 혈당이 안정적으로 조절된다. 이를 '두 번째 식사 효과(second meal effect)'라 한다. 한 연구에서는 당뇨병 환자가 아침식사를 거르면 점심식사 후 혈당이 최대 268 mg/dL, 저녁식사 후에는 최대 294 mg/dL까지 상승했지만, 아침식사를 하면 점심식사 후에는 192 mg/dL, 저녁식사 후에는 235 mg/dL까지만 상승했다(Jakubowicz 등, 2015). 반면 늦은 저녁식사는 당뇨병을 포함한 만성질환의 위험을 증가시킨다. 저녁은 가급적 적게, 일찍 먹는 것이 좋다.

비만을 비롯한 만성질환을 유발하는 식습관 중에서 최근 심각한 수준으로 확산되고 있는 것이 야식이다. "커피가 물이고 밤샘이 삶이고 야식이 낙이고 내 속은 쓰리고...."로 시작하는 제산제(위산을 중화시키는 약) 광고가 있었다. 이 약이 속쓰림에 효과가 있는 것은 사실이지만, "그러니 커피를 줄이고 밤샘을 하지 말고 야식을 피하라"가 광고의 결론이 아닌 것은 유감이다. 야식 후 바로 눕게 되면 위 안에 있던 위산과 음식물이 역류된다. 이것이 식도 점막을 손상시키고, 지속되면 속쓰림뿐 아니라 만성 기침까지 유발할 수 있다. 식후 잠이 들면 숙면을 취하기도 어려워지고, 수면이 감소하면 체중은 증가한다.

문제는 야식 음식 자체에도 있다. 야식 음식은 대개 직접 조리하는 음식이 아니라 이미 조리된 간편식이나 배달음식이다. 지방, 나트륨, 당분 함량이 높은 음식이 대부분이므로 건강에 도움이 될 리도 없다. 게다가 달고 짜고 매운 자극적인 맛이라서 중독성도 높다. 음식에 중독되는

---

18) 여러 번 나눠 먹으면 소화와 대사에 에너지가 더 많이 소모되어 체중 감량에 유리하다는 주장도 있지만, 그 효과를 실질적으로 얻기 위해 필요한 식사 횟수를 고려하면 현실적으로 큰 의미가 없다. 게다가 사람이 한 번에 먹는 양은 매번 비슷하므로 여러 번 먹으면 결과적으로는 더 먹게 될 수도 있다.

것과 약물에 중독되는 것은 신경생리학적으로 다르지 않다. 약물에 중독된 사람의 뇌와 음식에 중독된 사람의 뇌는 동일하게 반응한다. 과식은 무엇을 먹든 불건강한 식사이고, 그 중에서도 밤의 과식은 최악의 식사다.

글상자⑳ 물

보통 하루 여덟 잔의 물을 마셔야 한다고 알고 있지만 반드시 그런 것은 아니다. 체격, 나이, 활동량, 계절, 기후에 따라 하루에 섭취해야 할 물의 양은 1~4 L로 다양하다. 물은 체내에서 대사산물로도 생산된다. 그렇다고 해서 자신에게 필요한 물의 양을 계산하는 것이 더 복잡해지는 않는다. 정상인이라면 몸은 갈증이라는 신호로 수분 부족을 알리고, 과도한 수분은 적절히 배출하기 때문이다. 한마디로 말해서 마시고 싶을 때 마시면 된다. 더 많이 마시더라도 몸의 조절 기능 때문에 수분 과잉이 되지 않으니 많이 마셔도 문제가 되지 않는다. 그렇지만 이것은 건강한 사람들의 경우다.

만성질환이 있거나 고령자인 경우에는 좀 더 관심이 필요하다. 특히 노인은 탈수에 주의해야 한다. 갈증을 잘 느끼지 못해서 필요할 때 수분 보충을 하지 못하고 위험한 상황에 이를 수 있기 때문이다. 시상하부에는 체온을 조절하는 곳이 있다. 체온이 너무 높으면 시상하부는 피부에서 땀이 발생하도록 하는데 땀은 증발하면서 체온을 낮춘다. 수분이 부족하면 시상하부는 갈증을 느끼게 하여 물을 마시게 하고 소변 배출량도 감소시킨다. 일반적으로 나이가 들수록 이런 체온 조절 시스템의 효율성이 떨어지게 된다.

평소 건강에 문제가 없는 사람이라도 땀을 많이 흘린 후 제때 물을 섭취하지 않으면 탈수 상태가 될 수 있다. 체내 수분이 충분하지 않으면 땀을 발생시키는 능력이 감소하여 체온이 과도하게 상승할 수 있고, 이로 인해 열사병이 일어날 수 있다.

갈증을 느끼면 반드시 수분을 보충해야 하는데 문제는 이 지점에서도 발생한다. 마시기는 하는데 마시지 않아야 할 음료를 마시기 때문이다. 많은 사람들이 갈증을 입이 심심한 것으로 착각하고 간식을 찾거나, 목이 말라도 물이 아닌 주스, 청량음료, 이온음료 같은 것을 마신다. 그러면 수분만 보충하는 것이 아니라 불필요한 당분과 염분은 물론이고 합성향료나 인공색소 같은 첨가물까지 섭취하게 된다.

물은 갈증이라는 신호를 통해서 섭취가 조절되지만 가당음료는 갈증 없는 갈망을 일으킨다. 또한 갈증이 있을 때 가당음료를 마시면 조건학습이 일어나 다음번에 갈증을 느낄 때도 가당음료를 찾게 된다. 따라서 갈증이 있을 때는 물을 마시는 습관을 들여야 한다. 이와 동일한 원리로, 배고프거나 목마를 때 먹은 음식에 대해 더 갈망을 갖게 되기 때문에 배고플 때 단 음식, 과자, 가당음료를 섭취하지 않도록 해야 한다.

커피를 물처럼 마시는 사람이 대단히 많은데 커피는 물이 아니다. 카페인은 이뇨작용을 한다. 물을 마시는 것은 몸에 수분을 보충하는 것이지만 커피를 마시는 것은 수분을 배출시키는 것이다.

5 사람은 마음을 먹는다

> "몸은 영혼의 집이고, 음식은 곧 생명이다."
> - 간디(Gandhi) -

라이프스타일은 우리가 세상과 소통하고 관계 맺는 방식이다. 식습관이라는 라이프스타일로 맺을 수 있는 관계는 어디까지일까? 어떤 사람은 돼지고기의 맛이나 영양분과 관계를 맺고 있지만, 무슬림은 돼지고기라는 금기를 통해 신과 관계를 맺고 있다. 우리가 어떤 마음으로 음식을 먹는가에 따라 같은 돼지고기 요리도 어떤 사람에게는 약이 되고 어떤 사람에게는 독이 된다. 그렇다면 우리는 몸으로만 음식을 먹는 것이 아니라 마음으로도 음식을 먹는 것이다.

회사에서 동료 대여섯 명과 점심 식사를 하러 나가면서 "오늘은 뭘 먹을까?"를 서로 묻는 장면을 상상해 보자. 이 질문은 각자의 마음속에서 다른 의미로 재구성된다. "뭐가 맛있을까?", "뭐가 몸에 좋을까?", "뭘 먹어야 용돈을 아낄까?" 대개 이런 정도일 것이다. 그러나 "무엇을 먹어야 기아에 시달리는 사람들을 조금이라도 줄일 수 있을까?", "무엇을 먹어야 아이들이 지금보다 더 나쁜 환경에서 살게 되지 않을까?"를 생각하면서 메뉴를 결정하는 사람도 더러는 있을 것이다. 식생활을 보면 그 사람의 신념 체계나 의식 수준이 드러난다. 우리가 선택하는 밥상은 그 사람이 쾌락주의인지, 물질주의나 기계주의인지, 이기주의인지, 인본주의나 박애주의인지, 생태주의나 생명주의인지 보여준다.

『밥맛이 극락이구나』라는 제목의 책이 있었다. 좋은 쌀로 지어서 윤기가 흐르는 밥과 맛깔난 반찬이 입에 착착 붙으니 입이 황홀해서 극락이라는 것일까? 아니면 누구도 고통이 없는 극락 세계에서 받는 밥상이어서일까? 요즘의 사찰음식에 대한 관심은 물질주의적 영양학이나 자신만의 건강과 웰빙을 생각하는 이기주의적 목적에서 비롯된 것인 경우가 많다. 그것에 사찰음식이라는 이름을 붙여도 될까? 인본주의나 박애주의자라면 지구 어딘가에서 굶어 죽는 사람들이 먹을 곡식으로 키운 고기를 주식으로 삼지 못할 것이고, 생명주의라면 평생 고문 같은 삶을 살다가 처참하게 도살되어 밥상에 오른 동물의 살덩이를 보면서 입맛을 다시지는 못할 것이다.

우리의 식생활은 인간의 지속가능성(sustainability), 더 나아가 인류의 생존 기반인 생태계와 지구의 지속가능성과 직결되어 있다. 산업화와 도시화는 전 세계적으로 전통적 식단을 정제된 당분, 지방, 육류 위주의 식단으로의 전환하고 있다. 이러한 식문화가 지구 한편에는 비만과 만성질환의 폭증으로 고통받는 지역을, 다른 한편에는 식량 부족에 시달리는 지역을 확대하고 있고, 생태계 파괴와 전 세계 온실가스 배출량 증가의 주된 원인이 되고 있다.[19]

대안적 식단이 널리 채택된다면 전 세계 농업 온실가스 배출량이 감소하고 토지 개간 및 그에 따른 생물종 멸종이 감소하며, 질병에 시달리는 사람들과 기아로 고통받는 사람들을 동시에 구할 수 있다. 그 대안적 식단이 바로 WFPB다. 밀접하게 연결되어 있는 식이-환경-건강의 트릴레마(trilemma) 속에서 식단을 통한 해법을 찾아 실천하는 것은 전 세계적인 과제이자 기회다 (Tilman 등, 2014).

간디(Mahatma Gandhi)는 사람들이 우유를 얻기 위해 소에게 하는 행위를 목격한 뒤로는 우유를 먹지 않았다. 그러나 그는 영혼의 집인 몸의 건강을 결코 소홀히 하지 않았다. 그는 어떤 음식이 몸에 좋은지 끝없이 스스로에게 실험을 해 보았다. 그리고 나서 그가 선택한 것은 열매 식사였다. 간디는 과일과 견과류만 먹었으며 소금을 피했고 차나 커피도 탐착(중독)된다는 이유로 마시지 않았다. 인도의 최고(最古) 경전 중 하나인 『바가바드 기타(Bhagavad gita)』에서는 인간이 태어날 때 몸, 사회, 우주라는 세 가지 질서 속으로 들어온다고 한다. 본래 하나인 이 세 가지 질서를 삶 속에서 일치시킬 때, 즉 몸을 건강하게 다스리고 사회에 베풀고 자연을 공경하는 세 가지 질서를 삶에서 구현할 때, 삶은 자유와 기쁨으로 충만하며 거룩해지고, 분리라는 착각이 사라지게 된다. 이러한 우주적 원리에 근거하는 섬김과 자기희생의 삶이 간디가 실천한 비폭력(ahimsa)이다.

무엇을 먹을 것인가라는 문제에 대한 더 깊고 넓은 성찰이 그 어느 때보다 절실하다. 의식이 성장한다는 것은 음식의 맛이나 영양분하고만 맺고 있던 관계가 음식을 재배하고 함께 나누는 사람들과의 관계, 음식에 깃든 생명과 그 음식을 만든 땅과의 관계로까지 확대되는 것이다. 음식은 단지 배를 채우는 것이 아니라 마음을 채우고 삶을 채우는 것이다. 그렇게 우리는 음식을 통해 사회나 자연과 하나가 된다.

---

19) 이 부분에 대해서는 '7장, 12, **3** 환경의 지속가능성과 인류의 지속가능성을 연결하는 식생활'에서 자세히 설명할 것이다.

한의학, 우나니 의학(Unani medicine)과 함께 세계 3대 전통의학으로 꼽히는 인도의 아유르베다(Ayurveda)에서는 음식이 단순한 영양소가 아니라 우주의식의 표현물이다. 아유르베다에 따르면 우주 만물은 사트바(sattva), 라자스(rajas), 타마스(tamas)라는 세 가지 속성으로 이루어져 있다. 이 세 가지 속성을 구나(guna)라 한다. 모든 물질과 그 관계, 모든 행위는 세 가지 속성이 결합하여 나타나는 것이고 셋 중에 하나의 속성이 그것의 지배적인 성질이 된다.

사람에서 사트바는 밝고 순수하고 선한 특성을 가지게 하며 명료함과 평정에 이르게 한다. 라자스는 활동적인 특성을 가지며 적극적이고 활기차고 폭력적인 성향을 나타내게 만든다. 타마스는 어두움, 어리석음, 게으름 등의 작용을 한다. 요가와 아유르베다에서 사트바는 깨달음과 치유가 일어나는 균형 상태다. 사트바를 계발하는 것은 곧 몸과 마음을 정화하는 것이다. 이를 위해 음식도 사트바적인 음식을 권장한다.

사트바적인 음식에는 과일, 채소, 통곡물, 씨앗 등이 있다. 짜고 맵고 기름진 음식과 고추, 양파, 커피, 향신료는 라자스적인 음식이다. 이 음식들은 맛도 자극적이고 먹는 사람도 흥분하게 만든다. 불교에서 수행에 방해가 된다고 하여 금지하는 오신채(五辛菜)도 이러한 음식이다. 타마스적인 음식은 육류, 생선, 계란, 술, 담배 등이 있다.

사트바적인 음식으로 구성된 식단은 완벽한 WFPB다. 실제로 치유식, 선식이라 불리는 것들이 사트바적인 음식이다. 사트바적인 음식은 살아있는 음식이다. 동물성 식품은 아무리 신선하다 해도 이미 죽은 동물의 사체일 뿐이지만 채소, 과일, 통곡물, 견과류는 우리가 먹을 때까지 생명력을 유지하고 있기 때문에 운송, 보관 중에도 뿌리가 자라고 싹이 난다.

비건은 'vegetable(채소)'에서 온 말이 아니라 '생명력을 불어넣다'라는 뜻의 'vegetare'가 어원이다. WFPB는 생명력을 불어넣는 사트바적인 음식이다. 2500년 전 그리스의 철학자 피타고라스도 살아있는 신선한 음식을 먹으면 진리에 더 밝아진다고 했다.

2 신체활동과 운동

■ 현대인의 신체활동

(1) 사람의 몸은 움직이도록 만들어졌다

인류는 지난 500만 년 동안 대부분의 시간을 수렵채취 생활로 살았다. 따라서 우리의 몸은 끊임없이 움직이고 이동해야만 살 수 있는 수렵채취 생활에 적합하도록 만들어져 있다. 현대인의 신체활동은 100년 전과만 비교해도 60~70%나 감소했는데 이것은 하루 1,000 kcal를 덜 소모하는 것이고, 걷는 거리로 환산해 보면 16 km를 덜 걷는 것과 같다(Vogels 등, 2004). 신체활동이 거의 없는 현대의 도시적 생활방식, 소비되지 않고 축적되는 과도한 열량 섭취는 근본적으로 인간의 생리에 맞지 않는다. 극단적으로 감소된 신체활동은 동물원에 갇혀 있는 동물이 겪는 것과 같은 스트레스를 우리의 몸과 마음에 가하고 있다. 동물을 대상으로 하는 스트레스 실험에서 실험동물에게 줄 수 있는 가장 극심한 스트레스 중 하나가 꼼짝할 수 없이 몸을 구속(restrain)하는 것이다. 인간은 자연 속에서의 생활에 맞는 생리적·심리적 설계를 지니고 있으므로, 그것과 완전히 반대인 도시적 생활은 심신에 부담을 줄 수밖에 없다.

당뇨병은 그 결과를 보여주는 대표적 질환이다. 인간의 췌장이 인슐린을 생산하는 능력은 수렵채취 시대에 비해 거의 달라진 것이 없는데, 과도한 음식물 섭취와 신체활동 감소로 인해 당분 대사에 과부하가 생기게 된 것이다. 결국 당뇨병을 야기하는 원인은 췌장의 문제가 아니라 신체활동의 급감과 영양 과다를 야기한 도시적인 라이프스타일이다. 자동차, 엘리베이터, 세탁기, 청소기 등 일상의 신체활동을 대신해 주는 기술문명의 발달 덕분에 삶이 편해졌다고 생각하는 것은 사실상 우리 스스로를 기만하는 그릇된 믿음이다. 마치 편하다고 느끼는 구부정한 자세가 실제로는 근골격계에 훨씬 큰 부담을 주는 것과 같다.

신체활동에 대해 본론을 시작하면서 먼저 명확히 해둘 점이 있다. 그것은 이 절의 제목이 '신체활동(physical activity)'이지 '운동(exercise)'이 아니라는 것이다. 수렵채취 시대 사람들은 따로 운동을 하지 않았다.

(2) 신체활동

신체활동은 골격근의 수축으로 일어나는 신체의 모든 움직임을 의미하며, 운동은 체력 증진이나 체력 유지를 목적으로 계획적, 구조적, 반복적으로 하는 신체활동의 한 종류다. '운동'과 '운동 트레이닝'은 자주 상호교환적으로 사용되는데 일반적으로 체력, 수행력, 건강 등의 개선과 유지를 목적으로 여가 시간에 수행하는 신체활동을 의미한다.

WHO는 신체활동 부족이 고혈압, 흡연, 당뇨병에 이어 전 세계 네 번째 사망원인이라고 했다. 신체활동 부족은 21세기에 가장 중요한 공중보건 문제로 꼽히기도 한다(Blair, 2009). 2013년 보건복지부가 제작한 「한국인을 위한 신체활동 지침서」에 따르면, 우리나라 15세 이상 국민의 규칙적인 신체활동 실천율은 32.1%에 불과하며, 19세 이상의 국민 70.4%가 비운동군에 속하거나 신체활동이 부족한 것으로 나타났다. 특히 신체활동 부족병이라 일컬어지는 고혈압, 당뇨병, 고지혈증, 대사증후군 등 만성질환을 앓고 있는 사람들은 신체활동 참여도가 더 낮았다.

2016년 「국민건강영양조사」를 보면 걷기 실천율은 2005년 60.7%에 비해 39.6%로 감소했고, 유산소운동과 근력운동 실천율도 감소하고 있는 것으로 나타났다. 신체활동의 중요성에 대한 국민적 인식이 증가하고, 피트니스 클럽이나 요가원 같은 생활체육 시설이 곳곳에 들어서고, 공원이나 산책로마다 걷기를 하는 사람들이 전보다 늘었음을 감안하면 이러한 결과는 의외다. 그러나 우리 자신의 라이프스타일을 살펴보면 결과에 금방 수긍할 수 있다. 그 사이에 자가용은 더 늘었고, 더 많은 사람들이 엘리베이터가 있는 주택에 살게 되었으며, 더 많은 가정이 로봇청소기와 식기세척기를 들여놓았고, 대개의 가전제품이 가만히 앉아서 리모컨이나 음성으로 조작할 수 있는 것으로 바뀌었다. 게다가 우리는 집안에서든 사무실에서든 더 이상 전화를 받기 위해 일어나지 않아도 된다. 심지어 집에서 가족과 하는 의사소통도 각자의 방에서 전화나 메신저로 한다. 휴대전화를 영어로 'cell phone'이라 하는데 'cell'에는 감옥이라는 뜻도 있다.

신체활동 정도는 주변 환경의 영향을 크게 받는다. 같은 도시 안에서도 공원 가까이 사는 사람과 빌딩숲 한가운데 사는 사람의 야외활동 정도는 다르다. 폭염이나 혹한, 미세먼지, 감염병 유행이 신체활동을 제한하는 정도를 생각하면 신체활동을 단순히 개인의 선택과 책임의 영역이라 할 수는 없다. WHO는 2000년 제53차 세계보건회의에서 신체활동 부족을 만성질환의 예방 및 조절에 필요한 핵심 요소로 확정하고 신체활동 장려를 위한 정부의 기능과 역할을 강조했다. 국민들의 규칙적인 신체활동 참여는 의료비를 포함한 사회간접비용의 절감 효과가 지대하다.

신체활동이 필요하다는 것은 알지만 운동할 시간이 없다고 호소하는 사람들이 많다. 하지만 이들 중에는 1분 만에 걸어 올라갈 수 있는 4~5층 사무실을 3분 이상 엘리베이터를 기다려 올라가는 사람이 적지 않다. 운동할 시간이 없으면 신체활동을 더 하면 된다. 별도로 운동을 해야 하는 경우에도 시간 부족은 진부한 핑계일 가능성이 높다. 시간은 누구에게나, 항상 있는 것이며 시간 부족이란 단지 우선순위에서 밀리는 것들에 대한 변명이다.

걸음 수로만 봤을 때 대략 하루 5,000보 이하를 걷는 정도라면 신체활동 수준이 낮다고 할 수 있다. 걸음 수가 신체활동 정도를 가늠하는 척도가 된다면 앉아 지내는 시간의 길이는 신체활동을 하지 않는 정도의 척도가 된다. 남녀노소를 불문하고, TV나 컴퓨터 앞에서 깨어있는 시간 중 가장 많은 시간을 보내는 사람들이 늘고 있다. 심지어는 안마의자가 몸에 자극을 주는 유일한 수단이 되어버린 사람도 있다.

신체 활동량과 만성질환 사이에는 용량반응관계(does-response relationship)가 있다. 즉, 신체활동을 많이 할수록 만성질환에 대한 보호 효과도 그에 비례하여 증가한다. 물론 앉아서 지내는 시간과 만성질환 발병률 사이에도 비례관계가 성립된다. 연구에 의하면 TV를 한 시간 더 볼 때마다 모든 원인으로 인한 사망이 11% 증가한다(Dunstan 등, 2010).

이 문제는 아동에게 더 심각하다. WHO가 2017년 펴낸 보고서에 따르면, 지난 40년 동안 전 세계 비만 아동과 청소년이 저소득 국가를 중심으로 1억 2천만 명으로 늘었다. WHO가 지적한 주요 원인은 걷거나 자전거를 타기보다는 교통수단에 의존하여 통학하고, 학교에서는 앉아 있기만 하며, 집에서는 TV를 보거나 비디오게임을 하는 등 비활동적인 생활을 하는 것이다.

② 신체활동의 효과

(1) 운동은 공인된 치료제

> "운동이 몸과 마음의 치료제라는 개념은 과학적으로 확실하다."
> - 셀허브(Eva Selhub) & 로건(Alan Logan) -

신체활동은 심신의 건강과 활력을 증가시키고 체력을 향상하며 만성질환의 예방과 치료를 돕는다. 규칙적으로 신체활동이나 운동을 하면 비만 위험이 낮아지고 그로 인해 유발될 수 있는 고혈압, 뇌졸중 등 심·뇌혈관질환, 당뇨병이나 고지혈증 같은 대사성 질환뿐 아니라 골다공증, 근감소증, 다양한 암의 발생률이 낮아지고 사망률도 감소한다. 게다가 신체활동은 정신건강과 인지기능 유지에도 대단히 중요하다. 규칙적인 신체활동은 연령과 성별에 상관없이, 그리고 장애를 가지고 있는지에 상관없이 건강에 긍정적인 영향을 미친다. 청소년기의 규칙적인 신체활동은 성인이 된 후의 건강에도 기여한다.

신체활동은 노화도 늦추어 준다. 하루 30~40분씩 매주 5일 조깅을 할 정도로 신체활동 수준이 높은 사람은 비활동적인 사람보다 9년 정도 생물학적 노화가 덜했고, 중간 정도로 활동적인 사람보다는 7년 정도 덜했다(Tucker, 2017).

전반적인 신체활동 정도가 건강, 노화, 수명에 미치는 영향보다는 운동이 이들에 미치는 영향이 더 많이 연구되어 있으므로, 여기서는 운동을 중심으로 신체활동을 효과를 살펴보기로 한다.

운동을 '사실이라고 믿기 어려울 만큼(too good to be true) 좋은 약'이라고도 한다(Goodyear, 2008). 2007년 미국의학협회(American Medical Association, AMA)와 미국스포츠의학회(American College of Sports Medicine, ACSM)는 '운동은 약이다(Exercise is medicine)'라는 캠페인을 시작했다. 운동은 이제 공인된 치료제다. 식생활은 영양제 같은 약물로 보충할 수 있는 부분이 있지만 운동만큼은 약이 대신할 수 없다.

비록 현실에서는 적극적으로 지켜지지 않고 있어도, 당뇨병을 비롯한 많은 만성질환의 치료에서 운동은 핵심 치료 전략으로 권고되고 있다. 운동은 만성질환의 위험을 낮출 뿐 아니라 활력을 증가시키고 면역력도 향상시킨다. 면역력이 향상되는 것은 단지 대사가 활발해지고 활력이 증진되는 것에 의한 이차적 효과가 아니다. 운동을 하면 근육에서 이리신(irisin)이라는 호르몬이 분비되는데 이리신은 면역력을 향상시킨다(de Oliveira 등, 2020). 이리신은 체중을 감소시키는 효과도 있다.[20] 또한 이리신은 골세포를 보호하고 골재생을 촉진하여 뼈를 튼튼하게 해주고 치매를 예방하는 효과도 있다. 이것은 노인의 건강관리에서 운동이 필수적이라는 점을 재확인시켜 준다.

운동의 항노화 효과는 분자 수준에서 설명된다. 운동은 스트레스를 완충하고 세포를 보호하는 능력이 대단히 크다. 운동만으로도 스트레스로 인한 텔로미어 단축 효과를 상쇄할 수 있다. 높은 수준의 신체활동을 꾸준히 하는 사람은 비활동적인 사람보다 유의하게 텔로미어가 길다. 운동은 수명도 증가시킨다. 연구에 따르면 1시간 운동할 때마다 수명이 2시간 증가하고(Manley, 1996), 하루 25분씩 활기차게 걸으면 7년을 더 살 수 있다(Sharma, 2015).

병상에서 몸을 움직일 수 없는 상황에 있더라도 운동의 효과를 볼 수 있다. 다른 사람이나 중력 같은 외부의 힘에 의한 수동적 스트레칭도 팔, 다리의 혈관을 확장시키고 동맥의 경직도를 감소시킨다. 이러한 변화는 혈관 변화와 혈류 감소가 특징인 심장질환, 뇌졸중, 당뇨병 등에 긍정적인 영향을 미친다.

---

20) 우리 몸의 지방에는 백색지방과 갈색지방이 있다. 백색지방은 비만과 관련된 지방이고 염증을 일으키지만, 갈색 지방은 혈당을 낮추고 체중 조절에 도움을 준다. 이리신은 백색지방을 갈색지방으로 바꿔 체중을 감소시킨다.

(2) 운동과 정신건강

> "신체 건강은 건강한 몸뿐 아니라 역동적이고 창조적인 지적 활동의 기초다."
> – 존 F. 케네디(John F. Kennedy) –

앉아서만 지내는 비활동적인 사람은 활동적인 사람보다 염증물질인 CRP 수치가 3.5배 높다는 연구가 있는데, 이런 염증물질들 가운데 일부는 뇌에 작용하여 정신건강도 해친다. 반면 운동은 뇌에 좋은 강장제다. 정신건강을 향상시키는 가장 효과적 방법 중 하나가 운동이다. 운동 중 증가하는 노르에피네프린은 집중력과 주의력을 향상시킨다. 운동 후에는 쾌감과 창의력을 높여주는 도파민도 증가한다. 운동을 할 때에는 엔도르핀도 분비된다. 달리기를 30분 이상 했을 때 마치 모르핀을 투여했을 때와 같은 도취감과 행복감이 경험되고 몸이 가벼워지는 느낌이 드는 것을 러너스 하이(runner's high)라 하는데, 러너스 하이는 엔도르핀 분비에 의해 나타난다.[21] 러너스 하이는 주로 장거리를 달릴 때 경험하는 현상이지만, 그보다 운동 강도가 낮고 시간이 짧은 운동에서도 행복감과 편안함을 느낄 수 있다.

운동은 이완 뇌파인 알파파(alpha waves)를 증가시키고, 행복호르몬인 세로토닌을 증가시켜 편안하고 긍정적인 정서를 만들어준다. 운동은 우울증 치료에 효과적이다(Danielsson 등, 2016). 도움이 되는 정도가 아니라 항우울제만큼이나 효과적이고(Motl 등, 2005), 우울증 신경회로도 바꾼다(Yuan 등, 2015). 특히 걷기의 효과가 우수한데, 심지어 항우울제에 반응하지 않는 우울증 환자도 걷기를 위주로 한 유산소운동으로 증상이 개선된다. 달리기도 우울증 치료 효과가 있다(Griest 등, 1979). 규칙적인 운동은 불안감도 완화시킨다(deVries, 1981). 걷기는 불안을 조절할 수 있는 가장 쉽고 간단한 방법이다.

활발한 신체활동은 스트레스 관리 전략에 필수적으로 포함되어야 하는 요소다. 실내 생활에서 발생하는 심신의 압박감을 해소시켜 주는 데 야외에서의 신체활동보다 좋은 것이 없다. 스트레스 상황에서 신체는 투쟁, 도피, 저항을 준비하기 위해서 에피네프린이나 코티솔 같은 스트레스 호르몬을 분비시키고, 이 호르몬들의 작용으로 인하여 혈액 속에 당분이나 지방산이 증가하게 된다. 이러한 스트레스 반응의 산물들이 신체활동을 통해 소모되지 않으면 근골격계에

---

21) 엔도르핀은 'endo(내부)'와 'morphine(모르핀)'의 합성어로 몸 안에서 분비하는 모르핀이라는 뜻이다.

긴장, 피로, 통증을 유발하게 된다. 운동은 스트레스 반응에서 생성된 생리적 산물들을 자연스럽게 소모시켜 준다. 더구나 운동을 하면 심혈관계와 근골격계가 강화되므로 스트레스성 질환의 발생 위험성이 낮아지고 스트레스에 대한 생리적 대처 능력이 향상된다. 스트레스 호르몬인 코티솔은 편도체와 서로 자극하는 관계이고, 편도체와 해마는 서로 길항하는 관계다. 운동은 해마의 크기를 증가시키고 해마 기능을 향상시키는데, 그 결과 스트레스 반응을 더 잘 조절할 수 있게 된다.

(3) 운동과 뇌 기능

> "운동을 하는 것은 노화를 늦추는 문제가 아니다. 노화를 되돌리는 문제다."
> - 아서 크레이머(Arthur Kramer) -

운동은 모든 연령층에서 인지기능을 향상시킨다(Voss, 2011). 운동은 작업기억, 공간지각, 주의, 계획 같은 전두엽의 집행기능(executive function)을 증가시켜 학습이나 작업을 더 효율적으로 해낼 수 있게 한다. 학교에서 운동을 하는 아이들은 성적이 더 좋고 더 쉽게 배운다. 앉지 않고 서 있기만 해도 인지기능이 증가한다는 보고도 있다. 운동이 노년기의 인지기능과 뇌 건강을 유지하는 데 중요하다는 증거는 확고하다. 한편 운동하는 아버지는 더 총명한 아이를 낳는데, 후성유전학적 과정을 통해서 운동이 뇌에 주는 유익함이 아이에게 전달된 것으로 보인다(Benito 등, 2018).

운동은 새 신경세포가 태어나는 것과 신경세포들 사이에 새로운 연결이 이루어지는 과정을 향상시킨다(Miller, 2018). 여기에는 운동이 뇌유래신경영양인자(brain-derived neurotrophic factor, 이하 BDNF)[22]라는 단백질을 증가시키는 기전이 관여한다. 주기적으로 운동을 하면 BDNF 수준이 증가한다. 운동 중 해마와 대뇌 신피질에서 BDNF가 분비되는데, 특히 해마에서 뚜렷하게 관찰되는 이 변화는 해마의 신경가소성에 영향을 미쳐 인지기능을 향상시킨다(Seifert 등, 2010; Vaynman, 등, 2004). 알츠하이머병 위험이 높은 변이 유전자(ApoE4)를 가진 노인들을 대상으로

---

22) BDNF는 신경세포의 발생, 성장, 기능 유지, 신경가소성 등에 관여하는 영양인자 또는 신경인자로, 새로운 뇌세포 생산 및 손상되거나 퇴화된 신경세포의 수복에 관여한다. 즉, 미성숙 신경세포의 발달을 촉진하고 신경 손상을 억제하며 신경재생을 돕고 신경세포 생존율을 증가시킨다.

한 연구에서는 운동이 해마 위축을 억제하는 효과가 확인되었다(Smith 등, 2014). 120명의 노인을 대상으로 한 연구에서는, 한 번에 40분씩 매주 3회, 1년 동안 걷기를 한 사람은 해마의 크기가 실질적으로 증가했다(Erickson 등, 2011). 이 효과는 근력운동 같은 무산소운동보다 걷기 같은 유산소운동에서 더 뚜렷하다. 유산소운동은 혈중 BDNF를 증가시키고 해마의 기능을 향상시키는데(Griffin 등, 2011), 무산소운동(저항성운동, 근력운동)은 거의 영향을 미치지 않는다(Levinger 등, 2008). 한편 운동은 자가포식을 증가시키는데, 이것은 세포의 독성물질, 특히 뇌에서 독성물질을 제거하는 데 매우 중요한 기전이다.

나이가 들수록 신체활동 능력이 감소하므로 보신이나 휴양 같은 수동적인 건강 관리법을 선호하게 되는데, 오히려 신체활동의 비율을 높여서 체력이 감소되지 않도록 해야 한다. 관절염 환자를 보면 알 수 있듯이, 신체적 운동 능력이 감소되는 것은 노년기 삶의 질을 감소시키는 직접적인 원인이다.

운동의 유형은 여러 가지가 있고 각각의 장점이 있으므로 골고루 해야 하지만 노인기에는 유산소운동에 더 중점을 두는 것이 좋다. 평소 신체활동을 잘 하지 않던 60~75세의 사람들을 두 그룹으로 나누어 6개월간 유산소운동(걷기)과 무산소운동을 하게 한 결과, 유산소운동 그룹은 전두엽의 집행기능 능력을 이용하는 과제의 수행력이 무산소운동 그룹에 비해 유의하게 개선되었다(Kramer 등, 1999). 그러나 무산소운동도 필요하다. 근육량을 유지하기 위해서는 무산소운동을 병행해야 한다.

뇌의 무게와 크기는 40세 이후 10년마다 약 5%씩 감소한다.[23] 라이프스타일은 이 과정에서 결정적인 변인이 된다. 예를 들면 주로 앉아서 지내는 라이프스타일은 혈류를 둔화시켜 뇌의 산소와 포도당 대사를 감소시키고, 만성 스트레스는 뇌에서도 특히 해마를 황폐화시킨다. 다행히 좋은 소식이 있다. 해마는 놀라운 회복력이 있어서 꾸준한 정신활동과 신체활동을 통해 소실된 신경세포를 복구할 수 있다는 것이다.

---

23) 그러나 대부분의 손실은 뇌를 지지하는 조직과 신경세포의 섬유 부분에서 일어난다. 신경세포의 수는 평생 동안 거의 그대로 남아 있다. 하지만 해마는 예외다.

3 어떻게 운동해야 하는가

(1) 운동의 기본 원리

신체활동을 증가시키려면 전체 라이프스타일을 몸을 움직이는 방향으로 바꾸어야 한다. 자가용과 엘리베이터를 덜 이용하면 하루 8,000걸음을 걷는 것은 그리 어렵지 않다. 어떤 사람은 가전제품 리모컨을 사용하지 않는 것만으로도 집 안에서만 하루 몇 백 걸음을 더 걸을 수 있을 것이다. 음식을 만들거나 원예활동을 하는 것은 생각보다 운동 효과가 크고, 일단 시작하면 지속시간도 길다.

여기에 운동이라는 더 적극적이고 체계적인 신체활동을 추가하려고 한다면 운동의 기본 개념과 원리를 파악하고 각자에게 필요한 운동 계획을 수립해야 한다. 운동에는 여러 유형이 있으며 각각의 장단점이 있고 주의할 점도 있다. 그러므로 다른 사람이 하는 모습이 좋아 보이거나 주변 사람이 하고 있다는 이유로 따라 하기보다는 운동에 관한 기본 지식을 숙지한 후 자신에게 맞는 유형의 운동을 선택해야 한다. 좋은 음식도 과식하면 해가 되는 것처럼 운동도 지나치면 해롭다. 같은 종목의 운동이라도 알맞은 강도, 빈도, 지속시간은 사람마다 다르다.

운동생리학에서 말하는 신체적 건강은 근육의 강도, 지구력, 유연성, 심장과 호흡기의 기능(심폐기능) 등 복잡한 조건으로 구성된다. 이러한 조건을 만족시키기 위해서는 유산소운동, 무산소운동, 기술운동을 골고루 해야 한다.

유산소운동은 신체의 대근육이 일정 시간 동안 규칙적으로 반복되는 움직임이다. 지구력운동이라고도 하며 심폐 지구력을 강화시킨다. 사용하는 근육에 적당량의 산소를 공급하는 속도로 운동하기 때문에 유산소운동이라 한다. 걷기, 조깅, 등산, 수영, 자전거 타기가 대표적인 유산소운동이다. 심장을 빠르게 움직이게 하고 지치지 않는 상태에서 20~45분 정도 지속할 수 있다. 보통 유산소운동의 강도는 자신의 최대심박수(220-나이)와 안정심박수(기상 후 심박수)를 이용해서 계산한다. '안정심박수+[(최대심박수-안정심박수)×0.6]'에서 '안정심박수+[(최대심박수-안정심박수)×0.85]'의 범위가 적절한 유산소운동 강도다.

무산소운동은 저항운동 또는 근력운동이라고도 하는데, 골격근의 크기와 힘을 증가시키는 운동이다. 100 m 달리기나 역도처럼 숨을 모아서 강렬하고 폭발적인 힘을 내는 강도 높은 운동이다. 한 번에 1~2분만 할 수 있는데, 이는 무산소운동이 근육에 저장된 한정된 양의 글리코겐(glycogen)에 의존하는 활동이기 때문이다. 글리코겐은 신속히 분해되어 포도당으로 방출되는데 이것은 근육을 금방 피곤해지게 한다. 한번에 오래 할 수도 없지만, 매일 하는 것도 좋지 않고 주당 2~3회 정도가 적당하다. 근육이 회복되고 성장하기 위한 휴식시간이 필요하기 때문이다.

위에서 유산소운동과 무산소운동의 종류를 나열하기는 했지만 유산소운동과 무산소운동을 나누는 기준은 운동의 종류가 아니라 운동의 강도다. 걷기, 조깅, 전력질주는 사실상 같은 유형의 신체활동인데 단지 강도가 다를 뿐이다. 계단 오르기는 유산소운동이지만 숨이 찰 정도의 속도로 계단을 뛰어오른다면 상당한 강도의 무산소운동이 될 수 있다. 또한 같은 강도의 운동이라도 운동을 하는 사람의 체력 상태에 따라서 유산소운동은 무산소운동이 될 수도 있다.

기술운동은 유연성, 균형, 협응력 같은 요소들이 포함되는 형태의 운동이다. 요가, 골프, 테니스 등은 이런 요소들을 발달시킨다. 오래 쓰지 않는 근육은 단축되고 점점 운동 범위가 작아진다. 그러면 평소보다 조금 큰 동작을 하거나 균형을 잃어 넘어지는 경우에 근육이 크게 손상될 수 있다. 유연성 운동을 함께 해야 근육의 길이가 유지되고 손상을 예방할 수 있다. 균형 운동은 특정 자세를 흔들리지 않고 오래 유지하는 형태의 운동이다. 요가, 스트레칭 등은 유연성과 균형 능력을 길러준다. 협응력 운동은 테니스나 배구처럼 여러 감각, 관절, 근육을 적절히 조절하며 통합적으로 사용하는 운동이다.

실내생활을 하는 사람은 수시로 스트레칭을 하는 것이 좋다. 정신적인 스트레스가 많은 환경에서 근무하는 사람은 특히 그렇다. 스트레스를 받으면 근육이 긴장하고 긴장이 만성화되면 목이나 허리에 통증이 오고 이것이 다시 스트레스를 부르는 악순환을 형성하게 된다.

여성의 경우, 과거에는 근력운동보다 수영이나 에어로빅처럼 열량을 많이 소모하고 체형을 아름답게 하는 유산소운동을 선호했으나, 지금은 근육량 유지의 중요성이 부각되면서 근력운동 비중이 늘고 있다. 연령이 증가할수록 여성이 근력운동을 소홀히 해서는 안 되는 것처럼, 남성은 유연성 운동에 관심을 기울일 필요가 있다. 남녀 모두 연령 증가와 더불어 근육량이 감소하고 골다공증 위험도 높아지지만, 남성은 유연성이 부족하여 작은 충격에도 더 크게 다칠 수 있기 때문이다. 이런 면에서 요가는 남성에게 여러모로 권장할 만한 운동이다. 요가의 동작들을 아사나(asana)라 하는데, 수많은 종류의 아사나가 있지만 앞뒤로 기울이기, 좌우로 기울이기, 좌우로 비틀기 형태의 동작을 몇 가지만 익혀도 요가의 이득을 충분히 누릴 수 있다.

종합하면 유산소운동은 심폐기능을 증가시키고 무산소운동은 근육을 발달시키며 기술운동은 근육의 협응력, 유연성, 균형 능력을 향상시킨다. 그렇지만 이러한 생리적 효과의 차이에도 불구하고 모든 운동에는 신체적, 심리적 이득이 있고 스트레스에 대한 저항력을 향상시킨다.

또한 대부분의 운동이 세 요소 중 둘 이상의 요소를 포함하고 있기 때문에 운동 계획을 수립하는 것이 그리 복잡하지는 않다. 걷기, 계단 오르기 같은 것만 잘 활용해도 유산소운동과 무산소운동을 모두 할 수 있다. 여기에 몇 분 정도의 체조나 스트레칭만 더하면 세 가지 운동을 효과적으로 수행할 수 있다.

신체적 능력을 감안하여 적절한 운동의 종류를 선택하고 각자의 몸 상태에 따라 강도를 조절해야 한다는 점은 매우 중요하다. 만성질환자, 특히 심혈관질환이나 근골격계의 질환이 있는 경우에는 전문가와 상의한다.

각자의 체력과 운동 목적에 맞추어 적절한 운동 방식을 선택했다면 이제 라이프스타일 안에 장착하는 일이 남는다. 잘못 끼운 부속이 기계를 고장나게 할 수도 있는 것처럼 새로운 라이프스타일도 무작정 아무 곳에나 끼워 넣으면 생활이 복잡해지고 스트레스를 초래할 수 있다. 하루 중 운동을 하는 시간도 중요하다. 운동 시간은 소화 시간과 같이 진행되지 않기 때문에, 두 가지를 섞으면 불편한 결과가 생길 수 있다.

아침에 하는 운동은 하루를 활기차게 시작할 수 있게 해주고, 혈당이나 혈압에 문제가 없는 사람이라면 체중조절에 더 유리하다. 최근 연구에서는 아침에 하는 운동이 암 예방 효과가 더 큰 것으로 나타나기도 했다. 하지만 저녁 운동이 더 유리한 사람도 있다. 당뇨병 환자는 저녁 운동이 더 효과적으로 혈당을 낮출 수 있고, 고혈압 환자도 늦은 오후가 하루 중 가장 혈압이 낮기 때문에 안전하다. 다만 너무 늦은 밤에 하는 운동은 오히려 해로울 수 있다. 일단은 일상생활에 지장을 주지 않고 자신에게 가장 여유 있는 시간대를 선택하는 것이 좋다. 그렇지 않으면 충분한 효과를 얻을 수도 없고 오래 지속할 수도 없다.

스트레스를 주는 일을 생각하면서 운동을 하면 스트레스 호르몬이나 염증성 화학물질, 산화 스트레스가 현저히 증가한다. 운동을 어쩔 수 없이 해야 하는 것으로 생각해도 역효과를 낸다. 따라서 운동을 일이 아닌 놀이로 만드는 전략을 세워야 한다. 일단 운동이 왜 좋은지, 왜 자신이 운동을 해야 하는지를 확실히 알아야 한다. '3장, 3, **4** 마음의 시계'에서 소개한 랭어의 실험을 상기해 보자. 객실 청소를 단순히 힘든 노동으로 생각한 청소부와 운동으로 생각한 청소부의 신체적 건강에는 확연히 다른 차이가 나타났다. 따라서 운동에 대해 최대한 긍정적인 생각을 갖는 것은 매우 중요하다. 운동에 대해 건강한 사고를 가진 사람은 때로 운동을 쉬는 것도 자연스럽게 받아들인다. 강박적으로 운동을 하거나, 계획대로 운동을 하지 않았을 때 죄책감이나 열패감을 갖는 것은 운동중독자들에게 흔히 나타나는 일이다. 이런 운동은 약이 될 수 없다.

운동이 약이 되기 위해서는 너무 식상한 내용이라서 무시되기 쉬운 수칙을 반드시 지켜야 한다. 먼저 자신의 신체적 능력으로는 무리가 되는 강도나 긴 시간의 운동을 하지 않는다. 운동의 강도와 지속 시간은 점진적으로 증가시켜야 한다. 간단한 스트레칭이나 체조로 준비운동과 정리운동을 한다. 준비운동은 심박수를 서서히 높여서 운동으로 인한 심혈관계 부담을 줄인다. 또한 관절의 가동 범위를 넓혀 주어 운동 중의 부상을 방지하고 운동 효과도 높여준다. 정리운동은 운동 중 상승한 심박수, 혈압, 호흡 등을 서서히 회복시키고 근육통을 예방하며 노폐물 제거를 돕는다. 안전한 장소에서 운동하고 필요에 따라 보호 장구를 갖추고 운동한다. 식사후 1~2시간 동안은 운동을 피한다. 만성질환자는 미리 전문가와 상의하고, 당뇨병 환자는 운동 전후 혈당을 확인한다.

(2) 운동 처방

운동은 약이다. 하지만 만성질환자 중에서 제대로 된 운동 처방을 받는 사람은 생각보다 많지 않고 처방을 받더라도 제대로 실천하는 사람은 적다. 의사가 운동을 처방하지 않는 이유와 환자가 운동 처방을 따르지 않는 이유에는 비슷한 부분이 있다. 운동이 좋다는 것은 막연히 알고 있지만, 운동이 환자(또는 자신)에게 왜, 어떻게, 얼마나 좋은지, 환자(또는 자신)에게 꼭 맞는 운동의 유형, 강도, 빈도가 무엇인지 정확히 알지 못해서다.

운동이 약인 것은 정확한 처방이 필요하다는 면에서도 그렇다. 모든 약과 독을 가르는 것은 적절한 양을 적절한 때 사용하는가 아닌가이다. 운동도 잘못 처방하면 오히려 해롭다는 이유로 운동 처방에 소극적인 의사도 있다. 물론 질병의 종류나 환자의 상태에 따라 운동이 해가 될 수도 있다. 예를 들어 골다공증 환자가 과도한 운동을 하는 것은 골밀도를 더 떨어뜨리고 골절 같은 손상의 위험을 증가시킨다. 그러나 부작용 우려 때문에 포기하기에는 운동의 이점이 너무나도 크다. 정확한 지식과 처방 기술을 가지고 있는 의사는 비소 같은 중금속도 약으로 이용할 수 있다. 운동도 정확한 지식과 기술을 갖는다면 처방을 주저할 이유가 없다. 그런데 여기서 필요한 지식은 단지 교과서적 지식이 아니라 실천적 지식이다. 교과서적 지식이 실천적 지식이 되려면 스스로 실천해 보아야 한다. 이 과정에서 경험하는 모든 시행착오가 처방 기술로 축적되고 얻은 성과는 확신이 된다.

약을 처방할 때 약의 종류, 투여량, 하루 투여 횟수, 시간을 표시하는 것처럼 운동 처방을 할 때도 운동의 종류, 강도, 빈도, 시간을 각각 구체적으로 결정해야 한다. 이 네 가지를

FITT[frequency(빈도), intensity(강도), time(시간), type(유형)]이라 한다. 다만 여기서의 빈도는 하루에 수행하는 횟수가 아니라 일주일에 수행하는 횟수로 표시하는 것이 일반적이다.

약의 강도가 'mg', 'g' 같은 무게 단위로 표시되는 것처럼 운동 강도를 표시할 때 사용하는 단위가 있다. 대사당량, 즉 Met(metabolic unit)이다. 이것은 활동 중의 에너지 소비량(산소 사용률)으로 측정된다. 조용히 앉아 쉴 때의 에너지 소비량은 1 kcal/kg/hour(산소 사용률 3.5 mL/kg/min)인데 이것이 1 Met다. 걷기, 가벼운 근육 운동 같은 활동에는 3 Met, 빨리 걷기, 자전거 타기, 골프 등은 4 Met, 가벼운 조깅, 에어로빅, 계단 오르기는 6 Met, 장거리 달리기, 수영, 무거운 짐 옮기기는 8 Met 정도다. 체력이 강한 사람은 더 높은 Met의 운동을 할 수 있다.

건강관리를 위해서는 너무 높은 강도의 운동보다는 중강도(중간강도)의 운동을 하는 것이 좋다. 연령별로 중강도가 되는 운동은 20~30대에는 5~6.9 Met, 40~50대는 4~5.9 Met. 60대 이상은 3~4.9 Met에 해당하는 것이다. 자신에게 중강도인지 아닌지 손쉽게 판단하는 방법이 있다. 그 운동을 하면서 옆 사람과 웃으며 대화할 수는 있지만 노래는 부를 수 없는 정도라면 중강도 운동이다.

과격한 운동은 그 자체가 생리적 스트레스다. 과격한 운동 중에 협심증 발작이 일어나거나, 근골격계 부상을 당하거나, 심지어 돌연사를 하는 사례들이 종종 발생한다. 운동선수들을 대상으로 했던 한 연구에서는, 일주일에 75 km 이상을 달리는 고강도의 훈련을 하면 감기 같은 바이러스성 질환에 오히려 더 취약해지는 것으로 나타났다.

(3) 사전 평가

환자의 상태를 정확히 파악하는 것이 치료를 시작하기 전에 반드시 선행되는 것처럼 운동을 시작하기 전에도 건강 상태를 평가해야 알맞은 처방을 할 수 있다. 의학적 검사로 심폐기능이나 근력, 유연성 등을 측정할 수도 있지만 이런 전문적인 검사는 대개의 경우 비용 대비 효과적이지 않다. 별도의 시간이나 비용 부담 없이, 그리고 다른 전문가의 도움 없이도 사전 평가를 할 수 있는 세 가지 방법이 있다.

먼저 자기보고식 질문지로 몇 가지 사항을 점검한다. 여기에 활용할 수 있는 것이 **표5**의 '신체활동 준비도 질문지(The Physical Activity Readiness Questionnaire, 이하 PAR-Q)'다. 7개 항목 중 하나라도 해당되는 항목이 있다면 신체활동을 계획하거나 실행하기 전에 전문가와 상담을 한다. 해당되는 항목이 없다면 운동을 시작하되, 낮은 강도의 운동부터 점진적으로 진행한다.

표 5 신체활동 준비도 질문지

항목	예	아니오
1. 담당의사로부터 의사가 권하는 운동만 하라는 말을 들었다.		
2. 운동할 때 가슴에 통증이 있다.		
3. 지난 한 달 동안 운동하지 않는 상태에서 가슴에 통증을 느낀 적이 있다.		
4. 현기증으로 균형을 잃거나 의식을 잃은 적이 있다.		
5. 뼈나 관절에 운동할 때 장애가 되는 문제가 있다.		
6. 현재 고혈압이나 심장질환이 있다.		
7. 운동을 피해야 하는 다른 이유가 있다.		

두 번째는 관절의 운동 범위를 가늠해 보는 유연성 평가다. 평소에 사용하지 않던 근육과 관절을 갑자기 과도하게 사용하면 통증을 일으키고 부상을 입을 수도 있다. 따라서 각 관절의 가동 범위를 미리 확인해 보아야 한다. 바닥에 다리를 뻗고 앉아서 상체를 숙여 팔을 앞으로 뻗을 수 있는 정도, 팔(어깨)과 목을 천천히 360° 회전시키면서 손끝이나 머리로 그려지는 회전 반경의 크기를 살펴본다. 허리 돌리기와 무릎 돌리기도 해보면서 무리가 되지 않는 가동 범위를 확인해 본다.

세 번째는 심폐기능을 평가하는 간단한 방법이다. 이것은 2020년 유럽심장협회(European Society of Cardiology)에서 발표된, 계단 오르기로 심장 건강을 체크하는 방법을 제안한 연구를 응용한 것이다. 평소 속도로 60계단을 오르는 데 소요되는 시간을 측정하면 된다. 1분 내에 60계단을 무리 없이 오를 수 있다면 심장기능이 양호한 사람일 가능성이 높다. 만일 가슴의 통증이나 숨가쁨 등의 증상이 있다면 운동을 시작하기 전에 정확한 진단을 받고 의사와 상담하여 운동 계획을 수립해야 한다. 60계단을 오르는데 1분 30초 이상 소요되는 사람도 심장 상태가 최상이 아닐 수도 있으므로 주의해야 한다.

(4) 연령대별 신체활동 지침

보건복지부가 마련한 「한국인을 위한 신체활동 지침」을 참고하면 각 연령대에 맞는 신체활동 유형과 주의사항을 확인할 수 있다(보건복지부, 2013). 이 지침은 아동·청소년, 젊은 성인, 65세 이상의 성인(노인)으로 구분하여 신체활동의 중요성, 신체활동 지침 및 주의사항 등을 안내하고 있다. 또한 신체활동 증진을 위한 생활수칙, 행동 습관 변화에 필요한 단계별 전략도 포함되어 있다. 연령대별 신체활동 지침을 요약하면 다음과 같다.

아동·청소년(5~17세)은 중강도 이상의 유산소 신체활동을 매일 한 시간 이상 실시하고, 매주 최소 3일 이상은 고강도 신체활동을 한다. **표6** 은 자각 강도[24]에 따라 구분한 중강도, 고강도 신체활동의 예다. 아동과 청소년의 신체활동은 가정이나 학교에서 하는 스포츠 활동이나 체육수업, 통학 등을 위한 걷기나 자전거 타기 등을 포함하고 있다.

근력운동(무산소운동)은 일주일에 3일 이상, 신체 각 부위를 고루 포함하여 수행한다. 앞에서도 설명한 바와 같이, 이 형태의 운동은 매일 하지 말고 하루 이상 휴식을 취한 후 실시하여 근육이 휴식하고 회복할 시간을 주는 것이 좋다. 아동 근력운동의 예로는 정글짐, 하늘사다리 등이 있다. 청소년은 윗몸 일으키기, 팔굽혀펴기, 계단 오르기 등의 체중 부하 운동, 덤벨이나 탄력밴드를 이용한 운동 등 성인과 같은 유형의 운동을 할 수 있다.

표6 아동과 청소년의 유산소 신체활동

구분＼자각 강도	1	2	3	4	5	6	7	8	9	10
중강도 신체활동					심장 박동이 조금 빨라지거나 호흡이 약간 가쁜 상태					
고강도 신체활동							심장 박동이 많이 빨라지거나 호흡이 많이 가쁜 상태			
활동 예시	휴식/취침			걷기	빨리 걷기 자전거 타기 배드민턴 연습	축구 연습 농구 연습 활동적인 놀이	배드민턴 시합 달리기/줄넘기 인라인스케이트	농구 시합 축구 시합		

아동·청소년 시기에 활동적인 라이프스타일을 습관화하는 것은 성인이 된 후의 신체활동 수준과 그에 따른 건강 상태를 형성하는 기본 틀이 된다. 성인에게는 건강증진, 노화 방지라는 것이 신체활동을 결심하는 주요 동기가 되지만, 대부분의 아동·청소년에게는 그렇지 않다. 이들에게 가장 중요한 동기는 즐거움과 재미다. 즐겁고 재미있는 일이라면 굳이 권하지 않아도 자신에게 주어진 모든 여유 시간을 기꺼이 사용하려 할 것이다. 따라서 다른 연령대보다 더 즐겁고 호기심을 자극하는 신체활동 기회를 제공하는 전략이 필요하다.

---

24) 자각 강도는 Met에 해당하는 개념으로 보면 된다. 여기서는 자각 강도를 신체활동을 수행하는 노력 정도에 따라 겪는 심리적·신체적 부담으로 정의한다. 휴식할 때의 자각 강도는 1, 자신이 수행할 수 있는 최대 능력 또는 감당할 수 있는 최고 강도는 10이다. 1~10 사이의 자각 강도는 균등한 비율로 생각할 수 있다. 중강도는 호흡이 약간 가쁜 상태이며 5~6 사이의 자각 강도이고, 고강도는 호흡이 많이 가쁜 상태이며 7~8 사이의 자각 강도다.

게임이 학업 스트레스를 풀어준다고 생각하는 사람들도 많지만, 게임으로 스트레스를 푸는 것은 성인이 술로 스트레스를 푸는 것과 다르지 않다. 모두 스트레스에 대한 현실도피행동에 불과하다. 사람의 몸은 움직이도록 만들어져 있고, 특히 아동·청소년의 몸은 잠시도 가만히 있기 어려울 정도로 움직임에 대한 욕구가 크다. 몸을 움직이지 않으면 몸에 쌓이는 스트레스가 증가하는데 그것을 신체활동으로 해소하지 않으면 폭언이나 과잉행동 같은 과격하고 왜곡된 방식으로 방출될 수 있다.

성인(18~64세)은 중강도 유산소 신체활동을 일주일에 2시간 30분 이상, 또는 고강도 유산소 신체활동을 일주일에 1시간 15분 이상 실시한다. 고강도 신체활동 1분은 중강도 신체활동 2분과 같기 때문에, 중강도 신체활동과 고강도 신체활동을 섞어서 할 때는 이를 고려하여 시간을 계산해 보면 된다. 한 번에 적어도 10분 이상 지속해야 한다.

성인의 근력운동에는 윗몸 일으키기, 팔굽혀펴기, 계단 오르기 같은 체중 부하 운동과 덤벨이나 탄력밴드 등을 사용하는 기구 운동이 있다. 근력운동은 일주일에 2일 이상 신체 각 부위를 모두 포함하여 수행하고, 한 세트에 8~12회 반복한다. 그 운동이 수월하게 느껴지면 무게를 더하거나 세트 수를 2~3회까지 늘린다. 미국스포츠의학회와 미국심장협회는 18~65세의 모든 건강한 성인은 중강도의 유산소 신체활동을 매일 30분씩 일주일에 5회 실시하거나, 고강도의 격렬한 신체활동을 최소 20분씩 매주 3일 실시할 것을 권고한 바 있다(Haskell 등, 2007).

표7 성인의 유산소 신체활동

자각 강도 / 구분	1	2	3	4	5	6	7	8	9	10
중강도 신체활동					심장 박동이 조금 빨라지거나 호흡이 약간 가쁜 상태					
고강도 신체활동							심장 박동이 많이 빨라지거나 호흡이 많이 가쁜 상태			
활동 예시	휴식/취침			걷기	빨리 걷기 자전거 타기 배드민턴 연습 청소(진공청소기)	등산(내리막) 수영 연습	등산(오르막) 배드민턴 시합 조깅/줄넘기 인라인스케이트	수영 시합 축구 시합 무거운 물건 나르기		

노인(65세 이상)은 걷기를 포함한 중강도 유산소 신체활동을 일주일에 2시간 30분 이상, 또는 고강도 유산소 신체활동을 일주일에 1시간 15분 이상 실시한다. 성인의 경우에서와 같이, 고강도 신체활동 1분은 중강도 신체활동 2분과 동일하므로 중강도 신체활동과 고강도 신체활동을

섞어서 할 때 지속 시간을 계산하면 된다. 한 번에 적어도 10분 이상 지속해야 하며 한꺼번에 몰아서 하는 것보다 여러 날에 나누어 하는 것이 좋다. 근력운동은 일주일에 2일 이상 신체 각 부위를 모두 포함하여 실시하고, 한 세트에 8~12회 반복한다. 수월하게 느껴지면 무게를 더하거나 세트 수를 2~3회까지 늘린다.

노인의 근력운동 종류는 성인의 근력운동과 같다. 이와 함께 평형감각 향상과 낙상 예방을 위해서, 체력 수준에 맞게 일주일에 3일 이상 평형성 운동을 한다. 평형성 운동의 예로는 태극권, 옆으로 걷기, 뒤꿈치로 걷기, 발끝으로 걷기, 앉았다 일어나기 등이 있다. 가구처럼 고정된 지지물을 잡고 하는 방법으로 시작해서 지지물 없이 하는 방법으로 난이도를 높여갈 수 있다.

표 8 노인의 유산소 신체활동

자각 강도 / 구분	1	2	3	4	5	6	7	8	9	10
중강도 신체활동					심장 박동이 조금 빨라지거나 호흡이 약간 가쁜 상태					
고강도 신체활동							심장 박동이 많이 빨라지거나 호흡이 많이 가쁜 상태			
활동 예시	휴식/취침			걷기	걷기 장보기	자전거 타기 진공청소기 댄스스포츠 수영, 태극권	등산(내리막)	등산(오르막) 조깅		

매일 자신이 10분 이상 지속한 신체활동을 기록하고 일주일마다 중강도 신체활동의 총 수행 시간, 고강도 신체활동의 총 수행 시간, 근력운동 실시 회수를 합산하여 전체 수행 정도를 평가해 본다.

신체활동으로 얼마나 에너지를 소모했는지도 계산해 볼 수 있다. **표 9** 는 각 신체활동(유산소운동)을 30분 수행했을 때 소모되는 에너지를 예시한 것이다. 체중 40 kg, 60 kg, 80 kg으로 구분되어 있으므로 자신의 체중과 비슷한 것을 선택한다. 실시한 신체활동 시간(분)을 30으로 나누어 표의 에너지 소비량과 곱하면 된다. 예를 들어 체중이 60 kg이고 일주일 동안 걷기만 150분을 했다면 90 kcal × 150분/30분 = 450 kcal다.

표 9 신체활동별 에너지 소비량

활동범주	세부 활동 내용	체중		
		40 kg	60 kg	80 kg
기본 활동	눕기, 앉기, TV보기	20	30	40
	잠자기	18	27	36
	서기	24	36	48
이동 활동	걷기(약 4.0 km/h, 딱딱한 바닥)	60	90	120
	매우 빠르게 걷기(약 7.2 km/h, 평면, 딱딱한 바닥)	126	189	252
	달리기(약 8.0 km/h)	160	240	320
	달리기(약 13.8 km/h)	280	420	560
	천천히 자전거 타기(약 16.1~19.2 km/h, 약한 강도)	120	180	240
	빠르게 자전거 타기(약 22.5~25.6 km/h, 고강도)	200	300	400
운동 및 스포츠 활동	웨이트 트레이닝, 저강도 또는 고강도	60	90	120
	웨이트 트레이닝 또는 바디빌딩, 강한 강도	120	180	240
	체조(팔굽혀펴기, 윗몸 일으키기, 매달리기, 팔벌려 뛰기), 강한 강도	160	240	320
	배드민턴 시합	140	210	280
	농구 시합	160	240	320
가사 활동	청소(집, 세차, 유리창 청소), 아이 돌보기	60	90	120
	동물과 산책하기, 저강도	56	84	112
	동물과 걷기/달리기, 중강도	80	120	160

4 걷기

(1) 걷기는 가장 훌륭한 약이다

> "걷기는 가장 훌륭한 약이다."
> - 히포크라테스(Hippocrates) -

오늘부터 운동을 시작하고 싶은데 어떤 운동이 좋을지 고민 중인 사람에게 강력히 추천되는 종목이 있다. 전부터 관심이 있던 운동을 이제 시작해 보려는 사람에게도 이 종목부터 시작하기를 권한다. 이미 하고 있는 운동이 있는 사람에게도 이 종목을 함께 하기를 권한다. 바로 걷기다.

걷기에는 대단히 많은 장점이 있다. 대개 운동이라 하면 운동 시설이 있는 어떤 장소로 가야 한다거나 장비를 먼저 갖추어야 한다고 생각하지만, 걷기는 언제 어디서나 특별한 도구나 기술이 없어도 실천할 수 있는 운동이다. 또한 운동 강도 조절이 용이하여 남녀노소를 불문하고, 질병이 있든 없든, 그날그날 컨디션에 맞게 실시할 수 있다. 걷기는 어떤 운동보다도 자연스러운 운동이다. 게다가 걷기가 심신의 건강에 주는 효과는 다른 어떤 운동과 비교해도 뒤지지 않는다. 아무 비용도 들이지 않고 몸과 마음 모두에 이처럼 큰 운동 효과를 낼 수 있는 것은 걷기밖에 없다.

어떤 이는 질병의 90%는 걷기만 해도 낫는다고 말한다. 『동의보감』에서는 약으로 치료하는 것보다 음식으로 치료하는 것이 낫고, 음식으로 치료하는 것보다 걸어서 치료하는 것이 낫다고 한다. 히포크라테스 또한 걷기가 인간에게 최고의 약이라고 했다(Batman, 2012). 특히 저녁식사 후 산책을 매우 유익한 것으로 여겨, 식사 후 산책하는 것을 잊지 말 것을 권했다. 특별히 관심이 있는 운동이 없거나, 따로 운동할 시간적 여유가 없다면 1주일에 3일 이상, 하루 30분 정도 활기차게 걷고, 매일 두 번 정도 5분 이상 체조나 스트레칭을 하는 것만으로도 좋은 운동이 된다. 보폭을 조절하거나 빠른 걸음으로 걷거나 경사진 길이나 계단을 이용하는 방법으로 걷기의 운동 강도를 저강도에서 고강도까지 얼마든지 조절할 수 있다.[25]

걷기는 체중을 감소시키고 심혈관질환 위험을 낮춘다. 복부비만을 감소시키는 데는 더없이 효과적인데, 히포크라테스도 산책이 복부비만을 방지한다고 했다. 매일 10분 정도 활기차게 걷는 것만으로도 관절염에 의한 신체 기능장애를 예방할 수 있다(Dunlop 등, 2019). 주당 5회 30분씩 걷는 것은 조기사망을 20% 감소시키고 60분씩 5회 걸으면 31% 감소한다(Arem 등, 2015). 매일 15분 걷기가 조기사망을 40%나 낮출 수 있다는 보고도 있다.

걷기 같은 유산소운동이 전두엽과 해마의 크기를 증가시켜 인지기능을 향상하고 치매를 예방한다는 것을 보여 주는 연구는 무수히 많다. 걸으면 두뇌 활동이 촉진된다. 아리스토텔레스(Aristotle)는 걷기를 즐겼는데, 교정의 나무 사이를 산책하며 제자들을 가르쳤다고 해서 그의 학파를 소요학파(逍遙學派)라 한다. 앞에서 설명한 바와 같이, 걷기는 우울증, 불안증 해소에도 매우 효과적이다. 심지어 항우울제에 잘 반응하지 않는 우울증 환자에게도 걷기를 위주로 한 유산소운동이 효과가 있었다. 걸으면 세로토닌 같은 행복호르몬도 증가하지만 염증도 감소되는

---

25) 걷는 속도로 기대수명을 예측할 수도 있다. 2019년 『메이요클리닉회보(Mayo Clinic Proceedings)』에 게재된 연구에서 체중이나 비만도와 상관없이, 빨리 걷는 사람이 천천히 걷는 사람보다 더 오래 산다는 결과를 발표했다. 걷는 속도가 느린 사람은 빨리 걷는 사람보다 심장질환으로 인한 사망 위험이 더 높다.

데 염증의 감소 또한 우울증의 제반 증상 완화에 도움이 된다.

유감스럽게도 현대의 라이프스타일은 걸을 기회를 점점 박탈하는 방향으로 변화되고 있다. 400년 전만 해도 사람들은 지금보다 6배 이상 걸었다. 지금 우리는 일부러 걸으려고 마음먹지 않으면 걸을 일이 없다. 손가락 하나로 리모컨과 스마트폰을 조작하면 하루 종일 소파에 앉아 모든 것을 해결할 수도 있다. 인공지능 스피커는 그런 손가락 운동까지 불필요하게 한다. 결국 걷는 것조차 일부러 해야 하는 운동이 되고 말았다. 일부러 해야 하는 운동이 되지 않게 하려면 우리의 전반적 라이프스타일을 바꾸어 걷기가 운동이 아닌 일상의 신체활동이 되도록 해야 한다.

(2) 어떻게 걸어야 하나

보통 하루 1만 걸음을 권장하는데[26] 체중에 따라 적절한 걸음 수가 다르고, 우울이나 불안 증상의 유무에 따라서도 다르다. 체중 80 kg 이하의 보통 성인은 매일 최소한 8,500보 이상 걷고, 1주일에 10만 보 이상 걷는 것을 목표로 한다. 체중이 80 kg를 초과하는 사람은 목표 걸음 수를 줄여서 시작하고 체중이 감소하는 정도에 따라 걸음 수를 늘린다. 몸에 부담이 되지 않는다면 하루 1만 보 이상 걷는 것이 좋다. 하지만 우울이나 불안이 있는 사람에게는 1만 보가 너무 부담이 될 수도 있다.

잘못된 걸음걸이는 운동 효과를 감소시키고 근골격계에 무리를 준다. 걷기라는 운동에서 요구하는 단 하나의 기술이 바로 바른 자세다. 똑바로 섰다고 생각해도 실제로는 자세가 비뚤어진 사람이 많다. 거울을 보고 가만히 서 있을 때의 앞모습과 옆모습을 살펴보고 바르게 자세를 편 다음 걷는 연습을 한다. 걸을 때 등을 곧게 세우고 골반을 조금 앞으로 기울여 등허리에 'C'자 곡선이 자연스럽게 형성되도록 하면 골반이 제 위치를 찾고 고관절과 무릎에 무리가 가해지는 것도 막을 수 있다.

걷기를 단지 유산소운동으로서 한다면 문제가 되지 않겠지만, 걷기가 줄 수 있는 모든 혜택을 누리고자 한다면 좀 더 주의가 필요하다. 예를 들면 영상을 보거나 음악을 들으면서 걷는 행동을 피하는 것이다. 러닝머신 위에서 TV나 스마트폰을 보면서, 또는 오디오북 같은 것을 들으면서 걸으면 세로토닌 분비 효과가 감소된다. 머릿속을 비우고 걸어야 세로토닌 분비 효과가 커진다. 꼭 음악을 듣고 싶다면 심신에 안정을 주는 잔잔한 음악을 듣는 것이 경쾌한 음악을 들

---

26) 일본에서 만든 '만보계'라는 상품 때문에 1만 보가 권장 걸음 수로 널리 알려지게 되었는데, '만'자를 상품명에 넣은 이유는 단지 한문 '만(萬)'자의 일본식 약자 표기 '万'이 사람의 걷는 모습과 닮았기 때문이었다고 한다.

는 것보다 좋다. 조용한 음악은 명상에 잠겼을 때와 비슷한 이완 상태를 만들어 주어 세로토닌 분비를 증가시킨다. 사실 걷기는 그 자체가 하나의 명상 방법이다. 걷기명상을 하는 목적은 휴식을 얻고, 멈춤을 수련하며, 치유를 얻는 것이다(틱낫한 등, 2006). 따라서 명상으로서의 걷기는 몸과 마음과 삶을 회복시켜 준다.

(3) 걷기명상과 초록운동

불교에서는 오래전부터 걷기명상(경행(經行), 행선(行禪), 이하 경행)을 수행의 일환으로 삼았다. 경행을 오랫동안 좌선(坐禪)하면서 굳어진 몸을 풀거나 졸음을 쫓는 방법이라고 생각하는 사람도 있지만 경행의 목적은 단지 그런 것이 아니다. 경행을 통해 마음을 집중하고 통찰력을 계발할 수 있다. 붓다는 깨달음을 이룬 후 7·7일, 즉 49일 동안 일곱 장소를 옮겨 다니며 선정(禪定)에 들어 깨달음의 기쁨을 만끽했다. 세 번째 일주일에는 깨달음을 얻었던 보리수 옆 담장 곁을 왕래하면서 경행 선정에 들었다. 또한 매일 새벽에 기상하여 가장 먼저 경행으로 하루를 시작했다고 한다.

붓다처럼 자연 속에서 걷는 것은 더할 나위 없이 좋다. 연구에 의하면 러닝머신 위를 걸을 때보다 야외에서 걸을 때 더 빠른 속도로 걷고 더 긍정적인 생각을 하며 힘들다고 느끼지도 않는다. 그 결과 열량을 더 소모하면서도 피로감은 덜하고 행복감은 커진다. 자연 속에서 하는 운동을 '초록운동'이라 한다(Selhub 등, 2012). 실내에서 러닝머신 위를 걷는 것과 자연 속에서 걷는 것은 집에서 샤워하는 것과 해수욕을 하는 것만큼이나 다르다. 자연이라는 벽이 없는 공간은 우리에게 심리적 해방감을 줄 뿐 아니라, 인위적으로 조성된 환경에서는 기대할 수 없는 수많은 치유의 요소를 담고 있다.[27] 숲에서 걸으면 도시에서 걷는 것에 비해서 스트레스 호르몬이 더 크게 감소하고 혈압 감소, 소화 촉진, 심리적 안정 등 이완과 회복 효과도 더 크다.[28]

---

27) '7장, 12, **1** 인간과 자연'을 참고하라.

28) 도시를 걷다 보면 즐비한 쇼윈도와 번쩍이는 전광판, 상점의 스피커에서 울려대는 요란한 음악에 눈과 귀를 빼앗기게 된다. 학교에서든 직장에서든 심지어 집에서도 매 순간 쏟아지는 정보를 처리하느라 뇌는 잠시도 쉴 틈이 없다. 이렇게 혹사된 뇌는 쉽게 분노와 충동을 일으킨다. 반면 자연의 자극들은 우리의 모든 감각이 깨어 있게 하면서도 인지적 피로를 야기하지 않는다. 이것은 명상 상태와 유사한 것이다. 몸보다 머리를 많이 쓰는 현대인에게 자연 속에서의 걷기는 더할 나위 없이 좋은 심신치유 방식이다. 자연에 마음챙김(mindfulness)하면서 녹지에서 신체활동을 하는 것은 마음을 치유하는 방식으로도 활용되고 있다. 생태치료사들은 내담자와 녹지를 걸으며 상담을 진행한다.

노르웨이의 정신의학자 마르틴센(Egil Martinsen)은 어떤 운동기구를 구입할지 고민하는 사람들에게 흥미로운 제안을 한다. 바로 반려동물이다. 공원이나 산책로에서 사람들을 끌고 다니며 운동을 시키는 반려견들을 쉽게 볼 수 있다. 그래서 어떤 이는 반려견을 '털 있는 운동기구(exercise machine with hair)'라고도 한다.

물론 동물은 우리의 삶에서 그 이상의 의미가 있다. 특히 개는 지난 14,000년 동안 인간과 특별한 유대를 형성해 왔다. 셀허브(Selhub)와 로건(Logan)은 반려동물을 인간과 자연의 접촉이 이루어지는 마지막 보루라 한다(Selhub 등, 2012).

반려동물이 심신의 건강과 수명 증가에 미치는 영향에 대한 연구는 수없이 많다. 심장마비나 협심증으로 입원치료를 받은 환자들을 1년 추적한 연구에서는, 반려동물이 없었던 사람 중 28%가 1년 안에 사망했지만, 반려동물이 있던 사람은 6%만 사망한 것으로 나타났다(Friedmann 등, 1980). 반려견을 키우는 사람들은 심혈관질환이나 뇌졸중으로 인한 사망위험이 더 낮은데, 이것은 반려동물이 주인을 더 움직이게 하기 때문만은 아니다. 주인이 몸을 움직이지 못하는 경우에도 반려동물은 주인을 보호하는 효과가 있다.

반려견과의 상호작용은 이완 상태와 같은 뇌파를 발생시키고, 반려견을 쓰다듬는 행동은 사람과 반려견 모두에서 옥시토신을 증가시킨다. 반려동물은 사회적 관계의 욕구를 충족시켜주고 사회적 지지를 제공해 준다. 피험자에게 인위적으로 인지적 스트레스를 주는 과제를 수행하게 하도록 하고, 혼자서 과제를 수행한 경우, 곁에 친구가 있는 경우, 곁에 반려견이 있는 경우를 비교하면 반려견이 곁에 있었던 사람이 과제를 훨씬 잘 수행한다(Allen 등, 1991). 또 다른 연구에서는 심리치료 시간 동안 반려견이 옆에 있는 경우에 내담자가 심리치료사를 더 호의적으로 평가하고 자신의 사적인 이야기도 더 잘 하는 것으로 나타났다.

우리는 동물과 함께 있는 사람을 더 좋은 사람으로 느끼고, 동물이 있는 가정을 더 행복하고 안정된 가정으로 보는 경향이 있다. 어려서부터 반려동물과 함께 한 사람은 동물의 고통에 대한 민감성뿐 아니라 인간에 대한 공감적 태도도 높다. 이러한 심리적 효과 때문에 심리치료에서도 동물을 이용하는 동물매개치료(animal assisted therapy, AAT)가 증가하고 있다.

5 체중 관리와 신체활동

지금까지 수많은 비만 치료제가 개발되었지만 대부분 실패했고 부작용 때문에 시장에서 철수되기도 했다. 안전하고 효과적인 비만 치료제 개발은 앞으로도 낙관하기 어렵다. 근본적으로 비만은 약물만으로 조절되는 것이 아니다. 단식이나 약물로 단기간에 효과를 볼 수도 있지만, 감량 효과가 지속될지 여부는 라이프스타일 개선에 달려 있다.

체중은 식사와 신체활동 두 가지 변수에 의해 가장 크게 좌우된다. 식사와 운동 중에서는 어느 쪽이 더 중요할까? 분명한 사실은 아무리 칼로리를 줄이고 절제된 식사를 해도 그 칼로리를 소비하지 않으면 영양과다가 된다는 것이다. 식사량을 줄이는 방식이 빠르게 체중을 감소시키기는 하지만, 우리 몸은 에너지 소비를 이전보다 줄이는 방식으로 감소된 식사량에 적응한다. 게다가 식사만 제한하는 방법은 근육까지 감소시켜 기초대사량을 떨어뜨린다. 결과적으로 더 살찌기 쉬운 체질이 되기 때문에, 감량에 성공한 후 식사량을 회복하면 쉽게 요요현상이 오고 원래 체중보다도 더 증가하게 되는 것이다.

앞에서 살펴 본 바와 같이, 섭취한 에너지는 세 가지로 사용되며 이중 60~75%가 기초대사량으로 소비된다. 따라서 기초대사량을 증가시키는 것이 체중 감소에 매우 중요한데, 기초대사량을 결정하는 것은 근육량이다. 근육을 유지하는 데는 지방을 유지하는 것보다 3배나 많은 에너지가 소비된다. 같은 체중을 가진 사람이라도 근육이 많은 사람은 지방이 많은 사람보다 기초대사량이 크다.

근육을 늘리려면 운동을 해야 한다. 운동을 하면 기초대사량도 증가하고 신체활동으로 인한 에너지 소모도 증가한다. 유산소운동은 칼로리 소모 효과는 있지만 근육을 키우려면 근력운동을 해야 한다. 만일 걷기 위주로 신체활동을 한다면 경사로나 계단에서 빨리 오르기를 하고 윗몸 일으키기, 팔굽혀펴기, 덤벨 운동 등을 병행하는 것이 좋다. 운동 강도로 보면 고강도 운동일수록 체중 감량에 유리하다. 대략적으로 저강도 유산소운동에 비해 고강도 유산소운동이 2.5배 정도 칼로리를 더 소비한다.

스트레스는 여러 경로로 비만을 유발하므로 스트레스를 평가하고 중재하는 기술을 확보하는 것도 체중 관리 전략에 포함되어야 한다. 음식에 집착하는 것은 외상성 경험 같은 심리적 원인에서 기인하는 경우가 많기 때문에 때로는 심리치료가 필요할 수도 있다. 항우울제를 포함한 여러 약물이 체중을 증가시키거나 감소시킬 수 있으므로 복용 중인 약물을 검토해 볼 필요도 있다. 모든 만성질환에는 동일한 기전이 작동하고 있고 그 기전을 제어하는 데도 역시 동일한 전략이 적용된다. 비만 치료를 위한 전략 역시 다른 만성질환에 대한 전략과 다르지 않다.

우리가 어떤 자세를 취하는 것은 중력과 힘겨루기를 하는 일이다. 자세를 바르게 하는 것도 상당한 운동 효과가 있다는 뜻이다. 예를 들어 한자리에서 오랫동안 같은 자세를 취하는 요가는 칼로리도 소모하고 근육도 강화시킨다.

자세가 무너지면 건강도 무너진다. 요통, 거북목증후군처럼 근골격계에 통증을 야기하게 되는 것은 말할 것도 없고, 척추가 굽으면서 가슴과 배 안에 있는 장기들이 압박을 받아 원활히 기능하지 못하게 된다. 구부정한 자세에서는 호흡이 얕아져서 산소 공급이 원활히 이루어지지 않으므로 쉽게 피로감을 느끼게 된다.

우리의 체형이나 자세는 생리적 기능에 영향을 미치는 일종의 정보다. 근막(fascia)은 온몸을 거미줄처럼 연결하는 결합조직으로, 건물의 철근 골격과 비슷한 기능을 하지만 철근과는 달리 매우 유연하다. 근막은 감정적인 기억을 간직하고 있는데, 이것은 신체의 구조적 변형이나 자세로 관찰된다. 전쟁 중 폭격을 당한 건물에 철근 골격이 휘어져 있는 것처럼, 깊은 감정적 기억도 신체에 그러한 변화를 만드는 것이다. 외상(trauma), 운동, 자세 등 물리적 자극에 의해 신체는 지속적으로 재구조화된다.

신체중심 심리치료에서는 심리적 갈등이나 개인적 신념이 신체적 긴장과 구조적 변형으로 나타난다고 본다. 따라서 신체적 긴장이나 구조적 변형을 수정함으로써 심신의 치유를 촉진한다. 신체의 특정 부위를 자극하면 그 부위에 간직되어 있던 외상적 기억이 선명히 되살아나는데, 이때 치유적 개입을 하여 조직이 이완되면 갇혀 있던 기억이 해방되는 것이다.

자세는 우리의 정서, 인지, 행동에도 영향을 준다. 구부정한 자세는 적극성, 자존감을 감소시키고 부정적 단어의 사용 빈도를 세 배나 높인다(Nair 등, 2015). 여기에는 실제 호르몬 변화가 동반된다(Carney 등, 2010). 단 2분만 구부정한 자세를 취해도 테스토스테론처럼 적극성을 높이는 호르몬은 10%나 감소하고, 스트레스 호르몬인 코티솔은 15%나 증가한다. 가슴을 펴고 양손으로 골반에 짚는, 일명 '원더우먼 자세'를 2분간 취하면 시험이나 면접 같은 스트레스 상황에서 더 당당하고 적극적으로 대처하게 되고, 통증도 덜 느낀다. 동일한 상황이라도 어떤 자세를 취하고 있는가에 따라 그 상황에 대한 우리의 주관적 경험은 달라질 수 있다.

바른 자세가 중요하다는 것은 누구나 알고 있는데, 문제는 스스로 바른 자세라고 느끼는 자세가 실제로는 잘못된 자세라는 것이다. 사진관에서 사진을 찍을 때 자신은 바른 자세를 했는데도 불구하고 사진사가 다가와 머리나 어깨 위치를 수정해 준 경험이 있을 것이다. 거울을 보면서 서 있는 자세와 앉아 있는 자세를 잘 살펴보면 쉽게 문제를 발견할 수 있다. 운동을 할 때도 먼저 몸의 중심축인 척추를 바로 세우는 것부터 시작해야 한다. 바르지 않은 자세로 운동을 하면 부상 위험이 커지고 걷기의 경우에도 통증을 일으킬 수 있다.

운동할 때가 아니더라도 항상 자신의 자세를 살펴서 의식적으로 좋은 자세로 바꾸는 일을 계속 반복해야 한다. 평생 굳어진 자세를 고치는 것은 결코 단시간에 되지 않는다. 자세를 바로 고치고 앉았다가도 이내 다른 일에 마음을 빼앗기고 예전 자세로 돌아가게 된다. '21일의 법칙'을 기억할 필요가 있다. 어떤 행동을 습관화하려면 최소 21일을 계속해야 한다. 21일은 실패와 좌절을 극복하는 시간이지 변화나 성공을 즐기는 시간이 아니다. 작심삼일을 일곱 번만 하면 21일이 된다. 노력 여하에 따라 21일 만에 뇌에 새 자세에 대한 신경망이 새겨질 수도 있고 더 오랜 시간이 걸릴 수도 있다. 길이 없던 숲에 누군가 지나가기 시작하면 길이 생기고 지나가는 사람이 많을수록 길이 넓어진다. 뇌에 새로운 신경망이 형성되는 과정도 이와 같다. 아리스토텔레스가 말했듯이, 지금의 우리는 반복적인 행동의 결과물이다. 탁월함도 습관이고 건강도 습관이다.

3 수면

■ 잠이란 무엇인가

> "당신의 수면이 건강하지 않다면 당신도 건강하지 않다."
>
> – 윌리엄 디멘트(Wiliiam Dement) –

삶은 욕구를 충족시키기 위한 행위들의 연속이다. 인간에게는 의식주에 관한 기본적 욕구 외에도 오락, 성공, 자아실현 등 다양한 유형의 욕구가 있다. 이런 욕구들 가운데 우리가 일상에서 가장 자주, 가장 많이 느끼는 욕구가 무엇일까? 그리고 가장 채우기 어려운 욕구는 무엇일까?

호프만(Hofmann) 등은 일상적인 욕구의 유형과 욕구 충족이 좌절되는 정도를 측정하여 **그림 17** 의 욕구 지도(map of desire)를 만들었다(Hofmann 등, 2012). 욕구 지도에서 X축은 욕구의 강도를 나타내고 Y축은 일상생활과 상충되는 정도를 나타낸다. 따라서 우상 분면에 표시되는 수면(sleep), 여가(leisure), 운동(sports participation)은 가장 결핍을 겪고 있는 영역이다. 수면과 여가에 대한 욕구는 다른 목표와 가장 많이 충돌하고, 미디어 사용(media use)과 일(work)에 대한 욕구는 자기조절에 가장 실패하는 부분이다.

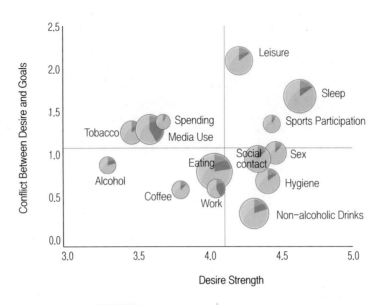

그림 17 욕구 지도 (Hofmann 등(2012)에서 인용)

우리는 인생의 1/3 동안 잠을 잔다. 그래서 잠을 잘 자는 것은 인생의 1/3을 완벽하게 사는 방법이라고도 한다. 잠을 잘 잔다는 것은 심신이 건강하다는 것을 보여주는 지표이자 젊다는 증거다. 그런데 왜 우리는 잠을 자는 것일까? 잠자는 동안은 생산적인 활동이 중지된다. 더구나 자는 동안에는 환경의 위험에 노출될 수밖에 없음에도 불구하고 동물들은 목숨을 걸고 잠을 잔다.[29] 잠에는 그러한 기회비용과 위험을 상회하는 이익이 있기 때문이다.

엄밀한 의미의 수면은 포유류와 조류에서만 확인되지만, 수면의 정의를 확대하면 파충류나 기타 하등동물에도 휴면상태 또는 수면이라 할 수 있는 상태가 있다. 최근 연구에서는 뇌가 없는 자포동물인 히드라도 사람과 유사한 수면 행동을 한다는 것이 밝혀져, 수면 행동은 '뇌의 휴식을 위한 고등동물의 생체 활동'이라는 기존의 관점을 수정해야 할 필요성이 제기되었다. 여하튼 지금까지 우리는 수면의 이익이 정확히 무엇인지 알지 못하고 있었고, 잠에 대한 우리의 관심은 잘 자는 것이 아니라 덜 자는 데 집중되어 있었다.

인간은 자신의 수면 시간을 일부러 줄이는 유일한 종(種)이다. 에디슨(Thomas Edison)은 "수면이란 시간 낭비에 불과하다"라고 하면서 자신의 짧은 수면 시간을 자랑했다고 한다. 나폴레

---

29) 심지어 어떤 동물은 좌우 뇌가 교대로 자는 반구수면을 한다. 뇌가 모두 잠들면, 몇 분에 한 번씩 수면 위로 올라와 호흡을 해야 하는 돌고래는 익사하게 되고, 망망대해 위를 비행해야 하는 철새는 바다에 빠지게 될 것이다. 기린처럼 아예 서서 자는 동물도 있다. 기린은 한번 누우면 일어나기 어렵기 때문에 누워 자다가는 포식자의 먹이가 되기 십상이다.

옹이나 레오나르도 다빈치가 단면자(short sleeper)였다는 것은 책상 앞에 '4당 5락'이라는 글귀를 붙이고 수험생 시절을 지내 본 사람이라면 누구나 알고 있을 것이다. 심지어 아리스토텔레스는 깊은 잠에 빠지지 않기 위해 청동구슬을 손에 쥐고 잤다. 자다가 놓치면 바닥에 떨어지는 소리를 듣고 바로 깨기 위해서다. 그러나 아리스토텔레스가 우리에게 왜 잠이 필요한지 알았다면, 그래서 더 충분히 더 깊이 잘 잤다면 더 많은 학문적 성과를 이룩하고 더 오래 살았을지도 모른다. 아인슈타인이 하루 10시간을 잤다는 사실을 고려하면, 적어도 천재성과 수면 시간이 반비례하는 것은 아닌 듯하다.

전구가 발명된 이래로 사람의 수면 시간은 급격히 감소했고, 인공조명과 소음으로 인해 수면의 질도 크게 낮아졌기 때문에 현대인은 필요한 만큼의 수면을 취하지 못하고 있다. 게다가 맑은 정신을 유지하기 위해 다량의 카페인 음료를 섭취한다. 이러한 모습은 전 세계적인 수면 부족 현상의 단면을 보여주는 것이다. 이미 WHO는 수면 부족을 선진국 전체의 유행병으로 발표했다. 2014년 미국 질병통제예방센터(CDC)도 수면 박탈을 공중보건의 유행병(public health epidemic)이라고 선언했다. 우리나라는 일본, 미국, 영국 등과 함께 지난 세기 동안 수면 시간이 가장 크게 감소한 나라다. 게다가 상황은 나날이 더 악화되고 있다. 도시는 365일 불야성이고 24시간 영업하는 상점, 새벽 배송업체가 성업 중이다. 그러다 보니 밤에 출근해서 낮에 퇴근하는 직업도 늘고 있다. 학생들은 침대에 누워 불안에 시달리기보다 새벽까지 책상에서 앉아 자신을 잠고문 하는 것을 선택한다.

최근까지도 과학은 우리가 왜 잠을 자며, 잠이 우리의 몸과 마음에 어떤 영향을 미치는지 정확히 설명하지 못했다. 저명한 수면학자 디멘트(William Dement)조차 잠을 자는 이유에 대해서, "분명한 것은 오직 하나, 졸리기 때문에 잠을 자는 것이다"라고 답하며, 잠의 이유를 아직 밝혀내지 못했음을 우회적으로 인정했다. 하지만 중요한 단서가 될 퍼즐 조각들이 하나씩 발견되고 있다. 그리고 최근 들어서는 지금까지의 생리학은 '낮의 생리학'에 불과했으며, 여기에 '밤의 생리학'이 더해져야 24시간 생리학이 될 수 있다는 인식이 생겨났다. 현대의 생리학은 낮 동안의 신체 대사를 설명하는 데 맞추어져 있었고, 밤 동안 일어나는 수면은 거의 설명하지 않았기 때문이다.

② 수면 생리

"신은 인생의 갖가지 걱정에 대한 보상으로
우리에게 희망과 수면을 내려주셨다."
- 볼테르(Voltaire) -

뇌에는 수면 시스템과 각성 시스템이 있고 이들은 시소의 양팔처럼 움직이는 관계다. 수면 상태가 될지 각성 상태가 될지는 두 시스템의 세력 관계에 의해 결정된다. 동물은 수면이 부족해지면 다음 날 수면 욕구가 늘고 수면의 양과 질이 증가하는데, 이처럼 매일 일정한 수준의 잠을 자려고 하는 성질을 '수면 항상성'이라 한다. 극도의 수면 부족에 빠지면 미세수면(microsleep)이라는 매우 짧은 수면도 나타난다.

수면 항상성이 존재할 수밖에 없는 이유가 있다. 우리가 깨어서 활동하는 동안 몸 안에 대사산물들이 축적되는데, 그 중 어떤 것이 수면물질로 작용한다. 깨어 있는 시간이 길어질수록 수면물질이 많이 쌓이고 그만큼 수면물질을 분해하는 데 걸리는 시간, 즉 잠을 자야 하는 시간이 길어진다. 그렇게 생기는 수면에 대한 욕구를 수면 부채 또는 수면 압력이라 한다. 이것은 우리가, 앞으로 며칠 동안 잠자지 못할 것을 대비해서 미리 자둘 수는 없다는 뜻이다. 아직 쌓이지 않는 수면물질을 미리 분해할 수는 없기 때문이다.

수면물질 후보로는 아데노신(adenosine)이 유력하다. 낮 동안 활동을 하면서 ATP[30]가 소모되면 아데노신이라는 물질이 만들어진다. 아데노신의 축적은 수면이 필요하게 만든다. 카페인은 아데노신과 구조가 비슷해서 아데노신 대신 아데노신 수용체에 결합함으로써 아데노신의 작용을 방해한다. 카페인이 각성 효과가 있는 것은 이 때문이다.

수면은 크게 논렘(non-rapid eye movement, NREM)수면과 렘(rapid eye movement, REM)수면으로 구분한다. 논렘수면은 깊이에 따라서 N1, N2, N3 수면으로 나뉘는데 N3가 가장 깊은 수면이다. 따라서 전체 수면 단계는 N1, N2, N3, REM 4단계다.[31] 렘수면은 눈동자가 빨리 움직이는 수면이다. 논렘수면인 N1, N2, N3와 렘수면이 하나의 수면 주기를 이루고 이 주기가 하룻밤에

---

30) 탄수화물, 단백질, 지방은 그대로 세포의 에너지원으로 사용되는 것이 아니다. 이들은 분해된 후 최종적으로 ATP(adenosine triphosphate, 아데노신삼인산)라는 물질로 전환된다. ATP는 아데노신에 3개의 인산기(phosphate)가 결합되어 있는 분자인데, 인산기가 떨어져 나갈 때 에너지가 발생한다. 따라서 ATP는 완전히 충전된 배터리에 비유할 수 있고 ATP에서 인산기가 떨어져 나가는 것은 배터리가 소모되는 과정에, 인산기가 모두 떨어져 아데노신만 남은 것은 완전히 방전된 배터리에 비유할 수 있다.

31) 전에는 수면을 5단계로 구분했다. 현재의 N3는 과거의 논렘 3단계와 논렘 4단계가 합쳐진 것이다.

4~5회 반복된다. 한 번의 수면 주기는 대략 90~110분이다.

각 수면 단계는 특징적인 뇌파를 만든다. 각성 상태의 뇌파는 주로 베타파(beta waves)다. 이 뇌파는 빠르기 때문에 속파라 한다. 그보다 느린 것이 알파파(alpha waves)이고, 더 느린 것은 세타파(theta waves), 가장 느린 것은 델타파(delta waves)다. 느린 뇌파들을 서파라 한다. 뇌파가 느릴수록 몸과 마음이 이완되고 깊은 수면 상태에 있는 것이다. N1은 1~7분 지속되는데, 알파파와 세타파가 나타난다. N2는 20분 정도 지속되며 전체 수면의 40~50%이고, 세타파와 함께 수면방추(간헐적 속파 출현), K-복합체(K-complex)가 나타나는 것이 특징이다. N3는 가장 서파인 델타파 수면이다.

뇌의 상태나 신체 상태 면에서 논렘수면과 렘수면은 완전히 다르다. 잠이 들면 먼저 논렘수면에 들어가고 다음에 렘수면이 나타난다. 수면의 대부분은 논렘수면이다. 밤이 깊어짐에 따라 렘수면 주기는 증가하고 논렘수면 간격은 짧아진다. 렘수면은 하룻밤에 1.5~2.0시간(총 수면의 1/4) 정도를 차지한다. 이때는 대뇌피질이 깨어 있을 때처럼 활발히 움직인다. 하지만 외부로부터의 감각 입력이나 행동 출력은 차단되어 있다. 깨어 있을 때의 뇌가 인터넷에 연결된 상태로 작동하는 컴퓨터라면 렘수면 중의 뇌는 인터넷은 끊긴 상태에서 작동하는 컴퓨터와 같다. 렘수면을 박탈하면 렘반동(REM rebound)이 일어나 렘수면에 들어갈 때까지의 시간이 단축되고 렘수면 시간도 늘어난다. 신생아는 하루에 약 16~18시간을 자는데 절반이 렘수면이다. 임신 후기 태아는 거의 24시간 렘수면 상태다. 나이가 들수록 수면 시간이 줄어드는데 특히 렘수면이 많이 감소한다.

렘수면이 꿈을 꾸는 수면이라고 알려져 있었지만 얕은 논렘수면 중에도 꿈을 꾼다. 잠이 들 무렵에 환상을 보는 입면환각(hypnagogic hallucination)은 매우 선명한 꿈이다. 렘수면 때의 꿈은 비현실적이고 기묘한 내용이 많으며 감정을 동반하는 경우가 흔하지만, 논렘수면의 꿈은 대개 단순하고 사실적인 내용이다.[32] 렘수면 중의 꿈은 뇌가 활동하기 위해서 만드는 일종의 환각이라고 보기도 한다. 기계 상태를 점검할 때 불가피하게 기계 소음이 발생하게 되는 것처럼, 렘수면 동안 뇌가 뇌기능을 유지·관리하는 과정에서 발생하는 소음이 꿈이라는 것이다. 하지만 꿈에는 더 많은 의미가 있다. 기계에 비유하자면 점검보다는 수리가, 수리보다는 업그레이드가 더 중요한 기능일 수 있다.

---

32) 렘수면에서의 꿈이 비현실적이고 기묘해도 꿈을 꾸면서 이상하다는 것을 깨닫지 못하는 것은 전두엽 중 배외측전전두엽 기능이 저하되어 있기 때문이다. 배외측전전두엽은 논리적인 사고를 담당하는 영역이다.

몽중신유(夢中神癒)라는 말이 있다. 꿈속에서 신의 치유를 받는다는 뜻이다. 예로부터 꿈은 무의식으로 가는 왕도이자 신의 언어로 여겨져 왔다. 고대 그리스인들은 병에 걸렸을 때 먼저 치유의 사원을 찾아갔다. 그곳에서 정화 의식을 수행하고 잠들어 있는 동안 치유 받기를 희망하며 며칠 밤을 사원에서 보냈다. 그렇게 신전에서 자면 꿈에서 치유의 신 아스클레피오스(Asclepius)가 나타나 치유해 주었다고 한다.

불교 전통에서는 잠자는 시간도 수행으로 이용한다. 몽중일여(夢中一如), 동정일여(動靜一如), 숙면일여(熟眠一如)라는 말은 자나깨나 수행하고 꿈속에서도 수행하라는 의미다. 티벳 불교 전통에서는 몽중일여 수행에 더 큰 의미를 부여한다. 불교에서 업(業)이라고 하는 것은 아뢰야식(阿賴耶識)이라 불리는 깊은 무의식 안에 저장되어 있다. 업의 흔적이 정화되고 아뢰야식이 사라지면 그때 중생이 바로 붓다인 것이다.

일상의식으로는 깊은 무의식의 세계에 접근할 수 없다고 보는 것은 서구 심리학에서나 불교에서나 마찬가지다. 하지만 꿈을 통해서는 가능하다. 꿈에서는 업의 흔적이 이성적인 사고의 속박으로부터 풀려난다. 꿈속에서 수행하는 몽중일여 수행은 꿈이라는 장소에서 업을 바로 깨우치고 삶을 바른 안목으로 볼 수 있도록 하는 수행이다. 하지만 그러기 위해서는 꿈이 흘러가는 대로 자신을 맡기지 않고 더 주도적, 적극적으로 꿈을 꾸어야 한다. 이를 위해서 꿈속에서 깨어있는 능력을 개발하고 그 환상을 몰아내는 방법을 배워야 한다. 꿈속에서 깨어 있는 능력이란 자각몽을 꾸는 능력과 비슷한 것이다. 자신이 꿈을 꾸고 있다는 것을 알면서 꾸는 꿈이 자각몽이다. 꿈 수행이 깊어지면 자각몽에서 더 나아가 꿈을 자신이 원하는 대로 꿀 수도 있다. 이를테면 현실에서는 만날 수 없는 성현을 찾아가 가르침을 구하는 것이다.

우리 안에 성령이 있다는 기독교의 관점에서 보든, 인간의 무의식 속에 거대한 지혜의 보고가 있다는 융(Carl Jung)의 심리학으로 보든, 모든 중생이 불성(佛性)을 가졌다는 불교의 가르침에서 보든, 꿈이라는 무의식과의 접속은 우리 안에 있는 성령, 지혜, 불성을 만날 수 있는 기회다. 현실에서 환상 속에 있는 것이나 꿈속에 있는 것이나 정신적으로는 비슷하다. 그런데 꿈은 일종의 규제 샌드박스라서 우리는 꿈이라는 안전지대에서, 현실에서는 하기 어려운 일들을 시도하고 경험해 볼 수 있다.

❸ 보약보다 잠이 낫다

(1) 수면과 질병

> "잠이야말로 인생의 향연에서 최고의 자양분이다."
>
> – 셰익스피어(William Shakespeare) –

수면 연구자 사쿠라이 다케시는 잠보다 효과적인 치유는 세상에 존재하지 않으며 마음의 병을 앓고 있는 사람에게도 잠은 최고의 약이라고 한다(사쿠라이, 2017). 랜디 가드너(Randy Gardner)라는 사람은 11일 동안 잠을 자지 않아서 최장기간 무수면 기록을 세웠다. 가드너는 1963년 12월 28일부터 1964년 1월 8일까지 11일 25분(264.4 시간)을 깨어 있었다. 그런데 이틀째부터 신경이 예민해지고 몸 상태가 좋지 않다고 호소했다. 기억장애가 나타나더니 4일째부터는 망상과 극심한 피로감을 호소했고, 7일째가 되자 몸이 떨리고 언어장애까지 나타났다. 가드너가 겪은 극단적인 수면 부족 상태가 아니더라도 수면 부족은 많은 건강상의 문제를 일으킨다.

수면 부족은 고혈압, 심장병, 뇌졸중을 비롯한 심·뇌혈관질환과 대사증후군, 당뇨병 등 대사질환의 발생 위험과 사망률을 증가시키며(Cappuccio 등, 2011; Khan 등, 2017), 특히 심·뇌혈관질환의 주요 위험인자로 지목되고 있다. 깊이 잠들지 못하고 조각잠을 자는 것처럼 잠을 제대로 못 자는 일이 반복되면 만성염증이 유발되고 서서히 죽상동맥경화가 진행된다(Vallat 등, 2020).

수면장애의 가장 흔한 원인은 스트레스다. 수면장애가 있는 사람은 심혈관질환 사망 위험이 1.8배 상승하고, 업무 스트레스가 있는 사람은 1.6배 상승하는데, 수면장애와 스트레스를 모두 가진 사람은 둘 다 없는 사람보다 사망 위험이 3배나 증가한다(Atasoy 등, 2021). 따라서 건강한 수면은 심혈관질환의 예방과 치료에 반드시 포함되어야 하는 것이다. 당뇨병도 마찬가지다. 5시간 이하 수면은 당뇨병 위험을 2.5배 높인다. 건강한 사람이라도 수면이 부족하면 혈당 관리에 어려움을 겪게 된다.

수면 시간이 짧아지면 수명도 짧아진다. 6~8시간 이하의 수면이 조기사망 위험을 12%나 높인다. 충분한 수면을 취하지 못하면 먼저 면역기능이 손상된다. 그 결과 주변에 있는 흔한 세균과 바이러스에도 쉽게 감염되어 감기나 독감 같은 감염증이 증가하고 암이 발병할 위험도 두

배 이상 높아진다. 2007년 WHO 산하 국제암연구소(IARC)는 지속적인 야간근무가 유방암, 폐암 등 암 발생 위험을 높인다는 연구 결과를 근거로 야간근무를 2급 발암물질로 지정했다. 이것은 납, 다이옥신과 같은 등급이다. 수면이 부족하면 면역기능이 저하되므로 백신 효과도 감소한다.

잠을 잘 잔 날은 외모부터 다르게 보이고 활력이 넘친다. 불충분한 수면으로 인해 밤사이 피부가 재생되는 능력이 감소하고 테스토스테론 같은 성호르몬 분비도 감소하므로 활력도 떨어지게 된다. 잠을 잘 자야 키도 크고 근육도 성장한다. 잠을 잘 때 성장호르몬 분비가 증가하기 때문이다. 수면 부족은 뼈의 리모델링에 악영향을 주어 골밀도 감소를 초래하고 골다공증 위험을 높인다. 수면이 부족하면 코골이와 수면무호흡증도 증가하는데 이것은 다시 수면 부족의 원인이 된다.[33] 만성적인 수면 부족은 우울증, 불안증, 물질사용장애, 자살 시도 같은 문제와 강한 상관관계가 있다. 잠을 잘 잔 후에는 우울감과 불안감이 사라지고 행복감은 증가한다.[34] 잠과 더불어 꿈도 깨어 있을 때의 고통스러운 기억을 완화시키는 중요한 기전이다.

잠은 창의성을 발휘할 수 있는 꿈이라는 가상현실을 만들어 내기도 한다. 많은 과학적 발견과 통찰이 잠을 자면서 이루어졌다. 또한 수면은 생산성과 작업 효율도 향상시킨다. 농구선수가 하루 1시간 더 자면 슈팅 정확도가 9% 증가한다(Mah 등, 2011).

누구나 잠이 부족할 때 실수가 잦아지는데 수면 부족은 사고 위험을 높인다. 1986년 챌린저호 사고, 1989년 알래스카 유조선 사고 등 대형사고들은 당시 작업자들의 수면 문제와 관련이 있었다. 17~19시간 수면 박탈 상태의 운전은 혈중 알코올 농도 0.05% 상태의 운전과 같고, 24시간 무수면은 혈중 알코올 농도 0.1%와 같다.[35] 졸음운전은 음주운전보다 더 많은 사고를 내지만 예방을 위한 노력은 비교조차 할 수 없을 정도로 미미하다. 렘수면을 발견하여 수면 연구에 중요한 기여를 한 유진 아세린스키(Eugene Aserinsky)도 졸음운전에 의한 교통사고로 사망했다.

33) 수면무호흡증은 수면 중 상기도의 반복적인 폐쇄로 인해 호흡이 멈추거나 감소하는 것이다. 이로 인해 자주 깨게 되어 숙면을 취하지 못한다. 이것이 장기간 지속되면 심·뇌혈관질환, 비만, 당대사 이상을 초래할 수 있다. 또한 불안증, 우울증, 인지장애, 작업수행력 감소, 삶의 질 저하의 원인이 된다. 수면무호흡증 환자에게는 운전하는 직업을 제한하는 국가도 있다.

34) 잠을 자고 나면 우울감과 불안감이 해소되는 것은 왜일까? 페닐알라닌, 티로신, 트립토판 같은 아미노산으로부터 만들어지는 세로토닌, 도파민, 노르에피네프린, 멜라토닌, 히스타민 등의 신경전달물질을 모노아민(monoamine)이라 한다. 모노아민계 신경전달물질이 장시간 작용하면 이 신경전달물질로부터 신호를 수신하는 수용체의 민감도가 저하되는데, 이것은 곧 모노아민계 작동성 시스템의 효율이 감소한다는 것이고 그 결과 불안이나 우울감이 오게 된다. 잠을 자는 동안, 특히 렘수면 동안 모노아민 작동성 시스템이 꺼지면서 수용체의 민감도가 회복된다. 잠을 자면 우울감과 불안감이 해소되는 것은 이러한 기전에 의한 것일 수 있다.

35) 우리나라에서는 혈중 알코올 농도 0.03% 이상이면 처벌 대상이다.

(2) 비만과 수면 부족

과체중이거나 비만인 사람은 반드시 수면을 점검해 보아야 한다. 잠을 적게 잘수록 비만 위험이 높아진다. 6시간 자는 사람은 7시간 이상 자는 사람에 비해 비만 가능성이 23% 상승하고, 5시간 자는 사람은 50%, 4시간 이하로 자는 사람은 73% 상승한다. 6시간 이하로 잠을 자면 지방, 탄수화물 섭취가 크게 증가한다(Shechter 등, 2014). 수면이 부족하면 식욕을 촉진하는 호르몬인 그렐린이 증가하고 억제하는 호르몬인 렙틴은 감소하여 더 많이 먹게 될 뿐 아니라, 체중 증가 효과가 있는 스트레스 호르몬인 코티솔도 증가한다. 사실 섭식행동과 수면은 더 직접적으로 연결되어 있다. 수면을 억제하는 각성 호르몬인 오렉신(orexin)이 섭식행동을 자극하기 때문이다.[36]

글상자❷ 수면-각성 제어 시스템과 식욕 제어 시스템

오렉신은 히포크레틴(hypocretin)으로도 알려져 있으며 각성, 식욕 등의 조절에 중요한 역할을 하는 것으로 확인된 신경전달물질이다. 20세기 말 오렉신이 발견되면서 수면-각성 시스템에 관한 연구는 크게 도약했다. 오렉신의 기능은 다양하나 가장 핵심적인 역할은 각성을 촉진하고 유지하는 것이다. 오렉신이 부족하면 각성을 유지하기 힘들어진다. 오렉신을 생산하는 신경세포에 장애가 있으면 갑자기 참을 수 없는 잠이 오고 근육 긴장도가 떨어지는 기면증(nercolepsy)이 나타날 수 있다.

오렉신은 시상하부에 있는 신경세포 집단에서 만들어지는데 이곳은 전부터 섭식중추로 알려졌던 곳이다. 그래서 처음 오렉신이 발견되었을 때는 이것이 식욕 조절에 관여한다고 생각하고, 식욕을 뜻하는 'orexis'에서 오렉신이라는 이름을 지었다. 실제로 오렉신을 동물에 투여하여 음식 섭취량이 현저히 증가하는 것을 확인할 수 있다. 오렉신이 발견될 무렵 다른 연구자들도 이 물질을 발견하고 히포크레틴이라 명명했다.

처음에는 섭식 조절 기능을 가진 것으로 생각되었던 오렉신은 수면-각성의 조절, 보상과 중독에도 관여하고 있고, 최근에는 우울증, 불안증의 병리와도 관계가 있는 것으로 확인되고 있다.

지방세포에서 분비하는 렙틴은 식욕을 억제하고 위에서 분비되는 그렐린은 식욕을 항진시킨다. 오렉신 신경세포 시스템은 렙틴에 의해 억제되고, 그렐린에 의해 흥분한다. 따라서 수면-각성 시스템과 식욕 제어 시스템의 연관성은 명확하다.

현재 오렉신의 작용을 억제하는 약물이 불면증 치료제로 개발되어 있다. 오렉신이 가진 다양한 기능을

---

[36] 오렉신을 동물에 투여하면 음식 섭취량이 크게 증가한다. 원래 오렉신이라는 말도 그리스어로 식욕 뜻하는 'orexis'에서 유래한 것이다. 오렉신 신경세포 시스템은 수면-각성 상태를 조절하는 동시에 온몸의 영양 상태를 모니터링하고 있다. 이 시스템은 렙틴에 의해 억제되고 그렐린에 의해 흥분한다. 혈당이 떨어지면 오렉신 신경세포 시스템이 흥분하고 혈당이 상승하면 활동이 저하된다. 식곤증은 이러한 원인으로 일어나는 현상일 수도 있다.

수면 부족과 비만은 서로를 촉진하는 관계다. 수면이 감소하면 위와 같은 기전으로 더 많은 음식을 먹게 될 뿐 아니라 에너지 수준도 낮아지기 때문에 체중이 증가한다. 역으로 과체중과 비만은 수면장애를 유발한다. 어떤 것이 먼저 시작된 것인지는 사람마다 다르겠지만, 일단 하나가 시작되면 악순환은 시간이 지날수록 증폭된다. 따라서 수면 부족이라면 체중조절을, 과체중이나 비만이라면 수면 패턴을 점검해 볼 필요가 있다.

(3) 수면과 인지기능

잠을 자지 않으면 기억과 학습에 문제가 생긴다. 우리가 낮 시간 동안 경험한 일은 뇌에 기억으로 저장된다. 생리학적으로 기억이라는 것은 신경세포들이 특정 패턴으로 연결되어 동시에 흥분할 수 있게 되는 현상이다. 잠을 자는 동안 이 연결이 다시 활성화된다. 일종의 복습 또는 반복학습이라 할 수 있다. 신경세포 사이의 연결이 반복적으로 활성화되면 그 연결은 더욱 강해진다. 이런 식으로 기억이 굳어지고 장기기억이 형성되는 것이다. 따라서 잠을 자지 않으면 낮에 이루어진 신경세포 간의 연결이 끊어지고, 결국 새로 배우거나 경험한 것들은 쉽게 잊힌다. 쥐에게 잠을 못 자게 하거나 자는 동안 뇌의 신경세포들이 활성화되는 것을 방해하면 전날 습득한 기억이 오래가지 않는다.

수면으로 공고해지는 기억에는 절차기억(procedural memory)도 해당된다. 절차기억은 악기나 기계를 다루고 기술을 배우는 것처럼 몸에 익혀지는 무의식적 기억이다. 같은 곡을 계속 연주하거나 체조 동작을 반복하면 점점 더 능숙해지는데, 자는 동안 이런 시뮬레이션이 일어나므로 잠을 자고 나면 전날보다 연주가 매끄러워지고 잘 해내지 못했던 동작도 훨씬 숙련되게 해낸다. 음악가들은 악보를 암기하려면 반드시 잠을 자야 한다는 것을 누구보다 잘 알고 있다.

불면증은 기억력 저하와 직접적인 상관이 있다. 밤에 잠들기 어렵거나 깨어 있는 경우가 일주일에 3일 이상이고, 이것이 3개월 이상 계속되는 것을 만성 불면증이라 한다. 만성 불면증 환자는 인지기능이 현저히 감소하는데, 그 중에서도 특히 장기기억인 서술기억(declarative memory)[37]이 많이 손상된다. 잠자는 동안의 기억 다지기가 이루어지지 않는 것도 원인이지만, 잠이 부족하여 낮에 주의·집중력이 떨어지는 것도 문제를 악화시킨다.

쥐는 잠을 잘 때 전날 미로를 학습한 꿈을 꾼다. 꿈을 꾸는 렘수면 때 기억의 재구성이 일어난다는 것을 의미한다. 쥐가 학습하는 양이 많아지면 렘수면도 늘어나기 때문에 렘수면이 기억 강화와 관련 있다고 여겼었지만, 기억을 고정하고 정리하는 데는 논렘수면도 긴밀히 관여하고 있다. 렘수면보다 논렘수면, 특히 깊은 상태의 논렘수면이 기억 강화에 중요한 역할을 한다는 데 점점 더 많은 학자들이 동의하고 있다.

기억과 관련하여, 자는 동안 뇌에서 일어나는 또 다른 일은 불필요한 신경세포의 연결이 정리되는 것이다. 체조 선수가 강화해야 할 것은 동작에 성공한 경험을 했을 때 형성되었던 신경세포의 연결이지, 실패했을 때 형성되었던 연결이 아니다. 실패했을 때의 연결은 잘못된 연결이므로 이 연결은 지워야 한다. 컴퓨터에서 불필요한 파일을 삭제하면 저장 공간이 확보되고 성능도 향상되는 것처럼, 불필요한 기억을 소거하는 것은 우리 뇌를 더욱 효율적으로 만드는 일이다. 신경세포들이 서로 연결되는 부위를 시냅스(synapse)라 하는데, 수면 중에는 불필요한 시냅스가 제거되어 신경세포의 연결망이 최적화된다. 필요 없는 시냅스는 논렘수면 때 사라진다고 알려져 있었는데, 최근에는 렘수면 때도 필요 없는 시냅스가 정리되고 남아 있는 시냅스의 강화가 일어난다고 보고되고 있다.

수면 중에는 뇌에 쌓인 노폐물도 청소된다. 알츠하이머병은 아밀로이드-베타(amyloid beta, Aβ)라는 단백질이 뇌에 축적되는 것과 관련이 있는데, 이 단백질은 각성 시에 축적되고 수면 시에 감소한다.[38] 쥐의 수면을 박탈하면 해마에 아밀로이드-베타가 축적된다. 2012년에 뇌 안에서 노폐물을 배출하고 뇌세포에 영양을 공급하는 시스템이 존재한다는 것이 밝혀졌다(Iliff 등, 2012). 이 시스템을 글림프시스템(glymphatic system)이라 한다.[39] 그리고 이듬해에는 글림프시스템이 주로 논렘수면 때 작동한다는 것이 확인되었다. 따라서 잠을 자지 않으면 아밀로이드-베

---

37) 서술기억은 자신이 겪은 사건에 대한 기억인 일화기억(episodic memory)과 객관적 지식에 관한 기억인 의미기억(semantic memory)으로 구분된다. 친구를 만난 기억은 일화기억이고 수학 공식을 기억하는 것은 의미기억이다.

38) 알츠하이머병 환자의 뇌에 아밀로이드-베타가 축적되는 것은 사실이지만, 아밀로이드-베타가 알츠하이머병의 원인인지 결과인지는 분명하지 않다. 2020년 발표된 연구에서는 알츠하이머병의 주요 증상인 인지기능 저하가 아밀로이드-베타의 축적보다 먼저 시작된다고 보고했다(Thomas 등, 2020). 원인이든 결과든, 아밀로이드-베타는 알츠하이머병과 관련이 있는 변형된 단백질이며, 뇌에서 제거되는 것이 바람직하다.

39) 신체의 모든 장기는 대사 활동을 하면서 노폐물을 발생시킨다. 뇌도 예외가 아니다. 몸에서 노폐물을 청소하는 것은 림프계의 주요 기능 중 하나인데, 뇌에는 림프계가 없기 때문에 뇌가 노폐물을 처리하는 방법은 최근까지도 수수께끼로 남아 있었다.

chapter 7. 라이프스타일 케어   243

타 같은 물질이 뇌에 축적되게 된다.

알츠하이머병은 아밀로이드-베타 외에, 타우(tau)라는 단백질이 침착되는 것도 특징이다. 잠을 못 자면 뇌에 타우 단백질도 증가한다. 2020년 발표된 연구에서는 단 하루만 잠을 자지 않아도 타우 단백질이 증가한다는 것을 확인했다(Benedict 등, 2020). 더 놀라운 사실은 이 연구의 참여자가 노인이 아닌 건강한 젊은 성인이었다는 것이다.

▉4 수면 평가

일차 의료기관을 방문하는 환자들 중 약 30%가 수면 문제를 호소한다. 80%의 사람이 살면서 수면 문제를 경험하고 30~50%는 현재 수면에 어려움을 겪고 있다. 불면증은 가장 흔한 수면장애다. 성인의 약 1/3이 불면증을 호소하고, 9~12%는 낮 동안 피로, 졸음을 느낀다.

총 수면 시간으로도 수면이 부족한지를 파악할 수 있지만, 수면의 양과 수면의 질은 다른 문제다. 오래 누워 있어도 거의 자지 못하는 사람도 있고, 많이 잔다고 해도 얕은 잠을 자고 자주 깬다면 수면이 부족한 상태일 수 있다. 수면이 부족한지를 더 정확히 판단하는 방법은 의외로 간단하다. 깨어 있을 때 얼마나 졸음을 느끼는가를 보면 된다. 다만 졸음은 수면이 부족하다는 것만 알려줄 뿐, 왜 수면이 부족한지 알려주지는 않는다.

불면증이 수면장애의 가장 흔한 유형이기는 하지만, 불면증 외에도 수면장애는 많다. 수면장애의 종류는 80가지가 넘는다. 밤에 많이 잠을 자는데도 낮에 과도한 졸음을 느끼는 과다 수면을 호소하는 사람도 많다. 수면무호흡증 같은 수면장애는 과다 수면의 원인이 될 수 있다. 따라서 수면 시간 자체는 짧지 않은데 졸음을 느낀다면 졸음의 원인을 찾기 위해 자세한 검사가 필요하다.

의료기관에서 이루어지는 검사에서는 문진(問診)이나 환자가 작성한 수면 일기를 통해 수면 습관과 수면 리듬을 분석하고, 기본적인 신체 검진을 하여 수면장애의 원인이 될 수 있는 다른 질병 유무를 확인한다. 불면증은 호흡기질환, 심혈관질환, 소화기질환 등 내과적 질환, 신경과적 질환, 정신과적 질환을 가진 환자에게 더 흔히 발생하는데 자신이 이런 질환이 가지고 있다는 것을 모르는 환자가 적지 않다.

수면다원검사(polysomnography)는 신뢰도와 타당도가 가장 높은 검사법이다. 수면다원검사를 통해 수면장애 여부를 확진하고 정확한 병명을 찾아낼 수 있다. 하지만 수면다원검사는 비용이 많이 들고 수면 중 측정장치를 장착해야 하는 등의 불편함이 있으며, 불면증 환자가 느끼는 주관적인 수면의 질과 측정치 사이의 관련성이 높지 않다는 문제도 있다.[40] 따라서 질문지를 이용하여 자기-보고식 평가를 하는 방법이 널리 이용되고 있다.

수면 질문지는 수면에 관련된 질문들로 구성되는데 의료기관에서 자체적으로 만들어 사용하기도 하고, 이미 개발되어 있는 질문지를 사용하기도 한다. 한국판 '피츠버그 수면의 질 지수 (Pittsburgh Sleep Quality Index, PSQI)'는 전반적인 수면 상태를 파악하기 위해 일곱 가지 수면 요소(수면의 질, 수면 지연 시간, 수면 시간, 효과, 약물 필요 여부, 수면 시 장애, 주간 수면 문제)에 대해 평가한다. 5점 이상의 점수는 수면의 질이 나쁨을 의미한다.

표 10 피츠버그 수면의 질 검사

1. 지난 한 달 동안 몇 시에 잠자리에 들었는가?	오전/오후		시	분
2. 지난 한 달 동안 밤에 잠드는 데 얼마나 오래 걸렸는가?	시간		분	
3. 지난 한 달 동안 아침에 몇 시에 일어났는가?	오전/오후		시	분
4. 지난 한 달 동안 실제로 잠 잔 시간은 하루 평균 얼마나 되는가?	시간		분	
5. 지난 한 달 동안 다음의 문제로 잠자는 데 얼마나 자주 문제가 있었는가?	한 번도 없었음	한 주에 한 번보다 적게	한 주에 한두 번 정도	한 주에 세 번 이상
(1) 30분 이내로 잠들 수 없다.	0	1	2	3
(2) 한밤중이나 새벽에 깬다.	0	1	2	3
(3) 화장실에 가려고 일어난다.	0	1	2	3
(4) 편안하게 숨 쉴 수 없다.	0	1	2	3
(5) 기침을 하거나 시끄럽게 코를 곤다.	0	1	2	3
(6) 너무 춥다.	0	1	2	3
(7) 너무 덥다.	0	1	2	3
(8) 나쁜 꿈을 꾼다.	0	1	2	3
(9) 통증이 있다.	0	1	2	3
(10) 그 외의 이유(내용 :)	0	1	2	3
6. 지난 한 달 동안 잠들기 위해 얼마나 자주 약을 먹었는가(처방약 또는 기타 약)?	0	1	2	3
7. 지난 한 달 동안 운전 중이나 식사 때 또는 사회활동을 하는 동안 얼마나 자주 졸음을 느꼈는가?	0	1	2	3
8. 지난 한 달 동안 하는 일에 열중하는 데 얼마나 많은 어려움이 있었는가?	0	1	2	3
9. 지난 한 달 동안 전반적인 수면의 질은 어느 정도라고 평가하는가?	매우 좋음 0	좋음 1	나쁨 2	매우 나쁨 3

[40] 수면다원검사를 하려면 환자가 저녁에 병원의 수면검사실로 와서 뇌파, 안전도, 근전도, 심전도, 호흡, 가슴·복부 움직임, 혈액의 산소포화도, 코골이, 다리 움직임 등을 측정할 수 있는 센서를 붙이고 잠을 자면서 기록해야 한다. 야간 수면 중에 발생하는 수면무호흡증, 코골이, 주기적 사지운동증, 렘수면 행동장애 등을 진단하는 데는 필수적이며, 이차성 불면증의 원인을 찾는 데도 유용하다.

5 인생의 1/3을 완벽하게 사는 법

"잠은 죽음이라는 자본에 지불해야 하는 이자다.
이자가 높을수록, 정기적으로 지불할수록, 상환 날짜는 더 늦어진다."

- 쇼펜하우어(Schopenhauer) -

심리학에 '이상심리학(abnormal psychology)'이라는 분야는 있지만 '정상심리학'은 없다. 병든 마음을 진단하고 분류하는 방법은 규정하고 있으면서도 건강한 마음이 어떤 것인지는 잘 모른다. 수면의학에서도 수면장애를 정의하고 진단·치료하는 데 주력했을 뿐, 수면건강(sleep health)에 대해서는 거의 관심을 기울이지 않았으며 무엇이 건강한 수면인지조차 정의하지 않았다. 그러다 보니 수면장애 치료도 대개 약물로 증상을 조절하는 방식에서 벗어나지 못했다. 최근 들어서야 수면건강이 수면의학의 새로운 연구 분야이자 기회로 등장하게 되었다(Buysse, 2014).

학문보다 발 빠른 변화는 산업계에서 일어났다. 숙면을 돕는 첨단기술, 소위 슬립테크(sleep-tech)가 크게 성장하고 있다. 슬립테크는 사용자의 수면 관련 데이터를 수집하고 분석하여 숙면을 취할 수 있도록 돕는 기술이다. 인공지능 기반의 수면 분석 시스템, 디지털 불면증 치료제 등이 그것이다. 이미 많은 사람들이 헤어밴드, 안대, 베개 형태의 제품들을 사용하고 있다.

그러나 화학적 치료제든 디지털 치료제든 치료제를 먼저 찾는 방법은 최선이 아니다. 수면 장애의 원인을 제거하는 치료가 아니라는 점도 그 이유지만, 수면제 없이는 잠이 들지 못하는 것이나 수면 베개가 없으면 잠을 자지 못하는 것이나 모두 치료제에 대한 의존증이고 부작용이다. 치료제를 선택하기 전에 우리가 점검하고 개선해야 할 것들, 수면의 질뿐 아니라 삶의 질을 향상시켜 주는 더 간편하고 근본적인 방법들이 있다. 이 방법들에 문제가 있다면 너무 단순하고 상식적인 것이어서 해보기도 전에 식상하다는 점이다.

수면 문제는 라이프스타일 개선을 통해 극적으로 좋아질 수 있다. 먼저 점검해 보아야 하는 것은 수면 시간이다. 정확히 말하면, 자신이 적당하다고 생각하다는 수면 시간이 정말로 적당한 것인지 확인해야 한다.

신생아 때는 하루의 대부분을 자면서 보내고 렘수면 비율이 거의 절반이지만, 나이가 들면서 깨어 있는 시간이 점점 길어지고 렘수면 비율도 감소한다. 80세 이후에는 채 6시간도 자지 않는다. 대개 나이가 들면 수면 시간이 적어지는 것은 자연스러운 현상이라고 여기지만, 연령 불문하고 모두 7~8시간의 수면이 필요하다. 7~8시간 이상[41]이거나 이하면 모든 원인으로 인한 사망, 심혈관질환, 당뇨병이 증가한다. 물론 선천적으로 잠이 없는 사람들도 있다. 이 사람들은 6시간만 자고도 알람의 도움 없이 스스로 잠에서 깨며, 하루가 끝날 때까지 다시 잠을 자지 않아도 된다. 이들은 특정 유전자의 영향으로 남들보다 잠을 덜 자고도 아무런 지장을 받지 않는다. 평소 6시간 이하의 잠을 자는 사람들은 자신도 그런 유전자를 가졌을 것이라고 생각할 것이다. 하지만 그럴 가능성은 1%도 되지 않는다. 인구 중 1%도 되지 않는 사람만 가진 유전자이기 때문이다.

잠자는 시간이 의지나 근면성과 반비례한다는 생각은 속히 수정되어야 한다. 잠을 잘 자는 것이 심신의 건강, 학업, 수행력 등에 얼마나 중요한지 깨닫게 되면, 자신의 의지와 근면성을 잠자는 데 먼저 투여하게 될 것이다.

잠을 얼마나 자는가도 중요하지만 취침시간과 기상시간을 일정하게 하는 것도 중요하다. 평소보다 늦게 자더라도 같은 시간에 일어나야 한다. 이것은 주말과 휴일에도 적용되어야 하는 규칙이다. 월요병(monday blues)은 '사회적 시차증(social jet lag)'으로 설명되기도 한다. 주말 동안 평소와 다른 생활을 하면서 생체시계와 생활시계가 어긋나게 되어 피로를 경험하는 현상이 월요병이라는 것이다. 연구에 의하면 휴일에 평소보다 2시간 더 자는 것만으로도 한 주 동안의 생체리듬이 깨져서 월요병이 발생한다. 불규칙한 낮잠도 피하고, 정말로 졸리는 경우에는 20~30분 정도로 낮잠 자는 시간을 제한한다.[42]

잠을 잘 자려면 야식을 피하고 저녁식사와 취침시간 사이에 3~4시간 정도 간격을 둔다. 배가 고프면 오렉신 신경세포 시스템의 활동이 활발해져서 잠들기 어려워진다. 하지만 잠자기 직전에 식사를 하면 소화 과정에서 발생하는 열 때문에 숙면을 취하기 어렵다. 고혈당도 수면을 방해한다. 또한 잠자기 전에 먹는 습관을 들이면 생체리듬이 그 습관에 맞추어져서 잠을 자야 하는 시간에 몸의 각성 수준이 올라가게 된다. 따라서 취침 3~4시간 전에 저녁식사를 마치되 너무 많은 양이나 허기가 느껴질 정도로 너무 적은 양을 먹지 않도록 한다.

카페인 음료나 담배처럼 수면을 방해하는 물질은 피한다. 앞에서도 설명한 바와 같이, 카페

---

41) '이상'이라는 단어에도 주목하라. 너무 많이 자는 것도 좋지 않다는 보고들이 많다.

42) 적절한 수준의 낮잠은 도움이 될 수도 있다(Brindle 등, 2012). 낮잠을 제도적으로 도입한 나라도 있다. 일본 후생노동성의 「건강 증진을 위한 수면 지침」에서는 오후 30분 정도의 낮잠을 권한다. 그러나 지나치게 많이 낮잠을 자는 것은 오히려 해롭고, 심지어 조기사망률을 높인다는 보고도 있다.

인은 수면 물질인 아데노신의 작용을 방해하는 물질이다. 게다가 카페인이 체내에 흡수되면 부신을 자극해서 에피네프린과 노르에피네프린을 분비시키는데, 이것은 스트레스를 받을 때처럼 심신의 각성 수준을 높인다. 그 결과 심장이 빨리 뛰고, 이어서 신장도 바쁘게 움직이는데 이로 인해 수분 배설량이 증가하게 된다. 결국 잠은 멀어지고 화장실이 가까워지는 것이다.

카페인의 반감기는 대략 5~6시간이고, 완전히 소실되려면 25~30시간이 필요하다. 따라서 정오 이후에는 카페인이 들어있는 음료와 간식을 피하는 것이 좋다. 카페인 권장량은 성인의 경우 하루 400 mg 이하, 임산부는 300 mg 이하, 아동은 체중 1 kg당 2.5 mg 이하다.[43] 니코틴도 자극제다. 술은 잠의 좋은 친구(best friend)가 아니라 나쁜 친구(bad friend)다. 알코올이 잠에 빨리 들게 하기는 하지만, 2단계 수면을 방해하고 수면의 후반기에 자주 잠에서 깨게 하여 수면의 질을 저하시킨다.

좋은 수면을 위해서는 좋은 수면 환경을 만들어야 한다. 스마트폰, TV, 컴퓨터 등의 광원에 노출되는 것은 수면 호르몬인 멜라토닌 분비를 감소시킨다. 일반적으로 가정의 실내조명은 밝기가 500~700럭스이고, 사무실은 700~1,500럭스 수준이다. 그런데 400~1000럭스 정도면 멜라토닌 분비가 저하된다. 400럭스 조명에 30분 노출되거나 300럭스 조명에 2시간만 노출되어도 밤에 멜라토닌 수준이 크게 감소한다. 따라서 잠자기 전에는 거실이든 침실이든 최대한 조명을 낮추는 것이 좋다.

반대로 낮에는 밝은 곳에서 지내는 것이 밤에 잘 자는 데 도움이 된다. 밝은 빛은 세로토닌 생산을 증가시키는데, 세로토닌은 멜라토닌의 전구물질이다. 어두워지면 세로토닌이 멜라토닌으로 전환된다. 그렇다고 낮에 실내에 조명만 더 켜두는 것은 의미가 없다. 인공조명은 아무리 밝아도 태양빛과 비교할 수 없기 때문이다. 사무실에서 일하는 사람들은 빛이 작업에 방해가 되지 않는 수준에서 커튼이나 블라인드를 열어두고, 틈틈이 밖에서 햇볕을 쏘여주는 것이 좋다. 침실은 어둡고 조용하고 환기가 잘 되고 적정한 실내 온도가 유지되도록 한다.

잠자리에 들기 2시간 이내에 더운물에 목욕을 하면 숙면에 도움이 된다. 발이 차가운 사람은 발을 따뜻하게 하면 쉽게 잠들 수 있다. 심부체온이 감소하는 것이 수면의 신호인데, 이 방법들은 피부와 말초의 온도를 높여 열을 발산시킴으로써 심부체온을 낮추는 데 도움이 된다. 매일 규칙적으로 운동을 하면 숙면에 도움이 되는데, 특히 낮 동안의 야외 활동이 세로토닌과 멜라토닌 분비에 유리하다. 잠들기 직전의 운동은 오히려 수면을 방해할 수 있다.

---

43) 커피 전문점에서 판매하는 아메리카노 한 잔의 카페인 함량은 대략 100~200 mg이다.

수면 자세도 점검할 필요가 있다. 어떤 수면 자세가 좋은 자세인가에 대해서는 의견이 분분하지만, 엎드려 자는 것이 좋지 않다는 데는 대부분 동의한다. 이 자세는 척추의 자연스러운 곡선을 평평하게 만들기 때문에 척추의 근육과 관절에 압력을 가하게 된다. 특히 얼굴을 옆으로 돌리면서 목을 비틀고 자게 되므로 목과 허리 윗부분까지 통증을 유발할 수 있다. 반듯한 자세가 편하다면 반듯하게 누워 자는 것이 좋지만, 코골이나 수면무호흡증 증상이 있다면 옆으로 누운 자세가 더 좋을 수도 있다. 특히 역류성 식도염 환자는 왼쪽으로 누워 자는 것이 좋다. 오른쪽으로 누워 자면 위산 역류와 속쓰림이 악화될 수도 있다. 왼쪽으로 자는 것은 장운동에도 유리하다. 대장의 내용물이 이동할 때 중력의 방향을 거스르지 않게 되기 때문이다. 다만 옆으로 누운 자세에서는 골반과 척추가 틀어질 수 있는데, 다리 사이에 베개를 끼우면 골반과 척추가 일직선으로 유지되어 뒤틀림을 막을 수 있다.

불면증의 70% 이상이 스트레스 때문에 발생한다는 보고가 있다. 스트레스는 수면에 지대한 영향을 미친다. 누구나 걱정거리나 화나는 일이 있으면 쉽게 잠이 들지 못하고 잠들더라도 숙면을 취하지 못한다. 불면증 환자의 교감신경이 과도하게 활성화되어 있고 혈중 코티솔 수준도 높다는 것은 스트레스와 불면증의 관계를 잘 보여 준다. 스트레스로 교감신경이 항진되면 심신은 흥분 상태가 되어 쉽게 잠들 수 없게 되고, 과도한 코티솔 분비도 수면을 방해한다. 또 다른 스트레스 호르몬인 CRH도 수면을 억제한다. CRH는 HPA축의 개시 호르몬이기도 하지만 불안, 공포, 각성을 매개하는 신경전달물질이기도 하다. 수면 중인 동물에게 CRH를 투여하면 수면이 억제된다.

스트레스는 오렉신의 작용에도 영향을 미친다. 잠이 들기 위해서는 오렉신 신경세포 시스템의 작용이 감소되어야 하는데, 스트레스나 불안은 이 신경세포를 흥분시켜 오렉신 분비를 증가시킨다. 스트레스 반응은 편도체에서 부정적인 정서를 일으킬 때 시작되는데, 오렉신을 만드는 신경세포는 편도체로부터 직·간접적으로 많은 입력을 받는다. 편도체의 흥분이 지속되면 불면증이 야기되고, 이런 상태가 지속되면 불면증 자체가 불안과 두려움의 대상이 되어 스트레스가 가중된다. 결국 불면증은 만성화된다.

수면은 심신의 피로를 회복하고 스트레스 반응을 완화시키는 중요한 치유 과정이다. 그래서 『동의보감』에서는 잠을 자는 방법에 대해서도 설명하고 있다. 불면증은 피로와 스트레스를 적절하게 해소하지 못하게 하므로 스트레스에 대한 저항력을 감소시키게 된다. 결과적으로 스트레스로 인해 수면장애가 오고, 수면장애로 인해 스트레스에 더 취약해지는 악순환이 된다.

아로마테라피에 사용되는 향기 중에는 신경계를 안정시키는 효과가 우수한 것이 많다. 향기는 후각신경을 통해 대뇌 변연계를 자극하여 스트레스를 완화하는 효과를 나타내고 정서적 안정감을 가져다준다. 특히 후각신경은 반응 속도가 빠르기 때문에 흡입과 거의 동시에 효과가 나타날 수 있다. 불면증에 효과가 우수한 것은 캐모마일과 라벤더다. 캐모마일은 차로 마시면 좋고, 라벤더는 아로마오일을 베개에 한 방울 떨구는 방법으로 이용할 수 있다. 로즈우드, 시더우드, 샌들우드 등 우드 계열의 아로마오일도 신경 안정 효과가 있다.

사람에 따라서는 음식이나 영양제가 수면에 도움이 된다. 칼슘은 중추신경계에서 진정작용을 하는데 칼슘 부족이 불면증을 초래할 수도 있다. 자면서 자주 근육에 쥐가 나는 것도 칼슘 부족이 원인일 수 있다. 마그네슘도 천연의 신경안정제라 불리는데, 칼슘을 잘 흡수시키는 데는 마그네슘이 필요하다. 칼슘과 마그네슘은 유제품, 생선, 육류 등 동물성 식품에도 함유되어 있지만 통곡물, 콩, 녹색 채소, 씨앗류도 칼슘과 마그네슘의 좋은 공급원이다.

비타민B군의 결핍도 불면증과 우울증의 원인이 될 수 있다. 특히 비타민B_3(나이아신) 결핍은 불면증, 우울증과 관련이 있다. 비타민B_3는 렘수면을 연장시키는 효과가 있으며 땅콩, 해바라기씨 등의 견과류, 붉은 고추, 토마토, 해조류, 육류와 생선에 많이 들어있다. 비타민B_6도 천연의 신경안정제라 불리는데 부족하면 트립토판 대사가 제대로 이루어지지 않는다.

트립토판은 세로토닌과 멜라토닌의 재료가 되는 아미노산이고 세로토닌 부족은 우울증과 불면증의 원인이 된다. 불면증에 우유가 좋다고 하는 이유는 우유에 들어 있는 트립토판 때문이다. 트립토판은 통곡물, 바나나, 감자 등을 통해서도 섭취할 수 있다.

비타민B_{12}는 멜라토닌의 분비를 촉진하므로 결핍되면 불면증을 유발할 수 있고, 실제로 수면장애 치료에 많이 사용되어 왔다. 동물성 식품을 통해서만 섭취할 수 있다고 알려져 있지만 해조류, 식물성 발효식품을 통해서도 섭취가 가능하다.[44] 멜라토닌은 식물계에 널리 분포하고 있는 물질이며 쌀, 귀리를 포함한 곡물과 바나나, 체리 같은 과일에도 함유되어 있다.

이상의 영양소가 모든 사람에게 도움이 되는 것은 아니다. 수면장애의 원인이 이들의 부족에 의해 발생한 것이 아니라면 아무리 많이 먹어도 수면장애가 개선되지 않을 것이다. 무엇이든 먹어서 해결하려는 태도는 모든 것을 약으로 해결하려는 태도와 별반 다르지 않다. 수면장애는 약물보다는 심리·행동적인 측면에서 치료되어야 하는 경우가 많다. 따라서 만성 불면증 1차 치료에는 각종 이완요법과 인지행동치료가 권장된다.

---

44) 비타민B_{12}에 대해서는 '글상자❶ 비타민 B_{12}와 해조류'를 참고하라.

위와 같은 방법으로도 수면장애가 해소되지 않고 그로 인해 일상생활이 지장을 받는다면 수면제를 사용해 볼 수도 있다. 하지만 반드시 의사의 처방에 따라 정해진 양을 사용해야 하고 작용시간이 짧은 수면 촉진제를 단기간만 복용해야 한다. 수면제에 의해 유도된 수면은 정상 수면과 다를 수 있다. 약의 도움으로 빨리 잠이 들 수는 있지만 그것이 질적으로 좋은 수면을 보장하는 것이 아니다. 잠은 매일 우리를 새롭게 태어나게 한다. 몸과 마음을 치유하는 가장 효과적인 방법이자 비용이 들지 않는 자연의 치료제가 바로 충분한 수면이다. 그런 자연의 치료제가 가진 것과 동일한 효과를 화학 치료제로 얻을 수는 없다.

4 휴식과 여가

■ 휴식

(1) 자신과 인생을 화해시키는 방법

> "휴식이란 자신과 인생을 화해시키는 최고의 방법이다."
> - 울리히 슈나벨(Ulrich Schnabel) -

독일의 작가 슈나벨(Ulrich Schnabel)은 휴식이란 자신과 인생을 화해시키는 최고의 방법이라 말한다(Schnabel, 2010). 1965년에 『타임』은 컴퓨터 덕분에 인간이 헬레니즘 시대 같은 여가를 누리게 될 것이라고 예견했다. 헬레니즘 시대의 그리스인들은 마음의 세계를 계발하고 삶을 진보시키기 위한 철학적 사색과 정치 활동으로 시간을 보냈고, 노동은 노예들이 전담했다. 『타임』의 기사는 컴퓨터가 사람의 노예 역할을 한다고 내다보았던 것이다.

과연 그렇게 되었을까? 오히려 사람이 컴퓨터의 노예가 되어 버린 것이 아닐까? 노동의 노예 대신 미디어와 기계의 노예가 되었다는 것만이 과거와 달라진 점이 아닐까? 주변의 스크린 기기들은 잠시도 우리의 눈길과 손가락을 놓아주지 않는다. 현대인은 TV, 인터넷, 스마트폰 등 스크린을 통한 정보 활동에 매일 12시간을 소비한다. 거의 24시간 소셜 네트워크 서비스(SNS)나 메신저 프로그램에 연결되어 있고 대부분의 직장인이 휴가 중에도 수시로 이메일을 확인한다.

우리는 산만의 시대에 살고 있다. 어떤 사람은 동시에 여러 가지 일을 처리하는 멀티태스킹(multitasking)을 유능한 사람이 시간을 효율적으로 사용하는 방법이라 생각하지만, 이것은 피로감만 더할 뿐 실제로는 작업 능력을 현저히 감소시킨다. 근무 도중 잠깐 이메일을 확인하는 것에 의해 업무 처리가 평균 24분 지연된다. 수업 시간 40분 중에 단문 문자를 하나만 보내도 단어 회상 테스트 성적이 절반으로 감소한다. 휴대전화, 이메일, 메시지에 정신이 팔려 있는 근로자는 마리화나를 피우는 사람보다 IQ가 더 많이 떨어졌다는 연구 결과도 있다. 현대인에게 진정한 휴식이 없는 이유는 휴식시간이 없어서가 아니라, 오로지 휴식 한 가지만 하는 시간이 없기 때문이다.

(2) 행위가 아닌 존재의 시간

"인간은 'human being'이지 'human doing'이 아니다." ▌

인간의 몸과 마음은 하루 중 1/3을 일하고, 1/3을 자고, 1/3을 휴식하며 즐기는 것에 맞도록 되어 있다. 하지만 우리는 쉬거나 노는 것을 게으름 또는 시간 낭비와 동일한 것으로 생각하거나, 쉴 때 불안이나 초조감을 느낀다. 열심히 일하는 것만 칭송하고 열심히 노는 것은 불편하게 바라보는 것은 내적 결핍과 불행에 시달리고 있는 현대 문화의 단면이다. 시간의 풍요는 물질적 풍요보다 우리의 삶을 더 충만하게 해 줄 수 있으며, 바쁜 삶 속에서도 잠깐이나마 완전한 쉼을 가질 수 있는 능력은 곧 행복할 수 있는 능력이다.

사전에서 휴식(rest, recumbency, relief, repose)이라는 단어를 찾아보면 '하던 일을 멈추고 잠깐 쉬는 것으로서 권태감이나 피로를 예방하기 위해 편안한 자세로 있거나 가벼운 운동을 통해 혈액순환 등을 행하는 것' 또는 '신체적·정신적 피로의 회복을 꾀하며 활동을 위해 필요한 체력이나 기력을 증진시키는 것' 등으로 정의되어 있다. 이러한 정의에는 휴식이 일을 더 잘하기 위해 필요한 것이라는 전제가 바탕에 있다. 하지만 그것이 휴식의 전부일까? 왜 우리는 쉬어야 할까?

첫 번째 이유는 기계적인 관점에서 설명된다. 바이올린을 보관할 때는 현을 느슨하게 풀어 놓는다. 조율된 채로 두면 다음에 꺼내 쓸 때 더 편리할 수는 있다. 그러나 정확한 음을 유지하려면 좀더 현을 조여야 하고, 그다음에 쓸 때는 조금 더 조여야 한다. 현을 풀어 놓지 않으면 결국 얼마 지나지 않아 끊어질 것이다. 휴식이 중요한 이유 중 하나가 여기에 있다.

휴식이 필요한 두 번째 이유는 생산성이라는 관점에서 설명된다. 나무는 어느 해에 갑자기 한 해 동안 열매 맺기를 포기한다. 이를 해거리라 한다. 해거리 동안 모든 활동의 속도를 늦추면서 오로지 재충전을 하는 데만 매진한다. 그리고 일 년간의 휴식이 끝난 다음 해에는 그 어느 때보다 풍성하고 실한 열매를 맺는다. 아무리 일이 급해도 무뎌진 연장을 가는 시간은 낭비가 아니며, 휴식은 다른 모든 것을 포기해서라도 가져야 할 시간인 것이다.

그런데 사람에게 휴식은 시스템의 과부하를 막거나 재충전을 하는 것 이상의 의미가 있다. 휴식은 성장과 창조와 완성을 위한 요건이다. 이것이 가장 중요한 세 번째 이유다. 휴식은 본질적으로 창조성과 긴밀하게 연결되어 있다. 뇌에는 디폴트 모드 네트워크(default mode network)라 불리는 신경망이 있다. 이 신경망은 우리가 어떤 특정한 일에 몰두하지 않을 때, 아무 일도 하지 않을 때 오히려 활성화되고 어떤 일에 집중해 있을 때는 활성화되지 않는다. 아무 일도 하지 않는 동안 디폴트 모드 네트워크는 대체 무엇을 하는 것일까? 디폴트 모드 네트워크는 평소에는 잘 연결되지 않는 두뇌의 부위들을 연결해 준다. 그래서 아무 생각도 않고 멍하게 있는 동안 갑자기 어떤 아이디어나 통찰이 떠오르는 경험을 하게 되는 것이다.

디폴트 모드 네트워크 상태의 뇌는 불필요한 정보를 삭제하고 이전에 입력된 정보를 정리하여 뇌의 저장 공간도 최적화한다. 컴퓨터가 작동을 멈춘 동안 기계적으로 업그레이드 되고 소프트웨어도 업데이트 되는 것처럼 인간은 휴식하는 동안 성장하고 성숙한다. 그것을 느끼는 삶을 우리는 웰빙(well-being), 즉 '잘 존재함'이라고 하지, 웰두잉(well-doing), '잘 행함'이라고 하지 않는다. 음표 사이에 공간이 있어야 음악이 만들어지고 문자 사이에 공간이 있어야 문장이 만들어지듯 휴식을 통해 삶의 의미와 가치가 드러나는 것이다. 우리는 일하기 위해 쉬는 것이 아니라 제대로 쉬기 위해 일하는 것이다(Stern, 2016).

(3) 휴식, 여가, 놀이

> "휴식이 무엇인가는 사람마다 다르다.
> 자신이 하는 일에 대단한 흥미를 느끼는 사람에게는 일 자체가 휴식일 수 있다."
> - 지두 크리슈나무르티(Jiddu Krishnamurti) -

휴식은 아무것도 하지 않는 시간이 아니라 아무 일도 하지 않는 시간이다. 일이 아닌 일을 하는 시간을 여가 또는 놀이라 한다. 휴식은 하등동물도 할 수 있지만 여가나 놀이는 사람과 일부 고등동물에게만 주어진 능력이다. 인간에게는 휴식, 여가, 놀이가 본질적으로 동일한 경험 상태다. 독일의 시인 쉴러(Friedrich Schiller)는 인간은 놀 때만 사람이라고 했고, 교육자 몬테소리(Maria Montessori)는 좋아하는 일을 열심히 하는 것이 휴식이라고 했다. 자신이 좋아하는 일에 몰입했던 것은 위대한 업적을 이룩한 사람들의 공통점이다.

인류가 항상 휴식을 게으름으로, 또는 피로를 회복하기 위해 불가피한 시간 정도로 생각했던 것은 아니다. 휴식의 의미는 시대와 사회적 가치에 따라 변해 왔고, 각 문화가 선호하는 방식에 맞추어 받아들여졌다. 고대 이집트의 귀족은 아무 일도 하지 않는 것을 그들만이 누릴 수 있는 삶의 태도로 생각했다. 고대 그리스와 로마의 철학자들은 휴식을 통찰의 수단 또는 인생의 목표로 여겼고, 아무것도 하지 않는 시간이야말로 인성과 창의성을 계발할 이상적인 시간이라고 생각했다. 소크라테스는 심심함을 '자유의 동생'이라 했다. 세네카는 인생을 어떻게 살아야 하는가에 대한 답을 찾기 위해 『여가에 관하여(De otio)』라는 책을 썼는데, 이 책에서 그는 휴식이 있는 삶을 높이 평가하고, 휴식은 생활에 균형을 찾게 해주고 실존적 방황에 빠질 위험을 막아 준다고 했다. 고대와 마찬가지로 중세 유럽에서도 한가로움을 위한 무위(無爲)의 추구는 여전히 긍정적인 것으로 받아들여졌다. 그러나 이후부터 상황이 달라지게 된다.

종교개혁이 시작된 뒤부터 한가함은 청교도의 직업윤리에 반하는 죄악으로 여겨지게 된다. 종교개혁가 마르틴 루터(Martin Luther)는 "일하다 죽는 사람은 없지만 놀기를 좋아하고 일하지 않는 사람은 몸과 인생을 모두 망친다. 새가 날기 위해 태어났듯 인간은 일하기 위해 태어났기 때문이다"라고 말했다. 그리하여 노동은 성스러운 의무가 되고 게으름은 죄가 되었다.

산업화가 진행되면서 노동은 더욱 중요한 가치로 떠오르고 여가는 심각할 정도로 경시되었다. 일하지 않는 사람은 밥도 먹지 말라는 말도 생겨났다. 이러한 노동관은 현대에도 이어지고 있을 뿐 아니라 사람들이 점점 더 일에 매달리게 했다. 그런데 언제부터인가 우리는 다시 '일과 삶의 균형(work-life balance)'을 외치기 시작했다. 이유가 무엇일까?

삶의 궁극적 목적은 행복이지 일이 아니다. 일이든 명예든 부든 우리가 그것을 추구하는 것은 행복하기 위해서다. 그런데 열심히 일하고 그것을 통해 부와 명예를 쌓는 것은 우리가 생각하는 만큼 우리를 행복하게 하지도, 삶을 풍요롭게 하지도, 우리를 더 나은 인간으로 성숙시키지도 못했다. 인류 역사상 가장 발달한 과학문명의 이기를 누리면서도 우리는 여전히 시간에 쫓기고 과로로 사망한다. 교통수단이 발달했지만 이동에 소요되는 시간이 짧아지기는커녕, 우리는 전보다 훨씬 많은 시간을 자동차, 기차, 비행기 안에서 보내고 있다.

휴식의 본질은 아무것도 하지 않는 행동이 아니라 편안함과 자유를 누리겠다는 내적 태도다. 그렇기 때문에 휴식은 가장 생산적인 시간이자 치유의 시간이 될 수 있는 것이다.

❷ 여가

(1) 왜 여가인가

> "이 세상에서 이루어진 가장 가치 있는 일들은 한가할 때 이루어졌다."
> - 조지 버나드 쇼(George Bernard Shaw) -

일에도 부익부빈익빈 현상이 벌어지는 것일까? 한편에서는 과중한 업무에 시달리다 과로사하는 사람, 다른 한편에서는 일을 하고 싶어도 할 수 없는 사람들이 늘어나고 있다. 4차 산업혁명이라 불리는 디지털 시대로의 전환을 겪으며 후자의 고민은 더 깊어지는 중이다. 게다가 퇴직 이후의 삶도 점점 길어지고 있다. 이와 관련된 문제들은 기초수당이나 연금으로만 해결되는 것이 아니다. 이제 사람들은 자신에게 주어진 시간을 바르게 활용하는 방법을 모르는 채, 감당할 수 없을 정도로 긴 시간을 소비해야만 한다. 20세기 세계의 스승(world teacher)이라 불렸던 크리슈나무르티(Jiddu Krishnamurti)는 이미 수십 년 전에, 우리가 여유 시간을 지혜롭게 활용하는 방법을 모르는 채로 더 많은 여유 시간을 갖게 되면, 우리를 나약하게 만드는 오락으로, 또는 어떤 이상으로 도피하게 될 것이라고 말했다. 지금 우리 주변에는 여가를 즐기는 것은 고사하고 오롯이 자기 자신과만 지내는 시간을 불편하고 불안하게 느끼는 사람들도 많다.

'여가선용'이라는 말은 여가 자체의 의미를 바르게 인식하지 못한 데서 비롯된 동어반복적 표현이다. 본래 여가를 갖는다는 것 자체가 주어진 시간을 선용하는 것이기 때문이다. 영어 'leisure'는 우리말로 여가라 번역되는데, 사전에서 보면 두 단어 사이에는 분명한 차이가 있다. 국어사전에서는 여가를 '일이 없어 남는 시간'으로 정의하고 있다. 하지만 원래 영어 'leisure'는 '허가된', '여유가 있는'의 뜻을 가진 라틴어 'licere'에서 나온 것으로, '노동이나 직무로부터 일시적으로 면제되어 갖게 되는 자유시간', '일체의 용무나 책임으로부터 해방되어 자기 뜻대로 이용할 수 있는 시간'을 가리킨다. 일이 없어 남는 시간과 뜻대로 이용할 수 있는 자유시간은 전혀 다른 것이다. 여가는 일이 없어 시간이 남으면 생기는 것이 아니라, 하던 일을 멈추고 적극적으로 누려야 하는 자유다.

(2) 여가의 세 가지 요소

> "멈추는 방법을 배우고 나서야 비로소 보이는 것들이 있다.
> 그것들을 볼 수 있을 때, 우리는 그동안 알지 못했던 것들을 저절로 이해하게 된다."
> - 틱낫한(Thich Nhat Hanh) -

여가에 대한 연구들을 보면 여가에는 세 가지 요소가 고려되어야 한다. 첫째, 자유시간 또는 잉여시간이라는 점이다. 둘째는 자유로운 활동이라는 것, 셋째는 여가가 존재 또는 경험의 상태라는 것이다(성영신 등, 1996).

자유감을 느낀다는 것은 어떤 행동을 자발적으로 선택했다는 느낌이다. 그렇다면 낮잠을 자거나 게임에 몰입하는 것도 여가가 될 수 있을까? 이것은 휴식이나 놀이는 될 수 있어도 여가라 할 수는 없다. 여가는 단지 아무것도 하지 않는 상태, 어딘가에 자신을 빼앗긴 상태가 아니라 '지금 여기(here and now)'에 온전히 존재하는 상태이기 때문이다.

특히 주목해야 하는 것은 세 번째 요소다. 여가가 존재의 상태, 주관적 경험의 상태라는 심리학적 정의의 근원은 아리스토텔레스로 거슬러 올라간다. 아리스토텔레스는 여가를 자기실현의 기회로 간주했다. 이러한 관점은 20세기에 들어서, 여가란 시간에 대한 개념이 아니라 존재 상태이고, 자유시간은 누구든 가질 수 있지만 여가는 어떤 존재의 상태를 갈망하고 성취할 수 있는 소수의 사람만 가질 수 있다는 주장으로까지 심화되었다(de Grazia, 1962).

길을 가는 방식에는 평평한 길에서 앞으로 나가는 방식과 계단을 올라 위로 향하는 방식이 있다. 열심히 앞으로만 나아가는 방식은 삶을 양적으로 팽창시킬 뿐, 삶의 질적 전환을 가져오지는 못한다. 성장과 변용이란 앞으로는 전혀 이동하지 않고 제자리에 멈춰선 것처럼 보이는 동안, 바로 한 계단 딛고 올라가는 동안 일어난다. 그것이 우리 몸과 마음의 근육을 단련시키고 더 넓은 시야를 갖게 하고 전에 깨닫지 못했던 것을 깨닫게 한다. 틱낫한(Thich Nhat Hanh) 스님의 유명한 문장처럼, 멈추는 방법을 배우고 나서야 비로소 보이는 것들이 있다. 여가의 진정한 의미가 바로 이것이다. 일이 없어 남는 시간에 불과한 여가는 진정한 여가가 아니라, 앞으로도 위로도 나아가지 못하고 단지 공회전만 하고 있는 시간 낭비에 불과하다.

여가란 힘들지 않고도 몰입할 수 있는 즐거운 일을 하는 것, 내적인 만족감을 주고 자기를 성찰하고 발전시키는 일을 하는 것이다. 따라서 남이 보기에는 일이라도 나에게는 여가가 될 수 있고, 어떤 이에게는 공부가 여가일 수 있다. 여가의 이런 의미가 충족된다면 선용되지 않는 여가는 없다. 여가선용이 동어반복에 불과한 것처럼 여가 악용이라는 말은 자기모순적 단어인 것이다.

크리슈나무르티의 예언처럼 앞으로 많은 사람들이 무슨 일을 해야 할지 모르는 채 우울과 불안에 시달리는 시간, 무언가를 하더라도 즐거움, 자긍심, 성취감을 느끼기보다는 허무감, 열등감, 패배감을 느끼며 삶의 많은 시간을 보내게 될지도 모른다. 여가를 대하는 우리 자신의 태도에 대한 진지한 고민이 그 어느 때보다도 요구되는 시점이다.

(3) 여가 활동 점검

여가의 필요성에 대한 자각과 여가를 갖겠다는 내면의 태도가 만들어졌다면, 현재 우리의 삶에 여가라 할 수 있는 것이 포함되어 있는지, 그리고 앞으로 여가를 갖기 위해 어떤 변화가 필요한지 점검해 보자.

긍정심리학자 마틴 셀리그먼(Martin Seligman)은 의미, 즐거움, 참여를 행복의 세 가지 요소라 하였고, 탈 벤-샤하르(Tal Ben-Shahar)는 행복이 즐거움과 의미의 포괄적인 경험, 즉 '행복 = 즐거움 + 삶의 의미'라고 정의했다(Ben-Shahar, 2007). 이러한 정의들은 행복의 요소가 여가의 특성과 연결되어 있음을 보여준다.

벤-샤하르가 제시한 '인생 도표 그리기'는 각자의 여가 생활을 점검, 보완하는 데 개략적 소묘가 될 수 있다. **표 11** 의 '여가 활동 점검표'는 '인생 도표 그리기'를 응용하여 만든 것이다. 먼저 평소 일주일이 어떤 활동으로 채워지는지 열거하고, 각 활동이 자신에게 주는 의미와 즐거움을 1~5점으로 평가한다. '주당 시간'의 '현재' 칸에는 그 활동으로 보낸 총 시간을 적고, '조정' 칸에는 앞으로 활동을 증가시킬지 감소시킬지 표시한다.

의미와 즐거움 모두 높은 점수가 부여된 활동이 여가의 특성을 가진 활동이다. **표 11** 에 예시된 활동 중에는 '가족과 함께 시간 보내기'와 '교회 봉사활동'이 해당된다. 의미와 즐거움의 점수 차가 큰 활동은 여가보다는 일이나 단순한 놀이에 불과할 수 있다. 의미와 즐거움 모두 점수가 낮은 활동은 시간 낭비에 불과하며 우리를 여가와 행복으로부터 멀어지게 하는 일들이므로 최소한으로 줄여야 한다. 예를 들어 출퇴근길 교통체증 속에서 운전을 하며 매주 15시간을 보내고 있다면, 며칠만이라도 대중교통을 이용하면서 독서나 명상의 시간을 확보할 수 있을 것이다. 현재 하고 있는 활동 외에도 자신에게 의미와 즐거움을 줄 수 있는 활동을 목록에 추가하고 시도해 본다.

표 11 여가 활동 점검표

활동	의미 (1~5점)	즐거움 (1~5점)	주당 시간		
			현재	조정	조정 후
[예] 가족과 함께 시간 보내기	5	4	2	+10	12
[예] 수면	4	3	42	+7	49
[예] 근무	4	1	40	0	40
[예] TV, Youtube, 영화 보기	1	4	20	−10	10
[예] 운전	1	1	15	−10	5
[예] 교회 봉사활동	5	4	0	+3	3
합계	−	−	168시간	−	168시간

휴식과 여가에 관한 이야기를 정리하는 대목에서 한 가지 덧붙일 것이 있다. 휴식과 여가에는 우리가 이들을 생각할 때 흔히 떠오르는 놀이나 즐거움과는 사뭇 다른 것, 곧 경건함이라는 것이 포함될 수 있다는 점이다.

불교에는 아프라니히타(apranihita)라는 말이 있다. 아무런 소망이 없음(無願), 아무런 목적이 없음을 뜻하는 말이다. 어떤 목표를 정하고 그것을 향해 부단히 달려가는 것이 바르게 사는 것이라 믿는 현대인에게는 불안하고 위태롭기까지 한 말이지만, 아무런 목적 없이 '지금, 여기'에서 일어나는 활동에 몰입할 때 우리의 삶은 질적으로 변화된다.

수행(修行)이라는 단어는 보통 '행실, 학문, 기예 따위를 닦는 것'을 의미하지만, 불교에서 붓다의 가르침을 실천하고 불도를 닦는 데 힘쓰는 것을 가리키기도 한다. 그런데 이 두 가지는 여가의 경건함 속에서 하나가 된다. 마음을 지키며 즐겁게 하는 모든 활동이 수행이자 여가가 될 수 있기 때문이다. 걷기명상에서 걸음은 어딘가에 도착하기 위한 행위가 아니라 그저 걷기 위한 걸음이며 깨달음의 방편이다.

5 적극적 이완

■ 스트레스 시스템과 이완 시스템

> "이완하고 기다리는 법을 배우면 마음이 어떤 문제든 답을 준다."
> - 윌리엄 버로스(William Burroughs) -

종합병원에 가보면 호흡기내과, 순환기내과, 소화기내과 등으로 진료과를 구분하고 있고 각 진료과마다 전문의가 있다. 왜 '배 아플 때 가는 과', '기침 날 때 가는 과' 등으로 진료과를 나누지 않는 것일까? 복통은 소화기계의 문제가 아니라 시험 스트레스 때문에 일어날 수도 있고, 기침도 호흡기계 문제가 아니라 심장질환이나 심리적 요인에 의해 일어날 수 있다. 이런 경우에 소화기내과나 호흡기내과를 간다면 원인과는 무관한 치료만 받게 될 것이다.

위와 같은 진료과 구분은 생의학이 기초하고 있는 생리학의 프레임에 맞추어진 것이다. 생리학 교과서는 신경계, 내분비계, 소화기계, 호흡기계와 같은 계(system)로 인체를 구분하고 뇌, 위, 폐 등의 장기를 각 계에 배속시킨다. 그리고 이런 구분은 인체에 대한 해부학적 관찰에 기초한다.[45] 그런데 이런 해부학적 구분은 단지 보이는 대로 인체를 설명하는 편의상 방식일 뿐, 우리 몸의 어떤 장기도 특정 계에 소속시키는 것은 불가하다. 예를 들어 현대 의학에서 소화기

---

45) 물론 정신계는 아예 포함되지 않는다.

계 장기로 다루는 장은 독립된 신경계이자 고도로 발달한 면역계이며 가장 많은 호르몬을 분비하는 내분비기관이다. 해부학적 관점에서 몸을 이해하는 것은 근본적인 결함이 있다. 기능적 관점에서 바라보아야만 인체를, 나아가 인간 전체를 온전히 이해할 수 있다.

기능적 관점에서 인체를 이해하는 방식 중 하나는 심신의 통합적 기능을 스트레스 시스템(stress system)과 이완 시스템(relaxation system)이라는 메타 시스템(meta system, 상위 시스템)의 작동으로 이해하는 것이다(신경희, 2018). 스트레스 시스템이 심신 전체의 나사를 조이는 시스템이라면 이완 시스템은 나사를 푸는 시스템이다. 현대인의 심신은 계속 나사가 조여지고 있는 기계와 같은 상태다. 그래서 우리에게는 단순한 휴식이 아니라 적극적 이완이 필요하다. 휴식이 나사 조이기를 잠시 멈추는 것이라면 적극적 이완은 조여진 나사를 푸는 것이다. 이완은 휴식을 넘어 치유와 회복을 도모하는 기전이다. 이완은 신체적으로는 편안함을 동반하고 있지만 정신적 각성 상태를 유지하고 있는 것이므로 수면 상태와도 다르다.

라이프스타일의학의 중재 범위는 식사나 신체활동 같은 물질적·물리적 영역에 국한되지 않는다. 긍정적이고 평정한 마음을 지키는 것, 스트레스 관리, 이완, 휴식, 영적 수련 같은 비물질적·비물리적 라이프스타일 또한 중요한 영역이다. 이완 시스템은 이러한 영역들에 대한 중재가 건강과 질병에 영향을 미치는 방식을 이해하는 데 핵심적인 원리를 제공한다.

이완 시스템 연구의 최고 권위자인 허버트 벤슨(Herbert Benson)은 현대 심신의학의 아버지로도 불린다. 그는 명상을 비롯한 심신요법이 우리의 몸과 마음에 어떤 변화와 경험을 유도하는지 규명하는 과학적 연구를 수행하여 심신의학이 현대 주류 의학에 편입되는 데 선구적 기여를 했다. 미국라이프스타일의학회인 베스 프레테스(Beth Frates)는 벤슨의 발견이 라이프스타일의학의 중심 영역이라고 말한다(Frates 등, 2019).

② 이완 시스템과 자연치유 기전

> "인간은 각자의 자연적인 약전과 함께 가장 값싼 훌륭한 약국을 가지고 있다.
> 심신을 운영하는 데 필요한 모든 약을 생산한다."
> – 캔디스 퍼트(Candace Pert) –

명상, 요가, 바이오피드백, 심상요법 등 현대 의료계에서 널리 활용되고 있는 보완대체의학의 요법들에는 몇 가지 공통점이 있다. 첫째는 모두 심신의학의 심신요법이라는 것이다. 둘째는 우리에게 내재된 회복의 경향성, 즉 자연치유력을 이용한다는 것이다. 마지막으로 세 번째는 이완 시스템을 활성화시키는 이완요법이라는 것이다. 이완이 정말 치유가 될 수 있을까?

이완 시스템에 대한 현대적 연구의 시작은 1930~1940년대 월터 헤스(Walter Hess)의 연구로 거슬러 올라간다. 월터 캐넌이 교감신경계에 의해 매개되는 에너지 소모적 반응을 투쟁-도피 반응, 즉 스트레스 반응이라 정의한 것처럼 헤스는 부교감신경계에 의해 매개되는 에너지 흡수 반응(trophotropic response)을 정의했다. 헤스는 동물의 시상하부를 자극하여 스트레스 반응과 반대되는 반응을 유도하고, 이것을 과도한 스트레스에 대항하여 회복을 촉진하는 보호 기전이라 설명했다(Hess, 1957).

스트레스 시스템은 스트레스 반응을, 이완 시스템은 이완반응을 일으킨다.[46] 이완요법은 이완반응을 유도하는 방법들을 통칭한다. 스트레스 반응이 카테콜아민(에피네프린, 노르에피네프린)이나 부신피질호르몬(코티솔) 같은 스트레스 호르몬들에 의해 주도되는 것처럼, 이완반응에도 주도적인 호르몬들이 있다. 이 호르몬들을 집합적으로 이완 호르몬이라 부른다. 주목할 점은 이 이완 호르몬들이 실제로 우리가 약으로 사용하는 물질이라는 것이다.

우리가 복용하는 약물들은 세포에 있는 약물 수용체(drug recepter)에 결합해야 약리작용이 나타난다. 인슐린은 인슐린 수용체에 결합해야 혈당을 떨어뜨리고, 혈압약은 심장이나 혈관의 에피네프린 수용체에 결합해야 혈압을 조절할 수 있다. 그런데 우리 몸에 왜 이런 약물 수용체가 존재하는 것일까? 약물 수용체는 몸 안에서 만들어지는 내인성 약물들이 작용하기 위해 존재하는 것이다.[47] 인슐린이든 에피네프린이든 우리 몸 안에서 약리작용을 하는 약물은 본래 우리 몸에서 만들어지는 호르몬이다. 그래서 우리 몸을 가장 방대한 자연의 약국이라 한다.

이완 호르몬 중에는 다양한 치유적 효과가 확인되어 약리학적으로 큰 주목을 받으며 다각도로 연구가 진행되고 있는 물질들이 포함된다. 옥시토신, 엔도르핀, 세로토닌, 멜라토닌 등은 이완요법들에 관한 연구를 통해 널리 알려진 이완 호르몬이다. 뇌에서도 진통제, 항우울제, 항불안제 등 향정신성 물질과 동일하거나 유사한 물질들을 생산한다. 이 중에는 멜라토닌, DMT

---

46) 스트레스 시스템은 좋지 않고, 이완 시스템은 좋은 것이라는 구분은 그릇된 것이다. 스트레스 상황에서는 스트레스 반응을 일으켜야 살아남을 수 있다. 다만 현대에는 과도하고 지속적인 스트레스 시스템의 활성화가 문제이므로 이완 시스템의 중요성이 더 부각되는 것이다.

47) 자물쇠와 열쇠가 늘 함께 만들어지는 것처럼 내인성 약물들과 그 수용체도 본래 함께 만들어졌고 외인성 약물(의약품)은 그 수용체를 빌려 사용하는 것이다.

(N,N-dimethyltryptamine), 아난다마이드(anandamide), 그리고 벤조다이아제핀(benzodiazepine) 유사 물질 등이 포함되어 있다.

멜라토닌은 생체 주기의 환경 동조, 수면, 면역 조절, 생식 조절, 항산화 효과, 신경 보호와 신경 회복, 혈소판 응집 억제, 항암 효과 등 광범위한 생리 조절과 치유 효과가 있다. 옥시토신은 스트레스 반응 완충, 진통, 면역 증강, 상처 치유, 혈관 이완 등의 효과가 있다. 멜라토닌으로부터 만들어지는 DMT는 편두통 치료제인 수마트립탄(sumatriptan)과 화학적으로 같은 물질로, 환각이나 영적 체험과도 관련되어 있어 '영혼의 분자(spirit molecule)'라 불리기도 한다. 아난다마이드는 마리화나의 카나비노이드(THC)와 유사한 물질이다. 지복감(ananda, 至福感)을 가져온다는 의미에서 아난다마이드로 명명되었는데 면역, 식이, 수면, 통증, 기억 등에 관여하며 진통, 화학요법으로 인한 메스꺼움 및 소모성 증후군 감소, 뇌 손상 감소 등 효과가 있다. 뇌는 진정제인 벤조다이아제핀도 만드는데 이것은 면역계를 보호하는 효과도 있다.

벤슨은 이완 호르몬 중에서 특히 산화질소(nitric oxide)에 주목한다. 산화질소는 기체이므로 전신과 중추신경계를 제약 없이 이동하며 광범위한 치유 효과를 낸다. 스트레스 호르몬인 노르에피네프린의 작용을 상쇄시키고, 협심증이나 뇌졸중 같은 허혈성 심·뇌혈관질환 개선, 성기능 개선 등의 효과가 있다. 또한 도파민, 엔도르핀 같은 신경전달물질들의 작용을 향상시켜 기분을 긍정적으로 개선하고 기억과 학습 기능을 향상시키는 효과도 있다.

이완 호르몬의 분비량과 효과는 이완의 수준에 달려 있다. 뇌파 중 알파파 이하의 느린 뇌파가 이완 뇌파다. 알파파는 안정된 일상 의식 상태인데 눈을 감는 것만으로도 알파파가 나타난다. 깊은 명상 상태처럼 더 깊은 이완 상태에서는 평소와는 다른 변성의식 상태가 된다. 이 상태에서는 얕은 수면 단계에서 볼 수 있는 세타파가 나타난다. 세타파가 유도된 상태는 심신이 충분히 이완된 상태로 이완 호르몬의 분출도 활발해진다. 알파파는 조금만 훈련해도 쉽게 유도할 수 있지만 세타파는 더 많은 훈련이 필요하다. 최면이 그러하듯이 이런 변성의식 상태는 몸과 마음에 고착되어 있는 자동 반응 양식들을 수정하는 데 이용되기도 한다.

변성의식 상태를 유도하는 것은 전 세계 문화권에서 치유의 중요한 양식이었다. 의학의 신으로 불리는 그리스의 의사 아스클레피오스도 '성장의 잠(incubation sleep)'이라 불리는 변성의식 상태를 유도하고 치유를 일으켰다고 전해진다. 이처럼 이완 시스템은 심신의 질병 치유를 돕고 건강을 증진하는 데 실질적으로 도움을 주는 시스템이자 통찰과 깨달음의 경험으로 이끌어 내적 성장을 안내하는 경로이기도 하다.

이완 시스템을 의과학의 최전선 연구 영역이라고도 한다(Wisneski 등, 2009). 이완 시스템과 이완요법의 작용 기전을 규명하는 것은 정신신경면역학에서 가장 활발히 진행되어 온 연구 주제 중 하나다.

3 이완요법

여러 심신이완법이 스트레스 관리, 질병 치료, 심신 건강증진 목적으로 널리 이용되어 왔다. 마사지처럼 몸을 이완시키는 방법도 있고 명상처럼 마음을 이완시키는 방법도 있는데, 어떤 방법이든 심신 모두의 이완을 유도한다. 근육의 긴장과 심리적 긴장은 서로 연결되어 있어서 몸이 이완되면 마음도 이완되고, 마음이 이완되면 몸도 이완되기 때문이다.

에드문드 제이콥슨(Edmund Jacobson)의 점진적근육이완법(Progressive Muscular Relaxation), 요하네스 슐츠(Johannes Schultz)의 자율훈련(Autogenes Training), 마사지, 심상요법, 호흡법, 명상, 바이오피드백, 최면요법, 아로마테라피 등 다양한 이완요법이 활용되고 있다. 여기서는 누구나 쉽게 배워서 실천할 수 있는 몇 가지 이완요법을 소개한다.

(1) 호흡법

> "요가의 목적은 마음을 통제하고 마음을 제어하는 것이므로
> 수행자는 먼저 호흡 수련을 하여 호흡을 통제한다."
> - 아헹가(Iyengar) -

호흡은 가장 기본적인 생명 활동이다. 호흡은 자율신경계에 의해 조절되는 네 가지 활력징후(vital sign, 혈압·맥박·호흡·체온) 중 하나인데, 다른 활력징후들과 달리 의식적으로 조절할 수 있는 유일한 생리 작용이다. 우리는 흥분하면 호흡이 가빠지고, 편안해지면 호흡도 느려지며, 몸에 통증이 있으면 호흡이 얕아지고, 통증이 사라지면 호흡이 깊어지는 것을 경험한다. 심신의 동요가 호흡에 반영되듯이 호흡을 조절하면 심신의 반응도 조절할 수 있다는 것이 호흡법의 원리다.

호흡은 자율신경계의 균형 상태에 따라 변동하는데 호흡의 빈도는 교감신경 우세와, 호흡의 깊이는 부교감신경 우세와 연결되어 있다. 생체는 본래 생존을 위해 교감신경계를 더 쉽게 흥분시키는 교감신경 편향성(sympathetic bias)을 가지고 있다. 따라서 스트레스성 사건들에 대해 쉽게 자극되어 교감신경계가 항진된다.

현대의 질병들은 자율신경 불균형, 특히 교감신경계의 과도한 활동에서 비롯된다. 고혈압, 두통, 턱관절 장애(temporomandibular joint disorder, TMJ), 근육통, 소화장애 및 배변장애, 불안, 주의력 결핍, 수면장애 등이 모두 그렇다. 교감신경계가 항진되면 호흡의 빈도가 높아지고 깊이는 얕아진다. 역으로 호흡 빈도와 깊이가 자율신경계에 일종의 신호가 되므로 호흡을 조절하여 교감신경계의 흥분을 가라앉힐 수 있다.

문제는 우리의 일반적인 호흡 방식이 교감신경계의 흥분을 가라앉히는 신호가 아니라는 점이다. 성인은 보통 분당 15회 정도 호흡하는데, 이것은 자율신경계에 스트레스 상태, 즉 투쟁-도피 상태로 해석된다. 게다가 호흡 빈도가 증가하면 부교감신경은 억제된다. 따라서 부적절한 호흡 방식은 만성적인 교감신경계 항진의 원인이 된다. 환기가 되지 않는 실내에 오래 머물거나 공기오염 등으로 인해 호흡이 증가하게 되면 역시 교감신경 우세 상태를 만들게 된다. 예로부터 동양에서는 호흡이 건강의 초석이라고 했다. 하지만 성인 10명 중 9명이 부적절하게 호흡을 하고 있고 그로 인해 건강을 해치고 불안이나 우울을 악화시킨다.

호흡법은 모든 이완요법의 기본이며, 호흡법 자체만으로도 효과적인 이완법이 된다. 이완을 위한 호흡법에서 가장 중요한 것은 흉부와 복부를 나누는 근육인 횡격막이 호흡과 함께 상하로 움직이도록 하는 것이다. 폐에는 근육이 없기 때문에 폐의 수축과 확장은 늑골과 횡격막의 상하 움직임에 의해 수동적으로 일어난다. 횡격막의 움직임은 부교감신경을 항진시켜 심신의 이완을 유도한다. 횡격막을 충분히 움직이는 호흡에서는 아랫배도 따라 움직이면서 자연스러운 복식호흡이 된다.

많은 사람들이 성장하면서 복식호흡보다 얕은 흉식호흡을 하게 되며, 긴장하거나 흥분하면 더욱 호흡이 얕아진다. 흉식호흡에서는 산소와 이산화탄소의 교환이 충분히 이루어지지 못해서 혈중 이산화탄소 농도가 증가하고 불안과 피로를 일으킨다. 신체는 그것을 다시 생리적 스트레스 자극으로 인식하여 교감신경이 흥분하고 호흡이 얕아지는 악순환이 이어진다.

호흡을 할 때는 코로 숨을 쉬어야 한다. 입으로 쉬면 호흡이 빨라지고 얕아지게 되어 긴장과 초조감을 일으킬 수 있다. 코로 숨을 쉬면 좁은 비강의 기도 때문에 호흡이 자연히 느려지고 깊어져 안정이 된다.

목적에 따라 다양한 형태의 호흡법이 있다. 요가나 국선도에는 호흡을 통제하는 방법이 발달되어 있는 반면, 불교는 자연스런 호흡을 권한다. **글상자❷❻**에 가장 간단하고 자연스러운 호흡법이 설명되어 있다. 스트레스를 경험할 때나 흥분, 불안, 긴장을 느낄 때 단 몇 분만 실시해도 심신이 이완되는 것을 경험할 수 있다. 매일 규칙적으로 꾸준히 실시하면 이완을 넘어 다양한 심리·생리적 변화가 나타난다. 붓다는 호흡에 대한 마음챙김을 자주 닦으면 얻는 바가 많아서 크게 이익이 된다고 가르쳤다. 앞에서 설명한 이익들은 그 중 일부다.

글상자❷❻ 호흡법

호흡법은 어디서나 실시할 수 있지만 가능하면 강한 빛이나 소음을 피할 수 있는 곳에서 하는 것이 더 좋다. 앉은 자세, 선 자세, 누운 자세에서 모두 가능하다.

먼저 목, 가슴, 배를 압박하는 옷을 느슨하게 한다. 이완을 하려면 척추를 쭉 펴야 한다. 특히 목과 허리 밑의 척추에서 부교감신경의 가지가 뻗어 나오므로 고개를 숙이거나 허리를 구부리지 않도록 한다.

천천히 깊게 숨을 들이쉬고 내쉬면서 복부(횡격막)의 움직임에 집중한다. 너무 깊게 많이 들이마시거나, 무리해서 완전히 숨을 내쉬려 하거나, 호흡을 참으면서까지 천천히 하려고 하면 오히려 몸이 더 긴장되고 두통이나 현기증이 올 수도 있다. 편안하지 않은 호흡은 절대로 이완을 동반할 수 없다.

들이쉴 때는 공기가 몸속으로 충분히 들어와 몸 전체로 퍼지는 것을 느끼고, 내쉴 때는 다음에 새 공기가 들어올 수 있도록 충분히 내쉰다. 내쉴 때의 숨은 풍선에서 바람이 빠지듯 자연스럽게 한다.

들이쉴 때 '하나-둘-셋-넷-다섯', 내쉴 때 '하나-둘-셋-넷-다섯'하고 숫자를 세면 집중에도 도움이 되고 들숨과 날숨의 길이를 맞추는 데도 도움이 된다. 굳이 다섯까지 숫자를 셀 필요는 없다. 천천히 자신에게 맞는 만큼만 세어가면서 하되, 들숨과 날숨에서 세는 숫자는 동일하게 하여 들숨과 날숨의 길이를 맞춘다.

이완을 위해서는 날숨을 충분히 하는 것이 중요하다. 숨을 들이쉴 때에는 교감신경이, 내쉴 때에는 부교감신경이 항진되기 때문이다. 그렇지만 초보자라면 굳이 날숨을 더 길게 하려고 애쓰지 않아도 된다.

앉거나 선 자세라면 두 손을 겹쳐서 아랫배에 올리고 배의 움직임에 집중하는 것이 훈련에 도움이 된다. 누운 자세라면 한 손은 가슴 가운데, 한 손은 아랫배에 두고 가슴과 배의 움직임에 집중하면서 실시하면 좋다.

복식호흡이 잘 되지 않을 때에는 양손을 깍지 끼어 뒤통수에 대고 똑바로 누운 자세에서 실시하면 복부의 움직임이 좀 더 자연스럽게 일어난다. 같은 자세를 등받이 의자에 앉아서 등을 충분히 젖히고 취해도 좋다. 이 자세에서 연습하면서 복부의 움직임을 익히고 횡격막이 움직이면서 호흡이 일어나는 감각에 익숙해지도록 한다.

(2) 이완반응

1970년대 하버드 의대의 허버트 벤슨은 초월명상의 생리적 효과를 연구한 후 이를 기초로 '이완반응(relaxation response)'이라는 이완요법을 개발했다. 벤슨은 이완반응을 임상에서 환자들에게 처방하고 그 효과를 널리 알렸다. 이완반응은 매우 간단하고 누구나 손쉽게 따라 할 수 있는 이완요법이다. **글상자❷**에 이완반응을 실시하는 방법이 설명되어 있다.

이완반응을 1회 10~20분씩 하루 2회 정도, 이른 아침과 저녁에 실시한다. 아침 식사 전은 이완반응을 실시하기에 가장 좋은 시간이다. 심상요법을 함께 이용하면 효과가 배가되는데, 이완된 상태에서 1~2분 정도 평화롭고 아름다운 장면을 마음속에 떠올리면 된다.

하루 1~2회 이완반응을 규칙적으로 실시하면 이완반응을 유도하지 않고 있는 시간에도 스트레스 호르몬인 노르에피네프린에 대한 신체의 반응성이 감소한다. 즉, 전보다 더 많이 스트레스 호르몬이 분비되어야 심박수와 혈압이 상승하게 된다.

글상자❷ 이완반응

먼저 이완반응에서 집중을 하기 위해 반복할 소리를 준비한다. '사랑'이나 '평화' 같은 단어, 혹은 성경의 성구, 좋아하는 시의 구절도 좋다. 허버트 벤슨이 주로 사용하는 '옴' 같은 소리도 좋다. '옴'이라는 소리는 생각을 차단하는 데 효과적이다. 여기서는 '옴'으로 소개한다.

등을 펴고 편안한 자세로 앉아 전신 근육을 이완시키고 숨을 천천히 쉬면서 준비한 소리를 천천히 반복한다. 눈을 감고 코로 숨을 들이쉰다. 코로 숨을 내쉬면서 '옴'하고 마음속으로 말한다. 이를 10~20분 반복한다.

도중에 다른 생각이 들 수도 있는데 이것은 자연스러운 것이다. 다른 생각이 들면 다시 '옴' 소리에 집중한다.

10~20분이 지나면 눈을 감은 상태에서 1분간 주변 상황을 느끼며 일상으로 돌아올 준비를 한다. 1분 후 눈을 뜨고 일상 활동을 시작한다.

아침 식사 전과 저녁 식사 전 10~20분 정도 매일 꾸준히 실시한다.

---

(3) 점진적근육이완법

점진적근육이완법은 에드먼드 제이콥슨이 1938년에 처음 소개한 이완법이다. 제이콥슨이 개발한 원래 방법은 길고 복잡하므로 현재는 간략히 변형된 방법이 활용되고 있다.

점진적근육이완법은 온몸의 근육을 부위별로 차례로 이완시켜 심신의 긴장을 완화하는 것이다. 제이콥슨은 불면증 환자들의 경우, 환자 자신은 이완되어 있다고 생각하는 상태에서도 근육에 잔류된 긴장이 있다는 것을 발견했다. 이완하겠다는 의지만으로는 심신이 충분히 이완되지 않기 때문이다. 훈련을 하면 점차 근육이 이완된 상태와 긴장된 상태를 명확히 구별할 수 있게 되고, 더불어 근육의 긴장과 이완을 조절할 수 있는 능력도 갖게 된다. 이 훈련은 수의근인 골격근의 이완에 초점을 맞추고 있지만, 불수의근인 내장 근육까지 함께 이완이 되고 더불어 마음도 이완된다.

점진적근육이완법은 조용한 장소에서 누운 자세로 실시하는 것이 가장 좋다. 등을 바닥에 대고 누워 팔을 옆으로 내려놓은 상태에서 다리는 약간 구부려 세운다. 작은 베개를 무릎 아래나 허리 아래에 두면 좀 더 편안해진다. 이 상태에서 3분 정도 예비 휴식을 취한 다음 점진적근육이완법을 시작한다. 눕는 것이 여의치 않다면 편안한 의자에 앉아서 할 수도 있다. 발이 바닥에 완전히 닿도록 의자 높이를 조절하고 무릎의 각도는 자연스럽게 벌어지도록 한다. 의자에 목받침이 없으면 벽에 머리를 댈 수 있도록 한다.

몸을 조이는 옷을 풀고, 눈을 감은 상태에서 호흡법에서와 같이 복식호흡을 시작한다. 온몸이 편안해진 상태를 2~3분 동안 느낀 다음 근육이완법을 시작한다. 부위별로 근육을 긴장시켰다가 이완한다. 각 단계에서 근육을 긴장시키는 정도는 최대한 힘을 주어 긴장시킬 때의 70% 정도가 적절하다. 긴장시킨 상태를 5~8초 정도 유지한 다음 이완한다.

의자에 앉아 할 수 있는 점진적근육이완법의 지시문이 **글상자❷❽**에 소개되어 있다. 진료실이나 상담소에서 치료자가 참여자에게 지시문을 천천히 읽어 주거나, 참여자가 지시문을 직접 녹음해서 이용할 수 있다. 익숙해지면 지시문이 없이도 실시할 수 있게 된다.

글상자❷❽ 점진적근육이완법

두 눈을 감고, 지금부터 안내에 따라 호흡을 합니다.

숨을 깊게 들이 마십니다. 하나, 둘, 셋, 넷.
숨을 깊게 내쉽니다. 하나, 둘, 셋, 넷.
숨을 깊게 들이 마십니다. 하나. 둘. 셋, 넷.

숨을 깊게 내쉽니다. 하나, 둘, 셋, 넷.
숨을 깊게 들이 마십니다. 하나, 둘. 셋, 넷.
숨을 깊게 내쉽니다. 하나, 둘, 셋, 넷.
오른손 주먹을 꽉 쥡니다. 더욱 세게 꽉 쥡니다. 더욱 더 세게 꽉 쥡니다.
오른손의 긴장을 느껴 봅니다.
꽉 쥐었던 오른손 주먹을 서서히 폅니다. 펴진 오른손

을 더욱 편안하게 합니다. 더욱더 편안하게 합니다.

이완된 오른손의 편안함을 느껴 봅니다.

왼손의 주먹을 꽉 쥡니다. 더욱 세게 꽉 쥡니다. 더욱
더 세게 꽉 쥡니다.

왼손의 긴장을 느껴 봅니다.

꽉 쥐었던 왼손의 주먹을 서서히 폅니다. 펴진 왼손을
더욱 편안하게 합니다. 더욱더 편안하게 합니다.

이완된 왼손의 편안함을 느껴 봅니다.

양손의 주먹을 꽉 쥡니다. 더욱 세게 꽉 쥡니다. 더욱
더 세게 꽉 쥡니다.

양손의 긴장을 느껴 봅니다.

꽉 쥐었던 양손의 주먹을 서서히 폅니다. 펴진 양손을
더욱 편안하게 합니다. 더욱더 편안하게 합니다.

이완된 양손의 편안함을 느껴 봅니다.

오른쪽 팔을 구부립니다. 더욱 세게 구부립니다. 더욱
더 세게 구부립니다.

오른팔의 긴장을 느껴 봅니다.

이제 오른팔을 폅니다. 펴진 오른팔을 더욱 편안하게
합니다. 더욱더 편안하게 합니다.

이완된 오른팔의 편안함을 느껴봅니다.

왼쪽 팔을 구부립니다. 더욱 세게 구부립니다. 더욱더
세게 구부립니다.

왼팔의 긴장을 느껴 봅니다.

이제 왼팔을 폅니다. 펴진 왼팔을 더욱 편안하게 합니
다. 더욱더 편안하게 합니다.

이완된 왼팔의 편안함을 느껴봅니다.

이마를 찡그려 주름을 잡아 봅니다. 더욱 찡그려 이맛
살을 찌푸립니다. 더욱더 찌푸립니다.

이마의 긴장을 느껴봅니다.

이제 이마의 주름을 폅니다. 더욱 편안하게 주름을 폅
니다. 더욱더 편안하게 주름을 폅니다.

이완된 이마의 편안함을 느껴봅니다.

두 눈을 꼭 감습니다. 더 힘주어 꼭 감습니다. 더욱더
꼭 감습니다.

두 눈의 긴장을 느껴봅니다.

감았던 두 눈을 편안하게 합니다. 더욱 편안하게 합니
다. 더욱더 편안하게 합니다.

이완된 두 눈의 편안함을 느껴봅니다.

윗니와 아랫니를 붙이고 악 물어봅니다. 더욱 꽉 물어
봅니다. 더욱더 꽉 물어봅니다.

이와 턱의 긴장을 느껴봅니다.

악물었던 이를 편안하게 합니다. 더욱 편안하게 합니
다. 더욱더 편안하게 합니다.

이완된 이와 턱의 편안함을 느껴봅니다.

혀를 입천장에 대고 입천장을 밀어 누릅니다. 더욱 세
게 누릅니다. 더욱더 세게 누릅니다.

혀의 긴장을 느껴 봅니다.

이제 혀를 제자리에 둡니다. 제자리에서 편안하게 합
니다. 더욱더 편안하게 합니다.

이완된 혀의 편안함을 느껴봅니다.

목을 뒤로 젖힌 다음 오른쪽으로 돌립니다. 왼쪽으로
돌립니다.

목이 가슴에 닿을 정도로 앞으로 쭉 늘어뜨립니다. 목
에 힘을 빼고 더 쭉 늘어뜨립니다.

더 쭉 늘어뜨립니다.

이완된 목덜미의 편안함을 느껴봅니다. 이제 목을 세웁니다.

왼쪽 어깨를 들어 올려 귀에 닿도록 합니다. 오른쪽 어깨를 들어 올려 귀에 닿도록 합니다.

양쪽 어깨를 더 쭉 들어 올립니다. 완전히 귀에 닿도록 더 들어 올립니다.

어깨의 긴장감을 느껴봅니다.

이제 어깨를 편안하게 내립니다. 더욱 편안하게 어깨를 내립니다. 더욱더 편안하게 어깨를 쭉 내립니다.

이완된 어깨의 편안함을 느껴봅니다.

숨을 깊게 들이 마십니다. 깊이 마신 상태에서 그대로 멈춥니다. 이제 '후'하고 길게 내쉽니다.

다시 한 번 숨을 깊게 들이 마십니다. 그대로 멈춥니다. '후'하고 길게 내쉽니다.

배를 앞으로 힘껏 내밀어 봅니다. 더 힘껏 내밀어 봅니다. 더욱더 힘껏 내밀어 봅니다.

배의 긴장감을 느껴봅니다.

이제 배를 편안하게 합니다. 더욱 편안하게 합니다. 더욱더 편안하게 합니다.

편안해진 배의 느낌을 느껴봅니다.

양쪽 무릎을 구부립니다. 더욱 세게 구부립니다. 더욱더 세게 구부립니다.

다리의 긴장감을 느껴봅니다.

이제 구부렸던 무릎을 폅니다. 더욱 편안하게 쭉 폅니다. 더욱더 편안하게 쭉 폅니다.

6 규칙적 생활

❶ 시간생물학과 생체시계

(1) 자연의 시계와 생명의 시계

> "양생의 이치를 터득한 사람은 춘하추동 자연의 기운에 조화를 맞추고, 음식물 섭취에 절도가 있었으며, 함부로 심신을 과로케 하는 일이 없었으므로 육체와 정신이 함께 조화를 이루어 백 년의 수명을 다할 수 있었다."
>
> - 『황제내경(黃帝內經)』 -

최근 시간생물학(chronobiology)이 의학계의 화두로 부상했다. 시간생물학은 생물체에 내재된 시계를 연구하는 학문이다. 태양과 달이 만들어내는 하루, 한 해, 조석 변화 등에 따라 적응하는 생체의 주기적 현상을 주요 연구 대상으로 한다.

'매일', '매해'라는 말에서 '일'과 '해'는 하늘에 있는 해를 가리키는 것이고, 우리는 하루를 주기로 하는 일주기 리듬(circadian rhythm)과 한 해를 주기로 하는 연주기 리듬(circannual rhythm)을 가지고 있다. '매달', '매월'이라는 말에서 '달'과 '월'은 하늘에 있는 달을 의미하는 것이고, 우리는 한 달을 주기로 변화하는 생체리듬도 가지고 있다. 수면을 예로 들면, 기본적으로 우리가 매일 잠을 자고 깨는 리듬은 해가 뜨고 지는 시간에 맞추어져 있고, 하절기에 덜 자고 동절기에 더 자는 일 년 주기의 리듬은 햇빛의 양에 의해 결정된다. 달도 수면의 월주기 리듬을 만드는데, 보름달이 뜨기 전 며칠 동안 수면 시간이 짧아진다는 연구가 있다(Casiraghi 등, 2021).

태양은 지구에 있는 모든 생명체의 생체시계(biological clock)를 조절하는 데 가장 기본적인 정보, 즉 자이트게버(zeitgebers)다. 자이트게버는 시간 제공자(time giver)라는 뜻으로, 생체의 생물학적 리듬을 지구의 24시간 명암 주기 및 12개월 연주기에 동기화시키는 신호를 가리킨다. 시간생물학뿐 아니라 진화론, 생물심리학에서도 햇빛이 생물체에서 나타나는 주기적 리듬을 만드는 데 가장 근본적인 요인이라고 본다. 태양 이외의 자이트게버로는 달, 온도, 기압, 소리 같은 환경적 요인, 그리고 음식물 섭취, 운동 같은 행동적 요인이 있다.

글상자❷ 자연의 시계와 생체시계

동양의학에서는 기(氣) 또는 프라나(prana)라는 생명에너지의 원활한 흐름을 위해 자연의 변화와 조화된 삶을 사는 것을 무엇보다도 중요시한다.

한의학에서 기의 조절은 하루 중 태양의 리듬을 따라가는 것에서 시작된다. 신체에 있는 모종의 리듬과 우주의 리듬을 복합적으로 관찰하여 수립된 것이 오운육기론(五運六氣論, 운기론, 운기학)이다. 오운육기는 우주가 오행(五行), 즉 목화토금수(木火土金水)의 다섯 가지 기운에 의해 돌아가고 땅은 육기(六氣), 즉 궐음(厥陰), 소음(少陰), 소양(少陽), 태음(太陰), 양명(陽明), 태양(太陽)이라는 여섯 가지 기운으로 돌아간다는 뜻을 담고 있다. 육기는 지구 운동 과정에서 오행의 질

이 변화를 일으켜 운행의 기가 하나 늘어서 여섯 종류의 기가 된 것이다. 따라서 육기의 근본도 오운에 있다.

오운육기는 임상 진단과 치료에 매우 중요한 개념이다. 인간의 삶은 자연의 천시기후(天時氣候) 상태와 변화로부터 직접 영향을 받으므로 그 변화가 인체에 미치는 영향에 관한 이론인 오운육기론은 자연히 의학 이론으로도 자리잡게 되었다.

인간은 오운육기에 대입할 수 있는 오장육부를 가지고 있다. 오운육기론에 기초한 의학에서는 기후 변화 상태에 따라 육기가 인체에 미치는 영향이 다르므로 운기를 파악하여 질병 예방이나 치료 방향을 결정하게 된다. 육기가 과하거나 부족할 때, 또는 제철이 아닐 때 인체를 침범하면 질병의 원인이 되는데 이때의 육기를 육음(六淫), 즉 풍한서습조화(風寒暑濕燥火)

라 한다.

경락(經絡)은 생명에너지인 기가 흐르는 통로이며 육기는 그 기운의 작용이다. 따라서 경락의 운행 리듬은 자연의 변화 리듬과 별개일 수 없으며 오운육기의 원리를 따르게 된다. 서양 생리학에서 경락의 운행 리듬과 유사한 개념이 생체리듬 또는 생체시계다. 누구에게나 음양오행(陰陽五行)과 오운육기에 따른 경락의 운행 리듬이 내재되어 있다.

라이프스타일은 그 운행의 묘를 살릴 수도 있고 교란하여 장애를 초래할 수도 있다. 쳇바퀴 속 다람쥐가 달리는 방향과 속도가 쳇바퀴의 도는 방향이나 속도와 맞지 않으면 다람쥐가 넘어지게 되는 것과 마찬가지 원리다.

불건강한 라이프스타일은 환경과 우리 사이에 엇박자를 만들기도 하지만, 우리 몸 장기들 사이에도 불협화음을 일으킨다. 오장육부와 경락의 활동은 하루 주기로 변화하고 있고 그것은 해와 달의 주기에 따르는 것이다. 시간별 장부의 활동 시간대가 그림에 표시되어 있다.

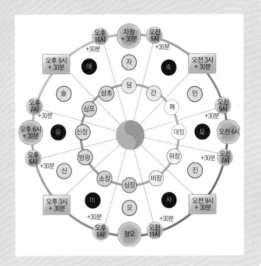

(2) 생체시계와 일주기 리듬

동물의 수면 패턴, 호르몬 분비, 대사, 체온, 혈압 모두 일주기 리듬의 영향을 받고 있다. 지구가 자전하며 생기는 낮과 밤의 하루 주기에 맞추어 생리 대사와 관련한 유전자들의 발현이 조절되는 생체시계 시스템이 밝혀지면서, 일주기 리듬과 질병의 관계에 대한 연구도 활발해지고 있다. 생체시계와 일주기 리듬은 생물체에 널리 퍼져 있는 정교한 내부 시계 시스템이다. 이를 통해 생명체는 계절에 상관없이, 낮부터 밤까지 일어나는 변화에 대처할 수 있다.

세포에는 생체리듬을 기억하는 시계 역할을 하는, 이른바 시계유전자(clock gene)가 들어 있다. 시계유전자에는 PER, TIM, CLK, CYC 등이 있는데 이들로부터 만들어지는 단백질의 증감이 세포에 시간을 알려주는 신호가 된다.[48] 시계유전자 발현에 이상이 생기면 일주기 리듬이

---

[48] 식물에서도 생체시계와 관련된 유전자가 발견되었다. 이 유전자들은 식물의 개화 시간, 동결 내성, 일주기 시계의 조정자로, 식물의 환경 적응에 영향을 미친다. 식물의 전반적인 상태는 하루의 길이와 계절의 경과에 따라 일주기 시계가 얼마나 정확하게 동기화되는지에 따라 크게 영향을 받는다. 정확한 생체시계는 경쟁자, 포식자, 병원균과의 관계에서 우위를 점할 수 있게 한다. 최근 연구에서는 세균도 다른 동식물과 일치하는 생체시계를 지니고 있는 것으로 밝혀졌다(Eelderink-Chen 등, 2021).

손상되고 그로 인해 온갖 질병이 야기될 수 있다. 예를 들어 PER 유전자의 비정상적 발현과 일주기 리듬 파괴는 암의 발생 및 발달로 이어지게 된다(Deng 등, 2019).

생체시계는 거의 모든 세포에 존재하지만 계층적 방식(hierarchical fashion)으로 조직화되어 있다. 시상하부의 시교차상핵(suprachiasmatic nucleus, SCN)은 중추시계(central clock, master clock)이며 일종의 표준시계다. 시교차상핵 세포에서 발신되는 신호를 표준 시간으로 하여 전신의 세포가 동일한 시간 정보를 받을 수 있다. 아침에 빛 정보가 시교차상핵에 전달되면서 중추시계가 수정된다. 이를 광동기화라 한다. 수면, 섭식 같은 행동과 호르몬 분비 같은 대사활동 가운에 어떤 것은 시교차상핵의 중추시계를 통해 직접 제어되고, 어떤 것은 뇌의 다른 영역 또는 말초조직에 있는 여러 개의 말초시계(peripheral clock, slave clock)에 의해 제어된다. 예를 들어 송과체는 시교차상핵으로부터 신호를 받아 멜라토닌 분비를 조절한다. 멜라토닌은 수면을 유도하기도 하지만, 대사를 조절하는 각종 호르몬의 분비를 제어하여 일주기 리듬을 지휘한다.

세포는 빛이나 온도 같은 외부 신호를 이용하여 생체시계를 동기화한다. 주로 햇빛에 의해 조절되는 중추시계와 달리 조직, 기관, 세포에 있는 말초시계들은 온도, 수면 및 시차 변화, 식사, 운동 등 외부 자극의 영향도 받는다. 따라서 불규칙적인 라이프스타일로 인해 중추시계와 말초시계들 사이에 불일치가 발생할 수 있고 그것은 대사 시스템의 일주기 항상성에 혼란을 초래하게 된다. 일주기 항상성의 교란은 암, 심·뇌혈관질환, 당뇨병, 비만, 수면장애 등 다양한 질병의 발생에 영향을 미치는 것으로 확인되고 있다. 생체시계의 교란이나 불균형이 장내미생물 구성과 대사 활성에도 영향을 미치는데, 이로 인해서도 인슐린저항성, 비만, 면역 이상, 염증 등이 초래될 수 있다.

비만이 수면장애를 야기하는 데는 일주기 리듬이 손상되는 것도 관련이 있다. 비만은 일주기 리듬을 손상시키는데, 비만한 사람의 세포 내에 축적되는 물질이 일주기 리듬을 조절하는 PER 단백질의 작동을 방해하기 때문이다(Beesley 등, 2020).[49]

---

49) 시계유전자 PER에서 만들어지는 PER 단백질은 일주기 리듬을 통제하는 역할을 하는데, 하루 중 12시간 동안 증가하고 12시간 동안은 감소한다. 12시간 동안 세포질에 쌓인 PER 단백질이 세포의 핵으로 들어가 PER 유전자의 전사(transcription)를 억제하여 PER 단백질의 양이 감소되는 방식이다. PER 단백질이 핵 안으로 들어가려면 핵 주변으로 PER 단백질이 모여야 하는데 비만으로 인해 지방 액포 같은 불순물이 세포질에 많아지면 세포질 혼잡 현상이 발생하여 PER 단백질의 움직임이 방해받게 된다. 그 결과 PER 단백질이 핵으로 들어가는 시간이 달라지고 일주기 리듬 역시 교란된다.

(3) 시간생물학과 라이프스타일

시간생물학은 우리의 몸과 마음 상태가 다양한 자이트게버 정보에 따라 변동한다는 것을 설명하고 있다. 그렇다면 약물을 투여할 때도 효과를 극대화할 수 있는 시간대, 부작용의 위험을 감소시킬 수 있는 시간대가 있을까? 이것을 연구하는 분야가 시간약리학(chronopharmacology)이다.

시간약리학은 사람의 생체리듬이나 병의 특성에 따라 약물 투여 시간을 조절하여 약의 부작용을 줄이고 치료 효과를 높이는 방법을 연구한다(Sajan 등, 2009). 예를 들어 동일한 사람이 동일한 류마티스 관절염 치료제를 복용하더라도, 일반적인 방식으로 아침과 저녁 2회 복용하던 약물을 저녁 9시에 한번 먹으면 통증도 없어지고 증세도 더 완화된다. 대장암이 간에 전이된 경우, 보통 낮에 투약하는 항암제를 밤에 투약하면 탈모 같은 부작용이 감소하고 암세포도 더 많이 사멸시킬 수 있다. 정상 간세포가 항암제를 분해하는 능력은 밤에 더 뛰어나기 때문에 밤에 항암제를 투여하면 정상 세포가 받는 영향을 경감시킬 수 있다.

일반적으로 혈압은 밤에 낮보다 낮아지지만, 밤에도 혈압이 내려가지 않고 낮과 비슷한 수준인 사람은 동맥경화 발생 가능성이 높은데, 이러한 혈압 패턴을 가진 사람에게 보통 아침에 투약하는 혈압약을 취침 전에 복용하게 하면 혈압도 잘 조절되고 뇌경색 위험도 낮아진다. 시간약리학의 역사는 30여 년에 불과하지만, 유럽에서는 항암제 투여량과 투여 속도를 시간에 따라 조절할 수 있는 의료용구도 보급되었을 정도로 널리 적용되고 있다.

시간생물학이나 시간약리학의 원리에 따르면, 운동의 효과도 시간대에 따라 다를 수 있다. 실제로 암 위험을 낮추는 특정 운동 시간대가 있다는 연구가 발표되기도 했다(Weitzer 등, 2021).[50]

중추시계와 말초시계가 오케스트라 연주처럼 조화롭게 작동하기 위한 전제조건은 수면, 식사, 운동을 비롯한 라이프스타일을 자연환경 변화에 맞추어 규칙적으로 실천하는 것이다. 누구나 수면이 불규칙하거나 밤잠을 못자면 사회적 시차(social jet-lag)가 발생하고 그로 인해 건강이 훼손될 수 있다는 것을 알고 있지만 식사, 운동 같은 그 외의 라이프스타일도 마찬가지라는 것에 대해서는 잘 알지 못한다. 또한 규칙적인 것이 좋다는 것을 막연히 알고 있을 뿐, '언제'가 중요하다는 점에 대해서까지 관심을 기울이지 않는다.

---

50) 이 연구에서 8~10시 사이의 아침 운동이 유방암과 전립선암 발병 위험을 낮춘 것으로 나타났는데, 연구팀은 아침 운동이 항암 효과가 있는 멜라토닌을 밤에 더 잘 합성되게 하고, 유방암 위험을 높이는 여성호르몬인 에스트라디올(에스트로겐의 일종)은 아침에 가장 높은데 운동이 이 호르몬을 감소시키기 때문일 것으로 추정했다.

당뇨병의 경우를 예로 들어 보자. 당뇨병은 식사, 운동, 수면을 비롯한 라이프스타일과 매우 밀접하게 관련된 질환이고 식사, 운동, 수면 모두 일주기 리듬의 자이트게버다. 생체시계가 제각각 움직이고 생체리듬이 교란되면 혈당 조절에 관여하는 호르몬 분비와 유전자 조절에 혼란이 빚어지고 이는 인슐린저항성, 췌장 베타세포의 기능 저하, 염증반응을 야기하여 당뇨병의 병리적 과정을 촉진한다. 시간생물학적 관점에서 보면 먹는 음식의 종류와 양, 운동량, 수면의 양 못지않게 언제 먹고 언제 운동하고 언제 자는가도 중요한 것이다.

연구에 따르면, 야간 근무자는 주간 근무자보다 당뇨병 발병률이 44%나 높고 비만과 과체중도 더 많다. 또 다른 연구에서는 교대 근무자들의 당뇨병 위험이 9% 증가했는데, 주간 근무자보다 야간 근무자의 혈중 인슐린 농도, 식후 혈당, 중성지방이 더 높았다. 늦게 자고 늦게 일어나는, 소위 저녁형(late chronotype) 사람은 일찍 자고 일찍 일어나는 아침형(early chronotype) 사람보다 당뇨병 위험이 2~2.5배 상승한다. 섭식을 조절하는 호르몬인 렙틴의 혈중 농도는 새벽 2시경 가장 높고, 인슐린에 대한 세포의 민감성은 오후보다 오전이 높다.

이런 사실들은 수면이나 식사를 규칙적으로 해야 한다는 것과 더불어, 먹고 자는 데 좋은 시간과 좋지 않은 시간이 있다는 것을 알려준다. 건강한 사람이라도 아침식사를 자주 거르면 공복혈당장애가 발생할 가능성이 1.3배 상승한다. 아침을 거르면 당뇨병 위험은 상승하고, 해가 진 후 금식을 하는 것만으로도 한 달 만에 체중을 3 kg 감량할 수 있다. 식사 시간은 생체시계에 상당한 영향력을 행사하는 자이트게버다.[51]

운동 시간 역시 당뇨병에 큰 영향을 미친다. 운동은 포도당 흡수와 미토콘드리아의 에너지 생산을 촉진하여 인슐린의 작용 효율을 증가시킨다. 하지만 너무 늦은 시간의 운동은 너무 늦은 시간에 식사를 하는 것처럼 생체시계 시스템을 교란시킬 수 있다. 해가 지고 밤이 되어 중추의 생체세계는 이미 수면시간에 접어들었는데, 음식이나 운동에 의해 말초의 대사가 활성화되고 결국 생체시계 시스템에 불협화음이 일어나게 된다.

---

51) 중추시계인 시교차상핵 시계가 태양빛에 의해 재설정되기는 하지만, 해외여행에서 시차를 극복하는 것은 쉽지 않다. 그 이유는 이 시계가 하루 1.5시간씩만 조정 가능하기 때문이다. 만일 한국과 10시간 시차가 있는 곳으로 간다면 일주일은 지나야 생체시계가 완전히 현지 시간에 맞추어진다. 이때 식사에 의해 재설정(동기화)되는 '식이 동기성 주기'를 이용하면 시차 극복이 빨라진다. 도착지의 아침 시간에 맞추어 미리 12시간 이상 단식하고, 도착하자마자 아침식사를 하는 방법이다. 식이 동기성 주기도 24시간 주기인데, 식사에 의해 동기화되어 심신의 각성 상태, 행동 수준을 상승시킨다. 이것은 동물이 먹이를 얻을 수 있는 시간에 맞추어 신체 기능을 각성시키기 위해 만들어진 생존 기전으로 생각할 수 있다.

② 규칙적인 생활의 규칙

> "낮에는 걷고 밤에는 쉬어라."
> - 앤드류 와일(Andrew Weil) -

태양이라는 자이트게버는 모든 사람에게 동일한 신호를 주지만, 모든 사람의 생활 주기가 일치하는 것은 아니다. 같은 시간대(time zome)에서, 같은 GPS 위성 신호로 동기화된 시계를 보면서 살고, 똑같이 하루 8시간 잠을 자는 사람이라도, 아침 5시에 기상해서 6시에 아침식사를 하고 저녁 6시에 저녁식사를 한 후 9시에 잠자리에 드는 사람이 있는가 하면, 아침 11시에 기상해서 첫 식사로 점심을 먹고 다음날 새벽에야 잠드는 사람도 있다. 이들의 생체리듬을 그래프로 그려보면 정상적인 리듬보다 좌우로 당겨지거나 지연되어 있다. 이런 특성을 고려하지 않으면 특정 시점에 측정한 생리적 지표는 착시 현상을 일으키고 임상 해석에 오류를 일으키게 된다.

소위 아침형이라는 사람과 저녁형이라는 사람은 같은 것을 먹더라도 아침에 먹었는가 저녁에 먹었는가에 따라서 건강한 행동이 될 수도 있고 불건강한 행동이 될 수도 있다. 이것은 어떤 생체리듬을 가지고 있는지가 특정 질병에 대한 감수병과 관련이 있다는 뜻이다. 그렇다면 아침형은 오전 6시에서 오후 6시를 주간으로 하고 오후 6시부터 다음날 오전 6시를 야간으로 하는 24시간 일정에 따라 생활하고, 저녁형은 그 반대로 생활하는 것이 건강에 유리하다는 것일까? 그렇지 않다. 아침형 사람을 위한 태양과 저녁형 사람을 위한 태양이 따로 뜨는 것이 아니기 때문이다.

규칙적인 생활도 중요하지만 규칙적인 생활에는 더 중요한 상위 규칙이 있다. 자연의 질서와 인체의 질서를 동조화한다는 규칙이다. 저녁형 사람은 아침형 사람에 비해 우울증이 발병할 가능성이 2배 정도 높다고 알려져 있는데, 저녁형인 사람이 1시간만 일찍 자고 일찍 일어나도 우울증 발병 가능성이 크게 감소한다. 새벽 1시에 잠자리에 드는 사람이 자정에 잠자리에 들면 우울증 위험이 23% 감소하고, 한 시간 더 당겨 11시에 자면 40%까지 낮아진다(Daghlas 등, 2021). 아침 운동이 전립선암이나 유방암으로부터 보호하는 효과도 아침형 사람보다는 중간형(intermediate chronotype)과 저녁형에서 더 두드러지게 나타났다(Weitzer, 2021).

많은 사람들이 자신은 저녁형이지만 건강하다고 말한다. 이들에게는 하루에 5시간만 자도 충분하다는 사람에게 하는 것과 비슷한 충고가 필요할지도 모른다. 5시간만 자는 사람이 2~3

시간 더 자면 더욱 활력이 넘치고 더 많은 것을 성취하는 삶을 살 수 있는 것처럼, 저녁형 사람도 조금만 더 자연의 시계에 자신의 생체리듬을 맞추면 잠재된 건강과 능력을 더 많이 실현할 수 있을 것이다.

일찍 일어나는 사람에서 우울증이 적은 이유 중에는 이들이 햇빛을 더 많이 누린다는 점을 빼놓을 수 없다. 인간은 전구가 발명되기 전까지, 해가 뜨면 일어나고 해가 지면 잠자리에 드는 사회에서 살았다. 인류의 전체 역사에서 단 100여 년을 제외한 거의 모든 시간을 아침형 사람을 위해 만들어진 사회에서 살았던 것이다. 저녁형 사람은 자연의 시계뿐 아니라 사회적 시계와도 맞지 않는 부자연스러운 상태에 있는 것일 수 있다.

규칙적인 생활은 심신에 예측가능성(predictability)과 통제가능성(controllability)[52]을 높여 스트레스를 감소시킨다. 인위적으로 라이프스타일을 자주 변경하는 것은 심신에 커다란 스트레스가 된다. 소방관이나 경찰관에서 비만이나 심혈관질환 발병률이 높은 것에는 주야 교대근무의 영향이 큰 것으로 설명된다.

그림 18 에 현재 자신의 하루 일과표를 작성한 다음, 지금까지 살펴 본 식사, 운동, 수면, 휴식, 규칙적 생활 등 기본 라이프스타일에 관한 지식을 종합하여 일과표를 조정해 보자. 자연의 리듬과 생체리듬이 일치하는 것이 중요하다는 것을 염두에 두고 그림에 있는 해와 달의 위치를 최대한 존중해야 한다. 해와 달이 우리의 라이프스타일에 맞춰지지는 않는다. 우리의 유일한 선택은 자연의 리듬에 자신의 라이프스타일을 맞추는 것이다.

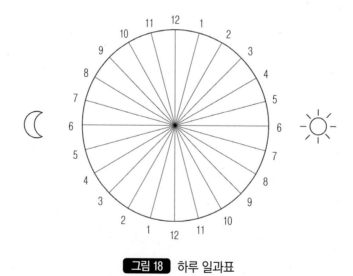

그림 18 하루 일과표

---

52) 예측가능성과 통제가능성에 대해서는 '7장, 9, **2**, (6) 스트레스를 감소시키는 라이프스타일'을 참고하라.

7 의약품과 건강기능식품

1 의약품

> "모든 약은 독이다. 다만 그 용량의 차이로 약이 될 수 있다."
> - 파라셀수스(Paracelsus) -

현대 의학의 아버지라 불리는 윌리엄 오슬러(William Osler)는 "의사의 첫 번째 의무 중 하나는 약을 먹지 말라는 메시지를 교육하는 것이다"라고 했다. 'Pharmacology(약리학)'라는 단어의 어원은 그리스어 'pharmakon'이다. 이 단어는 약(drug)이라는 뜻과 독(poison)이라는 뜻을 함께 가지고 있다. 약은 잘 사용하면 약이지만 잘못 사용하면 독이다. 꼭 필요하고 전문가의 처방을 받은 치료용 의약품도 잘못 사용하면 독이 된다. 비교적 안전하여 처방전 없이도 구입할 수 있는 일반의약품의 부작용에 의해서도 해마다 많은 사람들이 사망한다.

직접적인 부작용을 일으킬 수 있는 약물만 독이 되는 것이 아니다. 시간이 지나면 대부분 해결되는 소화불량, 잠깐의 휴식이나 이완요법으로 완화될 수 있는 두통, 간단한 스트레칭과 산책으로 해결될 수 있는 요통 따위에도 습관적으로 사용하고 있는 약물은 신체의 조절 능력을 손상시킨다. 건강기능식품도 마찬가지다. 예를 들어 멜라토닌은 식품에도 들어 있는 안전한 물질이지만, 지속적으로 과도하게 섭취하면 체내에서 자연적으로 합성되는 양이 감소할 수 있다.[53] 감기에 처방되는 항생제는 물론이고 해열·진통·소염 목적으로 사용하는 일부 약물은 장내세균 균형을 파괴하여 우리에게 해를 끼칠 수 있다.[54]

사용한 약물이 약이 될지 독이 될지 결정하는 것이 약의 용량이라는 점은 누구나 알고 있다. 그런데 이 상식은 정확한 것이 아니다. 많은 사람들이 여기서 말하는 용량을 약물의 1회 투여량으로만 이해하기 때문이다. 조금씩 오랜 기간 투여해서 누적된 사용량이 우리 몸에 어떤 영

---

[53] 2022년 보고에 의하면, 최근 10년 동안 미국에서 멜라토닌에 중독된 어린이 수가 530%나 증가했다(Lelak 등, 2022). 부모가 복용하려고 구입한 멜라토닌을 어린이가 먹고 중독이 된 것이다. 대개 과도한 졸음을 유발하는 정도로 그쳤지만, 일부는 입원 치료를 받았고 심지어 사망한 경우도 발생했다. 멜라토닌은 처방전 없이도 구입할 수 있는 수면 보조제다.

[54] 감기는 바이러스성 질환이어서 세균을 제거하는 항생제(항균제) 치료는 무익하다. 항생제는 장내 유익균처럼 아무 해가 없는 세균까지 사멸시킨다. 과도한 항생제 이용은 모든 항생제에 내성을 가진 슈퍼박테리아를 발생시키는 주요 원인이다. 오랫동안 혹은 반복적으로 사용되는 항생제는 암의 발달에도 중요한 역할을 할 수 있다(Petrelli 등, 2019).

향을 미치는지에 대해서는 의사나 약사도 거의 모르고 있다. 우리는 약이 독이 되는 두 가지 방식 중 하나에만 주의를 기울이고 있는 것이다. 약을 장기간 복용하는 만성질환자는 여러 부작용과 의원성질환에 노출될 가능성이 높아진다. 대개 이러한 문제가 발생하면 약을 줄이기보다는 또 다른 약을 추가한다. 우리가 만성질환에 걸리지 말아야 할 이유 중 하나는 약을 먹지 않기 위해서다.

(1) 라이프스타일의학과 약물

> "약을 언제 쓸지 아는 것보다 언제 멈출지 아는 것이 훨씬 어렵다."
> - 피터 필란스(Peter Pillans) -

라이프스타일의학에서도 약물을 이용한다. 하지만 약물보다 비약물학적 방법이 우선이고, 이미 복약 중인 약물도 줄이는 것이 치료가 원활히 진행되는 과정에서 이루어지는 일이다. 복약 중인 약의 처방을 줄이는 것을 'deprescription'[55] 또는 'deprescribing'이라 한다. 이것은 최근 대두된 개념으로, 환자의 건강을 개선하거나 부작용의 위험을 감소시키기 위해 약물의 복용량을 줄이거나 투여를 중단하는 체계적인 과정을 가리킨다.

약에 관한 현재까지는 지식은 주로 '어떻게 처방할 것인가'에 집중되어 있었고 약을 줄이거나 끊는 방법에 대해서는 상대적으로 관심이 부족했다. 약을 처방하는 방법만 알고 끊는 방법은 모른다면, 충분히 약을 끊을 수 있는 환자를 평생 약에 얽매이게 할 수도 있다. 또한 처방약의 부작용도 다른 약을 추가하는 방식으로 해결하려 하게 된다. 만성질환 환자들도 자신의 질병이 '평생 약을 먹어야 하는 병'이라는 그릇된 메시지를 무기력하게 받아들인다.

필란스(Pillans)는 약 줄이기 기술(deprescribing technique)은 앞으로 만성질환 관리의 표준 절차가 될 것이라고 전망했다(Pillans, 2015). 분명히 약이 필요한 사람도 있지만 약이 건강한 라이프스타일을 대체하는 수단이 되어서는 안 된다. 게다가 약물은 라이프스타일에 악영향을 미칠 수도 있다. 실제로 수많은 약물들이 식욕, 수면, 성기능에 영향을 미친다.

---

55) 우리나라에는 아직 이 용어에 대한 적절한 번역어가 없다. '처방 종결', '처방 중단' 등의 표현이 이용되기도 하는데, 이는 deprescription이 무조건 약을 금하는 것이라는 선입견으로 오도할 가능성이 있다. 게다가 우리가 중단하거나 줄여야 할 약에는 처방과는 관련 없는 일반의약품도 포함되어 있다. 따라서 이 책에서는 '약 줄이기'라는 표현을 사용한다.

모든 약이 독이라는 것은, 계속 약으로 증상을 조절하다 보면 병의 원인을 근본적으로 제거할 기회를 놓치고, 몸의 조절 능력이 손상된다는 점에서 더욱 그렇다. 만성질환 치료제는 질병을 치료하는 약이 아니라 질병의 증상을 조절하는 약이다. 근본적으로 약으로는 치료되지 않는 질병임에도 불구하고 계속 약에 의존하다 보면 점점 몸의 조절 능력이 감소하고 약에 의해 통제되게 된다.

현재 약물을 복용 중인 사람이 빨리 약을 끊고자 한다면, 한편으로는 지금 복용 중인 약물의 처방을 잘 지켜야 하고, 다른 한편으로는 라이프스타일을 신속히 바꾸어야 한다. 투약도 않고 라이프스타일도 바꾸지 않는 것은 최악의 조합인데, 유감스럽게도 드문 일이 아니다. 흔히 처방되는 콜레스테롤 저하제만 하더라도 처방 후 6개월까지 꾸준히 복용하는 사람이 절반도 되지 않는다는 보고가 있다. 이미 약을 복용 중인 사람이라면 약 줄이기는 라이프스타일을 바꾼 만큼만 이루어질 수 있다는 것을 기억해야 한다.

(2) 약물 오남용과 중독

오용이란 약을 의학적인 목적으로 사용하지만 의사의 처방에 따르지 않고 임의로 사용하거나, 처방된 약을 제대로 또는 지시대로 사용하지 않는 것을 말한다. 남용은 의학적 사용과는 상관없이 약물을 지속적으로 또는 대량 사용하는 것이다. WHO에서는 약물 사용으로 나타난 결과가 어떠했는가와 상관없이, 비의학적으로 또는 허용되는 목적과 일치하지 않게 약물을 사용하는 것을 약물 오남용이라고 정의한다.

체중 감량을 위해 변비약이나 이뇨제를 사용하거나 단순한 감기를 치료하기 위해 항생제를 사용하는 것이 오용에 해당되며, 질병을 치료하기 위해서가 아니라 감정이나 행동을 흥분시키기 위한 목적으로 약물을 사용하는 것은 남용의 예다. 남용보다 더 심각한 상태는 중독이다. 약물중독은 습관성과 중독성이 있는 약물에 대해 심한 집착을 보이고, 일단 사용하면 조절이 되지 않고 계속 사용해야 하는 것을 말한다.

약물중독이라 하면 마약을 먼저 떠올리지만 알코올이나 향정신성의약품처럼 오남용하기 쉬운 의약품에도 중독이 되기 쉽다.[56] 세계적으로 중독 약물 1위는 길거리에서 유통되는 불법 약물이 아니라 의사가 처방하는 약물이다. 우리나라에서도 프로포폴(propofol) 같은 약물의 의료

---

56) 약물이란 생리 활성에 변화를 일으키는 물질이다. 따라서 알코올, 니코틴, 카페인도 약물에 속한다. 약물 중에서 의학적 목적으로 개발된 것이 의약품이다.

기관을 통한 불법적 이용이 계속해서 사회적인 물의를 빚고 있다.

상황이 더 심각한 미국의 경우, 2017년 7월 백악관 위원회가 마약성 진통제 중독에 대한 국가 비상사태 선포를 촉구하기도 했다. 위원회가 발표한 보고서에 의하면, 매일 미국인 142명이 이로 인해 사망한다. 2015년 미국인의 기대수명이 감소한 원인 중 하나도 마약류 과용이었다.

마약성 진통제는 본질적으로 정신활성제(psychoactive)이므로 25~40%의 환자가 금단증상(withdrawal symptom)을 겪는다. 장기적인 진통제 투여는 내인성 진통제인 엔도르핀의 생산을 억제하기 때문에 작은 통증에도 점점 더 민감해지게 한다. 따라서 투약 기간이 길어질수록 약을 끊기가 어려워진다.

비마약성 진통제 문제도 심각하다. 주로 중독과 관련된 약물로는 마약을 포함한 향정신성 약물을 떠올리지만, 약물 오남용으로 인해 막대한 인명 손실을 야기하는 약물 중에는 어느 가정에서나 상비약으로 가지고 있는 의약품도 포함된다. 미국에서는 매년 16,500명이 비스테로이드성 소염진통제[57]의 부작용으로 사망하는 것으로 보고된다.

과거와 달리 부작용이 크게 감소한 향정신성의약품들이 출시되면서 향정신성의약품에 대한 환자의 접근성과 의사의 처방량이 크게 증가했다. '행복약(happy pill)'의 원조라 할 수 있는 항우울제 푸로작(Prozac)은 출시 당시에 수돗물에 넣어 공급하자는 말이 있었을 정도로 정신과 약물에 대한 부정적 이미지를 크게 바꾸어 놓았는데, 실제로 2004년 영국의 전국 하천과 지하수 등 상수도원에서 푸로작 성분이 검출되어 사회적 이슈가 되었을 정도로 사용량이 엄청나게 증가했다.

공황장애를 앓던 한 연예인이, 방송 전 불안을 가라앉히기 위해 의사가 처방한 것보다 몇 배나 많은 약을 먹었고, 그 약으로 인한 졸음을 쫓기 위해 하루 4 L나 되는 커피를 마셨다고 고백한 적이 있다. 약물 과용 때문에 사망하는 유명인에 관한 보도가 국내외에 끊이지 않는데, 유명인들의 이야기는 전체 이야기 중 지극히 작은 일부일 뿐이다.

모든 약은 약과 독의 이중성을 가지고 있기 때문에 절대적으로 안전한 의약품은 없다. 약국이나 편의점에서 쉽게 구입할 수 있는 의약품은 '덜' 위험하기 때문에 처방전 없이 구매 가능한 것이지 안전하기 때문에 그런 것이 아니다. 오히려 쉽게 구할 수 있는 만큼 쉽게 오남용되고 있음에도 불구하고 문제의 심각성이 제대로 인식되지 못하고 있다. 게다가 이런 의약품은 다

---

57) 비스테로이드성 소염진통제(nonsteroidal anti-inflammatory drug, NSAID)는 해열·진통·소염을 위해 널리 사용되는 의약품이다. 아스피린, 이부프로펜도 이 부류의 약물인데 이들을 포함해 상당수의 비스테로이드성 소염진통제가 처방전 없이 쉽게 구입할 수 있는 일반의약품이다.

른 소비재들처럼, 점점 더 감각적이고 화려한 광고로 사람들을 유혹하며 구매를 부추기기도 한다. 약에 대한 지식을 배울 기회가 전혀 없다 보니, 일반 소비재를 구매하듯이 광고나 파편적 정보에 의존하여 제품을 선택하고, 기호품을 소비하듯 사용하면서 쉽게 오남용으로까지 이어지게 되는 것이다.

(3) 약물 오남용과 라이프스타일

약물 오남용은 스트레스, 우울, 불안 같은 정신건강 문제와 깊이 연결되어 있다. 연구에 의하면 흡연, 음주, 불건강한 수면 습관, 불건강한 식습관 등의 라이프스타일은 약물 오남용에 흔히 동반된다. 2014년 한 해 동안 우리나라 성인의 17.0%가 약물을 오남용했다(채수미, 2015). 이들이 최근 1년 동안 지속적으로 사용하고 있다고 답한 약물을 보면, 응답자의 20.1%가 진통제를 사용하고 있었고, 기침감기약 18.5%, 카페인 성분의 자양강장제 15.1%, 항히스타민제 10.4%, 변비약 4.3%, 살 빼는 약 3.6%, 신경안정제 3.4%, 수면제 2.8%, 발기부전 치료제 0.9%였다. 가장 쉽게 구할 수 있는 약물이 가장 많이 오남용되고 있는 것이다. 더구나 우려했던 대로, 약물을 오남용하는 사람 중 42.2%가 약물을 중단했을 때 정신적 고통을, 21.1%가 신체적인 고통을 느낀다고 보고했다.

식습관, 운동, 수면, 흡연, 개인위생, 의학적 치료에 대한 순응 등 건강에 영향을 미치는 전반적인 활동을 건강행태라 하는데, 건강행태는 개별적으로 일어나기보다는 상호 관련성을 갖고 나타난다. 부적절한 약물 사용은 다른 불건강한 건강행태와 동반되는 경향을 보인다는 것이다. 비흡연자보다 흡연자의 약물 오남용이 많고, 술을 자주 마실수록 약물 오남용이 더 많으며, 하루 6시간 이상 수면을 하는 사람보다 4~5시간 수면하는 경우에 약물 사용 문제가 더 크다. 규칙적인 식습관을 가진 경우와 불규칙한 식습관을 가진 경우에도 차이가 있었다. 이처럼 약물 오남용은 불건강한 라이프스타일과 명백히 연결되어 있다. 이는 지극히 당연한 것이다. 흡연하는 사람이 기침감기약을 더 많이 필요로 하고, 자주 음주하는 사람이 두통약과 위궤양약을 더 많이 찾으며, 수면이 부족한 사람이 더 많은 자양강장제를 마시고, 불규칙한 식습관을 가진 사람이 소화제를 더 많이 먹게 되기 때문이다. 모든 약은 독이고 다만 그 용량의 차이로 약이 될 수 있다고 했다. 그렇다면 오남용하고 있는 약을 여전히 약이라 불러도 좋을까?

환자가 여러 의료기관에서 따로 처방을 받을 경우, 함께 사용하면 위험한 약물이나 중복 처방되는 약물이 생길 수 있다. 우리나라는 건강보험심사평가원을 중심으로 의료기관과 약국 간에 약물 처방 정보가 공유되고 있어서 그런 처방이 즉각 확인되므로 환자가 안전하게 약을 복용할 수 있다. 이를 의약품처방조제지원서비스(Drug Utilization Review, DUR, 의약품 안전사용 서비스)라 한다. 그러나 이 시스템의 데이터베이스에는 의료기관에서 처방된 약에 관한 정보만 수집되고 있을 뿐, 처방전 없이 약국이나 편의점에서 구입한 약에 대한 정보는 없다. 관절염 때문에 매일 진통제를 먹고 있는 환자가 머리가 아프다고 두통약을 사 먹거나 감기 기운이 있다고 종합감기약을 사 먹게 되면 자신도 모르는 사이에 하루 투여량을 훨씬 초과하는 약물을 투약할 수 있다.

평소 복용하고 있는 모든 약물의 종류와 양, 투약 날짜를 기록해 보면 자신이 왜 그렇게 많은 약물을 사용할 수밖에 없는지, 그 기록 안에서 원인을 발견할 수도 있을 것이다. 특히 만성질환자라면 의료기관을 방문할 때 이 기록을 의사에게 보여주고 함께 점검해 볼 필요가 있다.

(4) 몸의 지혜

"의사는 환자 안에 있는 의사가 일할 수 있게 해주는 것 이상의 좋은 치료를 할 수 없다."
- 알베르트 슈바이처(Albert Schweitzer) -

일부 감염성 질환을 제외하면 현대 의학이 원인 차원의 근본 치료를 할 수 있는 질환은 거의 없다. 누구나 먹어 본 종합감기약조차 대증치료제에 불과하다. 감기는 바이러스 감염증이지만 그 안에 바이러스를 제거해 주는 성분은 없다. 단지 기침, 발열, 통증, 염증 등의 증상을 가라앉혀 주는 성분들만 포함되어 있을 뿐이다. 그럼에도 불구하고 수일 안에 바이러스는 몸에서 사라지고 우리는 감기에서 완치된다. 단지 대증치료만 했음에도 불구하고 완치되었다면 실제 치료는 누가 한 것일까?

똑같은 방법으로 치료를 해도 환자마다 치료 반응이 다르고, 같은 사람에게 같은 치료를 해도 매번 치료 성과가 동일하지 않다. 우리를 병으로부터 실제로 회복되도록 하는 것, 매번 치료 반응이 달라지게 하는 것은 우리 안에 내재되어 있는 치유 기전, 즉 자연치유력이라는 내적 치유 기전이다. 지금까지 생의학에서는 이 치유 기전에 대해 충분히 인식하지 못했고 오히려 치료 과정에서 손상시키는 일이 흔했다. 예를 들면 면역력이 무엇보다 중요한 암 환자에게 사용한 기존 항암제들은 대개 면역계를 파괴하는 약물이었다. 하지만 한편에서는 우리 안에 있는 치유와 회복의 능력을 일컫는 '몸의 지혜(wisdom of the body)'라는 표현이 어니스트 스털링(Ernest Starling), 월터 캐넌 같은 명망 있는 학자들에 의해 20세기 초부터 사용되기 시작했다.

히포크라테스는 '해를 끼치지 말라'는 것을 치료의 대원칙으로 제시했다. 그러나 우리에게 익숙한 대개의 의료 행위에는 모두 보이거나 보이지 않는 해로움이 내포되어 있다. 그중에서 가장 중요하지만 거의 무시되는 것이 내적 치유 기전에 가해지는 것이다. 이 치유 기전이 존중되지 않는 물리적 치료 행위는 결국 그 기전을 훼손하거나 방해하여 또 다른 장애의 원인이 될 수 있다.

생체에는 스스로 문제를 발견하고 치유하는 기전이 갖추어져 있으며, 이것은 현대 의학에서 기대할 수 있는 최고의 기술적 정밀성이나 전략적 치밀함보다 더욱 극적이고 정교한 방식으로 작동한다. 예를 들어 p53 단백질은 손상된 DNA를 발견하면 DNA 복제를 중단시키고 손상을 수복한다. 손상이 심한 세포에는 자살을 명하여 세포 자체를 제거한다. 사람은 이제야 유전자 가위 기술로 그런 기술을 흉내내기 시작했다. 아무리 발달된 의학 기술도 온몸 세포를 하나하나 검사하는 면역계의 감시 체계와, 분자적 수준의 손상을 정밀하게 수선하는 치유 기전에 비교할 수는 없다. 또한 다른 세포나 조직에 전혀 손상을 주지 않고 단 하나의 세포만 골라 선택적으로 파괴시키는 단호하고도 안전한 기술은 없다.

우리의 그릇된 건강 관념과 라이프스타일 역시 내적 치유 기전에 해를 가하고 있고, 그 결과는 체력 저하, 면역 부조화, 만성질환, 신종 질병의 만연으로 나타나고 있다. 더 큰 문제는 원인을 알지 못하는 상태에서 증상부터 다루는 대증치료에서는 증상과 관해(remission)의 과정이 반복되면서 내적 치유 기전이 훼방되고, 결국에는 무기력하고 치료에 의존적인 반응 양식으로 대체되어 굳어진다는 것이다. 손상된 내적 치유 기전을 회복하기 위해 최우선적으로 해야 하는 일은 무분별한 약물 사용을 줄이고 불건강한 라이프스타일을 개선하는 것이다. 슈바이처는 환자 내부의 의사, 즉 내적 치유 기전이 일할 기회를 주는 것이 의사가 가진 최상의 임무라고 했다.

2 건강기능식품

(1) 건강기능식품도 미니멀리즘이 필요하다

건강기능식품(health functional food)은 인체에 유용한 기능을 가진 원료나 성분을 사용하여 제조한 제품을 말한다. 건강보조식품(supplementary health food), 식이보충제(dietary supplement) 등과 혼용되고 있지만, 건강기능식품은 식품의약품안전처로부터 인정을 받은 별도의 제품만 가리키는 것이다. 따라서 같은 홍삼을 원료로 한 제품이라도 어떤 것은 건강기능식품이고 어떤 것은 단순히 건강보조식품일 수 있다.[58]

2020년에 우리나라에서 가장 많이 판매된 건강기능식품은 홍삼, 프로바이오틱스, 비타민 및 미네랄, EPA 및 DHA 함유 유지, 개별인정형 제품(간 건강 제품, 면역 증진 제품, 관절 및 뼈 건강 제품, 피부 건강 제품, 체지방 감소 관련 제품)이며, 이 네 가지 제품군의 판매량이 전체 건강기능식품 매출의 80% 이상을 차지했다. 한국건강기능식품협회의 보고에 따르면, 2020년 기준으로 국내 건강기능식품 시장 규모는 5조 원에 육박했는데, 이는 2016년 2조 원에서 5년 만에 2배 이상 대폭 성장한 것이다. 100가구 중 79가구가 일 년에 한 번 이상 건강기능식품을 구매했고, 한 해 평균 구매액은 30만 원을 넘었다.

건강기능식품은 의약품이 아니라 식품이다. 그러나 식품 대신 섭취할 수 있다는 의미로 받아들여서는 안 되고, 본래 식품에서 섭취할 수 있는 성분이라는 뜻도 간과되어서는 안 된다. 의약품에 비해 안전한 것은 사실이지만, 미국에서는 매년 23,000명이 이들 제품의 부작용 때문에 응급실을 찾는다. 우리나라에서도 건강기능식품 섭취 후 부작용 사례가 크게 증가하고 있는 추세다. 2020년 식품의약품안전처가 발표한 자료에 의하면 최근 5년간 4,000건 이상의 부작용 신고가 접수되었다.

(2) 건강기능식품 이용법

음식 섭취도 과유불급(過猶不及)이다. 정상적인 식사를 하고 있는데도 건강기능식품을 별도로 섭취한다면 이 역시 과식이 될 수 있다. 건강기능식품은 자신의 식단과 건강 상태를 고려하여 꼭 필요한 제품만 이용해야 한다. 주위 사람들이 좋은 효과를 보았다고 권하는 제품이 자신에게는 불필요한 제품일 수 있다. 평소 육식을 즐기고 채소나 과일을 거의 먹지 않는 사람은 비타민C 제품을 먹고 상당한 효과를 볼 수도 있겠지만, WFPB 식단을 하는 사람은 별다른 변화를 느끼지 못할 것이다.

건강기능식품에도 불량식품이 있다. 신뢰할 수 있는 경로로, 식품의약품안전처가 인증한

---

58) 이 책에서는 편의상 건강기능식품, 건강보조식품, 식이보충제를 모두 건강기능식품으로 통칭한다.

'건강기능식품' 마크가 있는 제품을 구매하지 않으면 불량식품의 피해자기 될 수 있다. 복용 중인 약물이 있다면 약을 처방한 의사와 상의하고 유의사항을 숙지한 후 복용하는 것이 좋다.[59] 건강기능식품의 기능을 과신해서도 안 된다. 마치 만병통치약인 것처럼 광고하는 제품들이 적지 않는데 정말로 만병통치 성분이라면 이미 모든 질병에 대한 의약품으로 개발되었을 것이다.

가장 주의해야 하는 것은 여러 종류의 건강기능식품을 동시에 복용하는 것이다. 그렇게 되면 자신도 모르는 사이에 한 가지 성분을 권장량보다 훨씬 많이 섭취하게 될 수 있다. 예를 들면 눈 건강 제품에는 비타민A, 루테인, 지아잔틴 외에도 오메가3가 함께 들어 있는 경우가 많은데, 여기에 오메가3 제품을 따로 복용한다면 권장량 이상을 섭취하게 된다. 비타민A도 여러 유형의 제품에 중복 함유되어 있어 과잉 섭취 가능성이 높다. 혈중 비타민A가 정상치의 2배 이상이 되면 중독 증상이 나타난다. 눈 건강 제품이 비타민D를 포함하고 있는 경우도 있는데, 만일 뼈 건강을 위해 비타민D 제품을 별도로 섭취하고 있다면 역시 권장량 이상 섭취하는 것이 된다. 비타민D가 과도하게 축적되면 뇌졸중, 심장마비 등으로 인한 사망 위험이 높아질 수 있다. 녹색 잎채소를 통해 충분히 섭취할 수 있는 철분도 마찬가지다. 철은 체내에서 산화스트레스를 높일 수 있다. 그래서 어떤 사람들은 종합비타민제를 이용할 때 철이 들어 있지 않은 것을 선택한다.

진짜 식품은 비타민이나 미네랄을 독성 수준까지 함유하지 않는다. 보통 이러한 독성은 보충제를 다량 섭취하거나 비타민 강화식품을 규칙적으로 대량 섭취하는 경우에 발생한다. 음식으로 영양소를 모두 보충할 수 없는 상황이 아니라면, 모든 식품은 식탁에서 섭취하는 것이 좋다.[60] 영양소가 아닌 음식을 먹어야 하는 이유에 대해서는 '7장, 1, **4**, (6) 왜 진짜 음식을 먹어야 하나'에서 살펴보았다.

건강기능식품도 일종의 가공식품이다. 채소, 과일, 씨앗은 생명에너지를 간직한 살아있는 생명체이고, 육류는 한때 살았던 생명체의 사체이고, 자연 원료를 쓰지 않은 대개의 건강기능

---

59) 예를 들어 칼슘 제제는 약물의 흡수를 방해할 수 있다. 간혹 약을 우유와 함께 먹는 경우가 있는데, 우유에 들어 있는 칼슘은 약물과 결합하여 약의 흡수를 방해한다. 성분과 작용 기전에 따라 차이가 있지만 골다공증 치료제, 갑상선호르몬제, 일부 항생제, 빈혈 치료제, 부정맥 치료제 중에는 우유와의 복용을 특히 피해야 하는 약물이 있다. 또 어떤 약물은 칼슘과 함께 복용하면 혈액 중 칼슘 농도를 지나치게 높여서 약효가 감소하거나 부작용이 나타날 위험이 커진다.

60) 식품에서 부족하기 쉬운 비타민, 미네랄, 필수지방산을 섭취하기 위해 영양제나 건강기능식품을 별도로 섭취하는 경우가 많은데, 이러한 제품의 효과에 대해서는 의학계 안팎에서 의견이 대립하고 있고, 우리의 기대와는 상반된 결과를 보여주는 연구 결과들이 많다. '식품에서 부족하기 쉽다'는 말은 식품을 통해서는 충분히 섭취할 수 없다는 말이 아니라, 그러한 성분들이 풍부한 식품을 제대로 먹지 않고 있다는 말이다.

식품은 살았던 적도 없었던 물질이다. 자연 원료로 만든 건강기능식품에도 수많은 첨가물이 들어 있다. 특히 어린이용 제품에는 딸기, 바나나 등의 색과 향을 내는 인공색소와 향료를 포함한 것이 많다. 단맛을 내기 위해 당분이 첨가되어 있는 경우도 많은데, 이 경우 아이들이 사탕을 먹듯 계속 먹게 될 수 있으므로 유의해야 한다. 이런 첨가물들이 건강에 도움이 되지 않는다는 점은 차치하고, 아이들의 입맛을 불건강한 방향으로 길들이게 된다.

이것저것 많이 들어 있는 제품에 특히 주의해야 한다. 소화불량이 있어서 소화제를 사러 간 사람이, 소화제 성분과 함께 고혈압약 성분, 당뇨병약 성분을 함께 포함하고 있는 약이 있다고 해서 그것을 선택하지는 않을 것이다. 그런데 우리는 건강기능식품에 대해서만큼은 이런 우매한 판단을 한다. 건강기능식품도 필요한 성분만 섭취해야 도움이 된다. 좋은 약이라도 많이 먹으면 독이 되는 것은 음식이라는 약에 대해서도 마찬가지다.

표 12 를 이용하여 현재 자신이 이용하고 있는 건강기능식품의 성분을 점검해 보자. 그리고 자신의 식생활과 비교해서 불필요한 성분이 무엇인지 찾아보자. 제품들에 표시된 영양기능정보에서 성분을 옮겨 적고, 각 제품의 하루 섭취량에 함유된 % 영양소 기준치(1일 영양소 기준치에 대한 비율)를 적은 다음, 중복되는 성분이 있는지, 하루 권장 섭취량을 초과하지 않는지 비교해 본다. 초과하는 성분이 있다면 비슷한 성분의 제품을 절반씩만 복용하거나 격일로 복용하는 등의 방법으로 조절한다. 모두 100%에 맞춰야 하는 것은 아니다. 음식을 통해서도 섭취되는 부분이 있음을 감안하여 지나치게 많이 섭취하지 않도록 해야 한다.

표 12 건강기능식품 점검표

제품명	성분 + 하루 섭취량의 %영양소 기준치	전체
[예] 종합비타민과 미네랄	비타민C 100%, 비타민D 100%, 아연 30%, 마그네슘 30% …	비타민D 150% 오메가3 100% …
[예] 뼈 건강	칼슘 50%, 비타민D 50%, 마그네슘 50% …	
[예] 눈 건강	오메가3 100%, 비타민A 50% …	

8 물질 및 행위 의존증

■ 중독이란 무엇인가

> "중독이란 무엇인가? 그것은 괴로움의 징후, 신호, 증상이다.
> 우리가 깨달아야 할 곤경이 있다는 것을 알려주는 언어다."
>
> - 앨리스 밀러(Alice Miller) -

(1) 감각적 쾌락은 그 자체가 고통이다

아무리 기쁘고 흥분되는 일이 생겨도 시간이 지나면 우리 뇌는 그 상황에 적응되어 더 이상 희열을 느낄 수 없게 된다. 이를 쾌락적응(hedonic adaptation)이라 한다. 쾌락적응이 없다면 한 번만 기쁜 일이 있어도 영원히 행복감을 느끼게 될 텐데 왜 우리는 쾌락적응이 되도록 만들어 졌을까?

진화심리학(evolutionary psychology)은 인간이 현재와 같은 마음의 기전을 갖게 된 이유를 생물의 진화라는 관점에서 설명하는 학문이다. 진화심리학에 의하면 인간은 백지상태의 마음으로 태어나는 것이 아니다. 우리의 생각과 행동에 무의식적으로 영향을 미치는 두 가지 원시적인 욕구를 가지고 태어난다. 바로 생존과 생식의 욕구다. 이 욕구들을 느끼고 충족시키려는 행동을 하지 않으면 생존도 불가능하고 자손을 남기지도 못한다. 욕구가 충족되었다는 신호는 쾌락을 경험하는 것이다.

생존적 가치가 있는 쾌락이 되려면 세 가지 조건이 충족되어야 한다. 첫째는 목적을 달성했을 때마다 쾌락을 느껴야 한다는 것이다. 음식을 먹어도 아무런 쾌락을 느낄 수 없다면 더는 음식을 먹으려 하지 않을 것이고 결국 생존할 수 없게 된다. 둘째는 그 쾌락이 오래 지속되면 안된다는 것이다. 한번 음식을 먹었을 때 느끼는 쾌락이 몇 달쯤 지속된다면 다시 음식을 먹으려 하기 전에 굶어 죽고 말 것이다. 마지막 세 번째는 쾌락이 곧 사라진다는 사실에 낙담하여 체념하지 말고, 쾌락 자체에 매달려야 한다는 것이다. 설령 너무 많이 먹어 음식에 물린 적이 있더라도 그런 불쾌한 경험은 잊고, 먹을 때 느꼈던 쾌락을 다시 추구하는 데 집중해야 한다.

쾌락은 이렇게 만들어진 것이다. 이러한 쾌락의 속성은 우리에게 명확한 메시지를 전하고 있다. 우리는 결코 감각적 쾌락을 통해서 행복을 찾을 수는 없다는 것, 어떤 노력에도 불구하고 우리는 늘 불만족 상태에서 무언가를 갈망할 수밖에 없다는 것이다.

(2) 중독과 의존

중독은 크게 알코올, 니코틴, 카페인, 마약 같은 물질을 대상으로 일어나는 물질중독과 게임, 도박, 쇼핑 등의 행위를 대상으로 일어나는 행위중독으로 구분된다. 학문적으로는 중독 (addiction)이라는 용어 대신 의존(dependency)이라는 용어를 사용한다. 예를 들면 알코올중독 (alcoholism)은 알코올 의존증으로 부른다.

의존에는 심리적 의존과 신체적 의존이 있다. 심리적 의존은 의존의 대상(물질 또는 행위)을 계속 사용하여 긴장과 불편한 감정을 해소하려는 것으로, 습관성과 유사한 개념이다. 신체적 의존은 의존 대상을 사용하는 일이 지속되면서 생리적으로도 변화가 일어나, 사용을 중단하면 금단증상이 나타나는 상태다. 대상이 주는 쾌감의 효과가 점점 감소하는 것을 내성(resistance)이라 하는데, 처음과 같은 쾌감을 얻으려면 점점 더 많은 양을 사용해야 하는 것은 내성 때문이다.

중독은 갈망, 내성, 금단증상, 이로 인한 사회적·직업적 장애 등 네 가지 문제를 수반하는 것이다. 중독을 진단하는 정해진 빈도나 양은 없다. 술을 얼마나 자주, 얼마나 많이 마시는가로는 중독 여부를 알 수 없다. 이것은 술을 자주, 많이 마시지 않는 사람이라고 해서 중독 가능성이 없는 것은 아니라는 것을 뜻한다. 위의 네 가지 중 해당하는 것이 있다면 하나도 해당하지 않는 사람보다는 중독에 가깝게 있는 것이다.

보통 물질중독이라면 알코올, 마약 같은 것을 먼저 떠올리지만 중독이 생기는 물질의 범위는 매우 넓다. 여기에는 질병 치료를 위해 의사가 처방한 의약품, 처방전 없이 약국이나 편의점에서 구할 수 있는 일반의약품과 안전상비의약품, 그리고 담배, 커피를 비롯한 기호식품과 당분, 소금, 고지방 음식도 포함된다. 행위중독의 경우 도박, 게임, 쇼핑 외에 일, 인간관계도 중독의 대상이 될 수 있다. 행위중독 중에는 기술문명에 의해 추가되는 것들이 점차 증가하고 있는데, 메신저 앱의 도착 알림음, SNS의 '좋아요', '하트' 등이 그런 것들이다. 이들도 물질중독과 마찬가지로 내성과 금단, 강박적 사용 및 갈망, 대인관계 및 사회적·직업적 기능의 장애를 일으킨다.

중독의 예방과 치료를 위해서는 중독이라는 심리·행동적 장애 자체보다 그 장애를 가진 사람에게 접근해야 한다. 앨리스 밀러(Alice Miller)가 지적하듯이, 중독은 괴로움의 징후, 신호, 증상이고 우리가 깨달아야 할 곤경이 있다는 것을 알려주는 언어일 수도 있기 때문이다. '5장, 2, **3** 스트레스, 질병, 노화'에서 설명한 바와 같이, 중독의 원인은 술, 담배, 도박 자체가 아니라 이러한 것들로 도피하게 하는 다른 어떤 것들이며, 중독은 그것들로부터 파생되는 문제의 단면일 뿐이다. 컴퓨터를 없애버린다면 더 이상 컴퓨터게임을 할 수 없게 되겠지만, 해결되지 않은 내부의 갈등은 다른 곳에서 다른 형태로 표출될 것이다. 중독은 처음부터 화학적 문제가 아니라 사람에 대한 문제로 간주되어야 하며, 중독을 헤로인 문제, 마리화나 문제 등으로 논하는 것은 자살을 목매달기 문제, 물에 빠지기 문제 등으로 다루는 것과 다름이 없다고 리트(Litt) 등은 말한다(Litt 등, 2017).

(3) 중독의 기전

> "내가 정의하는 중독은 아주 간단하다. 당신이 멈출 수 없는 어떤 것이다."
> - 조 디스펜자(Jeo Dispenza) -

1950년대 초 신경학자 올즈(Olds)와 밀너(Milner)는 실험용 상자 안에 쥐를 넣고 쥐가 스위치를 누르면 쥐의 뇌에 전기 자극이 가해지는 장치를 연결했다. 대부분의 쥐들은 전기 자극이 오자마자 깜짝 놀라고 불쾌한 반응을 보였는데, 뇌의 특정 부위에 전기 자극을 받은 쥐 한 마리는 특이한 반응을 보였다. 스위치를 피하기는커녕 식음을 전폐하고 계속 눌러대며 스스로 전기 자극을 받았던 것이다. 이 부위는 쾌감을 일으키는 곳이었고, 이후 쾌락중추 또는 보상중추라고 불리게 된다. 그리고 시간이 지나면서 이곳이 마약이나 알코올뿐 아니라 사람과 동물이 살아가는 데 없어서는 안 될 음식 섭취, 성행위 등을 유지하는 데도 관여한다는 사실이 밝혀진다.

　그림 19 에 쾌락중추를 구성하는 측좌핵(nucleus accumbens)과 복측피개야(ventral tegmental area)가 표시되어 있다. 복측피개야의 신경세포가 도파민을 만들어 측좌핵에 전달하면 쾌감이 뇌에 등록된다. 이 신호가 전두엽으로 전해지면 쾌감을 인식하게 된다. 이 연결망이 보상회로다. 그런데 이 회로가 반복적으로 활성화되면 신경세포가 도파민 수용체 수를 감소시키므로, 동일한 쾌감을 얻으려면 약물이든 행위든 더 강하게 투여해야 전과 같은 수준의 쾌감을 느낄수 있게 된다. 이것이 바로 내성이다. 더 큰 문제는 알코올, 마약, 게임처럼 강력한 도파민 자극제에 익숙해지면 일상에서의 자연스러운 행복과 즐거움을 느낄 수 없게 된다는 것이다.

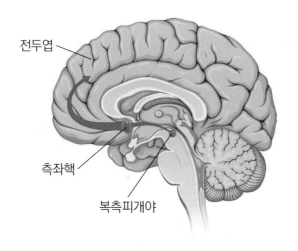

전두엽

측좌핵

복측피개야

그림 19 쾌락중추와 보상회로

그러면 물질에 중독되는 것과 행위에 중독되는 것은 생리학적으로 같은 현상일까? 답은 '그렇다'이다. 알코올이든 도박이든 심지어 사랑에 집착하는 사랑 중독이든, 모든 중독은 뇌의 보상회로가 관여하고 있고, 뇌에서 동일한 생리학적 변화가 수반되는 것이다. 알코올 중독자가 술을 갈망할 때와 게임 중독자가 게임을 갈망할 때 뇌를 fMRI(기능적자기공명영상)로 촬영해 보면 동일한 부위, 즉 복측피개야가 활성화된다. 사랑 중독에 빠진 사람의 뇌를 촬영해도 같은 부위가 활성화된다. 이 부위가 반복적, 지속적으로 활성화되면 보상회로의 기능에 실질적 변화가 진행된다. 중독이 시작되는 것이다. 처음에는 기분이 좋아진다는 이유로 찾지만 나중에는 하지 않으면 괴로워서 하지 않을 수 없게 되는 것이 중독이다.

(4) 도파민 디톡스

중독은 몸, 마음, 그리고 삶에 커다란 후유증을 남긴다. 몸에 남는 후유증 가운데 뇌에 남는 것은 매우 심각할 수 있다. 알코올이나 몇몇 마약류에서 볼 수 있는 가장 심각한 합병증은 뇌 위축으로 인한 뇌의 전반적 기능 저하다. 이로 인해 다양한 증상이 초래되는데 특히 기억력과 판단력이 감소하고 심한 경우에는 알츠하이머병과 구별이 되지 않는 알코올성 치매가 발생할 수 있다. 행위중독도 마찬가지다. 게임 중독의 경우, 인지 능력에 관여하는 전두엽 중 배외측전전두엽, 기억과 학습을 담당하는 해마의 부피를 감소시킨다. 특히 성장기에 뇌의 특정 부위에만 과부하가 일어나면 두뇌의 균형 있는 발달이 이루어지지 않는다.

몇 년 전 실리콘밸리에서 시작된 '도파민 디톡스(dopamine detox)'가 언론과 SNS를 통해 널리 알려졌다. 이것은 달콤한 음식이든 SNS든 쾌감을 주는 대상에 몰입하여 도파민을 과도하게 분비시키고 그로 인해 일상의 작은 일들에 대한 즐거움이 무뎌지면서 행복을 느끼지 못하게 되는 것에 대한 자각으로 시작되었다.

인위적 자극에 빠져 실제의 삶에서 멀어지는 주된 이유가 지나친 디지털 기기의 사용이므로 디지털 디톡스를 통해 삶을 되살리자는 목소리도 높아지고 있다. 2019년 스마트폰 과의존 실태 조사 결과에 따르면, 우리나라의 과의존 위험군은 조사 대상 중 20%나 된다. 특히 청소년과 유아의 위험군 비율은 각각 30.2%, 22.9%로 성인에 비해 더 높게 나타나고 있어, 현재의 추세대로라면 앞으로 디지털 기기 사용 장애로 인한 문제가 더 심각해질 것으로 예측된다.

의학적으로 중독이라 진단될 정도의 상태라면 스스로의 힘만으로 중독에서 벗어나기는 어렵다. 중독을 의지의 문제로 생각하는 것이 더 쉽게 중독에 빠지게 하고 치료도 어렵게 한다. 중독은 의지만으로 벗어날 수 있는 문제가 아니라, 뇌의 실질적 변화를 수반하는 질병이다. 손상된 심장을 의지로 낫게 할 수 없듯이 중독으로 변형된 뇌도 의지만으로 되돌릴 수는 없다.

많은 사람들이 자신이 어떤 것에 중독되어 있거나 중독 위험이 높은 상태라는 것을 잘 인지하지 못하고 있다. 중독의 대상에 따라 중독 여부를 진단해 볼 수 있는 여러 검사지가 개발되어 있다. **표 13** 은 한국지능정보사회진흥원의 스마트쉼센터에서 제공하는 '스마트폰 과의존 척도 검사'(성인용)다. 스마트폰 이외에도 자신에게 의존 가능성이 있다고 생각되는 것을 떠올려 검사지를 작성해 볼 수 있다.

검사 결과 29점 이상이면 고위험군, 24~28점은 잠재적 위험군, 23점 이하는 일반 사용자군이다. 고위험군은 과의존 경향성이 매우 높으며 관련 기관의 전문적 지원과 도움이 필요하다. 잠재적 위험군은 과의존에 대한 주의가 필요하며, 과의존의 위험성을 깨닫고 스스로 조절하고 계획적으로 사용하도록 노력해야 한다. 일반 사용자군은 현재는 적절히 사용하고 있지만 앞으로도 지속적인 자기 점검이 필요하다.

표 13 스마트폰 과의존 척도 검사

요인	항목	전혀 그렇지 않다	그렇지 않다	그렇다	매우 그렇다
조절 실패	1. 스마트폰 이용 시간을 줄이려 할 때마다 실패한다.	1	2	3	4
	2. 스마트폰 이용 시간을 조절하는 것이 어렵다.	1	2	3	4
	3. 적절한 스마트폰 이용 시간을 지키는 것이 어렵다.	1	2	3	4
현저성	4. 스마트폰이 옆에 있으면 다른 일에 집중하기 어렵다.	1	2	3	4
	5. 스마트폰 생각이 머리에서 떠나지 않는다.	1	2	3	4
	6. 스마트폰을 이용하고 싶은 충동을 강하게 느낀다.	1	2	3	4
문제적 결과	7. 스마트폰 이용 때문에 건강에 문제가 생긴 적이 있다.	1	2	3	4
	8. 스마트폰 이용 때문에 가족과 심하게 다툰 적이 있다.	1	2	3	4
	9. 스마트폰 이용 때문에 친구 혹은 동료, 사회적 관계에서 심한 갈등을 경험한 적이 있다.	1	2	3	4
	10. 스마트폰 때문에 업무(학업 혹은 직업 등) 수행에 어려움이 있다.	1	2	3	4
점수 합계					

중독 예방의 첫 번째 단계는 중독의 유해성을 명확히 아는 것이다. 흡연이 얼마나 학업에 나쁜 영향을 미치는지 아는 학생은 모르는 학생에 비해 흡연을 시작할 가능성이 낮다. 치료의 첫걸음도 중독의 유해성을 명확히 아는 것이다. 흡연자가 자신이 앓고 있는 질병이 흡연 때문이라는 것을 안다면 금연의 동기와 의지도 분명해질 것이다.

흔히 중독의 대상이 되는 것들, 때로는 유해성에 대해 거의 생각해 본 적도 없는 물질이나 행동이 우리에게 어떤 영향을 어떻게 미치는지 살펴보자.

② 물질사용장애

물질사용장애(substance use disorders)는 어떤 물질의 사용으로 인해 문제를 경험함에도 불구하고 계속해서 물질을 사용하는 것을 말하며, 물질남용, 물질중독을 포괄하는 개념이다. 여기서 말하는 물질은 모두 뇌의 보상회로를 활성화시켜 쾌락을 경험하게 하는 것이다. 알코올, 니코틴, 카페인, 항불안제나 진정제 같은 향정신성의약품, 마리화나, 아편유사제(모르핀 등) 등이 해당된다.

향정신성 약물이란 정서, 사고, 행동에 영향을 주는 약물로 정신활성물질이라고도 한다. 이 중에는 마약과 마약류도 포함된다. 마약은 그리스어의 'narkotikos(무감각, 마비)'에서 유래된 말로, 중독성과 탐닉성이 있어 사람의 몸과 마음을 지배하고 파괴시킬 수 있는 물질이다. 마약류는 마약, 향정신성의약품 및 대마를 말한다. 향정신성의약품은 치료적 목적으로 개발된 향정신성 약물이다.

향정신성 약물은 크게 중추신경흥분제(흥분제), 중추신경억제제(억제제), 환각제로 구분할 수 있다. 카페인, 니코틴, 코카인, 암페타민, 필로폰 등이 흥분제다. 이들은 중추신경계를 자극하여 흥분시킴으로써 중추신경계의 작용이 빨라지게 한다.

억제제에는 알코올, 흡입제(본드, 가스) 등이 있는데, 이들은 중추신경계의 작용을 억제하고 기능이 느려지게 한다. 억제제는 반응 시간도 지연시키므로 사고를 유발하는 원인이 되기도 한다. 모르핀, 코카인, 헤로인, 코데인 등의 마약도 억제제이고 수면제, 진정제 등 정신과 약물도 억제제다.

환각제는 중추신경계에 흥분제로 작용하기도 하고 억제제로 작용하기도 한다. 마리화나, LSD, 메스카린, 실로사이빈 등이 있다.

새로 만들어진 마약을 신종마약이라 하는데, 법적 제재를 피하기 위해 기존 마약류를 변형하여 개발한 것, 이미 의학적으로 사용되고 있었으나 중독성이 발견되고 오남용 문제가 빈번한 약물, 몇 가지 남용 약물을 섞어서 새로 조합한 물질 등이 모두 신종마약이다. 수면마취제인 프로포폴, 수면제인 졸피뎀처럼 각종 사고나 중독이 문제가 되고 있는 의약품도 신종마약으로 분류된다.

흡연자 2명 중 1명은 흡연과 관련된 문제를 가지고 있다. 흡연은 수명을 12년이나 단축시킨다. 미국에서는 전체 사망의 1/5이 담배에서 기인하며, 미국인이 참가한 모든 전쟁에서 사망한 사람보다 10배 이상 많은 사람이 담배로 사망했다.

흡연을 시작하는 데 영향을 미치는 주요 요인은 주변 사람이다. 청소년기에 주변 흡연자를 보면서 호기심으로 시작하거나 또래압력에 의해 시작하게 되는 경우가 많다. 니코틴은 에피네프린을 분비시켜 기분을 고양시키기 때문에 흡연을 시작하면 쉽게 담배에 길들여지고, 중독성이 강한 물질이기 때문에 끊기도 어렵다. 이른 나이에 시작할수록 중독의 위험이 높아진다.

담배는 염증을 일으키고 혈관에 플라크를 증가시키며 인슐린저항성을 높인다. 따라서 심·뇌혈관질환, 당뇨병, 대사증후군 등 만성질환의 위험을 상승시키게 된다. 담배에는 4,000가지가 넘는 화학물질이 포함되어 있는데, 이 중 43가지는 발암물질이고 400가지는 독소다. 이 가운데 니코틴은 흡연자가 담배를 쉽게 끊지 못하게 되는 주된 원인이다. 니코틴은 아편과 같은 수준의 습관성 중독물질로, 뇌와 신경계에 매우 치명적이다. 시냅스에서 신경전달물질을 차단하거나 작용을 방해하기 때문에 환각상태를 유도하기도 한다. 타르는 담배 연기에서 니코틴과 수분을 뺀 후 남아 있는 총 잔여물이다. 타르는 43여 종의 발암물질을 포함하고 있으며, 작은 동물은 매우 적은 양으로도 죽일 수 있을 정도로 맹독성이다. 흡연자의 치아가 변색되는 것도 타르 때문이다. 한편 담배의 기체 성분은 산소 공급을 억제하여 저산소증을 가져오고 기억력 장애, 조기 노화를 초래한다.

대개 흡연이 가져오는 건강 문제로서 폐 질환 같은 호흡기계 장애를 먼저 떠올리지만, 니코틴은 강력한 혈관 수축 효과를 가지고 있어서 심혈관계에 더 직접적이고 치명적인 영향을 줄 수 있다. 니코틴의 혈관 수축 작용에 의해 관상동맥이 받는 저항은 20%나 증가한다. 니코틴은 미각을 둔하게 만들기 때문에 흡연자는 더 자극적인 음식을 찾게 된다. 또한 흡연자는 동물성 지방, 당분이 많은 음식도 더 많이 찾는다. 그 결과 비만과 심혈관질환의 위험은 더 높아진다.

흡연자는 호흡기질환의 빈도가 비흡연자에 비해 약 25배 높다. 위궤양 위험도 2배 이상 증가한다. 특히 식후 흡연은 위산을 과도하게 분비시키고 위점막을 보호하는 점액의 분비를 억제하기 때문에 위염, 위궤양의 위험을 상승시킨다. 게다가 음식물이 위에 머무는 시간을 단축시켜 소화장애도 일으킨다. 담배에 들어 있는 발암물질들은 폐암을 포함한 수많은 암의 위험을 증가시킨다. 임산부의 흡연은 태아의 건강에 치명적이다. 태아는 모든 세포와 조직이 미숙하기 때문에 소량의 독성 물질로도 더 크고 영구적인 피해를 입게 된다.

담배를 피우지 않는다고 해서 흡연 문제를 자신과 무관하다고 여기는 것은 운전을 하지 않으니 교통사고와 상관없다고 생각하는 것과 다르지 않다. 간접흡연의 폐해도 엄청나기 때문이다. 흡연할 때 흡연자가 마신 후에 내뿜는 연기를 주류연, 담배에서 바로 나오는 연기를 부류연이라 하는데, 간접흡연은 주류연이 15%, 부류연이 85%를 차지하므로 부류연에 의한 피해가 더 크다. 일산화탄소의 농도는 주류연보다 부류연에서 더 높다. 부류연의 독성 물질 농도는 주류연보다 높고 연기 입자가 더 작아서 폐의 더 깊숙한 곳까지 빨려 들어가 침착된다. 한마디로 흡연자와 근접거리에서의 간접흡연은 직접흡연만큼 해롭다. 실제로 주류연과 부류연의 성분을 비교해 보면, 담배연기 안에 있는 모든 독성 성분을 종합했을 때 부류연에 2~3배 더 많다.[61]

비흡연자도 담배 때문에 폐암을 비롯한 암의 위험이 높아지고, 특히 성장 과정에 있는 아동은 더 큰 피해를 입는다. 흡연하는 부모의 자녀는 흡연을 하지 않는 부모의 자녀보다 호흡기질

---

[61] 일산화탄소는 8배, 암모니아는 73배, 디메틸나이트로소아민은 52배, 메틸나프탈렌은 28배, 아닐린은 30배, 나프탈아민은 39배나 더 많다.

환 발병률이 높다. 흡연자인 부모는 자신은 필터로 걸러낸 연기를 흡입하면서 자녀에게는 걸러지지도 않은 더 유독한 연기를 마시게 하는 것이다. 물론 흡연자는 직접흡연과 간접흡연을 동시에 하고 있기 때문에 가장 큰 피해자는 자기 자신이다.

담배를 끊으면 2~5년 사이에 비흡연자의 수준으로 뇌졸중 위험이 감소한다. 하지만 폐암의 경우에는 10년이 지나야 겨우 절반으로 위험이 감소한다. 폐암보다도 고통스럽다는 COPD(만성폐쇄성폐질환)는 비가역적 손상이어서 금연을 해도 되돌릴 수가 없다. 흡연은 시작하지 않는 것이 최선이다.

흡연과 관련된 건강 문제가 발생한 사람이 아니라면, 흡연의 유해성을 인식시키는 것만으로는 금연을 결심하도록 하기에 역부족이다. 각 사람의 관심사, 내적인 신념, 가치관 등을 면밀한 관찰하여 금연 동기를 찾아내지 않으면 건강한 흡연자가 금연을 결심하게 하기는 쉽지 않다. 젊은 흡연자에게는 흡연에 따른 심혈관질환이나 호흡기질환 위험을 설명하기보다는, 흡연이 발기부전 위험을 2배 높인다든지 피부의 주름을 증가시킨다는 점을 강조하는 것이 금연에 대한 관심을 더 효과적으로 유도할 수 있다.

금연을 결심하도록 하는 것과 금연을 실천하도록 하는 것은 별도의 전략을 필요로 한다. 흡연자 중 2/3 이상이 지난 1년 동안 금연을 생각해 본 적이 있고, 1/2은 지난 1년 동안 금연을 시도했던 것으로 조사된다. 그러나 혼자 힘으로 금연에 성공하는 경우는 5%도 되지 않는다. 많은 흡연자들이 자신의 금연 능력을 과신하고 있는 것이 오히려 장애가 된다. 담배를 끊기 어렵다는 것을 처음부터 명확히 알고 주변의 지지와 전문적 도움을 동원할 수 있도록 종합적인 전략을 마련해야 한다. 특히 주변의 관심과 지지는 매우 중요하다. 다른 라이프스타일이 그러하듯이 흡연, 음주 모두 사회·문화적 압력이 큰 변수가 되기 때문이다. 혼자서 금연을 시도하는 것이 어렵다는 것을 깨달았다면 금연 치료를 적극적으로 고려해야 한다.[62]

음주로 인한 사회적 피해는 흡연으로 인한 사회적 피해보다 더 크다. 단순히 치료 비용만 비교해도 음주의 사회적 비용이 흡연의 3배를 넘는다. 알코올 중독에 따른 개인적, 정서적 비용까지 고려하면 훨씬 큰 사회적 비용이 발생한다. 담배의 포장, 판매, 광고에 대한 규제 강도는 점점 높아졌지만, 주류 광고는 각종 매체, 음식점, 상점에 여전히 넘쳐난다. 우리나라 흡연자 비율은 2019년에 21.5%까지 낮아졌지만 음주 인구 비율은 50%를 넘는다.

---

62) 금연 치료를 하면 금연 성공률이 크게 증가하고, 건강보험에서 금연 치료 비용을 지원함에도 불구하고 현재까지 금연 치료에 참여하는 사람은 생각보다 적다. 우리나라 금연 프로그램은 세계 최고 수준이다. 보건소와 병의원의 금연 클리닉, 금연 상담전화, 지역 금연지원센터에서 운영하는 금연캠프 등 누구나 도움을 받을 수 있는 기회가 가까이에 있다.

'술에 취해서'라는 말이 용서나 이해를 구할 때 흔한 변명거리가 될 정도로, 술에 대해 우리 사회가 가진 불합리한 관용도 문제지만, 알코올이 얼마나 유해한가를 알지 못하는 몰이해는 더 큰 문제다. 담배가 발암물질이라는 것은 누구나 알고 있지만, 알코올이 1군 발암물질이라는 사실은 국민 대부분이 모른다. 심지어 적당량의 알코올이 건강에 유익하다는 것이 정설처럼 여겨져 왔다. 그러나 알코올의 이득에 대한 연구 결과들은 모두 철회되는 중이다. 유익한 음주량은 고사하고 안전한 음주량이라는 것도 없다. 건강을 해치지 않는 안전한 음주량은 '0'이다(Lowry 등, 2016). 국립암센터의 암 예방 수칙도 '한두 잔의 소량 음주도 피하기'를 권고하고 있다.[63]

2016년 보건복지부의 정신질환 실태 조사에 의하면, 모든 정신질환 중 알코올 사용 장애가 단연 최고다. 니코틴 사용 장애보다 알코올 사용 장애가 훨씬 많다.[64] 알코올은 온몸의 장기, 조직, 세포에 영향을 미친다. 대개 음식은 위를 통과한 후 소장에서 흡수되지만 알코올은 약 30%가 위에서 바로 흡수되어 혈액으로 들어간다. 알코올이 직접 위벽으로 흡수되기 때문에 위염이 생기거나 위산이 역류하여 역류성 식도염이 발생할 수 있다.

우리가 마시는 술은 알코올의 한 종류인 에탄올이다. 에탄올은 간에서 아세트알데히드 (acetaldehyde)라는 독성물질로 바뀐다. 아세트알데히드는 간에서 나와 심장을 거쳐 온몸으로 퍼진다. 뇌는 우리 몸의 장기들 중에서 가장 많은 혈액을 받아들이는 곳이므로 아세트알데히드의 영향을 더 많이 받는다. 아세트알데히드가 체내에 축적되면 숙취가 나타난다. 아세트알데히드는 최종적으로는 간으로 옮겨져 아세트산(acetic acid)이라는 물질로 해독되고 아세트산은 이산화탄소와 물로 대사되어 배출된다. 그런데 아세트알데히드는 간에서 과산화지질을 만들고 이것이 간에 축적되면 알코올성 지방간, 더 진행되면 간염, 간암이 된다. 아세트알데히드가 산화 작용을 하기 때문에 음주는 노화를 촉진한다. 음주는 고혈압, 심장병 위험도 증가시킨다.

반복적, 지속적 음주는 뇌를 황폐화시켜 기억력 저하, 사고 능력 저하 등 돌이킬 수 없는 장

---

63) 국립암센터의 암 예방 수칙은 다음과 같다. ① 담배를 피우지 말고, 남이 피우는 담배 연기도 피하기. ② 채소와 과일을 충분하게 먹고, 다채로운 식단으로 균형 잡힌 식사하기. ③ 음식을 짜지 않게 먹고, 탄 음식을 먹지 않기. ④ 암 예방을 위하여 하루 한두 잔의 소량 음주도 피하기. ⑤ 주 5회 이상, 하루 30분 이상, 땀이 날 정도로 걷거나 운동하기. ⑥ 자신의 체격에 맞는 건강 체중 유지하기. ⑦ 예방접종 지침에 따라 B형 간염과 자궁경부암 예방접종 받기. ⑧ 성 매개 감염병에 걸리지 않도록 안전한 성생활하기. ⑨ 발암성 물질에 노출되지 않도록 작업장에서 안전 보건 수칙 지키기. ⑩ 암 조기 검진 지침에 따라 검진을 빠짐없이 받기.

64) 건강보험공단이 건강보험 빅데이터 활용하여 2014~2018년 알코올 사용 장애를 분석한 결과를 보면, 남성은 감소한 반면 여성은 오히려 증가했다. 여성은 더 늦은 나이에 음주를 시작하지만 알코올 사용 장애는 더 빨리 나타난다. 이것은 알코올 대사와 관련된 생물학적 차이 때문이다. 여성은 알코올분해효소(alcohol dehydrogenase) 양이 적고 활성도 낮다. 게다가 남성에 비해 체지방이 많고 체액은 적어서 알코올이 더 잘 흡수된다. 그로 인해 남성에 비해 적은 양을 마셔도 알코올로 인한 간질환에 더 많이 이환된다. 여성은 알코올의 신경독성에도 더 취약하여 뇌 용적 감소나 인지기능 저하가 더 빨리 나타난다. 반면 니코틴 분해는 여자가 남자보다 더 빠른데 이는 결코 좋은 것이 아니다. 니코틴이 더 빨리 분해되면 담배를 더 자주 찾게 되기 때문이다.

애를 가져온다. 가장 심각한 합병증은 뇌 위축으로 인한 뇌의 전반적 기능저하인데, 심한 경우에는 알츠하이머병과 구별되지 않는 알코올성 치매가 발생하기도 한다. 임산부의 지속적 음주는 태아에게 신체적 기형과 정신적 장애가 나타나는 태아알코올증후군 같은 치명적인 결과를 초래할 수 있다.

알코올은 신체가 에너지를 천천히 소비하게 하고 대사능력을 감소시켜 체중을 증가시킨다. 반면에 음주가 저혈당을 유발하기도 한다. 음식을 알코올과 함께 섭취하면 몸이 알코올을 먼저 에너지원으로 사용하면서 포도당 사용이 줄어들어 갑자기 고혈당 상태가 되는데 혈당을 감소시키기 위해 인슐린이 급격히 분비되어서 결국 저혈당이 되기 때문이다. 한편 알코올은 수많은 약물과 상호작용하여 유해반응을 일으킬 수 있으므로 약물을 복용 중인 사람은 음주를 절대로 피해야 한다.

카페인에 대한 생리적 반응은 개인마다 차이가 있지만, 과다 섭취하면 심장박동이 빨라지거나 불안, 우울증, 불면증, 메스꺼움, 떨림증 같은 부작용이 나타난다. 카페인의 각성 효과 때문에 고카페인 음료를 자주 마시는 학생과 직장인이 상당히 많은데, 고카페인 음료는 오히려 다음날 낮잠과 졸음을 증가시킬 수 있다. 특히 청소년에게는 고카페인 음료가 우울증 등 정신질환 위험을 증가시키고, 알코올이나 약물 남용과도 정적인 상관이 있는 것으로 나타났다(Azagba 등, 2014).

카페인은 60가지 이상의 식물에서 발견되는 물질이다. 커피 외에도 각종 차, 탄산음료, 초콜릿 등 다양한 음식물을 통해 섭취되므로 여타의 기호식품을 통한 카페인 과다 섭취에도 주의해야 한다. 카페인의 하루 권장량은 400 mg 미만인데, 원두커피 한 잔에는 대략 150 mg, 차에는 80 mg, 콜라에는 40 mg 정도 들어 있으므로 하루 권장량 이상으로 섭취하는 사람이 의외로 많다는 것을 짐작할 수 있다.

카페인은 열생성, 지방 분해, 대사 증가 등의 효과가 있고 커피나 차 같은 음료에는 폴리페놀을 비롯한 항산화물질도 포함되어 있으므로 유익한 측면도 있다. 대체로 하루 2잔 정도의 커피는 심혈관계를 보호하고 노화를 방지하는 긍정적 효과가 있다고 알려져 있다. 또한 하루 2잔 이상의 커피를 마시는 사람은 파킨슨병 위험이 40% 낮아진다는 보고도 있다. 하지만 언제 얼마나 무엇을 첨가해서 마시는가에 따라 불리한 면이 더 커질 수도 있다. 적어도 밤에 마시는 커피, 크림과 설탕을 첨가해서 마시는 커피는 피하는 것이 여러 면에서 바람직하다.

우리는 생각보다 쉽게 음식에 중독된다. 음식 중독은 과도한 음식물 섭취를 통해 쾌감을 얻는 일이 반복되는 것이다. 음식을 먹는 것은 흔한 스트레스 해소법이다. 이런 경우에는 특히 달고 짜고 맵고 기름진 음식을 찾게 되는데, 이 음식들은 쾌감을 높여주고 먹는 동안 스트레스 상황에서 멀어질 수 있게 해준다. 하지만 이런 일이 반복되다가 통제할 수 없는 수준에까지 이르게 되는 것은 다른 중독의 과정과 다르지 않다. 중독이 아닌 과식, 폭식도 건강에 해롭다는 것은 다시 언급할 필요가 없다. 스트레스나 우울증이 섭식장애를 초래하기도 하지만, 음식을 탐닉하다가 통제불능 상태가 되면서 강박과 불안, 자괴감과 우울증을 느끼게 되는 것도 음식 중독이 정신적인 장애와 흔히 동반되는 이유다.

3 행위중독

과거에는 중독에 대한 관심이 알코올, 니코틴, 약물 같은 물질에 대한 것으로 제한되는 경향이 있었다. 미국정신의학협회(American Psychiatric Association, APA)에서 발행하는 『정신질환 진단 및 통계 편람(The Diagnostic and Statistical Manual of Mental Disorders, DSM)』 5차 개정판(DSM-5)에서는 '중독 및 관련 장애'로 대분류를 개정하고, 세부 항목으로 물질 남용 장애 및 비물질 중독을 포함했다. 물질중독과 행위중독이라는 중독의 두 가지 하위 개념에 보다 체계적으로 접근할 수 있도록 개정된 것이다. 이와 같은 진단 체계의 개편은 물질중독과 행위중독이 발병 시기, 진행 과정, 생물학적·심리학적 기전 등의 면에서 유사성을 보이므로, 중독이라는 동일한 범주 내에서 다루어져야 한다는 그간의 요구가 반영된 것이다. 흔히 문제가 되는 행위중독은 게임과 도박, 인터넷이나 스마트폰 같은 스마트 기기, 음식 등의 과도한 사용과 관련된 것이다.

2019년 WHO가 게임중독을 마약, 알코올, 니코틴 중독처럼 질병으로 분류하고, 2022년부터 적용한다고 발표하자 국내외에서 첨예한 찬반 논쟁이 일었다. WHO가 제시한 게임중독 진단 기준은 게임에 대한 조절력이 상실되고, 게임이 다른 일상 생활에 비해 현저하게 우선적인 활동이 되며, 부정적인 문제가 발생함에도 지속적으로 게임을 과도하게 사용하는 패턴이 12개월 이상 지속되거나 반복되는 것이다. 오락형 게임이나 사행성 게임 모두 주변에 너무도 흔한 만큼 남녀노소 누구나 중독의 위험으로부터 안전하지 않다. 그러나 그 위험을 인식하지 못하고 사교나 여가활동처럼 시작했다가 중독으로 이어지는 경우가 많다.

2019년에 사행산업통합감독위원회가 발표한 '제4차 불법도박 실태조사'에 의하면 불법 도박 시장 규모는 무려 82조 원으로, 합법적 사행산업의 4배에 이른다. 문제는 합법적 사행사업이라

해서 중독의 우려가 없는 것이 아니라는 점이다. 카지노, 경마, 복권 등은 관련 법의 규정에 따라 허용된 것이지만 중독 발생 여부로 합법, 불법을 나눈 것이 아니다.

게임과 도박이 심신의 건강에 미치는 영향은 재정적 고통, 가정 파탄, 사회적 병폐 같은 문제들에 비해서 덜 부각되어 있었다. 그런데 2021년 영국 옥스퍼드대학교 연구팀의 보고를 보면, 심각한 수준의 도박중독자는 일반인보다 사망률이 37%나 증가한다. 게임중독이나 도박중독은 식사, 수면, 일, 학업, 가사, 육아와 일상 활동, 대인관계를 비롯한 라이프스타일의 모든 면을 손상시켜 심신의 건강을 전방위적으로 위협한다. 우리나라에서도 며칠 동안 쉬지 않고 게임을 하던 사람이 사망한 사례가 수차례 보도되었고, 게임 때문에 어린 자녀를 방치하여 사망하게 한 부모가 징역형을 받기도 했다.

많은 국가에서 게임과 도박이 점점 취미생활로 확대되는 추세다. 게임 광고도 증가하고 있는데 아동이나 청소년도 무차별적으로 노출되어 있어 매우 심각한 문제다. 모든 중독이 그렇듯이 게임중독도 중독 여부의 판단 기준이 되는 사용량이 정해져 있지 않다. 가장 중요한 기준은 스스로의 조절 능력이다. 따라서 조절 능력이 약한 아동과 청소년에 대한 보호와 지도가 매우 중요하다. 컴퓨터나 스마트폰을 이용한 게임과 도박에 대해서는 더 큰 관심이 촉구된다. 왜냐하면 본래 테크놀로지는 사용자가 더 많이 이용하도록, 즉 중독되도록 디자인되어 있기 때문이다.

미디어 홍수는 현대인에게 스트레스를 유발하는 주요 원인이다. TV, 신문 위주의 미디어 매체가 컴퓨터, 스마트폰 등으로 다각화되면서 매스미디어 시대는 뉴미디어 시대로 접어들었고 그 종류와 양도 폭발적으로 증가하고 있다. 필요한 정보를 찾기 위해서 더 많은 정신적 수고를 할 수밖에 없게 된 것이다. 대형마트의 수많은 품목 중에서 과자 하나를 고르는 것이 편의점의 매대에서 고르는 것보다 얼마나 고된 일인지 누구나 경험으로 알고 있다.

그런데 역설적으로 현대인이 스트레스를 해소하기 위해 이용하는 도구도 미디어다. 이 경우 사람들은 능동적으로 구체적인 정보를 찾아가는 것이 아니라 수동적으로 피상적인 정보에 계속 자신을 노출시키게 된다. 그런 정보에 빠져 있으면 기분이 좋아지는데, 이 역시 도파민이 작용하는 보상회로가 활성화되기 때문이다. 제공되는 정보 자체도 클릭하는 행동을 멈출 수 없게 한다. 설령 뉴스 기사라고 하더라도 그런 정보들은 제목부터 자극적이기 십상이기 때문이다. 이것은 우리가 컴퓨터나 스마트 기기에서 벗어나지 못하는 이유를 설명한다.

이런 과잉 자극은 특히 뇌를 혹사한다. 20세기 동안 주요 선진국 국민들의 IQ는 꾸준히 상승했다. 이를 플린 효과(Flynn effect)라 하는데, 1990년대 후반부터 플린 효과가 사라지고, IQ 저하가 나타나기 시작했다. 스마트폰을 사용하기 전후에 우리가 암기하고 있던 전화번호의 수를 비교해 보면 우리의 기억력이 얼마나 감소했는지, 내비게이션을 사용하기 전보다 공간지각력은 얼마나 감소했는지 쉽게 이해할 수 있다. 집중력과 주의력은 더 형편없이 감소했다. 2000년에 스마트폰이 소개되기 전에는 주의력 지속 시간이 12초였는데 이후에는 8초로 무려 1/3이나 감소했다. 이는 금붕어의 주의력 지속 시간보다도 짧은 것이다(McSpadden, 2015). 두뇌 개발용으로 판매된 비디오게임이 오히려 기억력을 낮추는 것으로 나타나기도 했다.

스마트 기기를 과도하게 사용하는 사람은 정서지능(emotional intelligence, emotional quotient)도 낮은 것으로 보고되었다. 정서지능은 자신과 타인의 정서를 잘 파악하고 관리하며 상황을 조절하는 능력이다. 정서지능이 낮아진다는 것은 자신의 정서를 조절하지도 못하고 다른 사람의 정서에도 공감하지도 못하는 것이므로, 과도한 스마트 기기 사용이 충동성이나 폭력성을 높이는 원인을 설명해 준다. 다른 사람의 고통에 대한 공감 능력을 나타내는 공감점수는 1980년 이후 49% 감소했고, 타인의 관점에서 상황을 바라보는 능력도 34%나 감소했다. 게다가 사이버 공간에서의 익명성은 폭력성을 더 키우는 원인이 된다. 사이버 공간에서 이루어지는 착취와 폭력이 심각한 사회적 문제로 대두되고 있음은 주지의 사실이다. 과도한 인터넷 이용 시간을 줄이면 사이버 폭력이 감소한다(Carli 등, 2013).

지나친 스크린 기기의 이용은 뇌에 피로를 쌓고 수면의 질을 저하시킨다. 여유 시간에 스크린 기기를 사용하는 것은 정신적 웰빙 수준을 감소시키고 심리적 괴로움을 더 높인다는 연구 결과도 있다. 게다가 SNS를 통해서 감정이 전파되고 우울증 같은 질병이 증가할 수 있다(Kramer 등, 2014). 심지어 '페이스북 우울증(Facebook depression)'이라는 말도 등장했다(O'keefe 등, 2011).

스크린 기기 사용 시간이 길수록 신체활동도 적어진다. 스크린 기기가 신체 건강에 해로운 이유는 단지 신체활동을 감소시키기 때문이 아니다. 총 스크린 사용 시간과 높은 사망률의 관계를 조사한 연구에서는 신체활동 부족의 영향을 제거해도 같은 결과를 얻었다.

행위 중독 역시 뇌의 생리적, 해부학적 변화를 동반하는 질병이므로 의지만으로는 극복하기 어렵다. 어떤 행동이든 머릿속에서 그 생각이 떠나지 않고 행동을 중단하거나 조절하는 데 어려움을 느낀다면 전문가의 도움을 받는 것이 좋다. 중독의 유형에 따라 상담 및 치료를 돕는 기관이 주변에 많다. 혼자 해결하려다가 치료 시기를 더 늦추게 되고 문제가 더 심화될 수도 있다. 자신이 문제를 가지고 있다는 사실을 주변에 알리고 치료에 도움이 되는 환경이 조성되도록 함께 노력해야 한다.

❹ 물질적 풍요와 향유 능력의 빈곤

> "지금 우리에게 부족한 것은 물질적 자원이 아니라 물질을 향유할 정신적 능력이다."
> - 김성구 -

라이프스타일은 우리가 세상과 소통하고 관계 맺는 방식이다. 건강한 식생활이란 우리가 음식과 바르게 관계를 맺는 것이고, 음식 중독은 그 관계가 왜곡되어 음식에 지배당하거나, 음식을 매개로 불안이나 쾌락 등 다른 어떤 것과 관계를 맺고 있는 상태다. 이렇게 왜곡되거나 도착(倒錯)된 관계를 간파하지 못하면, 설령 음식 중독 환자의 섭식장애를 교정하더라도 다른 대상으로 그 관계가 옮겨가게 된다.

경제생활도 마찬가지다. 주식이나 암호화폐에 투자하는 사람들 중에는 일상생활에 지장을 초래하고 밤잠도 제대로 자지 못하면서 24시간 시세 확인에 매달리는 사람이 적지 않다. 결국 '투자중독'이라는 말까지 등장했다. 당나라의 고승 대주혜해(大珠慧海)선사는 "사람이 재물을 좇으면 삿된 것이요, 물건이 사람을 따르면 바른 것이다"라고 했다. 재물에 마음을 빼앗기고 삶을 지배당한다면 재물과의 관계가 왜곡된 것이다. 또한 겉으로는 재물과 맺어진 관계처럼 보여도 실제로는 시기심이나 불안 같은 것과 맺은 관계일 수 있다. 그렇게 축적된 부는 자신을 행복하게 하는 데 쓰이지 못한다.

부를 축적하는 것 자체는 나쁜 것이 아니다. 심지어 붓다는 소유하는 행복, 재물을 누리는 행복, 빚 없는 행복을 재가 신도들이 얻어야 할 행복이라고 했다. 하지만 붓다는 이 세 가지 행복에 한 가지 행복을 덧붙였다. 비난받을 일이 없는 행복이다. 부를 축적하는 이유가 행복하기 위해서라면 땀이라는 대가를 지불하고 정당한 방법으로 부를 축적해야 한다. 이것이 불교의 팔정도(八正道) 중 하나인 정명(正命)이 의미하는 것이다. 불교를 상징하는 단어 중 하나가 자비다. 오직 이기적인 목적으로 부를 축적하고 자신만이 풍요를 누리는 것 또한 정명이 아니다.

고대 인도의 현자들은 인간이 추구할 삶의 목표를 네 가지로 분류했다. 첫째는 부와 풍요가 줄 수 있는 안락함(artha, 아르타), 둘째는 애정, 존경, 자비심을 포함한 모든 형태의 사랑(kama, 카마), 셋째는 세상을 더 좋게 만드는 정의와 도덕(dharma, 다르마), 넷째는 고통과 분리라는 환영에서 해방되는 것, 즉 영적 깨어남(moksha, 목샤)이다. 부와 풍요는 추구할 만한 것이지만, 그것이 내적 만족을 추구하고 세상을 더 좋은 곳으로 만들고 자신을 더 나은 존재로 성장시키는 일과 함께 하지 않는다면, 쌓인 돈으로 바꿀 수 있는 안락함은 그 돈을 땔감으로 쓸 때 얻을 수 있는 안락함보다 나을 것이 없다.

미국인을 대상으로 했던 한 연구를 보면, 생활비의 만족 수준에 관한 질문에는 거의 모든 사람이 부족하다고 답했고, 삶의 질을 향상시키는 것이 무엇인지 묻는 질문에는 절대다수가 돈이라 응답했다. 경제적 고통은 자살의 주요 원인이기도 하다. 하지만 물질에 집착할수록 웰빙 수준은 크게 손상된다는 것이 많은 연구에서 확인된다.

자신과 다른 사람, 또는 이상과 현실 사이에 느끼는 상대적인 결핍감이야말로 인간을 끝없는 고통에 시달리게 한다. 불교에서도 이런 유형의 고통은 매우 높은 수행의 경지에 이르러야 비로소 끊어진다고 한다.

주변의 광고들은 우리가 어떤 것을 소유하게 되면 더 행복해질 것이라고 쉼 없이 속삭인다. 그러나 물질이 주는 만족감은 소유에 의해서만 결정되는 것이 아니다. 욕망의 크기도 만족감을 결정하는 변수다. 그 욕망을 소유가 얼마나 충족시켜주는가에 따라 만족과 불만족이 결정된다. 제로섬 게임에 불과한 물질 소유 경쟁을 통해서는 행복을 높일 수 없다. 그렇다면 행복을 높이는 유일한 대안은 욕망을 줄이는 것이다.

천당이 좋은지 극락이 좋은지 질문을 받는다면 어떤 것을 선택해야 할까? 천당은 사람의 욕망이 완벽하게 충족되는 곳이고 극락은 욕망에서 해방된 곳이라 한다. 욕망의 포로에서 해방되라는 것이 불교의 가르침이다. 라이프스타일의학의 선택은 극락이다. 그 이유는 명확하다. 첫째, 식욕이든 재물욕이든 그것을 충족시키기 위한 노력이 과도할수록 건강에서 멀어지기 때문이다. 둘째, 욕망이 완벽하게 충족되는 것은 결코 가능하지 않기 때문이다. 앞에서 살펴본 쾌락의 진화심리학적 속성 때문에도 불가능하지만, 겉으로는 음식이나 재물을 추구하는 것처럼 보여도 실제로는 불안을 피하거나 인정을 받으려는 욕망을 추구하는 것이기 때문이다. 물로는 대나무 바구니를 채울 수 없는 것처럼 음식이나 재물로는 욕망의 바구니를 채울 수 없다. 따라서 우리가 피해야 하는 것도 음식이나 돈이 아니라 이들과의 관계를 왜곡시키는 욕망이다.

인류가 스마트폰이 없어서 불행했던 시절은 단 한 번도 없다. 그것이 세상에 존재하게 되자 갖지 못해 불행한 사람이 생겼을 뿐이다. 결국 욕망이 우리를 불행하게 한다. 우리가 몸과 마음으로 하는 모든 행위의 본질을 정확히 아는 것이 깨어있는 삶이다. 그러한 깨어있음을 불교에서는 사띠(sati), 즉 마음챙김(mindfulness)이라 한다. 마음챙김 수행은 보상회로의 강도를 점차 약화시켜 갈망을 감소시킨다. 이때 느끼는 행복감은 도파민이 가져다주는 감각적 쾌락과는 질적으로 다른 충만감이다. 지속될 수 없는 쾌락에 갇혀 삶이 파괴되는 것이 중독이고, 그런 감각적 쾌락에서 벗어나 자유로운 삶을 살라는 것이 불교의 가르침이다.[65]

9 스트레스와 평정심

■1 정신적 파산의 시대

> "정신질환의 대폭발은 어쩌면 마지막까지 인류를 괴롭히게 될 것이다."
> - 홍윤철 -

만성질환을 21세기의 질병이라 한다. 심·뇌혈관질환, 당뇨병, 암, 비만은 대유행의 수준이다. 그리고 이제 어떤 학자들은 우리가 후기 만성질환의 등장에 대처해야 한다고 말한다. 알츠하이머병, 파킨슨병, 아토피를 비롯한 면역 관련 질환이 그런 것들이다. 그리고 또 하나, 정신질환의 대폭발이 마지막까지 인류를 괴롭힐 질환일 것이라고 경고하기도 한다(홍윤철, 2014).

기술문명에 도취되어 물질적 부를 축적하는 동안 진정으로 중요한 가치들은 점차 몰락했고, 그 결과 우리는 정신적으로 파산 상태에 이르렀다. 세상이 빠르게 변화하면서, 그동안 우리의 삶을 안내하던 가치관과 매뉴얼은 끝없이 폐기되고 있고, 당장 내일 세상이 어떻게 변할지 모르는 불안 속에서 점점 더 삶의 통제력을 잃으며 무기력과 우울감에 빠지고 있다.

2020년 우리나라의 우울증 유병률은 36.8%로 OECD 국가 중 가장 높았다. 코로나 팬데믹으로 인한 영향이 있기는 했지만 팬데믹 이전에도 우울증 환자는 크게 증가하는 중이었고, 특히 젊은 환자가 급증하고 있었다. 대니얼 골먼(Daniel Goleman)은 지금 세대는 부모 세대보다 심각한 형태의 우울증에 시달릴 위험이 점점 더 커지고 있고, 20세기의 특징이었던 '불안의 시대'는 이제 '우울의 시대'로 발전하고 있다고 진단한 바 있다.

북미에서는 젊은 성인 4명당 1명이 우울증이라 한다. 두 세대 전만 해도 10명당 1명이었던

---

65) 생명체가 생존하고 번성하도록 하기 위한 진화의 전략은 우리를 늘 불만족 상태에 있게 하는 것이었다. 불교에서 말하는 고(苦)에 해당하는 산스크리트어 '두카(duhkha)'의 번역어로는 '괴로움(suffering)'이 널리 사용되어 왔는데, 최근 들어서는 '불만족(unsatisfactoriness)'으로 번역되기도 한다. 원래 두카는 불만족, 불완전을 뜻하는 단어였는데 고통, 괴로움이라는 제한적 의미를 갖게 된 것은 중국어 번역 과정에 생긴 오류라 한다.

것에 비하면 엄청난 증가다. 원인이 무엇일까? 현대 북미 성인들은 매일 50번의 스트레스 반응 회기를 경험한다고 한다. 우울증을 '정신병리학적으로 흔한 감기'라고 하는데 그 감기의 주요 감염원은 스트레스다. 스트레스는 우울증 발병과 재발을 예측하는 강력한 위험인자다. 스트레스가 만성화되면 해마의 기능이 약화되고 뇌에 염증이 증가하는데, 이것은 우울증을 악화시킨다. 우울증이 정신병리학적으로 흔한 감기라고 해서, 방치해도 감기처럼 자연치유된다는 의미로 해석해서는 안 된다. 우울증은 심·뇌혈관질환, 당뇨병 등 광범위한 만성질환과 관련되어 있고 이들 만성질환에 선행하거나 뒤이어 나타난다. 심근경색 환자에게 우울증이 있으면 재발 가능성은 4배나 된다. 그래서 심혈관질환에서는 우울증 검사가 일반화되는 추세다.

스트레스, 불안, 우울은 현대인의 정신건강 문제를 대표하는 핵심 단어들이다. 이들은 전문가도 감별하기 어려울 정도로 서로 얽혀 있기 때문에 'SAD(stress·anxiety·depression)'라는 하나의 단어로 묶어 이야기하기도 한다.[66] 그런데 스트레스, 불안, 우울이 없으면 정신건강이 양호하다고 볼 수 있을까? 정신건강이란 무엇일까?

WHO는 정신건강을 '자신의 능력을 깨닫고, 삶의 정상적인 스트레스에 대처할 수 있고, 생산적이고 결실 있게 일할 수 있으며, 자신의 지역사회에 공헌할 수 있는 웰빙 상태'로 정의한다 (WHO, 2001). 이 정의는 인지적으로 명확하고, 정서적으로 안정되며, 합리적인 의지를 갖고 행동하는 것 정도로 생각해 온 정신건강의 개념을 훨씬 넘어서고 있다. 왜 스트레스 대처를 별도로 명시하여 강조하는 것일까? 공동체에 공헌하는 것이 정신건강과 무슨 관계가 있는 것일까?

스트레스를 관리하고, 스트레스에 대한 회복력(resilience, 회복탄력성)을 향상시키고, 평정심을 유지하는 것은 라이프스타일의학의 다른 모든 중재 영역과 연결되어 있다. 앞에서 살펴본 바와 같이, 스트레스는 식생활, 수면, 대인관계를 포함한 라이프스타일의 전 영역을 손상시킬 수 있으므로 스트레스 관리는 라이프스타일의학에서 가장 기본적이고 중요한 예방약이자 치료제가 된다.

불안과 우울증은 수면이나 운동 같은 라이프스타일과 부적인 상관관계가 있고, 음식은 우울증 치료에 이용되며, 운동은 항우울제만큼이나 효과적이다. 이처럼 약물이 아닌 라이프스타일로 정신건강을 증진하는 것에 대한 임상에서의 관심도 점점 증가하고 있다.

---

66) 일조량이 적은 겨울철 북유럽에서 많이 발생하는 계절성정동장애(seasonal affective disorder, SAD)와 혼동될 수 있어서 'S-AD'로 하이픈을 넣어 표기하기도 한다. 전형적으로 스트레스에서 시작된 불안이 우울증으로까지 이어지므로 알파벳 순서나 하이픈 위치를 바꾸지 않는다.

2 스트레스

(1) 왜 스트레스인가

> "사람은 누구나 죽는다. 그러나 수명이 길어질수록
> 기존 의학으로는 치유할 수 없는 병으로 죽는 사람이 점점 늘어간다.
> 즉, 스트레스에서 기인하는, 소위 마모병 혹은 퇴행병으로 죽는 사람이 증가한다.
> 세균이나 기후 같은 사망원인들과 싸우는 방법만 계속 연구하는 것은 자살행위를 하는 것과 같다."
> - 한스 셀리에(Hans Selye) -

스트레스는 건강, 웰빙, 성취와 직결되는 현대의 화두다. 스트레스에 대한 정의는 여러 가지가 있는데, 사전적으로는 '우리가 적절하게 적응하지 못하여 생리적으로 긴장을 초래하고, 나아가서 질병을 일으킬 수도 있는 정도의 불편함 또는 물리적, 화학적, 감정적 요소'로 정의된다. 생리학에서는 '항상성을 위협하는 자극'이라 정의한다. 한마디로 말하자면, 우리는 몸과 마음에 불편함이나 불만족을 느끼는 모든 부정적 상황에서 스트레스를 받는다고 말한다.

스트레스라는 것은 진화 과정에서 만들어진 심신의 본능적 반응으로, 위급한 상황에 처하게 되었을 때 그 위기에 직면하여 싸우거나 도피하는 것을 돕기 위해 만들어졌다. 수렵채집을 하던 시대에 자연환경에서 맞닥뜨리는 생존 위기에 대처하려면 반사적으로 신속하게 반응해야 했다. 또한 위기 상황인지 아닌지 확실치 않더라도 일단 부정적으로 판단하여 미리 대응 준비를 하는 것이 생존에 유리했을 것이다. 그것이 지금까지 우리에게 남아있는 스트레스 반응, 즉 투쟁-도피 반응의 본질이다.

하지만 현대인이 겪는 스트레스의 원인은 과거와는 다르다. 현대의 스트레스는 대개 심리적인 자극에서 촉발되며 그 본질은 경쟁적인 사회적 관계와 인공 환경에 대한 부적응이다. 사회적 서열이 안정된 원숭이 무리와 서열 경쟁이 계속되는 불안정한 무리의 우두머리 원숭이를 비교해 보면 불안정한 무리의 우두머리 원숭이에서 동맥경화증, 고지혈증, 심근경색 등이 더 많이 발생한다. 사람 사회에서도 이와 똑같은 현상이 나타나는 것이다. 인류가 지금껏 겪어온 스트레스를 생존 위협으로 인한 것과 생존 경쟁으로 인한 것으로 나누고 두 가지를 합친 것을 총 스트레스로 본다면, 부탄이나 바누아투공화국처럼 산업화가 덜 진행된 국가의 국민들이 더욱 행복한 이유를 이해할 수 있다.

현대의 스트레스 상황에서는 투쟁-도피 반응에서 구성되는 심신 변화가 그다지 유용하지 않지만, 우리의 몸과 마음은 여전히 과거와 같은 방식으로 반응을 한다. 게다가 스트레스 반응의 빈도는 과거와 비할 수 없이 잦아져서 하루에도 수십 번씩 스트레스 반응을 일으킨다. 이처럼 과도하고 지속적인 스트레스 반응이 심신에 온갖 질병을 야기하는 것이다.

현대인이 겪는 스트레스의 또 다른 원인은 달라진 라이프스타일이다. 윌슨(Edward Wilson)은 우리가 스트레스 받는 근본 이유가 인간의 원초적 삶과 역사로부터 기인한다고 설명한다. 인간의 몸과 마음은 자연과 교류하던 생활에 맞게 설계되어 있고, 그 반대 환경인 도시생활은 육체적 억압과 심리적 부담을 야기한다는 것이다. 지속적인 심리적 스트레스는 대표적인 인류원이다. 5장에서 살펴본 바와 같이 스트레스와 무관한 신체적 질병은 없다. 물론 모든 심리·행동적 장애와도 직·간접적인 관련이 있다.

(2) 스트레스 진단, 평가

스트레스를 진단, 평가하는 데는 여러 가지 방법이 이용된다. 먼저 스트레스 반응에 동반되는 각종 생리적 지표의 변화를 측정하는 방법이 있다. 에피네프린, 코티솔 같은 스트레스 호르몬을 측정하거나 면역세포의 양적·기능적 변화를 측정하는 방법이 여기에 속한다. 더불어 혈당, 혈압, 혈중지질 같은 지표를 측정하여 장기와 대사 기능의 상태를 평가함으로써 스트레스성 질병의 발생 위험을 예측할 수 있다. 검사실에서 인위적으로 스트레스를 부여하고 그에 대한 반응성을 측정하여 스트레스에 대한 취약성을 측정할 수도 있다.

그러나 이러한 생리적 검사들은 스트레스가 신체에 부담을 주는 정도에 대해 객관적인 정보를 제공해 줄 뿐, 스트레스의 원인이나 심리적 고통의 정도, 손상된 삶의 영역 등에 대해 알려주지는 못한다. 스트레스로 인한 불안, 우울이 매우 심각한 수준이더라도 생리적 검사에서는 특이한 변화가 관찰되지 않을 수 있다. 한편 스트레스 관리 전략을 처방하기 위해서는 스트레스에 대한 인지 양식, 행동 반응 유형이 미리 진단되어야 한다. 따라서 생리적 검사와 심리·행동적 검사를 상호보완적으로 활용해야 한다.

심리·행동적 검사는 주로 설문지 방식의 자기보고식 검사, 면접을 통한 진술, 그림 심리검사 등으로 이루어진다. 스트레스 평가를 위해 별도로 개발된 척도들을 주로 사용하게 되지만, 필요에 따라서는 미네소타 다면적 인성검사(Minnesota Multiphasic Personality Inventory, MMPI)를 포함하여 우울, 불안 등을 평가할 수 있는 별도의 심리검사도 실시하게 된다. 심리·행동적 검사를 통해서는 스트레스의 원인, 심신에 자각되는 증상의 종류와 정도, 스트레스에 대한 반응 양식, 스트레스 대처자원, 스트레스로 인해 주로 영향을 받는 생활 영역 등을 알 수 있다. 또한 학교나 직장에서 경험하는 스트레스를 평가하기 위해 개발된 척도들도 활용할 수 있다.

이상의 검사를 통해 피검자의 스트레스를 다면적으로 평가하고 스트레스 관리를 위한 입체적인 전략을 마련할 수 있다. 여기서는 스트레스의 정도, 스트레스 취약성, 스트레스 반응 양식을 평가하는 세 가지 방법을 살펴본다.

1960년대를 전후로, 생활 속에서 일어나는 크고 작은 변화가 스트레스성 자극으로 작용하여 질병과 사고를 유발한다는 인식이 수립되고 이와 관련된 연구가 활발히 전개되었다. 좋은 일이든 나쁜 일이든 우리가 겪는 각종 생활 사건들은 우리에게 적응의 노력을 요구하는 스트레스가 된다. 삶에 변화가 많으면 그것에 적응하기 위해서 많은 에너지가 요구되는데, 재적응을 위한 에너지는 한정되어 있기 때문에 너무 많은 생활 사건이 일어나면 에너지가 소진되고 결국 심신의 질병으로 이어질 수 있다.

홈즈(Holmes)와 라헤(Rahe)가 개발한 사회 재적응 평정 척도(social readjustment rating scale, SRRS)는 최근에 경험한 생활 사건을 양적으로 평가하여 재적응을 위해 소모된 에너지를 측정함으로써 질병이나 사고의 위험을 예측하는 방법이다(Holmes 등, 1967). 스트레스성 생활 사건에는 부정적 사건뿐 아니라 긍정적 사건도 포함된다. 예를 들어 결혼은 긍정적인 사건이지만 새로운 환경에 적응하기 위한 많은 노력과 에너지를 요구하는 스트레스다. 이 척도는 결혼이 주는 스트레스를 50점으로 하고, 이것을 기준으로 해서 다른 생활 사건에 상대적 스트레스 점수(가중치)를 부여한다.

표 14 는 홈즈와 라헤가 개발한 척도와 한국형 척도의 가중치를 참고하여 생활 사건 항목을 조정하고 현대의 라이프스타일에 맞추어 일부 단어를 변경한 것이다.[67] 지난 1년 동안 경험한 스트레스성 생활 사건의 횟수를 기록하고, 각 사건에 주어진 스트레스 가중치를 곱한 점수를 모두 합산한다. 합계 300점 이상이면 점수가 높은 것으로 평가하고, 150~300점이면 중간 정도로 본다. 점수가 클수록 질병이나 사고의 위험이 증가한다. 점수가 200~300점인 사람 중 절반 이상은 다음 해에 건강에 이상이 생기고, 300점 이상인 사람 중 80% 가량이 다음 해에 질병을 앓게 된다는 보고가 있다.

---

67) 스트레스의 원인이나 그것에 대한 반응 정도가 개인마다 다르듯이 문화와 가치관에 따라서도 스트레스의 요인이나 그것이 주는 스트레스 정도는 동일하지 않다. 예를 들면 홈즈와 라헤의 척도에서는 배우자 사망이 1위이고, 1~3위 모두 배우자와 관련된 항목일 정도로 배우자와의 관계에서 발생하는 문제가 중요한 스트레스성 사건으로 지각되고 있으나, 한국형 척도에서는 자녀 사망이 1위이며, 배우자 외에도 부모, 형제, 자녀, 친척 등과 관련된 문제가 차지하는 비중이 높다.

표 14 사회 재적응 평정 척도

생활 사건	스트레스 가중치(A)	지난 1년간 경험 횟수(B)	스트레스 점수(A×B)
1. 가족(자녀, 배우자, 부모, 형제)의 사망	74		
2. 이혼 또는 배우자의 외도	73		
3. 별거 또는 별거 후 재결합	66		
4. 부모의 이혼이나 재혼	63		
5. 해고나 파면	60		
6. 친구나 가까운 지인의 사망	50		
7. 자신 또는 자녀의 결혼, 약혼	50		
8. 감옥에 갇힘	50		
9. 큰 병에 걸리거나 큰 부상을 당함	44		
10. 사업의 큰 변화, 직업을 바꿈	43		
11. 퇴직	41		
12. 임신, 유산	38		
13. 입시나 취업의 실패	37		
14. 가족이 집을 떠남(결혼, 입대, 기숙사, 유학 등)	36		
15. 새로운 가족이 생김(출생, 입양, 부모 부양)	36		
16. 가족의 질병	35		
17. 어떤 일에서 큰 성과를 거둠	35		
18. 주택이나 부동산을 취득	35		
19. 시집, 처가 또는 친척과의 갈등	34		
20. 학업의 시작이나 중단	34		
21. 부채가 생김, 금전상의 큰 손실	34		
22. 직책의 변화, 직장에서의 책임량 증가나 감소	34		
23. 친한 사람과 거리가 멀어짐. 또는 새 친구를 사귀거나 모르던 사람과 밀접한 관계를 맺음	34		
24. 성생활의 어려움	33		
25. 같은 일을 하는 다른 직장으로 옮김	33		
26. 손자, 손녀의 탄생	32		
27. 직장 내 상사와의 말썽	31		
28. 배우자가 새 일을 시작하거나 그만 둠	31		
29. 체면이 손상되는 일을 겪음	31		
30. 근무 시간, 근무 조건, 소득 상의 큰 변화	30		
31. 종교나 믿음의 변화	29		

생활 사건	스트레스 가중치(A)	지난 1년간 경험 횟수(B)	스트레스 점수(A×B)
32. 또는 장래 문제에 대한 큰 결심	29		
33. 주거환경의 큰 변화, 이사, 전학	29		
34. 가족 간의 다툼이나 가족 접촉의 큰 변화	29		
35. 자가용이나 그와 비슷한 고가 물품 구입	28		
36. 새로운 취미나 여가 활동을 함	27		
37. 증권 투자 또는 금융 상품 투자	27		
38. 수면 및 식사 습관의 큰 변화	25		
39. 냉장고나 그와 비슷한 금액의 물품 구입	22		
40. 가벼운 위법 행위(교통규칙 위반 등)	22		
41. 이성교제의 어려움(연애의 실패 등)	22		
42. 휴가, 명절, 제사, 회갑연 등을 준비함	21		
합 계			

스트레스 대처자원에는 인지적 유연성, 감정 조절 능력, 생리적 강건함, 경제적 자원, 사회적 지지망 등 여러 가지가 있다. 현대 사회에서 원인을 알았다고 해서 피할 수 있는 스트레스는 많지 않다. 학업이 스트레스라고 해서 학교를 그만둘 수도 없고 출근길 교통체증이 스트레스라고 해서 취업을 포기할 수도 없다. 따라서 스트레스 원인을 관리하는 것 못지않게 대처자원을 확보하는 것이 중요하다. 대처자원이 충분하다면 큰 스트레스에도 잘 적응할 수 있지만, 그렇지 않으면 작은 스트레스에도 크게 영향을 받게 된다.

밀러(Miller)와 스미스(Smith)에 의해 개발된 스트레스 취약성 평가법에서는 평소의 라이프스타일과 대처자원을 전반적으로 검토하여 스트레스에 취약한 정도를 평가한다. 20개의 문항으로 이루어져 있고, 0~4점으로 응답하도록 되어 있다. 총점이 0~10점이면 스트레스에 잘 대처할 수 있는 조건을 갖추고 있는 것으로 볼 수 있다. 11~29점까지는 대체로 양호한 것으로 평가된다. 30~49점은 다소 취약, 50~74점은 상당히 취약, 75점 이상이면 극도로 취약한 것으로 본다.

표 15 스트레스 취약성 평가

문항	항상 그렇다	대체로 그렇다	종종 그렇다	그렇지 않은 편이다	전혀 그렇지 않다
	0점	1점	2점	3점	4점
1. 최소 하루 한 끼는 따뜻하고 균형 있는 양질의 식사를 한다.					
2. 적어도 1주일에 4일은 7~8시간 수면을 취한다.					
3. 사람들과 적당히 애정을 주고받고 있다.					
4. 사는 곳에서 반경 1 km 안에 긴급한 도움을 줄 사람이 있다.					
5. 적어도 1주일에 두 번은 땀이 날 때까지 운동한다.					
6. 하루 피우는 담배는 반 갑 이하이다.					
7. 일주일에 음주 횟수는 2회 이하이다.					
8. 정상 체중을 유지한다.					
9. 수입은 생활에 지장이 없는 정도가 된다.					
10. 영적 또는 종교적 신념이 있으며 그로부터 힘을 얻는다.					
11. 클럽이나 모임에 주기적으로 참여하고 있다.					
12. 인맥을 어느 정도 유지하고 있다.					
13. 사적인 문제를 터놓고 의논하는 사람이 있다.					
14. 카페인이 든 음료를 마시는 횟수는 하루 3회 이하이다.					
15. 화나거나 걱정이 있을 때 상대방에게 솔직히 말한다.					
16. 가족들과 집안 문제를 상의하여 결정한다.					
17. 일주일에 적어도 한 번은 재미있는 일을 한다.					
18. 나는 내 시간을 효율적으로 사용한다.					
19. 시력, 청력, 치아 등이 건강하다.					
20. 매일 잠시라도 혼자 조용히 지내는 시간을 갖는다.					
합 계					

스트레스성 질병은 스트레스의 원인 자체가 일으키는 것이 아니라 그것에 대한 우리의 반응이 일으키는 것이다. 짐 보이어스(Jim Boyers)가 개발한 스트레스 반응 방식(대처 방식) 질문지는 스트레스를 경험할 때의 반응 방식을 평가한다. 이 질문지를 작성해 보면 스트레스가 자신의 라이프스타일을 어떻게 손상시키는지 구체적으로 점검할 수 있다.

표 16 의 각 문항에 해당 여부를 표시한 다음, 짝수 문항과 홀수 문항의 수를 비교한다. 짝수 문항이 많으면 비교적 건강하게 반응하는 것으로, 홀수 문항이 많으면 반응 방식에 개선이 필요한 것으로 볼 수 있다. 홀수 문항이 더 적다는 것만으로 반응 방식이 양호하다고 판단할

수는 없다. 짝수 문항이 몇 개 되지 않는데 홀수 문항이 더 적어서 그런 결과가 나온 것이라면 별 의미가 없다. 따라서 홀수 문항에 해당되는 방법들을 지양하는 동시에, 짝수 문항에 해당하는 방법들은 더 많이 활용하는 방향으로 라이프스타일을 개선하는 것이 바람직하다.

표 16 스트레스 반응 방식 평가

문 항	해당 여부
1. 일을 위해 개인적인 감정은 자제한다.	
2. 친구들을 만나서 대화하고 위안을 얻는다.	
3. 평소보다 많이 먹는다.	
4. 운동을 한다.	
5. 주변 사람들에게 화를 내고 짜증을 부린다.	
6. 모든 일을 멈추고 편안한 자세로 잠깐 동안 휴식을 취한다.	
7. 담배를 피우거나 카페인 음료(커피, 홍차, 콜라 등)를 마신다.	
8. 문제의 근원이 무엇인지 파악하고 상황을 변화시키기 위해 노력한다.	
9. 감정적으로 위축되어 하루를 조용히 보낸다.	
10. 문제에 대한 시각을 바꾸고 좀 더 낙관적으로 바라본다.	
11. 평소보다 잠을 많이 잔다.	
12. 며칠 휴가를 내고 일에서 벗어난다.	
13. 쇼핑으로 기분을 전환한다.	
14. 친구들과 가벼운 수다를 떨거나 농담을 하면서 나쁜 기분을 털어낸다.	
15. 평소보다 술을 많이 마신다.	
16. 혼자 즐기는 취미나 흥미 있는 일에 몰두한다.	
17. 신경안정제, 수면제 같은 약을 복용한다.	
18. 영양가 있는 음식들을 먹는다.	
19. 문제되는 상황을 무시하고 지나가기만을 바란다.	
20. 기도, 명상 등을 한다.	
21. 문제 상황을 걱정하면서 행동하는 것을 두려워한다.	
22. 내가 할 수 있는 일들에 집중하려고 하고 내가 할 수 없는 것들은 포기한다.	
홀수 문항 합계	
짝수 문항 합계	

(3) 스트레스 행동유형

1950년대 후반, 샌프란시스코의 한 병원에 근무하고 있던 심장병 전문의 프리드먼(Friedman) 과 로젠먼(Rosenman)은 심장병 환자들에게는 다른 질병을 앓는 환자들과 구분되는 특징적 행동이 있다는 것을 우연히 알게 된다(Friedman 등, 1959). 다른 진료과의 환자 대기실 의자에 비해서 심장병 환자 대기실 의자는 유독 팔걸이와 방석 앞이 닳아있는 것을 발견한 것이다. 의자 팔걸이를 붙들고 방석 앞으로 몸을 당겨 앉아 있는 모습은 긴장, 불안, 조급함을 반영하는 것이다. 프리드먼과 로젠먼은 여기에서 착안하여 연구를 시작하고, 심장병 환자의 공통적 행동 특성을 찾아내서 이를 'A형 행동유형(type A behavior pattern)'이라 명명했다.

A형 행동유형은 경쟁심, 성취욕, 공격성, 조급함, 적개심, 분노 등과 관련된 행동 특성을 보인다. 늘 목표를 이루기 위한 어떤 일을 하고 있고, 여러 가지 일을 동시에 하면서 바쁘고 분주하게 움직인다. 사소한 일에도 불필요한 경쟁심을 일으켜 남보다 더 빨리 더 많이 해내려 한다. 이들은 스트레스성 자극이 있을 때마다 민감하게 반응하므로 스트레스 호르몬의 분비 기복이 매우 심하고, 그로 인해 심혈관이 손상되어 고혈압, 관상동맥질환 발생 가능성이 높다. 프리드먼과 로젠먼의 연구에 의하면 A형 행동유형인 사람은 관상동맥질환 위험이 7배나 높다. 한때 A형 행동유형은 흡연이나 콜레스테롤만큼 중요한 심장병 위험인자로 주목되기도 했다.

A형 행동유형과 반대되는 특징을 갖는 사람들은 'B형 행동유형'으로 정의한다. A형 행동유형과는 모든 면에서 상반되는 성향을 보이는 이 유형의 사람들은 매사에 서두르지 않으며 여유가 있다. 일이나 목표에만 몰두하기보다는 자기 만족감이나 사람들과의 관계를 의미 있게 생각하기 때문에 경쟁심이나 적개심이 비교적 낮다. 주위와의 관계가 원만하므로 사회적 지지망도 비교적 양호하다. 따라서 이 유형은 스트레스를 상대적으로 적게 경험하고 스트레스 관리 차원에서도 유리하다.

프리드먼과 로젠먼에 의해 A형과 B형 행동유형이 정의된 이후, 다른 연구자들에 의해 'C형 행동유형', 'D형 행동유형'이 추가로 제시되었다. 테모쇽(Temoshok)은 악성흑색종 환자에 대한 연구를 통해서, 부정적인 감정을 억제하는 경향이 있고 암 발생 위험이 높은 성격 유형을 C형 행동유형으로 정의했다(Temoshok, 1987). C는 'cancer(암)'의 머릿글자다. 이 유형은 참을성이 많고 자기주장이 강하지 않으며 잘 양보하는 것으로 특징지어진다. 따라서 온순하고 협조적인 사람으로 평가되고 대인관계도 원만해 보인다. 그러나 이들은 부정적 감정을 표현하지 않고 늘 억누르면서 쌓아두고 불쾌한 경험을 계속 반추하는 경향이 있다. 문제가 있어도 적극적으로 주변에 알리고 해결하려 하지 않기 때문에 스트레스를 야기하는 상황이 만성화되기 쉽다. 이들에게는 암과 함께 우울증, 불안증, 무기력 같은 심리적 장애가 발생할 가능성이 높다.

D형 행동유형은 데놀릿(Denollet)에 의해 제안되었다(Denollet 등, 1996). D는 'distressed(괴로운,

스트레스를 받는)'의 머리글자다. 걱정, 성마름, 침울 같은 부정적 정서, 그리고 과묵함과 폐쇄성으로 특징지어지는 이들은 C형 행동유형처럼 자기표현을 잘 하지 않는다. 그러나 자신의 주관과 내적 세계에 집중하는 경향이 있기 때문에 C형 행동유형보다 사회적 관계가 경직되어 있고 독립적으로 행동한다. 이들은 A형 행동유형처럼 분노, 적개심, 경쟁심이 높지만, A형 행동유형처럼 감정을 표출하기보다는 C형 행동유형처럼 억누르고 드러내지 않는다. 따라서 C형 행동유형에서 발생하기 쉬운 질환들의 위험도 높고 A형 행동유형처럼 관상동맥질환의 위험 역시 높다. 연구들에 따르면, 전체 인구 중 D형 행동유형인 사람은 20% 정도지만 심장병 환자 그룹 안에서는 최고 50% 이상의 빈도로 나타난다. 이들은 다른 유형의 환자들에 비해 심근경색의 예후가 더 불량하고 심근경색 재발이나 돌연사 위험이 4배나 높다.

표 17 은 각 행동유형의 특징들을 종합하여, 유형별로 스트레스를 받기 쉬운 환경과 스트레스를 표현하는 방식, 스트레스 조절에 도움이 되는 방법을 정리한 것이다.

표 17 스트레스 행동유형별 스트레스 상황, 반응, 완화법 (신경희(2016)에서 인용)

행동유형	스트레스를 느끼기 쉬운 상황	스트레스를 느낄 때의 반응과 해소에 도움이 되는 방법
A	• 자신에게 통제권이 없는 상황 • 자신이 상대보다 약하다고 느끼는 상황 • 반복적이고 단조로운 일을 할 때	• 원하는 일이 달성되지 않을 때 감정이 폭발하기 쉬움 • 화를 직접 표출하는 경향이 있음 • 육체적인 해소법이 효과적
B	• 적대적인 분위기 • 사람과의 접촉이 적거나 거의 없는 환경	• 스트레스를 받으면 말을 많이 함 • 다른 사람에게 마음속에 있는 말과 힘든 감정을 충분히 표현하면 스트레스가 회복됨
C	• 예측 불가능한 일이 발생하는 상황 • 무질서하고 안정성이 없는 상황 • 혼란하고 결과가 예측 불가한 상황 • 뚜렷한 지침과 절차가 없는 일을 할 때	• 스트레스를 참고 억누르면서 곱씹음 • 갈등 상황을 싫어하고 피하려 함 • 조용하고 안정적인 환경에서의 휴식이 필요 • 충분한 수면으로 억눌린 감정을 정화
D	• 비판, 간섭, 재촉 받을 때 • 자신의 기준보다 성과가 미흡할 때 • 사적인 표현, 감정적 표현을 하는 상황 • 무례한 대우를 받거나 존중받지 못할 때	• 화를 표현하지 않고 냉소적으로 반응함 • 스트레스의 원인을 밝히고 머릿속에서 상황을 정리하려 함 • 운동이든 음악 감상이든 방해받지 않는 공간에서 혼자 있는 시간이 필요

(4) 스트레스 관리법

스트레스 관리법은 크게 심리·행동적 중재법, 신체적 중재법, 라이프스타일 중재법 등 3가지 범주로 구분할 수 있다. 널리 활용되는 심리·행동적 중재법에는 정서 훈련, 인지치료, 실존

치료, 심상요법, 최면치료, 마인드컨트롤, 예술치료, 명상, 문제해결 능력과 의사소통 기술 향상, 행동수정 등이 있다. 신체적 중재법에는 호흡법, 이완반응, 점진적근육이완법, 자율훈련, 아로마테라피, 바이오피드백, 요가, 스트레칭, 운동과 야외활동, 의학적 개입 등이 있다. 라이프스타일 중재법에는 식생활, 수면건강, 금연과 절주, 카페인 섭취 제한, 사회적 관계망 확보, 종교생활 및 영적 활동, 자연과 동조된 규칙적인 생활 등이 포함된다.

실제로는 대부분의 스트레스 관리법이 몸이나 마음 한 쪽에만 작용하지 않고 동시에 영향을 준다. 예를 들어 심리·행동적 중재법으로 구분한 요가는 몸으로 하는 명상 또는 움직이는 명상이라고도 한다. 심리·행동적 중재법들은 면역기능을 향상시켜 신체적 건강을 증진시키는데(Schakel 등, 2019), 이에 대해서는 스트레스 연구와 심신의학 분야에서 수십 년 간 축적된 일관된 증거와 함께 정신신경면역학으로 확립된 이론이 있다. 심리·행동적 중재법들은 공통적으로 자율신경계의 균형을 회복시키고 이완반응을 촉발한다(Chaoul 등, 2014).

신체적 중재법들도 몸을 통해 마음에까지 변화를 일으킨다. 신체적 스트레스 관리법은 스트레스 반응 자체를 감소시키는 방법이거나 스트레스 반응으로 인해 생성된 생리적 산물들을 소모시키는 방법이다. 전자의 것에는 호흡법, 근육이완법 등이 속하고 후자의 경우로는 운동요법이 대표적이다.

운동은 스트레스에 대한 저항력을 향상시킨다. 규칙적으로 적당한 수준의 운동을 하는 것은 면역력을 향상시켜 스트레스의 유해한 영향으로부터 심신을 보호한다(Simpson 등, 2015). 운동은 건강한 직장인의 스트레스를 감소시키고 웰빙감을 높이며 심폐기능을 향상시킨다(Kettunen 등, 2015). 이러한 효과는 노인, 당뇨병 환자, 암 환자 그룹에서도 확인된다(Emery 등, 2005; Chen 등, 2015; Zhu 등, 2016).

순전히 심리적인 스트레스에 대해서도 신체에서 투쟁-도피 반응이 일어나 혈당이나 젖산의 농도가 증가하는데, 이를 적절히 소모시키지 않으면 고혈당이 오래 유지되고 근육통을 느끼게 된다. 따라서 스트레스의 종류를 막론하고 운동을 비롯한 신체활동은 스트레스 관리 전략에 반드시 포함되어야 한다.

이상의 스트레스 중재법을 제공하는 상업적 프로그램들이 헤아릴 수도 없이 많은데, 스트레스에 대한 정확한 진단을 기초로 한 체계적인 관리 전략이 마련되지 않으면 스트레스 관리 자체가 스트레스가 된다. 운동이 아무리 스트레스 해소에 도움이 된다고 해도, 직장에서의 대인관계 스트레스를 밤에 운동으로 해소하려 한다면, 낮에는 직장에서 마음에 스트레스를 받고 저녁에는 몸에 스트레스를 주는 생활이 지속되다가 결국 몸도 마음도 지치게 된다. 게다가 스트레스를 일으키는 환경이나 그것에 대처하는 기술은 전혀 나아지는 것이 없다. 따라서 스트레스를 제대로 관리하려면 다차원적인 진단을 하고, 그 사람의 특성에 맞는 개별적 전략을 구성해야 한다.

요컨대 스트레스 관리에는 전일적 접근과 통합적 방법론이 필요하다. 전일적 접근이란 인간 존재의 모든 차원을 고려하는 접근이고, 통합적 방법론이란 각 차원의 스트레스를 관리하기 위해서 다수의 방법을 포괄적으로 사용하는 것이다. **표 18** 은 인간 존재의 여러 차원에서 발생하는 스트레스를 매슬로우(Abraham Maslow)의 욕구위계(hierarchy of needs)와 비교하고, 스트레스의 구체적인 종류와 관리법을 예시하고 있다.

표 18 전일적, 통합적 스트레스 관리 (신경희, 2016)

인간 존재의 여러 차원	매슬로우의 욕구위계	주요 스트레스	스트레스 관리
물질 차원		분자 수준의 스트레스 (산화스트레스, 환경 독소, 전자기 교란 등)	생활환경 및 생활양식 개선 (예: 규칙적 생활, 안전한 음식물 섭취)
몸 차원	생리적 욕구 안전에 대한 욕구	신체적 스트레스 (과로, 신체활동 부족, 신체적 질병 등)	신체적 스트레스 관리법 (예: 운동, 이완요법, 질병의 의학적 치료)
마음 차원	애정, 소속에 대한 욕구 자존감에 대한 욕구	심리·사회적 스트레스 (우울, 불안, 고립, 사회적 부적응)	심리적 스트레스 관리법 (예: 정서 관리, 인지치료)
영 차원	자아실현의 욕구	영적 스트레스 (삶의 의미 상실, 정체성과 가치관의 혼란)	사회적·영적 스트레스 관리법 (예: 실존치료, 종교생활)
우주적 차원		생태 환경 스트레스 (기후변화, 환경오염 등)	생활환경 및 생활양식 개선 (예: 환경 보호. 생태계 보호)

스트레스를 유발하는 원인이 사람마다, 상황마다 다르고, 인간은 존재의 각 차원에서 서로 다른 유형의 스트레스를 경험하기 때문에 통합적 방법론이 필요하다. 이것은 스트레스 관리에 만병통치약 같은 방법이 따로 있을 수 없다는 것을 의미한다. 하지만 이 때문에 스트레스 관리가 복잡해지는 것은 아니다. 전일적 스트레스 관리라는 것은 라이프스타일의학에서 말하는 포괄적인 라이프스타일 개선과 다르지 않기 때문이다.

더 좋은 소식도 있다. 수많은 스트레스 관리법 중에서 누구나 반드시 채택해야 하는 두 가지 필수 중재법이 있고, 이 두 가지만으로도 상당한 효과를 누릴 수 있다는 것이다. 바로 이완요법과 라이프스타일 개선이다. 끊임없이 스트레스에 시달리는 현대인에게 이완 기술은 일종의 생존기술이라 할 수 있다. 7장의 '5. 적극적 이완'에서 이완의 의미와 생리적 효과, 그리고 누구나 쉽게 익힐 수 있는 몇 가지 이완요법에 대해 살펴보았다. 여기서는 명상을 추가로 소개한다.

(5) 명상

"마음이 많이 아플 때 꼭 하루씩만 살기로 했다. 몸이 많이 아플 때 꼭 한순간씩만 살기로 했다.
고마운 것만 기억하고 사랑한 일만 떠올리며, 어떤 경우에도 남의 탓을 안 하기로 했다.
고요히 나 자신만 들여다보기로 했다.
내게 주어진 하루 만이 전 생애라고 생각하니 저만치서 행복이 웃으며 걸어왔다."
- '어떤 결심' (이해인) -

명상은 교감신경의 흥분을 가라앉히고 부교감신경을 활성화하여 이완을 유도하는 효과가 뚜렷하므로 스트레스성 긴장을 완화하는 목적으로 널리 활용되고 있다. 그러나 이완은 명상의 수많은 효과 중 하나일 뿐이다. 명상은 인지적 융통성을 향상시키고 성격을 긍정적으로 변화시키며 자존감을 증가시키고 불안과 우울 증상을 감소시킨다. 로저 월시(Roger Walsh)는 명상 치료의 궁극적 목적이 정신 과정, 의식 상태, 주체성 및 현실에 대한 깊은 통찰력을 발달시키고, 최적의 심리적 웰빙과 의식 상태를 발전시키는 데 있으며, 정신 치료 효과와 생리적 효과를 매개시킬 목적으로 사용된다고 설명했다(Walsh, 1983). 본래 명상의 목적은 대개의 명상 전통에서 비슷하다. 즉, 마음을 단련하고 길들이는 것이다.

주의 집중 대상에 따라 명상을 분류할 수 있는데 특정 문구, 소리, 호흡, 시각적 상징 등이 그 대상이 될 수 있고, 마음챙김명상(mindfulness meditation)의 경우에는 자신의 생각과 감각도 대상이 된다. 명상은 앉은 자세나 누운 자세 같은 정적인 자세에서도 할 수 있지만 걷기명상에서처럼 움직이면서도 가능하다.

명상이 어떻게 스트레스를 감소시키고 통찰력을 계발하며 심신의 건강을 증진시킬 수 있을까? 사람과 그 사람 밖에 있는 세계를 연결하는 것이 감각이라면, 명상은 사람을 그의 내면세계와 연결한다. 캔더스 퍼트(Candace Pert)는 명상을 몸의 내부에서 이루어지는 대화 안으로 들어가는, 즉 몸의 생화학적 상호작용에 의식적으로 개입하는 방법의 하나라고 정의하고, 스트레스를 줄이는 가장 효과적인 방법이 명상이라고 했다(Pert, 1997).

명상 중의 뇌는 부위에 따라 활성이 증가하거나 감소되는데, 활성이 증가하는 부위는 긍정적 정서와 생각을 유도하는 부위이고, 활성이 감소되는 부위는 부정적 정서나 고통과 관련된 부위다. 스트레스 반응은 부정적 정서를 만드는 편도체의 흥분으로부터 시작되고, 해마와 편도체는 서로를 억제하는 관계인데, 장기간 명상한 사람들의 뇌에서는 편도체의 크기가 작아지고 해마의 크기가 증가한다(Hölzel 등, 2011). 명상 프로그램에 참여한 사람들에서 지각된 스트레스가 감소되는 정도는 편도체의 밀도 감소와 정적 상관이 있다(Britta 등, 2009). 또한 명상은 정서 조절과 관련된 전두엽의 두께도 실질적으로 변화시킨다.

명상은 긴장과 흥분의 뇌파인 베타파를 감소시키고 안정과 휴식의 뇌파인 알파파와 세타파를 증가시킨다. 뇌파가 안정되면서 정신적으로 맑은 각성과 함께 심신의 이완이 일어난다. 부교감신경을 활성화시키므로 호흡, 심박수, 대사 활동이 감소하고 혈중 젖산도 감소한다. 명상의 통증 완화 효과는 많은 연구에서 확인되었는데, 명상 중에는 통증 조절을 담당하는 뇌 영역의 활성이 변화된다(Zeidan 등, 2011).[68] 명상은 노화에 따른 뇌의 수축을 지연시킬 수 있다(Lazar 등, 2005). 알츠하이머병과 인지장애의 진행을 늦추는 효과도 확인되었다. 명상만으로 염증, 세포자멸사, 산화스트레스를 조절하는 유전자들의 발현이 몇 주 만에 변화될 수 있다(Bhasin 등, 2013).

현대 명상은 요가와 불교의 수행 전통으로부터 큰 영향을 받았다. 서구 사회에 가장 널리 알려진 명상법은 초월명상(Transcendental Meditation, TM)과 마음챙김명상이다. 초월명상은 1960년대에 인도의 마하리시 마헤시(Maharishi Mahesh)가 요가 수행법을 변형하여 개발한 명상법이다. 불교의 마음챙김 수행에서 유래한 마음챙김명상은 1970년대 말 존 카밧-진(Jon Kabat-Zinn)이 만성질환자의 스트레스 감소를 위해 개발한, '마음챙김에 기반한 스트레스 완화(mindfulness-based stress reduction, MBSR)' 프로그램을 통해 널리 알려지게 되었다.

마음챙김명상은 주의를 한 곳에만 집중하는 명상법과 달리, 마음속에 떠오르는 어떠한 생각이나 느낌도 무시하거나 억제하려 하지 않으며, 동시에 판단하거나 분석하려고도 하지 않는다. 단지 그것들이 떠오르고 사라지는 것을 바라보면서 '지금, 여기' 일어나고 있는 모든 일에 자신을 개방한다. 데카르트는 "나는 생각한다. 고로 나는 존재한다"라고 했지만, 무언가를 생각하는 것은 마음이 지금 여기를 떠나 있는 것이므로 마음챙김명상의 관점에서 보면 "나는 생각한다. 고로 존재하지 않는다"가 된다. 글상자❸❷에 앉아서 하는 마음챙김명상이 안내되어 있다.

글상자❸❷ 명상법

가급적 조용하고 방해받지 않는 공간을 찾아, 너무 어둡거나 밝지 않도록 조명을 조절한다.

척추를 쭉 펴고 앉는다. 턱이 들리지 않도록 하고 허리에 긴장 없이 자연스러운 곡선이 생기도록 앉는다. 굳이 다리를 겹쳐 가부좌나 반가부좌를 하지 않고 두 다리를 평행하게 앞뒤로 두어도 상관없다. 의자에 앉아서도 실시할 수 있다. 손은 무릎이나 허벅지 위에 가볍게 얹어 놓는다.

집중하기 위해서는 눈을 감는 것이 도움이 된다. 눈을 감는 것만으로도 평소에 들어오는 자극의 80%가 차단된다. 그러나 눈을 감아서 졸음이 온다면 반쯤 눈을 뜬 상태에서 두 걸음 정도 앞의 바닥에 시선을 둔다.

호흡은 코로 한다. 편안히 호흡을 시작하면서 온몸이 이완된 상태를 느낀다. 호흡을 무리해서 천천히 하거나 깊이 하려고 하지 않는다. 들숨과 날숨을 편안하고 깊게 반복하면서, 호흡에 따른 배의 움직임을 지속적으로 알아차린다. 또는 코 주변에서 일어나는 공기의 흐름을 지속적으로 알아차린다.

---

68) '글상자❸❸ 불교 수행법을 이용한 통증과 고통의 중재'를 참고하라.

숱한 생각과 감정들이 머릿속에 떠오르고, 주변의 소음이나 몸의 감각도 떠오를 것이다. 그것들이 떠오를 때는 떠올랐음을 알아차린다. 억지로 떨쳐내려 애쓰지 말고 단지 알아차린 후에 다시 호흡으로 돌아온다. 떠오른 것에 대해 더 깊이 생각하려고도 하지 말고, 하늘에 구름이 지나가듯 흘러가도록 놓아두고 호흡으로 돌아온다.

마음이 계속 방황한다면 속으로 숫자를 센다. 하나에서 다섯, 혹은 하나에서 열까지 반복해서 숫자를 세면서 숫자 하나에 한 호흡을 한다. 들이쉴 때 '하나-둘-셋-넷-다섯', 내쉴 때 '하나-둘-셋-넷-다섯' 하는 방식으로 숫자를 세는 것도 좋다.

처음에는 3~5분으로 시작해서 익숙해지면 20분 정도, 매일 이른 아침과 잠들기 전에 실시하고, 하루 중에도 가능한 때는 언제든지 실시한다. 명상을 하면서 새롭게 경험하는 느낌과 감각을 호기심을 가지고 바라보다 보면 명상이 즐거워지고 차츰 명상 시간도 늘어나게 된다.

(6) 스트레스를 감소시키는 라이프스타일

스트레스는 수면장애, 불건강한 식습관, 흡연, 음주 등을 유발하며 전반적인 라이프스타일을 불건강한 방향으로 바꾼다. 그런 스트레스의 원인이 까다로운 상사나 교통체증처럼 외부에서 오는 자극이라고 생각하기 쉽지만, 사실상 스트레스 중 적지 않은 부분이 우리 자신의 불건강한 라이프스타일에서 기인한다. 모든 사망의 50%가 이처럼 불건강한 라이프스타일에서 오는 스트레스가 원인이다.

예를 들어 보자. 아침에 눈을 뜨기 전부터 잔소리하는 아내, 벌써 지각을 했는데 계속 막히는 도로, 출근하자마자 보고서를 재촉하더니 제출한 보고서를 보며 계속 트집을 잡다가 퇴근 시간을 앞두고 다시 작성을 하라고 지시하는 상사, 결국 하루 종일 스트레스를 받으며 점심도 놓치고 계속 커피만 마시다가 햄버거로 대충 허기를 가라앉히며 야근을 한다. 한밤중에 퇴근해서 늦은 저녁식사와 함께 술잔을 기울이며 힘들었던 하루를 위로한다. 그런데 이런 불행한 하루의 발단이 어젯밤 야식을 하고 새벽까지 게임을 하다가 늦잠을 잔 것이라면 이야기의 주인공은 더 이상 스트레스의 피해자가 아니라 가해자가 된다. 자신도 출근 준비에 바쁜데 늦잠 자는 남편을 깨워야 하는 아내, 지각하는 직원을 초조하게 기다려 겨우 받은 보고서가 아직 마무리되지 않은 상태임을 보고 분노한 상사가 오히려 피해자다. 인간관계 스트레스, 경제적 스트레스도 자신의 언행이나 소비 습관에서 초래되는 것일 수 있다. 그리고 그 스트레스 때문에 우리의 라이프스타일이 손상되고, 손상된 라이프스타일이 다시 스트레스가 되는 악순환이 지속되는 것이다.

따라서 라이프스타일을 돌보는 않는 스트레스 관리는 사실상 모래 위에 집을 짓는 것과 마찬가지다. 산에 오르는 경로는 여럿이어도 결국 같은 지점에서 만나게 되는 것처럼, 스트레스의학과 라이프스타일의학도 이야기의 출발점은 다르지만, 건강한 라이프스타일이라는 지점에서 합쳐진다. 모든 라이프스타일이 스트레스와 서로 영향을 주고받지만, 특히 스트레스 예방과 관리라는 측면에서 가장 먼저 점검하고 개선해야 하는 라이프스타일 몇 가지를 살펴본다.

술과 담배는 쉽게 이용하는 스트레스 완화 수단이지만 동시에 스트레스를 유발하는 원인이다. 스트레스 증가와 흡연 증가는 정적인 상관관계가 있고, 스트레스는 금연하던 사람이 다시 흡연을 하게 만드는 가장 위험한 요인 중 하나다. 흡연은 일시적인 진정 효과는 있지만 스트레스 반응과 동일한 생리적 변화를 일으킨다. 게다가 심리적인 진정 효과에 대해서도 의외의 연구 결과가 많다. 보고에 의하면, 비흡연자보다 흡연자의 약물중독이 3.4배나 되고, 자살률도 흡연자가 3배나 많다. 이것은 흡연이 가져오는 심리적 진정 효과는 일시적일 뿐, 궁극적인 안정으로는 이어지지 못한다는 것을 의미한다.

흡연과 정신과적 장애들 사이에도 부적 상관이 아닌 정적 상관이 있다. 흡연은 정신병(psychosis) 발병 위험을 높일 수 있다(Gurillo 등, 2015). 사실 조현병을 비롯한 정신병 환자 가운데 흡연자 비율이 높다는 것이 오래전부터 알려져 있었다. 흡연과 정신병 중 어느 것이 원인이고 어느 것이 결과인지에 대해서는 해석이 분분했지만, 흡연이 정신병 증세를 감소시키고 정신병 약물의 부작용을 완화하는 데 도움이 되며, 무엇보다도 심리적으로도 안정을 주기 때문에 정신병 환자의 흡연이 높아지는 것이라는 분석이 설득력 있게 받아들여졌다. 그런데 정신병이 흡연율을 높이는 것이 아니라 흡연이 정신병 위험을 높일 수 있다는 연구 결과가 발표되었다. 연구자들은 과도한 니코틴에 노출되면 도파민 분비를 증가시켜 정신병을 유발할 수 있다는 가능성을 제시했다.

알코올에 대한 긴장 감소 가설(tension-reduction hypothesis)에서는 알코올이 긴장 감소라는 보상 효과를 가지고 있기 때문에 음주를 유도하고 음주 행위를 유지시키며 중독으로도 이어질 수 있다고 한다(Conger, 1956). 하지만 여기에도 반대되는 연구 결과들도 있다. '술'이라는 단어에서 연상되는 것이 음주운전, 숙취, 폭력 등 대개 부정적인 것이라는 사실은, 술이 궁극적으로 심리적 이득을 가져다주는 것이 아니라는 것을 암시한다. 음주 중에는 잠시 스트레스를 잊을 수 있지만, 음주와 관련된 행동과 음주 후 벌어지는 상황을 고려해 보면, 결과적으로 알코올은 스트레스 해소나 문제 해결에 도움이 되지 않고 오히려 더 악화시키는 요인이 된다는 것을 알 수 있다. 알코올은 스트레스에 대한 심혈관 반응성이 높은 사람에게는 더욱 해롭다. 담배, 알코올, 커피는 동시에 찾는 경우가 흔한데, 이것은 상승작용을 일으켜 더 유해한 결과를 초래한다.

카페인은 섭취하면 신속히 뇌로 전달되어 아데노신의 활동을 차단함으로써 정신을 명료하게 해 준다. 그러나 스트레스 해소를 이유로 마시는 카페인 음료는 이완 효과를 가져오는 것이 아니라 심신을 더 각성시키고 스트레스 반응도 더 강화한다. 무엇보다도 과도한 카페인 섭취는 스트레스로부터 심신을 회복하는 데 가장 중요한 기전인 수면을 방해한다. 자신은 커피를 마셔도 잠드는 데 문제가 없다는 사람들이 많지만 실제로는 숙면을 방해하여 수면의 질을 떨어뜨리므로 늦은 저녁에 카페인 음료를 섭취하는 것은 좋지 않다. 스트레스나 피로를 느낄 때 카페인 음료나 탄산음료를 찾는 것도 문제지만, 갈증을 느낄 때조차 그러한 음료들을 물 대신 마시는 것은 더 큰 문제다. 불필요한 당분이나 염분을 과다하게 섭취하게 되기 때문이다.

스트레스를 완화하고 건강에도 도움이 되는 차들이 많이 있다. 쉽게 구할 수 있는 것으로 녹차, 대추차, 다시마차를 들 수 있다. 녹차에 풍부한 비타민C는 스트레스에 대한 저항력을 높여 준다. 녹차에도 카페인이 들어 있으므로 각성 효과가 있지만 녹차에 들어 있는 카페인은 커피의 1/3에 불과하고 함께 들어 있는 카테킨(catechin)은 카페인과 결합하여 체내 흡수를 저하시킨다. 카테킨은 활성산소를 제거하는 항산화 효과도 있다. 또 데아닌(theanine)이라는 성분은 카페인의 활성을 억제하므로 카페인의 부작용인 초조감, 정서불안 같은 증상이 덜 나타난다. 녹차는 비만과 동맥경화의 예방, 노화 방지 등에도 효과가 있다.

우리가 먹은 영양소와 음식은 스트레스를 더 일으킬 수도 있고 감소시킬 수도 있으며, 스트레스에 대한 심신의 저항력을 높여 줄 수도 있고 감소시킬 수도 있다. 사실 먹는 행동 자체는 스트레스를 감소시킨다. 문제는 무엇을, 언제, 얼마나 먹는가다.

식습관은 스트레스로 인해 가장 쉽게 영향을 받는 라이프스타일 중 하나다. 누구나 스트레스를 느낄 때는 섭취하는 음식의 양이 변하거나 식사 시간이 불규칙해진다. 더구나 스트레스를 경험할 때에는 당분이 높고 영양가는 거의 없는 질 낮은 음식을 더 많이 찾게 된다. 단맛 나는 음식이 일시적으로 기분을 좋아지게 하기는 하지만, 결과적으로는 단 음식에 대한 갈망을 더 높이고, 비만을 비롯한 여러 질병을 부르는 원인이 된다. 당분과 지방 함량이 높은 가공식품들은 체내의 비타민B를 소모하고 활성산소를 많이 생산하므로, 먹으면 피로감을 느낄 수도 있다.

또한 이런 음식들은 대개 밀가루를 주재료로 하는데, 밀가루 음식을 먹으면 속이 더부룩해지는 사람이 많다. 밀가루에 들어있는 글루텐(gluten)이라는 단백질을 잘 받아들이지 못하는 것이 원인일 수도 있지만, 실제로 글루텐 불내성인 사람은 그리 많지 않다. 그보다는 밀가루 음식에 포함되는 다른 재료나 첨가물이 원인이거나, 시간에 쫓길 때 급하게 먹는 것이 주로 밀가루 음식이기 때문일 것이다. 어떤 원인이든 더부룩한 불편감과 복통은 기분이 더 나빠지게 한다.

원거리에서 수송한 식재료나 유통을 위하여 보존 처리된 식품과, 가까운 지역에서 공급된 신선한 제철 음식의 차이는 단순히 영양학적으로 비교되는 것이 아니다. 물론 신선한 제철 음식은 영양학적으로도 우수한데, 특히 과일과 채소에 함유된 항산화물질은 스트레스 예방과 치료에 매우 중요한 역할을 한다. 신선한 채소와 과일은 비타민C, 비타민E, 카테킨, 레스베라트롤, 케르세틴(quercetin) 등 다양한 항산화물질의 공급원으로, 산화스트레스를 동반하는 만성 스트레스의 예방과 치료에 도움이 된다. 정제된 전분, 설탕, 포화지방산, 트랜스지방 등이 산화스트레스와 염증 스트레스를 증가시키는 반면, 채소와 과일은 이러한 작용들을 억제하고 감소시킨다.

치유의 호르몬이자 행복호르몬인 세로토닌을 활성화시키려면 비타민B_6가 필요한데, 스트레스 반응이 일어나면 신체 대사과정에서 비타민B군이 쉽게 고갈된다. 따라서 식품을 통해 비타민B군을 충분히 섭취하는 것이 좋다.

스트레스 연구자들은 경쟁 사회를 사는 현대인에게 스트레스를 결정하는 핵심 변인은 통제가능성(controllability)과 예측가능성(predictability)이라는 데 동의한다. 앞을 예측할 수 없다는 데서 불안을, 삶을 통제할 수 없다는 무력감에서 우울을 경험하게 된다. 바닥에 전기가 통하는 우리 속에 쥐 두 마리를 넣고, 전기 충격을 멈출 수 있는 레버를 한 마리에게만 설치해 주면, 똑같은 충격이 주어졌을 때 쥐들이 느끼는 스트레스가 다르다. 또한 전기 충격을 주기 전에 미리 불빛으로 예고해 주면 동일한 전기 충격을 받더라도 스트레스 반응이 감소한다.

인간을 대상으로 한 연구에서도 마찬가지다. 자신이 스트레스 환경에 대한 통제권을 가지고 있다고 생각할수록 스트레스를 적게 받거나 스트레스로 인한 혼란을 덜 나타낸다. 마약성 진통제를 투여받고 있는 환자에게 의료진이 처방에 따라 진통제를 투약하지 않고 환자에게 진통제를 주면서 통증이 심할 때 직접 투약하라고 하면 진통제 사용량도 줄어들고 환자가 느끼는 통증도 감소한다. 똑같은 기계 소음 속에서 근무하는 근로자들 중 한쪽 그룹에게 기계를 멈출 수 있는 버튼을 주면서, 소음으로 인한 고통이 심할 때 사용하되 가급적 기계를 멈추지 말라고 하면, 근로자들은 소음이 여전한 환경임에도 불구하고 스트레스를 덜 경험한다. 중요한 사실은 기계를 멈추는 일은 거의 발생하지 않는다는 것이다. 실제로 통제를 했는가 하지 않았는가와 상관없이 자신이 그 상황을 통제를 할 수 있다는 믿음, 즉 통제가능성에 대한 지각이 변인이 된다.

월남전에서 남편을 잃은 아내들을 추적 조사했던 연구에 의하면, 전사한 군인의 아내들보다 남편이 실종되어 생사가 불확실한, 즉 예측가능성이 낮았던 아내들의 심신 건강과 삶의 기능이 더 불량한 것으로 나타났다.

사회가 복잡해질수록 상황에 대한 예측력이나 통제력을 갖기가 어렵지만, 그 상황에 대한 충분한 정보를 획득함으로써 예측가능성과 통제가능성을 동시에 높일 수 있다. 예컨대 지하철 플랫폼에서 차량 운행 상황을 안내하는 것, 운전자에게 도로 교통 정보를 제공하는 것 등은 예측가능성을 높여줄 뿐 아니라, 그 상황에서 선택할 수 있는 행동의 범위를 넓혀 주어 통제가능성도 높여준다. 이처럼 결과를 예측하는 것은 상황을 통제하는 것에 영향을 미치므로 예측가능성과 통제가능성이라는 변인은 밀접하게 연결되어 있다.

규칙적인 생활, 주변 정리 정돈, 명확한 목표와 구체적 계획을 가지는 것 같은 단순한 방법들이 스트레스 관리의 기본적인 기술이 되는 것도 이러한 원리에 기초한다. 규칙적 생활은 자기 통제감과 예측가능성을 모두 향상시켜 준다. 시간에 대한 강박감은 현대인에게 가장 중요한 스트레스 원인 중 하나인데, 효율적으로 시간을 관리할 수 있는 기술을 습득하는 것만으로도 일상의 스트레스가 상당히 감소될 수 있다.

그런데 규칙적인 생활이라는 것은 더 중요한 두 가지 규칙을 전제로 한다. 하나는 휴식도 반드시 그 규칙 안에 넣어야 한다는 것이다. 시간 기근(time famine)에 시달리는 사람에게 규칙적 생활이라는 것은 자칫 기계의 효율을 더 높이라는 주문에 불과할 수도 있다. 그것은 시간에 대한 더 큰 강박감과 스트레스를 가져올 뿐이다. 휴식의 중요성에 대해서는 앞에서도 설명했다.

다른 하나의 규칙은 자연의 질서에 생활의 질서를 맞추어야 한다는 것, 즉 자연환경의 리듬과 동기화된 생활 리듬을 가져야 한다는 것이다. 이에 대해서도 이미 앞에서 살펴보았다. 생체 리듬은 자연환경의 리듬과 근본적으로 함께 변동한다. 우주에 스스로 질서를 유지하는 기전이 있듯, 우리 몸과 마음에도 스스로를 치유하고 재조직하는 내적 치유 기전이 있다. 이런 치유 기전을 훼손하지 않으려면 자연의 질서와 조화를 이루는 라이프스타일을 유지해야 한다. 그것이 곧 몸과 마음에 예측가능성과 통제가능성을 높이는 방법이다. 자야 할 때 자고 먹어야 할 때 먹고 낮에 일하고 밤에 자는 것보다 더 중요한 규칙은 없다. 이것과 다른 규칙은 모두 변칙 또는 반칙이다.

현대인은 생애 주기에 따라 새로 부과되는 역할과 과제를 감당해야 할 뿐만 아니라, 급변하는 사회 환경에 적응하기 위해서 끊임없이 새로운 지식과 기술들을 다시 배우고 익혀야 한다. 이러한 변화와 적응의 능력이 부족하면 스트레스가 커진다. 삶에서 부딪치는 다양한 문제를 해결하고 새로운 환경에 적응할 수 있는 능력을 갖추는 것은 스트레스를 감소시킬 뿐 아니라 삶을 성장시킨다.

많은 사람들이 대인관계 기술이나 의사소통 기술 부족으로 인해 사회생활에 어려움을 겪는다. 상담소를 찾는 가장 흔한 원인이 대인관계 문제이고 직장인이 호소하는 가장 큰 애로사항도 대인관계이며 학생들도 친구와의 관계에서 많은 고통과 좌절을 경험한다. 대인관계에서 발생하는 스트레스를 감소시키기 위해서는 자신을 분명히 표현하고 의견을 주장할 수 있는 능력, 공감적인 대화법, 사람마다 다른 성향을 받아들일 수 있는 유연한 태도를 두루 갖춘 의사소통 기술이 필요하다. 상대방에게 자신의 생각을 전달하고 우호적인 반응을 이끌어 내려면, 먼저 자신의 정서를 정확히 파악할 수 있는 능력을 길러야 한다. 그리고 그것을 감정적으로 표출하지 않고 객관적으로 표현하는 대화술이 필요하다. 때로는 전문가의 도움이 필요할 수도 있지만, 스스로의 관심과 노력에 의해서도 개선될 수 있는 여지는 있다. 의사소통과 대인관계 기술에 도움이 되는 책들도 무수히 많다.

바뀐 생활환경이나 새로운 과제에 적응하지 못하는 것이 문제라면, 이 또한 필요한 기술과 지식을 학습하는 것이 최선의 해법이다. 외국인 회사에 근무하면서 외국어가 늘 스트레스라면 언어를 습득하는 것 외에는 문제를 해결할 수 있는 방법이 없다. 외국어를 공부할 수 없는 분명한 사유가 있다면 직무를 변경하거나 직장을 옮기는 것도 문제해결 방법이다. 공부도 소홀히 하고, 직무나 직장을 바꾸는 것도 고려하지 않으면서 계속 스트레스를 받고 있다면 스트레스는 자기 자신이 만들어 내고 있는 것과 다름이 없다. 치료자는 이러한 문제를 참여자가 직시할 수 있도록 돕고, 필요한 기술과 지식을 학습할 수 있는 방법을 안내해 주어야 한다.

직장이나 학교에서의 집단따돌림, 성희롱, 불공평한 처우, 과도한 업무, 주위의 지나친 요구와 간섭 등, 도저히 다른 사람의 도움을 구할 수 없을 것 같은 문제, 또는 누구나 겪는 일이니 참아야 한다고 포기하는 문제가 많다. 그러나 이러한 문제들도 회피하지 않고 능동적으로 대처하기로 한다면 크든 작든 도움이 될 만한 방법을 찾게 되기 마련이다. 혼자 해결할 수 없는 문제가 있을 때 상담소를 찾거나 동료, 상사, 부모, 선생님 등 타인의 도움을 청하는 것은 결코 소극적인 대처가 아니며, 그런 도움을 찾을 수 있는 것 자체가 문제해결 능력이다.

일상에서 항상 경험하는 짜증스러운 사건들(background stressors, daily hassles)의 빈도는 우울증, 불안 등 심리적 증상의 발생과 명백한 상관관계가 있다. 그리 심각하지 않은, 단지 성가시고 귀찮은 사건들이 심신 건강에 영향에 줄 수 있다는 사실은 이 사건들의 영향이 누적되는 것임을 암시한다. 평소에도 늘 겪으며 지나쳐 온 사소한 일에 대해서 어느 순간 갑자기 감정이 폭발하는 경우가 있는데, 이것은 사소한 사건들이 만든 부정적 정서가 조금씩 누적되다가 결국 견딜 수 있는 한계치를 넘어서는 순간에 일어나는 일이다.

짜증스러운 일을 피할 수 있다면 피하는 것이 최선이지만, 그러한 스트레스들이야말로 살자면 피할 수 없는 것들이다. 일상의 짜증스러운 사건들의 영향을 감소시키려면 그 반대의 전략을 선택하면 된다. 사소하지만 좋은 사건들을 찾아 자신을 의도적으로 많이 노출시키는 것이다. 짜증스러운 사건들로 인해 누적된 부정적 정서는 그와 대조되는 즐거운 사건들(uplifts)이 주는 긍정적 정서에 의해 상쇄된다. 캐너(Kanner) 등은 사람들이 일상에서 흔히 겪는 짜증스러운 일과 즐거운 일의 목록을 예시했다(Kanner 등, 1981). **표 19** 는 캐너 등의 목록에서 일부 항목을 현대 상황에 맞게 수정한 것이다.

각자가 자신의 목록을 작성하고 점차 목록을 늘리며 정교화시켜 나간다. 이것은 짜증스러운 일을 경험하게 되었을 때 자신이 그런 상황을 접하고 있다는 것을 신속히 깨닫게 하여 정서 관리에 도움을 줄 수 있고, 자신이 좋아하는 일들을 접할 기회를 의도적으로 늘리는 데도 유용하다.

사람의 마음은 행복보다는 불행에 편향되도록 설계되어 있다. 예를 들어 연봉이 100만원 오를 때 100만큼 더 행복해진다면 연봉이 100만 원 감소했을 때는 100만큼만 더 불행해져야 하지만, 후자의 경우에 훨씬 더 큰 불행을 느낀다. 바위를 산꼭대기에서 굴러떨어지게 하는 데는 별다른 노력이 필요하지 않지만 굴러떨어지지 않게 하려면 계속 힘을 주어 당겨야 하는 것처럼, 사람의 마음도 평정한 상태를 유지하려면 상당한 노력이 수반되어야 한다. 결국 몸의 건강이든 마음의 건강이든 거저 얻는 것이 아니라 노력해서 얻는 대가다.

긍정심리학자 바바라 프레드릭슨(Barbara Fredrickson)은 20년에 걸친 연구를 통해 '긍정성의 비율'을 제시했다(Fredrickson, 2009). 평범한 사람의 삶에서는 긍정 대 부정의 비율이 1:1 또는 2:1에 그치지만, 발전하는 사람들의 경우 3:1 이상이라는 것이다. 이것은 최상의 효과를 발휘할 수 있는 긍정과 부정의 황금비율이라 불린다. 이 긍정성의 비율 법칙에 따르면, 하나의 부정적 감정을 상쇄하는 데 세 가지 긍정적 감정이 필요하다. 결론적으로 말해서, 한번 짜증나는 일을 겪었으면 세 가지 즐겁고 만족스러운 일을 주변에서 찾아야 한다.

표 19 일상의 사소한 일

짜증스러운 일	즐거운 일
체중 관리, 탈모 등 외모 문제	가족, 친구와 시간 보내기
나와 가족의 불건강	음악 듣기
생활비 부족, 물가 상승	산책
가사 및 가족 돌보기	차 마시기
재산 관리, 재테크	반려동물과 시간 보내기
열악한 주거 환경, 층간 소음	맛있는 식사
교통 및 주차 문제	SNS 활동

스트레스 관리를 위해 점검할 라이프스타일 중 마지막은 지지적인 사회적 관계망이다. 수잔 코바사(Suzanne Kobasa)는 스트레스에 강한 강건한 성격(hardy personality)의 사람들은 '3C'라는 특성을 가지고 있다고 했다(Kobasa, 1979). 3C는 삶에 대한 책임감(commitment), 도전(challenge), 통제(control)다. 3C에 덧붙여 또 하나의 C가 스트레스에 대한 강건성을 향상시킨다. 바로 관계(connection)다.

대다수의 스트레스 학자들이 강조하는 가장 중요한 스트레스 대처자원이 우호적이고 지지적인 사회적 관계망이다. 사회적 관계망에는 배우자, 가족, 친척, 친구, 직장 동료, 종교 활동이나 동호회 모임 등 여러 유형의 관계가 포함된다. 지지적인 사회적 관계망은 우리가 스트레스 상황에 있을 때 직접 나서서 문제를 해결해 주기도 하고 도움이 되는 정보나 자원을 제공하기도 한다. 또한 괴로움에 공감하며 정서적으로 후원해 준다. 이런 지지를 받는다는 느낌은 단순히 심리적 위안에 그치지 않고 실제로 생리적 스트레스 반응성을 감소시킨다.

세이모어 리바인(Seymour Levine)은 동물을 대상으로 한 많은 연구를 통하여 사회적 관계가 생리적 스트레스 반응에 미치는 영향을 확인했다. 스트레스를 느낄 때 다른 원숭이가 곁에 있었던 원숭이의 혈중 코티솔은 그렇지 않은 원숭이에 비해 절반밖에 상승하지 않았고, 많은 원숭이들과 함께 있을 때는 코티솔이 증가하지 않았다.

딘 오니시는 자신의 라이프스타일 프로그램의 중심축이 지지적인 사회적 관계를 경험하는 것이라 한다. 지지적 사회적 관계가 건강에 미치는 영향에 대해서는 '7장의 10. 심리·사회적 환경'에서 상세히 다룬다.

전통적으로 스트레스 반응은 투쟁-도피 반응으로 설명되어 왔지만, 이것은 남성 위주의 이론에 불과하다는 지적도 있다. 여성은 위급 상황에서 투쟁이나 도피를 시작하기보다 먼저 가족의 상태를 확인하고 주위 사람들을 찾는 반응을 하므로 남성과 여성의 스트레스 반응은 동일하지 않다는 것이다. 테일러(Taylor) 등은 이 반응을 '보살피고-친구되는 반응(tend and befriend response)'이라 명명했다(Taylor 등, 2000). 투쟁-도피 반응을 구성하는 스트레스 호르몬은 에피네프린이고, 보살피고-친구되는 반응을 구성하는 호르몬은 옥시토신이다.

옥시토신은 출산할 때 자궁을 수축시키는 호르몬으로 잘 알려져 있는데, 모성행동을 일으키고 인간관계에서 신뢰감과 안정감을 느끼게 하는 호르몬이기도 하다. 옥시토신을 처녀 암컷 쥐에게 투여하면 주변의 어린 쥐에게 마치 자신이 낳은 쥐인 것처럼 완전한 모성행동을 하고, 어미 쥐의 옥시토신 분비를 인위적으로 억제하면 자신이 낳은 쥐도 방치한다. 또한 옥시토신 기능에 결함이 있는 동물에서는 친밀감 형성이나 짝 결속 같은 사회적 행동에 장애가 나타난다. 개에게 옥시토신 주입하면 주인이나 다른 개에게 더 친밀하게 행동한다.

옥시토신의 친사회적(prosocial) 효과는 신뢰 증가, 공포 감소, 시선 접촉 증가, 타인의 표정에서 감정 읽는 능력 향상 등을 통해서도 나타난다. 이런 이유로 옥시토신은 자폐증 치료제로 연구해 왔고, 연인들 사이의 관계를 향상시켜 준다는 옥시토신 제품이 판매되기도 한다.

옥시토신 분비를 자극하는 방법 중 하나는 친근한 사람들 사이의 신체 접촉이다. 심지어 사람과 반려동물의 접촉도 서로의 옥시토신 분비를 증가시킨다. 마사지의 이완 효과도 옥시토신의 작용과 관련이 있다. 피부에는 어떤 것과 접촉할 때 발생하는 압력을 감지하는 파치니소체(Pacinian corpuscles)라는 감각수용기(sensory receptor)가 있는데 이것은 미주신경을 통해 뇌와 연결되어 있다. 미주신경은 최대의 부교감신경으로, 전신의 장기와 연결되어 있다. 그런데 미주신경은 옥시토신 시스템과도 연결되어 있어서 미주신경이 자극되면 옥시토신 분비가 증가한다.

스트레스 상황에서 증가하는 옥시토신은 편도체의 흥분을 감소시켜 생리적 스트레스 반응을 완화시키고 심혈관계와 면역계를 보호한다. 옥시토신은 골밀도를 높여 뼈를 튼튼하게 하고 근육 감소도 막아준다(Fernandes, 2020).

옥시토신은 스트레스 호르몬이지만 옥시토신 생산을 늘리기 위해 먼저 스트레스를 받아야 하는 것은 아니다. 스트레스를 받을 때 몸에서 분비되는 옥시토신은 스트레스 반응을 일으키기 위해 분비되는 것이 아니라, 그 반응의 유해한 효과를 상쇄시키기 위해 분비되는 것이다. 스트레스 반응을 완화하기 위해 사용하는 심신이완법들은 미주신경을 자극하고 옥시토신을 분비시킨다.

심리치료사 버지니아 새티어(Virginia Satir)는 생존을 위해 하루 네 번의 포옹이 필요하고, 삶을 유지하기 위해서는 하루 일곱 번, 성장을 위해서는 열두 번의 포옹이 필요하다고 했다. 어떤 이는 이것이 우리에게 필요한 최소한의 옥시토신이 생성될 수 있도록 하는 포옹의 최저 기준이라고 말한다.

옥시토신은 뇌의 보상회로와도 연결되어 있어서 등을 두드려 주거나 쓰다듬어 주는 행위는 심리적 보상인 동시에 생리적 보상이 된다. 따라서 친근한 사람이나 동물과의 접촉은 우리를 더 행복하고 건강하게 만들어 준다. 다른 사람과의 접촉 기회가 적은 사람에게는 반려동물이 훌륭한 대안이다. 심지어 눈으로 개를 보는 것도 옥시토신 수준을 높인다(Nagasawa 등, 2015). 엄마와 아이가 바라볼 때 서로의 옥시토신이 증가하는데, 개와 마주 보는 것도 개와 사람 모두에서 옥시토신의 작용을 증가시킨다.

가상공간에서의 접촉은 실제 접촉과 분명히 다르다. 우리는 똑같은 안부 메시지라도 이메일보다는 손으로 쓴 편지를 펼쳐 보면서 더 따뜻함을 느낀다. 손글씨라는 시각적 자극 속에서 촉감을 느끼는데 촉각의 일부는 따뜻함을 느끼는 온각과도 연결되어 있다.

(7) 스트레스, 현대의 신화인가

> "스트레스가 아니라 스트레스에 대한 우리의 반응이 우리를 죽인다."
> – 한스 셀리에(Hans Selye) –

스트레스가 무조건 나쁜 것은 아니다. 오히려 스트레스가 없는 것이 더 큰 스트레스, 더 위험한 스트레스가 되기도 한다. 직장 스트레스가 심했던 사람이 실직이나 퇴직 후 급격히 노화하기도 하고, 속 썩이던 자녀들이 모두 독립한 후 빈 둥지 증후군(empty nest syndrome)을 경험하는 사람도 많다. 스트레스의 반대말은 웰빙일 수도 있지만 권태일 수도 있다. "백수가 과로사한다"라는 말이 있을 정도로, 인간은 자극이 없으면 일부러 자극을 만들어서라도 살아 있음을 느끼려 한다.

그래서 한스 셀리에는 스트레스를 유스트레스(eustress, 좋은 스트레스)와 디스트레스(distress, 나쁜 스트레스)로 구분했다. 유스트레스는 삶을 생동하게 하는 자양강장제라 할 수 있다. 칙센트미하이(Mihaly Csikszentmihalyi)가 말하는 몰입(flow)도 유스트레스를 경험하는 상태다. 밤샘 작업을 하며 엄청난 스트레스에 시달리는 사람도 있지만 같은 시간, 같은 장소에서 같은 일을 하면서 완전히 몰입 상태에 있는 사람도 있다. 앞의 사람에게는 에피네프린이나 코티솔 같은 스트레스 호르몬이, 뒤의 사람에서는 도파민이나 엔도르핀 같은 쾌감과 행복의 호르몬이 분출되고 있는 상태다.

유스트레스와 디스트레스를 결정하는 것은 스트레스성 사건에 대한 우리의 태도다. 에펠(Epel) 등은 똑같이 불행한 여건 속에 있으면서 더 부정적으로 느끼는 여성은 그렇지 않은 여성보다 텔로미어 길이가 10년 이상 짧다는 것을 발견했다(Epel 등, 2004). 객관적으로 측정된 스트레스 수준은 동일한 사람들이었으므로 스트레스 자체가 텔로미어를 짧아지게 한 것이 아니라, 스트레스에 대한 지각과 태도가 그 차이를 만든 것이다.

지나간 일에 대해서도 마찬가지다. 우리는 과거를 바꿀 수는 없지만 그 일에 대한 태도는 바꿀 수 있다. 즉 그것을 어떻게 이해하고 받아들일 것인지는 바꿀 수 있다. 이것은 과거의 일이 우리에게 미치는 심리적 효과가 바뀐다는 것인데, 심리적 효과가 바뀐다는 것은 일어난 일 자체가 바뀌는 것과 같다. 왜냐하면 그 심리적 효과가 우리의 몸에 스트레스 호르몬을 분비시킬지 행복호르몬을 분비시킬지 결정하여 몸, 마음, 행동이 달라지게 하기 때문이다. 이러한 이유로 비즐리(Beazley)는 "모든 실질적인 면에서 우리는 과거를 바꿀 수 있다"고 한다(Beazley, 2004).

어떤 연구자는 스트레스를 '현대의 신화(modern myth)'라고 한다(Briner, 1994). 스트레스라는 용어의 불분명한 정의를 둘러싼 혼돈과 지나친 남용으로 인해 이 용어가 결과적으로 아무것도 정확히 설명하지 못하고 있기 때문이다. 스트레스라는 용어의 모호성은 스트레스가 원인을 뜻할 때도 있고, 그 때문에 나타난 결과를 뜻할 때도 있다는 점에서 확연히 드러난다. "시험이 스트레스다"라고 할 때에는 스트레스가 우리를 괴롭히는 외부 자극, 즉 원인이지만 "시험 때문에 스트레스를 받는다"라고 할 때에는 시험이라는 원인 때문에 나타나는 결과가 스트레스가 된다. 게다가 특정한 사물, 예컨대 컵은 누구에게나 어느 상황에서나 컵이지만, 스트레스성 사건은 언제나 누구에게나 동일한 스트레스로 인식되지 않는다. 어떤 사람에게는 청소가 스트레스지만 청소를 하면 스트레스가 해소되는 사람도 있다. 매일 음식을 만드는 일이 스트레스인 요리사라도 같은 요리를 집에서 자녀에게 해 줄 때에는 행복을 느낀다. 이처럼 어떤 사람에게는 스트레스가 되는 일이 다른 사람에게는 즐거움이고, 평소에는 즐겁게 여겨지던 일도 상황에 따라서는 스트레스가 된다. 그래서 스트레스학을 '현상학적 생물학(phenomenal biology)'이라고 한다. 결국 스트레스는 정확히 무엇인지도 모호하고 시험, 이혼 같은 특정한 것을 스트레스로 정의한다 하더라도 사람에 따라 그 양상과 결과가 다르므로, 스트레스란 우리가 만들어 내는 환상에 불과할 수도 있다는 것이다.

원인으로서의 스트레스든 결과로서의 스트레스든 어떤 특정 사건이나 특정 상황을 스트레스라고 정의할 수 없는 이유는, 본래 스트레스라는 것이 생명체가 환경에 적응하기 위해 스스로 구성하는 내적 반응이기 때문이다. 환경은 끊임없이 변화하므로 생명체에게 요구되는 반응의 필요성과 방향도 지속적으로 변한다. 환경의 변화를 인식하고 그에 따라 적절히 반응하는 능력은 생존에 필수적이다. 스트레스로 인해 발병하거나 악화되는 질환을 '부적응증'이라고도 부른다. 스트레스 반응의 본질적 목표인 '적응'의 실패로 인해서 발생한 것이기 때문이다. '적응의 질병', '일반적응증후군', '사회 재적응 평정 척도'처럼 적응이라는 단어가 스트레스와 관련하여 자주 등장하는 이유도 이 때문이다.

스트레스는 우리가 안정된 상태에서 벗어나 있다는 것을 알려줌으로써 새로운 적응 상태에 도달하려는 변화의 동기를 만들어준다. 스트레스를 느끼지 못한다면 달라지는 환경에 적응하지 못하여 생존할 수 없게 된다. 사람이 스트레스를 느끼지 못한다면 성장이 정체되고, 인류가 스트레스를 느끼지 못했다면 지금과 같은 문명과 정신문화를 이루지도 못했을 것이다. 질병도 마찬가지다. 질병은 분명히 누구에게나 스트레스지만 삶을 바라보는 시각을 더 높고 넓게 바꾸는 기회가 되기도 한다. 그래서 병도 길게 보면 수양이라 하고, 암이 신경증을 치료한다는 말도 있다.

❸ 정서와 평정심

(1) 정서란 무엇인가

> "생리 상태의 모든 변화는 의식적으로든 무의식적으로든 정서 상태에 합당한 변화를 일으키고,
> 반대로 의식적으로든 무의식적으로든
> 정서 상태의 모든 변화는 생리 상태에 합당한 변화를 일으킨다."
> - 엘머 그린(Elmer Green) -

A형 행동유형 이론은 성격에 따라 생리적 반응 양식이 다르고 질병에 대한 경향성도 다르다는 것을 보여준다. 특정 성격이 심장병이나 암 같은 특정 질병의 예측자라는 이론은 오래전부터 여러 학자들에 의해 제시되었다. 성격은 어떤 사람에게 지속적, 안정적으로 나타나는 정서 상태를 말한다. 마음이 어떻게 우리의 몸에 영향을 미치는지에 관한 생리학적 탐구를 시작할 때 가장 유망한 출발점이 바로 정서다. 정서(情緖)라는 단어가 스스로 설명하고 있듯이 정서는 마음(情)의 실마리(緖)이기 때문이다.

정서라는 뜻의 영어 단어 'emotion'은 'e-(일으키다)'와 'motion(움직임)'으로 구성되어 있다. 심리적·신체적 변화를 일으키는 동기가 바로 정서라는 뜻이다. 정서라는 말은 감정, 정동, 기분

등의 용어와 자주 혼용된다. 특히 감정과는 동의어처럼 쓰인다. 그러나 생리학적으로 정서와 감정은 다르다.

정서는 생리적 반응, 종(種) 특유의 행동, 감정이라는 세 가지 성분으로 이루어진다. 낯선 사람에게 위협받는 고양이나 주인과 장난치는 개의 정서 반응을 보면 쉽게 이해할 수 있다. 발톱을 드러내거나 꼬리를 흔드는 것 같은 종 특유의 행동을 하고, 여기에 에피네프린이나 엔도르핀 같은 호르몬 분비에 의한 생리적 변화가 수반되며, 불안이나 즐거움이라는 감정을 경험한다. 이들이 종합적으로 정서를 구성하는 것이다.

정서는 몸, 마음, 행동이 하나로 통합된 경험이며 그 경험에는 의식적인 것보다 무의식적인 것이, 심리적인 것보다 신체적인 것이 더 많다. 불안할 때 노르에피네프린이, 즐거울 때 엔도르핀이 분비되는 것처럼 각각의 정서에는 그에 상응하는 신호물질이 작용하는데, 이 신호물질을 받아들이는 수용체 중 85~95%가 편도체, 해마처럼 정서와 관련된 뇌 구조인 변연계(limbic system)에 집중되어 있다. **글상자❸❹**에 변연계의 구조와 기능이 설명되어 있다. 변연계는 자율신경계와 내분비계의 활동을 지휘하고 본능적 행동 반응을 담당하는 곳이며, 고등 인지기능을 담당하는 대뇌 신피질(neocortex)의 여러 부위와도 연결되어 있다. 그리하여 뇌의 전체적인 상태는 정서 상태에 따라 통합된 모드로 작동하게 된다. 정서는 그 정서에 걸맞은 생리적·심리적·행동적 변화를 실행시키는, 일종의 패키지 프로그램이다.

글상자❸❹ 변연계와 신피질

신피질(전두엽, 두정엽, 후두엽, 측두엽, 뇌섬엽)
대상회
뇌량
변연계
시상하부
뇌하수체
편도체
해마
뇌간

대뇌피질은 두뇌의 바깥쪽, 즉 두개골 쪽에 있는 신피질과 두뇌 안쪽으로 접혀 들어가 있는 구피질로 나뉜다. 구피질을 변연엽(limbic lobe)이라고도 한다. 대뇌의 변연엽과 이 변연엽이 감싸고 있는 피질 아래의 구조물들을 합쳐서 변연계라 한다. 변연계는 뇌간(brain stem)과의 경계를 형성하며, 중위 뇌와 상위 뇌를 연결한다.

1960년대에 폴 맥린(Paul MacLean)은 인간의 뇌는 진화 과정에 따라 단계적으로 형성된 세 층으로 구분할 수 있으며, 각 층은 고유의 기능을 담당하면서 서로 밀접하게 상호작용함으로써 완전한 하나의 뇌를 구성한다고 했다. 이를 '삼위일체 뇌 이론(triune brain theory)'이라 한다. 세 층 중에서 가장 먼저 형성된 층은 뇌의 아랫부분으로, 척수와 연결되는 뇌간이다. 뇌간은 중뇌(midbrain), 교뇌(pons), 연수(medulla oblongata)를 합쳐서 부르는 이름이다. 뇌간을 '파충류의 뇌'라고도 한다. 이곳은 호흡, 배설, 혈류, 체온 등 생명 유지에 필수적인 기능을 담당한다. 뇌간 위의 변연계는 '포유류의 뇌'라 한다. 변연계는 기억과 정서가 형성되는 곳이다. 변연계 위에 있는 대뇌피질은 진화적으로 가장 최근에 만들어졌기 때문에 신피질이라 한다. 이곳이 바로 인간을 인간답게 만드는 '인간의 뇌', 이성의 뇌. 감각적 경험(인식)과 의식적 마음(의지)은 신피질의 작용이다.

신피질이 가장 발달된 뇌라는 착각은 인간이 생태계를 지배할 자격이 있다거나, 의지만으로도 얼마든지 몸의 질병을 낫게 할 수 있다고 주장하는 사람들이 가진 허술한 믿음이다. 신피질은 가장 발달된 뇌가 아니라 가장 최근에 만들어진 뇌이며, 그만큼 불완전하고 불안정하다. 이것은 마음이 몸에 미치는 영향력 이전에 몸이 마음에 행사하는 강력한 힘을 이해하기 위해서도 반드시 기억되어야 하는 사실이다. 이성이 감정에 의해 마비되는 것은 살면서 누구나 경험하는 일이고, 삶에 대한 본능은 마음의 기능이 완전히 소실된 환자도 '스스로' 살아있게 한다. 사람의 행동은 대뇌신피질에서 이루어지는 의지와 판단에 따라 형성된다고 생각하지만, 우리가 하는 행동의 대부분은 무의식

중에 자동적으로 이루어진다. 그러한 행동들이 바로 정서를 담당하는 변연계에서 구성된다. 양육, 사교적 활동, 의사소통, 놀이 등도 변연계에서 비롯되는 것이다. 신피질을 모두 제거한 어미 햄스터는 새끼를 계속 양육할 수 있지만, 변연계에 작은 손상이라도 있으면 모성행동이 손상된다.

스트레스 반응은 시상하부가 편도체로부터 신호를 받으면서 개시된다. 편도체는 분노, 불안, 공포 등 부정적인 정서를 담당하는 영역이다. 편도체가 손상되면 아무리 위급한 상황에 놓여도 스트레스 반응이 일어나지 않을 수 있다. 쥐의 편도체를 손상시키고 고양이 앞에 놓으면 쥐는 전혀 고양이를 두려워하지 않고 오히려 다가가 냄새맡고 탐색하는 행동을 한다. 이것은 일부러 편도체를 손상시켜서 스트레스의 유해한 영향을 피할 수 있다는 뜻일까? 물론 아니다. 겁 없이 고양이에게 다가간 쥐에게 어떤 일이 벌어졌을지 상상해 보라. 우리는 단지 부정적 정서를 조절하면 된다.

인간은 발달된 신피질을 통해 정서를 의식적으로 조절할 수 있다. 훈련을 통해서, 정서를 조절하는 전두엽과 정서를 만드는 변연계를 연결하는 신경망을 강화시킬 수 있다. 심신의학의 심신요법들은 이러한 기전으로 스트레스 반응을 조절하고 심신의 건강을 증진시킨다.

(2) 전두-변연 연결과 정서지능

> "행동주의자들의 모순은 정서를 과학의 골칫거리로 치부함으로써
> 인간의 삶을 이해하는 데 가장 강력한 도구가 될 수 있는 것을 제거해 버렸다는 것이다."
> - 니콜라스 험프리(Nicholas Humphrey) -

우리의 의식적 경험은 인지가 정서를 만들고 정서가 행동을 일으키는 것처럼 진행된다. 복권에 당첨된 사실을 알게 되면 기쁨을 느끼고, 기쁨을 느끼면 주먹을 불끈 쥐며 환호하게 되는 것처럼 말이다. 하지만 심리학에서는 경험이 그 반대 방향으로 진행된다는 견해도 상당히 설득력 있게 받아들여졌다. 그래서 인지가 우선인가, 정서가 우선인가 하는 문제는 심리학의 오랜 논쟁거리였다.

피험자에게 슬플 때의 표정을 지으라고 하는 대신, 미간을 찌푸리고 눈꼬리와 입꼬리를 내리라고 하고서 어떤 감정을 느끼는지 물으면 피험자는 슬픔을 느낀다고 답한다. 척추 손상으로 자신의 신체 대부분에서 일어나는 변화를 느낄 수 없는 사람은 강한 정서도 경험하지 못한다. 이러한 사실들은 신체의 변화가 정서를 만들고, 정서가 인지를 만든다는 주장을 뒷받침한다. 하지만 슬픈 기억을 떠올리면 슬픔이라는 감정이 일어나고 그에 따라 눈물이 흐르는 신체적 변화가 나타나는 것도 분명한 사실이다. 과연 인지가 먼저일까 정서가 먼저일까?

답은 '둘 다 맞다'이다. 신경계는 두 방향의 경험을 모두 지원하는 시스템을 갖추고 있다. 다만 인지가 정서를 일으키는 경로는 주로 의식적 과정이지만, 정서가 인지를 형성하는 경로는 대개 무의식적 과정이라는 큰 차이가 있다. 그리고 후자의 과정은 훨씬 강력하고 우리의 생존과 더 밀접하게 연결되어 있다.

인지가 정서를, 정서가 인지를 형성할 수 있는 이유는 인지의 뇌인 전두엽과 정서의 뇌인 변연계가 양방향으로 연결되어 있기 때문이다.[69] 특히 전두엽과 변연계 사이에 있는 '전두-변연 연결'이라는 신경망은 우리가 생리적 스트레스 반응을 의식적으로 조절할 수 있게 해주는 해부학적 통로다. 심신의학의 스트레스 중재법들은 전두엽 중에서 정서를 조절하는 데 관여하는 부위를 발달시키고 전두-변연 연결을 더 강하게 만들어서 편도체의 흥분을 가라앉힐 수 있게 한다.

---

69) 전두엽의 구조와 전두-변연 연결에 대해서는 '글상자❸ 이판의 뇌, 사판의 뇌'를 참고하라.

그런데 이 연결망은 본래 대칭적이지 않다. 전두엽에서 편도체로 전해지는 정보보다 편도체에서 전두엽으로 전해지는 정보가 훨씬 많다. 우리의 몸과 마음에서 일어나고 있는 일들 중에는 '나도 모르게' 일어나는 것들이 훨씬 더 많다는 의미다. 게다가 우리는 부정적인 신호에 더 편향된 반응을 하기 때문에 굳이 스트레스 반응을 할 필요가 없는 일에 대해서도 자신도 모르는 사이에 스트레스 반응을 일으킨다. 물론 이것은 위험에 대비하도록 하여 생존 가능성을 높여주는 긍정적 측면이 있다. 문제는 이 때문에 불필요한 스트레스 반응이 무의식중에 계속 일어나고 점점 증폭된다는 것이다.

자신의 정서를 자각하는 것은 전두엽이 활동한다는 것이고, 전두엽에서 변연계로 향하는 전두엽의 신호가 강화되는 것이다. 다시 말해서 정서를 알아차리는 능력이 곧 스트레스 반응을 조절하는 능력이 된다. 자신의 정서를 잘 알아차리는 사람은 다른 사람의 정서 변화도 잘 파악한다. 자신과 타인의 정서를 이해하고 각 정서를 구별할 줄 알며, 사고와 행동을 하는 데 정서 정보를 활용할 줄 아는 능력을 정서지능이라 한다(Salovey 등, 1990). 골맨(Goleman)은 정서지능을 자신에게 동기를 부여하고 좌절에 직면해도 인내할 줄 아는 능력이며, 충동을 통제하고 만족을 지연할 줄 아는 능력이고, 자신의 정서를 조절하고 사고 능력이 감정에 압도되지 않도록 하며 공감할 줄 아는 능력으로 정의한다(Goleman, 1995).

정서가 생성되고 조절되는 데는 복내측전전두엽, 안와전두엽을 포함한 전두엽의 여러 영역들과 보조운동영역 같은 신피질 구조도 관여하고 있다. 사고나 질병으로 이들 부위에 병소가 생기면 자신의 정서를 자각하고 상황에 맞게 정서를 표현하는 능력이 와해된다. 다른 사람과 공감하는 데도 어려움을 겪기 때문에 타인을 배려하지 못하고 분위기에 어울리지 않는 언행으로 주변 사람들을 불편하게 한다.

게다가 사소한 의사결정에도 장애가 생길 수 있다. 정서를 담당하는 뇌 부위가 손상되었더라도, 인지적 능력을 담당하는 뇌 부위는 정상적으로 기능하므로 필요한 정보를 체계적으로 처리할 수 있지만, 최종적으로 이것은 '좋다', 저것은 '싫다'라는 정서가 덧붙여지지 않으면 아무런 선택도 할 수 없기 때문이다. 마치 컴퓨터가 옳고 그른 것은 찾아낼 수 있어도 좋고 싫은 것은 선택할 수 없는 것과 같다. 설령 합리적인 선택을 했다고 해도 그 선택을 통해 만족감과 행복감을 느끼지 못한다. 따라서 자신의 정서를 관찰하고 돌보는 능력은 단순히 심리적 안정감을 유지하기 위해 필요한 것이 아니라 가치 지향적이고 만족스러운 삶을 살기 위해서도 매우 중요하다.

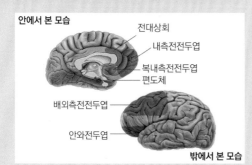

글상자 35 이판의 뇌, 사판의 뇌

안에서 본 모습

전대상회
내측전두엽
복내측전전두엽
편도체
배외측전전두엽
안와전두엽

밖에서 본 모습

변연계를 정서의 뇌라 하지만 정서를 만들고 조절하는 데는 신피질의 여러 부위가 관여한다. 전두엽에서 이루어지는 인지적 활동과 그 내용은 정서의 강도와 지속 정도에 영향을 준다. 이 부위들에 생긴 병소는 상황에 맞게 정서를 표현하거나 자신의 정서를 느끼는 능력을 와해시킨다. 사고 작용을 담당하는 전두엽과 정서를 만드는 변연계 사이에는 양방향으로 연결되는 신경망이 있다. 전두-변연 연결이다. 전두엽의 기능을 계발하거나 전두-변연 연결을 강화시키는 훈련을 하면 정서 조절 능력도 향상된다. 그러면 머리가 좋은 사람들이 정서도 잘 조절할까? 이 질문은 바른 질문이 아니다. 공부하는 뇌와 정서를 조절하는 뇌는 다르기 때문이다.

전두엽 중에서도 앞쪽인 이마 쪽 전두엽을 전전두엽이라 한다. 전전두엽도 여러 부위로 나뉜다. 논리, 계산, 사고와 관련된 뇌는 이마 양쪽 바깥에 있는 배외측전전두엽이라는 곳이다. 공부를 잘하는 뇌는 이곳이 잘 발달된 뇌다. 반면 이마 가운데 있는 내측전전두엽과 복내측전전두엽, 그리고 안구 위에 있는 안와전두엽은 자신의 정서를 자각하고 조절하는 능력, 다른 사람과 공감하는 능력, 양심과 관련된 곳이다.

사고나 질병으로 전두엽이 손상된 사람에게 감정이나 충동 조절 장애가 발견되는 경우가 많다. 피니스

게이지(Phineas Gage)라는 유명한 환자는 철도 공사 현장의 폭발사고로 전두엽이 크게 손상되었지만 인지능력은 거의 훼손되지 않았다. 하지만 그의 주변 사람들은 "게이지는 더 이상 예전의 게이지가 아니다"라고 말했다. 게이지의 인격은 사고 후 완전히 달라졌다. 감정을 조절하지도 못하고 충동적으로 행동하며 사회적으로 부적응적인 삶을 살다가 생을 마쳤다. 그에게서 손상된 부위가 바로 복내측전전두엽과 안와전두엽이었다(Damasio 등, 1994). 이 부위들은 감정을 조절하는 자기조절의 중추로서, 욕구와 동기, 그리고 도덕적 결정 등과 관련한 정보를 처리하기도 한다. 살인자의 뇌를 조사했더니 전두엽의 활동이 정체되어 있었다는 연구 결과가 있다. 또 다른 연구에서 특히 안와전두엽이 살인의 정당성과 관련된 감정, 즉 죄책감을 담당하기 때문이라는 것이 밝혀졌다(Molenberghs 등, 2015). 사이코패스(psychopath)들에게도 안와전두엽 활동이 감소되어 있다.

이판사판(理判事判)은 불교에서 유래한 말이다. 사판이 정보를 종합, 분석하여 내리는 합리적 판단이라면 이판은 직관적이고 영적인 차원에서 내리는 판단이다. 배외측전전두엽이 사판의 뇌라면 안와전두엽, 내측전전두엽 같은 곳은 이판의 뇌. 현재의 교육은 주로 사판의 뇌만 발달시킨다. 사판의 뇌만 집중적으로 발달되고 이판의 뇌는 발달이 지체된 사람은 종종 고도의 지능범, 사이코패스로 불린다. 다른 사람의 상황을 이해하는 것과 공감하는 것은 다르다. 뇌 영상 연구는 머리로 이해하는 것과 마음으로 공감하는 것이 신경학적으로 다른 네트워크를 활성화시킨다는 것을 보여준다(Hein 등, 2008; Singer 등, 2004). 사회심리학의 창시자 에드워드 윌슨(Edward Wilson)은 정서 중추가 우리에게 도덕적 직관을 준다고 했다.

(3) 평정심 기르기

사람은 하루에, 말 그대로 오만 가지 생각을 한다. 그 생각 중에 90%는 어제도 했던 생각이고 어제 했던 생각도 그 전날 했던 생각의 반복이다. 대체 우리는 매일 같이 무슨 생각을 하고 있는 것일까? 대부분 지나간 일에 대한 미련이나 후회, 앞으로 일어날 일에 대한 걱정과 불안이다. 결과적으로 우리가 하고 있는 생각의 85%가 부정적인 것이다.

진화론적 관점에서 보면 우리의 생각이 부정적으로 편향된 것은 분명히 생존적 가치가 있다. 과거의 실수를 되풀이하지 않고 미래를 더 잘 대비할 수 있도록 해주기 때문이다. 문제는 그것이 너무 지나치다는 데 있다. 지금 행복하지 않은 사람들은 언젠가 어떤 일이 자신에게 일어나면 행복해질 것이라고 믿는다. 그렇지만 우리가 영원히 머물 수 있는 행복은 없다. 거액의 복권에 당첨된 사람도, 꿈에 소원하던 명문 대학교에 합격한 사람도, 곧 평소의 감정 상태로 되돌아오게 된다.

반면에 은행 잔고가 비어 있고 입시에 실패했어도 행복한 사람들이 있다. 이들에게는 어떤 비결이 있는 것일까? 이들은 지금 먹는 사과의 상큼한 맛을 즐길 수 있고 지금 빛나고 있는 환한 햇살을 느낄 수 있는 사람들이다. 이들은 사과를 먹으며 과거를 곱씹지도, 태양 아래서 어두운 미래를 헤매지도 않는다. 미래도 과거도 아닌 '지금 여기'를 산다. 그것을 깨어있음 또는 마음챙김이라 한다.

붓다는 자신의 가르침을 한 단어로 요약해 달라는 요청을 받고 '깨어 있음'이라고 답했다. 이것은 깨어 있는 온 마음으로 '바로 여기, 지금 이 순간'을 사는 것을 말한다. 팔정도 중 하나인 정념(正念)이 바로 마음챙김을 말하는데, 한문 '념(念)'자를 풀어보면 지금(今) 마음(心)이라는 뜻이다. 따라서 불교의 정념 수행은 마음이 현재에 바르게 머물 수 있도록 하는 수행이다. 마음챙김이 되지 않을 때 우리의 마음은 온갖 기억과 망상에 시달리고, 지금 여기를 떠나 과거와 미래, 직장과 학교를 오가며 끝없이 동요한다. 이렇게 마음이 휘둘리지 않도록 잘 챙김으로써 평정심(平靜心)을 얻게 된다.

평정심은 불안, 걱정, 후회, 미련이 없는 것을 말하는 것이 아니다. 불안을 불안으로 걱정을 걱정으로 후회를 후회로 미련을 미련으로 알아차리는 것이 불안, 걱정, 후회, 미련으로부터 우리를 분리시킨다. 자신이 불안하다는 것을 알아차리지 못할 때는 불안과 한 덩어리가 되어 있는 것이지만, 불안을 관찰하는 순간 불안한 사람과 그 사람의 불안은 관찰자와 관찰 대상으로,

즉 주체와 객체로 분리된다.

불안하다는 것을 누군가에게 이야기할 때, 혹은 글로 표현할 때 불안이 감소되는 것도 같은 원리다. 스피노자(Spinoza)는 "고통스러운 감정은 우리가 그것을 명확하고 확실하게 묘사하는 그 순간 고통이기를 멈춘다"라고 하였는데, 실제로 감정은 표현하는 것만으로도 감소된다(Lieberman 등, 2007). 이것은 앞 장에서 말한 전두엽과 변연계 사이의 연결망을 통해 이루어진다. 수학 문제를 많이 풀면 논리나 계산을 담당하는 뇌 부위가 발달하는 것처럼, 정서 능력을 향상시키는 심신요법들은 정서를 담당하는 뇌 부위를 발달시켜 평정한 마음을 유지할 수 있도록 돕는다.

(4) 행복은 태도다

> "인간은 행복해지기로 마음먹은 만큼 행복해질 수 있다."
> - 에이브러햄 링컨(Abraham Lincoln) -

수많은 연구들이 행복과 외적 조건은 거의 상관이 없다는 것을 보여준다. 우리는 물질적으로 풍족해졌지만 궁핍하던 시대보다도 행복하다고 느끼지 못한다. 더 높은 지위에 오를수록 더 행복해지는 것도 아니다. 물질적으로 풍족하거나 사회적으로 성공하면 행복할 것이라는 생각은 현대인이 행복하지 않은 원인을 설명하지 못한다. 벤-샤하르(Ben-Shahar)는 이런 외적 조건에 매달리는 것은 시대적으로 매우 뒤처진 신념에 기인한다고 지적한다(Ben-Shahar, 2007).

일상의 사건들에 의해 기복이 있기는 하지만, 우리의 행복 수준은 아무리 큰 사건을 경험해도 3개월 후에는 원래의 설정값(set point)으로 되돌아간다. 설정값은 유전적으로 타고난 경향, 즉 우울하거나 명랑한 경향을 말한다. 복권에 당첨된 사람은 한 달도 되지 않아서 원래의 행복 수준으로 되돌아오고, 사고로 반신불수가 된 사람도 일 년이면 사고 전 행복 수준이 회복된다. 이것은 행복도 유전자가 결정한다는 '행복의 유전자 결정론'을 말하는 것일까? 그렇지 않다. 우리의 라이프스타일이 타고난 유전자의 영향도 극복할 수 있다는 사실은 행복이라는 주제에 대해서도 똑같이 적용된다.

행복이란 특정 상황에서 느끼는 피상적 감정이 아니라 존재의 깊은 내면에서 일어나는 긍정적 확신, 이를테면 삶이 어떤 질서 속에서 바르게 진행되고 있다는 느낌과 관련된 것이다. 영어 단어 'happy'의 어원은 '행운'이나 '기회'를 뜻하는 아이슬란드어 'happ'인데, 이것은 'haphazard(우연)', 'happenstance(우연한 일)'와 어원이 동일하다. 하지만 이것은 어떤 조건이 충족되는 기회가 아니라 그 조건에 대한 반응의 기회라고 해야 할 것이다. 돈이든 명예든 권력이든 어떤 조건이 충족되면 행복해질 것이라는 생각은 행복의 기회를 헛되이 낭비하게 한다. 설령 그런 조건이 충족된다고 해도 그 순간 느끼는 긍정적 감정은 오래 지속될 수 없도록 우리 마음이 설계되어 있다. 그런 조건에 집중하는 것은 현실과 희망 사이의 괴리를 계속 확인시키며 끝없는 불만을 부추길 뿐이다.

반면 다른 사람보다 열악한 조건에서도 행복을 누릴 수 있다. 왜냐하면 행복은 감정이기 이전에 우리의 태도이고 습관이기 때문이다. 우리는 상황을 선택할 수는 없지만 그 상황에서 취할 태도는 선택할 수 있다. 행복은 안에서 오는 것이고 선택하는 것이다. 류보머스키(Sonja Lyubomirsky) 등은 행복이 세 가지 요소로 구성되어 있다고 설명한다. 우울이나 명랑한 경향을 결정하는 유전적 요인, 환경, 의도적 행동(태도)이다(Lyubomirsky 등, 2005). 이 중 세 번째 요인이 '지속적으로 증가하는 행복'에 가장 크게 기여한다. 유스트레스와 디스트레스를 결정하는 것도 스트레스에 대한 태도였다. 아리스토텔레스의 말처럼 지금의 우리는 반복적인 행동의 결과물이며, 행복 또한 그러하다.

신경학적으로 행복한 두뇌일수록 수행력이 올라가므로 성공해야 행복한 것이 아니라 행복해야 성공하는 것이다. 성공하는 것, 건강하게 사는 것, 경제적으로 더 여유 있게 되는 것 모두 노력하지 않으면 안 된다는 것을 누구나 알고 있다. 행복 또한 운이 아니라 꾸준한 노력에 대한 보상이다. 그렇다면 우리가 행복하기 위해 꾸준히 해야 하는 노력은 구체적으로 무엇일까?

(5) 감사와 용서

> "항상 기뻐하라. 쉬지 말고 기도하라. 범사에 감사하라."
> - 「데살로니가전서」 5장 16~18절 -

지그 지글러(Zig Ziglar)는 감사가 인간이 경험하는 모든 정서 중에서 가장 건강한 것이라고 한다. 심리학자 바바라 프레드릭슨(Barbara Fredrickson)은 긍정성(positivity)은 열 가지 형태로 나타난다고 한다. 기쁨, 감사, 평정심, 흥미, 희망, 자긍심, 즐거움, 영감(inspiration), 경외감, 사랑이다. 스트레스 연구자 한스 셀리에는 현명하게 사는 방법으로서 감사의 마음을 가질 것, 자기 중심적이지 않고 이타적으로 살 것, 삶의 경외감과 기쁨을 누리는 능력을 가질 것, 삶의 목적을 찾을 것, 목표 성취에 대해 겸허한 태도를 가질 것을 꼽는다. 마틴 셀리그먼 역시 친절, 공정함, 진정성, 개방적 마음와 함께 감사를 정서적·사회적 건강의 특성으로 꼽는다. 왜 감사가 긍정적인 삶, 현명한 삶, 건강한 삶의 요건이 되는 것일까?

감사를 표현하는 것은 일상의 스트레스와 심리적 소진감을 상쇄시키는 강력한 해독제다. 애플렉(Affleck)은 감사가 심장마비에 대해 보호 효과가 있음을 발견했다(Affleck 등, 1987). 에몬스(Emmons)의 연구에서는 감사가 스트레스 호르몬인 코티솔을 23% 낮추고, 감사한 마음을 갖는 사람은 그렇지 않은 사람보다 혈압이 낮았다. 또한 감사는 웰빙감을 증가시키고 우울증을 감소시키며 불면증을 개선하고 수면의 질을 높인다(Emmons 등, 2003; Emmons, 2007). 또 다른 연구에서도 감사한 마음을 더 많이 갖는 환자들은 기분도 더 긍정적이고 더 잘 자고 피로를 덜 느끼며 염증지표도 낮았다(Mill 등, 2015).

누군가에게 계속 감사를 표시하다 보면 싫던 사람에게도 호감을 느끼게 된다.[70] 긍정심리학자 벤-샤하르가 제시한 '행복 6계명' 중 하나는 '기회가 있을 때마다 감사를 표현하라'는 것이다.[71] 감사에 대해 수많은 연구를 했던 셀리그먼은 사랑하는 사람들에게 감사 편지를 쓰고 감사 방문을 하라고 권한다. 이것은 본인과 상대방 모두에게 깊은 영향을 미친다. 감사 편지는 과거, 현재, 미래의 관계에서 긍정적인 요소들을 조명하고 강조하는 역할을 한다. '감사하다(thank)'와 '생각하다(think)'는 어원이 같다. 곰곰이 생각해 보면 우리에게는 감사하지 않을 일이 없다. 새옹지마(塞翁之馬)라는 말도 있듯이, 당장 힘든 일도 더 긴 시간의 흐름 속에서 바라보면 우리를 현실에 안주하지 않고 더 성장하게 만든 의미 있는 사건들이다.

잠들기 전에 하루를 돌아보고 세 가지 이상 감사할 일을 찾아보라. 즐거운 하루였다면 당연히 감사할 일이지만, 힘든 하루였다면 힘든 하루가 끝난 것도 감사할 일이다. 감사하고 사람들과 연결감을 느끼고 긍정적 태도를 갖는 것은 매일 웰빙감을 고양시킨다. 감사하는 습관은 낙

---

70) 프랭클린 효과라는 것이 있다. 우리는 나에게 친절을 베푸는 사람을 좋아하기도 하지만, 내가 친절을 베푼 사람도 좋아하게 된다. 미국의 정치가 벤저민 프랭클린(Benjamin Franklin)은 이것을 이용해서 정적을 친구로 만들었다. 프랭클린은 불편한 관계에 있던 정적에게 책을 빌려달라고 부탁했다. 책을 빌려 본 프랭클린은 며칠 뒤 감사 편지와 함께 책을 돌려주었고 이후 두 사람은 절친한 친구가 되었다. 프랭클린이 정말 그 책을 읽었는지는 중요하지 않다. 중요한 것은 정적으로 하여금 자신(프랭클린)에게 친절한 행동을 하도록 만들었다는 것이다. 프랭클린은 자서전에 이 사례를 언급하며 "적이 당신을 한 번 돕게 되면, 더욱 당신을 돕고 싶어 하게 된다"라고 썼다.

71) 나머지 다섯 가지는 '인간적인 감정을 허락하라', '행복은 즐거움과 의미가 만나는 곳에 있다', '행복은 사회적 지위나 통장 잔고가 아닌 마음먹기에 달려 있음을 잊지 말라', '단순하게 살라', '몸과 마음이 하나라는 것을 기억하자'이다.

관성을 증가시키는데 이것은 행복의 설정점을 점점 높여준다. 또한 낙관성이 심신의 건강을 증진하는 효과에 대한 강력한 증거들이 있다. 낙관성은 만성통증 환자에서 통증의 민감도도 낮춘다(Goodin 등, 2013).

공중에 떠다니다 지나가 버리는 행복의 씨앗을 붙잡아 자신의 삶에 심는 기술이 감사라면, 용서는 날아온 불행의 씨앗을 골라내서 멀리 떠나보내는 기술이라 할 수 있다. 영어 단어 'forgiveness(용서)'는 'for(밖, 멀리)'과 'ghabh(가지다)'가 합쳐진 것이다. 즉, '내게서 멀리 둔다', '마음에 두지 않는다'는 뜻이다.

우리를 종일 화나게 하고 밤잠도 설치게 만든 사람들은 대부분 우리에게 아무런 신경을 쓰지 않는다. 자신에게 아무 신경도 쓰지 않는 상대방에게 화를 내고 있는 것은 이 세상에서 가장 어리석은 일이라 한다. '원한을 갖는 것은 내가 독을 마시고 남이 죽기를 바라는 것'이라는 말도 있다. 그래서 용서는 완전히 자기 자신을 위한 행동이다. 달라이 라마(Dalai Lama)는 용서란 우리에게 상처를 준 사람들을 향한 미움과 원망의 마음에서 스스로를 놓아 주는 일이므로, 자기 자신에게 베푸는 가장 큰 자비이자 사랑이라고 했다(Dalai Lama 등, 2004).

용서는 우리에게 상처 준 사람에게 넘겨주었던 삶의 통제권을 다시 가져오는 것이라고도 한다. 용서를 하던 하지 않던, 우리를 분노하게 한 상황은 달라지지 않는다. 그러나 우리의 지위는 용서에 의해 완전히 달라진다. 강자는 용서하지만 약자는 굴복한다. 용서하지 못하고 그 상황 속에서 계속 분노하고 있는 사람은 약자로 남아 있을 수밖에 없다. 게다가 참는 것, 즉 정서를 억누르거나 외면하는 것은 몸과 마음 모두에 엄청난 부담을 준다. 마치 벽을 향해 최대로 가속 패달을 밟고 있는 자동차와 같은 상태인 것이다. 남을 용서하는 것이야말로 좋은 화풀이 방법이다.

때로는 용서할 일이 사과할 일일 수도 있다. 『중용(中庸)』에 '반구저신(反求諸身)'이라는 말이 있다. 훌륭한 궁수는 화살이 빗나가면 과녁을 탓하지 않고, 자신을 돌아보고 자기 안에서 문제를 찾는다는 뜻이다. 어떤 일이든 자신을 먼저 돌아보면 다른 사람을 비난하고 원망하던 마음이 가라앉는다. 설령 상대방이 문제의 원인을 제공했다고 해도 자신이 어떻게 대처했는가에 따라서 상황이 달라질 수도 있었을 것이다. 사과는 다른 사람이 나를 용서하도록 하는 것일 수도 있고, 나를 용서하지 못하는 사람을 내가 용서하는 것일 수도 있다.

용서하고 싶은데 용서가 되지 않는다면 분노의 대상이 되고 있는 그 사람을 향해, 그리고 그로 인해 고통을 겪고 있는 자신을 향해 연민의 마음을 가져보라. 누군가 내 집에 불을 질렀으면 그 사람의 집으로 가서 따지거나 보복하기 전에 자기 집의 불을 꺼야 한다. 틱낫한은 연민은 화라는 독을 걸러내는 최고의 약이며, 연민 말고는 그 무엇도 화를 치유하지 못한다고 했다(틱낫한, 2001). 누군가 화나서 우리에게 악담, 악행을 하는 것은 그 사람의 신음이라고 생각하면 화내는 사람에게도 연민이 생긴다. 연민이 생긴다면 용서를 넘어 자비의 마음이 생겨날 수도 있다. 자비심은 그 대상인 다른 사람에게는 반드시 이익이 되지 않더라도 자기 자신에게는 큰 이익을 가져다준다(Dalai Lama 등, 2004). 그럼에도 불구하고 용서가 어렵다면 분노가 계속 자신을 태우지 않도록 감사할 일로 방향을 바꾸는 것이 좋다. 감사는 용서보다 쉽고, 그래서 평정한 마음, 행복한 마음을 갖기 위해 감사를 습관화하는 것은 좋은 전략이다.

우리는 매일 음식을 소비하듯이 매 순간 감각적 자극을 소비한다. 그런데 음식은 해로운 것을 피하고 좋은 것만 골라 먹으려 하면서도, 해로운 감각적 독소에는 무방비 상태로 자신을 노출시키고, 심지어는 우리를 탐욕과 분노, 우울과 불안에 빠지게 하는 광고, 뉴스, 영화 같은 것을 탐닉하며 몸과 마음을 다치고 병들게 한다. 자극적이고 부정적인 소식이 잘 팔리는 것이 미디어 산업의 특성이다. 그런 소식을 완전히 차단하고 살 수는 없지만, 아무 성찰 없이 습관적으로 자신을 유해한 자극 속에 방치하지 않는 것이야말로 잘 사는 기술이다. 음식이 몸을 만들듯, 그런 감각정보들은 우리의 마음을 만든다. 깨끗하고 몸에 좋은 음식을 골라 먹듯이. 감각적 자극들도 좋은 것을 선별해서 취하는 습관을 들여야 할 것이다.

10 심리·사회적 환경

◼ 사회적 연결과 건강, 수명의 관계

(1) 비만은 전염된다

> "라이프스타일은 약이고 문화는 그 약을 떠먹는 숟가락이다."
> - 데이비드 카츠(David Katz) -

2007년에 발표된 크리스타키스(Christakis)와 파울러(Fowler)의 연구는 큰 반향을 일으켰다 (Christakis 등, 2007). 어떤 사람의 친구가 비만이면 그 사람이 비만이 될 가능성이 45% 높아지고, 친구의 친구가 비만이면 20% 높아지고, 친구의 친구의 친구가 비만이면 10% 높아진다는 내용이었다. 사회적 관계는 행동을 전파하는 감염 기전을 통해 비만을 전파한다. 이런 전파 패턴은 흡연, 음주, 우울, 행복, 이타심에서도 발견된다. 물론 감염병은 언급할 필요도 없다. 사회적 거리는 지리적 거리보다 더 중요하다. 심지어 SNS를 통해서도 감정이 전파되고 우울증 같은 질병이 증가한다(Kramer 등, 2014).

라이프스타일은 사회가 만들고 공유하는 문화다. 점심은 무엇을 먹을 것인가, 어떻게 주말을 보낼 것인가, 어떤 운동을 시작할 것인가 등 완전히 개인의 선택처럼 보이는 행동도 실제로는 환경이라는 배경이 만들어낸 전경이다.

한때 코로나 팬데믹으로 '확찐자'가 늘었다는 말이 있었다. 확실하게 살이 찐 사람, 아니면 갑자기 확 살이 찐 사람을 뜻하는 말이었다. 외부 활동을 제한하면서 신체 활동량이 크게 감소하고, 대면접촉의 제한과 전대미문의 감염병에 대한 두려움 때문에 우울증과 불안증 환자가 증가하기도 했다. 모두 팬데믹 때문에 바꿀 수밖에 없었던 라이프스타일 때문이었다. 인스턴트식품이나 배달음식을 많이 먹고 신체활동을 최대한으로 줄이고 인간관계를 끊기로 우리 스스로 작심해서가 아니라 우리의 선택 밖에 있는 압력이 그런 라이프스타일을 만들었던 것이다. 그래서 라이프스타일의학의 관심은 개인에 국한되지 않고 그 사람의 라이프스타일을 만드는 실질적 행위자이기도 한 환경으로 확대된다. 라이프스타일이 바뀌려면 환경이 바뀌어야 한다.

사회·문화적 환경은 단순히 우리의 건강행태를 좌우하는 변인이 아니다. 여기에는 훨씬 복잡한 생리적인 기전이 관여한다. 유전자 발현 양상을 변화시키는 것도 그 중 하나다. 유전자에 미치는 사회·문화적 영향은 지대하다. 사람의 키를 결정하는 데 유전자가 절대적인 역할을 한다는 것은, 부모 모두 키가 크면 자녀도 크다는 것을 보더라도 명확한 사실이다. 하지만 특정 유전자 몇 개가 키를 좌우하는 것은 아니다. 사람의 키와 관련된 유전자의 단일염기다형성 (single nucleotide polymorphism, SNP) 연구에서 무려 30만 개의 SNP가 연관되어 있는 것으로 나타났는데, 이것은 전체 SNP의 약 10%에 이르는 것이며, 한 사람이 가진 총 유전자 수 2만 개의 15배에 이르는 것이다. 한마디로 거의 모든 유전자가 영향을 미친다고 볼 수 있다. 그럼에도 불구하고, 이것들을 모두 더해도 키를 결정하는 요인 중 절반조차 설명되지 않는다. 그러면 네덜란드 같은 북유럽 사람들이 큰 이유는 어떻게 설명할까?

문화심리학자 스티븐 하이네(Steven Heine)는 이들의 식문화에서 답을 찾는다. 낙농산업의 발전이라는 산업 구조의 변화와 이에 따른 유제품 소비문화 확대가 그 원인이라는 것이다. 실제로 1860년대 경제 불황 당시 네덜란드 남성의 키는 미국 남성에 비해 8 cm나 작았지만, 지금은 네덜란드 남성이 8 cm 더 크다. 1950년대 미국으로 이주한 일본인은 일본에 남아 있는 일본인보다 13 cm나 컸다는 연구 결과도, 유전자보다 사회·문화적 환경이 더 큰 변수였음을 보여준다. 사회·문화적 환경은 키, 체중, 나아가 질병과 노화를 좌우하는 수많은 유전자의 발현 양식을 결정한다.

(2) 사회적 관계와 만성질환

> "우리는 거시적인 수준에서 미시적인 수준에 이르기까지,
> 사회에서 세포에 이르기까지 모든 수준에서, 그리고 모든 생물과 연결되어 있다."
> - 엘리자베스 블랙번(Elizabeth Blackburn) -

1980년 무렵, 고콜레스테롤 식사가 심혈관계에 미치는 영향에 대한 연구가 진행되고 있었다. 실험 대상은 토끼였다. 똑같이 콜레스테롤이 많이 함유된 먹이를 먹였음에도 토끼들에게 심혈관 이상이 나타난 정도는 크게 달랐다. 심혈관 손상이 큰 그룹과 그렇지 않은 그룹 사이에 다른 점이 있었다면 두 그룹을 돌본 연구원이 달랐다는 것이었다. 한 연구원은 토끼에게 먹이만 주고 나서 방치했고, 다른 연구원은 토끼를 꺼내 쓰다듬고 대화하고 놀아주며 상호작용을 했던 것이다. 이 연구는 사회적 관계가 심혈관계 건강에 미치는 영향을 살펴보는 것으로 확대되어 다시 이루어졌다. 첫 연구에서와 같은 조건으로 키운 두 그룹의 토끼를 일 년 후 부검해 본 결과, 두 그룹의 콜레스테롤 수준, 심박수, 혈압은 같았음에도 불구하고, 연구원이 상호작용을 하며 돌봐 주었던 그룹은 대동맥 질환(aortic disease)이 60%나 적었다(Nerem 등, 1980).

2년 뒤에는 원숭이를 대상으로 한 연구가 발표되었다(Kaplan 등, 1982). 죽상동맥경화증을 일으킬 위험이 높은 고지방 음식을 약 2년간 먹였던 두 그룹의 우두머리 원숭이를 부검한 결과에는 뚜렷한 차이가 있었다. 한 그룹은 구성원이 계속 바뀌어 서열이 불안정했고, 한 그룹은 구성원의 변동 없이 서열이 안정적으로 유지되었는데, 불안정한 그룹의 우두머리는 안정적인 그룹의 우두머리보다 관상동맥의 죽상동맥경화가 훨씬 더 진행되어 있었다. 두 그룹의 혈중 콜레스

테롤 농도, 혈압, 체중, 혈당에는 차이가 없었다. 질병의 변인은 오로지 사회적 관계였던 것이다.

토끼와 원숭이에서 나타난 사회적 관계의 영향이 사람에서도 적용될 수 있을까? 이 질문은 부적절하다. "가장 사회적인 동물인 인간의 건강은 도대체 얼마나 사회적 관계에 의한 영향을 받을 것인가?"로 대체되어야 한다. 양질의 사회적 관계는 심장병, 뇌졸중, 암을 포함한 만성질환, 그리고 모든 원인으로 인한 사망률과 명백하게 연결되어 있다. 148개의 연구를 메타분석한 연구에서는 강한 사회적 관계를 가지는 것이 생존율을 50%나 증가시키는 것으로 나타났다(Holt-Lunstad 등, 2010). 사회적 관계가 사망 위험에 미치는 영향은 흡연이나 비만처럼 가장 명백하게 확인된 변인들이 미치는 영향의 수준과 유사한 것이다.[72]

지역 공동체 안에서든 직장이나 가정에서든 그 사람에게 지각된 사회적 지지의 정도는 광범위한 만성질환으로부터 보호 효과가 있다(Uchino, 2006). 빈약한 사회적 관계, 부정적이고 경쟁적인 관계는 대사염증의 증가, 염증성 사이토카인의 증가와 연결되어 있다(Kiecolt-Glaser 등, 2010). 반면 사회적 지지망은 염증을 완화시킨다(Øvrum 등, 2015). 따라서 대인관계나 사회적 지지망에 대한 고려가 건강 문제, 특히 만성질환 관리에 반드시 포함되어야 하는 근거는 명확하다.

콕(Kok)과 프레드릭슨(Fredrickson)은 자율신경계의 균형, 긍정적 정서, 양질의 사회적 연결이라는 세 가지 요인의 관계를 조사하여 세 가지 중 한 요인이 증가하면 다른 요인들도 증가한다는 것을 발견하고, 이 관계를 상승나선(upward spiral)이라 했다(Kok 등, 2010). 연구자들이 말하듯이 '사랑은 건강을, 건강은 사랑을 창조'한다.

---

[72] 다만 관계의 양보다는 관계의 질이 중요하다는 점은 미리 밝혀둔다. 현대인의 대인관계 중에는 도구적 관계, 독성(toxic) 관계가 적지 않다. 이런 관계가 스마트폰 주소록에 많이 저장되어 있을수록 대인관계에서의 스트레스가 증가한다. 좋은 사회적 관계는 지지적인 관계다. SNS를 통한 사회적 연결과 실제 세계의 사회적 연결도 다르다. 연구에 의하면 실제 세계의 사회적 네트워크는 전반적 웰빙과 긍정적으로 연결되어 있었고, 페이스북 사용 빈도는 웰빙과 부정적으로 연결되어 있었다(Shakya 등, 2017a). 페이스북을 사용한 빈도가 높을수록 신체적 건강, 정신적 건강, 삶의 만족감이 유의하게 감소되는 것으로 나타난다(Shakya 등, 2017b). 사실 SNS 같은 곳에서는 진정한 관계가 형성되기 어렵다. 이 공간은 자신들의 좋은 면만을 경쟁적으로 드러내는 곳이기 때문이다.

(3) 연결될수록 오래 산다

> "우리는 사랑과 친밀함의 부족이 우리를 아프게 하는 근본 원인이자
> 우리를 건강하고 행복하게 만드는 것임을 알고 있다."
> - 딘 오니시(Dean Ornish) -

사회적 고립감은 면역기능을 저하시킨다(Hawkley 등, 2003). 외로움이 염증을 15%나 증가시키기도 한다. 외로움은 염증물질인 CRP와 염증성 사이토카인, 기타 다른 기전이 작용하는 경로로 염증을 지속적으로 증가시킨다. 면역기능을 저하시키고 염증을 높인다면, 외로움은 흡연이 그러하듯 대부분의 만성질환에 영향을 미칠 수 있을 것이다. 실제로 외로움을 연구하는 사람들은 외로움이 흡연보다도 해로운 것이라고 말한다.

외로움은 만성적인 정서적 스트레스와 교감신경계의 과도한 활성화를 야기한다(Cacioppo 등, 2015; Nersesian, 2018). 또한 만성질환과 관련된 천여 개의 유전자 발현을 상향조절한다. 사회적 고립감은 만성염증, 과잉면역, 세포증식[73]과 관련된 유전자를 활성화시키고, 염증을 억제하는 것과 관련된 유전자는 비활성화시킨다(Canli 등, 2017). 사회적 고립과 조기사망의 관계는 사망과 흡연의 관계나, 사망과 고지혈증의 관계만큼이나 높은 통계적 유의성이 있다(House 등, 1988). 외로운 사람은 중독의 위험도 높다. 병원에서 마약성 진통제에 중독된 사람 중에도 외로운 사람이 많았다는 보고가 있다.

딘 오니시는 1998년 출간한 서적에서, 수백 편의 연구를 검토한 결과 외롭고 우울하고 고립된 사람은 3~10배나 더 아프거나 모든 원인에 의해 조기사망할 가능성이 높다는 결론을 내렸다(Ornish 등, 1998). 이후의 상황은 더 심각해졌다. 산업화된 나라에서는 국민의 1/3이 외로움을 느끼고 있으며 미국에서는 성인 중 40%가 외롭다고 한다. 2017년 미국 공중위생국장(Surgeon General)은 미국에서 외로움이 유행병 수준이라고 밝혔다. 그 다음 해인 2018년 영국에서는 사회적 고립으로 인한 개인의 건강 문제와 사회적 문제를 해결하기 위해 '외로움 장관(minister of loneliness)'을 임명했다. 코로나 팬데믹 이후 사회적 고립과 외로움은 더욱 큰 문제로 부상했다(Koyama 등, 2021). 오니시는 사회적 연결이 공기나 물처럼 우리의 건강과 웰빙에 근본적인 것이라고 강조한다(Ornish 등, 2019).

---

73) 이로 인해 암 발생 위험이 상승한다.

사회적 관계는 부부, 가족, 친척, 친구, 이웃 등과의 관계를 말한다. 결혼 관계는 다른 어떤 관계보다도 중요하다. 암 생존자들은 결혼 유지 기간이 길었다는 연구 결과는 결혼 상태가 암 회복에 긍정적인 요소로 작용한다는 것을 의미한다. 하지만 불행한 결혼 기간이 길수록 암 발생 위험이 높아진다는 것도 사실이다. 불행한 결혼생활에서 겪는 스트레스는 심혈관, 내분비, 면역기능의 손상과 관련이 있다(Robles 등, 2003). 이것은 대단히 중요한 사실을 우리에게 알려준다. 관계 자체보다 관계의 질이 중요하다는 것이다.[74]

1989년 스피겔(Spiegel) 등은 지지적인 관계가 질병에 미치는 영향에 관한 획기적인 연구를 발표했다. 전이성 유방암 환자 중 지지그룹 심리치료에 참여한 사람들은 참여하지 않은 사람들에 비해 생존기간이 2배나 더 길었던 것이다(Spiegel 등, 1989). 이 연구는 심신의학적 중재법에 대해 호의적이지 않던 당시 학계의 분위기와 연구 결과의 재현성 문제로 여러 논란을 낳았다. 물론 지금의 분위기는 완전히 달라졌다.

사회적 지지망은 사람들 사이에 개인적으로 맺어지는 지지적 관계뿐 아니라 사회복지 시스템까지 포괄하는 개념으로 정서적, 신체적, 물질적으로 지원을 제공하는 연결망이라 할 수 있다. 좋은 사회적 지지망은 육체적, 정신적 건강과 긍정적인 상관관계가 있다. 코헨(Cohen) 등은 사회적 연결망이 넓은 사람이 감기에 덜 걸린다는 것을 발견했는데(Cohen 등, 1997), 사회적 연결망이 넓을수록 감염의 경로도 많아질 것이라는 상식적 추론과는 상반되는 흥미로운 결과다.

이처럼 접촉의 위험을 능가하는 연결의 보호 효과는 마음이 몸에 영향을 미치는 정신신경면역학적 기전을 통해 나타나는 것으로 보인다. 프래스맨(Pressman) 등은 외로움을 많이 느끼고 사회적 지지망이 적다고 느끼는 대학 신입생은 그렇지 않은 학생에 비해 독감 예방접종에 대한 항체 반응이 낮다는 사실을 발견했다. 지각된 사회적 지지의 정도는 NK세포 같은 면역세포의 증가와도 유의미한 상관이 있다(Miyazaki 등, 2003). 미국의 한 조사에서는, 직장에서 사회적 지지를 받는다고 느끼는 사람들은 병가를 덜 내고 회사에서 부담하는 건강보험 비용도 1/2 정도만 사용했다.

사회적 지지의 긍정적인 효과는 다른 의학적 상황에서도 확인된다. 둘라(doula, 출산 동반

---

74) 대개 불행한 결혼생활에서 더 스트레스를 받는 쪽은 여성이다. 독신 생활은 남성의 수명을 단축시키는 데 비해, 여성은 배우자가 없으면 더 장수한다는 연구도 있다. 일반적으로 상대 배우자에게 돌봄을 제공하는 쪽이 여성이라는 점도 크게 영향을 미치는데, 1인 가구가 증가하고 있는 사회에서 남성 노인의 셀프케어 능력이 빈약한 것은 상당히 큰 위험 요인이다. 이 또한 개인적 능력의 문제라기보다는 가부장적인 사회·문화적 환경의 영향이 크다.

을 감소시킨다. 사회적 지지를 더 많이 받은 사람은 출산 중 고통을 덜 느끼고, 수술 후 통증이나 암 투병 중의 고통을 덜 경험한다(Chalmers 등, 1995; Kennell 등, 1991; King 등, 1993; Kulik 등, 1989; Zaza 등, 2002). 신체적 고통이나 사회적 고통 중 어느 한 쪽의 고통에 민감한 사람은 다른쪽의 고통에도 민감하며, 둘 중 한 쪽의 고통을 완화시키는 방법으로 다른 쪽 고통도 완화시킬수 있다(Eisenberger, 2011).

(2) 우리는 돕기 위해 태어났다

> "강은 자신의 물을 마시지 않고, 나무는 자신의 열매를 먹지 않는다.
> 태양은 스스로 자신을 비추지 않고, 꽃은 자기를 위해 향기를 퍼뜨리지 않는다.
> 남을 위해 사는 게 자연의 법칙이다. 우리 모두는 서로 돕기 위해 태어난 것이다."
> - 프란치스코 교황 -

WHO는 건강을 육체적, 정신적, 사회적으로 완전한 웰빙 상태라 하여, 사회적 웰빙을 건강의 요건 중 하나로 정의하고 있다. 로탄(Rotan) 등은 자신과 타인의 웰빙을 촉진하는 방식으로 사회적인 상호작용을 하는 것을 건강의 한 측면으로 정의한다(Rotan 등, 2007). 그러면 과연 우리는 건강한 인간일까?

미국의 작가 앰브로즈 비어스(Ambrose Bierce)가 쓴 『악마의 사전(The Devil's Dictionary)』에서는 행복이란 다른 사람의 불행을 곱씹어 볼 때 드는 유쾌한 감정이고, 증오는 타인이 나보다 잘난 경우에 생기는 감정이며, 축하는 질투의 사회적 표현이라고 정의한다. 비어스의 정의가 불편하게 느껴지는 사람이라도 '대인관계가 현대인의 중생고'라는 말에는 공감할 것이다. 스마트폰 주소록에 저장된 번호가 많고 명함집 두께가 두꺼운 사람일수록 대인관계 스트레스에 시달릴 가능성이 높다. SNS 사용 빈도가 높은 사람은 삶에 대한 만족도가 낮다는 보고도 있다. 모든 약이 독인 것처럼 인간관계도 그런 이중성을 가진 것일까? 그보다는 좋은 관계와 나쁜 관계가 따로 있다고 하는 것이 옳을 것이다.

현대인에게는 대인관계가 목적이 아닌 수단, 협력이 아닌 경쟁 관계인 경우가 흔하다. 프리드먼과 로젠먼이 정의한 A형 행동유형의 핵심적 특성은 경쟁심, 적개심, 분노 등인데, 이러한태도들은 사회적으로 우위를 차지하려는 경쟁적 태도와 무관하지 않다. 버트란드 러셀(Bertrand Russell)은 "미국에서 만난 모든 사람들에게 혹은 영국에서 사업하는 모든 사람들에게, 즐겁게 생활하는 것을 가장 방해하는 것이 무엇이냐고 물어보라. 그들은 '생존경쟁'이라고 대답할 것이다"라고 했다. 현대의 자유 평등 사상과 사회적 지위의 가변성은 경쟁과 질투의 대상을 확대하였고, 정보통신 기술의 발달은 그 영역을 사이버 공간으로까지 무한정 넓혀 놓았다.

인간관계가 본래부터 경쟁적이고 적대적인 것이 아니었음은 분명하다. 진화론적으로 보면 경쟁과 투쟁이 아닌 협력, 이해, 용서, 자비와 같은 것이 생존 가치가 더 높다. 인간 개개인이 가지고 있는 생존 자원과 힘은 다른 동물에 비해 너무도 취약하므로 사회를 이루고 살지 않으면 생존은 크게 위협을 받는다. 사회에서 고립되거나 배척되지 않으려면 이기적, 독선적, 기만적이기보다는 돕고 양보하고 정직하고 친절한 태도를 길러서 사회에서 환영받는 구성원이 되어야 했다.

친절을 뜻하는 단어 'kindness'는 '무리 안의 사람'이라는 의미를 가지고 있다. 즉, 친절은 인류(humankind)의 종성(種性, kind-ness)이다. 관대함을 뜻하는 단어 'generosity'도 인간의 보편적(general) 성품을 가리키는 것이라 할 수 있다. 이러한 성품들은 사회 구성원들로부터 환영받는 것이므로 사회적 생존에 유리한 것이며, 따라서 인간의 마음이 형성되는 과정에서 본래의 성품으로 갖추어져 왔을 것이다.

죽기 전 몇 년 동안, 혼자서는 음식을 구해 먹을 수 없었을 것으로 보이는 170만 년 전 호모에렉투스의 유골은 그 당시에도 사회적 보살핌이 있었다는 것을 보여준다. 선천적으로 불구여서 스스로의 힘으로는 도저히 생존할 수 없었음에도 불구하고 성인이 되어 죽은 네안데르탈인의 유골도 태어나 죽을 때까지 그를 도왔던 동료가 있었다는 것을 알려준다.

동양에서는 사람의 본성에서 우러나오는 네 가지 마음씨가 있다고 한다. 사단(四端)이라 불리는 이것은 인(仁)·의(義)·예(禮)·지(智)에 바탕을 둔 마음으로, 인에서 우러나오는 측은지심(惻隱之心), 의에서 우러나오는 수오지심(羞惡之心), 예에서 우러나오는 사양지심(辭讓之心), 지에서 우러나오는 시비지심(是非之心)을 가리킨다. 이것들은 나면서부터 지니고 있는 마음이라는 뜻에서 자유지정(自有之情)이라고도 한다.

심지어 인간보다 하등한 동물의 사회에서도 자신을 희생해서 남을 배려하는 것처럼 윤리적이고 이타적인 행위가 발견된다. 꿀벌이나 개미들은 자신의 목숨을 바쳐 여왕을 돌본다. 흡혈박쥐는 굶주린 동료 박쥐에게 자신이 먹은 음식을 게워서 나누어 주기도 한다. 돌고래는 죽어가는 동료 돌고래, 심지어는 바다표범처럼 전혀 다른 종의 동물이 다치거나 병들어 죽어 갈 때 수면 위로 떠받쳐 숨을 쉴 수 있게 해준다. 먹이를 얻기 위해 레버를 당기는 행동이 동료 원숭이에게 고통을 주도록 설계되어 있는 우리 안에 있는 원숭이는 굶어 죽을 지경이 될 때까지 레버를 당기지 않기도 한다.

신경과학자 조슈아 그린(Joshua Greene)은 우리가 윤리와 도덕이라고 하는 것은 대부분 성경이나 인간의 법률에 의해 전해진 것이 아니라, 진화 과정에서 나타난 오래된 규칙들이라 할 수 있는 숨겨진 뇌의 알고리즘에 의해서 전해진 것이라 한다. 인간은 진화 과정에서 사회를 이루는 데 필요한 기능들을 갖추어 왔고, 뇌는 사회적 삶을 가능하게 하는 생리적 장치를 추가하면서 발달해 왔다.

험프리(Humphrey)는 우리의 '내면의 눈', 즉 의식은 오직 한 가지 목적, 바로 다른 사람의 행위를 읽기 위해 진화되었다고 설명한다(Humphrey, 1986). 다른 사람의 경험을 자신 안에 표상해봄으로써 그 사람을 이해하기 위해서 마련된 것이 의식이라는 것이다. 니체(Nietzsche) 역시 의식이 발달하게 된 것은 오직 사람들 사이의 의사소통을 위해서이며, 만일 우리가 홀로 사는 동물이었다면 의식은 필요하지 않았을 것이라고 했다(Nietzsche, 1887).

우리는 자신의 마음 상태뿐 아니라 타인의 마음 상태도 이해할 수 있다. 이를 '마음이론(theory of mind)'이라 한다. 스스로 자신의 욕구, 의도, 지각, 정서가 어떤지 아는 것처럼 타인의 마음도 추론하고 공감할 수 있다. 이것은 상대방의 행동이라는 시각 정보를 정교화하는 추론 과정을 거쳐서 작동한다. 인간의 마음을 가장 정밀하게 드러내는 행동은 표정이다. 앞에서 설명한 바와 같이, 정서 반응은 종 특유의 행동, 생리적 변화, 감정 세 가지로 구성된다. 다른 동물들은 꼬리를 흔들거나 발톱을 세우는 것 같은 종 특유의 행동이 있지만 사람에게는 그런 수단이 거의 남아 있지 않다. 단, 한 가지 행동은 예외다. 바로 표정이다. 사람은 다른 유인원과 달리 얼굴에 털이 거의 없고 눈의 흰자위가 뚜렷하다. '안색이 달라진다', '눈빛만 봐도 안다'는 말이 있는 것처럼 표정의 작은 변화, 눈빛의 변화를 통해 감정 변화, 행동 계획, 의도 따위를 상대방에게 그대로 전달할 수 있다. 이것은 카드게임에서 상대방에게 패를 보여주는 것처럼 위험한 일이다. 그러나 그런 모든 위험과 불이익을 감수하고, 인간은 사회적 결속을 선택했다.

(3) 공감의 생리

진화 과정에서 우리의 뇌는 자신의 정서를 자각하듯 타인의 정서를 공유하여 사회적 관계를 형성할 수 있는 기능들을 추가했다. 삶에 필요한 수많은 기능이 타인과 공감하고 타인의 행위를 모방하는 능력을 통해 획득된다. 타인과의 협력이나 이타적 행동도 정서를 공유하는 능력에서 비롯된다. 따라서 정서는 사회적 결속의 토대다. 캔더스 퍼트는 정서가 연결선이 되어 공감, 연민, 기쁨과 슬픔으로서 사람과 사람 사이를 흐르고, 우리 사이를 돌아다니는 것이라고 했다(Pert, 1997).

우리가 다른 사람들이 느끼는 것을 함께 느낄 수 있다는 것은 과학적 사실이다. 타인의 고통과 괴로움을 공감하는 데 관여하는 뇌의 주요 영역은 뇌섬엽, 체감각피질, 전대상회 등이다. 그런데 이 영역들은 자신이 직접 고통을 받거나 괴로움을 느낄 때도 활성화되는 부위다. 뇌섬엽은 역겨움을 느낄 때도 활성화되는데, 타인이 역겨워하는 모습을 바라볼 때도 활성화되며 실제로 구토 반응을 일으키기도 한다(Jabbi 등, 2007). 자신이 바늘에 찔렸을 때 활성화되는 대상회 부위의 신경세포가 다른 사람이 바늘에 찔리는 것을 관찰할 때도 동일하게 반응한다(Hutchison 등, 1999). 다른 사람이 좋은 맛이나 나쁜 맛을 경험하는 장면을 볼 때 보는 사람의 뇌도 같은 맛을 경험하며, 다른 사람에게 촉각 자극이 가해지는 것을 관찰할 때도 자신이 직접 촉감을 경험할 때처럼 체감각피질이 활성화된다(Keysers 등, 2004). 스스로 공을 찰 때, 다른 사람이 공을 차는 것을 볼 때, 심지어 공을 찬다는 말을 들을 때도 운동피질이 활성화된다.

사람의 뇌에는 거울신경세포(mirror neuron) 시스템이 있다. 이 시스템은 시각 정보를 곧바로 운동신호 형식으로 변환시키는 기전을 이용해서 다른 사람의 행동을 이해하게 한다. 상대방의 행동을 뇌가 그대로 따라 함으로써 그 행동 뒤에 있는 의도, 생각, 느낌을 경험하게 되는 것이다. 아기 앞에서 우는 듯한 표정을 지어 보이면 아기도 입을 삐죽이다가 곧 울음을 터뜨리는 장면을 생각해 보면 쉽게 이해할 수 있다. 타인의 표정을 따라 하지 못하는 사람일수록 타인의 감정을 잘 읽지 못한다.

우리가 타인과 정서적 공감을 할 때도 거울신경세포가 활성화된다(Jabbi 등, 2007; Schulte-Rüther 등, 2007). 누구나 다른 사람이 웃는 모습을 보거나 다른 사람의 웃음소리를 들을 때 이유도 모르면서 따라 웃는 경험을 한다. 주목할 점은 이렇게 이유 없이 따라 웃는 행동도 웃는 사람에게 긍정적인 정서를 일으키고, 부정적 사고를 희망적 사고로 전환시킨다는 것이다. 우리는 인지가 정서를 만들고 정서가 행동을 만들기도 하지만, 행동이 정서를 만들고 그 정서가 인지를 만든다는 것도 알고 있다. 윌리엄 제임스(William James)의 말처럼, 우리는 행복하기 때문에 웃는 것이 아니라 웃기 때문에 행복하다. 비록 다른 사람의 웃음을 이유 없이 따라 하는 행동이라도 기쁨, 희망, 사랑, 신뢰 같은 긍정적 정서를 만든다. 그리고 긍정적 정서는 생리적으로 긍정적인 반응을 이끌어낸다. 뇌의 디폴트 모드 네트워크[77]는 쉴 때뿐 아니라 다른 사람의 마음을 생각할 때도 작동하는데, 이 역시 다른 사람과의 연결과 공감이 발휘하는 치유 기전 중 하나라 할 수 있다.

공감은 도덕성의 기초다. 이타적 행동도 공감을 기초로 한다. 다른 사람의 고통이 실제로 나의 고통으로 느껴지고 다른 사람의 기쁨이 나에게도 동일한 기쁨으로 경험되면, 우리는 다른 사람에게 고통을 주는 행위를 할 수 없고, 그들에게 기쁨을 주는 행동을 하지 않을 수 없기 때문이다. 오래전 애덤 스미스(Adam Smith)는 인간의 성질을 한 꺼풀씩 벗겨냈을 때 마지막에 남는 것은 공감이라는 기능이라고 말했다. 미래학자 리프킨(Jeremy Rifkin)은 인간이 세계를 지배하는 종이 된 것은 자연계의 구성원 중에서 가장 뛰어난 공감 능력을 가졌기 때문이라고 말한다. 그는 이러한 인간을 '호모 엠파티쿠스(Homo Empathicus)'라고 불렀다(Rifkin 2009).

❸ 또 하나의 비타민C

> "건강한 혈관이 신체 각 부위를 연결하듯 사람들 사이의 연결이 필수적인 영양소를 전달한다."
> - 제인 더튼(Jane Dutton) -

다른 사람과의 연결(connection) 또는 친밀감(closeness)은 우리가 생존하는 데 꼭 필요한 또 하나의 비타민C다. 인간은 사회적 동물이며 사회 안에서만 생존할 수 있다. 서레이(Surrey)는 자

---

77) 디폴트 모드 네트워크에 대해서는 '7장, 4, ❶, (2) 행위가 아닌 존재의 시간'을 참고하라.

아(self)라는 것이 타인들로부터의 분리를 통해 개발되는 독립적이고 경계 지어진 실체라고 보는 관점에 이의를 제기하고, 자아는 관계 속에 깊숙이 박혀 있는 친밀함을 통해 발전한다고 하는 관계이론(self-in-relation theory)을 제시했다(Surrey, 1985).

세조 때 간행된 『월인석보(月印釋譜)』를 보면 "인간은 사서리라"라는 구절이 있다. '사'는 '사람', '서리'는 '사이'를 뜻하는 것이다. 따라서 이 문장은 "인간은 사람 사이다"로 바꾸어 쓸 수 있다. 인간은 본래 한 사람이 아니라 무수히 많은 사람의 무리를 가리키는 말인 것이다. 인간이 인간이기 위해서는 다른 사람들, 즉 사회가 필요하다. 매슬로우의 욕구 위계 중 어떤 욕구도 사회를 떠나 홀로 충족시킬 수 있는 욕구는 없다. 가장 기본적인 욕구인 의식주조차 해결할 수 없다. 그보다 더 높은 욕구는 더욱 그렇다. 안전의 욕구, 사랑과 소속의 욕구, 자존감의 욕구 모두 마찬가지다. 아리스토텔레스는 "다른 모든 것을 가진 사람이라도 친구가 없다면 살고 싶지 않을 것이다"라고 했는데, 사회적 관계가 없으면 다른 모든 것 역시 가질 수 없는 것이다.

건강과 마음의 관계를 전 세계에 알려온 내과 의사 래리 도시(Larry Dossey)는 "만약 과학자들이 건강을 빠른 속도로 증진시키는 데 있어서 '이것'만큼 강력한 약을 만들어 낸다면, 그 사건은 의학의 거대한 약진으로 보고될 것이다. 그 약이 '이것'만큼 부작용이 적고 저렴하다면, 그 약은 불티나게 팔릴 것이다"라고 했다. 도시가 말한 '이것'은 바로 사랑이다.

사회적 관계를 통해 흘러 다니는 비타민C의 맛은 사랑이라는 정서로 경험될 것이다. 사랑은 건강과 직접적으로 연관되어 있다. 한 보고에 따르면 배우자를 사랑한다고 답한 심장병 환자는 협심증 빈도가 50%나 감소한다. 하지만 여기서의 사랑은 단지 이성 간의 사랑을 가리키는 것이 아니다. 맥클랜드(McClelland)는 사랑의 마음을 불러일으키는 영화를 본 사람들의 타액에 IgA 항체가 증가했다는 연구 결과를 발표했다(McClelland, 1988). 이 반응은 '마더 테레사 효과(Mother Teresa effect)'라 불린다. 환자를 사랑으로 보살피는 테레사 수녀의 이야기처럼 자선을 베풀거나 착한 일을 한 이야기를 듣거나 보기만 해도 행복감이 증가하고 건강에 유익한 변화가 나타나는 것을 말한다. 맥클랜드는 대가를 받고 일한 사람보다 대가 없이 봉사한 사람의 면역 지표가 더 상승하는 것도 확인했다. 선하고 좋은 일을 하는 사람은 외부의 보상이 없어도 스스로 보상을 받는 것이다.

사랑이 건강에 미치는 긍정적 영향은 초월적 존재와의 관계에서도 나타난다. 제프 레빈(Jeff Levin)은 신을 사랑하고 신으로부터 사랑을 받는다는 느낌이 건강에 미치는 긍정적인 효과를 확인했다(Levin, 2001).

지지그룹 안에서 순수한 관계를 경험하고 마음을 연결하는 것은 딘 오니시의 라이프스타일 프로그램에서 특히 강조되는 부분이다. 심장병 치료를 위해 개발된 그의 프로그램에서 사용하는 'open heart'라는 표현은 단지 막힌 심장 혈관을 연다는 의미가 아니다. 여기서의 'heart'는 심장과 마음과 영성 모두를 가리킨다. 오니시는 자신의 프로그램의 핵심은 사랑과 돌봄(caring)에 대해 마음과 의식을 여는 것이라고 했다. 또한 프로그램에 포함된 여러 치유의 요소 중 가장 중요한 것은 자신을 초월하는 순간을 경험하는 것과 관련이 있다고 설명한 바 있다(Lawlis, 1996).

인류의 오랜 치유 전통들 속에는 이처럼 마음이 열리고 의식(consciousness)이 변화되는 의식(ritual)이 포함되어 있었다. 오니시는 이러한 맥락에서 자신의 라이프스타일 프로그램은 새로운 것이 아니라 수천 년간 존재해 왔던 것이라 하고, 자신의 프로그램을 '정신신경심장학(psychoneurocardiology)'이라 말했다(Ornish, 2005). 신경외과학의 선구자 벤자민 크루(Benjamin Crue)는 1991년 한 연설에서 섬유근육통(fibromyalgia)[78]에 대한 최고이자 유일한 성공적 치유는 사랑이라고 했다.

글상자❸⑥ 거울신경세포와 공감의 기전

우리는 다른 사람이 하는 행동을 보면서 무의식중에 그 행동을 모방한다. 다른 사람이 하품을 하면 함께 하품을 하고, 상대방이 대화 도중에 얼굴을 만지면 자신도 따라서 얼굴을 만진다. 타인의 행동을 보고 따라하면서 상호작용을 하면 상대의 의도나 정서를 더 잘 이해할 수 있게 되어 상대를 고려한 적응적인 행동을 할 수 있게 된다. 상대가 말없이 컵의 물을 마실 때 자신도 따라 마시면서 함께 '속 타는' 마음을 느끼게 되는 것이다. 이처럼 무의식적 모방 행동을 통해 상대의 의도나 정서를 공유하는 데는 거울신경세포 시스템이 관여한다.

거울신경세포는 리촐래티(Rizzolatti) 등에 의해 원숭이의 전운동피질에서 처음 발견되었다(Rizzolatti 등, 2004). 리촐래티는 원숭이의 뇌에 전극을 꽂고 운동과 관련된 뇌 기능을 연구하던 중, 연구자가 땅콩을 집는 것을 보고 있던 원숭이의 뇌가 반응하는 것을 보고 거울신경세포를 발견했다. 원숭이의 뇌가 사람의 행동을 그대로 시뮬레이션한 것이다. 그런데 이것은 단순한 행동 시뮬레이션이 아니다. 땅콩이 없는데 땅콩을 집는 것처럼 동작을 할 때는 반응하지 않는다. 따라서 거울신경세포는 상대방이 하는 행동의 의미를 이해하여 반응하는 것이다.

인간의 뇌에서도 신피질 여러 부위에서 거울신경세포가 발견되었다. 자폐아의 경우 그렇지 않은 아동에 비해 거울신경세포의 활동성이 낮다. 라마찬드란(Ramachandran)은 자폐증 환자는 거울신경세포 활동

---

78) 섬유근육통은 전체 인구의 2~8%에서 발견되는 만성통증증후군이다.

이 저하되어 타인의 의도를 이해하지 못하고 감정을 이입하는 능력도 부족하다고 설명한다(Ramachandran 등, 2006).

정서의 중추인 변연계와 거울신경세포 시스템은 뇌 섬엽을 매개로 연결되어 되어 있다(Carr 등, 2003). 우리가 타인의 얼굴 표정을 관찰하면 뇌의 운동영역에 있는 거울신경세포 시스템에서 관찰한 표정을 모사하고, 그 신호가 뇌섬엽을 거쳐서 변연계로 전해져 타인의 감정을 읽을 수 있게 된다. 즉, 타인의 감정을 공감하기 위해서는 거울신경세포 시스템에 의한 행동 모사 과정이 필요하다.

거울신경세포는 모방학습의 신경학적 기반이기도 하다. 아기가 말을 시작하고, 일어나서 걷고, 부모가 화장이나 면도하는 것을 흉내내게 될 때까지, 아기의 뇌는 어른들의 행동을 보면서 수없이 그 행동을 시뮬레이션한다. 조류에서도 모방학습이 일어나는데, 이 역시 거울신경세포에 의한 것으로 보인다. 한 새가 지저귈 때와 그 새가 다른 새의 지저귐 소리를 들을 때 같은 신경세포가 활성화된다. 동일한 종의 새라도 서식지에 따라 지저귐 패턴이 다른 이유는 거울신경세포를 통한 후천적 학습이 이루어지기 때문이다.

4 행복의 기술

(1) 행복은 윈윈 게임

> "하나의 양초로 수천 개의 양초를 밝힐 수 있고,
> 그래도 그 양초의 수명은 짧아지지 않는다.
> 행복은 나누어주는 것으로 줄어들지 않는다."
> - 붓다 -

비만이 전염된다는 연구로 큰 반향을 일으킨 파울러와 크리스타키스는 또 다른 연구로도 주목을 받았다. 행복한 사람들에 둘러싸여 사는 사람은 자신도 행복해질 가능성이 매우 높아진다는 내용이었다(Fowler 등, 2008). 이 연구에 의하면 행복한 친구를 가까이 둔 사람은 그렇지 않은 사람보다 행복해질 확률이 25% 높아진다. 친구가 알고 있는 행복한 친구는 10%, 친구의 친구가 알고 있는 행복한 친구는 6% 행복해질 가능성을 높여 준다. 우리가 만나 본 적도 없고 존재조차 알지 못하는 사람이 지금 지갑 안에 있는 돈다발보다 더 큰 영향을 우리에게 줄 수 있다는 것이다.

물리적으로 가까이 있는 사람들 사이에서는 실제로 감정이 전염된다. 예를 들어 스트레스를 받아 심박수가 상승한 사람 곁에 있는 사람은 자신도 모르는 사이에 심박수가 상승하며 스트레스 반응을 일으킬 수 있다. 그런 신체적인 스트레스 반응은 이유를 알 수 없는 불안, 흥분 같은 감정적 동요로도 경험된다. 어떻게 이런 일이 가능할까?

신체 세포들이 활동하면서 만들어지는 전기적인 신호는 뇌전도파, 심전도파, 근전도파 같은 전자기파를 일으키게 된다. 전자기파는 피부 안에 갇혀 있지 않고 신체 주위로 확산되며 주변의 다른 파장과 뒤섞이게 된다.[79] 신체에서 발생하는 전자기파 중 가장 강력한 것은 심장에서 나오는 것이다. 심장이 활동할 때 발생하는 전자기파는 뇌가 활동할 때 발생하는 것보다 수십~100배나 강하다. 따라서 뇌파는 심전도파에 쉽게 동조화될 수 있다.

한 사람의 신체에서 발생하는 전자기파가 주변에 있는 다른 사람의 뇌나 심장의 파장과 동조화될 수 있다는 것은 실험적으로 확인된다. 한 사람이 다른 사람을 접촉하면 접촉된 사람의 뇌전도에 나타나는 뇌파 패턴이 접촉한 사람의 심전도로 기록된 심장의 패턴에 맞춰지기도 한다.[80] 그렇다면 '남의 불행', '나의 불행'이라는 구분은 '남극의 달'과 '북극의 달'을 구분하는 것만큼 무의미한 것인지도 모른다.

도스토옙스키(Dostoevskii)는 "불행은 전염병이다. 그 이상 더 병을 전염시키지 않기 위하여 불행한 사람과 병자는 따로 떨어져서 살 필요가 있다"라고 말했는데, 도스토옙스키의 충고처럼 불행한 사람, 불건강한 사람과 떨어져 사는 것은 자신을 포함한 대부분의 사람이 불행하고 불건강한 사회에서는 그다지 실효성 있는 해법이 아닐 것이다. 이런 사회에서는 나를 포함한 주변 사람들이 다 같이 행복해지도록 노력하는 것이 유일한 선택지다.

자신만이 불행으로부터 벗어나려는 행동은, 모든 사람이 같은 행동을 하고 있는 세상에서는 영원히 실현 불가능한 몸부림이다. 이것은 양동이에 들어 있는 게들이 서로 탈출하려고 아우성인 상황에 불과하기 때문이다. 게 한 마리가 양동이에서 나가려 하면 다른 게들이 아래에서 서로 잡아당기며 끌어내려서 결국 한 마리도 나가지 못하게 된다. 이런 '물통 속의 게(crabs in a

---

[79] 두 사람의 뇌전도 수준이 동일하게 접근하면 이들의 의식은 서로에게 맞추어지고, 두 사람은 비슷한 이미지, 감정, 관점(세계에 대한 이해)을 느끼고 있는 것으로 나타난다. 심지어 가깝게 있지 않아도 이런 일이 일어날 수 있다(Grinberg-Zylberbaum, 1994). 두 사람이 대화를 나눌 때 서로의 뇌파가 동조화(synchronizing)되는 현상도 관찰된다(Pérez 등, 2017).

[80] 심지어 사람과 반려동물과 사이에서도 심전도가 동조화된다(McCraty, 2015). 게다가 반려동물은 후각을 통해서도 주인의 감정을 느낄 수 있다. 사람이 스트레스를 받을 때는 파나 부추에서 나는 것과 비슷한 냄새가 난다. 사람의 후각으로는 감지되지 않지만 개는 그 냄새를 맡을 수 있다. 어쩌면 반려동물은 현대인의 불행에 의해 가장 빈번하게 피해자가 되고 있는지도 모른다.

bucket)' 사고방식은 서로의 희생만 강요하면서 의미 없는 경쟁으로 삶을 낭비하게 할 뿐이다. 나의 행복을 추구하는 것은 다른 사람의 행복과 연결되어 있고, 다른 사람의 불행 역시 나의 불행과 연결되어 있기 때문에 다른 사람의 행복을 훼방하는 방법으로는 결코 자신이 행복해질 수 없다.

행복이란 누군가의 희생을 딛고 올라서야 얻을 수 있는 것이 아니다. 윈스턴 처칠(Winston Churchill)은 자본주의의 고질적인 약점은 행복의 불공평한 분배이고, 사회주의의 고질적인 약점은 불행의 공평한 분배라고 했다. 그러나 행복의 양에는 제한이 없다. 그래서 행복을 추구하는 것은 제로섬 게임(zero-sum game)이 아니라 윈-윈 게임(win-win game)이다. 나누면 몫이 작아지는 것은 물질적 가치를 지닌 것에나 해당되는 것이다. 하지만 물질적인 것 역시, 나누면 더 크게 돌아오는 대가가 있다. 그래서 "부자의 큰 행복은 자선을 할 수 있다는 것에 있다"는 말도 있다.

(2) 이기심과 이타심은 충돌하지 않는다

> "우리 자신을 돕지 않고는 실제로 다른 사람을 도울 수 없다는 것은
> 우리 삶에서 가장 아름다운 조화다."
> - 랄프 왈도 에머슨(Ralph Waldo Emerson) -

더불어 살아야만 생존할 수 있는 인간 사회에서 배려와 나눔은 중요한 미덕으로 여겨져 왔다. 그러한 미덕을 행한 사람에게 어떤 방식으로든 보상이 주어지지 않는다면 미덕은 지속되지 않았을 것이다. 보통 우리는 미덕을 받는 사람, 사회적 지지를 받는 사람이 그것의 수혜자라 생각하지만, 연구들은 다른 사람을 돕는 사람 역시 수혜자라는 것을 확인해 준다. 서로 주고받는 행위는 실제로 양자의 행복감을 향상시킨다. 받은 사람은 직접 혜택을 받아서 기쁘고, 주는 사람 역시 간접적으로 감정적 만족을 얻어서 행복하다.

류보머스키(Lyubomirasky)는 친절에는 많은 사회적 결과가 있다고 설명한다(Lyubomirsky, 2014). 예컨대 우리가 친절을 베푼 사람은 우리의 행위를 높이 평가하고 감사하며 보답할 기회를 갖게 되기를 희망한다. 이들의 평가와 반응은 우리 자신의 자존감을 향상시키고, 우리가 맺고 있는 사회적 관계가 우리를 환영하며 앞으로 보호해 줄 것이라는 느낌을 가지게 한다. 우리

스스로도 더 고매한 삶의 의미와 목표를 유지하거나 회복함으로써 자신의 삶 전체가 더 나은 방향으로 진행될 수 있다는 만족감을 느낀다. 하지만 우리가 베풂으로 얻는 것들은 만족감, 자긍심, 안정감 같은 심리적인 혜택에만 국한되지 않는다.

스피노자는 선한 행동은 그 자체가 보상이라 했다. 실제로 다른 사람을 돕는 행위는 뇌의 보상회로를 통해 행복감을 느끼게 하고 이완 호르몬을 분비시킨다. 장애 아동을 돌보는 자원봉사자의 뇌에서는 옥시토신의 작용 부위가 활성화되는데, 이는 봉사 행위가 그 자체로 행위자에게 보상과 치유가 된다는 것을 의미한다(Beauregard 등, 2009).

다른 사람을 돕고 지지하는 것은 건강과 수명을 객관적으로 측정 가능한 수준으로 증가시킨다. 자원봉사를 하는 노인은 그렇지 않은 노인보다 사망률이 낮고 심신의 건강도 더 양호하다. 세계적으로 관용과 나눔이 활발한 국가의 국민은 그렇지 않은 국가의 국민보다 장수한다(Vogt 등, 2020). 기부를 하려고 하는 사람의 뇌에서는 보상회로가 활성화되고 도파민이 분비되어 기쁨을 느끼는 상태가 된다. 금전적 기부를 받은 사람이 경험하는 행복감을 기부하는 사람도 느끼며 행복해하는 것이다(Moll 등, 2006).

자원봉사자 3,000명을 대상으로 한 연구에서는, 정기적으로 봉사하는 사람 중 95%가 헬퍼스하이(helper's high, 남을 도울 때 느끼는 즉각적인 행복감과 만족감)을 경험했으며, 봉사 후에는 콜레스테롤과 혈압이 감소했고, 행복호르몬인 엔도르핀의 분비가 촉진되고 스트레스 호르몬은 감소했다(Luks, 2001). 봉사는 수명을 연장시키고 더 건강하고 더 행복한 삶을 살게 해 준다.

봉사는 모든 영적 전통에서 강조하는 것이다. 이것은 봉사가 종교나 영적 활동이 발휘하는 치유의 기전임을 의미하는 것일까? 그렇기도 하고, 아니기도 하다. 봉사의 치유 기전은 종교나 영적 활동이 가지는 수많은 치유 기전 중 하나에 불과하기 때문이다. 예를 들면, 선한 행동뿐 아니라 자비나 사랑 같은 선한 마음 역시 그 마음을 품은 사람에게 보상이 된다. 다른 사람에 대하여 동정심을 느끼는 것 자체가 긍정적인 내적 보상을 느끼게 하는 것이다(Sprecher 등, 2006). 동정심은 단지 어떤 사람의 슬픔을 공유하는 것을 넘어서 보상으로 작용하고, 그 결과 친사회적 행동으로 이끄는 동기가 된다.

다른 사람을 도운 경험이 있는 사람과 그렇지 않은 사람을 비교했던 연구에서는, 더 의미심장한 결과가 나타났다. 단순히 사회적 활동에 참여하는 것 또는 사회적 지지를 받는 것보다도 건강과 웰빙을 더 잘 예측하는 변인이 드러난 것이다. 바로 다른 사람을 돕는 것이었다. 단지 사회활동을 하고 좋은 인간관계를 맺고 있는 것보다 자신이 도움을 주는 관계가 건강과 웰빙의 더 중요한 변수였던 것이다. 이 연구의 연구자들은 사실상 사회적 관계는 그것이 다른 사람에게 혜택을 줄 기회를 주는 한도에서만 유익하다는 결론을 내렸다(Poulin 등, 2013).

8세기 인도의 사상가 산티데바(Shantideva)는 "이 세상 모든 기쁨은 다른 존재의 행복을 바라는 데서 오고, 이 세상 모든 고통은 자신만이 행복해지기를 바라는 데서 온다"라고 말했다. 류보머스키는 이타적인 행동을 추구하는 것은 행복을 가져오고, 다른 사람에게 에너지를 쏟는 것이 불행의 해독제라 했다. 한 연구에 의하면 사람의 특성 중에서 삶의 만족과 가장 깊은 관련이 있는 것은 이타심이었다. 그렇다면 우리는 자신을 위하는 것과 타인을 위하는 문제를 두고 양자택일 고민을 할 필요가 없다. 이타심과 이기심은 충돌하는 것이 아니기 때문이다. 자신을 돕는 것과 타인을 돕는 것은 서로 연결되어 있어서 타인을 더 많이 도울수록 자신도 행복해지고, 자신이 행복해질수록 타인을 더 돕고 싶어진다.

우리는 다른 사람들에게 나누어주기 위해 적극적으로 나의 행복을 추구할 의무가 있는지도 모른다. 긍정적인 감정을 갖게 되면 우리가 갖는 관심의 범위가 확대된다. 우리가 우리 자신의 행복을 돌보지 않는다면, 그래서 스스로 행복하지 않거나 괴롭다면 타인의 행복에 대한 관심도 사라지게 된다. 불행한 사람은 사랑과 자비를 베풀기 어렵고 그것은 그 사람을 더 불행하게 만든다. 스스로 행복할 때 자기중심적이고 편협한 태도에서 벗어나 타인의 입장이 되어 보고 타인이 원하는 것에 대해 참다운 관심을 가질 수 있다.

라이프스타일의학은 셀프케어와 자기관리를 기반으로 하는 의학이다. 다른 사람을 돌보기 위해 사랑, 존중, 자비의 마음이 필요한 것처럼 자신을 돌보기 위해서는 자기사랑, 자기존중, 자기자비의 마음이 바탕이 되어야 한다.

11 종교와 일관성의 감각

■ 영성과 건강

> "마음의 평화와 영혼의 건강에 가치를 두는 자는 인간이 살 수 있는 최고의 삶을 살 것이다."
> – 마르쿠스 아우렐리우스(Marcus Aurelius) –

스트레스, 사회적 갈등, 가치관 혼란 등 현대인의 심신 건강에 지대한 영향을 미치는 많은 문제들이 기존의 의학적 치료나 과학 기술로는 해결할 수 없는 것들이다. 점점 심각해지고 있는 중독 문제가 특히 그렇다. 그런데 정신의학자 짐 맥퀘이드(Jim McQuade)는 중독을 다루는 것은 거의 언제나 영적인 문제를 다루는 것이라고 한다.

1999년 7월, 로버트 애더, 조지 솔로몬 등 정신신경면역학 연구자들과 신학자, 임상의들이 한자리에 모여 '정신신경면역학, 그리고 믿음이 건강에 미치는 영향(psychoneuroimmunology and the faith factor in human health)'이라는 제목의 컨퍼런스를 개최하고, 정신신경면역학 연구가 종교와 건강의 관계에 대해 어떤 함의를 갖는지 논의했다. 이 무렵에 이미 기도, 영성, 종교적 체험이 건강에 미치는 영향에 관한 연구가 다각도로 진행되고 있었고 하버드 의대, 조지워싱턴 의대를 비롯한 유수의 의과대학들이 의학 교육과 임상 현장에서 영성을 다루는 문제를 논의하기 시작했다.

덴마크 삶의 질 연구 센터(Quality of Life Research Center)의 벤테고트(Ventegodt) 등은 딘 오니시의 라이프스타일 프로그램의 원리가 안토노브스키가 말하는 일관성의 감각(sense of coherence, SOC)이나 매슬로우, 빅터 프랭클(Victor Frankl) 등이 말하는 삶의 의미론을 포함하고 있으며 전일적 의학의 원리와도 일치한다고 분석했다(Ventegodt 등, 2006). 일관성의 감각이나 삶의 의미론은 현대인의 불안과 우울의 원인, 그리고 이러한 현상의 기저에 있는 영적인 문제를 설명하는 데 유용한 개념들이다.

르네상스가 시작되면서 신과 인간의 평화로운 종속관계에는 균열이 생겨나기 시작했다. 1543년, 과학사에 이정표가 된 두 권의 책이 동시에 출간된다. 코페르니쿠스(Nicolaus Copernicus)의 『천체의 회전에 관하여(De Revolutionibus Orbium Coelestium)』와 베살리우스(Andreas Vesalius)의

『인체의 구조에 관하여(De Humani Corporis Fabrica)』였다. 각각 기독교적 우주관과 인간관에 대한 정면 도전이었다. 17세기에는 데카르트가 확립한 심신이원론에 의해, 인간의 몸과 마음은 분리되고 물질인 몸만이 자연과학의 대상으로 남겨지게 된다.

19세기에 들어서자 다윈(Charles Darwin)은 인간의 기원이 동물과 다르지 않다고 하고, 프로이트(Sigmund Freud)는 인간의 마음속에서 동물적 무의식을 발견했다. 이처럼 인간은 스스로 신의 위대한 창조물에서 벗어나 동물과 다를 것 없는 보잘것없는 존재가 되어 갔다. 그리고 현대의학은 인간의 질병을 이해하고 치료법을 찾기 위해 동물로 실험을 하고 동물에서 추출한 물질을 사람을 치료하는 데 이용한다. 그럼에도 불구하고 인간이 여전히 스스로를 다른 동물과 다르다고 믿는 이유는 무엇일까?

인간과 동물을 구분하는 가장 중요한 품성은 몸성이나 심성이 아니라 영의 품성인 영성(spirituality)이다. 그래서 인간을 만물의 영장(靈長)이라 부른다. 따라서 영적인 질병으로 가장 많이 고통받는 존재 또한 인간이다. 어떤 이들은 그 고통을 우울, 불안이라 부르지만 이것은 위암을 소화불량, 복통으로 부르는 것처럼 원인을 모르는 상태에서 증상에 붙여지는 이름일 뿐이다.

제프 레빈(Jeff Levin)에 따르면, 86%의 사람들이 살면서 모종의 영적인 경험을 하지만, 드러내지 못하고 은밀히 간직한다(Levin, 2001). 안토니오 다마시오(Antonio Damasio)는 지금처럼 보완대체의학이 환영받고 있는 현상이, 인간의 모든 차원을 고려하지 않는 현대 의학에 대한 대중적 불만의 표현이라면, 이 불만은 현대 사회의 영적 위험도가 깊어지는 것과 함께 더욱 증가할 것이라고 지적한 바 있다(Damasio, 1994).

보완대체의학의 방법론에는 영적인 치유를 도모하는 여러 방식이 포함된다. 기도는 미국인이 가장 많이 이용하는 보완대체의학 요법이다. 전 세계적으로 대부분의 치유 전통은 영적인 믿음이 기초에 있었으며 치료 방식에도 영적 치유술이 포함되어 있었다. 하지만 현대에 와서 영적 세계에 관한 탐구는 정신의학은 물론이고 심리학에서도 거의 이루어지지 않았다.

최근까지도 의학에서는 영적인 문제에 대한 언급이 거의 불가능했다. 일례로 2000년에 유력학술지 『뉴잉글랜드의학저널(NEJM)』에 실렸던 한 논문에서는 의사가 종교나 영성에 관한 문제를 환자와 나누어서는 안 된다고 하기도 했다. 과학은 현대의 종교가 되었다. 하지만 인간이 종교를 통해 해결하고자 했던 문제들은 과학의 탐구 대상이 아니었고, 그 사이에 문제들은 더 악화되었다.

전일적 건강을 증진한다는 것은 몸의 품성인 몸성, 마음의 품성인 심성, 영적 품성인 영성을 더불어 돌보고 성장시키는 것이다. 영(spirit)은 존재의 여러 차원 중 가장 높은 차원이며, 영성은 인간의 여러 품성 중 가장 높은 차원의 품성이다. 사실상 우리가 경험하는 심리적 고통의 상당 부분은 영적인 차원에서 발생한 문제로부터 파생되는 증상이다. 실존적 공허감은 우리 시대에 만연한 현상인데, 이러한 영적 결핍감이 흔히 불안, 우울, 무기력, 무망감(hopelessness)으로 나타나는 것이다. 지난 세기 초부터 윌리엄 제임스, 칼 융(Carl Jung), 빅터 프랭클, 에이브러햄 매슬로우, 고든 올포트(Gordon Allport), 어빈 얄롬(Irvin Yalom)에 이르기까지, 저명한 심리학자와 정신의학자들은 하나같이, 환자의 병리가 때로는 영적인 갈등이나 결핍과 관련된 것임을 인지하고 있었다.

② 영성이란 무엇인가

> "우리는 영적 경험을 가진 인간이 아니다. 인간의 경험을 가진 영적 존재다."
> - 피에르 테야르 드 샤르댕(Pierre Teilhard de Chardin) -

심리학의 초창기에는 무의식을 동물적 본능과 관련하여 어둡고 위험하며 부정적인 것으로 설명했지만, 빅터 프랭클이나 칼 융 같은 학자들은 인간의 마음속에 동물적 무의식뿐 아니라 영적인 무의식도 있다고 보았다. 1998년 WHO에는 건강의 정의에 영적 차원의 건강을 추가하자는 개정안이 제시되었고,[81] 다음 해인 1999년에 미국의학대학협회(Association of American Medical Colleges)는 영성을 건강에 기여하는 요소로 인정했다.

영성은 모든 인간에게 보편적인 현상이며 타고난 잠재력이다. 영성은 종교나 특정 문화에만 국한하여 나타나는 것이 아니다. 영성을 종교성(religiousness)과 같은 것으로 오해하는 사람들이 많지만, 종교성은 인간의 영성이 발현되는 하나의 방식일 뿐이다. 미국인의 33%가 자신은 영적이지만 종교적이지 않다고 생각하며, 심리학자 230명의 답변에서도 55%가 자신은 영적이지만 종교적이지 않다고 생각하는 것으로 조사된 바 있다. 종교(religion)라는 단어는 '다시 결합한다'라는 뜻의 라틴어를 어근으로 한다. 그러나 인간이 잃어버린 무언가와 다시 결합하기 위해서 반드시 종교가 필요한 것은 아니다.

---

81) 개정안이 채택되지는 않았다.

그러면 영성은 과연 무엇을 뜻하는 것일까? 영성에 대한 다양한 정의들을 종합하면, 영성은 '자기(self)라는 경계를 초월하여 자기 밖의 세계와 교류하며 어떤 가치나 의미를 추구하는 품성'으로 정의할 수 있다(신경희. 2016). 삶에서 어떤 가치, 의미, 관계를 추구하는 것, 미지의 것에 대한 호기심, 아직 실현되지 않은 잠재력을 드러내고자 하는 자아실현의 욕구 등이 모두 영적 본성의 표현이다. 의미나 가치가 결여된 삶, 그 의미나 가치의 대상과의 관계가 단절된 삶에서 행복을 느낄 수는 없다. 누군지도 모르는 사람들과 어디로 향하고 있는지도 모르는 열차를 타고 달리는 것이 즐거운 여행이 될 수 없는 것과 마찬가지다.

빅터 프랭클의 의미치료(logotherapy)에서는 인간이 살아가는 주된 동기는 자아를 찾는 것이 아니라 의미를 찾는 것이며, 어떤 의미에서 이것은 자아를 잊는 것이라 한다.[82] 심리적으로 건강한 사람은 자신에게 초점을 맞추는 것으로부터 벗어난다. 그리고 자신을 뛰어넘어 다른 누군가 혹은 어떤 일과 관계를 맺는다. 자신을 초월하여 일과 관계를 맺은 최고의 상태는 칙센트미하이가 말하는 '몰입(flow)' 또는 매슬로우가 말하는 '절정체험(peak experience)'으로 설명된다.

나와 남을 구분 짓는 경계를 낮추고 다른 사람과 연결되어 그들을 돕고, 세상을 좀 더 살기 좋은 곳으로 변화시키는 데 참여하고, 삶의 목표와 의미를 굳건히 하고, 무엇이든 소망을 갖고 정진하는 것은 영적인 충만감을 느끼게 한다. 요약하자면 건강한 영성의 핵심적 측면은 연결감, 그리고 삶의 의미와 목표에 대한 확신과 희망이라 할 수 있다.

종교는 연결감, 의미, 목표, 희망 등 모든 형태의 영적 욕구를 충족시킬 수 있는 기회를 제공한다. 또한 삶의 크고 작은 선택과 일상의 행동을 안내하는 지침을 준다. 간디는 종교가 인간의 모든 활동에 도의적인 기초이며, 이 기초가 없다면 인생은 의미 없는 소음과 노기(怒氣)의 미궁으로 바뀌고 말 것이라고 했다.

---

82) 의미치료는 실존적 의미를 찾고자 하는 인간의 의지와 욕구를 다루는 심리치료 이론이자 기법이다.

❸ 종교와 영적 활동

"피타고라스는 가장 신성한 예술은 치유예술이라고 말했다. 치유예술이 가장 신성한 것이라면,
이것은 반드시 신체뿐만 아니라 영혼의 치유에도 전념해야 한다.
왜냐하면 어떤 창조물 안의 높은 영역이 병약하면 그 창조물 역시 건강할 수 없기 때문이다."

- 아폴로니우스(Apollonius) -

인류가 버드나무를 약으로 사용한 역사는 4,000여 년 전 수메르 점토판의 기록으로까지 거슬러 올라간다. 당시 사람들은 버드나무가 약효를 가지고 있다는 것은 알았지만 어떻게 효능이 발휘되는지는 알지 못했다. 19세기 말에 버드나무에서 유효 성분을 찾아내 만든 아스피린 (Aspirin) 역시 그 작용 기전이 규명되지 않은 채 70여 년간 판매되었다. 20세기 초에 페니실린이 발견되어 의학사에 거대한 이정표가 만들어졌지만, 페니실린이 가진 항균 작용의 원리 역시 한참 뒤에야 밝혀졌다. 작용 기전을 모르는 물질이라도 치료 효과가 있고 부작용이 없다면 치료제로 선택되는 데 문제가 없다. 하지만 최근까지도 우리는, 단지 과학으로 설명할 수 없다는 이유로 영적 치유술의 의학적 가치를 인정하지 않았고, 영적 치유술이 건강과 질병에 미치는 효과를 확인하는 연구에 관심을 두는 것조차 거부해 왔다.

그러나 이제 상황은 달라졌다. 종교적 신념이나 영적 활동의 치유 기전이 정신신경면역학 같은 학문을 통해서 현대 생리학의 언어와 원리로 설명되고 있기 때문이다. 명상, 기도 같은 종교적 수행 방식은 일종의 이완의학적 효과를 가지고 있고, 절대자나 경전에 대한 믿음은 어떤 식으로든 플라세보 효과를 낼 수 있다. 감각적 쾌락을 멀리하고 마음을 지키고 자비와 사랑을 행하는 것에 대해서도 수많은 연구가 그 효과를 입증하고 있다.

이상에서 언급한 모든 방식들은 이미 라이프스타일의학이라는 근거-중심 의학의 주요 중재법으로 채택되고 있으며, 라이프스타일의학은 많은 종교와 영적 전통들로부터 영감을 얻으며 더 많은 치유술을 확보해 가고 있다. 특히 종교는 그러한 방법론을 광범위하게 포함하고 있는 통합적 치유 패키지다.

연구에 따르면 종교를 가진 사람들은 그렇지 않은 사람들보다 더 건강하고 더 오래 살고 더 행복하다. 종교와 건강의 관계를 연구한 학자들은 종교적 믿음과 종교 활동이 건강에 긍정적 영향을 미친다는 것에는 의심의 여지가 없다고 단언한다(Rabin, 2002). 오래전 앨러미더 카운티 연구 자료를 분석한 결과에서도 예배 참석률이 높은 사람의 사망률이 유의하게 낮았다. 이후

많은 연구들도 교회 활동에 참여하는 것이 질병 발생률과 사망률을 낮춘다는 것을 확인했다. 이러한 결과는 특정 종교에서만 나타나는 것이 아니다. 어떤 종교 예배든 정기적으로 참석하는 사람은 더 오래 살고 질병 위험이 감소하는 것으로 나타난다.

암 생존자들은 자신의 생존에 영향을 미친 치료 외적인 요소들, 특히 종교와 같은 심리·영적 요소를 지목한다. 암 환자를 대상으로 했던 한 연구에서는 90%의 환자가 자신에게 종교가 중요하다고 응답했으며(Silberfarb 등, 1991), 환자가 느끼는 신체적·기능적 안녕감과 영적인 안녕감 사이에는 뚜렷한 상관관계가 있었다(Fitchett 등, 1996).

종교 생활은 삶에 대한 실존적 불안을 해소시켜 긍정적 정서가 유지되도록 돕고, 사회적 지지망을 확보하는 경로가 되어 스트레스를 극복할 수 있는 능력을 향상시킬 뿐 아니라, 건전한 라이프스타일을 실천하도록 하여 실질적으로 건강을 증진시킨다. 게다가 기도, 묵상, 명상 같은 종교적 행위들은 심신의 치유와 회복을 돕는 심신요법들이다. 종교적·영적 체험을 할 때도 뇌의 보상회로가 활성화된다(Ferguson 등, 2018). 담배든 기름진 음식이든 오랜 습관을 끊으려 할 때 갈망을 통제하는 것은 매우 어려운 일인데, 기도나 명상을 열심히 하는 것이 생리적 보상이 되어 대체재 역할을 할 수도 있음을 암시한다.

종교나 영적 활동의 치유 기전에 대해서 가장 잘 확립된 이론 중 하나는 플라세보 연구로부터 제공된다. 플라세보 현상은 우리의 신념체계가 신체에 영향을 미칠 수 있다는 증거다. 의미, 신념과 같은 요소들이 다른 치료법보다 더 효과적이라거나 기적적인 회복을 가능하게 한다고 할 수는 없다. 하지만 이러한 요소들이 플라세보 효과를 통해서든, 혹은 알려지지 않은 다른 경로를 통해서든 단 1%만이라도 질병의 경과에 영향을 줄 수 있다면 치료 결과를 완전히 바꾸어 놓을 수도 있을 것이다. 그리고 현대 의과학에서 플라세보가 단 1%도 질병치료에 영향을 미치지 않는다고 주장할 수 있는 사람은 없다.

특정 종교의 교리를 수용하고 그 종교의 신이나 경전의 가르침을 지키는 것이 아니라도, 어떤 초월적인 힘이나 질서에 대한 믿음, 또는 우주나 자연의 섭리와 연결되어 있다는 믿음은 이상의 기전을 통해 심신의 건강을 증진하고 삶의 다양한 문제에 희망적으로 대처하고 극복할 수 있도록 돕는다.

4 일관성의 감각

건강생성모델을 제안했던 안토노브스키는 건강과 적응을 결정하는 변수로 '일관성의 감각(sense of coherence, SOC)'이라는 개념을 제시했다. 일관성의 감각이란 세상을 의미 충만한 것으로 생각하고 모든 일이 합리적으로 진행될 것이라는 굳은 신념을 가지는 것으로, 삶에서 만나는 다양한 역경에 대처하고 극복할 수 있는 자원이라 할 수 있다(Antonovsky, 1987). 안토노브스키는 일관성의 감각을 삶의 스트레스에 대처하고 스트레스로부터 회복하는 데 기여하는 인자로 설명했다(Antonovsky, 1979).

각 사람이 가진 일관성의 감각은 자신이 인식하는 일반저항자원(generalized resistance resource, GRR)만큼 경험된다. ' 그림 3 건강생성모델과 일반저항자원'의 질병-건강 연속선 위에서, 일반저항자원은 사람의 상태를 건강을 생성하는 방향으로 이동시키고, 일반저항자원의 결핍(generalized resistance deficit, GRD)은 질병을 일으키는 방향으로 이동시킨다.

일관성의 감각은 자신에게 일어나는 어떤 일도 나름의 질서와 일관된 원리에 의해 발생하므로 이해될 수 있고 관리 가능하며 의미가 있다는 믿음이다. 즉, 일관성의 감각은 '이해 가능함(comprehensibility)', '관리 가능함(manageability)', '의미 있음(meaningfulness)' 세 요소로 구성된다.

'이해 가능함'은 인지적 측면에 관한 것으로, 어떤 사건을 합리적, 이성적 방식으로 이해할 수 있다고 생각하는 정도를 말한다. '관리 가능함'은 행동적 측면을 말하며, 당면한 상황을 대처할 수 있는 자원이 자신에게 있다고 느끼는 정도. 그 자원에는 사회적 지원(social service)이나 의료인 같은 공식적인 자원도 있고, 가족이나 친구 같은 비공식적 자원도 있다. 자신에게 상황을 해결할 수 있는 자원이 있고 그래서 그 상황이 관리 가능하다고 느낄수록, 당면한 문제를 위협이 아니라 도전으로 여기고 문제에서 벗어나기 위해 적극적인 노력을 하게 된다. 동기 부여 측면인 '의미 있음'은 삶이 어떤 의미를 가지고 있다고 느끼는 정도와 관련이 있다. 순교자들이 극심한 고통을 견디며 기꺼이 죽음을 받아들일 수 있는 이유는, 그 고통과 죽음에 분명한 의미가 있기 때문이다. 종교적인 것이든 비종교적인 것이든 그런 의미와 신념은 강력한 치유의 기전이 된다.

요컨대 일관성의 감각을 가지고 있으면 어떤 일도 관리 가능하고 이해 가능하며 의미 있는 것으로 여겨질 것이다. 이것은 인생의 역경을 벗어날 수 있는 힘일 뿐 아니라, 건강과 적응을 결정하는 변수이기도 하다(Potier 등, 2018).

카크(Kark) 등은 종교가 무엇보다도 일관성의 감각을 제공한다고 했다(Kark 등, 1996). 『구약성경』에는 극단적인 시련 속에서도 굳게 믿음을 지킨 욥(Job)의 이야기가 나온다. 욥에게 그의 하나님은 전지전능했고, 모든 일은 그 하나님의 뜻에 따라 일어나는 일이었다. 일관성의 감각은 질병마저도 의미 있는 것으로 받아들이게 하고, 질병을 통해 삶을 성찰하게 하고 성장시킨다. 의미 있는 고통은 환자를 단순히 질병의 수동적인 피해자로 만들지 않는다. 삶의 의미 또는 '왜'에 관한 문제에 대한 답을 갖는 것은 암 환자들이 질병에 적응하는 데 결정적인 요소다(Spiegel, 1998; Yalom, 1980).

글상자㊲ 로저 월시의 영성 수련

로저 월시(Roger Walsh)는 영성 수련의 방식으로서 동기 정화, 정서적 지혜 계발, 윤리적 삶, 평화로운 마음 계발, 지혜와 영적 지성 계발, 모든 것에서 거룩함 인식. 봉사활동 참여 등 일곱 가지 항목을 제시했다(Walsh, 1999).

동기 정화는 진정한 행복을 방해하는 갈망을 이기고 욕망의 방향을 바꾸는 것으로, 모든 영성 수련의 핵심 목표다. 월시는 가장 정화된 동기는 자기를 초월하는 것이라고 말한다. 그가 말하는 자기 초월은 우리 자신에 대해 갖고 있는 제한적 정체성을 초월하고 존재의 완전함을 깨달아 참된 본성 또는 신성과의 진정한 관계를 인식하는 것이다.

정서적 지혜 계발은 정서가 우리의 삶을 지배하는 강한 에너지를 가진 것이기 때문에 중요하다. 모든 종교적, 영적 전통에서는 정서적 지혜 계발을 위해 세 가지 방법을 제시한다. 첫째는 분노나 두려움처럼 독성이 있고 고통스러운 감정을 다스리고 지배하는 것이며, 둘째는 감사나 관용 같은 긍정적 태도를 증진시키는 것이고, 셋째는 사랑과 동정심 같은 긍정적 정서를 계발하는 것이다. 정서적 지혜 계발의 목표는 정서를 억누르거나 정서에 매몰되지 않고 평정심을 유지하면서 그러한 정서를 경험하고 표현할 수 있는 능력을 갖는 것이다.

윤리적 삶은 영적 성장을 위해 가장 중요한 수단이며 이것이 없이는 영적 성장을 하기 어렵다. 월시는 윤리적 삶이 모든 종교적 실제에서 가장 강력하지만 오해받고 있는 것이라고 지적한다. 비윤리적인 행동은 두려움, 죄책감을 일으키고 평화로운 마음을 어지럽힌다. 평화는 신성에 이르는 길이므로 평화로운 마음을 어지럽히는 비윤리적인 행동은 사회적으로나 종교적으로나 타락하는 것과 연결된다. 윤리적으로 산다는 것은 바른 말과 바른 행동을 하는 것이다. 대개의 종교가 가르치는 윤리적 삶은 개인의 삶뿐 아니라 사회의 건강에도 지대한 영향을 미친다. 모든 종교에는 이를 위한 계율이 있고, 그 계율은 보편적인 사회 윤리에 반하지 않는다는 공통점이 있다. 하지만 종교의 계율은 윤리적 행동을 넘어 윤리적 동기를 안내한다는 면에서 일반적인 사회 윤리와 다르다.

많은 유명인들이 방송이나 SNS를 통해서 자신의 집, 소유물 따위를 과시하고 자랑한다. 이것은 위법한 행위도, 사회적으로 지탄받을 행위도 아니다. 그러나 종교적 윤리라는 잣대로 보면 다른 사람에게 결핍감을 느끼게 하고 탐욕과 분노를 일으켜 마음의 평화를 짓밟고 고통을 주는 비윤리적 행위일 수 있다. SNS를 오래 사용할수록 자존감이 떨어지고 우울증을 앓을 확률이 높아지는 이유 역시 다른 사람의 과시용 게시물에 '좋아요' 버튼을 누르면서 상대적 결핍감에 시달리기 때문이다. 게시물을 반복적으로 올리거나 자신을 과시하는 행위 역시 내면의 공허감이나 열등감을 보상받거나 타인에게 인정받고 싶은 동기에서 비롯되는 것이다. 하지만 그런 행동은 목이 마른데 계속 소금물을 먹는 것과 같아서 내면의 욕구를 충족시키기는커녕 결핍을 더 증가시키게 된다. 그러한 자신의 동기를 깨달아 정화시키고 정서적 지혜를 개발하는 것은 자신과 타인 모두를 위한 윤리적 삶을 안내할 수 있다.

평화로운 마음 계발을 위해 인류는 명상, 묵상, 기도, 요가 같은 방법을 발전시켜 왔다. 자신 안에 있는 불성, 혹은 자신 안에 강림한 성령을 발견하지 못하는 한 인간은 구원받지 못한다. 소용돌이치는 강물 속에서는 다이아몬드를 볼 수 없는 것처럼 내면의 고요와 평화가 없이는 자기 안에 있는 신성을 만날 수 없다. 앞에서 말한 것처럼, 우리를 결코 행복으로 이끌어 주지 못하는 그릇된 동기들을 정화하고, 긍정적 정서를 계발하고, 자신과 타인을 타락하게 하는 비윤리적 삶으로부터 벗어날 때, 내면의 고요함을 향한 여정이 시작된다. 명상, 묵상, 기도, 요가 등의 방법은 그 여정을 돕는 것으로서 궁극적인 지혜, 평화, 깨달음으로 이끌어 준다.

지혜와 영적 지성 계발은 삶의 본질적 문제에 대해 통찰하고 그 문제를 다루는 기술을 계발하는 것이다. 월시는 지혜를 삶의 가장 본질적인 문제, 특히 실존적이고 영적인 문제에 대한 깊은 이해와 그 문제를 다루는 실질적인 기술로 정의한다. 지혜의 핵심은 삶의 의미와 목적을 발견하는 것이다. 지혜는 영적 능력을 해방시킨다. 또한 자신에 대한 망상을 제거하여, 그 망상으로 인한 고통을 없앤다. 그러한 지혜는 이기심을 약화시키고 타인에 대한 관심과 동정심을 증가시킨다.

모든 것에서 거룩함을 인식한다는 것은 세상의 모든 사람, 사물, 상황 속에 있는 신성을 깨닫는 것을 말한다. 배고픈 사람에게는 오직 음식만 눈에 보이는 것처럼, 우리가 일상에서 보고 느끼고 깨닫는 것들은 우리의 욕망이 선택한, 전체의 단편에 불과하며 그 조차도 우리의 선입견과 감정이 투사되어 왜곡된 형태로 경험된다. 욕망, 선입견, 감정이 제거되어 세상을 있는 그대로 투명하게 볼 수 있을 때, '산은 산이고 물은 물'인 것이다. 세상을 있는 그대로 보는 깨달음을 얻기 위해, 각 종교들은 마음의 습관들을 해제하고 투명한 마음을 지키는 수련법들을 발달시켜 왔다.

월시는 봉사활동에 참여하는 것이 모든 일상적 활동을 영성 수련으로 변화시킬 수 있는 기회를 준다고 말한다. 봉사활동 참여라는 영성 수련이기에 우리는 영성 수련을 위해 일상을 포기할 필요가 없다. 학교, 직장, 사회가 모두 영성 수련의 장이 될 수 있기 때문이다. 다른 사람을 돕는 것은 모든 종교에서 기본적인 덕목이었으며 영적인 삶을 사는 방법이었다. 봉사활동을 통해 영적인 깨달음이 더 깊어지고, 깨달음이

5 목적이 있는 삶

> "죽음은 인생에서 가장 큰 손실이 아니다.
> 가장 큰 손실은 우리가 사는 동안 우리 안에서 죽는 것이다."
> - 노만 커즌스(Norman Cousins) -

스티븐스(Stevens) 등은 의미(meaning)와 건강에 관한 이전의 연구들을 근거로, 삶의 의미를 확고히 하는 것을 라이프스타일의학의 중재 영역으로 포함시키고 있다(Stevens 등, 2017). 의미의 상실은 무기력, 무망감으로 특징지어지는 우울증의 중요한 원인이다. 하지만 의미는 신체적 건강이나 질병 회복에도 중대한 기여 인자다. 삶의 의미를 찾는 것은 곧 삶의 목적을 찾는 것이다. 심신의학자 리틀(Little)은 암 환자의 영성에 대해 기술하면서, 자신의 삶의 목적을 아는 것은 암 같은 심각한 질병과 관련된 고통에 대한 해독제라고 했다(Little, 2002).

재앙을 뜻하는 영어 단어 'disaster'는 사라진다는 뜻의 'dis'와 별을 뜻하는 'aster'의 합성어다. 나침반이 없던 시절에 대양을 항해하던 배들은 낮에는 해를 보고 밤에는 별을 보며 길을 찾았는데, 짙은 구름이나 안개 때문에 별이 사라지면 말 그대로 눈앞이 캄캄해지는 상황이 될 수밖에 없었다. 그것이 바로 재앙이었던 것이다. 인생의 항해에서 삶의 의미, 목표를 상실하고 방황하는 것은 몸, 마음뿐 아니라 삶 전체를 병들게 하는 재앙이다. **글상자 37**의 로저 윌시가 제안한 일곱 가지 영성 수련 중 '지혜와 영적 지성 계발'에서 말하는 지혜의 핵심은 삶의 의미와 목적을 발견하는 데 있다.

1957년 WHO 소위원회는 '건강이란 주어진 환경 여건 하에서 인간이 적절하게 기능하는 상태 수준'이라고 했다. 어떤 것이 적절히 기능한다는 것은 그것이 존재하는 목적과 의미에 맞게 기능하는 것이다. 사람도 마찬가지다. 아리스토텔레스는 행복이 무엇인지 알기 위해서는 그 사람에게 고유한 일과 기능이 무엇인지를 먼저 살펴보아야 한다고 했다. 그리고 자신에게 고유한 일, 어울리는 일을 탁월하게 수행할 때 가장 행복해진다고 했다. 망치는 망치로 못은 못으로 자신의 존재 목적을 찾아 실현해야 하는 것처럼, 인간도 스스로 삶의 의미와 목적을 찾아 실현할 때 행복해지는 것이며, 그 목적에 맞는 적절한 기능 상태 수준이 바로 건강인 것이다.

회복(remission)이란 잃어버렸던 목적(mission)과 다시(re) 결합되는 것이다. 이처럼 자신의 삶의 의미와 존재 목적을 확인하고 그것을 실현하는 것을 심리학자들은 자아의 실현, 자아의 성장 등으로 표현해 왔다. 삶의 의미와 목표는 다른 누군가에 의해 주입된 것이 아니라, 자신이 누구인지를 알고 스스로 찾아낸 것이어야 한다. 그러한 목표를 자기-일치적 목표(self-concordance goal)라 한다.

"왜 사는지 그 이유를 아는 사람은 어떻게든 참고 견딜 수 있다"라는 니체의 말처럼, 삶에서 추구할 가치와 목적이 뚜렷한 사람은 심신의 장애를 행복의 장애로 만들지 않는다. 반면에 삶의 의미 상실, 절망은 삶 전체를 병들게 한다. 그 흔한 결과가 우울증이다. 우울증을 죽지 않고도 삶을 포기하는 방법이라 한다. 이런 상태에서는 신체적 건강이나 물질적 풍요도 아무런 의미를 갖지 못한다. 삶의 의미 부재, 정체성의 상실은 스트레스 호르몬인 코티솔을 상승시킨다. 반면에 삶의 의미와 목표를 이끌어내는 능력은 건강을 증진시키고, 만성통증을 경험하는 동안에도 심리적 웰빙을 유지시키며, 뇌졸중이나 심근경색으로 인한 사망을 포함한 전반적 사망률을 감소시킨다.

삶의 의미와 목표를 굳건히 하는 것과 희망적 사고는 불가분의 관계에 있다. 목표가 없다면 희망도 없다. 셰익스피어(Shakespear)는 "불행한 사람을 치료할 약은 희망밖에 없다"라고 했다. 2020년 『도박연구저널(Journal of Gambling Studies)』에는 희망 수준이 높을수록 도박에 빠질 가능성이 낮다는 연구가 게재되었다(Keshavarz 등, 2020). 희망이 없는 사람일수록 도박, 음주 같은 위험한 행동, 자포자기적인 행동을 하게 되기 쉽다.

라이프스타일의학에서 의미라는 것은 또 다른 측면에서도 중요한 역할을 한다. 어떤 일의 의미를 발견하는 것은 그 일을 선택하고 실천하게 하며, 어려움이 있더라도 지속하고, 실패해도 다시 도전할 수 있게 하기 때문이다. 라이프스타일을 바꾸는 것을 어쩔 수 없이 해야 하는 과제나 의무 정도로 생각하는 사람은 편리한 약 대신 번거로운 라이프스타일을 권유하는 치료자가 달갑지 않을 수도 있다. 그러나 라이프스타일을 개선한다는 것이 자신의 건강과 행복에, 그리고 자신과 연결되어 있는 수많은 사람들의 건강과 행복에 대해 갖는 의미를 발견한 사람은 약의 편리함을 기꺼이 포기할 것이다.

12 생태·물리적 환경

고대 인도의 우주관에는 4가지 시대(yuga) 구분이 있다. 각각 크리타유가(Krita yuga), 트레타유가(Treta yuga), 드바파라유가(Dvapara yuga), 칼리유가(Kali Yuga)라 한다. 지금 우리는 칼리유가의 시대를 살고 있다. 오래전 크리타유가는 정법(正法)과 진실을 완전히 갖춘 황금시대로, 인간도 400세의 수명을 누렸지만 다음 시대로 내려올수록 세상이 혼탁해지고 인간의 수명도 크리타유가의 1/4에 불과한 수준으로 짧아졌다.

칼리유가를 우리말로 옮기면 말세(末世)다. 인도 신화에 따르면 칼리유가의 시대에는 철로 만든 새가 날아다니고 정신세계는 바닥에 떨어진다고 한다. 『신약성경』의 복음서와 계시록에는 전쟁, 전염병, 지진, 자연 파괴 등 말세의 징표에 대한 수많은 예언이 들어있다. 어떤 이들은 지금 지구촌 곳곳에서 일어나는 일들이 바로 말세의 증거라고 주장한다. 말세라는 가치판단적 단어는 과학의 언어가 아니다. 하지만 과학에도 그와 유사한 개념이 있다. 바로 '지속가능성(sustainability)'이다. 지속가능성에 대한 담론은 '지속불가능성'에 대한 두려움을 내포하고 있다. 우리는 지금 지구 생태계의 지속불가능성을 심각히 우려하고 있다. 그리고 각종 지표를 발표하는 보고서들은 점점 절박함을 드러내고 있다.

과거의 전일주의 의학에서는 생명체가 통일적 전체와 하나로 연결되어 있으며, 그러한 연결의 온전성(integrity)은 우주의 조화와 질서로, 인간에게는 건강으로 나타난다고 보았다. 생명을 배태하고 키워내는 자연이 건강하지 않다면 건강한 생명이 태어날 수도, 건강하게 생존할 수도 없다.

■ 인간과 자연

> "우리 자신을 이해하려면 우리의 관계들을 이해해야 한다.
> 다른 사람들과의 관계뿐 아니라 재산, 개념들,
> 그리고 자연과 맺는 관계들까지 두루 이해해야 한다."
> - 지두 크리슈나무르티(Jiddu Krishnamurti) -

"존재는 곧 관계다." 이 말이 무슨 뜻일까? 볼펜 한 자루가 무엇으로 만들어졌는지 살펴보자. 볼펜은 플라스틱, 스프링, 잉크, 인쇄된 한글, 알파벳, 숫자 등으로 만들어졌다. 그런데 이

답변은 다소 성급하고 부실한 것이다. 플라스틱, 잉크, 스프링, 글자는 무엇으로 만들어졌는가 라는 질문을 남겨 놓기 때문이다. 플라스틱은 석유로 만들어졌고 석유는 오래전 지구에 살았던 생물들의 사체로부터 만들어졌다. 스프링은 철광석에서 만들어졌지만 철은 지구에서 만든 원소가 아니라 태양계 밖에 있던 거대한 별이 폭발한 잔해다. 한글, 알파벳, 숫자는 오래전 누군가에 의해 만들어졌겠지만, 그 사람들을 만든 것은 그들의 조상, 그리고 그 조상이 인간이기 이전의 조상들이 만들어낸 것이다. 볼펜이 무엇으로 만들어졌는지 그 기원을 찾다 보면 우리는 볼펜 한 자루 안에 인간의 역사, 지구의 역사, 온 우주의 역사에 존재한 모든 것이 담겨 있음을 깨닫게 된다. 다만 한 가지는 제외된다. 볼펜을 이루고 있지 않은 오직 하나는 볼펜 자신이다. 관계란 어떤 사물이 존재한 다음에 생기는 속성이 아니다. 관계 그 자체가 세상 모든 것이 존재하는 진정한 모습이다.[83]

『월인석보』의 "인간은 사서리라", 즉 "인간은 사람 사이다"라는 문장을 다시 살펴보자. 인간 사이가 인간이라면 무한 반복의 오류에 빠지게 된다. 인간 사이의 인간은 또다시 인간의 사이가 되기 때문이다. 이러한 논리적 오류를 피하려면 인간 사이는 인간이 아닌 것이어야 한다. 인간 사이에 있는 인간 아닌 것은 바로 관계다. 그런데 무엇들과의 관계일까? 볼펜이 볼펜 아닌 모든 것들로 이루어져 있듯이 '나'는 나를 제외한 모든 것들로 이루어져 있다. 인간(人間)이라는 말은 인생세간(人生世間)의 줄임말이다. 그렇다면 인간은 '인간이 사는 세상'이라는 의미를 가진다. 인간이 인간 사는 세상이라면, 우리나라 건국 이념인 홍익인간(弘益人間)은 "널리 인간을 이롭게 한다"보다는 "인간 사는 세상을 널리 이롭게 한다"로 해석해야 할 것이다.

널리 인간을 이롭게 하는 것이 바로 휴머니즘(humanism), 곧 인본주의다. 인본주의는 인간의 존엄성을 최고의 가치로 여기고 인종, 민족, 국가, 종교 등의 차이를 초월하여 인류 모두의 안녕과 복지를 도모하는 것을 이상으로 하는 것이며, 지금껏 인간 세상의 모든 대립과 반목을 치유하고 녹여내는 화해의 용광로와도 같은 지고한 가치로 여겨졌다.

하지만 인본주의는 인간본위주의, 즉 인간중심주의와 같은 말이다. 게다가 지금까지의 인

---

83) 사람을 포함한 모든 것은 상호의존적인 존재다. 이것을 표현하는 'interbeing'이라는 단어가 있다. 이 단어는 베트남의 승려 틱낫한 (Thich Nhat Hanh)이 만든 것이다. 이것이 곧 불교에서 말하는 연기(緣起)이고 공(空)이고 무아(無我)다. 불교의 핵심은 두 가지로 요약될 수 있다. 연기와 자비다. 연기는 상호 연결된 시각에서 세상을 바라보는 것이다. 불교 경전에서는 "이것이 있으므로 저것이 있고, 저것이 있으므로 이것이 있으며, 하나의 것이 일어나고 지속되기 위해 다른 것에 의존해야 한다"라고 설명한다. 고대 인도인들은 우주를 헤아릴 수 없이 많은 가닥의 실로 짜여진 거대한 그물이라고 생각했다. 이 그물을 인드라망(因陀羅網, indrjala)이라 한다. 생명의 실체는 이 인드라망과 같다. 이 그물의 그물눈마다 투명한 보석이 달려 있는데, 각각의 보석은 다른 모든 보석들을 완벽하게 비춘다. 그래서 하나의 보석 안에 모든 우주가 들어 있고 그 보석은 다른 보석이 담고 있는 우주의 일부가 된다. 이처럼 생명체를 독립적 존재가 아닌 서로 연결되고 상호의존하는 관계로 바라보는 관점은 세상의 모든 존재에 대한 자비와 연민의 기초가 된다.

본주의는 모든 인간을 위한 인본주의도 아니었다. 고대 그리스에서부터 인간의 권리는 유럽식 교육을 받은 백인 남성에게만 주어지는 것이었다. 결국 인본주의는 인종차별주의(racism), 성차별주의(sexism), 식민주의(colonialism), 엘리트주의(elitism)에 불과했던 것이다. 포스트휴머니즘(post-humanism)에서는 인간이 우주의 중심이 아니라 다른 동물이나 사물과 함께 우주를 이루는 동등한 존재라고 본다.[84]

인간 중심적 사고는 결국 인간이 사는 세계를 착취하고 파괴하는 것을 정당화한다. 기독교 신앙 위에서 형성되고 성장한 서구 문화와 과학에서는 그것이 당연히 용인된다. 정확히 말하면 그것이 인간에게 주어진 천부의 권리다. 베이컨(Francis Bacon)은 성서의 명령에 따라 자연을 정복하고 그것에 대한 지배권을 행사하는 것이야말로 인간의 운명이라고 굳게 믿었고, 17세기 말에 이르자 베이컨의 시각은 과학계 내에서 공고한 기반을 구축하게 된다.

그런데 혹시 우리가 하나님이 사람에게 맡긴 특별 사명을 특권의식으로 착각하고 있었던 것이 아닐까? 그래서 아무런 두려움이나 죄의식 없이 자연을 유린하고 착취해왔던 것이 아닐까? 2015년 프란치스코 교황은 생태적 죄(ecological sin)를 원죄에 포함시키는 새 회칙을 반포했다. 하나님의 또 다른 창조물인 자연을 파괴하는 것이 하나님의 뜻일 리 없기 때문이다.[85]

우리는 환경과 인간의 지속가능성이 위협받는 상황에 직면해서도, 고작 지구를 궁극의 공공재(ultimate global public resource)라 부르는 수준에서 보호와 보존의 필요성을 외친다. 공공재를 보호하고 보존하자는 말은 물자를 절약해서 오래 쓰자는 말과 다르지 않다. 우리에게 지금 필요한 것은 절약 정신이 아니라, 대자연(mother nature)에 대한 감사와 존중, 그리고 그 대자연의 일부로서 다른 모든 것들과 평등하게 공존할 수 있는 대안적 패러다임이다.

어떤 학자들은 그러한 대안적 사고를 불교의 연기관(緣起觀)에서 발견한다. 연기는 곧 공생이다. 불교에서는 인간과 인간을 둘러싼 사회, 자연, 우주 등 환경을 모두 연결된 불가분한 것으로 파악한다. 산천초목도 불성(佛性)을 지니고 있어 깨달음을 얻을 수 있는 존재라는 뜻의 '산천초목실개불성(山川草木悉皆成佛)'이라는 말은 그와 같이 지극한 평등사상을 담고 있다.

---

84) 인간과 비인간의 경계도 점점 희미해져 가고 있다. 인공지능은 지성을 인간의 특질로 내세우던 관념을 파괴했다. 2014년 오랑우탄 산드라는 아르헨티나 법원으로부터 '비인간 인격체(non-human person)'라는 판결을 받기도 했다. 사람, 동물, 사물을 차별했던 근거와 당위는 점점 사라지고 있다. 심지어 인간, 동물, 기계를 합쳐 부르는 '인간동물기계(humanimalmachine)'라는 용어도 등장했다(Pettman, 2011).

85) 우리나라에서 『찬미 받으소서』라는 제목으로 번역된 새 회칙에서 교황은 인간이 초래한 생태 위기의 근원으로 인간중심주의와 기술 만능주의를 비판하고 통합적이고 지속 가능한 발전을 위한 대화와 교육을 촉구했다.

(1) 바이오필리아

"자연을 놓아두고 천국을 이야기하다니!
그것은 지구를 모독하는 짓이 아니고 무엇이겠는가?"
- 헨리 데이비드 소로우(Henry David Thoreau) -

20세기 세계의 스승 크리슈나무르티의 마지막 일기를 보면, 법정 스님이 마지막 순간까지 머리맡에 놓아두었다고 하는 소로우(Henry David Thoreau)의 책 『월든(Walden)』을 떠올리게 된다. 깊은 통찰과 울림이 있는 가르침으로 오랫동안 존경받아 온 사람들은 왜 하나같이 자연주의였을까? 크리슈나무르티는 살아가는 모든 것과의 관계에 대해 이렇게 썼다. "만약 우리가 자연과 깊고 변치 않는 관계를 형성할 수 있다면, 우리는 절대로 배를 채우기 위해 동물을 죽이거나, 이익을 얻기 위해 원숭이와 개, 기니피그를 해치거나 해부하지 않을 것이다. 다른 방법을 찾아 우리의 상처와 몸을 치유할 것이다." 그리고 마음의 치유에 대해서 이렇게 썼다. "마음은 자연과 함께할 때, 나무에 열린 오렌지와 시멘트 사이를 비집고 나온 풀잎과 구름 사이로 감춰진 언덕과 함께할 때, 천천히 치유된다."

우리가 웰빙이라는 단어에서 연상하는 이미지들은 대개 자연을 포함하고 있다. 소로우가 그랬던 것처럼, 자연주의자 존 뮤어(John Muir) 역시 도시적 생활의 확산에 대해 우려하면서 웰빙의 핵심은 자연이라고 말했다. 유엔 경제사회국(Department of Economic and Social Affairs, DESA)의 「2018 세계 도시화 전망」 보고서는 2050년이 되면 전 세계 인구 10명 중 7명이 도시에 살게 된다고 예측했다. 이미 북미 인구 82%가 도시에 살고 있고, 우리나라도 81.5%의 인구가 도시에 거주하고 있다. 도시의 급격한 팽창에 따라 기존 주거 지역이 과밀화되면서 시가지가 교외 지역으로 무질서하게 확대되어 가는 스프롤 현상(sprawl phenomena)은 오래전부터 문제가 되어 왔고, 통근 거리의 연장에 따른 교통량 증가, 자연 녹지의 훼손도 점점 더 심화되고 있다. 이것은 단지 국토의 균형 발전이나 자연 생태계 보존이라는 관점에서만 고민할 문제가 아니다. 인간이 스스로를 자연으로부터 유기하고 있는 이 현상이 인간에게 어떤 영향을 미치고 있는지, 우리는 아직도 깨닫지 못하고 있다.

자연환경이 파괴되고 도시화가 진행될수록 사람들의 심신 건강은 점점 손상되고 있다. 도시적 생활이 불건강한 것이기 때문이기도 하지만, 자연과 멀어지는 것이 어쩌면 더 큰 원인일 수 있다. 자연은 우리에게 공기와 물과 먹거리만 주는 것이 아니다. 우리의 생존에 필수적인 다른 어떤 것들도 제공한다. 이미 의학적 치료에서는 자연의 치유적 요소를 적극적으로 도입하기 시작했고 생태정신의학, 생태심리학 등 정신건강 관련 분야에서도 환경 파괴 실태와 정신과의 관계를 연구하면서 자연으로부터의 자발적 소외가 가져온 문제에 대한 해결책을 모색하기 시작했다.

자연은 우리의 건강과 웰빙에 구체적으로 어떤 영향을 미치는 것일까? 자연과의 접촉이 결핍되면 자연결핍장애(nature deficit disorder)가 일어난다. 하지만 이 질환에 주어지는 실제 진단명은 스트레스, 불안, 우울, 주의력결핍과잉행동장애(attention deficit hyperactivity disorder, ADHD)처럼 우리에게 익숙한 다른 어떤 것들이다. 자연결핍장애는 아동에게 특히 심각하며 주의력결핍장애(attention deficit disorder, ADD)와 유사한 문제를 야기한다(Louv, 2009). 반면 녹지에서의 활동은 인공적인 환경에서의 활동보다 ADHD와 ADD를 더 낮춘다. 연구에 의하면, 공원을 산책한 아동의 인지기능은 가장 많이 판매되고 있는 ADHD 약물을 복용했을 때만큼이나 향상된다.

어린 시절에 자연과 많이 접촉하는 것은 스트레스에 대한 방어막을 형성하고, 유연하고도 강한 면역계가 형성되는 데 매우 큰 기여를 한다. 큰 도로 근처에 사는 것은 치매, 파킨슨병, 알츠하이머병 등의 위험을 높이고, 녹지 가까이 사는 것은 그러한 신경계 질환의 발생에 대해 보호 효과가 있다(Yuchi 등, 2020). 이뿐이 아니다. 주변에 녹지가 많을수록 우리는 더 많이 걷고 더 많은 햇볕을 누리고 더 많은 사람과 만나게 된다.

평생을 도시적 생활환경에서 살아온 사람이라도 자연에 대한 타고난 친근함과 끌림을 가지고 있다. 에드워드 윌슨(Edward Wilson)은 바이오필리아 가설(biophilia hypothesis)을 통하여, 인간은 자연과 공존하도록 유전자에 프로그램 되어 있으며, 그러한 삶에서 벗어나는 데서 스트레스가 기인한다고 했다.[86]

---

86) 많은 사람들이 바이오필리아를 '생명애'로 번역하는데, 현대적 맥락에서는 '자연애'라는 단어가 더 적절하다. 1900년대 초반, 의학사전에서 처음으로 바이오필리아를 자기보존 본능 또는 생명을 유지하려는 본능적 욕구로 정의했다. 윌슨은 바이오필리아의 의미를 정서의 영역으로 확장하고 '살아 있는 다른 유기체에 대한 인간의 타고난 정서적 제휴'로 정의했다.

(2) 비타민G

자연은 우리가 생명활동을 유지하는 데 필수적인 영양소다. 그래서 자연을 '비타민G'라 부르기도 한다.[87] 자연은 두 가지 의미에서 비타민G다. 즉, 비타민G의 'G'는 두 가지 단어의 첫 글자다. 'Green(초록, 녹지)'과 'ground(땅)'다.

2006년, 페터 그뢰네베겐(Peter Groenewegen) 등이 녹지의 치료적 효과를 일컬어 비타민G로 명명했다. 현재 의료계에서도 녹지, 정원, 숲에서 시간을 보내고 운동을 하도록 하는 방식으로 비타민G를 처방하고 있다.

두 번째 비타민G는 지구라는 거대한 전자기장이 가진 에너지를 말한다. 땅과 접촉하는 것을 통해서 불안, 스트레스 및 그에 동반되는 두통, 고혈압, 부정맥 등 신체적 증상이 완화된다는 것이 확인되면서, 땅의 에너지와 접촉하는 것을 돕는 기기들도 개발되었다. 땅과의 접촉은 지구 표면에 흐르는 전자기 에너지에 몸을 연결하여 신체의 에너지를 안정화시키는 방법이다. 지구가 가진 자연적 전자기파의 주파수는 자율신경계를 안정화시키고 심신을 이완을 유도하는 파장대와 일치한다.[88]

두 가지 비타민G 모두, 심신이 지치고 스트레스에 시달리는 현대인에게 치유와 회복을 유도하는 효과가 뛰어나다. 명상이나 신체활동 같은 스트레스 중재법이 비타민G와 함께 처방되어 자연 속의 명상, 자연 속의 신체활동으로 실시되기도 한다.

로저 울리히(Roger Ulrich)는 대형마트를 가는 사람들이 빨리 갈 수 있는 고속도로를 이용하지 않고 더 먼 길을 돌아서 가는 것을 발견했다. 단지 경치가 좋다는 것이 이유에서였다. 울리히는 그 후 연구를 통해 자연경관이 심리적 웰빙과 신체의 스트레스 반응에 영향을 준다는 사실을 확인했다(Ulrich, 1979). 식물을 시각적으로 접촉하는 것만으로도 환자들이 통증을 견디는

---

87) 과거에는 리보플래빈(riboflavin)을 비타민G라 불렀다. 현재 리보플래빈은 비타민B₂로 공식 등록되어 있고, 비타민G는 더 이상 리보플래빈을 가리키는 용어로 사용되지 않는다.

88) 최근에는 슈만공명(Schumann's resonance)의 효과에 대한 연구도 활발하다. 슈만공명은 지표와 전리층 사이 공간이 현악기 몸통의 공동 구조처럼 공동 공진기 역할을 하고, 번개 에너지가 현의 울림 같은 역할을 하면서 발생하는 극초저파 공진이다. 대략 1~40 Hz 사이에서 변동하며 평균 주파수는 약 7~10 Hz이다. 이 주파수는 사람이 이완 상태에 있을 때 발생하는 파장의 주파수다.

힘이 증가하고 질병으로 인한 괴로움이 완화된다. 병실에서 나무를 볼 수 있던 환자는 입원 기간이 더 짧았고, 수술 후 통증을 덜 느껴서 마약성 진통제 대신 아스피린이나 타이레놀 같은 진통제를 더 많이 처방받았다(Ulrich, 1984). 이 연구가 발표된 후 병실 안에 관상용 식물만 있어도 상당한 효과가 있다는 것을 보여주는 연구들도 속속 발표되었다.

실제 식물이 아닌 식물의 사진조차 질병 예방 효과가 있다. 사무실 책상에 식물 사진을 놓으면 직원들의 병가 비율이 크게 감소한다. 많은 사람들이 컴퓨터 바탕화면에 자연의 사진을 띄워 놓는 것은 그것을 보기만 해도 스트레스가 감소된다는 것을 느끼기 때문에 은연중에 하는 행동일 것이다. 병실이나 사무실에서 창밖의 자연환경을 바라보는 것, 도시의 공원을 산책하거나 집안에서 정원을 가꾸는 것 등, 우리의 감각이 자연을 느낄 수 있도록 하는 모든 일이 스트레스 반응을 감소시키고 치유를 촉진하며 작업 능률을 향상시킨다. 교실에 식물을 두면 학생들의 학업 성적도 높아진다. 자연 풍경은 긍정적인 사고도 촉진한다. 잠시라도 자연에 머무는 것, 혹은 마음속으로 자연을 떠올리는 것만으로도 스트레스 호르몬은 감소하고 면역 지표가 향상된다.

자연은 일종의 시각적 신경안정제다. 뇌에서 부정적 정서를 일으키는 중추인 편도체는 인공적인 도시 환경에서는 활성화되고 자연에서는 안정된다. 자연 풍경을 보는 것은 뇌파 중 알파파를 증가시키는데, 이 상태에서는 이완 호르몬인 세로토닌 분비가 증가한다. 따라서 자연은 스트레스의 부정적 영향을 감소시킨다. 자연 풍경은 분노와 공격성을 감소시키지만 도시 풍경은 증가시키는 것으로 나타났다.

한편 자연의 풍경은 전대상회와 뇌섬엽을 크게 활성화시키는데 이 영역들이 활성화되는 것은 공감이 증가하는 것과 관련이 있다. 전대상회의 활성화가 부족한 것은 주의력 결핍과도 연결되어 있다.

자연 풍경은 중독과 보상을 담당하는 뇌 영역도 활성화시킨다. 뇌의 전측 해마방회(anterior parahippocampal gyrus)는 아편 수용체[89]가 풍부한 곳인데, 이 수용체는 도파민 보상회로의 뇌세포와 연결되어 있다. 그런데 좋은 자연 경관일수록 전측 해마방회가 더 많이 활성화되는 것이 fMRI로 확인된다. 이것은 자연 경관이 모르핀처럼 진통 효과와 쾌감을 일으킬 수 있고, 중독을 치료할 때도 대체재 혹은 해독제가 될 수 있음을 시사한다.

간접적으로 자연을 접하는 것도 이완과 치유 효과가 있지만, 직접 자연을 만나는 것에 비할

---

[89] 아편 수용체는 모르핀이나 엔도르핀 같은 아편제 약물이 결합하는 곳이다.

수는 없다. 자연이라는 벽이 없는 공간은 우리에게 심리적 해방감을 줄 뿐 아니라, 인위적으로 조성된 환경에서는 기대할 수 없는 수많은 치유의 요소를 제공해 준다. 자연의 경관, 자연의 소리, 맑은 공기와 자연의 향기, 자연 광선, 음이온 등은 심신의 안정을 가져오고 신체의 치유 기전을 활성화시킨다. 숲과 같은 자연 속에서의 활동은 우리를 몸과 마음이 형성되던 원초적 환경으로 돌아가게 하고 잠들어 있던 감각들을 되살려 준다.

후각 자극은 매우 빠르게 변연계를 자극하여 심신 변화를 유도하기 때문에 자연의 향기는 신속히 전신의 호르몬 균형을 조절하고, 몸이 기억하고 있는 오래된 감각을 떠올리게 하면서 이완 효과를 가져온다. 따라서 숲에 가면 자신도 모르는 사이에 숨을 깊이 들이쉬게 되면서 호흡이 길어지고 편안해지는 것을 느끼게 된다.

식물은 일종의 공기청정기 역할을 한다. 게다가 나무에서 분비되는 수많은 피톤치드(phyton-cide)는 다양한 생리 활성을 발휘한다. 피톤치드는 식물이 세균, 해충, 곰팡이 등에 저항하기 위해 분비하는 휘발성 물질로 항산화 작용, 항염 작용, 항균 작용 등이 있어 심신의 회복을 촉진하며 스트레스도 완화시켜 준다. 바람 소리, 물 흐르는 소리 같은 리드미컬한 소리는 이완 뇌파인 알파파를 증가시킨다. 숲의 음이온 또한 알파파를 증가시키고 부교감신경을 자극하여 이완 효과를 증가시킨다. 음이온은 숲이나 흐르는 물 근처에 풍부하다. 음이온은 체내 항산화 시스템의 작용을 촉진하고 피로물질인 젖산을 감소시키며 혈류를 증가시킨다. 또한 스트레스, 우울, 불안을 완화하는 효과도 있다. 우울증, 불안증, ADHD가 겨울철에 더 악화되는 것은 겨울철에 음이온이 감소되는 것과도 관련이 있다.

햇빛은 인공조명이 결코 대신할 수 없는 치유력을 가지고 있다. 2000년 전 로마의 의사들은 정신장애 환자에게는 정원을 산책하게 하고, 우울증이나 만성 소화장애 환자에게는 햇빛이 풍부한 곳에서 생활하도록 했다. 나이팅게일(Florence Nightingale)도 환자들이 창문을 통해 햇빛과 신선한 공기의 혜택을 충분히 누릴 것을 강조했다. 햇빛이 많은 드는 병실에 있는 환자는 회복 속도가 더 빠르고 사망률도 낮다. 또한 수술 후 통증을 덜 느껴 진통제 사용량이 적고 스트레스도 덜 느낀다.

햇빛은 세로토닌의 생산을 증가시켜 우울감을 감소시키고 스트레스를 완화시켜 준다. 또한 칼슘 대사에 필수적인 비타민D의 합성을 증가시켜 뼈를 튼튼히 하는 데 도움이 된다. 햇빛이 들어오는 사무실에 근무하는 직원들은 직무 만족도, 안녕감, 장기근속 의지가 더 높은 것으로 나타나는데, 사무실이 얼마나 밝은지가 아니라 햇빛이 얼마나 들어오는지가 변인이었다.

자연 속에서 걷는 것과 실내에서 러닝머신 위를 걷는 것은 그림책과 빈 공책만큼이나 큰 차이가 있다. 자연에는 이야기가 있고, 건강과 웰빙을 구성하는 풍부한 소재가 담겨 있다. 걷는다는 행위 하나면 놓고 보더라도 평지보다는 산길이나 자갈길처럼 굴곡이 있는 땅 위를 걷는 것이 더 유익하다. 굴곡이 있는 표면 위를 걸으면 평소에 사용하지 않던 다리와 발목 근육을 사용하게 되므로 하체의 혈액이 상체로 잘 순환하게 되고 심혈관계 부담이 감소한다. 한편 자연 속의 신체활동을 통해 우리 몸은 수많은 미생물과 접촉하게 된다. 이 중 상당수는 우리가 유익균이라 부르는 것으로, 신체적 건강뿐 아니라 심리·행동적 건강에도 광범위한 영향을 미친다.

녹지 공간이 건강에 미치는 영향에 관한 연구는 헤아릴 수 없을 만큼 많다. 한 연구에서는 도시에 거주하는 것이 시골에 거주하는 것에 비해 노화 과정에서 인지 능력을 다섯 배나 더 손상시키는 위험인자로 나타났다(Sánchez-Rodríguez 등, 2006). 또 다른 연구에서는 녹지에서 1 km 이상 떨어져 사는 사람은 스트레스 수준이 더 높고, 전반적인 심신의 건강이나 활력 등과 관련된 검사에서도 훨씬 낮은 결과를 받았다.

집 근처에 가로수가 많으면 우울증 위험이 낮아진다(Marselle 등, 2020). 가로수와 항우울제 처방 간의 부적 상관관계는 사회경제적 지위(SES)가 낮은 집단에서 특히 강하게 나타난다. 이것은 가로수가 도시에 사는 사람들의 정신건강 향상을 위한 좋은 해결책이라는 점과 함께, 경제적으로 차이가 나는 사회 집단 간의 건강 불평등을 감소시키는 유망한 전략이라는 것을 알려준다.[90]

'숲세권'이 좋은 주거 환경을 가리키는 말로 등장한 지 오래되었다. 사회경제적 지위가 낮은 도시 사람들은 자연과 가까이하기가 그만큼 어렵다는 뜻이다. 국가와 지방자치단체가 공원이나 녹지를 조성하는 것은 사회·경제적 불평등, 그리고 그로 인한 건강 불평등을 감소시킬 수 있다. 뉴욕 맨해튼의 센트럴파크(Central Park)를 설계한 옴스테드(Frederick Law Olmsted)는 현대의 도시공원 사업이 시작되는 데 선구적 역할을 한 도시공원 설계자로, 평생 동안 도시공원을 통해 공공복지를 실현하고자 노력했다.

주거지역 근처에서 자연환경을 접하기 어렵다면 원예가 훌륭한 대안이다. 원예 프로그램은 1차 세계대전 말에 군인들의 외상후스트레스장애(PTSD)를 치료하기 위한 보조 수단으로 도입되었고, 곧이어 병원 원예치료사라는 직업이 공식적으로 등록되었다. 원예활동은 우울증 치

---

90) 가로수는 단지 인간의 건강에만 이득을 주는 것이 아니다. 도시에 가로수를 많이 심을수록 기후변화 완화와 생물 다양성 보존에 도움이 된다. 또한 가로수는 대기오염을 감소시키고 토종 나무 종의 보전에도 기여한다.

료와 노인의 인지기능 유지에도 효과적이다. 한 연구에서는 원예가 노인의 치매 발병 위험을 50%나 감소시켰다(Fabrigoule 등, 1995). 원예활동은 운동 효과도 매우 크다. 원예활동은 일단 시작하면 보통 30분 이상 쉬지 않고 여러 가지 동작을 번갈아 가며 하게 된다. 같은 행동을 반복하거나 무작위로 섞는 것이 아니라 체계적으로 활동이 조직화되고 다양한 도구를 규모 있게 사용하는 작업이므로 노인의 인지적 건강과 신체적 건강을 유지하는 데 매우 유익하다.

2 인간과 환경

(1) 지구는 지속가능한가

> "문명이 살아남으려면 자본이 아닌 자연의 이익에 따라 살아야 한다."
> - 로널드 라이트(Ronald Wright) -

지금 자라고 있는 아동 중 대부분은 2100년에도 살아 있을 것이다. '지금 태어나는 아이는 142세를 살 수도 있다'라는 2015년 『타임』의 표지기사가 현실이 된다면, 2150년까지 살 사람도 지금 우리와 함께 숨을 쉬고 있을 것이다. 과연 그때는 지금보다 더 살기 좋은 세상이 될까?

자신의 자녀가 자신보다 더 깨끗하고 쾌적한 환경에서 건강하고 행복하게 살기를 바라는 것이 세상 모든 부모의 마음이지만, 과연 그들의 라이프스타일은 그런 미래를 가능하게 하는 것일까? 어쩌면 하늘은 햇빛이 뚫고 들어오지도 못할 정도로 짙은 잿빛이고 땅은 쓰레기와 유독물질이 넘쳐나며, 곳곳이 뜨거운 사막으로 황폐화되고 산불과 홍수가 끊이지 않는 생지옥으로 아이들을 내몰 수밖에 없는 라이프스타일이 아닐까? 현재 우리의 라이프스타일이 남기는 탄소발자국과 쓰레기의 양을 보면 기우가 아니라 현실이 될 것이 자명한 시나리오다. 지구가 무자비하고 탐욕스러운 인류를 부양할 수 있는 능력은 이미 한계에 도달했다.

'지속 가능한 발전'은 1992년에 브라질 리우데자네이루에서 열린 유엔환경개발회의(United Nations Conference on Environment and Development, UNCED)에서 채택된 21세기 지구 환경 보전을 위한 기본 원칙이다. 지속 가능한 발전의 목표는 미래 세계의 필요를 충족시킬 능력을 저해하지 않으면서 현 세대의 필요를 충족시키는 것이다. 우리가 물려줄 환경과 자원을 가지고 미래 세대도 최소한 우리 세대만큼 잘 살 수 있도록 해야 한다는 전제 아래, 우리에게 주어진 환경과

자원을 이용해야 한다는 것이다.

환경 보전과 경제 성장은 양자택일의 문제가 아니라 동시에 이루어야 할 목표다. 그러나 이 두 가지는 상반되는 면이 많다. 현재까지는 경제 성장에만 집중한 나머지 환경 보전이 심각히 경시되어 왔고, 그 결과 지구의 지속가능성, 인류의 지속가능성에 드리워진 짙은 암운을 대면하게 된 것이다.

연구자들은 급격한 기후변화로 인해 머지않은 미래에 일어날 일들을 경고해 왔다. 기후변화에 관한 정부간 협의체(Intergovernment Panel on Climate Change, IPCC)의 시나리오도 그중 하나다. 이 시나리오에 따르면, 만일 기후변화가 최악의 시나리오로 진행된다면, 즉 화석연료를 현재처럼 계속 사용하는 경우에는 금세기 말에 이산화탄소 농도가 970 ppm, 지구 평균기온은 6.4℃ 상승하게 된다. 만일 환경친화적인 최선의 시나리오로 진행되면 이산화탄소 농도는 550 ppm, 지구 평균기온은 1.1℃ 상승하게 된다.

온난화에 따른 영향을 구체적으로 보면, 기온이 1℃ 상승하면 생물종의 10%가 멸종하고, 2℃ 상승하면 열대지역 농산물 생산이 급감하며, 3℃ 상승하면 생물종의 50%가 멸종하고, 4℃ 상승하면 전 세계 물의 30~50%가 감소한다. 5℃ 상승하면 해수면 상승으로 인해 해안 도시가 물에 잠기고, 6℃ 상승하면 자연재해가 일상화되며 지구상의 생물종 대부분이 사라진다. 온난화로 1℃만 상승해도 식량 생산이 10% 감소하는데, 이미 기후변화로 인해 전 세계 곡창지대에 가뭄이 오고 사막에서는 홍수가 빈번히 일어나고 있다. 지금보다 4℃만 상승해도 우리 문명은 효율적으로 적응할 수 없을 것으로 예측된다. 해수면 상승은 지금 최악의 시나리오로 진행 중인데, 이대로라면 금세기 말에는 해수면이 17 ㎝나 더 높아진다. 최근 측정에 따르면 전 세계 해수면은 해마다 4 ㎜씩 엄청난 속도로 상승하고 있다.

기후변화로 지구만 몸살을 앓는 것이 아니다. 사람의 건강은 기후변화와 불가분하게 연결되어 있다(Patz 등, 2014). 이미 우리는 그 영향을 받고 있는데, 여기에는 호흡기질환이나 감염병뿐 아니라 정신건강 문제까지 포함된다.

한편 이산화탄소 방출로 해양도 산성화되고 있다. 바닷물에 이산화탄소가 용해되어 점차 산도가 증가하고 있는 것이다. 현재 전 세계에서 배출되는 이산화탄소의 1/3은 바다에 흡수된다. 해양 산성화는 산호초를 비롯해 게, 조개, 바닷가재처럼 탄산칼슘으로 단단한 껍질을 만드는 해양생물에게 치명적일 뿐 아니라 생물 다양성 감소, 먹이사슬 붕괴, 수산자원 고갈 등 광범위한 결과를 초래하게 된다.

지질학적으로 인류세(anthropocene)라는 새로운 시대가 시작되었다는 주장이 큰 반향을 일으키고 있다. 지금까지 지질시대를 구분하게 만든 근본 동력은 자연이었지만, 인류세라는 변화는 인간이 주도한다는 점에서 이전과는 다르다. 인류세의 가장 큰 특징은 인류에 의한 자연환경 파괴다. 산업혁명 이후 인류는 유례없이 거대하고 빠른 속도도 환경을 파괴하며 인류가 적응하고 살아온 환경을 급격히 변화시켰고, 그 결과는 벌써 인류 스스로에게 부메랑으로 돌아오고 말았다.

글상자❸ 인류세

인류세는 자연이 아니라 인간이 주도하는 지질 흔적으로 구분되는 새로운 지질시대다. 이 용어는 1995년 노벨화학상을 수상한 크뤼천(Paul Crutzen)이 2000년에 처음 제안하였고, 2011년 미국 지질학회에서 사용되기 시작하면서 비공식적으로 이용되어 왔다. 우리가 현세라 부르던 충적세(홀로세)가 공식 결정된 것이 2008년이다. 이 당시만 해도 충적세가 1000만 년 이상 지속될 것으로 예측했었다. 하지만 불과 10년도 지나지 않아 크뤼천이 제안했던 인류세에 대한 논의가 급부상했다.

인류세의 지질학적 특징은 무엇일까? 첫 번째는 질소다. 폭발적으로 증가한 인구를 먹여 살리기 위해 엄청난 질소비료가 사용되고 있기 때문이다. 두 번째는 플라스틱이다. 이미 플라스틱에 오염되지 않는 바다가 없고 지하수, 하천까지도 플라스틱에 오염되어 있다. 세 번째는 화석연료 사용에 의해 달라진 탄소 동위원소 비율이다. 네 번째는 지구상에 살고 있는 생물 종의 변화이다. 충적세가 시작될 당시의 지구에 살던 동물은 절대적으로 야생동물이었다. 하지만 지금은 사람이 기르는 동물이 땅 위에 사는 척추동물의 65%를 차지한다. 대개 식용으로 사육되는 것들이다. 닭뼈는 인류세를 상징하는 대표적인 지표 화석으로 예측된다. 현재 닭은 지구상의 모든 조류를 합친 것보다도 개체수가 많다.

그 외에도 핵실험으로 인해 생기는 방사성 낙진, 첨단산업의 발달과 더불어 사용이 늘고 있는 희토류 원소 등이 인류세의 지질학적 특징으로 꼽힌다.

(2) 환경오염

대기오염, 수질오염, 토양오염, 그리고 빛 공해, 소음 공해, 전자파 공해에 이르기까지, 우리를 둘러싼 환경의 모든 것에 오염이나 공해라는 단어가 조합되어 있다. 숨 쉬고 물 마시고 음식을 먹는 것은 가장 기본적인 생명활동인데 이 모든 것이 안전하지 않게 된 것이다. 음식과 물은 그나마 골라 먹을 수 있는 여지가 있지만, 그보다 더 중요한 공기는 그렇지 않다. 오히려 경제적으로 풍요로운 사람들이 모여 사는 지역일수록 대기오염 문제가 심각하다.

오염된 공기에 노출되면 뇌졸중, 심근경색, 당뇨병, 폐암, 만성 폐질환 위험이 상승한다. 미국 보건영향연구소(Health Effects Institute, HEI)는 「세계대기현황 2020」 보고서에서, 대기오염을 고혈압, 흡연, 영양실조에 이어 4대 사망원인으로 지목했다. 이 보고서에 따르면 2019년에 대기오염으로 목숨을 잃은 사람이 무려 670만 명에 이른다. 게다가 2019년 한 해 동안 전 세계에서 신생아 50여만 명이 대기오염 때문에 목숨을 잃었다.

2000년대가 시작되고 10년이 지날 무렵만 해도 일기예보에 미세먼지 예보가 포함되리라고 예상했던 사람은 없었다. 미세먼지 저감을 위한 노력이 시작되기는 했지만, 전 세계적으로 해마다 수백만 명이 미세먼지로 인해 사망한다. 미세먼지 오염은 고혈압, 흡연, 당뇨병, 비만과 함께 5대 건강 위해 요소로 꼽힌다. 2021년 시카고대학 에너지정책연구소 연구팀은 흡연, 음주, 마약보다 대기오염이 수명에 더 큰 위협이 되었다는 연구 결과를 발표했는데, 가장 대기오염이 심한 인도의 경우 최대 9년까지 기대수명이 감소할 수 있는 것으로 나타났다.

심폐사(cardiopulmonary death)의 약 3%, 폐암으로 인한 사망의 약 5%가 미세먼지 때문인 것으로 추정된다. 직경 10 μm 미만인 미세먼지 입자는 폐 깊숙이 침투가 가능하고 호흡기에서 혈류로 들어갈 수도 있기 때문에 폐와 심장에 모두 영향을 줄 수 있다. 더 큰 문제는 미세먼지가 심혈관이나 호흡기에만 영향을 미치는 것이 아니라는 점이다. 초미세먼지(직경 2.5 μm 이하의 미세먼지)는 혈액으로 들어가 뇌를 비롯한 주요 장기에 침투하게 된다. 뇌로 파고들어간 초미세먼지가 뇌에 염증을 일으키므로 우울증이나 자살 문제에도 영향을 미치게 된다. 특히 미세먼지 중의 중금속은 뇌에서 산화되어 염증을 유발하고 뇌혈관 경화를 일으켜 뇌졸중 위험을 증가시킨다. 또한 기억중추나 운동중추를 파괴하여 치매와 파킨슨병 위험을 높인다. 최근 연구에서는 대기오염에의 노출, 특히 생후 10년간의 노출이 정신질환 발생에 중요한 역할을 할 수 있다는 결과가 나왔다. 미세먼지는 유산 가능성도 높인다.

깨끗하고 안전하다고 믿고 사 마시던 물에도 우리는 허를 찔렸다. 우리가 미세 플라스틱을 섭취하는 주요 경로가 바로 사서 마시는 식수다. 5 mm 이하의 플라스틱을 미세 플라스틱이라고 하고, 이중 0.001 mm 이하인 것을 초미세 플라스틱이라 한다. 2018년 오스트리아 환경청(Environment Agency Austria, EAA)에서 미세 플라스틱이 인체에까지 유입되었음을 확인한 연구를 발표하여 충격을 안겨 주었는데, 2년 뒤인 2020년 미국 애리조나주립대학교 연구진이 사람의 시신을 부검해 본 결과 폐, 간, 비장, 신장을 비롯한 47개 기관과 조직에서 모두 미세 플라스틱이 검출되었다. 우리는 매주 1,700개 이상의 미세 플라스틱 입자를 식수(생수, 수돗물, 지하수, 지표수 등)에서 섭취한다. 심지어 맥주, 탄산음료에서도 미세 플라스틱이 검출된다. 식품으로 섭취하는 것까지 포함하면 일주일에 약 5 g, 즉 신용카드 한 장 정도에 해당하는 양의 플라스틱을 먹고 있다.[91]

해산물은 식품을 통한 미세 플라스틱 섭취 경로로서 가장 큰 부분을 차지한다. 현재 미세 플라스틱에서 자유로운 바다는 없다. 최근에는 천일염에서까지 미세 플라스틱이 발견되었다. 다른 해산물의 미세 플라스틱 오염 문제는 굳이 말할 나위도 없다.

만일 지하수까지 미세 플라스틱으로 오염되어 있다면 농작물의 안전성도 우려하지 않을 수 없는데, 이런 우려도 이미 현실로 확인되었다. 농업용수의 주요 공급원들이 미세 플라스틱으로 오염되어 있다는 것은 알려져 있었지만, 그동안에는 미세 플라스틱이 식물로 흡수되기에는 크기가 너무 크다고 생각했다. 그런데 최근 연구에 의하면 농작물에서 새 잔뿌리가 나오는 부위의 틈을 통해 주변 토양과 물에 있는 미세 플라스틱이 흡수될 수 있는 것으로 확인되었다.

해산물에 이어 농작물도 안전하지 않다면 축산물은 어떨까? 미세 플라스틱이 농작물로 들어가 먹이사슬을 통해 이동한다면 우리가 먹는 육류, 가금류, 유제품 등 육상에서 사육되는 동물

---

91) 종이컵에서도 미세 플라스틱이 검출된다. 종이컵에 뜨거운 커피나 차를 담으면 내부를 코팅하는 고밀도 폴리에틸렌(HDPE) 필름에서 미세 플라스틱이 음료 안으로 용해된다. 하루에 종이컵을 4개만 사용해도 약 10만 개의 미세 플라스틱을 먹게 된다. 흔히 종이컵은 플라스틱 컵과 달리 재활용이 가능하고 환경오염을 일으키지 않는다고 생각하지만, 실제로는 거의 재활용되지 않고 버려지며, 그 안의 플라스틱 필름은 오랫동안 분해되지 않고 자연에 남아 있다.

에서 기원하는 식품도 모두 안심할 수 없다.

동물을 대상으로 한 연구에서는 미세 플라스틱이 불임, 염증, 암 등과 연관이 있는 것으로 밝혀졌다. 양전하를 띤 미세 플라스틱을 들이마시면 폐 세포가 파괴될 수도 있다. 미세 플라스틱 자체가 장기적으로 인체에 미치는 영향은 더 오랜 시간이 지나야 확인되겠지만, 미세 플라스틱이 환경호르몬, 특히 카드뮴, 크롬, 팔라듐 등의 중금속을 운반하는 매체라는 것은 분명하다. 인체의 47개 기관과 조직에서 미세 플라스틱을 검출했던 연구에서도, 47개 샘플 모두에서 플라스틱을 만드는 데 사용되는 화학물질인 비스페놀A가 발견되었다. 먹이사슬의 가장 밑에 있는 생물들이 미세 플라스틱을 섭취할 때 이런 물질들도 함께 섭취하게 되고, 이들은 더 큰 포식자들에게로 옮겨지며 축적되다가 마침내 사람에게 전달된다.

미세 플라스틱의 체내 유입을 막는 첫 번째 방법은 플라스틱 용기에 담긴 식수 이용을 줄이고 필터로 정수한 물을 마시는 것이다. 화학섬유 대신 환경친화적인 의류를 입는 것도 방법이다. 합성섬유에서 떨어진 미세 플라스틱을 미세섬유라고 하는데, 세계자연보존연맹(International Union for Conservation of Nature)은 세계 미세 플라스틱 오염의 약 35%가 화학섬유 제품을 세탁하는 과정에서 나온 것으로 추산한다. 미국에서 발표된 한 보고서에서는, 물에서 발견된 플라스틱의 80% 이상이 미세섬유였다. 세탁기에 1.5 kg의 세탁물을 세탁한 후 그 물을 체에 걸러보면 0.1346 g의 미세 플라스틱이 검출되는데, 우리나라 평균 세탁 양에 대입해 보면 의류에서만 해마다 1,000톤이 넘는 미세 플라스틱이 발생하는 것이다. 국내 하수처리 시설은 미세 플라스틱을 99%까지 걸러낼 정도로 우수하지만, 1,000톤은 너무나도 많은 양이고 그중 1%만 바다로 흘러 들어간다고 해도 엄청난 것이다. 미세섬유를 걸러내는 세탁기를 사용할 수 있게 되기 전까지는 화학섬유를 덜 이용하고, 세탁할 때 미세섬유를 걸러주는 세탁볼을 이용하는 것도 방법이다. 또한 현재 사용하는 세면제, 섬유 유연제, 건조기 드라이 시트 등이 미세 플라스틱을 포함하고 있지 않은지 확인하고 미세 플라스틱이 들어 있지 않은 제품으로 대체할 필요가 있다.

체내 미세 플라스틱 유입을 막기 위해 해야 할 일을 하나만 더 꼽자면, 고기와 어패류를 덜 먹는 것이다. 고기와 어패류 섭취를 줄여야 하는 이유 중에서 미세 플라스틱이나 환경호르몬 문제가 차지하는 비중은 점점 더 커지고 있다. 과거에는 멸치처럼 뼈째로 먹는 생선을 칼슘과 단백질의 보고라고 생각했다. 하지만 내장을 제거하고 먹을 수 없는 작은 어패류들은 미세 플라스틱에 관한 한 가장 먼저 피해야 할 식품이 되고 말았다.

합리적 소비라는 것에 대한 패러다임 자체가 바뀌어야 할 때다. 잠깐 쓰고 버리는 질 낮은 저가 제품을 반복해서 구매하는 것보다 가격이 더 높더라도 오래 쓸 수 있는 제품을 구매하는 것이 장기적으로는 더 경제적이다. 더 저렴한 제품을 찾을수록 기업들은 곧 쓰레기가 될 제품을 경쟁적으로 만들어 낸다.

작은 부품 하나만 바꾸면 충분히 쓸 수 있는 제품임에도 불구하고, 부품이 없다는 이유로 쓰던 것을 버리고 새 제품을 살 수밖에 없었던 경험을 누구나 했을 것이다. 게다가 기업들은 제품의 라이프 사이클을 점점 단축시켜 소비자들이 잘 쓰던 제품도 버리고 신제품을 구매하도록 부추긴다. 이러한 계획적 진부화(planned obsolescence) 전략을 알면서도 휘말리는 소비자는 피해자인 동시에, 전 지구의 생명체를 위협하는 범죄의 공범이 되는 것이다.

현재의 생산 경제는 지구의 자원이 무한하다는, 완전히 허황된 전제에서 운영되고 있다. 소비가 미덕이라 칭송하고 소비 진작이 경제 발전의 원동력이라 외치는 지금의 세대는 미래 세대에게 가장 부도덕하고 몰염치한 세대로 평가될지도 모른다.

소비자가 제품 선택의 기준을 바꾸면 기업도 생산, 판매 전략을 바꿀 수밖에 없다. 잘 사용하지도 않는 기능이나 화려한 외관에 현혹될 것이 아니라, 핵심 기능이 얼마나 충실하게 작동하는지를 선택의 기준으로 삼고, 최신 모델인지 아닌지가 아니라 얼마나 오래 유지·보수 서비스를 받을 수 있는지를 꼼꼼히 살펴야 한다. 또한 가격이 싼 것이 아니라 사람과 자연에게 더 건강한 것, 쓰레기를 덜 만드는 것을 선택의 기준으로 삼는다면, 기업들은 더 오래 쓸 수 있는 제품, 더 안전한 제품, 더 친환경적인 제품을 경쟁적으로 개발하고, 제품 판매보다는 제품의 장기간 사용을 안정적으로 지원하는 데서 수익을 창출하는 것으로 사업모델을 전환하게 된다.

이미 전 세계적으로 ESG(environment, social, governance) 경영이 기업 생존에 필수적인 것으로 대두되고 있다. ESG 경영은 환경적, 사회적 지속가능성을 고려하여 의사결정을 하는 경영을 말한다. 2021년에 세계 최대 자산 운용사 블랙록(BlackRock)의 경영자 로렌스 핑크(Laurence Fink)는 기후변화가 기업의 장기 전망에 결정적 변수이며, 이를 고민하지 않는 기업은 도태될 것이라고 전망하고, 석탄 연료를 사용해 만든 제품의 매출이 전체의 25% 이상인 기업의 주식과 채권을 처분했다.

(3) 환경호르몬

산업과 농업 분야에서 사용되는 수많은 합성 화학물질이 환경을 광범위하게 오염시키고 있다. 1962년 레이첼 카슨(Rachel Carson)은 『침묵의 봄(Silent Spring)』에서, DDT로 인해 새들이 죽어서 봄에 더 이상 새들의 노래를 들을 수 없게 된다고 경고했다. 이 책은 전 세계적으로 커다란 파장을 일으켰고 그로부터 10년 후, 기적의 살충제로 불렸던 DDT의 사용이 중지된다.[92]

환경호르몬의 학술적 명칭은 내분비계 교란물질(endocrine disrupter)이다. 식품 등을 통해 체내로 유입된 후 호르몬처럼 작용하면서 내분비계의 정상적 기능을 방해하거나 혼란시키는 화학물질로 살충제, 가소제, 항균제, 난연제 등이 대표적이다. 2016년 미국 연구진의 보고에 따르면, 환경호르몬에 의한 미국 내 보건 비용과 손실 비용은 연간 3,400억 달러에 이른다(Attina 등, 2016). 신경장애, 행동장애, 아동의 지능 저하, 자폐증, 남성의 불임, 태아 결손, 자궁내막증, 성조숙증, 그리고 유방암을 비롯한 호르몬 민감성 암, 아토피나 루푸스 같은 면역질환이 환경호르몬에 의해 증가되는 것으로 보고되었다.

환경호르몬은 대사증후군, 비만, 당뇨병의 위험도 증가시키는데, 호르몬을 만드는 지방조직은 환경호르몬에 매우 민감하고, 많은 환경호르몬이 비만을 유도하는 물질이다. 특히 플라스틱 가소제인 프탈레이트가 당뇨병, 비만 발생과 관계가 있는 것으로 지목되고 있다.

환경호르몬에 의한 생태계의 성비 변화는 이미 심각한 수준인데, 이는 많은 환경호르몬이 여성호르몬인 에스트로겐과 닮았기 때문이다. 플라스틱 제조에 쓰이는 비스페놀A, 제초제로 쓰이는 아트라진, 농약으로 쓰이는 빈클로졸린 등 대표적인 환경호르몬이 모두 에스트로겐을 닮은 물질이다. 테오 콜본(Theo Colborn)은 수많은 문헌을 근거로, 환경호르몬을 정자 수 감소의 주요 원인으로 지목했다(Colborn 등, 1996). 비스페놀A를 무당개구리에게 주입하면 수컷이 알을 만든다. 다이옥신도 남성의 신체에 침투하면 여성호르몬 수용체에 작용하여 여성호르몬과 유사한 작용을 한다. 체내 여성호르몬이 많아지면 남성호르몬 작용이 방해를 받아 정자 생성 감소, 정자의 기형화, 정자의 운동성 감소를 초래한다. 다이옥신은 생리, 임신 같은 여성 기능도 손상시킬 수 있으며, 자궁내막층을 증식시키고 자궁내막 이외의 장소에 자궁내막층을 만들기도 한다. 따라서 여성호르몬에 의존해 발생하는 유방암도 환경호르몬에 의해 증가하게 된다. 또한 모체에 들어간 환경호르몬이 태아 생식기관 발달에 심각한 영향을 주기도 한다.

환경호르몬이 인체에 유입되는 경로 중 하나가 미세 플라스틱이다. 다이옥신, 브롬화 난연제(BFR), 과불화 화합물(PFC) 등 난분해성 오염물질이 육상 폐기물의 해양 투기나 간척 사업 등으로 인해 바다에 넘쳐나고 있고, 이들은 미세 플라스틱에 붙어 식탁으로 되돌아온다.

환경호르몬은 인간이 만든 것이므로 가해자가 곧 피해자다. 그런데 생태계에는 일방적으로

---

92) DDT의 인체 유해성 논란은 계속되고 있다.

가해를 당하고 있는 무고한 피해자들도 너무나 많다. 이들이 입는 피해를 줄이기 위해서, 환경호르몬이 들어 있는 제품을 덜 이용하는 것 말고도 우리가 지체 없이 실천해야 하는 것이 또 있다. 의약품을 아무렇게나 버리지 않는 것이다.

건강보험심사평가원의 2018년 조사에 따르면 55%가 넘는 사람들이 복용하지 않는 의약품을 쓰레기통, 하수구, 변기에 버린다. 단 8%만 약국, 병·의원, 보건소로 가져가 수거를 맡긴다. 2020년 7월에 낙동강에서 뇌전증 치료제 성분인 가바펜틴이 검출되기도 했다. 아무렇게나 버린 약물은 이렇게 생태계로 흘러들어가고 있고, 동물들은 원치 않게 그 약물을 복용하게 된다. 2017년 영국의 연구진은 강이나 바다로 흘러든 항우울제나 피임약 때문에 수컷 민물고기 20%가 트랜스젠더나 암수가 혼합된 간성이 되었다고 보고했다. 문제는 여기서 끝나지 않는다. 생태계로 흘러간 약물은 화학적으로 분해되지 않은 채 수돗물이나 지하수를 통해 인체로 다시 들어올 수 있다.

폐의약품 수거가 주민센터나 아파트 단지에서도 이루어질 수 있도록 하였으나, 약물을 함부로 버리는 것이 얼마나 위험하고 무책임한 행동인지 사람들이 깨닫도록 하는 것이 더 시급하다. 주변에 약국이나 병·의원이 없다는 이유로 약을 집에서 폐기하는 사람은 많지 않기 때문이다. 지금 아무렇게나 약을 버리는 사람에게는 아파트 단지의 수거함도 멀기만 할 것이다.

환경호르몬이 인체로 유입되는 것을 완전히 차단하는 것은 불가능하다. 하지만 감소시킬 수 있는 방법은 있다. 대표적인 환경호르몬인 다이옥신은 쓰레기를 소각할 때 나오는 독성 물질로, 청산가리의 1만 배나 되는 독성을 가진 맹독성 물질인데다가, 인체에 들어와 축적되면 자연 분해되거나 소멸하지 않는다. 주변에 너무 많은 물질이기 때문에 완전히 피하는 것도 쉽지 않지만, 일단은 쓰레기를 최소화하여 소각을 줄이려는 노력을 해야 한다. 또한 다이옥신에 노출되기 쉬운 육류의 섭취를 최소화하고 육류를 먹을 때는 지방을 제거하는 것이 좋다. 높은 온도에서 삶거나 데쳐서 지방을 용해시켜 제거하는 것도 방법이다.

프탈레이트는 장난감, 플라스틱, 의료용품, 화장품 등에 많이 들어있다. 장기간 노출될 경우 생식기계와 신경계 관련 장애가 발생할 가능성이 높아지며, 아동의 경우에는 두뇌 발달 저해 또는 ADHD를 초래할 수 있다. ADHD 아동의 소변에서는 프탈레이트가 2배나 많이 검출된다. 플라스틱 용기에 뜨거운 음식을 담지 말고, 랩이나 포일을 전자레인지에서 사용하지 않아야 하며, 어린이용 제품을 구매할 때는 안전마크가 있는지 확인한다.

톨루엔은 접착제, 페인트, 카펫 등에 포함된 경우가 많아서 새집증후군에서 문제가 되는 물질이다. 톨루엔을 장시간 흡입하면 두통, 시력저하, 폐기능 장애, 심부전 등이 일어날 수 있다. 예방을 위해서는 자주 환기를 하는 것이 좋다. 실내의 많은 플라스틱 제품과 인테리어 소재에 포함된 환경호르몬이 호흡을 통해서도 체내에 흡입된다. 예를 들면 폴리염화비닐(PVC)로 코팅된 벽지가 마모되어 가루로 떨어지거나 휘발성 물질이 실내 먼지에 달라붙어 함께 흡입될 수 있다. 플라스틱의 한 종류인 에폭시 바닥재도 비스페놀A가 주원료인 플라스틱인데, 마찰로 인해 미세입자가 만들어져 공기 중에 떠다니다가 흡입된다. 초록 식물은 보는 것만으로도 심신 건강에 도움이 되지만 PVC로 만들어진 가짜 화초는 피해야 한다.

식품을 통해서도 상당한 양의 환경호르몬이 체내에 유입된다. 플라스틱 용기뿐 아니라 통조림, 심지어 종이컵도 환경호르몬이 유입되는 경로다. 통조림이나 음료수 캔은 부식을 방지하기 위해 에폭시 수지로 내부를 코팅한다. 통조림을 개봉한 후 다른 그릇에 옮겨 담고 깨끗한 물로 몇 차례 헹구어 먹으면 환경호르몬을 상당히 제거할 수 있다. 캠핑하면서 맥주 캔에 고기를 올려놓고 가열하거나 통조림을 직접 불에 데워 먹곤 하는데, 이는 반드시 피해야 하는 행동이다. 일회용 종이컵 내부는 폴리에틸렌 계열의 플라스틱으로 코팅이 되어 있어 뜨거운 물을 붓고 강하게 저으면 녹아 나올 수 있다. 커피믹스 봉투 필름의 잉크 역시 환경호르몬이므로 봉투를 뜨거운 물에 담그지 않는 것이 좋다. 폴리카보네이트 재질의 물컵을 오래 사용하면 흠집이 생겨 뿌옇게 되고 환경호르몬이 유출된다. 2012년부터 젖병에는 폴리카보네이트 사용이 법으로 금지되었다.

환경호르몬은 기름과의 친화성이 높아서 지방세포에 쌓이므로 지방조직에 농축되어 있다. 따라서 동물성 식품을 섭취할 때 지방을 최대한 제거한 후 섭취하는 것이 좋다. 또한 우리 스스로도 몸에 지방이 많이 쌓이지 않도록 해야 한다. 체중을 감량하여 지방이 줄어들면 환경호르몬도 몸에서 빠져나가게 된다. 피부 밑에는 바로 피하지방이 있기 때문에 환경호르몬은 먹었을 때보다 만졌을 때 더 오래 체내에 남는다. 영수증에는 상당한 양의 비스페놀A가 들어있어서 영수증을 만질 때 피부로 흡수되는데, 여성이나 아이는 피부가 부드럽고 보습이 되어 있어서 더 잘 흡수된다.

방부제인 파라벤은 화장품, 세정제, 치약, 약물 제조에 널리 사용되고 있다. 과일이나 유제품에도 포함되어 있어 식품을 통해서도 체내에 유입된다. 몸에 쌓이지도 않고 암을 유발하거나 내분비계를 교란한다는 근거가 부족하다는 주장도 있지만, 해롭다는 증거가 없다는 것이 안전하다는 증거는 아니다.

좋은 소식도 있다. 일주일만 환경호르몬 관련 제품을 피해도 환경호르몬의 바디버든(body burden)을 줄일 수 있다는 것이다. 비스페놀A는 89%, 파라벤은 81%까지 감소시킬 수 있다. 지속적으로 체내에 유입되고 있는 환경호르몬이 신속히 배출되도록 하는 전략도 있다. 땀 흘려 운동하거나 식이섬유가 풍부한 음식을 섭취하는 것은 환경호르몬 배출을 돕는다.

DDT, 파라벤을 비롯한 여러 물질들에 대해 유해성 논란이 종결되지 않고 있어서 소비자를 혼란스럽게 하고 있다. 법적으로 사용이 규제되지 않는 물질이라면 결국 각자의 판단으로 피해야 한다. 인류원이라는 관점에서 보면 판단의 기준은 명확하다. DDT 같은 인공 살충제가 자연에 있는 독성물질보다 본질적으로 더 해로운 것은 아니다. 하지만 인공 독소는 인류가 접해 온 자연의 독소들과 화학적으로 매우 다르다. 우리는 폴리염화바이페닐(PCB)이나 유기수은 복합체를 처리할 수 있는 효소 시스템을 가지고 있지도 않다. 간은 자연의 수많은 독소를 해독할 수 있는 대비책을 갖추고 있지만, 새로 합성된 독소에 대해서는 그러한 능력을 확보하지 못했다. 익숙지 않는 새로운 물질은 면역계에 항원으로 인식되고 염증과 스트레스 반응을 일으키게 된다.

글상자39 빛 공해

전 세계 땅의 1/4 정도가 밤의 인공 광원에 의한 빛 공해를 겪고 있고, 이 중 직접적인 영향을 받는 지역도 매년 2%씩 증가하고 있다. 가로등, 전광판 같은 야간 인공 광원은 멜라토닌 분비량을 감소시켜 수면장애를 초래하고 생체리듬을 교란한다. 사람은 커튼이나 안대를 이용해서 외부로부터 유입되는 광원을 효과적으로 차단할 수 있지만 동식물은 무방비로 노출된다.

야생동물의 경우 인공 광원으로 인해 주행성 동물과 야행성 동물 모두 수면 패턴이 비정상적으로 변화되고, 그에 따라 야행성 동물의 야간 활동이 감소하는 것처럼 밤낮의 활동 패턴도 달라지고 있다(Sanders 등, 2021). 야행성인 토끼나 쥐에서도 이런 현상이 일어나고 있는데, 멜라토닌 분비량이 줄어들면서 밤이 되어도 활동을 하지 않고 수면을 지속하고 있는 것이다.

반대로 대부분 주행성인 조류는 밤에도 낮처럼 먹이를 찾아다니고 생식활동을 하는 현상이 발생하고 있다.

식물도 빛 공해에 크게 시달린다. 빛은 식물의 생장에 있어서 가장 중요한 환경인자이고 그 신호에 따라 식물 호르몬의 분비도 조절되기 때문에 식물이 받고 있는 빛 공해의 스트레스는 엄청나다. 게다가 곤충의 활동 패턴도 달라져서 식물의 수분작용이 영향을 받게 된다. 가로등 가까이 있는 나무는 낙엽이 지는 시기가 늦어지거나 불빛을 보고 모여드는 곤충 때문에 해를 입는다.

인공 야간조명이 생태계에 미치는 영향은 오래전부터 지적되어 왔지만, 이에 대한 관심과 규제는 여전히 미흡하다. 겨울이 되면 연례행사처럼 나무에 전구를 감아 장식해 놓은 것을 어디서나 볼 수 있는데, 이것은 겨울잠을 자야하는 식물을 잠 고문하며 괴롭히는 폭력적인 행동일 수도 있다.

(4) 대멸종의 시대에 살아남기

> "다른 종들을 멸종시키는 것은 인류가 자신이 앉아 있는 나뭇가지를 톱으로 잘라내고
> 자신의 생명유지 장치를 망가뜨리는 것이다."
> - 폴 에를리히(Paul Ehrlich) -

전 세계에 환경문제에 대해 경종을 울린 레이첼 카슨의 『침묵의 봄』이 출간되고 나서 60년이 지난 지금, 세상은 어떻게 달라졌을까? 야생조류의 알에서까지 내연제가 검출되고 양서류, 박쥐, 그리고 벌, 나비, 딱정벌레를 비롯한 곤충이 크게 줄었다. 환경오염에 취약한 생물들의 감소 속도는 지난 30년 사이에 더 빨라졌다. 현재 지구에는 800만 종의 생물이 사는 것으로 추정되는데, 지난 1000만 년 동안의 평균보다 수십 배나 빠르게 멸종이 진행되고 있다. 2015년의 한 연구는 지구에서 여섯 번째 대멸종이 진행되고 있다고 보고했다(Ceballos 등, 2015). 이 연구자들은 5년 뒤인 2020년에 새로운 연구 결과를 발표했는데, 생물종 멸종 속도가 2015년 예측보다 더 빨라져 향후 20년 안에 육지 척추동물 500여 종이 멸종할 위기에 놓여 있다고 경고했다(Ceballos 등, 2020).

생물종 대멸종의 원인은 인간에 의한 생태계 파괴다. 학자들은 신종 감염병의 연이은 출몰도 생태계 파괴가 원인이라고 지적한다. 사스, 메르스, 에이즈, 코로나19에 이르기까지 모두 야생동물로부터 유래된 것으로 추정되고 있다. 그런데 서식지 파괴만이 이들의 생존을 위협하고 있는 것이 아니다. 농지 개발, 도시화, 산업화로 인해 자연환경으로 유입되는 유독성 물질과 전자기파도 동식물의 건강과 이동성에 영향을 미친다. 연구자들은 현재 사용되는 무선통신 주파수 범위의 전자기파가 식물의 성장 패턴을 바꾸고 동물의 행동 변화도 일으킨다는 사실을 발견했다. 전자기파가 동물에게 미치는 영향은 우리가 막연히 생각했던 것보다 훨씬 더 크다.

1970년 이후 50년 만에 전 세계 인구는 37억 명에서 76억 명으로 2배 넘게 증가했다. 이 인구를 먹여 살리기 위한 농작물 생산 역시 3배 정도 증가했다. 그로 인해 육상 환경의 3/4, 해양 환경의 2/3 이상이 심각한 영향을 받았다. 지난 20년간 새로 확보된 농지 중 절반이 천연림을 밀어내고 만들어진 것이다. 식량 생산을 위한 토지 이용과 함께, 인간의 각종 활동에 의한 기후변화, 환경오염, 동물 남획은 생물 다양성의 파괴라는 치명적 결과를 가져오고 말았다.

생물종의 대멸종은 우리가 사는 환경에 어떤 큰 변화가 일어나고 있음을 알리는 신호다. 한 생물종의 멸종은 연쇄적으로 수많은 생물종의 멸종으로 이어진다. 물론 인간도 그 연쇄에 묶여 있다. 오래전 아인슈타인(Albert Einstein)은 꿀벌이 사라지면 4년 안에 인간도 멸종한다고 말했다. 꿀벌은 풀과 나무가 새로운 생명체를 탄생시키고 열매를 맺는 데 결정적 역할을 한다. 화분 매개에서 꿀벌이 차지하는 비중은 절대적이므로 꿀벌이 인간의 식탁을 책임지고 있다고 해도 과언이 아니다. 아무리 과학적인 방법을 동원하더라도 농업은 꿀벌 없이 존속할 수 없다. 실제로 우리가 먹는 음식의 80%는 거의 전적으로 이들의 활동에 의존한다. 그런데 전 세계적으로 꿀벌이 빠른 속도로 폐사하고 있다. 어떤 학자는 아인슈타인의 말을 반대로 생각해야 한다고 지적한다. 꿀벌이 사라진다면, 그 전에 인간이 사라진다는 것이다.

자연이 건강하고 동식물이 건강한 것이 인간 건강의 전제조건이다. 지역, 국가, 국제사회 차원의 다단계적 연계를 통해 사람, 동물, 환경 모두의 건강을 추구하는 다층적이고 포괄적인 접근을 '원 헬스(one health)'라 한다. WHO는 원 헬스를 공중보건의 향상을 위해 여러 부문이 서로 소통, 협력하는 프로그램, 정책, 법률, 연구 등을 설계하고 구현하는 접근법으로 정의한다. 개인의 건강은 그 사람이 자신을 둘러싼 유형·무형의 모든 것과 맺는 관계 속에서 결정된다. 사람의 건강은 환경의 건강과 분리되지 않으며 자신의 건강을 돌보는 행위는 환경을 돌보는 행위와 별개가 아니다.

최근까지도 우리는 점점 심각해지고 있는 환경 문제를 걱정과 분노, 그리고 무기력감으로 대하곤 했다. 환경문제의 책임을 특정 산업이나 특정 국가의 탓으로 돌리거나, 자신의 힘으로는 어쩔 수 없다고 생각하며 대책을 마련하지 않는 정부나 국제사회를 성토하기만 했던 것이다. 그러나 이제 상황이 달라지고 있다. 환경문제에 관한 한, 피해자라 호소하던 이들도 결국은 가해자였다는 것, 그리고 무엇보다도 더 이상 책임 소재를 따질 시간이 없다는 것을 깨달은 것이다. 그리고 불편을 감수하고 경제적 이득을 포기해서라도 환경을 지키고 회복하려 데 동참하는 사람들도 늘고 있다.

자신의 건강에 대한 책임을 다른 사람에게 전가할 수 없는 것처럼, 내가 사는 환경을 돌보는 책임도 누군가에게 맡길 수는 없다. 환경보호를 실천하는 장소는 우리가 생활하고 머무는 모든 곳이 되어야 한다. 우리가 가정, 일터, 지역사회 수준에서 환경보호를 위해 할 수 있는 일들은 무수히 많다. 더 정확하게 말하자면, 우리가 삶을 유지하고 여가를 즐기고 목표를 실현하기 위해서 하는 일상의 모든 행위가 환경보호라는 가치에 부합되어야만 한다. 거시적 규모의 정책이라도 개인과 지역사회의 실천이 없이 효과를 기대할 수 있는 것은 없다. 기업들도 지속 가능한 경영은 지속 가능한 환경 속에서만 가능하다는 것을 깨닫고 대응을 시작했다. 멀리서 변화가 밀려오기를 기다리지 말고, 지금 있는 자리에서 자신이 먼저 변화되고 주변의 한 사람씩만 그 변화에 동참하도록 만들면 전 지구가 바뀌는 것은 시간문제다.

❸ 환경의 지속가능성과 인류의 지속가능성을 연결하는 식생활

(1) 음식과 환경

> "식사는 문명의 단면이다. 우리가 음식물을 재배하는 방식, 먹는 음식의 종류,
> 먹는 방식을 어떻게 선택하느냐에 따라서
> 평화를 가져올 수도 있고 고통을 몰아낼 수도 있다."
> - 틱낫한 -

1970년, 인류와 지구의 미래에 대한 보고서를 발간하는 비영리 연구 기관인 로마클럽(Club of Rome)은 인류가 성장 위주의 정책을 지속하면 지구에 어떤 일이 일어날지 예측하여 「성장의 한계(The limits to growth)」라는 보고서를 냈다. 보고서의 결론은 세계 인구의 증가와 산업화, 환경 오염, 자원 파괴가 지속되면 자원 고갈, 환경 파괴, 식량 부족으로 인해 100년 안에 성장의 한계에 도달한다는 것이었다. 현재의 인구, 경제, 환경오염 문제는 50년 전 이 보고서가 예측한 시나리오와 무서울 만큼 정확하게 일치하고 있다. 지금이라도 낡은 성장 패러다임을 전환하고 인류와 지구의 지속 가능한 미래를 향해 우리 모두의 라이프스타일을 바꾸지 않는다면 보고서가 경고했던 문명의 붕괴도 현실이 되고 말 것이다.

「성장의 한계」 보고서는 인류와 지구의 지속 가능한 미래를 위해 해결해야 할 네 가지 핵심 문제를 지목했다. 식량, 환경, 보건, 에너지다. 이 네 가지는 밀접하게 연결되어 있는데, 그 중심에는 식량이 있다.

앞에서도 언급한 바와 같이, 1970년 이후 50년 만에 전 세계 인구는 37억 명에서 76억 명으로 2배 넘게 증가했다. 이 인구를 먹여 살리기 위한 농작물 생산액 역시 3배 정도 증가했다. 그런데 여기서 몇 가지 의문이 발생한다. 왜 우리는 2배 증가한 인구를 먹여 살리기 위해 3배나 많은 농작물을 생산해야 할까? 그럼에도 불구하고 왜 여전히 많은 사람들이 기아에 시달리고

있을까? 문제는 식량 생산의 효율이 크게 감소한 데 있다. 수십 명이 먹을 수 있는 곡물을 소에게 먹여서 소고기 스테이크 한 접시로 바꾸어 먹는 방식이 그것이다.

육류 섭취는 대단히 비효율적인 단백질 공급 방식이다. 부유한 나라 사람들이 육류 섭취를 줄이면 전 세계의 굶주리는 사람들이 배불리 먹을 수 있다. 게다가 육식 문화는 우리가 지금 당면한 기후변화와 생물 다양성 붕괴라는 절박한 문제와도 직결된다. 동물을 식품으로 사용하는 것은 인류의 가장 파괴적인 테크놀로지라고도 한다.

인간이 주거지로 사용하는 땅은 전체 지구 표면의 1%도 되지 않고, 세계에서 생산되는 작물 중 사람이 직접 섭취하는 농산물을 생산하는 농지는 7%에 불과하다. 그러면 그 많은 땅과 그 많은 농산물은 어디에 이용되고 있는 것일까? 이들은 우리 식탁에 오르는 동물을 사육하기 위해 이용된다. 특히 소 사육 면적은 전 세계 토지의 24%를 차지할 정도로 엄청나다. 소의 과잉 방목에 의한 초지 파괴로 사막화가 진행되고 있고 동물 사료 경작지를 확보하느라 열대우림도 파괴되고 있다. 그로 인해 많은 생물종이 사라지고 있는 것이다.

지구의 사용 가능한 대부분의 땅이 사료 작물을 기르는 데 이용된다. 사료용 작물의 경작지 면적은 인간이 사용 가능한 지구 표면의 45%를 차지한다.이렇게 생산되는 작물의 총량은 지구의 모든 사람을 충분히 먹이고도 남을 양이다. 하지만 거의 10억 명의 사람들이 여전히 영양학적으로 부실한 식사와 불안정한 식량 공급으로 고통받고 있다. 곡물의 36%, 대두의 74%가 가축의 사료로 사용되고 있기 때문이다. 이것은 20억 인구를 먹이기에 충분한 양이다. 소고기 1인분을 줄이면 22명이 먹을 곡물을 확보할 수 있다.[93]

오늘 우리의 식탁에 올라온 한 접시의 고기 때문에 수많은 사람들이 기아와 영양실조에 굶주리고 있다는 엄중한 사실은 외면되어서도, 더 이상 모르고 짓는 죄가 되어서도 안 된다. 1 ha의 땅에 벼를 심으면 20명이 1년 동안 먹을 수 있는 식량을 생산할 수 있지만 여기에 소를 키우면 겨우 0.3명의 식량이 생산될 뿐이다. 미국은 90억 마리 이상의 동물을 사육하는데, 이들은 미국 인구 전체보다 7배나 더 곡물을 소비한다.

기업형 축산은 모든 교통수단을 합친 것보다 더 많은 온실가스를 생산한다. 소 한 마리의 연간 온실가스 배출량은 4톤으로, 승용차 한 대가 내뿜는 2.5톤의 1.5배나 된다. 엄청난 사료용 곡물을 생산하기 위해서는 산업적 영농이 가동될 수밖에 없는데, 산업적 영농은 기계와 화학비

---

93) 소고기 1 kg을 생산하기 위해서는 10 kg의 곡물이, 돼지고기 1 kg을 생산하기 위해서는 4~5.5 kg의 곡물이, 닭고기 1 kg을 생산하기 위해서는 2.1~3 kg의 곡물이 필요하다.

료로 단일 작물을 생산하는 농법을 이용하기 때문에 석유를 소비할 수밖에 없고 결국 생태계 파괴와 온난화에 부채질을 하게 된다.

이산화탄소보다 지구 온난화에 더 강력한 영향을 미치는 것이 메탄가스인데, 동물 사육은 많은 메탄가스를 만들어 기후 온난화를 더 가속화한다. 소 4마리에서 나오는 메탄가스 양이 자동차 한 대에서 나오는 양과 비슷하다. 전 세계에서 가축이 내뿜는 메탄가스는 연간 1억 톤에 달하는데, 이는 전체 메탄가스 발생량의 15~20%에 해당한다.[94]

동물성 식품은 식물성 식품에 비해 온실가스 배출량이 높다. 소나 양 같은 반추동물의 고기는 콩류에 비해 단백질 1 g 당 250배나 많은 가스를 배출한다. 생선은 생산 방식에 따라 온실가스 배출량이 다른데, 양식을 하거나 트롤 어획으로 얻은 해산물은 가금류나 돼지고기보다 2~3배 이상을 배출할 수 있다. 계란이나 유제품의 배출량은 가금류, 돼지고기, 해산물보다는 낮지만 곡물, 채소, 과일에 비해서는 훨씬 높다. 따라서 육식은 가장 많은 온실가스를 배출하고 부분 채식, 완전채식 순으로 온실가스 배출량이 낮아진다.

육식의 환경 파괴성에 관한 이야기는 아직 끝나지 않았다. 축산 폐기물에 의한 지하수 오염은 물론, 농약에 의한 해수와 담수의 오염은 이미 우리의 식탁으로 되돌아오고 있다. 어떤 이는 고기를 먹는 것은 곧 지구를 먹는 것이라고 말한다. 하지만 육식의 파괴성은 지구뿐 아니라 인류 스스로에게도 향하는 것이다. 앞으로 세계 인구가 110억 명에 달해도 감당해 낼만한 식량을 생산할 수 있다고 말하는 식량 전문가도 있다. 그러나 그런 예측에는 농업, 축산업, 어업의 생산 기술이 향상되는 것보다 더 중요한 문제들이 종종 간과된다. UN은 2013년에 발간한 기후변화 보고서를 통해, 인구 증가와 생활수준 향상으로 식량 수요가 10년마다 14%씩 늘어나는 반면, 지구온난화로 인한 식량 생산량은 2%씩 감소할 것으로 전망했다.

현대의 육식 문화와 축산 방식이 지속된다면, 지구의 어떤 곳에서는 지금보다 더 많은 사람들이 육류 과잉 섭취로 인한 질병, 즉 비만, 심·뇌혈관질환, 암 등으로 죽어가게 될 것이고, 다른 곳에서는 기아와 영양실조로 죽어가게 될 것이다. 전 세계적으로 전통적인 식단이 육류와 가공식품, 그리고 정제된 당분과 고지방의, 소위 서구식 식단으로 전환되면서 무려 21억 명이 과체중 또는 비만이 되었다(Popkin 등, 2012; Ng M 등, 2014). 이러한 식문화 변화와 그로 인한 체중 증가는 당뇨병, 심장병, 암 등의 전 세계적 증가와 명백히 연결되어 있다.

---

94) 지난 20년 동안을 비교해 보았을 때, 대기로 직접 방출되는 메탄은 이산화탄소보다 80배 이상 지구 온난화에 강한 영향을 미쳤다. 그런데 메탄이 대기에 존재하는 수명은 10~12년으로 비교적 짧다. 따라서 메탄가스 배출을 감소시키는 것은 지구 온난화 속도를 즉각적으로 줄이고 대기 질도 신속히 개선하는 효과가 있다.

어떤 이들은 배양육이 현재의 축산 방식에 대한 대안이 될 수 있고, 해산물 생산 기술 개발로 단백질 부족 문제를 해소할 수 있을 것이라고 낙관한다. 이러한 전망 역시, 육식을 하지 않으면 단백질 섭취가 부족해지므로 육식을 포기할 수는 없다는 해묵은 착오를 아직 벗어나지 못하고 있다.

이제 우리는 '건강을 포기하더라도'가 아니라 '건강을 위해서' 동물성 식품 대신 식물성 식품을 선택해야 하는 수많은 이유를 알고 있다. 지금 우리가 해야 하는 고민은 어떻게 생산된 고기, 어디서 자란 생선을 먹을 것인가가 아니라 어떻게 이것들의 섭취를 모두 줄일 것인가이다. 인류의 건강과 환경의 건강을 직접적으로 연결하는 식단을 바꾸는 것은 우리 시대가 직면한 큰 도전이자(Tilman, 2014), 단 한 번 밖에 없는 기회다.

지금 변화하지 않으면 문제가 더 심각해질 수밖에 없는 이유는 또 있다. 식량이 에너지 문제와도 연결되어 있기 때문이다. 현대 농업 생산의 대부분은 석유에 의존하고 있다. 미국 옥수수 생산 비용에서 에너지 비용이 차지하는 비율이 34%를 차지하고 있고, 우리나라만 해도 시설채소 생산비의 약 70%가 에너지 비용이다. 생산지에서 소비지로의 원거리 식량 수송도 석유에 의존한다. 전 세계 에너지의 2/3가 육류 생산과 운송에 사용된다. 에너지 위기는 곧 식량 위기라는 뜻이다. 석유는 언젠가는 고갈되는 한정된 자원이다. 원유 생산이 정점에 이른 후에는 화학비료와 석유에 크게 의존하고 있는 농업이 타격을 입으면서 세계 곳곳에서 식량 위기와 대규모 기아 사태가 올 수 있다. 2014년 자료에 의하면, 우리나라 식량 자급률(사람이 직접 먹는 식량의 자급률)은 49%, 동물 사료까지 포함하는 곡물 자급률은 24%에 불과하다. 세계 식량 위기는 우리나라 식량안보와 직결되어 있다.

더 나쁜 소식도 있다. 에너지 자원에 대한 수요가 계속 증가하는 것도 상황을 악화시키고 있다는 것이다. 스마트폰만 하더라도 과거의 휴대전화보다 에너지를 3.5배나 더 소비한다. 상황이 바뀌지 않는 한, 전자기기에 필요한 에너지 수요량에 부응하려면 15~20년 안에 핵발전소를 200개는 더 세워야 한다. 그런데 식량이 자동차 연료로 사용되면서 문제가 더 얽히고 있다. 기후변화 대응과 원유 의존성 감소를 위해 신재생에너지 연료 의무 혼합제도(renewal fuel standard, RFS)가 시행되고 있다. 옥수수 200 kg은 한 사람이 1년 이상 먹을 수 있는 식량인데, 이것을 바이오에탄올로 전환하면 중형차 한 대에 주유할 수 있는 정도인 72 L가 된다. 바이오에탄올 생산에 소비되는 옥수수 양이 매년 폭발적으로 증가하여 미국 옥수수 생산량의 40%에 육박한다.

(2) 음식 윤리

정당하게 값을 치른 음식을 먹고, 음식물 분리수거를 잘 하는 것 정도가 아니면 음식에 윤리를 결부시키는 것은 어색하다. 하지만 잘 생각해 보면 식탁은 인간 윤리, 환경 윤리, 동물 윤리를 실천하는 장이다. 그리고 이제 그런 윤리적 판단하에 식단을 선택하지 않으면 안 되는 시대가 되었다. 음식을 통해 구현되는 이상의 모든 윤리를 종합해서 음식 윤리라 할 수 있다. 음식 윤리는 음식이 단순히 개인의 기호 문제가 아니라 인간이 동물, 자연, 사회와 관계 맺는 방식의 문제라는 자각에서 시작된다.

우리의 식생활이 인류의 질병과 기아라는 문제, 지구의 지속가능성과 환경이라는 문제와 직결되어 있다는 사실은 부인할 수 없다. 그렇다면 우리의 식탁이 왜 인간 윤리와 환경 윤리가 실천되는 곳이어야 하는지는 명확하다. 그러면 동물 윤리란 무엇일까? 동물 윤리를 주장한 피터 싱어(Peter Singer)는, 음식 문제를 거의 다루지 않았던 서양의 철학에서 새로운 관점을 열었다. 싱어가 말하는 동물 윤리는 공리주의(utilitarianism)에 기반한다. 공리주의에서는 인간이 행복(쾌락)을 추구하고 불행(고통)을 피하려는 본성을 지닌 존재라고 보고, 인간 행동에 대한 윤리적 판단 기준도 이러한 공리적 관점에 근거를 둔다. 즉, 인간의 행복과 쾌락을 증가시키는 데 기여하는 것은 선한 행위지만, 불행과 고통을 가져오는 것은 악한 행위다. 나아가 사회의 행복을 최대로 하려면 되도록 많은 사람들이, 가능한 한 많은 행복을 누리도록 해야 한다. 그런데 쾌락을 추구하고 고통을 피하려는 것이 인간만의 본성일까? 그렇지 않다. 동물도 고통을 느끼는 존재이므로 인간의 만족을 위해 동물에게 고통을 줄 수는 없다는 것이 싱어의 주장이다.

전 세계에서 인간은 매일 약 2억 마리의 동물을 죽이고 있다. 노벨문학상 수상자 아이작 싱어(Issac Singer)는 나치가 유대인 학살을 정당화하기 위해 유대인을 인간이 아닌 동물처럼 보이도록 했던 것처럼, 지금의 인간과 동물의 관계도 나치와 유대인 수용소에 수용된 사람과 같은 상황이라고 성토했다. 피터 싱어나 아이작 싱어의 주장에 공감할 준비가 되지 않은 사람이라도, 사랑하는 반려동물과 식용동물에 대해 적용하고 있는 자신의 이중잣대와 모순적 행동을 직시해야 한다.

인간 윤리 실천을 위해서는, 나와 다른 사람의 생존과 건강을 위해 동물성 식품 섭취를 줄이고 남기는 음식물이 없도록 해야 한다. 전 세계에서 매년 14억 톤, 1조 달러(1,300조 원)의 음식이 쓰레기로 버려진다. 이는 세계 경제의 약 1.5%에 해당하는 규모다. 음식물 쓰레기에 대한 고민을 단지 냄새가 나지 않는 좋은 음식물 처리기를 들여놓으면 해결될 문제로 생각해 왔던 것은 아닌지 돌아보고, 그 음식과 돈이 없어서 얼마나 많은 사람들이 기아와 질병에 시달리고 있는지 깨달아야 할 것이다.

환경 윤리를 실천하기 위해서도 역시 동물성 식품 섭취를 줄이고 남겨서 버리는 음식이 없도록 해야 한다. 앤드루 스미스(Andrew Smith)는 음식물 쓰레기를 '안일한 습관이 빚어낸 최악의 환경 범죄'라고 꼬집는다(Smith, 2020). 인간이 소비하기 위해 재배한 전체 식품의 약 1/3(14억 톤)이 매년 손실되거나 버려진다. 미국에서 생산되는 농산물의 50%, 영국에서 생산되는 과일과 채소의 40%가 단지 상품성이 떨어진다는 이유로 소비자에게 가기도 전에 폐기되며, 미국 소비자가 구매한 우유의 20%, 계란의 23%, 생선의 40%가 냉장고에 있다가 그대로 쓰레기장으로 간다. 전 세계 온실가스 배출량의 8%가 이렇게 버려진 음식물 쓰레기를 처리하는 과정에서 만들어진다. 이 8%에는 폐기되는 음식물을 생산하거나 운반하는 데 사용된 물, 비료, 농약, 연료가 배출하는 온실가스나 기타 환경 문제는 포함되지도 않았다.

식생활을 통해 환경보호를 실천하는 방법 중 하나는 가까운 곳에서 생산된 로컬 푸드(local food)를 이용하는 것이다. 우리가 먹는 숙주나물은 중국에서 907 km, 쇠고기는 호주에서 8,283 km, 오렌지는 미국에서 9,548 km, 홍어는 칠레에서 20,362 km를 이동해 온다. 물론 화석연료를 이용한다. 로컬푸드를 이용함으로써 탄소 발자국을 없앨 수 있고 더 신선하고 안전한 식품을 섭취할 수도 있다.

동물 윤리를 실천하기 위해서도 역시 동물성 식품 섭취를 줄여야 한다. 고기, 생선뿐 아니라 유제품, 계란도 마찬가지다. 우유를 얻기 위해 소에게 가해지는 고통이 어느 정도인지 알게 된다면, 유제품이 자신의 건강에 해롭다는 것을 알았을 때보다 더 큰 충격에 빠질 것이다. 대부분의 젖소는 자기가 낳은 송아지에게 먹이지도 못할 우유를 생산하기 위해 쉴 새 없이 강제 임신과 출산을 반복한다. 평균수명이 20년 정도인 소가 겨우 5년을 살고 삶을 마감한다. 식용으로 사육되는 소처럼 대부분 좁은 축사에 갇혀 사료를 먹으며 평생을 보낸다. 우유를 생산하지 못하는 수송아지는 사료만 축낼 뿐이라서 태어난 지 얼마 되지 않아 처분된다.[95]

수도 없이 반복한 이야기지만, 고기를 먹어야 단백질을 보충하고 우유를 마셔야 칼슘이 보충된다는 것은 너무나도 낡은 착각이다. 우유나 계란처럼 영양분이 농축된 고지방 식품은 송아

---

[95] 수평아리도 고기로서의 상품성이 없고 계란도 만들지 못하기 때문에 태어나자마자 기계칼로 자르거나 질식시키는 방법으로 도살된다.

지나 병아리의 성장식이다. 우유가 성인의 건강에도 도움이 된다면, 진화 과정에서 사람이 모유를 먹는 기간이 지금보다 훨씬 길게 만들어지지 않은 이유를 어떻게 설명하겠는가? 정말 도움이 된다고 믿는다면 송아지를 위해 만든 우유보다 사람을 위해 만든 유아용 분유를 먹지 않는 이유는 무엇인가?

(3) 음식과 철학

대체로 서양의 철학에서는 음식을 철학적 탐구에 적절한 주제로 여기지 않았다. 음식보다는 미각이라는 감각에 대해 논했을 뿐이고, 미각에 특별한 의미나 가치를 부여했던 것도 아니다.[96] 이에 비해 동양의 철학은 음식을 몸과 마음을 형성하는 우주적 재료로 여기고, 삶을 이끄는 행동 원리의 중심에 두었다.

요가에서는 우리 몸이 다섯 층으로 되어 있다고 본다. 이 다섯 개의 층을 정화하여 아트만(atman, 참자아)을 회복하는 것이 요가의 목적이다. 다섯 개의 층 가운데 가장 밖에 있는 층을 안나마야코샤(annamaya kosha)라 한다. 우리가 육체라고 부르는 것이 바로 이 층이다. 이 층은 먹는 음식을 기본으로 해서 형성되는 층이므로 육체를 정화하는 데는 어떤 음식을 섭취하는가가 매우 중요하다. 음식에는 사트바(sattva), 라자스(rajas), 타마스(tamas) 성격을 가진 것이 있는데 요가 수행에 적합한 음식은 사트바적인 음식이다. 사트바적인 음식에는 과일, 채소, 통곡물, 씨앗 등이 있다.[97] 사트바적인 음식은 맑고 확고한 정신을 유지하는 데 도움을 준다. 음식의 종류보다 더 중요한 것은 음식을 먹는 사람의 마음 상태다. 따라서 단순히 어떤 음식을 먹는가가 중요한 것이 아니라 어떻게 먹는가가 중요하다. 요가 수행자가 지켜야 할 첫 번째 계율이 불살생(不殺生)이므로 요가에서는 채식이 기본이 된다.

음식을 영양이나 맛의 관점에서만 보는 것은, 선악과가 사과인지 무화과인지를 두고 논쟁하거나 성찬식 포도주의 포도 품종에 대해 연구하는 것과 다름이 없다. 식생활은 그 사람의 인격과 철학을 표현하는 것이다. 우리는 음식을 통해 몸의 양식뿐 아니라 마음과 영적인 삶을 위한 양식까지 공급을 받는다. 음식을 먹는 행위를 통해 다른 인간, 자연, 신과 관계를 맺고 있는 것이다.

팔지요가에서 금계의 첫 번째가 불살생인 것처럼 불교에서도 신자들이 지켜야 하는 오계(五

---

96) 플라톤은 쓴맛, 단맛, 신맛, 짠맛이라는 네 가지 미각에 대해 기록했지만, 미각을 시각이나 청각과 달리 열등한 것으로 평가하고, 미각의 타락성과 위험성에 빠져들지 말 것을 경고했다(Korsmeyer, 2002). 음식에 대한 태도도 미각에 대한 태도와 맥락을 같이 했다고 할 수 있다.

97) '글상자❷ WFPB의 철학적 원리'를 참고하라.

戒)[98]의 첫 번째가 불살생이다. 불교에서는 우리의 몸이 불성을 담고 있는 신성한 그릇이라고 본다. 그러한 몸이 폭력과 부정한 것을 음식으로 받아들일 수는 없다. 육식은 단지 먹히는 동물의 생명을 앗아가는 것이 아니다. 육식을 하는 사람의 몸과 마음도 해친다. 자신의 탐욕을 위해 다른 사람이 먹을 음식을 빼앗는 것은 불투도의 계율에도 어긋난다. 게다가 육식은 정명(正命)이라는 팔정도의 길에도 위배된다. 육식은 필연적으로 누군가에게 해를 끼치는 일을 해야 하는 직업들을 만들기 때문이다. 사람들이 육식을 하지 않는다면 동물에게 온갖 고통을 주며 사육하는 사람도 없고 도살하는 사람도 없을 것이다.

육식은 연기와 자비라는 불교의 근본 가르침에도 위배된다. 붓다는 수많은 경전에서 육식을 금해야 하는 이유를 설파하고 있다. 불교에서 음식을 먹는 것을 뜻하는 공양(供養)이라는 단어에는 그 음식으로 연결된 숱한 인연을 기억하고 감사하는 마음이 담겨 있다.

비록 서양의 철학에서 음식을 인간의 실존적 삶이라는 측면에서 탐구할 만한 주제로 다루지는 않았지만, 육식에 대한 반대는 서양 철학 안에서도 분명히 존재한다. 그리스의 철학자 헤라클레이토스(Heraclitus)의 말처럼 만물이 유전(流轉)한다면, 육식은 결국 자신의 혈육을 먹는 것이다. 이러한 이유로 피타고라스도 고기로 탐욕을 채우는 것은 사악한 행위라고 했다. 소크라테스 역시 육식을 비판했는데, 사람들이 모두 육식을 하려면 목초지를 확보하기 위한 전쟁이 불가피하므로 육식은 공정하고 평화로운 사회의 건설을 방해한다는 이유였다.

이처럼 역사적으로 수많은 선각자들이 육식은 우리 안의 선한 마음을 짓밟고 스스로에게 해를 가하는 행위이며 폭력의 뿌리라고 여겼으며, 만물이 인간에게 봉사하기 위해 존재한다는 생각 또한 정당화될 수 없다고 했다. 또한 인류가 성숙할수록 육식을 피하게 될 것이라고 생각했다. 이들의 생각이 틀렸던 것일까? 아니면 인류가 퇴행을 하고 있는 것일까?

글상자 40 판차코샤, 팔지요가와 라이프스타일의학

요가는 판차코샤(pancha kosha)라는 인간 존재에 대한 이해 방식과 팔지요가(eight-limbed path)라는 포괄적 수행 체계를 통해 전일적 건강과 치유의 원리를 제시하고 있다. 요가생리학에서는 우리 몸이 다섯 층으로 되어 있다고 본다. 우주가 다차원의 세계로 이루어져 있듯이 그 축소판인 인간도 다차원적인 존재다. 이 다섯 가지 층이 정화되어 아트만(atman)이라는 참 자아를 회복하는 것이 요가의 목적이다.

---

98) 오계는 불살생(不殺生, 산 것을 죽이지 말 것), 불투도(不偸盜, 훔치거나 도둑질하지 말 것), 불사음(不邪淫, 삿된 음행을 하지 말 것), 불망어(不妄語, 진실하지 않고 허망한 말을 하지 말 것), 불음주(不飮酒, 술처럼 정신을 혼미하게 하는 것을 마시지 말 것) 등 다섯 가지 계율이다. 오계를 지키지 않는 것을 오악(五惡)이라 한다.

가장 바깥 층인 안나마야코샤(annamaya kosha)는 우리가 육체라고 부르는 것이며 음식을 기본으로 하여 조직되는 층이다. 안나마야코샤를 정화하는 방법으로는 식이요법과 단식, 그리고 운동, 무예 등의 신체 단련이 있다.

프라나마야코샤(pranamaya kosha)는 프라나(prana)로 이루어진 에너지층이다. 프라나는 한의학에서 말하는 기(氣)와 유사한 생명에너지다. 요가에서 호흡을 수련하는 것을 프라나야마(pranayama)라 하는데, 이것은 호흡을 확장, 조절, 통제한다는 뜻이다. 호흡이 생명에너지와 연결되어 있다는 것은 동서양의 전통적 사고에서 공통적으로 발견되는 것이다. 『구약성경』의 「창세기」에는 "여호와 하나님이 땅의 흙으로 사람을 지으시고 생기(生氣)를 그 코에 불어넣으시니 사람의 생령(生靈)이 되니라"고 되어 있다. 프라나마야코샤를 정화하는 방법으로는 호흡수련, 기공 등이 있다.

마노마야코샤(manomaya kosha)는 우리가 일반적으로 마음이라고 부르는 층, 즉 정신적인 몸이다. 이 층을 정화하려면 평정심과 긍정적인 마음을 키워야 한다. 기도, 만트라(소리명상), 예배 등은 마노마야코샤를 정화하는 방법이다.

비즈나나마야코샤(vignanamaya kosha)는 서양 심리학에서는 거의 다루어지지 않았던 정신세계로 직관, 지혜 같은 높은 지성의 층이다. 이 층을 정화하는 방법으로는 명상, 묵상 등이 있다.

아난다마야코샤(anandamaya kosha)는 고요함, 평정함, 행복감, 희열로 가득한 상태를 경험하게 되는 층이다. 이 상태에서는 나와 나 아닌 것의 경계가 사라진다. 아난다마야코샤를 정화하는 방법은 따로 있는 것이 아니다. 위의 네 층이 정화되고 기능이 균형을 이루게 되면 그 결과로서 드러난다.

이상과 같이 음식, 신체 단련, 호흡, 이완, 명상 등의 방법을 종합적으로 실천하여 판차코샤를 정화하는 것도 하나의 라이프스타일의학 프로그램이라 할 수 있지만, 팔지요가는 그보다 더 광범위한 영역을 다룬다. 팔지요가는 판차코샤의 방법들과 함께 삶의 윤리적 지침을 제시하고 있다.

4세기 경 파탄잘리(Patanjali)가 편찬한 『요가경(Yoga Sutra)』은 요가의 철학과 수련법에 관한 가장 권위 있는 경전으로, 여기서 팔지요가가 설명되고 있다. 팔지요가란 여덟 가지 요가 수련 방식을 가리키는 것이다. 팔지는 여덟 개의 다리 또는 여덟 개의 단계를 뜻한다.

첫 번째인 금계(yama)는 요가 수행자가 금지해야 하는 계율로 다른 생명을 존중하는 윤리적, 도덕적 행위다. 금계는 살생하지 말 것, 거짓말하지 말 것, 도둑질하지 말 것, 간음하지 말 것, 탐욕하지 말 것 등 다섯 가지다. 두 번째인 권계(niyama)는 요가 수행자가 실천해야 하는 계율로, 이는 자신을 존중하는 행위다. 몸과 마음을 순수하게 할 것, 탐욕을 경계하고 만족할 줄 알 것, 열심히 수행할 것, 경전을 읽을 것, 신을 생각할 것 등이 다섯 가지 권계다. 세 번째는 아사나(asana)라고 하는 요가의 체위법(자세 수련법)으로, 육체의 조화를 위해 수행해야 하는 것이다. 네 번째는 호흡법(pranayama)이며, 이는 생명력과의 조화를 위해 수련한다. 다섯 번째 제감(pratyahara)은 감각을 제어하는 것을 말한다. 여섯 번째 집중(dharana)은 생각과의 조화, 정신집중을 말한다. 일곱 번째 선정(dhyana)은 명상 수련이다. 마지막 삼매(samadhi)는 요가의 궁극의 경지로서 아트만에 도달하는 것, 깨달음의 상태를 말한다.

다행히 둘 다 아닐 수 있다는 신호도 나타나고 있다. 2018년 말에 『이코노미스트(The Economist)』에 실린 '세계 경제 대전망 2019(The World in 2019)'에 담긴 예측 중 하나는 내년(2019년)은 비건의 해가 되고, 고기를 끊은 것은 물론이고 동물복지를 지킨 용품만 쓰는 소비 인구가 점차 늘어난다는 것이었다. 2015년 미국에서 진행된 한 설문에서는 소비자의 3.4%가 채식을 하고, 그 중 0.4%만이 비건이라는 결과가 나왔는데, 3년 만에 분위기가 크게 달라져서 25~34세 미국인 중 약 25%가 채식 중심의 생활을 하고 있었다. 지금까지 육식 문화라는 말은 서구식 식문화를 의미하는 것이었는데, 지금의 추세라면 더 이상 이 두 표현을 동일한 것으로 사용할 수 없을 것이다.

비건이라는 말은 의류나 잡화처럼 일상생활에서 사용하는 모든 제품에 동물성 원료를 쓰지 않는 행위에도 적용되고 있다. 옷, 구두, 가방, 소파 등에 사용하던 모피나 가죽 등 일체 동물성 재료를 사용하지 않는 라이프스타일을 비건이라고 하는 것이다. 고급 자동차 한 대를 생산하는 데는 평균 12마리 분의 소가죽이 사용되는데, 내장재로 천연 가죽을 사용하지 않고 인공 가죽이나 식물 유래 원료를 사용하는 등 친환경적으로 제조된 자동차를 비건 자동차라 한다.

글상자 ⑪ 팔정도와 라이프스타일의학

붓다는 자신의 가르침을 한 마디로 요약해 달라는 요청을 받고 '사띠(sati)'라고 답했다. 많은 사람이 불교 수행이라 하면 사띠 수행, 즉 마음챙김 수행을 떠올린다. 하지만 붓다는 사띠만으로 고통을 멸할 수 있다고 가르치지 않았다. 고통을 멸하는 방법은 팔정도라는 여덟 가지 길을 따르는 것이다. 경전의 곳곳에서 붓다는 팔정도를 설하고 그 가르침을 실생활에서 실천할 것을 강조했다. 팔정도는 정견(正見), 정사유(正思惟), 정어(正語), 정업(正業), 정명(正命), 정정진(正精進), 정념(正念), 정정(正定)을 말한다. 팔정도에는 라이프스타일의학의 모든 중재 영역이 포함되어 있다.

정견은 바른 견해, 즉 자기와 세계를 있는 그대로의 모습으로 보게 되는 것으로, 연기를 깨닫는 것을 말한다. 정견에 기초하여 올바른 생각(정사유)이 생기고, 정사유에 의해 정어(바른 말), 정업(바른 행동), 정명(바른 생활), 정정진(바른 노력)이 이루어진다.

정사유는 언행을 하기 전에 가져야 할 바른 생각, 의도를 가리킨다. 정어는 바른 언어적 행위다. 거짓말, 나쁜 말, 이간질 하는 말, 속이는 말을 하지 않고, 진실하고 남을 사랑하며 융화시키는 유익한 말을 하는 것이다. 정업은 바른 신체적 행위다. 살생, 도둑질, 음행을 하지 않고 생명을 사랑하고 자비를 베풀고 선행을 하는 것이다. 정명은 바른 직업에 의하여 바르게 생활하는 것이지만, 한편으로는 수면, 식사, 휴식, 직업 활동 모두에서 바른 생활을 하는 것이다.

현재의 라이프스타일의학이 충분히 다루어 않고 있

는 것 중 하나가 직업에 관한 것이다. 팔정도에서는 정명을 통해서, 생업을 영위함에 있어 남에게 해를 끼칠 수 있는 일, 예컨대 무기, 생명, 고기, 마약 등의 거래, 사기나 투기 등의 행동을 멀리하고 정당한 방법으로 생계를 꾸려가야 한다고 가르친다.

정정진은 용기를 가지고 바르게 노력하는 것이다. 이것은 종교, 윤리, 정치, 경제, 신체적 건강 등 모든 면에서 선(善)을 증대시키고 악을 제거하는 노력이다. 정념은 사띠, 즉 마음챙김이다. 늘 깨어 있는 명료한 정신으로 세상을 살아가는 것이다. 정념을 제외한 팔정도의 나머지 내용은 다른 종교나 성현들의 가르침에서도 발견되는 것이지만, 정념은 불교만의 독특한 수행 방식이다. 정정은 올바른 정신통일이라는 뜻으로, 선정(禪定)을 가리킨다. 정정은 정견에서부터 정념에 이르는 수행에 기초하여 실현되는 마음의 하나됨이다.

팔정도는 질병을 포함한 인간의 모든 고통을 예방하고 치유하는 방법이다. 만성질환은 불건강한 삶에서 쌓인 업(業)이 축적되어 나타나는 업보(業報)다. 팔정도를 실천함으로써 새로운 업을 쌓지 않고, 이미 쌓인 과거 업의 영향도 희석시킬 수 있다. 건강한 라이프스타일로 질병을 예방하고, 발생한 질병도 치유할 수 있는 것과 같은 원리다. 라이프스타일의학이 그러하듯이, 팔정도 역시 사람의 몸과 마음, 그리고 사람과 그 사람이 맺고 있는 유형·무형의 관계를 함께 고려하는 거시적 건강 모델이라 할 수 있다.

라이프스타일의학의 구현

라이프스타일의학은 셀프케어와 자기관리를 기초로 하는 의학이다. 셀프케어와 자기관리를 위한 전제 조건은 건강을 증진하고 질병을 관리하는 데 필요한 지식과 기술을 각 사람이 갖추는 것이다.

1~7장에서 다룬 라이프스타일의학의 이론과 철학, 그리고 12가지 중재 영역에 관한 설명은 라이프스타일의학 치료자를 위한 전문 지식이기 이전에 모든 사람이 알아야 하는 건강소양이었다. 여기에 더해서, 라이프스타일의학 전문가로서 다른 사람을 돕고자 한다면 추가적으로 확보해야 하는 지식과 기술이 있다. 이것은 라이프스타일의학이 기존 의학과 구분되는 특성들로부터 요구되는 것이다.

기존 의학에서도 진단, 처방, 상담이 이루어진다. 그러나 라이프스타일의학에서 진단과 처방을 하는 과정, 상담의 내용과 기술은 기존 의학과 매우 다르다. 특히 상담이라는 영역은 교육, 코칭, 협상 등을 포함하는 훨씬 광범위한 영역으로 확대된다. 라이프스타일의학의 성패는 참여자에게 변화의 동기와 자신감을 부여하고, 실천을 위한 지적·기술적 역량을 갖추어 주는 것에 달려있기 때문이다.

라이프스타일의학에서는 참여자가 치료에 관한 의사결정에 동참해야 하며, 치료의 능동적인 파트너가 되어 치료자와 장기적인 협력 관계를 유지해야 한다. 라이프스타일의학 치료자는 참여자에게 필요한 지식, 정보, 기술을 교육하는 교육자의 역할, 참여자에게 변화의 동기를 부여하고 참여자가 가진 어려움을 함께 해결해 주는 코치와 상담가의 역할을 폭넓게 수행해야 한다. 따라서 라이프스타일의학에서는 교육, 동기 부여, 상담, 코칭 같은 기법이 일종의 의학 기술이 된다. 이러한 기술을 갖추기 위해서는 인간의 심리와 행동에 대한 깊이 있는 지식이 필요하다.

기존 의학에서는 처방한 약물을 복용하는 사람이 환자

이지 의사가 아니다. 하지만 라이프스타일의학에서는 참여자에게 처방한 약을 치료자도 함께 먹을 때 치료 효과가 더 커진다. 물론 그 약은 라이프스타일이라는 약이다. 치료자의 라이프스타일이 건전할수록 더 적극적으로 좋은 라이프스타일을 권하게 되고, 자신의 성공과 실패 경험을 토대로 참여자가 만나게 될 장애를 미리 제거하고, 문제를 해결해 주고, 변화의 여정을 이끌어 줄 수 있다. 만일 치료자 자신은 실천하지 않는 라이프스타일을 권하고 있다는 것을 참여자가 알게 되면, 참여자는 치료자를 신뢰할 수 없게 되고 그가 가진 지식과 능력도 의심하게 될 것이다. 치료자는 참여자에게 가장 영향력 있는 롤모델이다. 참여자의 롤모델이 된다는 것은 치료자에게 영예로운 일이며, 차료자와 참여자 모두를 위해 가장 가치 있는 도전이다.

환자에게 광범위한 지식, 정보, 기술을 제공하려면 의료인 이외의 전문가 그룹과의 협력은 선택이 아니라 필수다. 의학, 영양, 운동, 스트레스 관리, 간호와 요양 등 각 분야 전문가들과 협업하는 능력은 그 자체가 치료자의 치료 역량이다. 그럼에도 불구하고 환자가 가진 많은 문제들이 이들 전문가 팀이 다룰 수 있는 영역 밖에 있을 수 있다. 이런 문제들은 사회복지 시스템을 비롯한 여러 유관 기관과 협력망을 갖춤으로써 보완법과 해결책을 찾을 수 있다.

처음에는 가장 쉬운 것부터 단계적으로 변화를 시작해야 하지만, 궁극적인 목표는 12가지 모든 영역에서 변화를 이루어 내는 것이다. 라이프스타일 중재법들은 결합하면 할수록 더 큰 효과를 낸다는 것은 아무리 강조해도 지나치지 않다. 흡연과 음주를 함께 하면 단독으로 했을 때보다 심·뇌혈관질환 위험이 더 크게 상승하는 것처럼, 금연과 금주를 함께 하면 더 큰 상승효과를 낸다. 여기에 스트레스 관리, 식이요법, 운동까지 병행한다면 참여자가 가진 건강과 치유의 잠재력은 최대한 실현된다.

1 진단과 평가

라이프스타일의학에서 이루어지는 진단의 가장 중심적인 부분은 질병을 일으키거나 악화시킬 수 있는, 또는 치료를 저해하는 개인 내적, 환경적 원인을 찾아내는 것이다. 혈압 한 가지만 측정한다면 치료자가 선택할 수 있는 치료법은 혈압강하제를 처방하는 것밖에 없지만, 스트레스 한 가지만 더 평가해도 치료법의 레퍼토리가 크게 확대된다. 환자의 몸에서 더 많은 정보를 얻어낸다면, 나아가 환자의 마음, 행동, 환경으로부터 더 종합적인 정보를 얻어낸다면 훨씬 많은 치료법을 확보할 수 있다.

"음식을 싱겁게 먹고 스트레스를 받지 말라"라는 지극히 합당한 조언도 인사말을 하듯 남발해서는 안 된다. 혈압을 측정해서 고혈압이 진단된 후에 혈압강하제를 처방할 수 있는 것처럼, 환자의 식습관과 스트레스를 진단한 이후에 그에 관한 처방을 할 수 있는 것이다. 자신의 식습관이나 스트레스에 대해 전혀 알지 못하는 치료자가 하는 충고를 귀담아들을 참여자는 없다. 설령 참여자가 자신은 남들보다 더 짜게 먹는 경향이 있음을 인정했다고 하더라도, 식사량이 너무 적어서 실제 섭취하는 염분의 양은 다른 사람보다 오히려 적을 수 있다. 어쩌면 실제 문제는 식사를 제대로 할 수 없고 충분히 수면을 취할 수도 없게 만드는 분주하고 긴장 가득한 일상에 있을 수도 있다. 이 경우에는 "스트레스를 줄이라"는 말이 참여자의 마음에 와닿기는 하겠지만, 어떻게 스트레스를 관리해야 하는지 구체적 처방이 없다면 역시 공허한 것이 될 수밖에 없다.

라이프스타일 처방에 그다지 관심이 없는 참여자라면 "싱겁게 먹고 스트레스를 받지 말라"라는 조언에 대해 "그러면 음식을 싱겁게 먹게 하는 약과 스트레스 줄이는 약을 달라"라는 농담으로 이야기를 회피하고 싶어 할지도 모른다. 하지만 이것을 농담이 아닌 절실한 요청으로 받아들이고, 그 약을 만들어 처방하는 것이 라이프스타일의학 전문가가 해야 할 일이다.

라이프스타일 처방은 모든 사람에게 맞는 고무줄 바지가 아니다. 그보다는, 조금이라도 사이즈가 맞지 않으면 불편해서 신을 수 없는 정장 구두에 가깝다. 따라서 참여자의 생활에 꼭 맞게 입혀질 수 있는 처방을 하기 위해서도 참여자의 라이프스타일 전체에 대한 광범위한 관심이 필요하다. 이러한 관심은 치료가 진행되는 과정에서도 계속되어야 한다. 라이프스타일을 개선하는 과정에서 무수한 장애들이 끝없이 등장하며 변화를 가로막는데, 이에 대한 적절한 대응을 모색하지 않으면 중도에 포기할 가능성이 높아지기 때문이다. 예를 들어 운동을 점점 게을리하는 환자의 경우, 이사를 해서 운동할 장소를 아직 찾지 못해서이거나 돌볼 가족이 생겨서 시간을 낼 수 없는 것이 원인일 수도 있는데, 그런 문제를 함께 발견하여 해결책을 찾으려 하지 않고, 단지 환자에게 좀 더 심각하고 단호한 태도로 운동을 해야 한다는 충고만 반복한다면 치료자와 환자의 협력 관계에는 곧 금이 가고 말 것이다.

정확한 진단과 치료에 필요한 환자의 라이프스타일 정보는 혈액 샘플이나 X-선 사진에서 얻어지는 것이 아니라 치료자와 환자 사이에서 오가는 구어적, 문어적, 행동적 언어로부터 얻어진다. 따라서 진단, 처방, 평가 전 과정에서 상담 기술은 매우 중요한 의학 기술이다. 환자와의 상담에는 자유로운 대화와 같이 비구조화된 방식도 있고, 체계적으로 마련된 구조화된 방식도 있다.

앞 장에서 식생활, 신체활동, 수면, 스트레스 등 개별적인 라이프스타일 영역을 진단, 평가하는 도구를 몇 가지 소개하였는데, 더 상세한 진단을 위해 활용할 수 있는 도구들도 많이 개발되어 있다. 필요에 따라 적절한 것을 선별하여 사용하되, 특히 대화를 통해서는 충분한 정보를 확보하기 어려운 참여자에 대해서는 이러한 진단 도구를 보다 섬세하게 적용할 수 있어야 한다.

개별적인 라이프스타일 영역을 평가하기 위해 개발된 도구들도 있지만, 참여자의 전체 라이프스타일을 한 번에 개략적으로 살펴볼 수 있는 유용한 진단 도구가 있다. 웰니스 평가지도 그런 도구 중 하나다. 내셔널웰니스연구소(National Welless Institute, NWI)는 웰니스를 여섯 가지 차원, 즉 신체적, 사회적, 지적, 영적, 정서적, 직업적 차원으로 구분하고, **그림 20** 의 웰니스 평가지를 개발했다(National Wellness Institute, 2017).[99]

웰니스 평가지의 여섯 개 삼각형은 여섯 가지 웰니스 차원을 나타내고 있다. 각 영역에 1~10 사이의 숫자를 선택하여 해당 차원에서 얼마나 만족하고 있는지 표시한다. 숫자가 높을수록 더 만족스러운 것이다. 모두 표시한 다음 각 삼각형의 숫자를 선으로 연결하여 육각형을 그린다. 육각형의 크기는 전체적인 삶의 만족도를, 육각형의 모양은 얼마나 균형 잡힌 삶을 살고 있는지를 보여준다.

---

99) 연구자에 따라 환경 차원, 재정적 차원을 추가하여 7~8가지로 웰니스 영역을 구분하기도 한다. 신체적 차원의 웰니스는 신체활동, 수면, 식생활, 영양 등의 측면을, 사회적 차원은 연결감과 소속감, 사회적 지원 시스템을, 지적 차원은 지식과 기술을 배우고 확장시켜 나가는 활동과 창조적인 활동을, 영적 차원은 삶의 목적과 의미를, 정서적 차원은 긍정적이고 평정한 마음을 유지하는 정도를, 환경 차원은 쾌적하고 활력을 주는 물리적 환경을, 재정적 차원은 현재와 미래의 재정 상태에 대한 만족을 의미한다.

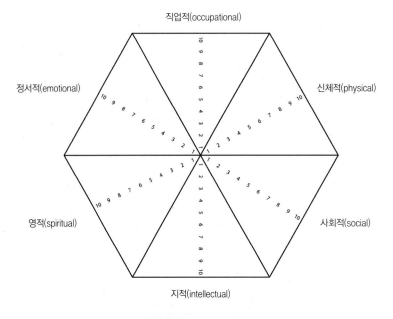

직업적(occupational)

정서적(emotional)

신체적(physical)

영적(spiritual)

사회적(social)

지적(intellectual)

그림 20 웰니스 평가지

라이프스타일에 관한 진단은 상당히 사적인 영역에 대한 정보도 요구하는 것이기 때문에 직접적으로 내용을 다루기 어려울 수도 있고 예상치 않은 저항이 있을 수도 있다. 이런 경우 웰니스 평가지를 이용해서 간접적으로 대략의 정보를 추려낼 수 있고, 이를 매개로 하여 더 심도 있는 대화로 나아가는 것을 촉진할 수도 있다. 참여자는 평가지를 작성하는 과정에서 자신에게 가장 주의가 필요한 차원, 가장 긴급히 다루어야 할 차원이 어디인지 직관적으로 파악하게 되고, 그 내용에 대해 치료자와 좀 더 깊이 대화할 수 있는 마음을 준비하게 된다.

웰니스 평가지는 치료가 진행되는 과정에서의 중간 평가 도구로도 유용하다. 치료의 질적 성과는 환자의 웰니스가 얼마나 향상되고 있는가에서 드러나기 때문이다. 환자의 웰니스가 향상되고 있다는 것은 치료가 바른 방향으로 나아가고 있고 지속적인 실천과 향상을 기대할 수 있다는 신호이기도 하다. 웰니스 접근 방식은 참여자의 삶을 질적인 측면에서 전반적으로 검토할 수 있도록 하며, 건강증진과 전일적 건강을 이끄는 최적의 삶의 경로를 안내하므로 상담, 의료 등 여러 건강관리 분야에서 적용이 확대되고 있다.

또 다른 도구는 WHO가 개발한 'WHO 삶의 질 척도-간편형(World Health Organization Quality of Assessment Instrument-Brief, WHOQOL-BREF)'이다. 이 척도는 전반적 영역, 신체 건강 영역, 심리적 영역, 사회적 관계 영역, 환경 영역을 평가하기 위한 26개의 문항으로 구성되어 있다(Min

등, 2000). 최근 2주 동안 각 문항과 관련하여 어떻게 느꼈는지를 1~5점 점수로 평가한다. 3번, 4번, 26번 문항은 점수를 역 환산하여 계산한다. 합산한 점수가 높을수록 삶의 질이 높은 것으로 본다. 개인 간이나 집단 간의 비교, 또는 치료의 사전, 사후 비교에 이용할 수 있다.

표 20 WHO 삶의 질 척도

	문항	전혀 그렇지 않다	그렇지 않다	보통 이다	그렇다	매우 그렇다
		1	2	3	4	5
1	나의 삶의 질은 좋다.					
2	나는 나의 건강상태에 대해 만족하고 있다.					
3	신체적 통증으로 인해 내가 해야 할 일들을 방해받고 있다.					
4	일상생활을 잘 하기 위해 치료가 필요하다.					
5	나는 인생을 즐긴다.					
6	나의 삶은 매우 의미가 있다.					
7	나는 정신을 잘 집중할 수 있다.					
8	나는 일상생활에서 안전하다고 느낀다.					
9	나는 건강에 좋은 주거환경에 살고 있다.					
10	일상생활을 위한 에너지를 충분히 가지고 있다.					
11	나는 나의 신체적 외모에 만족한다.					
12	나는 나의 필요를 만족시킬 수 있는 충분한 돈을 가지고 있다.					
13	나는 매일의 삶에서 내가 필요로 하는 정보를 쉽게 구할 수 있다.					
14	나는 여가 활동을 위한 기회를 충분히 가지고 있다.					
15	나는 잘 돌아다닐 수 있다.					
16	나는 수면(잘 자는 것)에 충분히 만족한다.					
17	나는 일상생활을 수행하는 나의 능력에 대해 만족하고 있다.					
18	나는 내가 일할 수 있는 능력에 대해 만족하고 있다.					
19	나는 나 스스로에 대해 만족하고 있다.					
20	나는 나의 개인적 대인관계에 대해 만족하고 있다.					
21	나는 나의 성생활에 대해 만족하고 있다.					
22	나는 나의 친구들로부터 받고 있는 도움에 대해 만족하고 있다.					
23	나는 내가 살고 있는 장소에 대해 만족하고 있다.					
24	나는 의료서비스를 쉽게 받을 수 있다는 점에 만족하고 있다.					
25	나는 내가 사용하는 교통수단에 대해 만족하고 있다.					
26	나는 침울한 기분, 절망, 불안, 우울감과 같은 부정적인 감정을 자주 느낀다.					

2 처방

① 병합요법

만성질환은 하나의 인자가 아니라 여러 인자에 의해 발병하는 다인자성 질환이다. 요리의 재료를 따로 먹으면 요리의 맛을 알 수 없는 것처럼 만성질환을 이해하려면 개별 인자가 아니라 전체 인자들을 통합적으로 고려해야 한다. 이 인자들은 서로 수평적으로 연결되어 상호작용하기도 하고, 수직적인 위계를 가지고 상호작용하기도 한다. 또한 이들은 단방향적인 선형적 인과관계만 가지는 것이 아니라 양방향성이며 순환적인 관계를 형성하고 있다. 예를 들어 스트레스는 불건강한 식사를 유도하고 수면을 손상하기도 하지만, 불건강한 식생활과 수면 습관이 스트레스를 야기하기도 한다. 이러한 관계를 모두 고려하기 위해서 시스템적인 관점에서의 접근이 필요한 것이다.

항생제를 표준 사용량보다 적게 사용하면 항균 효과를 기대할 수 없을 뿐 아니라 오히려 세균이 항생제에 내성을 키우는 기회를 주게 된다. 다른 약물의 경우에도 정해진 용법과 용량을 지키지 않으면 기대하는 시간 내에 약효가 나타나지 않고, 치료가 늦어지면서 투여량과 투약 기간이 늘고 그에 따른 부작용의 우려도 증가한다.

그런데 라이프스타일의 경우에는 최적의 라이프스타일을 완벽히 준수하지 않는다고 해서 효과가 전혀 없거나 더 나쁜 결과가 초래되는 것이 아니다. 하루 6시간 이하의 잠을 자고 육식을 즐기고 운동은 거의 생각해 본 적도 없던 사람이 하루 8시간 수면하고 완전채식을 실천하고 하루도 빠짐없이 30분씩 운동을 하게 된다면 두말할 나위도 없이 좋은 것이지만, 단지 30분 더 자고 채소를 한 접시 더 챙겨 먹고 5층 사무실을 계단으로 오르내리기로 했다면 그만큼의 효과는 나타난다.

더욱이 이런 병합요법은 분명한 상승효과를 낸다. 음주와 흡연을 함께 하면 심·뇌혈관질환의 위험이 음주만 했을 때나 흡연만 했을 때 효과의 합으로 상승하는 것이 아니라 그 이상으로 상승하는 것처럼, 금연과 금주를 함께 하면 단독으로 했을 때보다 더 큰 효과를 낸다. 당뇨병 환자도 식이요법만 할 것이 아니라 운동과 스트레스 관리를 같이 한다면 세 가지 중 하나를 세 배로 열심히 하는 것보다 혈당을 더 잘 관리할 수 있다. 이것이 포괄적인 라이프스타일 개선의 놀라운 힘이다.

많은 사람들이 만성질환 환자가 평생 약물을 복용하는 것을 당연하게 생각한다. 그러나 이 것은 오직 약으로만 치료하려는 경우에 해당되는 것이다. 사실 평생 약을 복용해야 한다는 말 은 약으로는 평생 치료할 수 없다는 말에 불과하다. 게다가 약물은 우리 몸의 대사 체계에 인위 적으로 개입하는 것이므로 장기적으로는 몸 자체의 조절 능력을 손상시키게 된다. 근본적으로 화학약품들은 우리 몸에 이물질이기 때문에 장기간의 투약은 부작용의 우려를 늘 동반하게 된 다. 따라서 어떤 약이든 최단기간만 사용하고 끊는 것이 바람직하다.

반면 라이프스타일이라는 치료제는 장기 투여의 부작용이 전혀 없으며, 오히려 참여자가 오 랫동안 라이프스타일을 유지하도록 돕는 것이 라이프스타일의학 치료자가 해야 할 일 가운데 하나다. 그러기 위해서는 라이프스타일을 기계적으로 적당히 조합하여 처방해서는 안 된다. 아 무리 좋은 식재료로 만든 요리라도 재료들의 어울림을 고려하지 않고 아무렇게나 집어넣어서 만든 요리를 매일 계속해서 먹을 수 있는 사람은 없다. 이런 면에서 라이프스타일 처방은 참여 자의 일상을 새롭게 창조하는 예술적 활동이라고 할 수 있다.

2 라이프스타일 처방전

> "측정할 수 있는 것은 관리할 수 있다."
> - 피터 드러커(Peter Drucker) -

정확한 목표를 갖는 것은 변화를 결심하는 단계에서 매우 중요하다. 목적지가 어디인지를 정확히 알아야 출발할 수 있기 때문이다. 목표는 너무 어려운 것도 너무 쉬운 것도 아니어야 한 다. 너무 어려우면 자신감을 가질 수가 없고 너무 쉬우면 효과가 적다. 쉽지 않아도 도전해 볼 수 있을 만한, 하지만 실패하더라도 자책을 하지 않을 수 있을 정도의 난이도를 찾아야 한다. 또한 처음 목표는 누구든지 관심만 있으면 실천할 수 있는 것으로 시작해서 주기적, 단계적으 로 조정해야 한다. 목표는 기한이 정해진 꿈이라 한다. "5 kg을 줄이겠다"가 아니라 "몇 월 며칠까지 5 kg을 줄이겠다"가 되어야 한다. 또한 계획은 나중에 측정 가능하도록 세워져야 한다. 그러기 위해서는 "많이 걷는다" 아니라 "매일 10,000보를 걷는다"가 되어야 한다.

표 21 에 고혈압이 있는 직장인 참여자가 처음 만들어 본 라이프스타일 처방전이 예시되어 있다. 이 처방전은 첫 2주 동안 실천하기 위해 만들어졌으며, '하기 어렵다'는 것이 실천하지 못한 변명이 되지 않을 정도로 쉽고 단순한 것들로만 구성되어 있다. 처음 시작하는 단계의 참여자는 혈압 감소에 성공하는 것이 아니라 실천하는 데 성공하는 것을 경험해야 한다.

치료자는 3~7일 사이에 전화 등의 방법으로 중간 점검을 할 것이며, 하루 중 적합한 시점에 휴대전화로 "오늘 점심도 남김없이 채소 반찬을 드십시오", "혹시 지금 마음이 언짢다면 30초 간 호흡법을 하십시오", "곧 잠자리에 들 시간입니다", "내일은 대중교통으로 출근하는 날입니다" 등 참여자의 관심을 환기하고 실천을 독려하기 위한 메시지를 전송할 것이다. 2주 후에는 그간의 성과를 평가하고 새로운 처방전을 작성한다.

12가지 모든 실천 영역을 한 번에 처방하지 않고 우선순위를 결정하여 몇 가지를 먼저 시도할 수도 있다. 처방전의 형식은 치료자의 선호, 참여자의 특성에 따라 더 상세하거나 간략하게 구성할 수 있고, 기간도 더 길거나 짧게 작성할 수 있다. 실천 영역 또한 이 책에서 제시하는 12가지 영역 중 일부를 선별하거나 더 추가하고 세분하여 구성할 수 있다.

라이프스타일 처방전은 약물 처방전처럼 치료자가 혼자 작성하여 환자에게 건네주는 것이 아니다. 참여자와 함께 작성하고 참여자가 최종적으로 승인해야 한다. 그러기 위해서는 참여자에게 구체적인 정보, 지식, 기술을 소상히 안내해야 한다. 예를 들어, 근무 중 스트레스를 느낄 때마다 30초씩 호흡법을 하는 데 동의하도록 하려면 호흡법이 무엇이고 어떻게 해야 하는 것인지 알려주어야 한다. 참여자 스스로가 자신이 할 수 있고 자신이 직접 만든 계획이라고 느껴야만 설정된 목표가 과제나 의무가 아닌 도전과 희망이 된다.

릭 스나이더(Rich Snyder)는 '희망 이론(Hope Theory)'을 통해 사람들이 희망을 개발하고 발전시키려면 세 가지 요소, 즉 목표 사고(goals thinking), 경로 사고(pathways thinking), 주도 사고(agency thinking)가 필요하다고 설명했다(Snyder CR, 2000). 세 가지 중 하나라도 생략되면 라이프스타일 개선이라는 노력은 무의미한 시간 낭비거나 공허한 꿈이거나 번거로운 의무에 불과한 것이 된다.

표 21 라이프스타일 처방전

| 실천 영역 | 실천 계획 | | 실천 현황 | | | | | | |
	내 용	빈도, 양	월	화	수	목	금	토	일
식생활	채소 반찬 남기지 않고 모두 먹기	구내식당 이용 시마다							
신체활동과 운동	점심식사 후 사무실까지 걸어서 올라가기	월~금							
수면	11시 전에 잠자리에 들기	일~목							
휴식과 여가	토요일에는 일과 관련된 활동하지 않기	토							
적극적 이완	취침 전 20분 아무 것도 안 하는 시간 갖기	일~금							
규칙적 생활	아침, 점심, 저녁 제시간에 먹기	월~금							
의약품과 건강기능식품	복용 중인 건강기능식품 목록 만들어 보기	다음 진료일까지							
물질 및 행위 의존증	커피 대신 허브차 마시기	하루 1회							
스트레스와 평정심	스트레스 느낄 때 30초씩 호흡법 실천하기	하루 1회 이상							
심리사회적 환경	오래전 친구나 친척에게 안부 전화하기	매주 1회(1명)							
종교와 일관성의 감각	버킷 리스트 10개 만들기	다음 진료일까지							
생태물리적 환경	주 2회 대중교통으로 출퇴근하기	수, 금							
기타	체중계 구입	이번 주말까지							

글상자 ⑫ 윌버의 ILP와 통합 변형 수련

켄 윌버(Ken Wilber)의 Integral Life Practice(이하 ILP)는 라이프스타일의학을 일상 속에 적용시키는 데 참고할 수 있는 개념적 틀과 구체적 방법을 예시한다. 윌버는 통합심리학(integral psychology)의 창시자이자, 인간의 모든 지식과 경험, 모든 학문과 과학을 체계적으로 통합하는 통합이론(integral theory)을 제안한 통합 사상가다.

그는 모든 학문, 모든 사상과 이론의 위상을 진리의 사상한(four quadrant)이라는 그래프의 4분면으로 도식화했다. '**표 3** 통합적 의료의 4분면'은 사상한을 의료라는 영역에 적용한 것이다. 사람의 삶은 객관적 나인 몸, 주관적 나인 마음, 객관적 환경인 집과 자연, 주관적 환경인 사회, 문화 같은 것이 모두 더해져 만들어진다. 몸의 질병이라도 이 모든 것의 상호작용 속에 발생하는 것이므로 4분면 모두를 고려한 치료가 이루어져야 한다.

모든 학문은 4분면 중 한 분면에 관한 것이다. 예를 들면 생리학은 우상 분면, 심리학은 좌상 분면, 생태학은 우하 분면, 사회학은 좌하 분면을 연구하는 학문이다. 건강과 질병이라는 주제를 논함에 있어서 배제될 학문은 없다는 의미다.

윌버는 각 사람이 일상의 삶에서 실천할 수 있는 통

합 치유 방식을 ILP라는 수련 체계로 제시했다. ILP는 인간 존재의 모든 스펙트럼을 실현하기 위한 균형 잡힌 접근법이다. 이처럼 몸, 마음, 영혼, 관계 등 인간의 모든 측면을 인정하고 이 모든 영역의 건강과 웰빙을 추구하는 방법론은 세계의 다양한 종교와 전통에서 발견된다. 앞에서 살펴본 요가의 팔지요가 체계나 불교의 팔정도 수행도 그렇다. 그러나 근대에 들면서 이러한 전일적 건강을 추구하는 데 대한 관심은 사라지게 된다. 20세기 중반이 지나면서 이에 대한 반성이 일어나고, 고대의 전통적 지혜에 현대 과학을 접목시킨 통합 수련 체계들이 개발되기 시작했다. 이들을 통합변형 수련(Integral Transformative Practice, ITP)이라 통칭하는데 윌버의 ILP도 그 중 하나다.

ILP는 몸, 마음, 영혼, 문화 등 여러 차원을 동시에 수련하도록 개발되었다. 각 차원에 해당하는 수련법을 모듈(module)식으로 체계화하고, 각 모듈의 수련법 가운데 원하는 방식을 선택하여 각자에 맞는 수련

프로그램을 구성할 수 있도록 되어 있다. 각자 주어진 여건에 따라 짧게는 1분에서부터 길게는 몇 시간까지 수련이 가능하도록 다양한 수련법들을 제시하고 있다.

아래의 도표는 ILP의 모듈들과 각 모듈에 포함되어 있는 수련법들을 예시하고 있는 매트릭스다(Wilber 등, 2008). 모듈이란 인간 존재의 각 측면, 또는 삶의 각 측면을 의미하는 것이고, 수련법은 각 측면을 발달시키는 방법론이다. 예를 들어 신체(body) 모듈에는 운동, 식생활 등의 수련법이, 마음(mind) 모듈에는 독서, 글쓰기, 토론 등의 수련법이, 영(spirit) 모듈에는 명상, 기도 등이 제시되어 있다. 그림자(shadow) 모듈은 무의식을 의식화하는 심리학적 기법을 활용하는데, 꿈 작업, 음악치료 등의 방식이 이용된다. 이상의 네 가지 모듈이 핵심(core) 모듈이고 보조(auxiliary) 모듈로서 윤리(ethics), 성(sex), 직업(work), 정서(emotions), 대인관계(relationships) 등이 있다. 처음에는 네 가지 핵심 모듈로 수련을 시작하도록 권장하고 있다.

part 3. 라이프스타일의학의 이론과 실제

3 치료 기술

▮ 심리·행동학적 치료 기술

> "의사가 아는 것보다 환자가 아는 것이 더 중요하다.
> 성공적인 의사는 가장 많은 환자를 치료하는 사람이 아니라,
> 환자가 스스로 치유할 수 있도록 가르치는 사람이다."
>
> - 차라카(Charaka) (아유르베다 의사) -

약물 투여량이 증가할수록 생리적 변화도 크게 나타나는 것처럼 참여자의 라이프스타일을 변화시키는 만큼 건강과 삶의 질은 향상된다. 좋은 약도 몸에 흡수가 되지 않으면 약효를 발휘하지 못하는 것처럼 좋은 라이프스타일 처방도 삶에 흡수되어 삶을 변화시키지 않으면 의미가 없다. 현재의 의료 현장에서도 환자에게 금연과 절주를 하고 염분 섭취를 제한하고 운동을 하고 스트레스를 줄이라는 등의 생활요법을 알려 준다. 그러나 이에 대한 환자의 순응도(compliance)는 형편없이 낮다. 어려서부터 어머니에게 들은 잔소리와 별반 다를 것이 없는 이야기를 병원에서까지 듣는다는 것을 따분하고 성가시게 느끼는 환자도 적지 않다. 이들에게 라이프스타일 변화의 동기를 부여하고, 필요한 지식과 기술을 확보해 주고, 실천해 나가는 과정을 격려하고 지지하며, 그 과정에서 만나는 문제들을 함께 해결해 주는 것이 라이프스타일의학 치료자의 역할이다. 따라서 라이프스타일의학에서는 교육, 동기 부여, 상담, 코칭 등의 기술이 곧 의료 기술이다.

라이프스타일 치료자의 역할은 환자가 가진 문제를 발견하고 적절한 치료법을 처방하는 것만으로 끝나지 않는다. 때로는 자신의 경험을 진솔하게 나누면서 변화의 어려움을 극복해 가는 과정을 안내하는 롤모델(role model)이 되어야 한다. 치료자가 자신의 실패 경험을 나누는 것, 자신도 실천하고 있다는 것을 알려주는 것은 매우 진정성이 있고 현실적인 조언이 된다. 참여자가 모델링할 수 있는 사람의 유무는 참여자에게 큰 영향을 미치는데, 그 모델이 라이프스타일의학 치료자일 경우에는 더욱 그렇다.

"의사의 지시를 따라야지 의사의 행동을 따라 하면 안 된다"라는 말은 라이프스타일의학에서는 용납되지 않는다. 치료자의 건강행태는 그 치료자의 치료 역량에도 영향을 미친다(Oberg

등, 2009). 예를 들면, 운동을 하는 치료자는 운동을 하지 않는 치료자보다 참여자에게 운동 상담을 할 가능성이 더 높고, 금연하는 치료자는 흡연의 위험성을 더 열심히 알리고 금연을 돕기 위해 적극적으로 나선다. 흡연을 하는 치료자가 참여자에게 금연을 권하는 것은 일종의 자기모순이어서 금연 상담에 소극적이게 된다. 연구에 따르면, 정상 BMI를 가진 의사는 비만 환자에게 식이요법과 운동에 대한 상담을 하는 데 더 큰 자신감을 가지고 있다. 반면 치료자의 건강 습관이 좋지 않은 경우, 그 치료자가 참여자에게 제공하는 상담은 더 빈약하고 환자의 순응도에도 좋지 않은 영향을 줄 수밖에 없다. 비만 환자는 비만인 의사의 체중 감량 조언을 덜 신뢰한다(Bleich 등. 2012).

금연의 필요성을 느끼는 참여자라도 흡연하는 치료자의 금연 권고는 진정성 있게 느끼지 못하고, 그에게 금연 치료를 받는 것도 망설일 것이다. 게다가 이런 상황은 참여자가 치료자를 신뢰하고 치료 계획에 대한 확신을 갖는 것을 방해하므로 라포(rapport, 치료자와 환자 사이의 신뢰에 기반한 협력 관계)를 형성하는 데도 장애가 된다. 참여자가 치료자를 신뢰하지 않으면 치료자가 꼭 알아야 하는 라이프스타일 정보도 충분히 공유하려고 하지 않을 것이다.

사람들이 행동을 변화시킬 수 있도록 하는 기술 중에는 상담, 교육 외에도 코칭(coaching)이라는 방식이 있다. 질병에 대한 기존의 접근을 전문가식 접근(expert-like approach)이라 한다면, 라이프스타일의학은 코치식 접근(coach-like approach)에 가깝다. 전문가적 방식에서는 진단, 치료 계획 수립, 치료 실시, 치료 성과 평가 등의 전 과정에서 거의 모든 역할을 전문가(의사)가 수행한다. 이러한 일방적인 방식은 라이프스타일의학의 원리에 전혀 부합하지 않는다. 참여자의 라이프스타일에 관한 한 참여자 자신보다 나은 전문가는 없으므로 참여자를 배제하는 접근법은 처음부터 불완전한 것이다. 다른 전문 치료자들과 달리, 코치는 참여자(코치이, coachee)가 스스로 해법을 찾고 스스로 실천할 수 있는 능력을 갖추도록 돕는다.

코칭 프로그램은 심장병 환자의 콜레스테롤 감소, 당뇨병 환자의 혈당 관리를 포함한 만성 질환의 관리에 효과적인 중재 방식으로 이용되고 있다(Vale 등, 2003; Wolever 등, 2010; Kivelä 등, 2014). 헬스·웰니스코칭(health and wellness coaching, HWC)은 라이프스타일을 변화시키는 데 효과적이고 유망한 중재 방식이다(Wolever 등, 2013; Sforzo 등, 2018). 코칭 영역에 따라 전문 코치를 양성하는 과정들이 많이 개설되어 있지만, 참여자를 잘 교육하고 상담하기 위해 반드시 교사 자격이나 상담사 자격을 취득해야 하는 것은 아닌 것처럼, 코칭도 특정 과정을 이수하고 자격을 갖추는 것보다는 코칭의 원리를 이해하고 실무에서 적용하려는 태도가 중요하다. 치료자는 교육자, 상담가, 코치 등의 역할을 시의적절하게 바꾸어가며 참여자의 요구에 대응해야 한다.

② 동기 부여와 동기 유지

> "할 수 있다고 생각하는 사람도 옳고, 할 수 없다고 생각하는 사람도 옳다.
> 그가 생각하는 대로 되기 때문이다."
>
> - 헨리 포드(Henry Ford) -

약물 처방전의 상당수가 약국으로 가지 않고 그대로 버려진다. 처방전이 버려지는 이유는 여러 가지다. 건강보험 시스템이 잘 갖추어지지 않은 나라에서는 경제적 부담이 적지 않은 원인이다. 하지만 경제적으로 부담이 되지 않더라도 버려지는 처방전은 무수히 많고, 조제를 받았다고 해서 환자가 그 약을 반드시 복용하는 것도 아니다.

라이프스타일 처방전은 더 쉽게 버려지고 있다. 사실 체계적인 처방전이 제대로 쓰여지고 있지도 않고, 거의 모든 환자에게 늘 동일한 내용이 말로만 반복되는 것이 현실이다. 환자에게 꼭 필요한 라이프스타일 처방이 이루어졌다고 해도 환자의 실천으로 이어지는 정도는 실망스러운 수준이다. 라이프스타일 처방이 버려지는 이유는 경제적인 것이 아니다. 육식을 덜하고 더 많이 걷는 것은 오히려 식비와 연료비를 절감해 준다. 다른 라이프스타일 영역도 마찬가지다. 그렇다면 무엇이 문제일까? 환자가 라이프스타일 개선의 필요성을 느끼지 못했거나, 그 결과가 자신의 삶에서 어떤 가치와 의미가 있는지를 인식하지 못하는 것이 주된 이유다. 따라서 동기를 부여하고 그 동기를 유지하도록 하는 것이 무엇보다도 중요한 치료자의 역할이다.

라이프스타일의학에서 동기 부여의 중요성은 아무리 강조해도 지나치지 않다. 동기 부여라는 것은 자동차가 달리기 위해 시동을 거는 것과 같다. 그 자동차가 계속 달리기 위해서도 시동이 꺼져서는 안 된다. 동기 부여도 되지 않은 사람에게 실천을 요구하는 것은 시동이 걸리지 않은 차를 밀면서 앞으로 가라고 하는 것과 같다. 이런 경우 치료자와 참여자 모두에게 포기는 시간문제다.

6장의 '3. 행동 변화의 원리'에서 살펴 본 바와 같이, 변화를 시도하게 만드는 기본적 추진력은 자기효능감 또는 자신감을 갖는 것인데, 이것은 자신이 필요한 지식과 기술을 갖추었다고 확신할 때 느끼게 되는 것이다. 참여자가 자신감을 갖는 데 어려움이 있다면 계속 격려만 할 것이 아니라, "어떻게 하면 잘 할 수 있을 것 같은가?"를 질문해 보는 것이 유능한 상담가가 문제를 해결하는 기술이다. 문제가 해결되면 변화의 동기는 행동의 결단으로 이어지게 된다.

각 사람이 가진 핵심신념을 연결하여 동기 부여를 해야 그 사람의 내면에 심어지는 동기가 된다. 참여자가 가진 핵심신념, 예컨대 가장으로서 가족의 건강을 지켜야 한다거나 아름다운 외모를 오래 유지해야 한다는 등의 신념이나 관심사를 찾아낸다면 동기를 일으키는 것은 훨씬 수월해진다. 주변에서 아무리 금연을 권유해도, 흡연이 스트레스를 해소하는 좋은 방법이고 금연으로 인한 스트레스가 몸에 더 해롭다고 말하며 흡연을 지속했던 가장은, 간접흡연이 자녀의 건강에 얼마나 해로운지 깨달으면 심각하게 금연을 고민하게 될 것이고, 체중 증가를 우려하여 금연을 망설이던 여성도 흡연으로 인해 피부가 더 빨리 노화되고 있다는 것을 알게 되면 당장 금연을 결심할 수도 있다.

동기 부여를 가장한 강요가 되어서는 안 된다. 치료자의 권위를 이용한 강압, 질병에 대한 공포감 조장 같은 것들이 당장은 참여자를 행동하게 할 수 있을지라도, 장기적으로는 실패로 향하는 방법이다. 라이언(Ryan)과 데시(Deci)의 자기결정이론(self-determination theory, SDT)에서는 사람들이 어떤 행동을 할 때, 내적인 동기 때문에 하는 경우와 외적인 동기 때문에 하는 경우는 전혀 다른 결과가 나타난다고 설명한다(Ryan 등, 2000). 처벌과 보상은 좋은 결과를 가져오지 못한다. 이러한 외적 동기들은 초기에는 유효하지만 지속되기 어렵다. 내적인 동기를 찾아내기 위해서는 환자에 대한 깊이 있는 이해, 진솔한 태도가 필요하다.

자기결정이론에 따르면 자율성(autonomy), 유능성(competence), 관련성(relatedness)은 지속적 동기를 갖게 하기 위해 필요한 세 가지 요소다. 자율성은 외부의 환경으로부터 압박이나 강요를 받지 않는 상태에서 자신이 추구하는 것을 자유롭게 선택할 수 있다는 느낌을 갖는 것이다. 유능성은 어떤 과제를 수행할 역량이 자신에게 있다는 느낌이다. 관계성은 타인과 안정되고 조화로운 연결을 이루고 있다는 느낌이다. 이 가운데 관계성은 외적인 동기를 내적인 동기로 전환시키는 데 결정적인 역할을 하기도 한다. 어떤 방법으로도 운동을 시작할 내적 동기를 마련하는 데 실패했더라도, 자신이 좋은 관계를 맺고 싶어 하는 사람이 운동을 시작하면 운동에 대한 내적 동기가 마련될 수 있다.

건강한 라이프스타일을 실천했을 때 인센티브를 주는 것이 초기에는 효과적인 방법일 수도 있지만, 평생 지속적으로 제공될 수 있는 인센티브가 아니라면 오히려 독이 되기 쉽다. 인센티브로 동기 부여된 사람들은 인센티브 지급이 끝나는 순간 동기도 사라진다. 인센티브보다 더 중요한 것은 내면의 동기를 발견하고 지속적으로 돌보는 치료자의 인간적인 관심이다.

참여자가 야심찬 목표를 설정하며 강한 투지를 보일 때, 신속하게 목표를 달성하고자 하는 의지와 긴장감이 고조되어 있을 때, 완벽히 해내기 위해 애쓸 때, 경험 있는 치료자는 그런 참여자의 의욕에 고무되고 동조하기보다는 참여자가 여유와 유연한 태도를 가지도록 할 것이다. 라이프스타일 변화는 결승점이 없는 마라톤이다. 변화의 목표는 코스의 끝에서 기다리고 있는 어떤 것이 아니라 그 코스를 즐기는 과정에서 축적되는 어떤 것들이다. 지나온 길을 다시 돌아가서 같은 코스를 되풀이하는 하는 일도 수업이 반복될 수 있다는 것을 참여자는 물론 치료자 자신에게도 주지시켜야 한다.

❸ 팀 기반 접근

> "빨리 가려면 혼자 가고, 멀리 가려면 함께 가라."
> - 아프리카 코사족(Xhosa) 속담 -

라이프스타일에서 팀(team)은 두 가지 의미를 갖는다. 하나는 치료자들의 팀이고 다른 하나는 참여자들의 팀, 즉 지지그룹이다. 라이프스타일을 처방하는 치료자의 역량 중 하나는 여러 분야의 전문가들로 이루어진 팀의 일원으로 활동하는 능력이다(Livnov, 등. 2010). 미국라이프스타일의학회, 호주라이프스타일의학회 등에서도 라이프스타일의학은 팀-기반(team-based)의 활동임을 명확히 하고 있다.

의료기관 내에서는 의료인, 운동생리학자, 임상심리학자, 사회복지사, 영양사, 물리치료사, 작업치료사 등 내부 전문가들이 학제간 팀을 구성할 수 있다. 이 팀은 지역사회의 건강 관련 시설이나 복지센터, 학교와 직장의 건강보건 전문가, 심지어 종교 단체의 상담·복지 부서와도 공식적, 비공식적 협력망을 구축할 필요가 있다. 예를 들어 환자에게 음식이나 돈을 처방할 수 없다는 이유로 질병의 기저에 있는 사회·경제적 요인을 외면하지 말고, 사회복지 시스템의 돌봄과 지원을 받을 수 있도록 안내하거나 인계해야 한다.

환자가 이용할 수 있는 지역사회, 직장, 학교 내의 가용자원을 활용하는 것도 의료기관의 치료 역량을 확대할 수 있는 유효한 전략이다. 환자의 지역사회 내에서 만성질환자를 위한 운동 프로그램이 진행되고 있다면 이를 적극적으로 이용할 수 있다. 특히 교회나 사찰의 상담 부서에서는 교인들의 심리·영적 건강을 향상하는 데 있어서 의료기관 내 전문가보다 더 큰 도움을 줄 수 있다.

의료기관 내에서는 의사가 팀의 코디네이터가 되는 것이 바람직하다. 의료기관 밖에서는 다른 분야의 전문가가 코디네이터가 될 수 있다. 참여자의 특성과 요구에 맞도록 라이프스타일 프로그램을 구성하고 그 내용에 따라 필요한 전문가들의 협력을 확보하는 것은 의료기관에서든 의료기관 밖에서든 코디네이터의 가장 중요한 역할이다.

환자가 아닌 사람들을 대상으로 한다면 의료진의 참여가 필수적인 것은 아니다. 만일 그 대상이 특정한 관심을 공유하는 그룹일 경우에는 그 그룹의 주요 관심사를 다루는 전문가가 그룹의 특성에 맞는 프로그램을 운영할 수 있다. 예를 들어 대상자가 특별한 질병이 없는 중년 여성들의 요가 수련 그룹이라면, 라이프스타일 프로그램을 운영할 수 있도록 교육·훈련된 요가 지도자가 프로그램을 주도할 수도 있다. 이 경우 그룹의 특성을 고려하여 운동이나 금연 같은 내용은 제외하고 식사, 수면, 스트레스 관리 등을 위주로 하는 맞춤식 프로그램을 구성할 수 있다. 그리고 이런 경우에도 한 명의 전문가가 모든 것을 도맡아 하기보다는 여러 전문가가 팀을 이루어 프로그램을 개발, 운영하는 것이 참여자들의 요구를 세심하게 고려하고 더 밀도 있는 프로그램을 운영하는 데 더 효과적이다.

４ 지지그룹

> "질병(illness)은 나(I)로 시작되고 건강(wellness)은 우리(we)로 시작된다."
> - 스와미 사치다난다(Swami Satchidananda) -

건강한 라이프스타일 실천을 통해 건강을 증진하고 질병을 예방, 관리, 치료한다는 동일한 목표를 가지고 서로를 지지하면서 함께 라이프스타일을 개선해 나가는 참여자들의 모임을 치료그룹 또는 지지그룹이라 한다. 그룹으로 라이프스타일 프로그램에 참여하는 것은 단독으로 참여하는 것에 비해 많은 장점을 가지고 있다. 지지그룹 치료는 오니시 프로그램의 핵심이고, 그룹은 라이프스타일의학의 중요한 중재 영역 중 하나인 사회적 지지망을 확보하는 좋은 기회다. 환자가 아닌 참여자들에게는 별도로 프로그램을 개발하지 않고 표준화된 라이프스타일 프로그램을 적용하는 것도 가능하므로 그룹 프로그램에 참여하는 것이 더욱 용이하고, 이것은 인적, 공간적 자원을 효율적으로 운영하는 데도 유리하다. 참여자가 환자라 하더라도 개별 환자가 아닌 환자 그룹을 대상으로 하면 시간과 비용을 크게 절감할 수 있다.

지지그룹은 식사, 운동, 여가활동 등 생활의 일부를 함께 나누고 있는 지역사회 주민들 안에서 더욱 유망한 전략이다. 이러한 상호 관심과 돌봄은 사회적 관계, 삶의 목표 및 의미 추구와 같은 욕구를 충족시켜 주기도 한다. 자기 혼자만의 식사를 준비하기 위해 수시로 장을 보고 매 끼니마다 음식을 새로 만들고 설거지를 하는 것은 귀찮고 번거로운 일이 되기 쉽다. 하지만 다른 사람들과 함께 나누기 위해 하는 일이라면 같은 일도 더 소중하고 의미 있는 일이 되며, 더 의식적이고 책임감 있는 행동을 선택할 수 있게 된다.

외국의 의료기관에서는 그룹 상담(group consultation) 또는 그룹 방문(group visit)이라고도 하는 진료 시간 공유(shared medical appointment, SMA) 치료가 이루어지기도 한다. 이것은 의사가 같은 질환을 가진 환자 여러 명을 한 번에 진료하는 것과 유사한 방식이다. 즉, 한 의사가 여러 환자들을 같은 진료 시간에 반복적으로 만나는 것인데, 이렇게 형성되는 환자 그룹은 일종의 지지그룹이 될 수 있다. 우리나라처럼 진료 시간 공유가 현실적으로 불가능한 경우라도 진료 시간 밖에서 환자들이 지지그룹을 형성하는 것은 가능하다. 이 경우에는 의사가 아닌 사람이 모임의 코디네이터가 될 수 있다. 이것의 목적은 단지 환자나 의료진의 시간과 비용을 절감하기 위한 것이 아니라 환자들이 상호작용하면서 정보를 교환하며 서로 돕고 지지하도록 하는 데 있다.

라이프스타일을 바꾸는 것은 반복되는 실패와 좌절을 겪을 수밖에 없는 고단하고 긴 여정이다. 지지그룹 참여자들은 그 변화의 여정에서 서로를 일으켜 세우며 함께 성장한다. 중독과 같은 문제 행동을 수정하는 것도 혼자 할 때보다 짝이나 팀을 이루어 하면 재발의 가능성이 훨씬 낮아진다. 의학적 문제도 마찬가지다. 지지그룹에 참여하는 것은 혈압 같은 신체적 지표 개선, 긍정적인 건강행태의 증가, 삶의 질 향상과 직접적으로 연결되어 있다(Schulz 등, 2003).

지지그룹이 문제 행동을 교정하는 효과는 상담학에서 자조모임(self-help organization) 연구를 통해 검증되어 왔다. 자조모임은 비슷한 질병이나 심리·사회적 문제를 공유하는 사람들의 모임으로, 서로의 경험과 감정을 공유하고 그 해결 노력을 서로 지지해 주면서 보다 효과적으로 자신의 삶을 조절하기 위한 자발적인 모임으로 정의된다. 자조모임 참여자는 자신의 문제에 대해 비난하거나 그 해결의 책임을 다른 사람에게 돌리기보다 자신에게 책임이 있음을 인식하고 해결하기 위한 행동을 취함으로써 스스로를 돕는다.

자조모임은 일반적으로 별도의 전문가 없이 모임의 구성원으로만 운영되는데, 간혹 특정 분야의 전문 지식을 갖춘 사람이 모임에서 촉진자 역할을 하기도 한다. 대표적인 자조모임의 예로는 알코올 중독자의 모임(Alcoholic Anonymous, AA), 알코올 중독자 가족들의 모임인 알아넌(Al-

Anon), 알코올 중독자 부모를 둔 자녀들의 모임인 알아틴(Alateen), 인지행동치료를 바탕으로 하는 SMART Recovery(Self Management and Recovery Training Recovery), 암환자 모임 등이 있다.

이 가운데 SMART Recovery는 라이프스타일의학의 원리와 상통하는 부분이 많으므로 다양한 대상(물질, 행위)에 의존적 성향이 있는 참여자들의 지지모임 형태로 유망하다. 이것은 1985년에 Rational Recovery(RR)라는 이름으로 시작되었으며, 1994년 앨버트 엘리스(Albert Ellis)에 의해 SMART Recovery로 명칭이 변경되었다. 엘리스는 기존 알코올 중독자 모임(AA)의 한계를 보완하고 중독 회복의 패러다임을 확장했다. 미국에서 시작하여 현재 영국, 호주 등을 중심으로 운영되고 있다.

Smart Recovery는 6장에서 살펴본 변화 단계 이론, 그리고 동기강화상담(Motivational Interviewing), 인지행동치료(cognitive-behavioral therapy, CBT), 합리적정서행동치료(Rational Emotive Behavior Therapy, REBT) 등 네 가지 행동 이론을 기반으로 한다. 또한 '4-Point Program'으로 중독성 행동을 극복하는 도구와 기술을 가르치는데, 그 내용은 동기 부여 및 동기 유지(building and maintaining motivation), 충동 대처(coping with urges), 사고·감정·행동 관리(managing thoughts, feelings and behaviors), 균형 잡힌 삶을 살기(living a balanced life)이다(Horvath 등, 2012).

자조모임과 지지모임이라는 두 용어는 혼용되는데, 자조모임과 지지모임 모두 자신이 안고 있는 문제에 대해 대화를 나누고 함께 해법을 모색하며, 개인의 자율성과 집단이 가진 자원을 강조한다는 면에서는 동일하다. 다만 자조모임이 대체로 지도자 없이 서로가 상담자가 되면서 궁극적으로 각자가 스스로를 돕는 자조가 목적인 반면, 지지모임은 흔히 전문성을 가진 지도자에 의해 진행된다. 따라서 지지모임은 전문 지도자가 있는 자조모임의 한 형태라고 할 수 있다.

자조모임과 치료모임도 비슷한 개념으로 혼용된다. 두 집단 모두 참가자 상호 간의 지지를 장려하고 모임의 가치를 강조하며 구체적인 행동 변화를 목표로 하는 점은 공통적이다. 다만 자조모임이 중독, 비만, 암 등 단일 주제를 다루는 반면, 치료모임은 일반적인 정신건강, 대인관계 기능 개선과 같이 좀 더 포괄적인 목표를 가지고 있다. 정신건강과 관련된 문제는 자조모임에 부적합하다. 치료모임도 지지모임처럼 전문적인 지도자가 집단을 이끈다는 점에서 자조모임과 대비된다.[100]

---

[100] 이상의 그룹 치료와 혼동하기 쉬운 개념으로 사회요법(social therapy, 사회 치료)이라는 것이 있다. 이것은 심리적 문제나 불안을 겪고 있는 사람이 그룹 치료 환경에 참여하여 감정을 조절하고 타인과의 관계를 구축하도록 돕기 위해 개발된 것이다. 다만 심리적 문제 자체를 개선하기보다는 그 문제를 가지고 있는 사람들의 사회적 기능, 대인관계 등에 더 중점을 두고 있다. 현재 사회요법은 주로 정신장애인의 사회적 기능을 개선하고 사회에 복귀시키는 것에 주안점을 두고 있다. 작업치료, 치료적 의사소통, 환경요법 등의 방식이 이용된다.

어떤 형태의 모임이든 그 요체는 참가자들의 상호 지지, 그리고 자신을 있는 그대로 드러낼 수 있는 안전한 대인관계를 경험하는 것이다. 오니시는 라이프스타일의학의 핵심적인 요소가 그룹의 지지 같은 대인 간 영향이며, 지지그룹에서 친밀하게 연결되는 것이 자신의 프로그램의 필수적인 부분이라고 설명한다(Ornish 등, 2019). 40년 전 오니시의 초기 연구 당시 그의 지지그룹이 목표로 했던 것은 함께 식사를 하고 이야기를 나누면서 경험을 공유하고 정보를 교류하는 것이었다. 하지만 오니시는 안전한 지지그룹이 외로움이나 고립감에 강력한 해독제가 된다는 것과 이것이 심장병을 비롯한 질병 치료에 얼마나 중요한 것인지를 깨닫고 프로그램의 핵심 요소로 발전시켰다.

현재 오니시의 라이프스타일 프로그램에서 운영되는 지지그룹의 목적은 다른 사람과 진정으로 깊게 연결되는 것이 얼마나 좋은 것인가를 경험하도록 하는 것이다. 따라서 이 그룹은 연결(connection)을 위한 것이지 교정(correction)을 위한 것이 아니다. 어떤 문제를 가졌든지, 자신이 있는 그대로 보여지고 들려지고 받아들여질 자격이 있다는 것을 깨닫는 기회를 제공하는 것이 그의 지지그룹이 추구하는 것이다. 누구든지 있는 그대로 받아들여지는 경험이 있어야 있는 그대로의 자신을 받아들일 수 있고, 그때 비로소 자신을 변화시킬 수 있다.

요컨대 라이프스타일의학의 지지그룹은 단지 알코올, 니코틴, 스마트폰 의존 같은 문제 행동을 교정하고자 구성되는 것이 아니며, 어떻게 해야 체중이나 혈당을 더 잘 관리할 것인지를 함께 고민하기 위해서 구성되는 것만도 아니다. 물론 이러한 이슈들도 지지그룹 안에서 더욱 효과적으로 다루어질 수 있다. 그러나 고립감을 치유하고 친밀감을 향상하는 것, 비록 살아온 모습은 달라도 깊은 내면에서는 같은 것을 느끼는 사람들과 연결되어 그들 안에서 자기 자신을, 자신 안에서 그들을 발견하며 하나 된 경험을 하는 것, 그래서 타인을 도움으로써 자신을 돕고, 자신을 돌봄으로써 타인을 돌보려는 사랑과 자비의 마음을 촉진하는 것도 지지그룹의 목표라는 점이 간과되어서는 안 된다. 따라서 특별한 문제 행동이 있는가 여부가 지지그룹의 필요성을 결정하는 것이 아니다. 지지그룹을 형성하는 것은 지역 공동체의 주민들, 특히 단독 가구나 고령자들의 건강한 라이프스타일을 지원하는 데 있어서 가장 우선적으로 고려해야 하는 전략이라 할 수 있다.

지지그룹의 목표와 대상자에 따라 집단의 크기, 모임의 운영 기간, 모임 빈도와 지속시간을 적절히 선택할 수 있다. 오니시의 지지그룹은 8~15명으로 구성되며, 최소 1년 동안 주 1회, 매회 1시간 이상 모임을 갖는다. 집단의 특성에 따라 지도자가 있는 지지모임이나 치료모임이 될 수도 있고 자조모임이 될 수도 있다. 때로는 동호회 모임도 지지그룹의 기능을 할 수 있다.

5 치료 기술의 확대

라이프스타일 치료자의 치료 기술을 확대하고 참여자의 순응도를 향상시킬 수 있는 정보통신기술 기반의 도구들이 상용화되고 있다. 웨어러블 스마트 기기를 이용하여 혈당, 혈압, 심전도 등 생리적 지표를 주기적으로 관리할 수 있고 수면, 명상, 식생활 관리를 돕는 애플리케이션, 실시간 상담 및 질의응답을 위한 애플리케이션도 개발되어 있다. 인공지능 기술이 접목된 디지털 헬스코치도 이용이 가능하다. 향후 라이프스타일의학은 원격진료나 비대면 모임과 같은 새로운 방식을 도입하여 더 큰 기술적 유연성을 확보하게 될 것이다. 라이프스타일의학 전문가는 이러한 도구와 환경 변화에 대해서 늘 개방되어 있어야 한다.

코로나 팬데믹을 계기로 우리나라에서도 제한적으로 원격의료가 시작되었다. 라이프스타일의학과 디지털 헬스케어가 잘 접목되면 상당한 시너지 효과를 내고 본격적인 의학 혁명을 앞당길 수 있을 것이다. 하지만 디지털 헬스케어 기술 개발을 서두르는 사람들 중에서 라이프스타일의학의 철학과 원리를 이해하고 있는 사람은 많지 않다. 라이프스타일의학에는 목적이 있고 기술에는 도구가 있다. 목적이 도구의 안내를 받을 수는 없다. 따라서 이 두 영역의 바른 협력 관계를 구축하는 것은 라이프스타일의학 쪽에서 더 적극적으로 나서서 해결할 과제다.

유용한 신기술이 속속 개발되고 있는 것은 반가운 일이지만, 그러한 기술들이 하나의 채널로 통합되어 참여자에게 제공되지 않는다면 치료자와 참여자 모두에게 혼란과 불편만 가중시킬 것이다. 라이프스타일 프로그램에 참여하기 위해 구비해야 하는 장비, 스마트폰에 내려받아야 하는 애플리케이션이 많아질수록 이를 관리하고 교육하기 위해 가중될 수밖에 없는 치료자의 업무, 그 사용법을 배우고 적용해야 하는 참여자의 불편과 번거로움은 커진다. 디지털 헬스케어에 대한 충분한 논의와 준비가 선행되지 않으면 자칫 의료비를 더 상승시키고 의료 양극화를 심화시킬 수도 있다. 따라서 라이프스타일의학 전문가는 새로운 치료 기술에 대한 정확한 이해와 함께 합리적인 활용 기준도 가지고 있어야 한다.

그런데 이상의 논의와 준비를 시작하기에 앞서 반드시 기억해야 하는 것이 있다. 라이프스타일의학에서 권장하는 건강한 라이프스타일 방법론 중에서 기기나 소프트웨어의 힘을 빌리지 않으면 안 될 정도로 복잡하고 난이도 높은 것은 하나도 없다는 점이다. 새로운 기기나 소프트웨어에 대한 호기심이 치료 초기에는 참여자의 순응도를 향상시키는 데 도움이 되기도 하지만, 최신 스마트 기기들도 몇 달 만에 사용자의 활용도가 절반으로 떨어진다. 스마트 기기로 혈당을 기록하는 사람들에 비해 손으로 혈당 기록을 쓰는 사람이 혈당을 더 잘 관리한다는 보고도 있다. 혈당을 관리해야 한다는 동기가 잘 관리되는 것이 혈당 관리를 더 편하게 할 수 있는 방법을 개발하는 것보다 중요하다. 당뇨병은 혈당 측정기나 혈당 관리 애플리케이션이 없어서 발생하는 것도 아니고, 인공지능 코치나 돌봄 로봇이 없어서 치료가 되지 않는 것도 아니다. 따라서 치료자는 참여자의 특성과 요구에 대한 정확한 분별과 동의 없이 획일적인 방식으로 상용화된 도구들을 치료에 도입하는 것을 지양해야 한다. 또한 라이프스타일의학의 중재 영역 중에는 이러한 도구들이 해결해 주지 못하는 것들이 더 많다는 점도 유념해야 한다.

참여자에게 꼭 필요한 기기와 애플리케이션을 권하기 위해서는 치료자 스스로 그것들을 충분히 사용해 보고 사용법과 장단점을 숙지해야 한다. 참여자가 기기와 애플리케이션을 구비할 수 있도록 하는 것으로 치료자의 역할이 끝나서도 안 된다. 그것을 잘 사용할 수 있도록 교육하고, 사용 중 발생하는 문제를 신속히 해결할 수 있는 경로를 확보해 주는 것도 치료자가 해야 할 일이다.

PART 4

라이프스타일의학의
과거, 현재, 미래

오래된 미래 의학의 혁명

1948년 WHO는 몸에 이상이 없는 것을 건강으로 보았던 기존의 관점을 수정하여, 건강을 '단순히 질병이나 장애가 없는 상태가 아니라 신체적, 정신적, 사회적으로 완전한 웰빙 상태'라고 정의했다. 1998년에는 이 정의에 영적인 웰빙까지 추가하자는 개정안이 제출되기도 했다. 건강의 정의는 최근까지도 계속 변화하고 있는데, 그 핵심은 다중차원의 웰빙(multi-dimensional well-being) 또는 전일적 건강으로 요약될 수 있다.

생의학은 특정 병인론에 기초한 의료모델을 가지고 있다. 결핵이 결핵균이라는 특정 세균에 의해 발병하고 독감이 인플루엔자 바이러스에 의해 발병하는 것처럼 각 질병에는 그 질병 특유의 원인이 있다고 보는 특정병인론은 감염성 질환의 병인론으로만 머물지 않고, 신체에 나타나는 질병은 신체에서 그 원인을 찾아 제거하거나 교정함으로써 치료할 수 있다는 생의학의 기본 원리를 형성했다.

이러한 관점에서 보면 건강이나 질병은 개인에게 국한된 문제이며, 건강은 신체에 물리적인 개입을 하여 질병에서 벗어남으로써 얻어진다. 이와 같은 의료모델에 대한 대안으로, 조지 엥겔은 생물심리사회적 모델이라 불리는 새로운 의료모델을 제시했다. 이 모델에서는 질병이나 건강의 문제를 생물학적 요인뿐 아니라 심리적 요인, 그리고 사회·경제·문화·생태 환경의 요인들이 상호작용한 결과로 본다. 엥겔의 모델은 의료계 안팎에 커다란 반향을 일으켰다. 그러나 이러한 의료 패러다임은 현대에 새롭게 등장한 것이 아니라 동서양의 모든 전통의학이 가지고 있었던 기본적인 사고관이자 치료 방법론이었다.

라이프스타일의학의 철학, 원리, 방법론 역시 현대의 새로운 창조물이 아니다. 라이프스타일의학은 현대에 재소환된, 오래된 미래의 의학이다. 딘 오니시 역시 자신의 라이프스타일 프로그램은 새로운 것이 아니라 수천 년간 있었던 것이라고 말한 바 있다.

신체적, 정신적, 사회적, 영적인 모든 차원에서의 웰

빙이 우리가 추구할 진정한 건강이라면, 몸의 건강을 추구하는 생의학은 의학의 1/4만을 담당할 수 있을 것이다. "인생은 짧고 예술은 길다"라는 말이 비록 "목숨은 짧지만 의술의 길은 길다"라는 문장을 오역한 것이지만, 히포크라테스의 의술은 인간이라는 존재를 대상으로 한 종합 예술이었으므로, 오역이 오히려 바른 번역이라 할 수도 있을 것이다. 펠레그리노(Edmund Pellegrino)는 의학은 가장 인간적인 과학이고 가장 경험적인 예술이며 가장 과학적인 인문학이고, 과학과 예술과 인문학의 전 영역에 걸쳐져 있는, 인간에 대한 종합적 탐구와 실천의 학문이라고 했다.

많은 사람들이 종교 생활과 영적인 활동으로부터 크고 작은 삶의 고통을 위로받고 실질적인 치유를 얻는다. 현대의 모든 종교는 라이프스타일의학의 사회·문화적 자본이며, 풍부한 물적·인적 인프라를 갖춘 실천적 거점으로서의 막대한 가능성을 가지고 있다. 그 가능성이 가져다 줄 이득을 충분히 누리기 위해서는 어느 정도의 용기가 필요할 지도 모른다. 그것은 의과학을 넘어서기 위해 필요한 용기라기보다는 의과학의 새로운 지평을 열기 위해 필요한 용기다. 헤럴드 코닉(Harold Koenig)은 종교와 과학은 모두 진리를 추구하는 것이므로 서로를 두려워할 필요가 없다고 말한다. 아인슈타인 또한 "종교 없는 과학은 절름발이며, 과학 없는 종교는 장님이다"라고 했다.

21세기의 의학은 지난 300여 년간 발달해 온 생의학으로부터 한 차원 도약하는 의학 혁명의 시발점에 서 있다. 과학이라는 단어의 한문 '과(科)'자는 '분류하다', '나눈다'라는 의미를 가지고 있다. 그래서 과학만으로 전일적인 인간관과 통합적인 건강관을 회복하는 것은 불가능할지도 모른다. 가장 인간적인 과학, 가장 경험적인 예술, 가장 과학적인 인문학으로서의 의학을 동서양의 전통의학으로부터, 그리고 여전히 많은 사람들의 삶을 지지하고 안내하는 여러 종교로부터 더 깊이 배울 수 있다는 것은 21세기의 의학이 반드시 누려야 할 커다란 축복일 것이다.

1 지금부터의 과제

1 현장에서 주도하는 변화

현재 우리나라 보건의료시스템의 제반 여건을 고려하면, 조만간 의료기관에서 라이프스타일의학이 보편적으로 시행될 것이라고 예측하기는 어렵다. 그럼에도 불구하고 라이프스타일의학에 대한 우리의 전망은 희망적이다. 라이프스타일의학은 결코 의료기관을 통해서만 전달되는 의학이 아니기 때문이다. 현장에서 주도하는 변화를 통해 라이프스타일의학이 더욱 신속하게 그리고 더욱 효과적으로 우리의 삶을 바꾸어 놓을 수도 있다.

라이프스타일은 개인의 생활습관이 아니라 삶의 생김새다. 개인의 생활습관이라는 관점에서 그 행동을 교정하려 한다면, 질병의 근위 원인조차 제대로 다룰 수 없다는 것은 수차례 강조한 바 있다. 삶의 생김새를 근본적으로 바꾸는 방법은 그 생김새를 만드는 틀, 곧 생활문화를 바꾸는 것이다. "라이프스타일은 약이고 문화는 그 약을 떠먹는 숟가락이다"라는 카츠(Katz)의 문장에 함축된 의미가 이것이다. 문화는 개인의 취향이 아니라 집단이 선택한 가치관이며 삶의 규범이다. 이 지점에서 라이프스타일의학은 커다란 도전이자 기회를 만나게 된다. 바로 현장에서 주도하는 변화라는 것이다. 현장에서 변화를 주도하는 데는 다양한 전략이 있고, 그 중 상당수는 이미 우리 주변에서 일어나고 있는 일이기도 하다. 단지 라이프스타일의학이라는 이름으로 불리고 있지 않을 뿐이다.

라이프스타일의학 전문가는 참여자들의 생활 현장으로 직접 들어가서, 참여자들이 자신들의 가치관과 규범을 검토하고 변화시키는 일을 촉진할 수 있다. 따라서 현장에서 주도하는 변화라고 해서 라이프스타일의학 전문가 또는 치료자가 배제되거나 역할이 축소되는 것이 아니다. 라이프스타일의학 전문가가 어디서 어떤 형태의 활동을 하든, 궁극적으로 변화가 일어나야 하는 곳은 참여자의 삶이 벌어지는 생활공간이다. 그렇다면 현장으로 들어가는 방법은 효과, 신속성, 비용 등 모든 면에서 우회로가 아니라 오히려 지름길을 택하는 것이라고도 할 수 있다.

우리의 생활공간은 크든 작든 사적이든 공적이든 집단에 의해 형성되고 공유된다. 직장, 학교, 아파트 단지 같은 생활 공동체, 신앙생활이나 여가 활동을 함께 하는 모임 모두 그러한 곳들이다. 우리는 다양한 기능과 목표를 가진 수많은 모임, 조직, 단체에 소속되어 있다.

표 2 질병 원인의 다단계적, 계층적 이해'를 다시 살펴보면, 우리가 속한 모임, 조직, 단체 각각의 기능과 목표가 무엇이든지, 라이프스타일의학의 병인론 안에서 그와 연관된 이슈를 발견하게 될 것이다. 이것은 어떤 모임, 조직, 단체든지 우리의 라이프스타일을 변화시키는 거점이 될 수 있다는 것을 의미한다. 전문가가 그러한 현장으로 들어가서 참여자들과 함께 건강과 관련된 라이프스타일 이슈를 발굴하고, 그들의 요구에 맞는 특화된 솔루션을 개발하는 것은 집단 수준에서 이루어지는 라이프스타일의학의 정밀의료라 할 수 있을 것이다.

구체적으로 어떤 방법이 가능할까? 리빙랩(living lab)이 바로 그 예다. 리빙랩은 직장, 학교, 아파트 단지와 지역사회 등에서 참여자들 스스로 지속 가능하고 발전 가능한 건강한 라이프스타일을 구축하도록 돕는 데 유망한 접근법이다. 리빙랩은 말 그대로 '생활연구실', '살아 있는 실험실', '일상생활의 실험실'을 뜻하며, 공동체의 생활 속에서 발생하는 문제를 공동체의 소속원들이 직접 참여하여 해결하는 방법을 말한다. 이 방법은 일상의 문제 해결을 위해 연구와 실행을 연결하는 개방형 혁신 플랫폼으로, 주민들이 정책에 참여하는 접근법으로도 떠오르고 있다. 건강행태 증진, 대기오염이나 미세먼지 피해 감소, 교통안전 확보, 주차난 해소, 쓰레기 감축 등 우리 사회의 모든 구성원들이 함께 관심을 기울이고 해결에 동참해야 하는 각종 이슈들이 리빙랩의 대상이 된다. 그 현장 또한 아파트 단지, 재래시장, 학교, 직장, 온라인 커뮤니티 등 우리의 삶이 진행되고 있는 현실과 사이버 공간의 모든 곳이 될 수 있다.

리빙랩을 통한 현장 활동을 모색하는 라이프스타일의학 전문가를 고무시키는 두 가지 사실이 있다. 첫째는 어떤 형태의 커뮤니티든, 커뮤니티 구성원들의 라이프스타일에 관한 한, 그 구성원들보다 더 전문가는 없다는 것이다. 둘째는 그 커뮤니티 안에는 자신의 시간과 재능을 나누고 봉사할 준비가 되어 있는 인적 자원이 매우 풍부하다는 사실이다. 리빙랩의 지속가능성과 발전 가능성은 라이프스타일의학 전문가가 이 두 가지 잠재력과 자원을 얼마나 계발하고 구조화할 수 있는가에 달려 있다.

현장에서 주도하는 변화의 두 번째는 비의료 분야 건강 전문가들의 참여를 확대하고 역량을 강화하는 것과 관련된다. 최근 한 국제적 정책 성명에서, 건강 문화를 창조하기 위한 선제적 라이프스타일 모델 안에 기존의 보건의료 분야뿐 아니라 커뮤니티, 교육, 미디어 산업, 전문가 기구, 식품 산업, 보험, 기술 기업, 사업자, 가족으로까지 이해관계자의 목록을 확장했다(Arena 등, 2015). 이러한 모델에서는 영양, 신체활동, 정신건강, 스트레스 관리 등 비의료 분야 건강 전문가의 역할이 더욱 중요해지고, 이들이 활동하고 있는 기관과 시설의 기능도 확대된다.

많은 사람들이 심신의 건강증진과 질병 관리를 목적으로 비의료 분야 건강 전문가들이 활동하고 있는 운동 시설, 요가원, 명상센터, 심리상담소 등을 찾고 있다. 하지만 이들 시설에서는 하나의 라이프스타일 중재 영역, 더 정확히 말하자면 한두 가지 중재 기술만이 집중적으로 다루어지는 것이 일반적이다. 12가지 라이프스타일 중재 영역에 대한 지식을 얻기 위해 12권의 책을 읽어야 한다면 라이프스타일의학을 대중의 건강소양이라 부를 수 없을 것이다. 12명의 건강 전문가를 찾아다녀야 하는 상황은 더 유감스럽고 비현실적이다. 그럼에도 불구하고 현재의 헬스케어 시장 상황에서는 다른 대안이 없다는 것 또한 현실이다.

이 문제는 비의료 분야 건강 전문가들의 역량을 더 강화하는 것으로 어느 정도 해소될 수 있다. 이를 위해서는 무엇보다도 비의료 분야 건강 전문가들의 관심, 직업적 책임감, 자발적 참여가 필요하다. 비의료 분야 건강 전문가들이 자발적으로 역량을 강화할 수 있는 기회는 '❹ 전문가 육성'에서도 일부 제시된다. 또한 관련 학회와 조직에서도 라이프스타일의학에 대해 관심을 기울이고, 자격 취득 과정 및 보수교육을 통해서 역량 확보의 기회를 제공해야 할 것이다.

현장에서 변화를 주도하는 방식 가운데 마지막으로 제시하고자 하는 것은 위의 두 가지보다 훨씬 강력하고 경제적인 방식이다. 이것은 우리 사회의 문화적 자본이며, 풍부한 물적·인적 인프라를 갖추고 있어 라이프스타일의학의 실천적 거점으로서 막대한 가능성을 가지고 있는 곳, 바로 종교다.

종교는 사람들에게 삶의 방향과 목표를 제시하며, 그들이 특정 라이프스타일을 채택하는 데 있어서 근본적 원리이자 구체적 지침이 된다. 많은 사람들이 무엇을 위해 어떻게 살아갈 것인가라는, 실존적이면서도 현실적인 광범위한 물음에 대해서 종교로부터 답을 얻는다. 우리가 종교에 주목해야 하는 가장 큰 이유도 라이프스타일의학의 모든 중재 영역을 가장 폭넓게 수용해낼 수 있는 개념적, 실천적 틀이 종교이기 때문이다. 이에 관해서는 '글상자❹ 판차코샤, 팔지요가와 라이프스타일의학'과 '글상자❹ 팔정도와 라이프스타일의학'에서 살펴보았다.

종교가 사람들의 건강증진과 질병 치료에 참여한다는 것은 결코 새로운 발상이 아니다. 역사적으로 병자를 돌보는 것은 모든 종교에서 사랑과 자비를 실천하는 주요 방식이었고 대부분의 종교에서 맡아 온 기본적인 임무였다. 고대 그리스에서는 신을 경배하고 신탁을 받는 신전에서 병자들이 기도, 목욕, 운동을 하면서 질병을 치유했다. 서양 중세에는 그 역할을 수도원이 맡았다. 서양에 기독교가 있었다면 동양에는 불교가 있었다. 불교는 처음부터 의학과 얽혀 있었고 병자를 치료하는 데 깊이 관여해 왔다. 의학은 수행자가 공부해야 하는 다섯 가지 학예,

즉 오명(五明) 중 하나였다.[1]

질병은 사람들이 종교에 귀의하게 되는 주요 계기가 된다. 또한 많은 종교 시설이 교인들의 심신 건강을 돕고 삶을 지원하는 활동을 펼치고 있다. 여기에 라이프스타일의학의 과학적 원리와 방법론을 도입하면 그 활동은 더욱 체계적, 효과적으로 이루어질 수 있을 것이다. 이것은 국민의 보건과 복지 측면에서도 이득이지만, 종교 역시 이를 통해서 사랑과 자비의 실천이라는 종교의 기본 역할을 수행하고 사회적 참여를 확대할 수 있을 것이다. 종교의 사회적 입지가 점차 축소되고 있는 상황 속에서 새로운 사회화 방안을 모색하는 교계의 입장에서도 라이프스타일의학은 새로운 기회가 될 수 있다.[2]

1997년 WHO는 21세기 건강증진을 위해서 지역사회 능력과 개인의 역량 강화, 건강을 위한 인프라 확보 등을 우선순위로 제시했다. 대개 건강관리를 위한 인프라를 확보하려면 새로 보건예산을 편성해서 시설과 인력을 확충해야 한다고 생각할 것이다. 하지만 이것은 문제를 더 복잡하게 만들고 일을 지연시키는 것일 수도 있다. 우리에게는 시간, 예산, 인력 모든 면에서, 확보보다는 활용이라는 유연하고 창의적인 접근이 더 필요하다.

2 일차의료와 라이프스타일의학

만성질환은 대부분 불건강한 라이프스타일에서 기인하는 것이며 만성질환에 대한 원인 차원의 치료는 오직 라이프스타일 개선이다. 라이프스타일이라는 치료제의 효과와 안전성에 대한 증거는 확고하다. 따라서 만성질환자들은 지체 없이 라이프스타일의학의 참여자가 되어야 한다. 그런데 만성질환자들이 라이프스타일의학의 이득을 충분히 누리려면, 지역사회 일차의료의 정상화라는 과제는 반드시 해결되어야 한다.

인구 고령화의 진행과 이에 따른 질병 패턴의 급속한 변화로 인해 전 세계적으로 의료전달 체계의 변화가 시급한 상황이다. 이는 만성질환을 잘 관리하기 위해서만이 아니라, 환자들의 삶의 질 향상과 존엄한 노후에 대한 준비, 재정적 지속가능성 확보를 위해서도 더 이상 미룰 수

---

1) '9장, 2, **5**, (1) 불교와 라이프스타일의학'을 참고하라.
2) 불교의 사회화를 위한 실천 방안을 논의한 한 연구에서, 사찰이 불교문화 관련 강좌를 개설하고 불교문화의 현대적 응용을 시도하는 것, 주부클럽 등을 통해서 신도의 친목을 도모하고 종교 체험 공유 공간을 마련하는 것 등을 제시하였는데(정병조, 2002), 이러한 강좌나 모임의 주제를 불교 기반 라이프스타일의학으로 구체화하고 교육과 체험을 중심으로 하는 지지그룹을 운영한다면 신도들의 현실적 요구에 부응할 뿐 아니라, 우리 시대가 더욱 필요로 하는 방식으로 불교가 사회화하는 방법이 될 수 있는 것이다.

없는 과제다. 그 해법 중 하나가 현재의 대형병원 중심 의료전달 체계를 지역사회 중심으로 전환하는 것인데, 이것은 우리나라 의료계 안팎에서도 오래전부터 고민해 온 문제다.

우리나라 일차의료의 문제는 의원들 사이의 경쟁에 의한 수익성 악화, 의원급 의료기관과 대형병원 사이의 경쟁으로 인한 환자 쏠림에서 기인한다. 이것이 결국 일차의료의 붕괴를 야기하여 지역사회 의료 공백이 현실화되고 전체 의료전달 시스템에 고비용, 저효율이 심화되고 있다. 이를 해결하기 위해서는 의원의 역할이 변화되어야 하는데, 그 핵심은 찾아오는 환자를 치료하는 데 집중해 온 방식에서 벗어나 지역사회 주민들의 건강증진, 질병 예방 및 관리 활동에 적극적으로 나서는 것이다. 이러한 활동의 필요성은 이미 지역사회의학(community medicine) 안에서도 제시되어 왔다.[3] 지역사회의학은 지역사회의 건강 문제는 지역사회가 스스로 해결한다는 건강 자치 개념에서 출발한다.

일차의료 정상화와 지역사회의 건강 자치라는 주제는 일차보건의료라는 좀 더 포괄적인 개념 안에서 다시 논의된다. 그리고 일차보건의료의 목표와 전략은 라이프스타일의학의 그것과 일치한다. 일차보건의료는 1978년 알마아타 선언을 계기로 대두되었는데, 이를 실현하기 위한 기본 원칙은 다음 네 가지로 요약된다. 첫째, 필요에 따른 보편적인 적용과 접근이 이루어져야 한다. 이것은 주민이 필요로 하는 보건의료 자원과 보건의료 서비스를 주민이 필요로 할 때 이용할 수 있도록 접근성이 보장되어야 한다는 뜻이다. 둘째, 개인과 지역사회의 참여와 자립이 필요하다. 이를 위해 지역사회에 권한과 역량을 부여함으로써 주민 스스로가 자신과 가족의 건강에 대해 더 큰 책임을 가지고, 건강증진 과정의 핵심적 활동가(key actor) 역할을 할 수 있어야 한다. 셋째, 건강을 위해 관련 분야들의 상호협력이 이루어져야 한다. 일차보건의료는 보건의료 분야뿐 아니라 농업, 축산, 식품, 공업, 교육, 주거, 공공업무, 통신 등과 같은 다양한 분야와 관련되어 있다. 보건의료 기관이 제공하는 서비스만이 아니라 건강과 밀접한 관련성을 가지는 주거, 영양, 위생, 교육 등 사회의 다양한 인프라에 대한 접근이 형평성 있게 이루어져야 한다. 따라서 각 분야에 대한 종합적인 접근 전략과 분야 간의 협력은 필수적이다. 넷째, 적절한 기술이 사용되어야 하고 그 기술이 가진 비용-효과성이 고려되어야 한다.

요컨대 일차보건의료를 실현하는 것은 지금까지 우리가 라이프스타일의학을 구현하는 방법

---

3) 지역사회의학이라는 용어는 1968년 영국에서 처음 사용되기 시작했다(Waters 등, 1983). 지역사회의학은 인구 집단의 질병 예방과 건강증진에 관여할 뿐 아니라 지역사회 보건의료 요구 평가와 일반 인구 집단 및 특수 집단에 대한 적절한 보건의료 서비스를 제공하는 것과 관련된 일을 수행하는 전문 의학 분야다. 공식적인 수련 과정을 통해 배출된 지역사회의학 의사는 지역의 공무원으로서 인구 집단을 대상으로 한 서비스를 제공한다.

으로서 논한 것들과 맥락을 같이 하고 있다. 현대의 국가들이 공통적으로 당면하고 있는 질병 치료 중심의 고비용, 저효율 의료시스템 문제를 해결할 수 있는 유일한 방법이 라이프스타일의학이고, 라이프스타일의학이 구현되는 방식은 위에서 제시한 원칙들과 동일한 종합적 전략과 전방위적 협력인 것이다.

그런데 이 전방위적 협력에서 일차의료를 별도로 거론하는 이유는 무엇일까? 만성질환자들에 대한 라이프스타일의학의 임상 활동은 절대적으로 일차의료기관에서 수행되기 때문이다. 가장 우선적으로 라이프스타일의학의 참여자가 되어야 하는 만성질환자들을 돌보는 일차의료의 정상화는 라이프스타일의학의 성패와도 직결된 문제다. 라이프스타일의학을 혁신적이고 지속가능한 헬스케어의 기반이라 하는데, 라이프스타일의학은 그 헬스케어 시스템의 핵심 전략이고, 일차의료는 핵심 구조라 할 수 있다.

일차보건의료가 선언된 후 30년이 지난 2008년, WHO는 일차보건의료의 새로운 도약을 기치로 내건 새 보고서를 발표했다. 이 보고서에서는 지난 30년의 성과를 평가하고 보건의료시스템의 근본적인 변화와 타 분야의 협력자 역할이 충분히 이루어지지 않았다는 점을 지적했다. 30여 년 동안 보건의료 분야는 점점 더 특수화된 전문의학을 추구해 왔고, 결국 보건의료 분야를 기울어진 운동장과 같은 불공정한 경쟁 환경으로 만들면서 일차보건의료 시스템의 위기를 초래했다. 라이프스타일의학은 보고서의 모든 지적 사항과 동일한 문제의식에서 가지고 출발하며, 각자의 자리에서 즉시 시행 가능한 해결책들을 제시하고 있다. 라이프스타일의학의 등장은 일차보건의료. 특히 일차의료기관의 기능과 역할을 새로 정립하는 중대한 모멘텀이라 할 수 있다.

③ 정책적 과제

지금 우리는 21세기 의학 혁명이 시작되었다고 말한다. 그런데 많은 사람들이 그 혁명을 인공지능, 로봇, 빅데이터 같은 첨단기술이 주도하는 기술 혁명이라고 생각한다. 과연 그럴까? 21세기 의학 혁명의 본질은 패러다임의 대전환이다. 신체에 나타난 질병이라 해도 환자를 전일적으로 파악해야만 제대로 병을 진단하고 원인을 발견하고 치료법을 찾을 수 있다는 깨달음, 그리고 치료 중심의 의학이 건강증진 중심의 의학으로 서둘러 방향 전환을 하지 않으면 보건의료 시스템이 감당할 수 없는 상황에 빠질 수 있다는 위기감 속에서 지금의 의학 혁명이 시작되고 있는 것이다. 이러한 사실을 간과하고 기술 혁신을 의학 혁명의 본질로 착각한다면, 현재의 보건의료시스템이 가지고 있는 고질적인 문제들, 특히 의료비 상승이나 의료 불평등 문제는 앞으로 더 심화될 것이다.

앞에서도 지적한 바와 같이, 당뇨병은 혈당을 간편하게 측정하고 관리할 수 있도록 해주는 기기가 없어서 발생하는 질병이 아니다. 심장병도 인공지능 진단 시스템이나 빅데이터 분석 기술이 없어서 발생하는 것이 아니다. 디지털 헬스케어 기술들이 질병을 더 효과적으로 관리할 수 있도록 환자와 의료진을 도울 수는 있겠지만, 모든 환자들이 이러한 장비들을 구비할 수 있을 만큼 환자나 건강보험의 재정이 넉넉한 것도 아니다. 오히려 매일 새로 출시되고 있는 기기들이 의료비용을 더 증가시키고 질병 관리를 더 복잡하고 어렵게 만들 수도 있다. 우리의 희망은 기술 발전에 있는 것이 아니라 철학과 원리의 변화 속에 있다. 그리고 지금 우리에게는 의학 혁명의 본질을 정확히 읽어내고 기술 혁명의 방향을 바르게 안내할 수 있는 새로운 정책들이 필요하다.

협력이라는 단어는 라이프스타일의학의 여러 맥락에서 등장하는 각종 문제들을 해결하는 열쇠다. 그 중 하나는 의료인과 비의료인 건강 전문가의 협력이다. 우리의 보건의료시스템은 비환자 집단의 건강증진이라는 과제까지 의료기관에서 전담하도록 할 수 있을 만큼 충분한 자원을 가지고 있지 않고, 이는 앞으로도 가능하지 않을 것이다. 우리가 가진 모든 인적·물적 가용자원을 충분히 활용하기 위해서는 유관 분야 전문가들이 정보를 공유하고 협력할 수 있는 시스템적, 제도적 기반이 필요하다. 이에 관해서 에거는 정부가 지도적이고 지지적인 환경을 구축하는 데 나서야 한다고 말한다(Egger 등, 2017). 정부의 역할이 충분조건은 아니지만 이 문제에 대해서는 정부를 대신해 리더 역할을 할 수 있는 곳이 없다.

정부가 나서야 하는 더 본질적인 과제도 있다. 국민의 건강소양 함양과 사회의 건강 문화 창달이야말로 보건의료시스템의 지속가능성을 위한 근본 요건임을 인식하고, 교육과 사회복지 전반에서 이를 지원하는 정책을 마련하는 것이다. 라이프스타일의학의 가장 중요한 파트너이자 실질적 주체는 국민이다. 라이프스타일의학을 모든 사람이 건강소양으로 갖출 수 있도록 하는 최고의 방법은 공교육 안에서 라이프스타일의학을 교육하는 것이다. 이미 외국에서는 공교육 안에 건강소양 교육이 편성되고 있다. 진정한 업스트림의학은 다음 세대의 건강소양 교육임을 기억하고, 특히 아동·청소년을 대상으로 한 교육과 정책 개발에 더 많은 관심과 노력을 투입해야 할 것이다.

사람들에게 건강한 라이프스타일을 실천하고자 하는 동기를 유발할 수 있는 장치도 마련되어야 한다. 현재의 건강보험 재정은 거의 대부분이 질병 치료비로 사용되고 있으며, 중병을 앓는 5%의 환자에게 50%의 치료비가 집중된다. 자신의 건강을 잘 돌보는 사람들이 받는 혜택은 거의 없고, 많이 아플수록 더 큰 혜택을 받는 불합리한 구조인 것이다. 사람들이 자신의 건강에 대해 책임감을 가지고 적극적으로 건강을 돌보려는 노력에 대해 건강보험료 인상률 차등화와 같은 인센티브가 있어야 한다. 아직 제한적이지만 민간 보험회사들은 가입자들에게 많이 걷기 같은 건강행태를 권장하고 이를 평가하여 인센티브를 제공하기 시작했다. 이것이 단순히 민간 보험회사의 마케팅 전략에 머물러서는 안 된다. 국민건강보험이라는 보험자에게는 홍보 전략이 아니라 존립 목적에 가까운 사업이라고 할 수 있다.

이외에도 정부가 해야 할 일은 많다. 라이프스타일의학의 모든 것이 실제로 우리의 라이프스타일이 되기까지는 여러 분야에서 동시적이면서도 단계적인 준비가 이루어져야 하며, 이것은 필연적으로 정부의 주도적 역할을 필요로 한다. 무엇보다도 물줄기의 시작, 즉 업스트림을 관리하는 활동들은 절대적으로 정부의 역할에 해당하는 것들이다.

4 전문가 육성

라이프스타일의학의 교육 대상은 라이프스타일의학 전문가와 참여자 모두이고, 궁극적으로는 참여자다. 하지만 참여자 교육은 라이프스타일의학 전문가의 역할 중 하나이기 때문에, 여기서 말하는 교육은 전문가를 양성하기 위한 교육이다.

우리나라의 라이프스타일의학은 학문적으로 초기 단계이므로 앞으로 많은 연구가 이루어져야 하며, 의료기관 안팎에서의 시행을 위해서는 여러 현실적, 제도적 준비를 서둘러야 한다. 그런데 라이프스타일의학 전문가를 육성하는 일은 그런 문제들을 해결하고 나서 차후에 다룰 문제가 아니다. 전문가 육성이 늦어지는 만큼 연구와 적용도 늦어지겠지만 그보다 더 우려되는 것이 있다. 라이프스타일의학의 일부 기술만이 상업적으로 범람하고, 그릇된 건강 정보가 무분별하게 유통되고 있는 지금의 현상이 더욱 심화된다는 점이다.

라이프스타일의학 전문가를 교육한다는 것이 곧 의과대학 교육 안에 라이프스타일의학을 포함시킨다는 것을 의미하는 것은 아니다. 어떤 수준의 교육을 할 것인가에 따라 다르겠지만, 이것은 공론화하는 데만도 상당한 시간이 소요될 수 있다. 그리고 이것은 라이프스타일의학이 반드시 넘어야만 하는 벽도 아니다. 국민들이 자신에게 필요한 건강소양을 공부하기 위해 의과 대학에 가야하는 것이 아니라는 점을 기억하면, 라이프스타일의학 전문가 육성이 곧 의과대학의 교육 개편만을 의미하는 것이 아니라는 것도 쉽게 이해할 수 있다.

외국에서는 서양의학(생의학)을 전공하고 임상 활동을 하는 의료인이 한의학[4]이나 심신의학 같은 보완대체의학을 별도로 공부하여 임상에서 활용하는 일이 드물지 않다. 라이프스타일의학도 어디서든 우수한 교육 과정이 개설되면 의료인 중에서든 비의료인 건강 전문가 중에서든 전문가를 육성하는 것은 전혀 어려운 문제가 아니다. 이미 국내외에서 운영되는 다양한 교육 프로그램들이 있고, 대개 의료인과 비의료인 모두에게 과정이 열려 있다. 다만 그 내용이 라이프스타일의학의 근본적인 목표, 철학, 원리, 방법론 모두를 충족하는 것인지, 단지 라이프스타일의학을 표방하는 영리적 목적의 프로그램인지에 대해서는 판단이 필요하다.

설령 의과대학 교육이 개편되더라도 문제의 일부만 해소되는 것일 수 있다. 폴락(Polak) 등의 지적처럼, 전문가들이 팀 기반 활동을 하기 위해서는 앞으로 의료인이 될 사람들 외에도, 현재와 미래의 건강관리 전문가들이 라이프스타일의학을 공부할 수 있는 기회가 제공되어야 하기 때문이다(Polak 등, 2015). 외국의 사례를 보면 스탠포드대학교, 하버드 보건대학원(Harvard Extension School) 등에 개설된 라이프스타일의학 과정이 캠퍼스 전체에 개방되어 있기도 하다.

의과대학 외에도 건강보건 관련 전공, 심신의학이나 보완대체의학 관련 전공이 설치된 대학들이 교과목 안에 라이프스타일의학과 관련된 내용을 상당 부분을 다루고 있으므로, 이를 보다 충실하게 재구성하면 라이프스타일의학 전문가 과정이 마련될 수도 있다. 실제로 국내에는 통합의학, 심신의학 관련 학과가 설치된 대학원들에 '라이프스타일의학'이라는 과목이 이미 개설되어 있고, 방법론뿐 아니라 철학과 과학적 원리를 다루는 과목들도 함께 제공되고 있다. 외국의 경우를 보면 정규 교육기관 안에 개설된 과정에서든 외부에 개설된 과정에서든, 라이프스타일의학이라는 이름으로 운영되는 과정이 음식, 운동, 스트레스 관리 등 몇몇 중재 영역에 대한 이론과 기법을 조합하는 정도에 그치는 경우가 적지 않다. 결과적으로 만성질환의 근위 원인조차 충실히 설명하지 못할 뿐 아니라, 라이프스타일의학의 근본 목표와 의과학적 원리는 거의 설명하지 않고 있다. 이는 향후 라이프스타일의학 전문가 과정을 개발할 때 주의해야 점이다. 철학과 과학이 없는 방법론들은 지금도 넘쳐나고 있다.

---

[4] 우리나라에서는 서양의학(생의학)과 한의학이 모두 정규 의학이지만, 서구에서는 생의학만이 정규 의학이고 한의학은 보완대체의학이다.

전문가 육성을 위해 교육 과정을 개설하는 문제와 함께 고려되어야 하는 것이 교재 개발이다. 라이프스타일의학의 교재는 다른 의학 서적과는 다른 특성을 가지고 있다는 것을 집필자들은 염두에 두어야 한다. 라이프스타일의학의 지식과 기술이 전달되어야 할 최종 목적지는 전문가가 아니라 참여자다. 따라서 라이프스타일의학 교재는 기존의 의학 서적들처럼 전문용어로 쓰이지 않고 일반인의 언어로 쓰여야 한다. 그렇지 않으면 전문용어를 참여자의 언어로 번역해서 이해시켜야 하는 만만치 않은 과제가 오롯이 현장의 활동가들에게 전가된다. 이 과정에서 피할 수 없는 혼란이 야기될 것임은 물론이고 시간과 노력의 낭비 또한 자명하다.

라이프스타일의학의 진정한 실천가는 참여자다. 라이프스타일의학의 지식과 기술은 참여자의 것이 되었을 때만 의미가 있는 것이다. 이들을 지적으로나 기술적으로나 유능하게 변화시키지 못한다면 라이프스타일의학이라는 것은 허구에 불과한 것이다.

2 돌아온 미래 의학

1 미래 의학의 소환

> "이미 있던 것이 후에 다시 있겠고 이미 한 일을 후에 다시 할지라.
> 해 아래에는 새 것이 없나니, 무엇을 가리켜 이르기를
> 보라 이것이 새 것이라 할 것이 있으랴.
> 우리가 있기 오래 전 세대들에도 이미 있었느니라."
> - 「전도서」 1:9~10 -

여전히 많은 사람들이 질병에는 특정 원인이 있고 그 원인을 제거하는 치료법이 있을 것이라고 생각한다. 20세기 후반부터 그 특정 원인을 찾으려는 관심은 유전자에 쏠렸다. 리처드 르원틴(Richard Lewontin)은 이를 '이데올로기로서의 생물학'이라고 비판했다(Lewontin, 1993). 인간게놈프로젝트가 완료되고 20년이 지나는 동안, 프로젝트의 성과로 만성질환의 원인이 규명되었다거나 새로운 치료법이 개발되었다는 소식은 없다. 인간게놈프로젝트가 진행되는 동안 생물학의 코페르니쿠스적 변혁으로 등장한 후성유전학은, 프로젝트가 시작될 당시 사람들의 마

음속에 심어졌던 희망의 씨앗들이 본래부터 발아할 수 없는 것이었음을 확인시켜 주었다. 르윈틴이 옳았던 것이다. 르윈틴은 질병이란 사회 속에서 발생하고 사회적으로 정의되는 것이며, 만성질환은 특정 원인에 의해 발생하는 것이 아니라 유전자와 환경 사이에서 벌어지는 대단히 복잡다단한 상호작용의 결과로 나타나는 것이므로, 질병 자체를 통제하려고 하기보다 올바른 식이, 운동, 금연 등의 라이프스타일로 예방에 힘을 써야 한다고 지적했다.

미국 의학계가 존경하는 의사 로버트 멘델슨(Robert Mendelsohn)도 질병은 의료로 해결할 수 없는 부분이 많고 건강을 지키기 위해서는 가족이 중심이 되어 적극적으로 건강과 의학에 관한 지식을 터득하고 서로 보살피며 정서적 안정을 얻고 음식과 운동 등 일상생활 방면에서 건전한 습관을 길러야 한다고 했다(Mendelsohn, 1979). 멘델슨의 당부가 진부한 이야기로 느껴진다면 우리가 어려서부터 너무 많이 들어온 이야기이기 때문일 것이다. 그리고 그런 부모님의 잔소리는 수천 년 동안 세대를 이어 전해져 온 것이다. 수천 년 동안 이어져 왔다는 것은 수천 년 동안 검증된 사실이라는 의미다.

이처럼 수천 년을 이어온 전일주의적 라이프스타일의학의 전통이 서양의학에서는 지난 300년간 폐지되었고, 생의학이라는 유물론적이고 기계주의적인 새로운 의학이 수립되었다. 전일주의는 몸과 마음, 생명과 우주가 별개가 아니라 연결된 하나라는 철학이다. 전일주의적 의학에서는 인간의 몸과 마음은 합일되어 있고 인간은 대우주와 연결된 소우주라고 본다.

배양접시 안에 고립된 세포에서 관찰되는 현상을 사람의 질병과 건강을 이해하기 위한 지식으로 전환하는 것이 과연 합리적인 과학일까? 설령 인간의 세포라고 할지라도 배양접시 위의 세포에는 인간의 마음이 없으며 인간이 경험하는 삶도 없다. 인간은 몸뿐 아니라 마음을 가지고, 보이거나 보이지 않는 환경과 무수한 상호작용을 하면서 끝없이 자신을 새롭게 창조해 가는 열린 시스템이다. 배양접시의 배지가 오염되거나 영양분이 불충분하면 세포가 성장할 수 없는 것처럼, 인간은 자신이 속한 환경이 불건강하거나 그 환경과 상호작용하는 방식이 바르지 않으면 건강할 수 없다. 이 원리는 인간의 몸과 마음 모두에 동일하게 적용된다. 이것이 동서양의 모든 전통의학이 가지고 있는 기본적 사고관이며 질병과 건강을 이해하는 방식이었다.

라이프스타일의학은 현대에 재소환된 오래된 미래의 의학이다. 딘 오니시 역시 자신의 라이프스타일 프로그램은 새로운 것이 아니라 수천 년 동안 있었던 것이라고 말한다(Ornish, 2005). 동서양의 모든 의학은 인간을 전일적으로 돌보는 의학이었으며, 예방을 최고의 의술로 여기고, 질병을 예방·치료하는 데 있어서 라이프스타일을 가장 중요한 수단으로 삼았다. 이 의학들은 모두 양생의학이었다. 한마디로 라이프스타일의학이었던 것이다.

전통의학은 박물관에 있는 유물도, 도서관 서고에 보존된 고서도 아니다. 전통의학은 21세기 현재에도 전 세계 수많은 사람들을 돌보고 있는 현대 의학이다. WHO 사무총장을 지낸 마가렛 챈(Margaret Chan)은 비록 전통의학이 과소평가되고 있지만, 사람들의 건강과 웰빙을 향상시킬 수 있는 큰 잠재력을 가지고 있으며, 특히 만성질환 및 고령화와 관련된 전 세계적 문제를 해결하는 데 기여할 수 있다고 강조했다(Chan, 2014).

세계 3대 전통의학으로 불리는 한의학, 아유르베다, 우나니 의학은 중국과 인도를 중심으로 수많은 사람들이 이용하고 있는 의학이다. 서양의 전통의학을 대표하는 히포크라테스 의학의 경우에는 비록 임상에서의 명맥이 이어지지 않고 있지만, 그 철학과 윤리는 여전히 서양의학의 토대를 이루고 있다. 그리고 이들 모두 강력한 과학적 근거 위에서 라이프스타일의학이라는 새 이름으로 재발견되고 있다.

동서양의 전통의학들은 라이프스타일의학 연구자들에게 거대한 지혜의 도서관이자 방법론의 보고(寶庫)다. 이들로부터 현대 라이프스타일의학이 반드시 새겨야 하는 것들을 몇 가지만 추려본다.

② 히포크라테스 의학: 전일주의 양생의학

(1) 자연의학과 자연치유력

> "인간은 태어나면서 몸 안에 100명의 명의를 지니고 있다."
> - 히포크라테스 -

"음식이 네 약이 되고 약이 네 음식이 되게 하라"라는 히포크라테스의 문장은 해마다 한 번 이상 의학 저널에 인용되고 있다. 그러나 이 인용문은 히포크라테스의 저서 어디에서도 찾을 수 없다(Cardenas, 2013). 물론 히포크라테스는 의사가 사용할 수 있는 주요 치료 도구 중 하나로 영양을 강조했다. 게다가 'diet'라는 단어는 영어로 번역된 히포크라테스의 선서에도 명시되어 있었고, 이 단어가 들어 있는 문장의 최초 영문 번역은 "나는 내가 가진 최선의 능력과 판단에 따라 식이요법과 라이프스타일 수단을 적용하여 병자를 도울 것이다"였다.

그런데 그리스어로 식이요법과 라이프스타일 수단은 'διαιτήμασί'라는 하나의 단어였다. 즉, 식이요법을 포함해서 전반적인 섭생과 라이프스타일을 가리키는 것이었다. 운동도 그중 매우 중요한 부분이었다. 이것은 "각 사람에게 과하지도 부족하지도 않은 바른 양의 식사와 운동을 처방할 수 있다면 가장 안전한 건강법을 찾은 것이다"라는 히포크라테스의 문장에서도 확인할 수 있다. 영어 'diet'의 어원 역시 '삶을 살다(to live one's life)'라는 의미를 가진 그리스어 어근과 '삶의 방식(manner of living)'을 뜻하는 라틴어 어근에서 유래한 것으로 추정된다.

히포크라테스는 음식을 포함한 전반적인 삶의 방식을 중요시했고, 그것을 돌보는 것이 의사의 책임이며 의사가 사용할 수 있는 치료 도구라고 인식했던 것이다. 따라서 영문으로 번역된 히포크라테스의 문장에서 'diet'는 섭생(攝生: 병에 걸리지 아니하도록 건강 관리를 잘하여 오래 살기를 꾀하는 것) 또는 양생에 가까운 개념이다. 그리고 그가 말하는 섭생과 양생에는 영양가 높은 음식을 먹고 많이 운동을 하는 것 이상의 철학적인 의미가 들어 있다.

히포크라테스의 의학은 자연주의 의학, 인간주의 의학으로 일컬어진다. 그의 철학은 자연 철학의 합리성을 바탕으로 하며, 질병이 아닌 환자를 중심으로 하는 의학이다. 그러한 인간 존중, 생명 존중 사상은 현재까지도 의료 윤리의 토대가 되고 있다. 이와 같은 히포크라테스의 철학이 현대 의학과 접목되었을 때 현대 의학은 의학 본연의 모습을 찾을 수 있는 것이다(이한규, 2008).

데카르트로부터 시작된 합리주의는 자연을 두 종류의 실재, 즉 정신과 물질, 주체와 객체, 관찰자와 관찰 대상으로 나누었고, 이러한 이분법적 관점이 세상을 바라보는 서구인의 보편적인 사고관이 되었다. 그러나 히포크라테스는 인간을 마음과 몸을 함께 지닌 존재로 보았고, 생명은 자연의 질서 속에서 역동하는 우주의 일부로 보았다.

히포크라테스는 엠페도클레스(Empedocles)의 4원소(물, 공기, 불, 흙) 이론을 발전시켜 4체액설(four humoral theory)의 기초를 세웠다. 4체액은 흑담즙, 황담즙, 혈액, 점액을 말한다. 4체액의 균형이 사람의 건강 상태를 결정한다고 본 것이 체액설이다. 완벽한 건강은 체액들이 완전한 균형을 이루었을 때 가능한 것이다. 체액의 균형이 깨지면 부조화가 발생하는데, 이때 인체에서는 본능적으로 균형을 회복하려는 작용이 일어난다. 여기서 알 수 있는 것은 히포크라테스 의학이 인체에 내재된 치유의 능력을 인정하고, 만물은 스스로 더 나은 상태가 되려는 자연적 경향이 있다고 믿었다는 것이다.

우주가 스스로의 긴장을 해소하고 질서와 조화를 회복하는 능력을 가진 것처럼, 인간도 질병과 스트레스를 극복하고 건강과 안정을 회복하는 치유 능력을 가지고 있다. 이러한 내적 치유력을 한의학에서는 정기(正氣)로, 현대 의학에서는 면역으로 설명한다. 한의학에서 정기를 보존하기 위해 자연의 질서에 순응하고 환경과 조화로운 삶을 살 것을 강조하는 것처럼, 히포크라테스 의학에서도 건강은 사람을 포함한 우주 만물을 이루는 요소들의 균형, 자연과의 조화된 삶을 통해 유지되는 것으로 보았다. 히포크라테스가 처방한 식이나 운동요법 모두 그러한 질서와 조화를 회복하기 위한 것이었다.

(2) 심신의학으로서의 히포크라테스 의학

> "의식적인 생각은 몸 전체에 걸쳐 영향을 끼칠 수 있는 방법을 가지고 있다."
> - 히포크라테스 -

히포크라테스 의학은 심신의학이다. 그는 마음에 영향을 미치는 것은 무엇이든 신체에 영향을 미치며, 신체도 마음에 영향을 미친다고 했다. 동서양의 모든 전통의학은 몸과 마음을 분리된 것으로 보지 않는 전일주의적 심신의학이었으므로, 성격과 질병의 관계는 동양의학은 물론이고 고대 서양의학에서도 병인론의 중요한 부분을 이루고 있었다.

체액설은 신체적 건강을 설명하는 데만 적용되던 것이 아니다. 갈레노스는 히포크라테스의 체액설을 한 단계 더 발전시켜 인간의 성격과 체질을 4가지로 구분했다. 혈액, 점액, 황담즙, 흑담즙은 각각 쾌활한 기질, 냉담한 기질, 성마른 기질, 우울한 기질로 나타난다. 우리가 자주 사용하는 '다혈질', '멜랑콜리(melancholia)'라는 표현은 체액설이 기원인데, 다혈질은 혈액이 많아 흥분하기 쉬운 성격을, 멜랑콜리는 흑담즙이 많이 우울한 상태를 말한다.[5]

동양에서는 전일주의적 심신의학의 전통이 단절되지 않고 지금까지 이어지고 있는 반면, 서양에서는 17세기 데카르트에 이르러 정신과 육체가 구분되면서 의학은 자연과학의 영역으로 자리를 옮겼고, 심신이원론이 현대까지 모든 학문의 철학적 토대가 되었다.

히포크라테스 의학의 원리와 방법론이 모두 폐기된 현재까지도 유일하게 전해지고 있는 그

---

[5] 현대 서양의학에는 체질이라는 개념도 없고, 혈액형이 성격이나 생리적 특성을 좌우한다는 생각은 과학적 근거가 없는 것으로 여겨왔지만, 혈액형과 질병 간의 연관성을 찾으려는 연구들이 여러 나라에서 실제로 진행되었고 통계적으로 의미 있는 결과가 확인되기도 했다. 예를 들면 A형이나 B형이 O형에 비해 말라리아에 감염되었을 때 더 중증이 될 위험이 높다든가, 위궤양 환자 중에는 O형이 많고, 위암 환자 중에는 A형이 많다는 것 등이다. 스트레스 행동유형 이론과 일치하는 부분도 있다.

의 가르침은 '히포크라테스 선서'에 집약된, 의사와 환자의 윤리적 관계에 대한 것이다. 히포크라테스 선서는 의술을 행하는 데 있어서 도덕성, 정직성, 연민을 강조한다. 하지만 현대 의학(생의학)에서는 의료인이 환자에게 느끼는 인간적 연민은 냉철한 판단과 합리적 치료를 훼방하는 거추장스러운 것이고 윤리적 측면에서도 위험한 일이다.

생의학에서 의사가 다루어야 하는 것은 질병이지 환자가 아니다. 치료는 환자에게 이루어지는 것이 아니라 질병에 대해 이루어지는 것이다. 100~200년 전만 해도 의료 행위가 시행되는 장소는 환자가 살고 있는 곳이었지만 근대 이후 임상의학이 탄생하면서 병원으로 그 장소가 바뀌었다. 환자가 병원으로 옮겨지자 질병을 이해하는 데 있어서 환자의 삶의 맥락은 제거되고, 환자의 질병에 대한 경험은 하나의 증례로 환원되었다. 지난 세기에 일어난 현대 의학의 혁신과 만성질환의 만연이라는 역설적 현상의 원인이 여기에 있다. 만성질환은 대부분 환자의 삶에서 연유하는 문제이기 때문이다. 환자의 몸에서 떼어낸 조직과 첨단 영상 장비가 보여주는 사진들은 그러한 이야기를 전혀 담고 있지 않다.

2014년 우리나라의 한 성형외과에서 환자들에게서 떼어낸 턱뼈로 만든 탑을 로비에 설치했다가 사회적 물의를 일으킨 적이 있다. 훌륭한 의학 기술은 갖추었으나 인간적 소양을 갖추지 못한 의사를 일컫는 닥터로이드(doctoroid)라는 말도 있다. 그 의사는 단지 턱뼈와만 관계를 맺었을 뿐 그 턱뼈의 주인인 사람, 특히 그 사람의 인격이나 마음과는 조금도 관계를 맺지 못했다. 켄 윌버(Ken Wilber)는 의사가 환자에게 정서적으로 연결되지 못하는 것을 현대 의학이 가진 딜레마 중 하나로 지적하고 "더 의사가 될수록 덜 사람이 되어야 하는가"라는 질문을 던졌다(Wilber, 2005).

현대 의학이 추구하는 소위 '환자 중심 의학'에서 가장 먼저 회복해야 할 가치는 바로 환자다. 그 중에서도 환자의 마음이다. 라이프스타일의학에서는 이것이 더욱 중요하다. 질병이 생긴 몸이 아니라 환자의 마음과 환자의 삶을 열고 들어가지 않으면 아무것도 알 수도 없고 할 수도 없는 것이 라이프스타일의학이기 때문이다. 버나드 라운(Bernard Lown)이 지적하듯이, 어떤 환자도 자신에게서 질병만을 분리하여 다룸으로써 자신이 고장난 생물학적 부품의 조립체로 인식되는 것을 원치 않을 것이며, 환자들은 의사와 동반자 관계가 되어 서로 대등한 관계 속에서 서로 신뢰하길 원한다(Lown, 1996).

환자의 마음은 약물이나 수술을 이용하는 생의학적 치료에도 지대한 영향을 미치는 요인이다. 베네데티(Fabrizio Benedetti)는 의학적 치료는 어떤 것이든 두 가지 요소를 가지고 있다고 말했다(Benedetti, 2011). 하나는 치료 그 자체의 고유한 효과이고, 다른 하나는 치료를 받는다는 환자의 자각에 의해 일어나는 효과다. 치료 과정에서의 심리·사회적 자극은 환자의 뇌에서 수많은 신경전달물질의 작용을 활성화시킬 수 있고, 이들은 약물이 결합하는 것과 동일한 수용체에 결합하여 생리적 반응을 일으킨다. 환자의 인지와 정서 상태가 약물의 작용을 간섭하여 억제하거나 강화할 수 있는 것이다.[6] 환자에게 의학적 처치를 하면서 성공 확률을 이야기하는 것과 실패 확률을 이야기하는 것은 상반된 치료 결과를 초래하는 요인으로 작용할 수 있으며, 주사를 놓으면서 '좀 아플 것입니다'라고 말하는 것과 '살짝 따끔할 것입니다'라고 말하는 것은 환자로 하여금 전혀 다른 통증을 경험하게 할 수 있다.

히포크라테스는 어떤 환자들은 의사가 자신의 어려운 처지를 이해하고 안심시켜 주기만 해도 건강을 회복한다고 말했다. 몸은 단순한 생물학적 실체가 아니다. 몸은 그 몸이 담겨 있는 사회적, 문화적 맥락의 일부다. 그리고 여기에는 치료자와의 관계도 포함되어 있다. 히포크라테스 의학은 그러한 몸을 치유하는 의학이었다.

❸ 아유르베다: 비움과 정화의 생명과학

(1) 요가와 아유르베다

> "철학은 의학에서 끝난다."
> – 아리스토텔레스 –

고대 인도에서 시작된 수행 체계인 요가와 인도의 전통의학인 아유르베다는 인도인의 삶을 지지하는 두 다리라고 할 수 있다. 요가와 아유르베다는 모두 쌍키아(Samkhya)라는 철학에 기반하고 있다.

요가는 수천 년 동안 아유르베다를 보완하는 치료적 방법으로 널리 사용되어 왔다. 아유르베다의학연구소의 스콧 거슨(Scott Gerson)에 따르면, 요가의 원래 목적은 상당히 의학적인 것이었으며, 요가의 기원은 2500년~3500년 전 베다(Veda)시대의 고대 성직자이자 치유자였던 사람

---

6) '글상자❻ 플라세보'를 참고하라.

들로부터 시작된다(Gerson, 1999). 인도 정신문화의 정수가 담긴 고전인 『바가바드 기타(Bhagavad gītā)』에서는 '요가는 고통과의 동일시로부터 벗어나는 것'이라고 정의하고 있다. 요가 경전에는 질병의 정의, 원인 및 과정, 치료법을 체계적으로 설명하는 대목이 있는데, 이는 질병에 대한 아유르베다의 접근 방식과 상당한 유사성을 보인다. 아유르베다의 3대 의사 중 한 명인 차라카는 요가학파로부터 큰 영향을 받은 것으로 알려져 있다.

우리가 요가라는 단어에서 떠올리는 자세(asana) 중심의 요가는 요가의 한 지파인 하타요가 (hatha yoga)다. 현대의 하타요가는 생활체육의 한 형태로 이용되고 있지만 요가의 원래 목적은 그런 것이 아니다. 요가라는 단어의 어원은 '결합한다'는 의미의 산스크리트어 '유즈(yuj)'에서 찾을 수 있다. 모든 요가는 합일, 곧 심신의 합일 또는 신이나 우주와의 합일을 추구한다. 그런 연결이나 합일에 이르는 길은 다양한데, 어떤 수행 방법을 중점적으로 수련하는가에 따라 박티요가(bhakti yoga), 즈냐나요가(jñāna yoga), 라자요가(rāja yoga), 카르마요가(karma yoga), 만트라요가(mantra yoga), 탄트라요가(tantra yoga), 쿤달리니요가(kuṇḍalinī yoga), 하타요가 등 다양한 방식이 있다.

힌두교의 전신이라 할 수 있는 브라만교와 불교에서도 요가를 수련했으며, 그 후로 많은 유파를 형성하면서 발전하게 된다. 불교의 유식학파(唯識學派)를 유가행파(瑜伽行派, yogācāra)라고도 부르는데, 이것을 그대로 번역하면 '요가의 실천'이 된다. 몸과 마음을 잘 다스리고 이상적인 삶을 살고자 하는 모든 실천적 모색을 요가의 범위 안에 포함시킬 수 있는 것이다. 따라서 요가와 아유르베다의 궁극적인 목적지는 동일하다고 할 수 있고, 이 둘은 그곳을 향해 걸어갈 때 두 다리가 되는 것이다.

요가와 아유르베다는 방법론 면에서도 유사성을 가지고 있는데, 건강을 증진시키는 수단으로서 식이요법과 단식, 호흡법, 찜질, 이완 기술, 도덕적인 삶을 이용한다는 공통점이 있다. 통합의학, 보완대체의학의 아버지라 불리는 디팩 초프라(Deepak Chopra)는 아유르베다를 서양에 널리 알려 온 미국의 의사다.[7] 초프라가 개설한 '완전한 건강(Perfect Health)'이라는 교육 프로그램에서는 아유르베다를 '오리지널 라이프스타일의학(original lifestyle medicine)'으로 소개하고 있다. 이 프로그램은 요가와 아유르베다의 철학에서부터 원리, 방법론을 종합적으로 소개한다.

만성질환은 우리가 몸으로든 마음으로든 너무 많이 먹어서 쌓이는 것들 때문에 발생한다.

---

[7] 『타임』은 그를 지난 100년 간 가장 영향력 있는 인물 100명에, 『허핑턴포스트(The Huffington Post)』는 가장 영향력 있는 사상가 의학 부문 1위로 선정한 바 있다.

그리고 요가와 아유르베다 치유론의 핵심적 원리는 몸과 마음에 쌓여서 우리 본래의 청정하고 건강한 모습을 가리고 있는 것들을 제거하는 것이다. 몸과 마음을 비우고 정화하는 것은 요가와 아유르베다의 수많은 치료법들을 관통하는 기본 원리라 할 수 있다.

(2) 요가치료

요가찌킷사(yoga cikitsa)는 요가치료라는 뜻의 산스크리트어다. 이것은 파탄잘리(Patanjali)의 요가 전통과 아유르베다에 그 기원을 두고 있으며, 두 전통에서 비롯된 건강 개념을 바탕으로 질병과 관련된 증상을 조절하고 생명력을 증진하며 균형을 회복하기 위해 요가를 적용한다.

요가찌킷사 역시 신체적 조건, 정서 상태, 태도, 식이와 행동 패턴, 대인관계, 일하며 사는 환경이 모두 연결되어 있으며 건강 상태와도 긴밀한 관계를 맺고 있다는 인식을 바탕에 두고 있다. 요가찌킷사에 따르면 우리는 지속적인 변화의 틀 속에서 살아가고 있으며, 그 틀 안에서 조건화된 패턴(samskāra, 삼스카라)이 발달한다. 이 조건화의 패턴은 삶의 모든 차원에서 드러나고 지각, 생각, 태도, 행동 등 모든 영역에 영향을 미친다.

강물은 장애가 없다면 곧게 거침없이 흐른다. 이것이 강물이 존재하는 가장 자연스러운 방식이다. 하지만 어떤 장애물이 지속적으로 그 흐름을 막는다면 물길의 어딘가에 퇴적물이 쌓인다. 쌓인 퇴적물을 누군가 치우더라도 그 지속적인 방해 요인이 제거되지 않는다면 같은 자리에 똑같은 모양으로 다시 퇴적물이 쌓이게 된다. 약물이나 수술은 몸으로 드러나는 문제를 잠시 해소할 수 있을 뿐 문제를 해결하는 방법이 아니다. 즉, 문제를 야기한 동일한 패턴, 다시 말해서 우리의 존재 방식에 변용이 일어나지 않는 한 문제는 반복된다. 따라서 요가찌킷사에서는 본래 생명체가 가지고 있는 자연스러운 존재 방식을 방해하는 태도와 행동을 변화시키고자 한다.

흑연과 다이아몬드는 똑같이 탄소 원자로 이루어져 있지만 원자들이 연결되는 패턴이 다르기 때문에 전혀 다른 물질이 된다. 사람들도 똑같은 오감의 자극을 흡수하며 살고 있지만, 그 자극을 경험으로 구성하는 패턴은 각자 다르며, 그 중 어떤 것은 질병을 만들어내는 패턴이다. 이런 패턴을 변화시키기 위해 가장 먼저 해야 할 일은 자기의 내면으로 주의를 돌리는 것이다.

삼스카라는 우리가 매 순간을 경험하는 방식에 영향을 주는 몸과 마음의 기억이다.[8] 파탄잘

---

8) 삼스카라에 대해서는 '9장, 2, **5**, (1) 불교와 라이프스타일의학'에서 다시 설명한다.

리는 『요가경(Yoga Sutra)』에서 삼스카라를 변화시키는 방법을 조언하고 있다. 부정적인 습관으로부터 벗어나고자 한다면 의도적으로 그것과 반대로 행동을 하라는 것이다. 몸이든 마음이든 오래된 습관으로부터 초래된 고통에서 벗어나고자 한다면, 새로운 것을 직접 실천해야 한다. 질병의 고통에서 벗어나기 위해서는 질병을 초래한 행동과 반대되는 새로운 행동을 해야 한다.

요가는 포괄적인 자기계발 체계다. 자기계발의 궁극적 목적지는 진정한 전일적 건강, 전일적 치유와 다르지 않다. 이미 요가는 여러 라이프스타일 중재 프로그램에서 도입되어 있다. 신체활동의 일환으로 하타요가를 도입한 경우가 가장 많지만, 요가의 기본 철학과 전체적인 수행법을 라이프스타일의학의 이론적, 방법론적 틀로 채택하여 더 폭넓게 활용하는 프로그램도 있다. 요가에서는 인간의 본질인 순수의식, 즉 참자아는 다섯 가지 덮개에 싸여 가려져 있다고 보고, 이 층들을 정화하고 발달시켜서 참자아를 드러내는 것을 목적으로 한다.[9]

각각의 층을 정화하고 발달시키는 데 유효한 방법은 층마다 다르기 때문에 여러 종류의 요가 수련법들이 개발되어 온 것이다. 한 층씩 정화해 나가다 보면 가장 건강하고 순수한 참자아를 되찾게 된다. 딘 오니시는 이러한 요가적 맥락에서 자신의 라이프스타일의학 원리를 'undo(원상태로 돌리다)'라는 단어를 사용하여 설명한다(Ornish 등, 2019).

(3) 아유르베다

> "생명이란 우주가 인간의 모습을 띠고 자신에게 던져 보는 하나의 물음이다."
> - 마굴리스(Lynn Margulis) & 세이건(Dorian Sagan) -

세계에서 가장 오래된 의학 체계 중 하나인 아유르베다는 한의학, 우나니 의학과 함께 세계 3대 전통의학으로 불린다. 산스크리스트어로 '아유(ayu)'는 '생명(삶)', '베다(veda)'는 '지식(과학)'이라는 뜻을 가지고 있다. 따라서 아유르베다는 '생명의 지식', '생활의 과학'으로 번역할 수 있다.

아유르베다는 인간과 자연을 분리해서 보지 않고 인간을 우주 속의 또 다른 우주로 인식한

---

9) '글상자 ⑩ 판차코샤, 팔지요가와 라이프스타일의학'을 참고하라.

다. 이러한 전일적 관점에서는 어떤 존재의 행복과 불행이 그 존재만의 문제가 아니며, 그와 연결된 전체와의 관계 속에서 조망된다. 질병 역시 그 전체적 관계에서의 부조화와 불균형으로 인해 나타나는 것이므로 인간과 사회, 인간과 자연 사이의 조화와 균형을 회복하는 것이 질병 치료와 건강 증진의 기본 원리가 된다.

히포크라테스 의학이 그러하듯이 아유르베다에서도 건강은 단순히 질병으로부터 해방되는 것을 의미하는 것이 아니라 육체와 정신과 영혼의 조화로운 상태를 회복하는 것이다. 또한 아유르베다에서도 인간은 스스로 자신의 몸을 치유할 수 있는 능력을 갖고 있다고 본다. 히포크라테스 의학에 네 가지 체액이 있는 것처럼 아유르베다에는 세 가지 구나(guna)와 세 가지 도샤(dosha)가 있다. 아유르베다에서는 인간의 정신적 기질을 사트바(sattva), 라자스(rajas), 타마스(tamas)라는 세 가지 구나로, 생물학적 기질은 바타(vata), 피타(pitta), 카파(kapha)라는 세 가지 도샤로 분류한다. 세 도샤는 바람, 공기, 물, 불, 흙이라는 다섯 가지 요소들의 조합으로 만들어진다.

아유르베다는 세 도샤에 바탕을 둔 체질 개념을 가지고 있다. 세 도샤 중 하나가 각 사람 안에서 우세하고, 그것이 마음과 몸의 유형을 결정하는 기초가 된다. 세 도샤가 균형을 이룬 상태면 건강하고 활력이 넘치지만, 균형이 깨지면 질병에 대한 감수성이 높아지게 된다. 불건강한 생활방식, 억압된 감정이나 스트레스, 계절적 변화 등의 원인으로 세 도샤의 균형이 깨지게 되는데, 이 불균형은 아마(ama)라는 독소를 생성한다. 아유르베다에서는 감염병이나 유전병을 제외한 대부분의 질병이 인체에 축적된 독소 때문에 발병한다고 보고 있으므로, 이 독소를 배출시키는 것이 질병을 다루는 핵심 원리이자 치료법이다.

아유르베다 치료의 궁극적 목표는 도샤의 균형을 회복하고 정신과 육체와 영혼의 관계를 조화롭게 하는 것이다. 따라서 치료자는 환자가 어떤 병을 가지고 있는가보다 환자가 어떤 사람인가를 주시해야 한다. 그래야만 환자의 체질을 파악할 수 있고 환경과 균형을 회복할 수 있는 치료 계획을 수립할 수 있다.

아유르베다에서는 4단계의 치료가 이루어진다. 첫 단계는 쇼단(shodan)이라 불리는 청소와 독소의 제거 과정이다. 아유르베다는 판차카르마(pancha karma)라 불리는 고도의 정화·해독법이 있다. 호흡관과 소화관의 세척, 오일 마사지, 관장, 구토 등 다양한 정화법이 있는데, 이 중 여러 방법이 현대에도 디톡스(detox) 요법으로 널리 이용되고 있다. 두 번째 단계는 샤만(shaman)이라 하는 완화 또는 경감의 단계다. 이 단계에서는 도샤의 불균형을 회복시키고 질병으로 인한 손상으로부터 소생시킨다. 허브, 금식, 요가, 호흡법, 명상, 일광욕 등의 방법이 이용된다. 세 번째는 라사이아나(rasayana)라 하는 원기 회복의 단계다. 네 번째 사트바자야(satvajaya) 단계에서는 정신 위생과 영혼의 회복을 위해서 정신적 스트레스, 감정적 고통, 무의식적 불안을 제거하고 정신이 더 높은 기능을 할 수 있도록 한다. 소리 치료의 일종인 만트라요법, 명상, 보석이나 금속을 이용하는 에너지요법 등이 이용된다. 이처럼 아유르베다는 식이요법, 운동, 명상, 약초요법, 마사지, 호흡법 등을 통합적으로 이용하는 치료법이다.

앞에서도 언급했듯이, 현대의 질병은 거의 먹어서 쌓이는 독소의 문제라 해도 과언이 아니다. 나쁜 공기, 물, 음식을 먹는 것뿐 아니라 나쁜 마음을 먹는 것도 질병의 원인이 된다. 요가와 아유르베다의 특징을 한 마디로 요약하자면 '몸과 마음의 비움과 정화를 통한 완성'이라 할 수 있을 것이다.

(4) 비움의 기술

> "문명의 본질은 필요를 증식시키는 데 있는 것이 아니라,
> 그 필요를 의도적이며 자발적으로 포기하는 데 있다."
> - 간디(Gandhi) -

아유르베다의 치료는 독소와 노폐물을 제거하는 쇼단으로부터 시작한다. 독소나 노폐물은 몸에 쌓이는 것들만 말하는 것이 아니다. 입으로 먹는 것이 몸에 독과 노폐물을 쌓는 것처럼 마음으로 먹는 것은 마음에 독소와 노폐물을 쌓는다. 소유물이 많으면 집 안에 먼지가 많아지고 삶에도 독이 쌓인다. 몸과 마음도 마찬가지인 것이다. 몸과 마음에 쌓인 노폐물과 독소를 청소하는 것보다 더 중요한 것은 그런 것들이 들어와 쌓이지 않도록 몸과 마음을 지키는 것이다.

현대인은 무언가를 더 추가하는 방식으로 건강 문제를 해결하려고 노력한다. 심지어 비만인 사람은 비만에 좋다는 음식을 찾아 식단에 추가하려 하고, 운동을 하려면 운동기구를 구입하거나 피트니스 센터 멤버십을 가져야 한다고 생각한다. 하지만 지금 우리에게 필요한 것은 비움의 기술이다.

인간이 건강을 추구하는 것은 건강 자체가 삶의 목적이기 때문이 아니다. 아리스토텔레스는

인간이 성취할 수 있는 최고의 선을 유데모니아(eudaimonia)라고 했다. 이 말은 흔히 행복, 성취 등으로 번역된다. 달라이 라마 역시 행복과 성취감을 얻는 것이 모든 인간의 궁극적인 목표라 한다. 건강, 부귀, 영화를 비롯한 삶의 수많은 목표가 궁극적으로 추구하는 것은 바로 행복이다. 그런데 행복이란 과연 무엇일까?

아리스토텔레스는 행복이 무엇인지 알기 위해서는 그 사람에게 고유한 일과 기능이 무엇인지를 먼저 살펴보아야 한다고 했다. 그리고 자신에게 고유한 일, 어울리는 일을 탁월하게 수행할 때 가장 행복해진다고 했다. 그렇다면 자신이 누구인가를 발견하는 것이 행복의 첫 단계다. 자신이 누구인지를 발견하지 못한다면 삶의 모든 행위들은 표적 없이 공중에 날리는 화살처럼 무의미한 것이 되고 만다.

과학은 항상 '무엇(what)'이나 '어떻게(how)'라는 질문의 답을 찾는다. '왜(why)'나 '누구(who)'는 철학적 질문이지 과학적 질문이 아니다. 많은 라이프스타일의학자들이 여전히 무엇을 어떻게 먹고 마실지, 무슨 운동을 어떻게 할지에 대한 답을 찾는 데 집중하고 있다. 그러나 참여자 자신에게 그것이 왜 필요한지 설명되지 않는다면, 아무리 완벽하게 만들어진 처방전이라도 결국 버려지고 말 것이다. 삶의 궁극적 목표가 행복이라면 라이프스타일의학에서 제시하는 모든 방법들이 자신이 행복해지기 위해서 필요한 것으로 내면화되어야 한다. 그러기 위해서 먼저 회복해야 하는 것이 자기 자신인 것이다.

디팩 초프라는 우리나라에서 『완전한 건강』, 『완전한 행복』, 『완전한 삶』 등의 제목으로 번역된 책들을 썼다. 완전하다는 것은 무엇을 말하는 것일까? 상대방이 자신을 잘 대해 줄 때는 사랑하다가 소홀해지면 미워하게 되는 것은 완전한 사랑이 아니다. 배가 고플 때는 맛있고 배가 부른 다음에는 맛이 없어지는 음식도 완전히 맛있는 음식이 아니다. 완전한 것이란 조건이 달라져도 변하지 않는 것이다. 초프라는 영원히 불변하고, 시시각각 달라지는 여건에 흔들리지 않는 '완전한 행복'을 제안한다. 그것은 곧 진정한 자기, 즉 참자아를 회복하는 것이다.

우리에게 보이는 바다는 출렁이는 파도의 모습이다. 하지만 깊은 바닷속으로 들어가면 더없이 고요하고 평화롭다. 우리의 본래 모습도 그렇다. 세파(世波)가 아무리 거세다 해도 우리의 깊은 본질은 세파에 흔들리지 않는 완전한 평화의 상태다. 완전한 행복이란 그런 불변의 상태에 도달한 것을 말한다고 할 수 있다. 수행자들은 이것을 깨달음이라고 부른다. 깨달음은 인간과 자연과의 관계, 그리고 세계에 대한 인식이 새롭게 수립되는 것이다. 따라서 깨달음을 통한 행복은 잠시의 위안에 불과한 것이 아니라 개인의 몸과 마음, 세상과의 관계에 대한 근본적인 치유다.

세상에서 우리가 소유한 것은 커다란 풍선과 같다. 풍선을 안고 바닷속으로 들어갈 수 없는 것처럼 우리가 소유한 것들은 완전한 행복에 이르는 데 장애가 된다. 그래서 완전한 행복, 즉 깨달음에 도달하기 위해서는 집착을 버리고 소유를 줄이는 것이 필요하다. 생텍쥐페리(Saint-Exupéry)는 "완벽함이란 더 이상 보탤 것이 남아 있지 않을 때가 아니라, 더 이상 뺄 것이 없을 때 완성된다"라고 했다.

더 이상 치우고 닦을 것이 없을 때 완전히 청정한 상태가 된다는 것이 요가와 아유르베다 치유의 기본 원리다. 우리 몸 역시 상처든 종양이든 아무것도 생기지 않은 상태가 건강한 것이다. 삶을 치유하는 방식도 그와 같다. 무언가를 획득하고 소유한 상태가 행복이라면 인간은 영원히 행복해질 수 없다. 원래 소유라는 것은 상대적인 것이고, 오늘 구입한 최신 스마트폰이 주는 만족감은 더 업그레이드된 모델이 출시되는 순간 사라진다. 그렇게 우리의 마음을 빼앗는 부질없는 것들을 소유하지 않는 것, 그것을 소유하고자 하는 마음을 소유하지 않는 것이 행복에 이르는 조건인 것이다.

버리고 남는 것이 원래 있어야 하는 것이다. '우물을 만든다'고 말하지만, 실제로는 뭔가를 만드는 것이 아니라 뭔가를 치우는 것이다. 흙을 치우면 우물이라는 공간이 생긴다. 원래부터 있던 것인데, 그것을 채우고 있던 것들을 치우니 우물이 드러나는 것이다. 법정 스님은 아무것도 갖지 않을 때 비로소 온 세상을 갖게 된다는 것이 무소유의 진정한 의미이며, 소유욕을 버려야 진정한 평화와 자유를 얻을 수 있다고 했다.

사람이 살아가는 데는 150가지 물건만 있으면 충분하다고 한다. 요즘 미니멀리즘이라는 말이 유행하고 있다. 미니멀리즘은 개인의 생활 공간뿐 아니라 그 사람의 몸과 마음, 나아가 그가 살고 있는 지구와 그 지구의 미래까지도 건강해지는 삶의 양식이다.

4 한의학: 이도요병의 예방의학

(1) 이도요병의 원리

> "불교로써 마음을 다스리고 도교로써 몸을 다스리며 유교로써 세상을 다스리니,
> 삼교 가운데 어느 한 쪽도 폐할 수 없다."
> -『삼교평심론(三敎平心論)』-

고대로부터 동양에서는 하의(下醫), 중의(中醫), 상의(上醫)로 의사(의술)을 구분했다. 하의는 이미 발생한 병을 고치는 것, 중의는 발생하려는 병을 고치는 것, 상의는 아직 발생하지 않은 병을 고치는 것이다. 즉, 최고의 의술은 발생하지 않은 병을 고치는 것이었다. 서양의학은 질병의 진단과 치료에 중점을 두고 있고, 진단 전 단계에 개입하여 예방하거나 건강을 증진시키는 데는 취약하다. 현대 의학의 진단 기술이 발달하면서 전보다 빨리 질병을 찾아내고 더 이른 시기에 치료를 시작할 수 있게 되었지만, 아무리 일찍 치료를 시작한다고 해도 치료의 최적 시기는 이미 지난 것이다. 조기진단이라는 것도 결국은 어떤 문제가 몸으로 나타난 후에야 이루어지는 것이기 때문이다. 이러한 서양의학의 취약성과 비교할 때, 미병(未病) 상태에 대한 세심한 관찰과 자기돌봄의 양생술을 제공하는 동양의 의학들은 그 기본 철학뿐 아니라 실천적 가치 면에서도 다시 조명될 필요가 있다.

한의학의 최고 고전인 『황제내경(黃帝內經)』에서는 생장수장(生長收藏)의 원리에 따라 자연의 기운에 조화를 맞추고 심신의 조화를 이루며 절제된 생활을 함으로써 심신의 진기를 보존하고 사풍(邪風)을 피할 수 있다고 양생의 이치를 설명한다.[10]

『동의보감』은 이러한 양생의학의 특성을 뚜렷하게 보여주고 있는 의서인데, 『동의보감』의 편찬 동기 중 하나는 양생을 강조하기 위한 것이었다. 『동의보감』 서문에는 "사람의 질병은 다 양생을 잘못한 데서 생기므로 수양을 우선하고 약물을 그다음으로 할 것이다"라고 적고 있다.

『동의보감』은 도교(道敎)에 기반한 양생의 기술과 의학이 통합된 저작으로, 양생의 방식은 '도(道)'로 설명된다. 도로써 병을 치료한다는 것이 이도요병(以道療病)이며, 이는 곧 양생을 의미하는 것이다. 『동의보감』에서도 질병의 치료에 앞서 예방을 중시하여, 병이 발생하기 전에 미리 예방하는 것을 최상의 방책으로 보았다. 이러한 예방의학적 특성 또한 도교의 영향을 받

---

10) 『황제내경(黃帝內經)』 중 「소문(素問)」의 '상고천진론(上古天眞論)'에서 황제는 기백에게 다음과 같이 묻는다. "태곳적 사람들은 나이를 먹어 백세가 지나도 그 동작이 쇠퇴하지 않는데, 지금 백성들은 50세면 벌써 동작이 쇠퇴하게 되는데 어찌 된 까닭인가?" 황제의 질문에 기백이 대답한다. "태곳적 사람들 중 양생의 이치를 터득한 사람은 천문역수를 알아 춘하추동 자연의 기운에 조화를 맞추고, 음식물 섭취에 절도가 있었으며, 일상생활에도 함부로 심신을 과로케 하는 일이 없었으므로 육체와 정신이 함께 조화가 이루어져 백 년의 수명을 다할 수 있었습니다. 지금 사람들은 … (중략) … 심신의 진기를 보존하려 하지 않고, 내키는 대로 행동하여 욕망을 충족시키며, 장수의 약을 모르고, 생활 태도가 무절제하기 때문에 50세만 되면 벌써 노화 현상을 나타내게 됩니다. … (중략) … 인간의 생명력을 소실케 하며, 신체의 원활한 작용을 해치는 갖가지 질병의 근원이 되는 사풍(邪風)이라는 것은 피할 수 없는 것이 아닙니다. 그 사풍이 불어올 때를 역법에 의해 정확히 알아서 스스로 피하도록 하면 되는 것입니다. 무릇 마음을 안정하여 과분한 욕망을 일으키지 않는다면 생명의 원천인 진기가 체내를 고루 순환하여 신체를 바르게 운영할 수 있습니다. … (중략) … 지나친 욕심을 일으키지 않고, 마음의 여유를 가져서 욕망을 적게 하며, 마음을 편안하게 하여 사물에 동요되지 말고 … (중략) … 육체노동을 하더라도 무리하지 않으면 영기, 위기가 다 함께 순조로이 체내를 운행할 수 있는 것입니다. … (중략) … 백세를 넘어도 노쇠하지 않은 것은 사람으로서 지켜야 할 바를 다 할 수 있었고 육체도 그에 따라 편안했기 때문입니다."

은 것이다. 『동의보감』「집례(集例)」에서는 "도가(道家)에서는 청정(淸淨)과 수양을 근본으로 삼지만 의가(醫家)에서는 약물과 침과 뜸으로 치료하므로, 도가는 그 정수를 얻은 것이고 의가는 그 대략만을 얻은 것이다"라고 하여, 도교적 양생이 의학적 치료보다 더 중요한 것임을 강조하고 있다.

동서양을 막론하고 양생이라는 개념은 인간의 몸, 마음, 환경이 하나로 조화를 이루어야 한다는 전일적 관점에서 설명되는데, 『장자(莊子)』의 「양생주(養生主)」에서도 양생의 요체는 감관의 작용을 정지하고 순수한 정신 활동에 자신을 맡기고 천지자연의 도리를 따르는 것이라 설명하고 있다.

『동의보감』은 불교의 영향도 강하게 받았는데, 도교의 정·기·신(精·氣·神) 3요(要)와 불교의 지·수·화·풍(地·水·火·風) 4대(大)로 우주의 질서와 인간의 건강을 설명하고 있다.

(2) 미병선방의 기술

> "아픈 사람을 어떻게 치료하는가를 연구하는 것만큼,
> 안 아픈 사람은 왜 안 아픈지를 연구하는 것이 중요하다."
> - 클로드 베르나르(Claude Bernard) -

미병선방(未病先防)이란 질병을 미리 방어한다는 뜻이다. 미병은 한의학의 예방의학적 특성을 잘 보여주는 개념이다. 미병은 현대 의학에서 질병으로 진단되지는 않지만 피로, 통증, 수면장애, 소화불량, 불안감, 우울감 등이 일상생활에 불편을 초래하고 있는 상태를 말한다. 2013년에 우리나라 전국 성인을 대상으로 이루어졌던 조사에 의하면, 질병이 없음에도 불구하고 이상 증상을 호소하는 경우가 47%나 되었다(KIOM, 2013). 미병 증상을 느꼈을 때 의료기관을 방문하는 사람이 23.1%에 불과한 것도 병을 키우는 원인이지만, 의료기관을 방문한다 해도 불편한 증상을 완화시키는 약물을 처방하는 것 외에는 별다른 치료법이 없으므로 역시 병의 원인을 방치하게 되고 병으로 진행되는 것을 막지 못한다.

미병을 다스리는 것을 치미병(治未病)이라 한다. 『황제내경』에서 설명하는 치미병의 기본 원리는 정기(正氣)라 불리는 방어 능력 또는 내재된 자연치유력을 길러 질병이 발생하지 않도록 하는 것이다. 그 방법이 바로 양생인 것이다. 『황제내경』의 상당히 많은 부분이 양생법과 정기

를 보호하는 방법을 설명하고 있다.

치미병의 '치(治)'는 질병을 치료한다는 뜻으로 쓰이지만 광의로는 예방, 섭생, 보건, 조리(調理, 질병 후 회복되도록 돌봄), 강복(康復, 건강과 행복)의 의미까지 포함하는 것이다. '병(病)'이라는 것도 질병의 증상은 물론 통증, 피로, 무기력, 정신적 혼란 등을 모두 아우르는 개념이다. 따라서 치미병을 병이 들기 전에 치료하는 것이라고 해석하는 것은 좁은 해석이고, 넓게는 질병이 없는 상태(건강기), 증상은 있지만 질병은 나타나지 않는 상태(질병 초기), 질병과 그 증상이 분명히 드러나고 악화 중인 상태(전변기), 상태가 호전되어 가는 상태(회복기) 등 전체 과정이 치미병의 영역이라 할 수 있다(민진하 등, 2010). 그러므로 한의학의 치미병은 서양의학의 1차 예방, 2차 예방, 3차 예방을 모두 포함하는 것이다.[11] 1차 예방, 2차 예방, 3차 예방은 치미병 사상에서 말하는 건강기, 질병 초기와 전변기, 회복기에 해당한다.

현대 의학의 진단 기술로는 미병 상태에서 뚜렷한 병리적 변화를 발견할 수 없지만 한의학은 미병 상태를 찾아내는 방법을 가지고 있다. 어떻게 미병 상태를 알아낼 수 있을까? 4원소설에서 유래한 히포크라테스 의학의 체액설, 5요소설에서 유래한 아유르베다의 도샤론, 한의학의 음양오행론 모두, 우주를 구성하는 요소와 이 요소들이 운행하는 원리를 인체의 생리학에 도입한 것이다. 이러한 이론을 중심으로 구성된 감응 체계는 환자의 숨겨진 상태에 대한 단서를 제공하게 된다. 또한 질병은 내적으로 이 요소들 간의 불균형의 결과이며 사람과 환경의 부조화된 상호작용이 그 원인 중 하나이므로, 치료의 목적 또한 드러난 증상을 없애는 것이 아니라 내적으로나 외적으로 조화와 균형을 회복하는 것이 된다. 그러한 치료는 증상이 아직 없다고 해서 보류되는 것이 아니었다.

한의학에서 건강의 기본 원리는 '천인상응(天人相應)'과 '음평양비 정신내치(陰平陽祕 精神乃治)'로 요약된다. 천인상응은 하늘과 사람이 상응한다는 뜻으로, 자연과 사람의 신체가 깊은 연관이 있음을 가리키는 것이며, 음평양비 정신내치는 음과 양이 조화를 이루면 몸과 마음이 건강하다는 뜻이다. 따라서 질병을 다스리는 방법도 궁극적으로 우주나 자연과 하나가 되는 행위와 별개일 수 없다. 자연의 질서에 순응할 때 몸과 더불어 마음도 건강할 수 있는 것이다. 치미병을 위한 양생술의 기본이 되는 것도 자연의 질서와 조화되는 삶이다.

한의학의 치미병 사상은 건강과 질병의 연속선상에 있는 모든 과정에 적용할 수 있는 일관된 예방 사상을 가지고 있다. 또한 한의학에는 질병의 원인이 불건강한 라이프스타일이라는 것

---

11) '글상자❶ 예방의 단계'를 참고하라.

과 건강한 라이프스타일은 곧 자기돌봄을 기초로 한다는 라이프스타일의학의 원리가 그대로 담겨 있다.

전통의학의 치료술이 생의학의 치료술보다 더 우수하다거나 안전하다고 할 수는 없다. 사실상 두 치료법은 질병을 정의하는 방식과 치료의 목표가 다르기 때문에 치료에서 나타난 특정 생리 지표를 가지고 우열을 비교하는 것도 합당하지 않다. 우리가 지금 주목해야 하는 것은 전통의학의 일부 치료술이나 특정 약재가 아니라 그 안에 들어있는 철학, 그리고 건강과 질병이라는 문제에 접근하는 방식이다.

5 불교의학: 심신의학과 커뮤니티 케어의 전범

(1) 불교와 라이프스타일의학

> "질병(condition)은 질병의 조건들(conditions)의
> 조건화(conditioning)에 의해 발생한다."

치유라는 단어가 현대 사회와 문화의 화두로 등장하면서, 불교 수행법들의 가치가 재발견되고 심신의학, 통합의학이라는 이름으로 의료계에서도 널리 활용되고 있다. 불교의 수행법뿐 아니라 불교의 교리 역시 현대 과학에서 그 과학적 타당성이 확인되고 있다. 양자론(quantum theory)은 '색즉시공 공즉시색(色卽示空 空卽示色)'과 '연기(緣起)'에 관한 물리학이라 해도 과언이 아니다. 실제로 양자물리학의 초창기부터 많은 물리학자들이 불교의 교리로부터 영감을 얻었다는 것은 주지의 사실이다.

생명과학 분야에도 불교의 가르침이 접목되고 있다. 어떤 학자들은 연기와 공(空)의 관점만이 현대 생명과학이 직면한 문제들을 해결할 수 있다고 말한다(유선경 등, 2020). 통합생리학이라 불리는 정신신경면역학의 연구 결과들을 종합하면, 자아는 마음의 역동적인 힘들에 의해 만들어지는 유동적 구조물이고, 물질적 세계는 정신적 사건들과 함께 발생하며 분리될 수 없는 인과적 상호 관계를 맺고 있으며, 자아를 형성하고 지속시키려는 작용이 축적되어 건강과 질병이라는 결과로 나타난다는 것으로 요약할 수 있는데, 이는 오온(五蘊), 공(空), 십이처(十二處), 연기, 업(業) 과 같은 불교의 주요 개념들과 상통하는 것이다(윤희조 등, 2016).

모든 것은 조건에 의존해서(緣) 생겨난다(起)는 연기법은 불교의 가장 중요한 개념이다. 모

든 사물이 상호의존적이므로 어떤 것도 다른 것들과의 관계를 떠나서 독립적으로 존재할 수 없고, 반드시 다른 사물들과의 관계를 통해서만 그 의미를 갖는다. 모든 사물은 조건들의 연합일 뿐 그 스스로가 자성(自性)을 가진 것이 아니므로 공(空)한 것이다. 따라서 연기는 곧 공에 관한 설명이다.

질병 또한 자성이 없다. 우리의 건강 상태(condition)는 라이프스타일이라는 조건들(conditions)의 연합이라는 것이 라이프스타일의학에서 말하는 것이기도 하다.[12] 그런데 'condition'에는 더욱 중요한 의미가 있다. 이것은 계속 변하고 있는 조건들을 연합시켜서 늘 같은 결과를 만들어내는 형성력, 곧 조건화(conditioning)와 관련된 것이다.

삶은 그때그때 주어진 조건에 의해 연기하는 현상이다. 지금 우리 몸을 이루고 있는 세포는 1분 전에 몸을 이루고 있던 세포들과 다르다. 우리 몸은 초당 380만 개의 세포를 교체하고 있으며, 매일 3,300억 개의 세포가 태어나고 죽는다. 10년 전 내 몸을 이루었던 물질적 재료들은 지금 모두 교체되고 없다. 내 마음도 어제의 마음이 아니다. 그 사이에 새로 생겨난 지식도 있고 수정된 신념도 있고 사라지거나 편집된 기억도 있다. 이처럼 '나'를 형성하는 요소들이 계속 변화하고 있음에도 불구하고, 우리는 고정된 '나'가 있다고 느끼고, 나의 질병 또한 계속되고 있는 것처럼 느낀다. 그것은 변하는 조건들을 유사한 방식으로 엮어서 동일한 패턴으로 빚어내는 모종의 힘이 있기 때문이다. 이 형성력이 앞에서도 언급한 삼스카라(saṃskāra)다.

삼스카라에 해당하는 한문은 불교의 삼법인(三法印) 중 '제행무상(諸行無常)'의 '행' 또는 '색수상행식(色受想行識)' 오온에서의 '행'이다. 현대 심리학과 행동과학에서는 이것을 조건화로 설명한다. 실제로 'condition'이라는 단어의 사전적 정의에는 '(특정 조건에 반응을 보이거나 익숙해지도록) 길들이다'라는 뜻도 있다.[13]

질병이라는 상태도 음식, 수면, 환경 등의 조건에 대해 조건화된 반응(결과)이다. 즉, 우리의 condition(건강 상태)은 conditions(조건들)의 conditioning(조건화)에 의해 형성되는 것이다. 그렇다면 우리는 두 가지 방편을 이용해서 질병으로부터 벗어날 수 있다. 첫째는 조건을 바꾸는 것이다. 불건강한 음식, 오염된 공기, 스트레스를 주는 환경 같은 나쁜 조건들로부터 벗어나는 방법이다. 둘째는 주어진 조건들로부터 질병을 형성시키는 조건화를 소거시키는 것이다. 음식을 보

---

12) 조건을 뜻하는 영어 단어 'condition'은 '건강 상태', '의학적인 문제', 특히 '(치유가 잘 안되는) 만성질환'이라는 뜻도 가지고 있다.

13) 심리학이나 행동과학에서 말하는 조건화는 자극과 반응이 연관을 가지도록 만드는 일을 말한다. 이반 파블로브(Ivan Pavlov)가 개에게 밥을 줄 때마다 종소리 들려주어서, 종소리만 들어도 침을 흘리도록 한 것이 조건화다. 조건형성이라고도 한다.

면 식탐이 일어나고 작은 일에도 쉽게 스트레스 반응을 일으키는 것처럼 몸과 마음에 깊이 새겨져 있는 조건화 양식을 바꾸는 것을 말한다. 불교는 조건을 바꾸는 방법과 조건화를 해제시키는 방법을 모두 가지고 있다. 조건화를 소거시키는 방법은 라이프스타일의학을 비롯한 현대의 의학에서 거의 주목하지 않고 있는 것이다.

식단을 바꾸거나 담배를 치워 버리는 것처럼 조건만 바꾸는 방식은 내부적으로 욕구불만을 쌓고 오히려 갈망을 더 키워서 삶의 질을 손상시킬 수도 있다. 스테이크를 보면 군침을 흘리고 담배를 생각하면 갈망이 생기는 조건화 알고리즘을 바꾸지 않고, 나쁜 조건을 좋은 조건으로 바꾸어 놓기만 한다면 새로운 조건과 내부의 조건화 프로그램은 계속 충돌하면서 갈등과 불만족을 증폭시키게 될 것이다. 개가 침을 더 이상 흘리지 않게 하기 위해 종소리를 못 듣게 하는 것은 조건을 바꾸는 것이다. 이 방법은 개와 종을 떼어놓는 작업이 영원히 지속되어야 하는 수고스럽고도 불안한 방법이다. 소거되어야 하는 것은 종소리가 아니라 종소리와 개가 맺은 관계, 즉 조건화다. 이러한 조건화가 해제되면 종소리는 종소리일 뿐이고 담배는 담배일 뿐이며, '산은 산이고 물은 물(山是山 水是水)'인 것이다.

많은 사람들이 인과응보(因果應報), 업(業) 같은 불교의 가르침을 숙명론이나 결정론으로 오해한다. 악업을 쌓으면 반드시 그 업보를 받게 되지만, 노력과 의지에 따라 과거의 업이 힘을 발휘하지 못하게 할 수 있다. 업이라는 돌덩이는 반드시 물에 빠질 수밖에 없지만 배에 얹은 돌덩이는 물에 띄울 수 있는 것처럼, 수행이라는 배가 튼튼하다면 커다란 돌덩이 같은 업의 효과도 상쇄할 수 있는 것이다. 만성질환은 불건강한 라이프스타일이라는 업의 결과로 나타나는 업보다. 그런데 라이프스타일의학의 이야기는 여기서 끝나는 것이 아니라 여기서 시작되는 것이다. 우리는 건강한 라이프스타일이라는 선업(善業)을 쌓아 질병의 발생을 막을 수도 있고, 발생한 질병으로부터 나을 수도 있다.

불교와 의학의 관계는 다른 종교와 의학의 관계보다 훨씬 긴밀하다. 불교에서 제거하고자 하는 생로병사(生老病死) 사고(四苦) 중 하나인 병고(病苦)를 다루는 것이 의학이다. 병고(病苦)를 포함한 모든 유형의 고통에 대해 그 원인과 치료법을 설명하는 것이 불교이므로 불교는 더 포괄적인 의학이며 실제로 붓다는 대의왕(大醫王)이라 불린다(신경희 등, 2021). 경전에는 붓다를 의사로, 신도를 환자로, 가르침은 약으로, 가르침을 주는 것은 치료로 묘사하는 비유가 자주 발견된다. 사성제(四聖諦)[14] 안에는 질병(고통)의 존재를 인식하고, 질병의 원인을 설명하고, 나을

---

14) 사성제는 네 가지 성스러운 진리라는 뜻이며 고제(苦諦), 집제(集諦), 멸제(滅諦), 도제(道諦)를 가리킨다.

수 있는지 없는지 예후를 보고, 치료하는 방법이 담겨 있는데, 이 네 가지 구성 요소는 현대 의학에서도 기본 구조를 형성하는 것이다. 실제로 불교는 초창기부터 의학과 깊이 관련되어 있었고, 우리나라 전통의학을 포함한 동양의 여러 의학 체계가 수립되는 데도 지대한 영향을 미쳤다.

오명(五明)이라 불리는 불교의 전통적 교육 체계 안에는 의학의 자리가 공식화되어 있었다. 오명은 성명(聲明: 언어, 문학, 문법), 인명(因明: 논리학), 내명(內明: 불교의 진리), 의방명(醫方明: 의학, 약학), 공교명(工巧明: 공예, 기술, 역수(曆數))의 다섯 가지를 말한다. 경전에는 오명에 통달하지 않으면 참다운 지혜를 얻을 수 없다고 설명하고 있다. 오명 중 내명은 마음의 병을 치료하는 것이고 의방명은 몸의 병을 치료하는 것인데, 내명을 통해 마음의 깨달음을 성취하는 것이 불교의 궁극적인 목표지만, 이것은 건강한 육체가 없이는 성취할 수 없는 것이므로 깨달음을 성취하는 도구로서 육체를 건강하게 유지하는 것은 반드시 병행되어야 한다. 따라서 의방명을 포함한 오명 모두에 통달하지 않으면 지혜가 생길 수 없는 것이다(양승규, 2014).

라이프스타일의학은 식생활, 신체활동, 스트레스 관리, 사회적 지지망 확보 같은 생활양식을 수술이나 약물에 우선하는 치료 수단으로 하여 질병의 예방과 치료를 도모하는 의학이다. 흥미롭게도 불교의 철학이나 출가자, 재가 신도에게 주어지는 삶의 방식(戒)들은 라이프스타일의학의 철학 및 방법론과 놀라울 만큼 구체적으로 일치하고 있다. 이는 불교가 가지고 있는 치료의학이자 예방의학으로서의 잠재력을 보여주는 것이라 할 수 있다.

(2) 통증과 고통의 중재

> "고통이 너를 붙잡고 있는 것이 아니라, 네가 고통을 붙잡고 있는 것이다."
> - 붓다 -

우리는 아프기 때문에 병원을 찾는다. 위에 생긴 궤양을 치료하려고, 또는 대장의 종양을 제거하려고 병원에 가는 것이 아니라 일단 배가 아프고 괴롭기 때문에 병원에 가는 것이다. 궤양이 있는지 종양이 생겼는지는 병원에 가서야 알게 되는 것이다.

통증(pain)은 생체의 4대 활력징후(vital sign)인 혈압, 체온, 호흡, 심박수에 이어 다섯 번째 활력징후로 불리며 의료 현장에서 환자를 돌보는 데 중요한 지표로 이용되고 있다(Merboth 등,

2000). 예전에는 통증의 원인이 되는 질병을 치료하면 통증도 제거된다고 생각하여 통증 자체를 치료하는 데는 소극적이었다. 그러나 통증으로 인해 질병이 더 악화되거나 치료에 악영향을 줄 수도 있다는 인식이 수립되자 통증 자체를 완화하기 위한 의학적 개입의 중요성이 부각되고 마취통증의학과, 통증클리닉 등 통증을 전문적으로 다루는 진료 분야와 의료기관이 등장하게 되었다. 여기에 더해 2000년대에 들어서는 정서적 고통(distress)이 여섯 번째 활력징후로 논의되기에 이른다(Bultz 등, 2006).

환자의 신체적 통증과 주관적 고통을 적극적으로 경감시켜야 한다는 인식으로의 전환은 진통제나 향정신성의약품 사용량 증가로 이어졌고, 그 결과 과다한 약물 사용으로 인한 여러 문제가 야기되고 있다. 다양한 치료제가 개발되고 있음에도 불구하고 신체적 통증과 심리적 고통은 여전히 의학의 난제로, 이에 따른 사회·경제적 부담이 계속 가중되고 있을 뿐 아니라 환자들의 삶의 질을 심각히 저하시키고 있다. 약물 사용의 증가로 인한 부작용과 오남용 문제까지도 심화되고 있어 대안적 중재법이 절실하다.

수많은 사람들이 '현대의 흑사병'이라고까지 불리는 만성통증에 시달리고 있다. 적극적인 통증 치료에도 불구하고 통증이 완화되지 않는 경우는 매우 흔한데, 그 원인 중 하나는 통증의 원인을 정확히 찾을 수 없다는 것이다. 흔히 겪는 요통만 하더라도 85%는 원인을 알 수 없다(Deyo, 2002). 통증의 원인을 규명하는 데 실패하는 이유 중 하나는 통증이 단지 몸에서 기인하는 것이 아니라는 점이다. 실제로 적지 않는 통증이 심리·사회적 원인에서 비롯된다. 멜잭(Melzack)과 월(Wall)의 관문통제이론(gate control theory)은 이러한 인식의 수립에 크게 기여했다(Melzack 등, 1965). 이 이론은 생리학에 기초해 있으나 통증 지각의 감각적 측면과 심리적 측면 모두를 아우르고 있으며 인지, 정서, 성격이 통증의 질적, 양적 경험을 달라지게 할 수 있음을 설명한다.

통증은 통각(nociception)이라는 생리적 감각에 의해 발생하는 신체적 경험이다. 그러나 통증은 통각이 없이도 발생한다. 통증은 통증 부위로부터 중추신경계로 전해지는 상향식 경로와 심리적 기전에 의해 활성화되는 하향식 조절 경로가 결합되어 나타나는 결과다. 즉, 신체적으로 아무 이상이 없는 상태에서 순전히 심리·사회적 원인 때문에 통증을 경험할 수도 있다. 반면에 통증을 일으키는 자극이 반드시 통증을 야기하는 것도 아니다. 예를 들어 척수 손상 환자에서, 손상 수준 이하의 부위에 발생하는 유해 자극의 경우에는 말초 부위의 통각수용기와 척수반사 회로가 손상되지 않아 통각에 대해 회피반사를 일으킬 수 있지만, 이 정보는 손상 부위로부터 뇌까지 전달되지 않기 때문에 환자는 통증을 지각하지 못한다. 더 중요한 사실은 정상적으로 처리된 통증 신호도 의식적 수준에서 조절이 가능하다는 것이다.

객관적 징후 없이 주관적 증상만 호소하는 경우가 있고, 객관적으로 진단할 수 있는 질병(disease)이 없어도 환자가 질환(illness)을 가질 수 있는 것처럼, 통증 없이 발생하는 고통이 있다. 이러한 고통도 뇌 영상으로 확인 가능한 생리적 통증 현상을 수반한다. 통증의 세기도 통증과 함께 발생하는 감각, 정서, 인지 내용에 따라 변화한다. 통증은 감각 자극과 정서적 요소로 되어 있는 두 차원의 경험이며, 고통의 강도는 그 통증이 환자에게 의미하는 바에 의하여 결정되는 것이다.

이처럼 통증은 단지 하나의 감각이 아니며 그 정도는 환자의 심리·사회적 상태에 따라 크게 좌우되므로, 통증 관리에는 신체적, 심리적, 사회적 삶을 아우르는 통합적 관점에서의 개입이 요구되는 것이다. 그럼에도 불구하고 대개의 통증 환자에게 제공되는 치료는 여전히 약물치료에 머물러 있고 환자가 겪는 마음의 고통은 의학적 치료에서 충분히 고려되지 않고 있다.

우리는 통증 없는 통각만 경험할 수도 있고 신체적 통증을 느끼더라도 심리적 고통을 더하지 않을 수 있다. 통증 자극을 단지 자극으로, 통증을 단지 통증으로 바라볼 수 있는 것이다. 불교의 가르침과 수행은 신경계의 통증 조절 체계에 작용하여 통증을 완화하고, 나아가 통증을 발생시키거나 악화시키는 심리·행동적 과정에 작용하여 통증과 고통을 모두 완화시킬 수 있는 여러 기전을 가지고 있다.

마음챙김 수행은 가장 널리 이용되고 있는 심신의학적 중재법 중 하나로, 이미 오래전부터 통증 조절, 스트레스 관리 등의 목적으로 의료계에서 활용되어 왔다. 마음챙김 수행의 효과는 심리적 고통을 감소시키고 마음 건강을 증진하는 것에 국한되지 않는다. 마음챙김 수행은 신체적 통증을 완화하고 면역기능을 포함한 생리적 기능을 실질적으로 향상시킨다. 자비희사(慈悲喜捨)의 마음가짐과 그 실천 역시 통증과 고통을 중재하는 치유 기전을 가지고 있다. '글상자❸ 불교 수행법을 이용한 통증과 고통의 중재'에서 그 기전을 구체적으로 설명하고 있다.

종교는 자신과 주변에서 일어나는 모든 일들 속에서 의미와 질서를 발견하고 받아들일 수 있도록 해주는 신념 체계다. 이처럼 삶에서 경험하는 일들에 대해 의미를 도출해 내는 능력은 만성통증에 직면할 때의 심리적 웰빙과 연결되어 있다(Dezutter 등, 2015).

만성통증을 겪는 사람일수록 사회적 고립과 그로 인한 고통에 시달린다. 종교 공동체는 사회적 연결감과 사회적 지지가 제공하는 치유 기전이 가장 강력하게 발휘되는 곳이다. 이러한 사실은 불교의 의학적 기능에 관한 논의를 더 크게 확장시킨다.

『삼교평심론(三敎平心論)』에서는 불교로써 마음을 다스리고, 도교로써 몸을 다스리며, 유교로써 세상을 다스리니, 삼교 가운데 어느 한 쪽도 폐할 수 없다고 적고 있다. 하지만 불교는 마음만 다스리는 가르침이 아니라 몸을 다스리고 세상을 다스리는 가르침이다. 마음의 고통을 치유하는 것이 몸의 통증을 치유하는 것과 다르지 않고, 한 사람을 치유하는 것은 세상을 치유하는 것과 다르지 않다는 것이 불교와 라이프스타일의학이 함께 도달한 결론인 것이다.

글상자⑬ 불교 수행법을 이용한 통증과 고통의 중재

통증은 통각이라는 생리적 감각에 의해 발생하는 신체적 경험이고, 고통은 통증의 주관적 측면이다. 통증 자극을 단지 통각으로만 경험할 것인지, 통증으로 경험할 것인지, 통증과 함께 고통까지 경험할지는 그 경험의 주체에게 달려 있다. 통증의 정도 또한 심리·사회적 상황에 따라 크게 좌우되므로 통증을 효과적으로 완화하기 위해서는 인지적, 정서적, 사회적 요소들이 통합적으로 고려되어야 한다. 다양한 심리·사회적, 행동학적 중재법으로 통증과 고통을 완화시킬 수 있는데, 이것은 불교 수행법이 가지고 있는 치유 기전들과 밀접히 연결되어 있다.

그 기전 중 첫 번째는 마음챙김과 관련된 것이다. 붓다의 가르침을 한 마디로 요약하면 사띠(sati), 곧 마음챙김이다. 통증 환자가 주의를 통증이 아닌 다른 데로 돌리거나 분산시키면 통증을 감소시킬 수 있다. 실제로 진료 현장에서는 음악, 영화, 가상현실 기술을 이용하여 치료 중인 환자의 통증을 감소시킨다. 이러한 방법이 주의의 대상을 수평적으로 전환하는 것이라면, 마음챙김은 주의의 수준을 수직적으로 변경하여 통증과 통증의 주체를 분리하는 것이라

할 수 있다. 이것은 경험의 주체(환자)가 경험(통증) 속에 매몰되어 있는 상태에서 벗어나, 경험에 대해 단지 객관적 주의를 기울이는 것이다. 이러한 상위인지(metacognition) 체계는 하향식 통증 조절 체계의 주요 영역들을 작동시킨다. 즉, 이 과정에서 일어나는 전두엽의 활성화가 하향성 통증 조절 신호를 발생시켜 통증을 억제하고, 통증 자극에 기울여지는 관심의 정도를 결정하는 전대상회의 활성을 억제한다.

불교에서는 통증과 고통의 속성을 '두 번째 화살'에 비유하여 설명한다. 우리가 경험하는 통증과 고통 중 상당 부분은 통증이나 고통을 주는 자극에 대한 우리의 인식에서 비롯되는 것이다. 예를 들어 화살을 맞아 아픈 자리에 또다시 화살을 맞으면, 두 번째 화살이 주는 통증은 첫 번째 화살이 준 것보다 훨씬 크다. 두 번째 화살이 주는 통증은 통증에 대한 우리의 두려움과 공포, 바로 마음이 만들어낸 확대된 통증이다.

마음챙김에서는 신체에 통증을 일으킨 자극도, 그것에 의해 경험되는 통증과 고통도 있는 그대로 바라본다. 붓다는 이것을 하나의 독화살만 맞고 두 번째 독화살은 맞지 않는 것처럼 몸의 느낌만 일으키고 마음의 느낌은 일으키지 않는 것이라고 설명했다. 통증에 대한 심리적 고통, 두려움, 불안, 혐오는 통증 조절

회로에 작용하여 통증 지각을 더 예민하게 하고, 심지어 존재하지 않는 통증도 경험하게 한다.

정서를 만드는 변연계의 활동은 전두엽의 관찰을 받으면 그 강도가 약화된다. 다른 생각을 하면서도 복잡한 기계나 악기를 잘 다룰 수 있을 만큼 숙련된 사람이 그 작업을 의식적으로 하려 하면 수행력이 감소하는데, 이것은 소뇌에서 수행되는 무의식적 활동이 전두엽의 의식적 감시를 받으면서 방해받기 때문이다. 고통을 알아차리는 것이 고통을 감소시키는 원리도 이와 같다(고통스러운 감정은 그것을 명확히 인식하는 순간 멈춘다는 것에 대해서는 '7장, 9, **3**, (3) 평정심 기르기'를 참고하라). 정서를 관찰하면 정서의 주체와 정서는 분리된다. 고통에 마음챙김하는 것은 고통스러운 마음, 그리고 이로 인해 더 확대되는 몸의 통증도 감소시킨다.

마음챙김이 고통을 완화하는 기전 중에는 우리의 존재를 '지금 여기'에 온전히 머물게 한다는 것도 포함된다. 인간의 마음은 긍정적 자극보다는 부정적 자극에 더 민감하다. 부정적 기억을 더 깊이 새기고 미래를 더 불안하게 예견하여 대비하는 것이 생존의 가능성을 높이기 때문에, 마음이 그러한 방향으로 진화되어 온 것이다. 따라서 우리의 마음은 무의식중에 괴로운 과거와 두려운 미래를 오가며 부정적 자극에 편향된 반응을 만들어 낸다. 심리적 고통은 대부분 과거에 대한 미련과 후회, 미래에 대한 불안과 걱정에서 기인하는 것이다. 지금 여기에 머무는 마음챙김 수행은 과거와 미래에 연결된 고통을 끊어낸다.

명상이 이완 시스템을 활성화하여 엔도르핀, 도파민, 세로토닌, 멜라토닌 등 이완 호르몬의 분비를 촉진한다는 것은 무수히 많은 연구를 통해 확인되었다. 진통제인 엔도르핀은 하행성 통증 조절 경로에 작용하여 통증 지각을 조절한다. 도파민과 세로토닌은 우울감을 완화시키고 행복감을 증진시키는 물질이다. 뇌에서 세로토닌을 분비하는 봉선핵(raphe nuclei)은 통증 조절 영역인 중뇌수도주변회백질과 직접적으로 연결되어 있다. 따라서 명상은 심리적 고통과 신체적 통증을 모두 완화시킬 수 있는 약리 기전을 작동시킬 수 있다.

경전이나 절대자에 대한 신념은 종종 플라세보 효과로 설명되는 놀라운 치유 능력을 발휘하기도 한다. 통증은 플라세보와 관련하여 가장 많이 연구된 주제 가운데 하나다. 플라세보는 모르핀 6~8 mg에 맞먹는 강력한 진통 효과를 발휘할 수 있다('글상자 **❻** 플라세보'를 참고하라).

중생에 대해 자비희사(慈無喜捨) 네 가지 마음을 일으키는 사무량심(四無量心) 수행 또한 통증과 고통을 완화시킨다. 사회적 고립과 사회적 지지가 통증과 고통에 미치는 영향에 대해서는 '7장, 10, **2**, (1) 고독 속에 있는 것은 고통 속에 있는 것'에서 상세히 설명되었다. 종교는 다른 사회적 관계보다 더 지지적이고 결속력 있는 관계를 맺고, 대가 없는 친절과 보살핌을 나눌 수 있는 기회를 제공한다. 주목할 점은 이 관계에서 더 큰 수혜자는 받는 사람이 아니라 베푸는 사람 자신, 즉 사무량심을 실천하는 사람이라는 것이다. 분노, 공포, 불안, 우울과 같은 부정적 심리 상태가 스트레스 호르몬을 과다 분비시켜 질병을 유발하거나 더 악화시키는 것처럼 사랑, 감사, 자비, 연민, 용서 같은 긍정적 심리 상태는 건강과 수명을 증진시키고 통증과 고통을 완화시키는 내인성 약물을 분비시키며 뇌의 보상회로를 활성화하여 행복감을 증가시킨다('7장 10, **4**, (2) 이기심과 이타심은 충돌하지 않는다'를 참고하라).

곽충실, 황진용, 와다나베 후미오, 박상철 (2008). 한국의 장류, 김치 및 식용 해조류를 중심으로 하는 일부 상용 식품의 비타민 B12 함량 분석 연구. **한국영양학회지**, **41**(5):439-447.

김성구 (2018). **아인슈타인의 우주적 종교와 불교**. 불광출판사.

민진하, 백유상, 장우창, 정창현 (2010). 치미병(治未病) 사상 연구. **대한한의학원전학회지**, **23**(1): 257-277.

보건복지부 (2013). **한국인을 위한 신체활동 지침**.

사쿠라이 다케시(2017) / 장재순(역) (2018). **수면의 과학**. 을유문화사.

성영신, 고동우, 정준호 (1996). 여가의 심리적 의미. **한국심리학회지: 산업 및 조직**. **9**(2): 17-40.

신경희 (2016). **통합스트레스의학**. 학지사.

신경희 (2018). **정신신경면역학개론**. 학지사.

신경희, 윤희조 (2021). 통증과 고통 중재법을 중심으로 본 불교 수행의 생리적 치유 기전과 의학적 의미. **동서철학연구**, **99**: 217-244.

심장대사증후군학회 (2021). **대사증후군 진료 지침 2021**.

양승규 (2014). 몸, 질병, 그리고 불교의학, **불교평론**. (http://www.budreview.com/news/articleView.html?idxno=1382)

유선경, 홍창성 (2020). **생명과학과 불교는 어떻게 만나는가**. 운주사.

윤희조, 신경희 (2016). 불교와 정신신경면역학: 생명과학의 새로운 패러다임에 대한 일고찰. **동서철학연구**, **82**: 197-230.

이한규 (2008). 히포크라테스 의학과 의료윤리. **동서철학연구**, **47**: 281-302.

정병조 (2002). **실천불교**, 불교시대사.

채수미 (2015). 약물 오남용의 실태와 개선방안. **보건복지포럼**, **2015**(10): 66-76.

틱낫한 (2001) / 최수민(역) (2002). **화**. 명진출판.

틱낫한, 뉴엔 안-홍 (2006) / 이은정 (역) (2007). **걷기명상**. 웅진씽크빅.

홍윤철 (2014). **질병의 탄생**. 사이.

Abete I, Romaguera D, Vieira AR, de Munain AL & Norat T (2014). Association between total, processed, red and white meat consumption and all-cause, CVD and IHD mortality: a meta-analysis of cohort studies. *British Journal of Nutrition, 112*(5): 762-775.

ACCORD Study Group (2011). Long-term effects of intensive glucose lowering on cardiovascular outcomes. *New England Journal of Medicine, 364*(9): 818-828.

Ader R & Cohen N (1975). Behaviorally conditioned immunosuppression. *Psychosomatic Medicine, 4*: 333-340.

Ader R & Cohen N (1982). Behaviorally conditioned immunosuppression and murine systemic lupus erythematosus. *Science, 215*(4539): 1534-1536.

Aeberli I, Gerber PA, Hochuli M, Kohler S, Haile SR, Gouni-Berthold I ... & Berneis K (2011). Low to moderate sugar-sweetened beverage consumption impairs glucose and lipid metabolism and promotes inflammation in healthy young men: a randomized controlled trial. *The American journal of clinical nutrition, 94*(2): 479-485.

Affleck G, Tennen H, Croog S & Levine S (1987). Causal attribution, perceived benefits, and morbidity after a heart attack: an 8-year study. *Journal of consulting and clinical psychology, 55*(1): 29-35.

Aguilar M, Bhuket T, Torres S, Liu B & Wong RJ (2015). Prevalence of the metabolic syndrome in the United States, 2003-2012. *JAMA, 313*: 1973-1974.

Åkesson A, Larsson SC, Discacciati A & Wolk A (2014). Low-risk diet and lifestyle habits in the primary prevention of myocardial infarction in men: a population-based prospective cohort study. *Journal of the American college of cardiology, 64*(13): 1299-1306.

Allen KM, Blascovich J, Tomaka J & Kelsey RM (1991). Presence of human friends and pet dogs as moderators of autonomic responses to stress in women. *Journal of personality and social psychology, 61*(4): 582-589.

Amanzio M, Pollo A, Maggi G & Benedetti F (2001). Response variability to analgesics: a role for non-specific activation of endogenous opioids. *Pain, 90*: 205-215.

An S, Cho SY, Kang J, Lee S, Kim HS, Min DJ ... & Cho KH (2020). Inhibition of 3-phosphoinositide-dependent protein kinase 1 (PDK1) can revert cellular senescence in human dermal fibroblasts. *Proceedings of the National Academy of Sciences, 117*(49): 31535-31546.

Anand P, Kunnumakara AB, Sundaram C, Harikumar KB, Tharakan ST, Lai OS ... & Aggarwal BB (2008). Cancer is a preventable disease that requires major lifestyle changes. *Pharmaceutical research, 25*(9): 2097-2116.

Antonovsky A (1979). *Health, stress and coping.* Jossey-Bass

Antonovsky A (1984). The sense of coherence as a determinant of health. (In: Matarazzo J (Ed). *Behavioural health: a handbook of health enhancement and disease prevention.* John Wiley, pp. 114-.129.)

Antonovsky A (1987). *Unraveling the mystery of health. How people manage stress and stay well.* Jossey-Bass.

Anwar-McHenry J, Donovan R, Egger G (2017). Happiness and Mental Health: The Flip Side of S-AD. (In: Egger G, Binns A, Rossner S & Sagner M (Eds). *Lifestyle medicine (3rd ed).* Academic Press. pp. 263-281.)

Arem H, Moore SC, Patel A, Hartge P, De Gonzalez AB, Visvanathan K ... & Matthews CE (2015). Leisure time physical activity and mortality: a detailed pooled analysis of the dose-response relationship. *JAMA internal medicine, 175*(6): 959-967.

Arena R, Guazzi M, Lianov L, Whitsel L, Berra K, Lavie CJ ... & Shurney D (2015). Healthy lifestyle interventions to combat noncommunicable disease-a novel nonhierarchical connectivity model for key stakeholders: a policy statement from the American Heart Association, European Society of Cardiology, European Association for Cardiovascular Prevention and Rehabilitation, and American College of Preventive Medicine. *European heart journal, 36*(31): 2097-2109.

Attina TM, Hauser R, Sathyanarayana S, Hunt PA, Bourguignon JP, Myers JP ... & Trasande L (2016). Exposure to endocrine-disrupting chemicals in the USA: a population-based disease burden and cost analysis. *The Lancet Diabetes & Endocrinology, 4*(12): 996-1003.

Aune D, Rosenblatt DAN, Chan DS, Vieira AR, Vieira R, Greenwood DC ... & Norat T (2015). Dairy products, calcium, and prostate cancer risk: a systematic review and meta-analysis of cohort studies. *The American journal of clinical nutrition, 101*(1): 87-117.

Baker DW, Wolf MS, Feinglass J, Thompson JA, Gazmararian JA & Huang J (2007). Health literacy and mortality among elderly persons. *Arch Intern Med, 167*(14):1503-1509.

Bandura A (2004). Health promotion by social cognitive means. *Health education & behavior, 31*(2): 143-164.

Bargh JA, Chen M & Burrows L (1996). Automaticity of social behavior: Direct effects of trait construct and stereotype activation on action. *Journal of Personality and Social Psychology, 71*: 230-244.

Barker DJ (1990). The fetal and infant origins of adult disease. *British Medical Journal, 301*: 1111.

Barker DJP (2004). The developmental origins of adult disease. *Journal of the American College of Nutrition, 23*(sup6): 588S-595S.

Barnard ND, Cohen J, Jenkins DJ, Turner-McGrievy G, Gloede L, Jaster B ... & Talpers S (2006). A low-fat vegan diet improves glycemic control and cardiovascular risk factors in a randomized clinical trial in individuals with type 2 diabetes. *Diabetes care, 29*(8): 1777-1783.

Barnes PM & Schoenborn CA (2012). Trends in adults receiving a recommendation for exercise or other physical activity from a physician or other health professional. *NCHS Data Brief, 2012*(86): 1-8.

Batman DC (2012). Hippocrates: 'Walking is man's best medicine!'. *Occupational Medicine, 62*(5): 320-322.

Beauregard M, Courtemanche J, Paquette V & St-Pierre EL (2009). The neural basis of unconditional love. *Psychiatry Res: Neuroimaging, 172*(2): 93-98.

Beazley H (2004). *No regrets: a ten-step program for living in the present and leaving the past behind*. John Wiley & Sons.

Beesley S, Kim DW, D'Alessandro M, Jin Y, Lee K, Joo H ... & Lee C (2020). Wake-sleep cycles are severely disrupted by diseases affecting cytoplasmic homeostasis. *Proceedings of the National Academy of Sciences, 117*(45): 28402-28411.

Bell KJ, Del Mar C, Wright G, Dickinson J & Glasziou P (2015). Prevalence of incidental prostate cancer: a systematic review of autopsy studies. *International journal of cancer, 137*(7): 1749-1757.

Benedetti F (2011) / 이은 (역) (2013). **환자의 마음**. 청년의사.

Benedict C, Blennow K, Zetterberg H & Cedernaes J (2020). Effects of acute sleep loss on diurnal plasma dynamics of CNS health biomarkers in young men. *Neurology, 94*(11): e1181-e1189.

Benito E, Kerimoglu C, Ramachandran B, Pena-Centeno T, Jain G, Stilling RM ... & Fischer A (2018). RNA-dependent intergenerational inheritance of enhanced synaptic plasticity after environmental enrichment. *Cell Reports, 23*(2): 546-554.

Benros ME, Nielsen PR, Nordentoft M, Eaton WW, Dalton SO & Mortensen PB (2011). Autoimmune diseases and severe infections as risk factors for schizophrenia: a 30-year population-based register study. *American Journal of Psychiatry 168*(12): 1303-1310.

Ben-Shahar T (2007) / 노혜숙 (역) (2007). **해피어**. 위즈덤하우스.

Benson TW, Weintraub NL, Kim HW, Seigler N, Kumar S, Pye J ... & Harris RA (2018). A single high-fat meal provokes pathological erythrocyte remodeling and increases myeloperoxidase levels: implications for acute coronary syndrome. *Laboratory Investigation, 98*(10): 1300-1310.

Benson H (2000) / 양병찬 (역) (2020). **이완반응**. 페이퍼로드.

Berkman LF & Syme SL (1979). Social networks, host resistance, and mortality: a nine-year follow-up study of Alameda

County residents. *American Journal of Epidemiology, 109*(2): 186-204.

Besingi W & Johansson Å (2013). Smoke-related DNA methylation changes in the etiology of human disease. *Human molecular genetics, 23*(9): 2290-2297.

Bhasin MK, Dusek JA, Chang BH, Joseph MG, Denninger JW, Fricchione GL ... & Libermann TA (2013). Relaxation response induces temporal transcriptome changes in energy metabolism, insulin secretion and inflammatory pathways. *PloS one, 8*(5): e62817.

Biegler KA, Anderson AK, Wenzel LB, Osann K & Nelson EL (2012). Longitudinal change in telomere length and the chronic stress response in a randomized pilot biobehavioral clinical study: implications for cancer prevention. *Cancer prevention research, 5*(10): 1173-1182.

Blackburn E & Epel E (2017) / 이한음(역) (2018). 늙지 않는 비밀. RHK.

Blair SN (2009). Physical inactivity: the biggest public health problem of the 21st century. *British journal of sports medicine, 43*(1): 1-2.

Blalock JE (2005). The immune system as the sixth sense. *Journal of Internal Medicine, 257*: 126-138.

Bland JS (2007). What role has nutrition been playing in our health? The xenohormesis connection. *Integ Med, 6*: 22-24.

Bleich SN, Bennett WL, Gudzune KA & Cooper LA (2012). Impact of physician BMI on obesity care and beliefs. *Obesity, 20*(5): 999-1005.

Block G, Patterson B & Subar A (1992). Fruit, vegetables, and cancer prevention: a review of the epidemiological evidence. *Nutrition and cancer, 18*(1): 1-29.

Bosma-den Boer MM, van Wetten ML & Pruimboom L (2012). Chronic inflammatory diseases are stimulated by current lifestyle: how diet, stress levels and medication prevent our body from recovering. *Nutrition & metabolism, 9*(1): 1-14.

Bostock S & Steptoe A (2012). Association between low functional health literacy and mortality in older adults: longitudinal cohort study. *BMJ* 2012;344:e1602.

Bousquet J, Anto JM, Sterk PJ, Adcock IM, Chung KF, Roca J ... & Auffray C (2011). Systems medicine and integrated care to combat chronic noncommunicable diseases. *Genome medicine, 3*(7): 1-12.

Bouvard V, Loomis D, Guyton KZ, Grosse Y, Ghissassi FE, Benbrahim-Tallaa L ... & Straif K (2015). International Agency for Research on Cancer Monograph Working Group 2015. Carcinogenicity of consumption of red and processed meat. *Lancet. Oncol, 16*: 1599-1600.

Brandhorst S, Choi IY, Wei M, Cheng CW, Sedrakyan S, Navarrete G ... & Di Biase S (2015). A periodic diet that mimics fasting promotes multi-system regeneration, enhanced cognitive performance, and healthspan. *Cell metabolism, 22*(1): 86-99.

Brindle RC & Conklin SM (2012). Daytime sleep accelerates cardiovascular recovery after psychological stress. *International Journal of Behavioral Medicine, 19*(1): 111-114.

Briner R (1994). Stress as a trivial concept and a modern myth: Some alternative approaches to the stress phenomenon. (Paper presented to the Annual Conference of British Psychological Society.)

Britta KH, Carmony J, Evans KC, Hege EA, Dusek JA, Morgan L, Pitman RK & Lazar S (2009). Stress reduction correlates with structural changes in the amygdala. *Social Cognitive & Affective Neurosci, 5*(1): 11-17.

Brydon L, Lin J, Butcher L, Hamer M, Erusalimsky JD, Blackburn EH & Steptoe A (2012). Hostility and cellular aging in men from the Whitehall II cohort. *Biological psychiatry, 71*(9): 767-773.

Bultz BD & Carlson LE (2006). Emotional distress; the sixth vital sign-future directions in cancer care. *Psycho-Oncology, 15*: 93-95.

Buysse DJ (2014). Sleep health: can we define it? Does it matter?. *Sleep, 37*(1): 9-17.

Bygren LO, Kaati G & Edvinsson S (2001). Longevity determined by paternal ancestors' nutrition during their slow growth period. *Acta biotheoretica, 49*(1): 53-59.

Cacioppo JT, Cacioppo S, Capitanio JP & Cole SW (2015). The neuroendocrinology of social isolation. *Annual review of psychology, 66*: 733-767.

Canli T, Wen R, Wang X, Mikhailik A, Yu L, Fleischman D … & Bennett DA (2017). Differential transcriptome expression in human nucleus accumbens as a function of loneliness. *Molecular psychiatry, 22*(7): 1069-1078.

Cappuccio FP, Cooper D, D'Elia L, Strazzullo P & Miller MA (2011). Sleep duration predicts cardiovascular outcomes: a systematic review and meta-analysis of prospective studies. *European heart journal, 32*(12): 1484-1492.

Cardenas D (2013). Let not thy food be confused with thy medicine: The Hippocratic misquotation. *e-SPEN Journal, 8*(6): e260-e262.

Carli V, Durkee T, Wasserman D, Hadlaczky G, Despalins R, Kramarz E … & Kaess M (2013). The association between pathological internet use and comorbid psychopathology: a systematic review. *Psychopathology, 46*(1): 1-13.

Carney DR, Cuddy AJ & Yap AJ (2010). Power posing: Brief nonverbal displays affect neuroendocrine levels of risk tolerance. *Psychological Science, 21*: 1363-1368.

Carpenter LL, Gawuga CE, Tyrka AR, Lee JK, Anderson GM & Price LH (2010). Association between plasma IL-6 response to acute stress and early-life adversity in healthy adults. *Neuropsychopharmacology, 35*: 2617-2623.

Carr L, Iacoboni M, Dubeau MC, Mazziotta JC & Lenzi GL (2003). Neural mechanisms of empathy in humans: a relay from neural systems for imitation to limbic areas. *Proceedings of the national Academy of Sciences, 100*(9): 5497-5502.

Casiraghi L, Spiousas I, Dunster GP, McGlothlen K, Fernández-Duque E, Valeggia C & Horacio O (2021). Moonstruck sleep: Synchronization of human sleep with the moon cycle under field conditions. *Science Advances, 7*(5): eabe0465.

Castellano JM, Mosher KI, Abbey RJ, McBride AA, James ML, Berdnik D … & Wyss-Coray T (2017). Human umbilical cord plasma proteins revitalize hippocampal function in aged mice. *Nature, 544*(7651): 488-492.

Ceballos G, Ehrlich PR & Raven PH (2020). Vertebrates on the brink as indicators of biological annihilation and the sixth mass extinction. *Proceedings of the National Academy of Sciences, 117*(24): 13596-13602.

Ceballos G, Ehrlich PR, Barnosky AD, García A, Pringle RM & Palmer TM (2015). Accelerated modern human-nduced species losses: Entering the sixth mass extinction. *Science advances, 1*(5): e1400253.

Cederberg H, StančákováA, Yaluri N, Modi S, Kuusisto J & Laakso M (2015). Increased risk of diabetes with statin treatment is associated with impaired insulin sensitivity and insulin secretion: a 6 year follow-up study of the METSIM cohort. *Diabetologia, 58*(5): 1109-1117.

Chalmers B, Wolman WL, Nikodem VC, Gulmezoglu AM & Hofmeyer GJ (1995). Companionship in labour: Do the personality characteristics of labour supporters influence their effectiveness? *Curationis, 18*: 77-80.

Chan M (2014). The art and science of traditional medicine. part 1: TCM today-a case for integration. *Science, 346*(6216

Suppl): S1-S25.

Chaoul A, Milbury K, Sood AK, Prinsloo S & Cohen L (2014). Mind-body practices in cancer care. *Curr Oncol Rep 16*: 417.

Chen L, Pei JH, Kuang J, Chen HM, Chen Z, Li ZW & Yang HZ (2015). Effect of lifestyle intervention in patients with type 2 diabetes: a meta-analysis. *Metab Clin Exp 64*: 338-347.

Chen SK, Tvrdik P, Peden A, Cho S, We S, Spangrude G & Capecchi MR (2010). Hematopoietic origin of pathological grooming in Hoxb8 Mutant Mice. *Cell 141*(5): 775-785.

Chevalier G, Siopi E, Guenin-MacéL, Pascal M. Laval T, Rifflet A … & Lledo PM (2020). Effect of gut microbiota on depressive-like behaviors in mice is mediated by the endocannabinoid system. *Nature communications, 11*(1): 1-15.

Chiuve SE, Rexrode KM, Spiegelman D, Logroscino G, Manson JE & Rimm EB (2008). Primary prevention of stroke by healthy lifestyle. *Circulation, 118*(9): 947.

Chlebowski RT, Blackburn GL, Thomson CA, Nixon DW, Shapiro A, Hoy MK … & Elashoff RM (2006). Dietary fat reduction and breast cancer outcome: interim efficacy results from the Women's Intervention Nutrition Study. *Journal of the National Cancer Institute, 98*(24): 1767-1776.

Chopra M, Galbraith S & Darnton-Hill I (2002). A global response to a global problem: the epidemic of overnutrition. *Bulletin of the world Health Organization, 80*: 952-958.

Christakis NA & Fowler JH (2007). The spread of obesity in a large social network over 32 years. *New England journal of medicine, 357*(4): 370-379.

Cohen S, Doyle WJ, Skoner DP, Rabin BS & Gwaltney JM (1997). Social ties and susceptibility to the common cold. *JAMA, 277*(24): 1940-1944.

Colborn T, Dumanoski D & Myers JP (1996) / 권복규 (1997). **도둑맞은 미래**. 사이언스북스.

Conger J (1956). Reinforcement theory and the dynamics of alcoholism. *Quarterly Journal of Studies on Alcohol, 17*: 296-305.

Couzin-Frankel J (2014). Diet studies challenge thinking on proteins versus carbs. *Science*, 2014 Mar 7;343;1068.

Crum AJ & Langer EJ (2007). Mind-set matters: Exercise and the placebo effect. *Psychological Science, 18*(2): 165-171.

Daghlas I, Lane JM, Saxena R & Vetter C (2021). Genetically Proxied Diurnal Preference, Sleep Timing, and Risk of Major Depressive Disorder. *JAMA psychiatry*: e1-e8.

Dahlgren G & Whitehead M (1991). Policies and strategies to promote social equity in health. Background document to WHO-Strategy paper for Europe (No. 2007: 14). Institute for Futures Studies.

Dalai Lama & Chan V (2004) / 류시화(역) (2004). **용서**. 오래된 미래.

Damasio AR (1994) / 김린 (역) (1999). **데카르트의 오류**. 중앙문화사.

Damasio H, Grabowski T, Frank R, Galaburda AM & Damasio AR (1994). The return of Phineas Gage: Clues about the brain from the skull of a famous patient. *Science, 264*: 1102-1105.

Danielsson L, Kihlbom B & Rosberg S (2016). "Crawling Out of the Cocoon": Patients' Experiences of a Physical Therapy Exercise Intervention in the Treatment of Major Depression. *Physical therapy, 96*(8): 1241-1250.

Daruna JH (2012). *Introduction to PNI* (2nd Ed.). Elsevier.

Davidson RJ, Coe CC, Dolski I & Donzella B (1999). Individual differences in prefrontal activation asymmetry predict natural killer cell activity at rest and in response to challenge. *Brain Behavior and Immunity, 13*(2): 93-108.

Davis B & Melina V (2014). *Becoming vegan: comprehensive edition*. Book Pub Co.

de Grazia S (1962). *Of Time, Work and Leisure*, Academic Press.

de la Fuente-Fernández R, Ruth TJ, Sossi V, Schulzer M, Calne DB & Stoessl AJ (2001). Expectation and Dopamine Release: Mechanism of the Placebo Effect in Parkinson's. *Science, 293*: 1164-1166.

de Lorgeril M, Salen P, Martin JL, Monjaud I, Delaye J & Mamelle N (1999). Mediterranean diet, traditional risk factors, and the rate of cardiovascular complications after myocardial infarction: final report of the Lyon Diet Heart Study. *Circulation, 99*(6): 779-785.

Delimaris I (2013). Adverse effects associated with protein intake above the recommended dietary allowance for adults. *International Scholarly Research Notices, 2013*:126929.

Demers RY, Altamore R, Mustin H, Kleinman A & Leonardi D (1980). An exploration of the dimensions of illness behavior. *The Journal of family practice, 11*(7): 1085-1092.

Demirtas T, Utkan T, Karson A, Yazir Y, Bayramgurler D & Gacar N (2014). The link between unpredictable chronic mild stress model for depression and vascular inflammation?. *Inflammation, 37*: 1432-1438.

Deng F & Yang K (2019). Current status of research on the period family of clock genes in the occurrence and development of cancer. *Journal of Cancer, 10*(5): 1117.

Denollet J, Sys SU, Stroobant N, Rombouts H, Gillebert TC & Brutsaert DL (1996). Personality as independent predictor of long-term mortality in patients with coronary heart disease. *Lancet, 347*: 417-421.

deVries HA (1981). Tranquilizer Effect of Exercise: A Critical Review. *Physician and Sportsmedicine, 9*: 47-55.

DeWall CN, MacDonald G, Webster GD, Masten CL, Baumeister RF, Powell C ... & Eisenberger NI (2010). Acetaminophen reduces social pain: Behavioral and neural evidence. *Psychological science, 21*(7): 931-937.

Deyo RA (2002). Diagnostic evaluation of LBP: reaching a specific diagnosis is often impossible. *Archives of internal medicine, 162*(13): 1444-1447.

Dezutter J, Luyckx K & Wachholtz A (2015). Meaning in life in chronic pain patients over time: associations with pain experience and psychological well-being. *Journal of behavioral medicine, 38*(2): 384-396.

Diabetes Prevention Program Research Group (2015). Long-term effects of lifestyle intervention or metformin on diabetes development and microvascular complications over 15-year follow-up: the Diabetes Prevention Program Outcomes Study. *The lancet Diabetes & endocrinology, 3*(11): 866-875.

Dimitrov DH, Lee S, Yantis J, Valdez C, Paredes RM, Braida N ... & Walss-Bass C (2013). Differential correlations between inflammatory cytokines and psychopathology in veterans with schizophrenia: potential role for IL-17 pathway. *Schizophrenia research, 151*(1): 29-35.

Dreher H (1995). *The immune power personality: seven traits you can develop to stay healthy.* Dutton.

Duell P, Wright D, Renzaho AM & Bhattacharya D (2015). Optimal health literacy measurement for the clinical setting: a systematic review. *Patient education and counseling, 98*(11): 1295-1307.

Dunlop DD, Song J, Hootman JM, Nevitt MC, Semanik PA, Lee J ... & Chang RW (2019). One hour a week: moving to prevent disability in adults with lower extremity joint symptoms. *American journal of preventive medicine, 56*(5): 664-672.

Dunstan DW, Barr EL, Healy GN, Salmon J, Shaw JE, Balkau B ... & Owen N (2010). Television viewing time and mortality:

the Australian diabetes, obesity and lifestyle study (AusDiab). *Circulation, 121*(3): 384-391.

Dworkin SF, Chen AC, LeResche L & Clark DW (1983). Cognitive reversal of expected nitrous oxide analgesic for acute pain. *Anesthesia and Analgesia, 62*: 1073-1077.

Eelderink-Chen Z, Bosman J, Sartor F, Dodd AN, Kovács ÁT & Merrow M (2021). A circadian clock in a nonphotosynthetic prokaryote. *Science advances, 7*(2): eabe2086.

Egger G & Dixon J (2009). Should obesity be the main game? Or do we need an environmental makeover to combat the inflammatory and chronic disease epidemics?. *Obesity Reviews, 10*(2): 237-249.

Egger G & Egger S (2011). Lifestyle medicine: the Australian experience. *American Journal of Lifestyle Medicine, 6*(1): 26-30.

Egger G, Binns A & Rossner S (2008). *Lifestyle medicine.* McGraw-Hill.

Egger G, Binns A, Rossner S & Sagner M (Eds) (2017). *Lifestyle medicine: Lifestyle, the environment and preventive medicine in health and disease (3rd ed).* Academic Press.

Eisenberger NI & Lieberman MD (2005). Why it hurts to be left out: The neurocognitive overlap between physical pain and social pain. *The Social Outcast: Ostracism, Social Exclusion, Rejection, and Bullying*: 109-127.

Eisenberger NI (2011). Why rejection hurts: What social neuroscience has revealed about the brain's response to social rejection. (In: Decety J & Cacioppo J (Eds). *The Handbook of Social Neuroscience.* Oxford University Press. pp. 586-598.)

Eisenberger NI (2012). The neural bases of social pain: evidence for shared representations with physical pain. *Psychosomatic medicine, 74*(2): 126-135.

Ellsworth DL, Croft Jr DT, Weyandt J, Sturtz LA, Blackburn HL, Burke A ... & Vernalis MN (2014). Intensive cardiovascular risk reduction induces sustainable changes in expression of genes and pathways important to vascular function. *Circulation: Cardiovascular Genetics, 7*(2): 151-160.

Emery CF, Kiecolt-Glaser JK, Glaser R, Malarkey WB, Frid DJ (2005) Exercise accelerates wound healing among healthy older adults: a preliminary investigation. *J Gerontol A Biol Sci Med Sci 60*: 1432-1436.

Emmons RA (2007). *Thanks!: How the new science of gratitude can make you happier.* Houghton Mifflin Harcourt.

Emmons RA & Mccullough ME (2003). Counting blessings versus burdens: An experimental investigation of gratitude and subjective well-being in daily life. *Journal of Personality and Social Psychology, 84*(2): 377-389.

Epel ES, Blackburn EH, Lin J, Dhabhar FS, Adler NE, Morrow JD & Cawthon RM (2004). Accelerated telomere shortening in response to life stress. *Proceedings of the National Academy of Sciences, 101*(49): 17312-17315.

Erickson KI, Voss MW, Prakash RS, Basak C, Szabo A, Chaddock L ... & Kramer AF (2011). Exercise training increases size of hippocampus and improves memory. *Proceedings of the national academy of sciences, 108*(7): 3017-3022.

Esselstyn CB (1999). Updating a 12-year experience with arrest and reversal therapy for coronary heart disease (an overdue requiem for palliative cardiology). *American Journal of Cardiology, 84*(3): 339-341.

Esselstyn Jr CB, Ellis SG, Medendorp SV & Crowe TD (1995). A strategy to arrest and reverse coronary artery disease: a 5-year longitudinal study of a single physician's practice. *Journal of Family Practice, 41*(6): 560 -568.

Fabrigoule C, Letenneur L, Dartigues JF, Zarrouk M, Commenges D & Barberger-Gateau P (1995). Social and leisure activities and risk of dementia: a prospective longitudinal study. *Journal of the American Geriatrics Society, 43*(5): 485-490.

Federoff HJ & Gostin LO (2009). Evolving from reductionism to holism: is there a future for systems medicine?. *JAMA, 302*(9): 994-996.

Ferguson MA, Nielsen JA, King JB, Dai L, Giangrasso DM, Holman R ... & Anderson JS (2018). Reward, salience, and attentional networks are activated by religious experience in devout Mormons. *Social neuroscience, 13*(1): 104-116.

Fernandes F, Stringhetta-Garcia CT, Peres-Ueno MJ, Fernandes F, de Nicola AC, Castoldi RC ... & Dornelles RCM (2020). oxytocin and bone quality in the femoral neck of rats in periestropause. *Scientific Reports, 10*(1): 1-14.

Fitchett G, Peterman AH & Cella DF (1996). Spiritual beliefs and quality of life and HIV patients. (Paper presented at the meeting of the Society for the Scientific Study of Religion.)

Flaten MA, Simonsen T & Olsen H (1999). Drug-related information generates placebo and nocebo responses that modify the grug response. *Psychosomatic Medicine, 61*: 250-5.

Fontana L, Partridge L & Longo VD (2010). Extending healthy life span-from yeast to humans. *Science, 328*(5976): 321-326.

Ford ES, Bergmann MM, Kröger J, Schienkiewitz A, Weikert C & Boeing H (2009). Healthy living is the best revenge: findings from the European Prospective Investigation Into Cancer and Nutrition-Potsdam study. *Archives of internal medicine, 169*(15): 1355-1362.

Foster JA, Rinaman L & Cryan JF (2017). Stress & the gut-brain axis: regulation by the microbiome. *Neurobiology of stress, 7*: 124-136.

Fowler JH & Christakis NA (2008). Dynamic spread of happiness in a large social network: longitudinal analysis over 20 years in the Framingham Heart Study. *BMJ, 337*.

Franceschi C (2007). Inflammaging as a major characteristic of old people: can it be prevented or cured?. *Nutrition reviews, 65*(suppl_3): S173-S176.

Francis HM, Stevenson RJ, Chambers JR, Gupta D, Newey B & Lim CK (2019). A brief diet intervention can reduce symptoms of depression in young adults-A randomised controlled trial. *PloS one, 14*(10): e0222768.

Fraser GE (2009). Vegetarian diets: what do we know of their effects on common chronic diseases?. *The American journal of clinical nutrition, 89*(5): 1607S-1612S.

Frates B, Bonnet J, Joseph R & Peterson J (2019). *Lifestyle Medicine Handbook: An introduction to the power of Healthy Habits.* Healthy Learning.

Fredrickson B (2009). Positivity: *Top-notch research reveals the 3-to-1 ratio that will change your life.* Harmony.

Friedman M & Rosenman R (1959). Association of specific overt behaviour pattern with blood and cardiovascular findings. *Journal of the American Medical Association, 169*: 1286-1296.

Friedmann E, Katcher AH, Lynch JJ & Thomas SA (1980). Animal companions and one-year survival of patients after discharge from a coronary care unit. *Public health reports, 95*(4): 307.

Furtado M & Katzman MA (2015). Neuroinflammatory pathways in anxiety, posttraumatic stress, and obsessive compulsive disorders. *Psychiatry Research, 229*: 37-48.

Gerson S (1999). Foreword. (In: Kraftsow G (1999) / 조옥경 (역) (2011). 웰네스를 위한 비니요가. 학지사.)

Ghanta VK, Hiramoto RN, Solvason HB & Spector NH (1985). Neural and environmental influences on neoplasia and conditioning of NK activity. *Journal of immunology (Baltimore, Md.: 1950), 135*(2 Suppl): 848s-852s.

Glaser R, Lafuse WP, Bonneau RH, Atkinson C & Kiecolt-Glaser JK (1993). Stress-associated modulation of proto-oncogene expression in human peripheral blood leukocytes. *Behavioral Neuroscience, 107*(3): 525-525.

Glover V, O'connor TG & O'Donnell K (2010). Prenatal stress and the programming of the HPA axis. *Neuroscience & Biobehavioral Reviews, 35*(1): 17-22.

Goleman D (1995). *Emotional intelligence.* Bantam Books.

Golomb BA & Bui AK (2015). A Fat to Forget: Trans Fat Consumption and Memory. *PLoS One, 10*(6): e0128129.

Goodin BR & Bulls HW (2013). Optimism and the experience of pain: benefits of seeing the glass as half full. *Current pain and headache reports, 17*(5): 329.

Goodyear LJ (2008). The exercise pill-too good to be true?. *New England Journal of Medicine, 359*(17): 1842-1844.

Gordon JS (2005). The White House Commission on complementary and alternative medicine policy and the future of health care. (In: Schlitz M, Amorok T & Micozzi MS. *Consciousness and Healing: Integral Approaches to Mind -Body Medicine.* Elsevier. p. 496.)

Gregg EW, Chen H, Wagenknecht LE, Clark JM, Delahanty LM, Bantle J ... & Pi-Sunyer FX (2012). Association of an intensive lifestyle intervention with remission of type 2 diabetes. *JAMA, 308*(23): 2489-2496.

Griest JH, Klein MH, Eischens RR, Faris J, Gurman AS & Morgan WP (1979). Running as a Treatment for Depresson. *Comparative Psychiatry, 53*: 20-41.

Griffin ÉW, Mullally S, Foley C, Warmington SA, O'Mara SM & Kelly ÁM (2011). Aerobic exercise improves hippocampal function and increases BDNF in the serum of young adult males. *Physiology & behavior, 104*(5): 934-941.

Grinberg-Zylberbaum J (1994). The syntergic theory. *Frontier Perspectives, 4*(1): 25-30.

Guarente L (2011). Sirtuins, aging, and medicine. *New England Journal of Medicine, 364*(23): 2235-2244.

Gurillo P, Jauhar S, Murray RM & MacCabe JH (2015). Does tobacco use cause psychosis? Systematic review and metaanalysis. *The Lancet Psychiatry, 2*(8): 718-725.

Guu TW, Mischoulon D, Sarris J, Hibbeln J, McNamara RK, Hamazaki K ... & Jacka F (2019). International Society for Nutritional Psychiatry Research Practice Guidelines for Omega-3 fatty acids in the treatment of major depressive disorder. *Psychotherapy and psychosomatics, 88*(5): 263-273.

Guzys D, Kenny A, Dickson-Swift V & Threlkeld G (2015). A critical review of population health literacy assessment. *BMC Public Health, 15*(1): 1-7.

Haendeler J, Hoffmann J, Diehl JF, Vasa M, Spyridopoulos I, Zeiher AM & Dimmeler S (2004). Antioxidants inhibit nuclear export of telomerase reverse transcriptase and delay replicative senescence of endothelial cells. *Circulation research, 94*(6): 768-775.

Hall KD, Ayuketah A, Brychta R, Cai H, Cassimatis T, Chen KY ... & Fletcher LA (2019). Ultra-processed diets cause excess calorie intake and weight gain: an inpatient randomized controlled trial of ad libitum food intake. *Cell metabolism, 30*(1): 67-77.

Haroon E, Raison CL & Miller AH (2011). Psychoneuroimmunology meets neuropsychopharmacology: Translational implications of the impact of inflammation on behavior. *Neuropsychopharmacology, 37*(1). 137-162.

Harrison DE, Strong R, Sharp ZD, Nelson JF, Astle CM, Flurkey K ... & Miller RA (2009). Rapamycin fed late in life extends lifespan in genetically heterogeneous mice. *Nature, 460*(7253): 392-395.

Haskell WL, Lee IM, Pate RR, Powell KE, Blair SN, Franklin BA ... & Bauman A (2007). Physical activity and public health:

updated recommendation for adults from the American College of Sports Medicine and the American Heart Association. *Circulation, 116*(9): 1081.

Hatch S & Kickbusch I (Eds). (1983). *WHO self help and health in Europe. New approaches in health care.* WHO Regional Office for Europe.

Hawkley LC & Cacioppo JT (2003). Loneliness and pathways to disease. *Brain, Behavior, and Immunity, 17*(1): 98-105.

Heiman HJ & Artiga S (2015). Beyond health care: the role of social determinants in promoting health and health equity. *The Kaiser Commission on Medicaid and the Uninsured: Issue Brief.*

Hein G & Singer T (2008). I feel how you feel but not always: the empathic brain and its modulation. *Current Opinion in Neurobiology, 18*: 153-158.

Heinrich C (2012). Health literacy: The sixth vital sign. *Journal of the American Academy of Nurse Practitioners, 24*(4), 218-223.

Heijmans BT, Tobi EW, Stein AD, Putter H, Blauw GJ, Susser ES ... Lumey LH (2008). Persistent epigenetic differences associated with prenatal exposure to famine in humans. *Proc. Natl. Acad. Sci. 105*(44): 17046–17049.

Hess WR (1957). *The Functional Organization of the Diencephalon.* Grune & Stratton.

Hirata Y, Inoue A, Suzuki S, Takahashi M, Matsui R, Kono N ... & Matsuzawa A (2020). Trans-Fatty acids facilitate DNA damage-induced apoptosis through the mitochondrial JNK-Sab-ROS positive feedback loop. *Scientific reports, 10*(1): 1-16.

Hofmann W, Vohs KD & Baumeister RF (2012). What people desire, feel conflicted about, and try to resist in everyday life. *Psychological science, 23*(6): 582-588.

Holman H & Lorig K (2004). Patient selfmanagement: A key to effectiveness and efficiency in care of chronic disease. *Public Health Reports, 119*(3): 239-243.

Holmes TH & Rahe RH (1967). The Social Readjustment Rating Scale. *J Psychosom Res, 11*: 213-218.

Holt-Lunstad J, Smith TB & Layton JB (2010). Social relationships and mortality risk: a meta-analytic review. *PLoS medicine, 7*(7): e1000316.

Hölzel BK, Carmody J, Vangel M, Congleton C, Yerramsetti SM, Gard T & Lazar SW (2011). Mindfulness practice leads to increases in regional brain gray matter density. *Psychiatry research: neuroimaging, 191*(1): 36-43.

Horvath AT & Yeterian J (2012). SMART recovery: Self-empowering, science-based addiction recovery support. *Journal of Groups in Addiction & Recovery, 7*(2-4): 102-117.

Hotamisligil GS, Shargill NS & Spiegelman BM (1993). Adipose expression of tumor necrosis factor-alpha: direct role in obesity-linked insulin resistance. *Science, 259*(5091): 87-91.

Hotamisligil GS. (2006). Inflammation and metabolic disorders. *Nature, 444*(7121): 860-867.

House JS, Landis KR & Umberson D (1988). Social Relationships and Health. *Science, 241*: 540-545.

Huber M, Knottnerus JA, Green L, van der Horst H, Jadad AR, Kromhout D ... & Schnabel P (2011). How should we define health?. *BMJ, 343.*

Humphrey N (1986). *The Inner Eye: social intelligence in Evolution.* Oxford University Press.

Hunter P (2012). The inflammation theory of disease: The growing realization that chronic inflammation is crucial in many diseases opens new avenues for treatment. *EMBO reports, 13*(11): 968-970.

Huot RL, Thrivikraman KV, Meaney MJ & Plotsky PM (2001). Development of adult ethanol preference and anxiety as a consequence of neonatal maternal separation in Long Evans rats and reversal with antidepressant treatment. *Psychopharmacology, 158*: 366-373.

Hutchison WD, Davis KD, Lozano AM, Tasker RR & Dostrovsky JO (1999). Pain-related neurons in the human cingulate cortex. *Nature neuroscience, 2*(5): 403-405.

Iliff JJ, Wang M, Liao Y, Plogg BA, Peng W, Gundersen GA ... & Nedergaard M (2012). A paravascular pathway facilitates CSF flow through the brain parenchyma and the clearance of interstitial solutes, including amyloid β. *Science translational medicine, 4*(147): 147ra111-147ra111.

Imamura F, O'Connor L, Ye Z, Mursu J, Hayashino Y, Bhupathiraju SN & Forouhi NG (2015). Consumption of sugar sweetened beverages, artificially sweetened beverages, and fruit juice and incidence of type 2 diabetes: systematic review, meta-analysis, and estimation of population attributable fraction. *BMJ, 351.*

Irwin MR & Miller AH (2007). Depressive disorders and immunity: 20 years of progress and discovery. *Brain Behavior and Immunity, 21*: 374-383.

Jabbi M, Swart M & Keysers C (2007). Empathy for positive and negative emotions in the gustatory cortex. *Neuroimage, 34*(4): 1744-1753.

Jacobs JR & Bovasso GB (2000). Early and chronic stress and their relation to breast cancer. Psychology *Medicine, 30*: 669-678.

Jakubowicz D, Wainstein J, Ahren B, Landau Z, Bar-Dayan Y & Froy O (2015). Fasting until noon triggers increased postprandial hyperglycemia and impaired insulin response after lunch and dinner in individuals with type 2 diabetes: a randomized clinical trial. *Diabetes care, 38*(10): 1820-1826.

Jankowiak J (2004). Too much sugar may cause "brain decay". *Neurology, 63*(4): E9-E10.

Kadosh E, Snir-Alkalay I, Venkatachalam A, May S, Lasry A, Elyada E ... & Ben-Neriah Y (2020). The gut microbiome switches mutant p53 from tumour-suppressive to oncogenic. *Nature, 586*(7827), 133-138.

Kahleova H, Levin S & Barnard N (2017). Cardio-metabolic benefits of plant-based diets. *Nutrients, 9*(8): 848.

Kalin NH, Shelton SE & Barksdale CM (1988). Opiate modulation of separation-induced distress in non-human primates. *Brain research, 440*(2): 285-292.

Kamada T (1992). System biomedicine: a new paradigm in biomedical engineering. *Frontiers of medical and biological engineering: the international journal of the Japan Society of Medical Electronics and Biological Engineering, 4*(1): 1.

Kanner AD, Coyne JC, Schaefer C & Lazarus RS (1981). Comparison of Two Modes of Stress Measurement: Daily Hassles and Uplifts Versus Major Life Events. *Journal of Behavioral Medicine, 4*(1): 1-39.

Kaplan J, Manuck SB, Clarkson TB, Lusso FM & Taub DM (1982). Social status, environment, and atherosclerosis in cynomolgus monkeys. *Arteriosclerosis, Thrombosis and Vascular Biology, 2*(5): 359-368.

Kark JD, Carmel S, Sinnreich R, Goldberger N & Friedlander Y (1996). Psychosocial factors among members of religious and secular kibbutzim. *Israel journal of medical sciences, 32*(3-4): 185-194.

Katz DL & Meller S (2014). Can we say what diet is best for health?. *Annual review of public health, 35*: 83-103.

Katz DL (2014). Lifestyle is the medicine, culture is the spoon: the covariance of proposition and preposition. *American

Journal of Lifestyle Medicine, 8(5): 301-305.

Kennell J, Klaus M, McGrath S, Robertson S & Hinkley C (1991). Continuous emotional support during labor in US hospital: A randomized control trial. *Journal of the American Medical Association, 265*: 2197-2201.

Keshavarz S, Coventry KR & Fleming P (2020). Relative deprivation and hope: Predictors of risk behavior. *Journal of Gambling Studies*: 1-19.

Kettunen O, Vuorimaa T, Vasankari T (2015) A 12-month exercise intervention decreased stress symptoms and increased mental resources among working adults-Results perceived after a 12-month follow-up. *Int J Occup Med Environ Health 28*: 157-168.

Keysers C, Wicker B, Gazzola V, Anton JL, Fogassi L & Gallese V (2004). A touching sight: SII/PV activation during the observation and experience of touch. *Neuron, 42*(2): 335-346.

Khan MS & Aouad R (2017). The effects of insomnia and sleep loss on cardiovascular disease. *Sleep medicine clinics, 12*(2): 167-177.

Khera AV, Emdin CA, Drake I, Natarajan P, Bick AG, Cook NR ... & Fuster V (2016). Genetic risk, adherence to a healthy lifestyle, and coronary disease. *New England Journal of Medicine, 375*(24): 2349-2358.

Kiecolt-Glaser JK, Gouin JP & Hantsoo L (2010). Close relationships, inflammation, and health. *Neuroscience & biobehavioral reviews, 35*(1): 33-38.

Kim J, Kang J, Kang YL, Woo J, Kim Y, Huh J & Park JW (2020). Ketohexokinase-A acts as a nuclear protein kinase that mediates fructose-induced metastasis in breast cancer. *Nature communications, 11*(1), 1-20.

King KB, Reis HT, Porter LA & Norsen LH (1993). Social support and long-term recovery from coronary artery surgery: Effects on patients and spouses. *Health Psychology, 12*: 56-63.

Kirsh I & Sapirstein G (1998). Listening to Prozac but hearing placebo: a meta-analysis of antidepressant medication. *Prevention & Treatment.* (http://journals.apa.org/prevention/volume1/pre0010002a.html)

KIOM (2013). Results report for Investigation of prevalence rate of Mibyeong. *Gallup Korea-KIOM*. 2013: 455.

KiveläK, Elo S, Kyngäs H & Kääriäinen M (2014). The effects of health coaching on adult patients with chronic diseases: a systematic review. *Patient education and counseling, 97*(2): 147-157.

Klaus M, Kennell J, Berkowitz G & Klaus P (1992). Maternal assistance and support in labor: Father, nurse, midwife, or doula. *Clinical consultations in obstetrics and gynecology, 4*(4): 211-217.

Knight R (2015) / 강병철 (역) (2016). **내 몸 속의 우주**. 문학동네.

Knowler WC, Barrett-Connor E, Fowler SE, Hamman RF, Lachin JM, Walker EA & Nathan DM (2002). Reduction in the incidence of type 2 diabetes with lifestyle intervention or metformin. *The New England journal of medicine, 346*(6): 393-403.

Kobasa SC (1979). Stressful life events, personality, and health: an inquiry into hardiness. *Journal of personality and social psychology, 37*(1): 1-11.

Kok BE & Fredrickson BL (2010). Upward spirals of the heart: Autonomic flexibility, as indexed by vagal tone, reciprocally and prospectively predicts positive emotions and social connectedness. *Biological psychology, 85*(3): 432-436.

Kono Y, Yamada S, Yamaguchi J, Hagiwara Y, Iritani N, Ishida S ... & Koike Y (2013). Secondary prevention of new vascular events with lifestyle intervention in patients with noncardioembolic mild ischemic stroke: a single-center randomized controlled trial. *Cerebrovascular Diseases, 36*(2): 88-97.

Korsmeyer C (2002) / 권오상 (2021). **음식철학**. 헬스레터.

Koyama Y, Nawa N, Yamaoka Y, Nishimura H, Sonoda S, Kuramochi J … & Fujiwara T (2021). Interplay between social isolation and loneliness and chronic systemic inflammation during the COVID-19 pandemic in Japan: Results from U-CORONA study. *Brain, Behavior, and Immunity, 94*: 51-59.

Kramer AD, Guillory JE & Hancock JT (2014). Experimental evidence of massive-scale emotional contagion through social networks. *Proceedings of the National Academy of Sciences, 111*(24): 8788-8790.

Kramer AF, Hahn S, Cohen NJ, Banich MT, McAuley E, Harrison CR … & Colcombe A (1999). Ageing, fitness and neurocognitive function. *Nature, 400*(6743): 418-419.

Kramer F, Just S & Zeller T (2018). New perspectives: systems medicine in cardiovascular disease. *BMC systems biology, 12*(1): 57.

Kulik JA & Mahler HI (1989). Social support and recovery from surgery. *Health Psychology, 8*: 221-238 .

Kusaka Y, Kondou H & Morimoto K (1992). Healthy lifestyles are associated with higher natural killer cell activity. *Preventive Medicine, 21*(5): 602-615.

Lalonde M (1974). A New Perspective on the Health of Canadians. Government of Canada.

Lamming DW, Wood JG, Sinclair DA (2004). Small molecules that regulate lifespan: evidence for xenohormesis. *Molecular Microbiology. 53*(4): 1003-1009.

Lane M, Robker RL & Robertson SA (2014). Parenting from before conception. *Science, 345*(6198): 756-760.

Langer EJ (2009). *Counter clockwise: mindful health and the power of possibility.* Ballantine Books.

Laplante P, Diorio J & Meaney MJ (2002). Serotonin regulates hippocampal glucocorticoid receptor expression via a 5-HT7 receptor. Brain Research. *Developmental Brain Research, 13*: 199-203.

Larsson SC, Åkesson A & Wolk A (2014). Healthy diet and lifestyle and risk of stroke in a prospective cohort of women. *Neurology, 83*(19): 1699-1704.

Lawlis F (1996). *Transpersonal Medicine: A new approach to healing Body-Mind-Spirit.* Shambhala.

Lawn S & Schoo A (2010). Supporting self-management of chronic health conditions: common approaches. *Patient education and counseling, 80*(2): 205-211.

Lazar SW, Kerr CE, Wasserman RH, Gray JR, Greve DN, Treadway MT … & Rauch SL (2005). Meditation experience is associated with increased cortical thickness. *Neuroreport, 16*(17): 1893.

Lee S, Cho SR, Jeong I, Park JB, Shin MY, Kim S & Kim JH (2020). Mercury Exposure and Associations with Hyperlipidemia and Elevated Liver Enzymes: A Nationwide Cross-Sectional Survey. *Toxics, 8*(3): 47.

Lelak K, Vohra V, Neuman MI, Toce MS & Sethuraman U (2022). Pediatric Melatonin Ingestions—United States, 2012–2021. *Morbidity and Mortality Weekly Report, 71*(22): 725.

Levin J (2001). *God, Faith, and Health: Exploring the Spirituality-ealth Connection.* John Wiley & Sons.

Levin J (2001). God, love, and health: Findings from a clinical study. *Review of Religious Research, 42*(3): 277- 293.

Levine JD & Gordon NC (1984). Influence of the method of drug administration on analgesic response. *Nature, 312*(5996): 755-756.

Levine JD, Gordon NC, Smith R & Fields HL (1981). Analgesic responses to morphine and placebo in individuals with postoperative pain. *Pain, 10*(3): 379-389.

Levine ME, Suarez JA, Brandhorst S, Balasubramanian P, Cheng CW, Madia F ... & Longo VD (2014). Low protein intake is associated with a major reduction in IGF-1, cancer, and overall mortality in the 65 and younger but not older population. *Cell metabolism, 19*(3): 407-417.

Levinger I, Goodman C, Matthews V, Hare DL, Jerums G, Garnham A & Selig S (2008). BDNF, metabolic risk factors, and resistance training in middle-aged individuals. *Medicine & Science in Sports & Exercise, 40*(3): 535-541.

Lewitus GM, Cohen H & Schwartz M (2008). Reducing post-traumatic anxiety by immunization. *Brain behavior and immunity, 22*(7): 1108-1114.

Lewontin RC (1993). *Biology as Ideology: The Doctrine of DNA.* Harper Perennial.

Li J, Atasoy S, Fang X, Angerer P & Ladwig KH (2021). Combined effect of work stress and impaired sleep on coronary and cardiovascular mortality in hypertensive workers: The MONICA/KORA cohort study. *European journal of preventive cardiology, 28*(2): 220-226.

Li Q, Morimoto K, Nakadai A, Qu T, Matsushima H, Katsumata M ... & Kawada T (2007). Healthy lifestyles are associated with higher levels of perforin, granulysin and granzymes A/B-expressing cells in peripheral blood lymphocytes. *Preventive medicine, 44*(2): 117-123.

Li S, Flint A, Pai JK, Forman JP, Hu FB, Willett WC ... & Rimm EB (2014). Low carbohydrate diet from plant or animal sources and mortality among myocardial infarction survivors. *Journal of the American Heart Association, 3*(5): e001169.

Li Y, Pan A, Wang DD, Liu X, Dhana K, Franco OH ... & Hu FB (2018). Impact of healthy lifestyle factors on life expectancies in the US population. *Circulation, 138*(4): 345-355.

Lianov L & Johnson M (2010). Physician competencies for prescribing lifestyle medicine. *JAMA, 304*(2): 202-203.

Libby P (2007). Inflammatory mechanisms: the molecular basis of inflammation and disease. *Nutrition reviews, 65*(suppl_3): S140-S146.

Lieberman MD, Eisenberger NI, Crockett MJ, Tom SM, Pfeifer JH & Way BM (2007). Putting feelings into words: Affect labeling disrupts amygdala activity in response to affective stimuli. *Psychological Science, 18*(5): 421-428.

Link BG & Phelan J (1995). Social conditions as fundamental causes of disease. *Journal of health and social behavior*: 80-94.

Litt J & West C (2017). Understanding addictions: Tacking smoking and hazardous drinking. (In: Egger G, Binns A, Rossner S & Sagner M (Eds). *Lifestyle medicine: Lifestyle, the environment and preventive medicine in health and disease* (3rd ed). Academic Press. pp. 355-370.)

Little S (2002). Mind-Body medicine analysis. *Integrative cancer therapies. 1*(1): 60-63.

Little S (2007). Mind-Body Medicine. *Journal of Counseling and Development, 86*(1): 37-68.

Liu YZ, Wang YX & Jiang CL (2017). Inflammation: the common pathway of stress-related diseases. *Frontiers in human neuroscience, 11*: 316.

Lloyd R (1987). *Explorations in Psychoneuroimmunology.* Grune and Stratton.

Lorig KR, Ritter PL & Gonzáalez VM (2003). Hispanic chronic disease self management: a randomized community-based outcome trial. *Nurs Res 52*: 361-369.

Lorig KR, Sobel DS, Stewart AL, Brown Jr BW, Bandura A, Ritter P ... & Holman HR (1999). Evidence suggesting that a chronic disease self-management program can improve health status while reducing hospitalization: a randomized trial. *Medical care*: 5-14.

Lourida I, Soni M, Thompson-Coon J, Purandare N, Lang IA, Ukoumunne OC & Llewellyn DJ (2013). Mediterranean diet, cognitive function, and dementia: a systematic review. *Epidemiology*: 479-489.

Louv R (2009). Do our kids have nature-deficit disorder. *Educational Leadership, 67*(4): 24-30.

Lovallo WR (2016) / 안희영, 신경희 (역) (2018). **스트레스, 건강, 행동의학.** 학지사.

Lown B (1996) / 서정돈, 이희원 (역) (2003). **치유의 예술을 찾아서.** 몸과 마음.

Lowry SJ, Kapphahn K, Chlebowski R & Li CI (2016). Alcohol use and breast cancer survival among participants in the Women's Health Initiative. *Cancer Epidemiology and Prevention Biomarkers, 25*(8): 1268-1273.

Luks A & Payne P (2001). *The healing power of doing good: The health and spiritual benefits of helping others.* iUniverse.

Lyubomirsky S (2014). *The myths of happiness: What should make you happy but doesn't, what shouldn't make you happy but does.* Penguin Books.

Lyubomirsky S, Sheldon KM & Schkade D (2005). Pursuing happiness: The architecture of sustainable change. *Review of general psychology, 9*(2): 111-131.

Mah CD, Mah KE, Kezirian EJ & Dement WC (2011). The effects of sleep extension on the athletic performance of collegiate basketball players. *Sleep, 34*(7): 943-950.

Malik VS, Li Y, Tobias DK, Pan A & Hu FB (2016). Dietary protein intake and risk of type 2 diabetes in US men and women. *American journal of epidemiology, 183*(8): 715-728.

Manley AF (1996). *Physical activity and health: A report of the Surgeon General.* Diane Publishing.

Marmot MG & Syme SL (1976), Acculturation and coronary heart disease in Japanese-Americans. *American Journal of Epidemiology, 104*(3): 225-247.

Marselle MR, Bowler D, Watzema J, Eichenberg D, Kirsten T & Bonn A (2020): Urban street tree biodiversity and antidepressant prescriptions. *Scientific Reports*, DOI: 10.1038/s41598-020-79924-5.

Matarazzo JD (1980). Behavioral health and behavioral medicine. *American Psychologist, 35*: 807-817.

Mayer E (2016) / 김보은 (역) (2017). **더 커넥션.** 브레인월드.

McCarty MF (2011). mTORC1 activity as a determinant of cancer risk-rationalizing the cancer-preventive effects of adiponectin, metformin, rapamycin, and low-protein vegan diets. *Medical hypotheses, 77*(4): 642-648.

McClelland DC & Kirshnit C (1988). The effect of motivational arousal through films on salivary immunoglobulin A. *Psychology and Health, 2*(1): 31-52.

McCraty R (2015). *Science of the Heart, Vol 2.* HeartMath Institute.

McCully KS (1969). Vascular pathology of homocysteinemia: implications for the pathogenesis of arteriosclerosis. *Am J Pathol. 56*: 111-128.

McGinnis JM & Foege WH (1993). Actual causes of death in the United States. *JAMA. 270*(18): 2207-2212.

McGovern L, Miller G & Hughes-Cromwick P (2014). The relative contribution of multiple determinants to health. *Health Affairs Health Policy Brief*: 10.

McSpadden K (2015). You now have a shorter attention span than a goldfish. *Time.* 2015. May. 14.

Melzack R & Wall P (1965). Pain Mechanisms: A New Theory. *Science, 150*(3699): 971-979.

Mendelsohn RC (1979) / 남점순(역) (2000). **나는 현대 의학을 믿지 않는다**. 문예출판사.

Merboth MK & Barnason S (2000). Managing pain: the fifth vital sign. *The Nursing Clinics of North America, 35*(2): 375-383.

Micha R, Michas G & Mozaffarian D (2012). Unprocessed red and processed meats and risk of coronary artery disease and type 2 diabetes-an updated review of the evidence. *Current atherosclerosis reports, 14*(6): 515-524.

Miller RM, Marriott D, Trotter J, Hammond T, Lyman D, Call T … & Edwards JG (2018). Running exercise mitigates the negative consequences of chronic stress on dorsal hippocampal long-term potentiation in male mice. *Neurobiology of learning and memory, 149*: 28-38.

Mills PJ, Redwine L, Wilson K, Pung MA, Chinh K, Greenberg BH … & Chopra D (2015). The role of gratitude in spiritual well-being in asymptomatic heart failure patients. *Spirituality in clinical practice, 2*(1): 5-17.

Min SK, Lee CI, Kim KI, Suh SY & Kim DK (2000). Development of Korean version of WHO quality of life scale abbreviated version (WHOQOL-BREF). *Journal of Korean Neuropsychiatric Association, 39*(3): 571-579.

Miyazaki T, Ishikawa T, Iimori H, Miki A, Wenner M, Fukunishi I & Kawamura N (2003). Relationship between perceived social support and immune function. *Stress and Health: Journal of the International Society for the Investigation of Stress, 19*(1): 3-7.

Moieni M, Irwin MR, Jevtic I, Breen EC & Eisenberger NI (2015). Inflammation impairs social cognitive processing: A randomized controlled trial of endotoxin. *Brain Behavior and Immunity, 48*: 132-138.

Molenberghs P, Ogilvie C, Louis WR, Decety J, Bagnall J & Bain PG. (2015). The neural correlates of justified and unjustified killing: An fMRI study. *Social Cognitive and Affective Neuroscience, 10*(10): 1397-1404.

Moll J, Krueger F, Zahn R, Pardini M, de Oliveira-Souza R & Grafman J (2006). Human fronto-mesolimbic networks guide decisions about charitable donation. *Proceedings of the National Academy of Sciences, 103*(42): 15623-15628.

Moore M, Highstein G, Tschannes-Maran B & Silverio G (2009). Coaching behavior change. (In: Moore M, Highstein G, Tschannes-Maran B & Silverio G. *Coaching: psychology manual*. Wolters Kluwer Health/Lippincott Williams & Wilkins. pp. 33-51.)

Moss R (1981). *The I That Is We.* Celestial Arts.

Motl RW, Konopack JF, McAuley E, Elavsky S, Jerome GJ & Marquez DX (2005). Depressive symptoms among older adults: long-term reduction after a physical activity intervention. *Journal of behavioral medicine, 28*(4): 385-394.

Müller N, Weidinger E, Leitner B & Schwarz MJ (2015). The role of inflammation in schizophrenia. *Frontiers in Neuroscience, 9*: 372.

Nagasawa M, Mitsui S, En S, Ohtani N, Ohta M, Sakuma Y … & Kikusui T (2015). Oxytocin-gaze positive loop and the coevolution of human-dog bonds. *Science, 348*(6232): 333-336.

Nair S, Sagar M, Sollers J III, Consedine N & Broadbent E (2015). Do slumped and upright postures affect stress responses? A randomized trial. *Health Psychology, 34*(6): 632.

Narasimhan M, Allotey P & Hardon A (2019). Self care interventions to advance health and wellbeing: a conceptual framework to inform normative guidance. *BMJ, 365*: l688.

National Wellness Institute (2017). https://nationalwellness.org/about-nwi/

NAVIGATOR Study Group (2010). Effect of nateglinide on the incidence of diabetes and cardiovascular events. *New*

England Journal of Medicine, 362(16): 1463-1476.

Nerem RM, Levesque MJ & Cornhill JF (1980). Social environment as a factor in diet-induced atherosclerosis. *Science, 208*(4451): 1475-1476.

Nersesian PV, Han HR, Yenokyan G, Blumenthal RS, Nolan MT, Hladek MD & Szanton SL (2018). Loneliness in middle age and biomarkers of systemic inflammation: Findings from Midlife in the United States. *Social Science & Medicine, 209*: 174-181.

Ng M, Fleming T, Robinson M, Thomson B, Graetz N, Margono C ... & Gakidou E (2014). Global, regional, and national prevalence of overweight and obesity in children and adults during 1980-2013: a systematic analysis for the Global Burden of Disease Study 2013. *The lancet, 384*(9945): 766-781.

Nietzsche F (1887) / Kaufmann W (trans) (1974). *The gay science*. Vintage.

O'Keefe GS & Clarke-Pearson K (2011). The impact of social media on children, adolescents, and families: American Academy of Pediatrics clinical report. *Pediatrics, 127*(4): 800-804.

Oberg EB & Frank E (2009). Physicians' health practices strongly influence patient health practices. *The journal of the Royal College of Physicians of Edinburgh, 39*(4): 290.

O'Donnell MJ, Chin SL, Rangarajan S, Xavier D, Liu L, Zhang H ... & Lopez-Jaramillo P (2016). Global and regional effects of potentially modifiable risk factors associated with acute stroke in 32 countries (INTERSTROKE): a case-control study. *The Lancet, 388*(10046): 761-775.

Olness K & Ader R (1992). Conditioning as an adjunct in the pharmacotherapy of lupus erythematosus. *J of Developmental and behavioral pediatrics, 13*: 124-125.

Orlich MJ & Fraser GE (2014). Vegetarian diets in the Adventist Health Study 2: a review of initial published findings. *The American journal of clinical nutrition, 100*(suppl_1): 353S-358S.

Ornish D & Multicenter Lifestyle Demonstration Project Research Group (1998). Avoiding revascularization with lifestyle changes: the Multicenter Lifestyle Demonstration Project. *The American journal of cardiology, 82*(10): 72-76.

Ornish D & Ornish A (2019). *Undo It!: How simple lifestyle changes can reverse most chronic diseases*. Ballantine Books.

Ornish D & Ornish D (1998). *Love & survival: The scientific basis for the healing power of intimacy*. HarperCollins.

Ornish D (2005). Opening your heart: Anatomically, emotionally, and spiritually. (In: Schlitz M, Amorok T & Micozzi MS. *Consciousness and Healing: Integral Approaches to Mind-Body Medicine*. Elsevier. pp. 304-311.)

Ornish D (2008). *The spectrum*. Ballantine Books.

Ornish D (2010). *Dr. Dean Ornish's program for reversing heart disease: The only system scientifically proven to reverse heart disease without drugs or surgery*. Ivy Books.

Ornish D, Brown SE, Billings JH, Scherwitz LW, Armstrong WT, Ports TA ... & Brand RJ (1990). Can lifestyle changes reverse coronary heart disease?: The Lifestyle Heart Trial. *The Lancet, 336*(8708): 129-133.

Ornish D, Lin J, Chan JM, Epel E, Kemp C, Weidner G ... & Blackburn EH (2013). Effect of comprehensive lifestyle changes on telomerase activity and telomere length in men with biopsy-proven low-risk prostate cancer: 5-year follow-up of a descriptive pilot study. *The Lancet Oncology, 14*(11): 1112-1120.

Ornish D, Lin J, Daubenmier J, Weidner G, Epel E, Kemp C ... & Blackburn EH (2008). Increased telomerase activity and comprehensive lifestyle changes: a pilot study. *The lancet oncology, 9*(11): 1048-1057.

Ornish D, Magbanua MJM, Weidner G, Weinberg V, Kemp C, Green C ... & Carroll PR (2008). Changes in prostate gene expression in men undergoing an intensive nutrition and lifestyle intervention. *Proceedings of the National Academy of Sciences, 105*(24): 8369-8374.

Ornish D, Scherwitz LW, Billings JH, Gould KL, Merritt TA, Sparler S ... & Brand RJ (1998). Intensive lifestyle changes for reversal of coronary heart disease. *JAMA, 280*(23): 2001-2007.

Ornish D, Scherwitz LW, Doody RS, Kesten D, McLanahan SM, Brown SE ... & Gotto AM (1983). Effects of stress management training and dietary changes in treating ischemic heart disease. *JAMA 249*(1): 5459.

Øvrum A & Rickertsen K (2015). Inequality in health versus inequality in lifestyle choices. *Nordic Journal of Health Economics, 3*(1): 18-33.

Ozbay F, Johnson DC, Dimoulas E, Morgan III CA, Charney D & Southwick S (2007). Social support and resilience to stress: From neurobiology to clinical practice. *Psychiatry (Edgmont), 4*(5): 35-40.

Pagnini F, Cavalera C, Volpato E, Comazzi B, Riboni FV, Valota C ... & Langer E (2019). Ageing as a mindset: a study protocol to rejuvenate older adults with a counterclockwise psychological intervention. *BMJ open, 9*(7): e030411.

Pan A, Sun Q, Bernstein AM, Schulze MB, Manson JE, Stampfer MJ ... & Hu FB (2012). Red meat consumption and mortality: results from 2 prospective cohort studies. *Archives of internal medicine, 172*(7): 555-563.

Pan A, Sun Q, Bernstein AM, Schulze MB, Manson JE, Willett WC & Hu FB (2011). Red meat consumption and risk of type 2 diabetes: 3 cohorts of US adults and an updated meta-analysis. *The American journal of clinical nutrition, 94*(4): 1088-1096.

Patz JA, Frumkin H, Holloway T, Vimont DJ & Haines A (2014). Climate change: challenges and opportunities for global health. *JAMA, 312*(15): 1565-1580.

Pearce M & Raftery AE (2021). Probabilistic forecasting of maximum human lifespan by 2100 using Bayesian population projections. *Demographic Research, 44*: 1271-1294.

Pembrey ME, Bygren LO, Kaati G, Edvinsson S, Northstone K, Sjöström M & Golding J (2006). Sex-specific, male-line transgenerational responses in humans. *European journal of human genetics, 14*(2): 159-166.

Perez A, Carreiras M & Dunabeitia JA (2017). Brain-to-brain entrainment: EEG interbrain synchronization while speaking and listening. *Scientific Reports, 7*(1): 4190.

Perry R & Dowrick CF (2000). Complementary medicine and general practice: an urban perspective. *Complementary therapies in medicine, 8*(2): 71-75.

Pert CB (1997) / 김미선(역) (2009). **감정의 분자**. 시스테마.

Petrelli F, Ghidini M, Ghidini A, Perego G, Cabiddu M, Khakoo S ... & Zaniboni A (2019). Use of antibiotics and risk of cancer: a systematic review and meta-analysis of observational studies. *Cancers, 11*(8): 1174.

Pettman D (2011). *Human Error: Species-Being and Media Machines*. University of Minnesota Press.

Pillans P (2015). Medication overload and deprescribing. (paper presented to the Australian Disease Management Association(ADMA) Annual conference,)

Polak R, Pojednic RM & Phillips EM (2015). Lifestyle medicine education. *American journal of lifestyle medicine, 9*(5): 361-367.

Popkin BM, Adair LS & Ng SW (2012). Global nutrition transition and the pandemic of obesity in developing countries.

Nutrition reviews, 70(1): 3-21.

Popkin BM, Armstrong LE, Bray GM, Caballero B, Frei B & Willett WC (2006). A new proposed guidance system for beverage consumption in the United States. *The American journal of clinical nutrition, 83*(3): 529-542.

Potier F, Degryse JM, Henrard S, Aubouy G & de Saint-Hubert M (2018). A high sense of coherence protects from the burden of caregiving in older spousal caregivers. *Archives of gerontology and geriatrics, 75*: 76-82.

Poulin MJ, Brown SL, Dillard AJ & Smith DM (2013). Giving to others and the association between stress and mortality. *American journal of public health, 103*(9): 1649-1655.

Prochaska JO, DiClemente CC & Norcross JC (1993). In search of how people change: Applications to addictive behaviors. *Addictions Nursing Network, 5*(1): 2-16.

Prochaska JO & DiClemente CC (2005). The transtheoretical approach. (In: Norcross JC & Goldfried MR (Eds). *Handbook of psychotherapy integration* (2nd ed). Oxford University Press. pp. 147-171.)

Rabin BS (2002). Understanding how stress affects the physical body. (In: Koenig HG, Cohen HJ (Eds). *The link between religion and health: psychoneuroimmunology and the faith factor.* Oxford Univ Press.)

Ramachandran VS & Oberman LM (2006). Broken mirrors. *Scientific American, 295*(5): 62-69.

Rankin P, Morton DP, Diehl H, Gobble J, Morey P & Chang E (2012). Effectiveness of a volunteer-delivered lifestyle modification program for reducing cardiovascular disease risk factors. *The American journal of cardiology, 109*(1): 82-86.

Rifkin R (2009) / 이경남(역) (2010). **공감의 시대**. 민음사.

Rizzolatti G & Craighero L (2004). The mirror-neuron system. *Annu Rev Neurosci, 27*: 169-192.

Roberts ID (2013). *Social Pain and Physical Pain Overlap Theory: A Pharmacological Evaluation of the Neural Alarm System Hypothesis of Social Pain* (Doctoral dissertation, The Ohio State University).

Robles TF & Kiecolt-Glaser JK (2003). The physiology of marriage: Pathways to health. *Physiology & behavior, 79*(3): 409-416.

Rohleder N (2014). Stimulation of systemic low-grade inflammation by psychosocial stress. *Psychosomatic medicine, 76*(3): 181-189.

Rook GA, Raison CL & Lowry CA (2014). Microbiota, immunoregulatory old friends and psychiatric disorders. (In: Lyte M & Cryan JF (Eds). *Microbial Endocrinology: The Microbiota-Gut-Brain Axis in Health and Disease.* Springer.)

Roseboom TJ, van der Meulen JH, Raelli AC, Osmond C, Barker DJ & Bleker OP (2001). Effects of prenatal exposure to the Dutch famine on adult disease in later life: An Overview. *Twin Research, 4*: 293-298.

Rotan LW & Ospina-Kammerer V (2007). *MindBody Medicine.* Routledge.

Roth J, LeRoith D, Shiloach J, Rosenzweig JL, Lesniak MA & Havrankova J (1982). The evolutionary origins of hormones, neurotransmitters, and other extracellular chemical messengers: implications for mammalian biology. *New England Journal of Medicine, 306*(9): 523-527.

Ryan RM & Deci EL (2000). Self-determination theory and the facilitation of intrinsic motivation, social development, and well-being. *American psychologist, 55*(1): 68-78.

Sagner M, McNeil A & Ross A (2017). The next chapter: The future of health care and lifestyle interventions. (In: Egger G, Binns A, Rossner S, & Sagner M (Eds). *Lifestyle medicine* (3rd ed). Academic Press. pp. 437-446.)

Sajan J, Cinu TA, Chacko AJ, Litty J & Jaseeda T (2009). Chronotherapeutics and chronotherapeutic drug delivery systems. *Tropical Journal of Pharmaceutical Research, 8*(5): 467-475.

Sajish M, Schimmel P (2015). A human tRNA synthetase is a potent PARP1-activating effector target for resveratrol. *Nature. 519*(7543): 370-373.

Salovey P & Mayer JD (1990). Emotional intelligence. *Imagination, cognition and personality, 9*(3): 185-211.

Saltiel AR & Olefsky JM (2017). Inflammatory mechanisms linking obesity and metabolic disease. *The Journal of clinical investigation, 127*(1): 1-4.

Sánchez-Rodríguez MA, Santiago E, Arronte-Rosales A, Vargas-Guadarrama LA & Mendoza-Núñez VM (2006). Relationship between oxidative stress and cognitive impairment in the elderly of rural vs. urban communities. *Life Sciences, 78*(15): 1682-1687.

Sanders D, Frago E, Kehoe R, Patterson C & Gaston KJ (2021). A meta-analysis of biological impacts of artificial light at night. *Nature Ecology & Evolution, 5*(1): 74-81.

Satija A, Bhupathiraju SN, Spiegelman D, Chiuve SE, Manson JE, Willett W ... & Hu FB (2017). Healthful and unhealthful plant-based diets and the risk of coronary heart disease in US adults. *Journal of the American College of Cardiology, 70*(4): 411-422.

Schakel L, Veldhuijzen DS, Crompvoets PI, Bosch JA, Cohen S, van Middendorp H ... & Evers AW (2019). Effectiveness of stress-reducing interventions on the response to challenges to the immune system: a meta-analytic review. *Psychotherapy and psychosomatics, 88*(5): 274-286.

Schmale A & Iker H (1966). The psychological setting of uterine cervical cancer. *Annals of the New York Academy of Sciences, 125*(3): 807-813.

Schmale AH & Iker H (1971). Hopelessness as a predictor of cervical cancer. *Social Science & Medicine (1967), 5*(2): 95-100.

Schnabel U (2010) / 김희상(역) (2016). **아무것도 하지 않는 시간의 힘**. 가나출판사.

Schulte-Ruther M, Markowitsch HJ, Fink GR & Piefke M (2007). Mirror neuron and theory of mind mechanisms involved in face-to-face interactions: a functional magnetic resonance imaging approach to empathy. *Journal of cognitive neuroscience, 19*(8): 1354-1372.

Schulz U, Pischke CR, Weidner G, Daubenmier J, Elliot-Eller M, Scherwitz L ... & Ornish D (2008). Social support group attendance is related to blood pressure, health behaviours, and quality of life in the Multicenter Lifestyle Demonstration Project. *Psychology, Health and Medicine, 13*(4): 423-437.

Schwartzm GE & Weiss SM (1978). Behavioral medicine revisited: An amended definition. *Journal of Behavioral Medicine, 1*: 249-251.

Scrivo R, Vasile M, Bartosiewicz I & Valesini G (2011). Inflammation as "common soil" of the multifactorial diseases. *Autoimmunity reviews, 10*(7), 369-374.

Seifert T, Brassard P, Wissenberg M, Rasmussen P, Nordby P, Stallknecht B ... & Secher NH (2010). Endurance training enhances BDNF release from the human brain. *American Journal of Physiology-Regulatory, Integrative and Comparative Physiology, 298*(2): R372-R377.

Selhub EM & Logan AC (2012) / 김유미 (역) (2013). **자연몰입**. 해나무.

Sforzo GA, Kaye MP, Todorova I, Harenberg S, Costello K, Cobus-Kuo L ... & Moore M (2017). Compendium of the health and wellness coaching literature. *American journal of lifestyle medicine, 12*(6): 436-447.

Shakya HB & Christakis NA (2017a). A new, more rigorous study confirms: the more you use facebook, the worse you feel. *Harvard Business Review*, Apr 10.

Shakya HB & Christakis NA (2017b). Association of Facebook use with compromised well-being: A longitudinal study. *American journal of epidemiology, 185*(3): 203-211.

Sharma S (2015). (In: https://www.theguardian.com/society/2015/aug/30/brisk-daily-walks-reduce-ageing-increase-life-span-research)

Shatenstein B & Barberger-Gateau P (2015). Prevention of Age-Related Cognitive Decline: Which Strategies, When, and for Whom?. *Journal of Alzheimer's Disease, 48*(1): 35-53.

Shechter A, Grandner MA & St-Onge MP (2014). The role of sleep in the control of food intake. *American journal of lifestyle medicine, 8*(6): 371-374.

Silberfarb PM, Anderson KM, Rundle AC, Holland JC, Cooper MR & McIntyre OR (1991). Mood and clinical status in patients with multiple myeloma. *Journal of Clinical Oncology, 9*(12): 2219-2224.

Simpson RJ, Kunz H, Agha N, Graff R (2015). Exercise and the regulation of immune functions. *Prog Mol Biol Transl Sci 135*: 355-380.

Singer T, Seymour B, O'Doherty J, Jaube H, Dolan RJ & Frith CD (2004). Empathy for pain involves the affective but not sensory components of pain. *Science, 303*: 1157-1162.

Smith AF (2020) / 이혜경 (역) (2021). **음식물 쓰레기 전쟁**. 와이즈맵.

Smith JC, Nielson KA, Woodard JL, Seidenberg M, Durgerian KE, Kazlett KE ... & Rao SM (2014). Physical activity reduces hippocampal atrophy in elders at genetic risk for Alzheimer's disease. *Front Aging Neurosci, 6*: 61.

Snyder CR (Ed). (2000). *Handbook of hope: Theory, measures, and applications.* Academic press.

Solomon GF & Moos RH (1964). Emotions, immunity, and disease: A speculative theoretical integration. Archiv. *General Psychiatry, 11*: 657-674.

Solon-Biet SM, McMahon AC, Ballard JWO, Ruohonen K, Wu LE, Cogger VC ... & Simpson SJ (2014). The ratio of macronutrients, not caloric intake, dictates cardiometabolic health, aging, and longevity in ad libitum-fed mice. *Cell metabolism, 19*(3): 418-430.

Sommerlad A & Mukadam N (2020). Evaluating risk of dementia in older people: a pathway to personalized prevention?. *European Heart Journal, 41*(41): 4034-4036.

Song M, Fung TT, Hu FB, Willett WC, Longo VD, Chan AT & Giovannucci EL (2016). Association of animal and plant protein intake with all-cause and cause-specific mortality. *JAMA internal medicine, 176*(10): 1453-1463.

Sørensen K, Van den Broucke S, Fullam J, Doyle G, Pelikan J, Slonska Z & Brand H (2012). Health literacy and public health: a systematic review and integration of definitions and models. *BMC public health, 12*(1): 1-13.

Spiegel D (1998). Getting there is half the fun: Relating happiness to health. *Psychological Inquiry, 9*: 66-68.

Sprecher S & Fehr B (2006). Enhancement of mood and self-esteem as a result of giving and receiving compassionate love. *Current Research in Social Psychology, 11*: 227-242.

Stampfer MJ, Hu FB, Manson JE, Rimm EB & Willett WC (2000). Primary prevention of coronary heart disease in women through diet and lifestyle. *New England Journal of Medicine, 343*(1): 16-22.

Stern N (2016) / 박지희 (역) (2018). **혼자 쉬고 싶다**. 책세상.

Stevens J. Binns A, Morgan B & Egger G (2017). Meaninglessness, alienation, and Loss of culture/identity (MAL) as determinants of chronic disease. (In: Egger G, Binns A, Rossner S & Sagner M (Eds). *Lifestyle medicine: Lifestyle, the environment and preventive medicine in health and disease* (3rd ed). Academic Press. pp. 317-325.)

Strain JJ (1993). Psychotherapy and medical conditions. (In: Goleman D & Gurin J. *Mind Body Medicine*. Consumers Union of United States.)

Surrey JL (1985). *The "self-in-relation": A theory of women's development*. Wellesley College, Stone Center for Developmental Services and Studies.

Swaminathan S, Dehghan M, Raj JM, Thomas T, Rangarajan S, Jenkins D … & Yusuf S (2021). Associations of cereal grains intake with cardiovascular disease and mortality across 21 countries in Prospective Urban and Rural Epidemiology study: prospective cohort study. *BMJ, 372*.

Tawakol A, Ishai A, Takx RA, Figueroa AL, Ali A, Kaiser Y … & Pitman RK (2017). Relation between resting amygdalar activity and cardiovascular events: a longitudinal and cohort study. *The Lancet, 389*(10071): 834 -845.

Taylor SE, Klein LC, Lewis BP, Gruenewald TL, Gurung RA & Updegraff JA (2000). Biobehavioral responses to stress in females: Tend-and-befriend, not fight-or-flight. *Psycholog Rev, 107*(3): 411-429.

Temoshok L (1987). Personality, coping style, emotion, and cancer: Towards an integrative model. *Cancer Surv, 6*: 545-567.

Temoshok L (1993). *The Type C connection: The mind-body link to cancer and your health*. Plume Books.

Therapeutics Initiative (2016). Is the current 'glucocentric' approach to management of type 2 diabetes misguided?. *Therapeutics Lettter*: 103.

Thomas KR, Bangen KJ, Weigand AJ, Edmonds EC, Wong CG, Cooper S … & Alzheimer's Disease Neuroimaging Initiative (2020). Objective subtle cognitive difficulties predict future amyloid accumulation and neurodegeneration. *Neurology, 94*(4): e397-e406.

Tilman D & Clark M (2014). Global diets link environmental sustainability and human health. *Nature, 515*(7528): 518-522.

Tobi EW, Slieker RC, Stein AD, Suchiman HED, Slagboom PE, Van Zwet EW … Lumey LH (2015). Early gestation as the critical time-window for changes in the prenatal environment to affect the adult human blood methylome. *Int. J. Epidemiol, 44*(4): 1211-1223.

Tonkin AM, Lim SS & Schirmer H (2003). Cardiovascular risk factors: when should we treat?. *The Medical Journal of Australia, 178*(3): 101-102.

Tonstad S, Butler T, Yan R & Fraser GE (2009). Type of vegetarian diet, body weight, and prevalence of type 2 diabetes. *Diabetes care, 32*(5): 791-796.

Tucker LA (2017). Physical activity and telomere length in US men and women: An NHANES investigation. *Preventive medicine, 100*: 145-151.

Tumin R & Anderson SE (2017). Television, home-cooked meals, and family meal frequency: associations with adult obesity. *Journal of the Academy of Nutrition and Dietetics, 117*(6): 937-945.

Tuomilehto J, Lindström J, Eriksson JG, Valle TT, Hämäläinen H, Ilanne-Parikka P … & Uusitupa M (2001). Prevention of type 2 diabetes mellitus by changes in lifestyle among subjects with impaired glucose tolerance. *New England Journal of Medicine, 344*(18): 1343-1350.

Turner KA (2015). *Radical remission*. HarperCollins Publishers.

Turner-Cobb JM, Sephton SE, Koopman C, Blake-Mortimer J & Spiegel D (2000). Social support and salivary cortisol in women with metastatic breast cancer. *Psychosomat Med, 62*(3): 337-345.

Uchino BN (2006). Social support and health: a review of physiological processes potentially underlying links to disease outcomes. *Journal of behavioral medicine, 29*(4): 377-387.

Ulrich RS (1979). Visual landscapes and psychological well-being. *Landscape research, 4*(1): 17-23.

Ulrich RS (1984). View through a window may influence recovery from surgery. *Science, 224*(4647): 420-421.

Vague J (1947). La différentiation sexuelle facteur déterminant des formes de l'obésité. *Presse méd, 30*: 339 -340.

Vale MJ, Jelinek MV, Best JD, Dart AM, Grigg LE, Hare DL … & McNeil JJ (2003). Coaching patients On Achieving Cardiovascular Health (COACH): a multicenter randomized trial in patients with coronary heart disease. *Archives of internal medicine, 163*(22): 2775-2783.

Vallat R, Shah VD, Redline S, Attia P & Walker MP (2020). Broken sleep predicts hardened blood vessels. *PLoS biology, 18*(6): e3000726.

Vaynman S, Ying Z & Gomez-Pinilla (2004). Hippocampal BDNF mediates the efficacy of exercise on synaptic plasticity and cognition. *European Journal of neuroscience, 20*(10): 2580-2590.

Vedhara K, Bennett PD, Clark S, Lightman SL, Shaw S, Perks P … & Jones RW (2003). Enhancement of antibody responses to influenza vaccination in the elderly following a cognitive-behavioural stress management intervention. *Psychotherapy and psychosomatics, 72*(5): 245-252.

Ventegodt S, Merrick E & Merrick J (2006). Clinical holistic medicine: The Dean Ornish program ("opening the heart") in cardiovascular disease. *The Scientific World JOURNAL, 6*: 1977-1984.

Verburgh K (2015). Nutrigerontology: why we need a new scientific discipline to develop diets and guidelines to reduce the risk of aging-related diseases. *Aging Cell, 14*(1): 17-24.

Vogels N, Egger G, Plasqui G & Westerterp KR (2004). Estimating changes in daily physical activity levels over time: implication for health interventions from a novel approach. *International journal of sports medicine, 25*(08): 607-610.

Vogt T, Kluge F & Lee R (2020). Intergenerational resource sharing and mortality in a global perspective. *Proceedings of the National Academy of Sciences, 117*(37): 22793-22799.

Vollset SE, Goren E, Yuan CW, Cao J, Smith AE, Hsiao T … & Murray CJ (2020). Fertility, mortality, migration, and population scenarios for 195 countries and territories from 2017 to 2100: a forecasting analysis for the Global Burden of Disease Study. *The Lancet, 396*(10258): 1285-1306.

Voss MW, Nagamatsu LS, Liu-Ambrose T & Kramer AF (2011). Exercise, brain, and cognition across the life span. *Journal of applied physiology, 111*(5): 1505-1513.

Walsh R (1983). Meditation practice and research. *Journal of Humanistic Psychology, 23*(1): 18-50.

Walsh R (1999). *Essential spirituality: The seven central practices to awaken heart and mind*. Wiley and Sons.

Wang B, Tsakiridis EE, Zhang S, Llanos A, Desjardins EM, Yabut JM … & Steinberg GR (2021). The pesticide chlorpyrifos promotes obesity by inhibiting diet-induced thermogenesis in brown adipose tissue. *Nature Communications, 12*(1): 1-12.

Warnick, JE, McCurdy CR & Sufka KJ (2005). Opioid receptor function in social attachment in young domestic fowl. *Behavioral Brain Research, 160*: 277-285.

Waters WE & Cliff KS (1983). *Community Medicine: A Textbook for Nurses and Health Visitors.* Taylor & Francis.

Weaver IC, Grant RJ & Meaney MJ (2002). Maternal behavior regulates long-term hippocampal expression of BAX and apoptosis in the offspring. *Journal of neurochemistry, 82*(4): 998-1002.

Weaver SA, Aherne FX, Meaney MJ, Schaefer AL & Dixon WT (2000). Neonatal handling permanently alters hypothalamic-pituitary-adrenal axis function, behaviour, and body weight in boars. *Journal of endocrinology, 164*(3): 349-359.

Weitzer J, Castaño-Vinyals G, Aragonés N, Gómez-Acebo I, Guevara M, Amiano P ... & Kogevinas M (2021). Effect of time of day of recreational and household physical activity on prostate and breast cancer risk (MCC-Spain study). *International journal of cancer, 148*(6): 1360-1371.

West PM (1954). Origin and development of the psychological approach to the cancer problem. (In: *The Psychological variables in human cancer*. University of California Press.)

WHO Commission on the Social Determinants of Health (2007). *Achieving health equity: From root causes to fair outcomes*. World Health Organization.

WHO (2001). Strengthening mental health promotion. WHO (Fact Sheet NO. 220). WHO.

WHO (2013). Health literacy: The solid facts. (https://apps.who.int/iris/bitstream/handle/10665/326432/9789289000154-eng.pdf)

WHO (2013). *Self care for health: a handbook for community health workers and volunteers*. WHO Regional Office for South-East Asia.

WHO (2018). Astana declaration on primary health care. (https://www.who.int/docs/default-source/primary-health/declaration/gcphc-declaration.pdf)

Wilber K (2005). Foreword. (In: Schlitz M, AmorokT & Micozzi MS. *Consciousness and Healing: Integral Approaches to Mind-Body Medicine*. Elsevier.)

Wilber K (2007) / 정창영 (역) (2008). **통합비전: 삶, 종교, 우주, 모든 것에 관한 통합적 접근 방법.** 물병자리.

Wilber K, Patten T, Leonaard A & Morell M (2008). *Integral Life Practice*. Integral Book.

Wilkinson R & Pickett K (2009). *The Spirit Level: Why More Equal Societies Almost Always Do Better*. Allen Lane.

Williams MA & Kaminsky LA (2017). Healthy lifestyle medicine in the traditional healthcare environment-primary care and cardiac rehabilitation. *Progress in cardiovascular diseases, 59*(5): 448-454.

Williams RB (2002). Hostility, neuroendocrine changes, and health outcomes (In: Koenig HG & Cohen HJ (Eds). *The link between religion and health: Psychoneuroimmunology and the faith factor,* Oxford Univ Press)

Wilmanski T, Diener C, Rappaport N, Patwardhan S, Wiedrick J, Lapidus J ... & Price ND (2021). Gut microbiome pattern reflects healthy ageing and predicts survival in humans. *Nature metabolism, 3*(2): 274-286.

Winkleby MA, Jatulis DE, Frank E & Fortmann SP (1992). Socioeconomic status and health: how education, income, and occupation contribute to risk factors for cardiovascular disease. *American journal of public health, 82*(6): 816-820.

Wisneski L (2017). *The scientific basis of integrative health.* CRC Press.

Wisneski LA & Anderson L (2009). *The Scientific Basis of Integrative Medicine* (2nd ed). CRC Press.

Wolever RQ, Dreusicke M, Fikkan J, Hawkins TV, Yeung S, Wakefield J ... & Skinner E (2010). Integrative health coaching for patients with type 2 diabetes. *The Diabetes Educator, 36*(4): 629-639.

Wolever RQ, Simmons LA, Sforzo GA, Dill D, Kaye M, Bechard EM ... & Yang N (2013). A systematic review of the literature on health and wellness coaching: defining a key behavioral intervention in healthcare. *Global advances in health and medicine, 2*(4): 38-57.

Wu H & Ballantyne CM (2017). Skeletal muscle inflammation and insulin resistance in obesity. *The Journal of clinical investigation, 127*(1): 43-54.

Yalom ID (1980). *Existential psychotherapy*. Basic Books.

Yuan TF, Paes F, Arias-Carrión O, Barbosa Ferreira Rocha N, Souza de SáFilho A & Machado S (2015). Neural mechanisms of exercise: anti-depression, neurogenesis, and serotonin signaling. *CNS & Neurological Disorders-Drug Targets (Formerly Current Drug Targets-CNS & Neurological Disorders), 14*(10): 1307-1311.

Yuchi W, Sbihi H, Davies H, Tamburic L & Brauer M (2020). Road proximity, air pollution, noise, green space and neurologic disease incidence: a population-based cohort study. *Environmental Health, 19*(1): 8.

Yun AJ, Lee PY & Doux JD (2006). Are we eating more than we think? Illegitimate signaling and xenohormesis as participants in the pathogenesis of obesity. *Medical hypotheses, 67*(1): 36-40.

Yusuf S, Hawken S, Ôunpuu S, Dans T, Avezum A, Lanas F ... & INTERHEART Study Investigators (2004). Effect of potentially modifiable risk factors associated with myocardial infarction in 52 countries (the INTERHEART study): case-control study. *The lancet, 364*(9438): 937-952.

Zaza C & Baine N (2002). Cancer pain and psychosocial factors: A critical review of the literature. *Journal of Pain and Symptom Management, 24*: 526-542.

Zeidan F, Martucci KT, Kraft RA, Gordon NS, McHaffie JG & Cohgill RC (2011). Brain mechanisms supporting the modulation of pain by mindfulness meditation. *Journal of Neuroscience, 31*(14): 5540-5548.

Zheng W, McLerran DF, Rolland B, Zhang X, Inoue M, Matsuo K ... & Potter JD (2011). Association between body-mass index and risk of death in more than 1 million Asians. *New England Journal of Medicine, 364*(8), 719-729.

Zhu G, Zhang X, Wang Y, Xiong H, Zhao Y & Sun F (2016). Effects of exercise intervention in breast cancer survivors: a meta-analysis of 33 randomized controlled trails. *OncoTargets Ther 9*: 2153-2168.

Zinman B, Wanner C, Lachin JM, Fitchett D, Bluhmki E, Hantel S ... & Inzucchi SE (2015). Empagliflozin, cardiovascular outcomes, and mortality in type 2 diabetes. *New England Journal of Medicine, 373*(22): 2117 -2128.

인명